JN094951

社会保障の手引

＜施策の概要と基礎資料＞

2024
年版

中央法規

社会保障の手引

〈施策の概要と基礎資料〉

2024

中央法規

目　　次

第2編　高齢者の保健福祉

第5編　母子及び父子並びに寡婦の福祉

第6編　母子保健

第7編　生活保護

第8編　生活困窮者等の支援

第9編　社会福祉施設

第10編　戦傷病者，戦没者遺族等の援護

第11編　特殊疾病対策

※本書は原則として，令和5年11月までに公布されている法令に基づく。

第1編

社会福祉一般

1 社会福祉法の概要

〔根拠▶社会福祉法（昭 26.3.29 法律第 45 号）〕

■社会福祉法の概要

この法律の概要を大別すると，次のとおりである。

1．公的社会福祉事業が公明かつ適正に行われることを確保するため，地方に社会福祉行政の第一線機関として福祉事務所を設置すること。

2．社会福祉行政の水準を高めるため，福祉事務所に専門技術職員としての社会福祉主事を置くこと。

3．民間社会福祉事業の純粋性，公共性を高め，その適正かつ確実な経営を確保するため，社会福祉法人の制度を設けること。

4．福祉サービスの適切な利用を促進するため，福祉サービスの利用者等に対する情報提供，苦情の解決など福祉サービスの利用者の保護のための事項を定めること。

5．国民の福祉サービスに対する需要の増大に対応し，必要な福祉サービスが適切に提供されるようにするため，基本指針の策定，福祉人材センター及び福利厚生センターの指定等の社会福祉事業従事者の確保の促進のための制度を設けること。

6．地域社会の福祉ニーズ，福祉資源の組織化を図るとともに，公私を通ずる社会福祉事業の連絡調整等に資するため，社会福祉協議会を設けること。

7．民間社会福祉事業の経済的基礎の安定化を図るため，共同募金に関する事項を整備すること。

■社会福祉法の目的（法第 1 条）

社会福祉を目的とする事業の全分野における共通的基本事項を定め，社会福祉を目的とする他の法律と相まって，福祉サービスの利用者の利益の保護及び地域における社会福祉の推進を図るとともに，社会福祉事業の公明かつ適正な実施の確保及び社会福祉を目的とする事業の健全な発達を図り，もって社会福祉の増進に資することを目的とする。

■社会福祉事業の定義（法第2条）

　この法律では，社会福祉事業をその対象者の要援護性，事業の対象者に与える影響の度合等から，次のとおり，第一種社会福祉事業と第二種社会福祉事業に分類している。

　第一種社会福祉事業は，対象者の要援護性が高く，また，生活の場となる施設の経営や金銭貸与などの経済上の保護を行うなど，対象者に与える影響が大きい事業であり，例えば，特別養護老人ホームの経営等がこれに該当する。第二種社会福祉事業は，第一種社会福祉事業以外の社会福祉事業であって，第一種社会福祉事業に比べて事業実施に伴って対象者に与える影響がそれほど大きくない事業であり，福祉各法の在宅福祉事業や各種相談事業等がこれに該当する。

1．次に掲げる事業を**第一種社会福祉事業**という。

　(1)　生活保護法に規定する救護施設，更生施設その他生計困難者を無料又は低額な料金で入所させて生活の扶助を行うことを目的とする施設を経営する事業及び生計困難者に対して助葬を行う事業

　(2)　児童福祉法に規定する乳児院，母子生活支援施設，児童養護施設，障害児入所施設，児童心理治療施設又は児童自立支援施設を経営する事業

　(3)　老人福祉法に規定する養護老人ホーム，特別養護老人ホーム又は軽費老人ホームを経営する事業

　(4)　障害者の日常生活及び社会生活を総合的に支援するための法律（障害者総合支援法）に規定する障害者支援施設を経営する事業

　(5)　売春防止法に規定する婦人保護施設を経営する事業

　(6)　授産施設を経営する事業及び生計困難者に対して無利子又は低利で資金を融通する事業

2．次に掲げる事業を**第二種社会福祉事業**という。

　(1)　生計困難者に対して，その住居で衣食その他日常の生活必需品若しくはこれに要する金銭を与え，又は生活に関する相談に応ずる事業

　(2)　生活困窮者自立支援法に規定する認定生活困窮者就労訓練事業

　(3)　児童福祉法に規定する障害児通所支援事業，障害児相談支援事業，児童自立生活援助事業，放課後児童健全育成事業，子育て短期支援事業，乳児家庭全戸訪問事業，養育支援訪問事業，地域子育て支援拠点事業，一時預かり事業，小規模住居型児童養育事業，小規模保育事業，病児保育事業又は子育て援助活動支援事業，同法に規定する助産施設，保育所，児童厚生施設又は児童家庭支援センターを経営する事業及び児童の福祉の増進について相談に応ずる事業

　(4)　就学前の子どもに関する教育，保育等の総合的な提供の推進に関する法律に規定する幼保連携型認定こども園を経営する事業

　(5)　民間あっせん機関による養子縁組のあっせんに係る児童の保護等に関する法律に規

定する養子縁組あっせん事業

(6)　母子及び父子並びに寡婦福祉法に規定する母子家庭日常生活支援事業，父子家庭日常生活支援事業又は寡婦日常生活支援事業及び同法に規定する母子・父子福祉施設を経営する事業

(7)　老人福祉法に規定する老人居宅介護等事業，老人デイサービス事業，老人短期入所事業，小規模多機能型居宅介護事業，認知症対応型老人共同生活援助事業又は複合型サービス福祉事業及び同法に規定する老人デイサービスセンター，老人短期入所施設，老人福祉センター又は老人介護支援センターを経営する事業

(8)　障害者総合支援法に規定する障害福祉サービス事業，一般相談支援事業，特定相談支援事業又は移動支援事業及び同法に規定する地域活動支援センター又は福祉ホームを経営する事業

(9)　身体障害者福祉法に規定する身体障害者生活訓練等事業，手話通訳事業又は介助犬訓練事業若しくは聴導犬訓練事業，同法に規定する身体障害者福祉センター，補装具製作施設，盲導犬訓練施設又は視聴覚障害者情報提供施設を経営する事業及び身体障害者の更生相談に応ずる事業

(10)　知的障害者福祉法に規定する知的障害者の更生相談に応ずる事業

(11)　生計困難者のために，無料又は低額な料金で，簡易住宅を貸し付け，又は宿泊所その他の施設を利用させる事業

(12)　生計困難者のために，無料又は低額な料金で診療を行う事業

(13)　生計困難者に対して，無料又は低額な費用で介護保険法に規定する介護老人保健施設又は介護医療院を利用させる事業

(14)　隣保事業（隣保館等の施設を設け，無料又は低額な料金でこれを利用させることその他その近隣地域における住民の生活の改善及び向上を図るための各種の事業を行うものをいう。）

(15)　福祉サービス利用援助事業（精神上の理由により日常生活を営むのに支障がある者に対して，無料又は低額な料金で，福祉サービス（前記1.及び(1)～(14)の事業において提供されるものに限る。）の利用に関し相談に応じ，及び助言を行い，並びに福祉サービスの提供を受けるために必要な手続又は福祉サービスの利用に要する費用の支払に関する便宜を供与することその他の福祉サービスの適切な利用のための一連の援助を一体的に行う事業をいう。）

(16)　前記1.及び(1)～(15)の事業に関する連絡又は助成を行う事業

(注)

(1)　社会福祉法における「社会福祉事業」には，次に掲げる事業は含まれない。

　ア　更生保護事業法に規定する更生保護事業

　イ　実施期間が6月（前記2.の(16)に掲げる事業にあっては，3月）を超えない事業

ウ　社団又は組合の行う事業であって，社員又は組合員のためにするもの

エ　前記 1. 及び 2. の(1)～(12)に掲げる事業であって，常時保護を受ける者が，入所させて保護を行うものにあっては 5 人，その他のものにあっては 20 人（政令で定めるものにあっては，10 人）に満たないもの

オ　前記 2. の(16)に掲げる事業のうち，社会福祉事業の助成を行うものであって，助成の金額が毎年度 500 万円に満たないもの又は助成を受ける社会福祉事業の数が毎年度 50 に満たないもの

(2)　経営主体

第一種社会福祉事業については，原則として，国，地方公共団体又は社会福祉法人にその事業を経営させることとし，その他の者が経営しようとする場合は許可を受けなければならないこととされている。また，第二種社会福祉事業については，経営主体に特段の制限はなく，児童福祉法において認可が必要とされている保育所の経営等一部を除き届出を行えばよいこととされている。

2　福祉サービスの基本的理念等

福祉サービスの基本的理念などについて次の事項を規定している。

■福祉サービスの基本的理念（法第 3 条）

福祉サービスは，個人の尊厳の保持を旨とし，その内容は，福祉サービスの利用者が心身ともに健やかに育成され，又はその有する能力に応じ自立した日常生活を営むことができるように支援するものとして，良質かつ適切なものでなければならない。

■地域福祉の推進（法第 4 条）

1．地域福祉の推進は，地域住民が相互に人格と個性を尊重し合いながら，参加し，共生する地域社会の実現を目指して行われなければならない。

2．地域住民，社会福祉を目的とする事業を経営する者及び社会福祉に関する活動を行う者（地域住民等）は，相互に協力し，福祉サービスを必要とする地域住民が地域社会を構成する一員として日常生活を営み，社会，経済，文化その他あらゆる分野の活動に参加する機会が確保されるように，地域福祉の推進に努めなければならない。

3．地域住民等は，地域福祉の推進に当たっては，福祉サービスを必要とする地域住民及びその世帯が抱える福祉，介護，介護予防（要介護状態若しくは要支援状態となることの予防又は要介護状態若しくは要支援状態の軽減若しくは悪化の防止をいう。），保健医療，住まい，就労及び教育に関する課題，福祉サービスを必要とする地域住民の地域社会からの孤立その他の福祉サービスを必要とする地域住民が日常生活を営み，あらゆる

分野の活動に参加する機会が確保される上での各般の課題を把握し，地域生活課題の解決に資する支援を行う関係機関との連携等によりその解決を図るよう特に留意するものとする。

■福祉サービスの提供の原則（法第5条）

社会福祉を目的とする事業を経営する者は，その提供する多様な福祉サービスについて，利用者の意向を十分に尊重し，地域福祉の推進に係る取組を行う他の地域住民との連携を図り，かつ，保健医療サービスその他の関連するサービスとの有機的な連携を図るよう創意工夫を行いつつ，これを総合的に提供することができるようにその事業の実施に努めなければならない。

3 福祉事務所

福祉事務所（法律上では，福祉に関する事務所と規定されている。）は，生活保護法，児童福祉法などいわゆる福祉各法に定める援護，育成又は更生の措置に関する業務を行う第一線の総合的な社会福祉行政機関である。

■設置（法第14条）

1．都道府県及び市（特別区を含む。以下同じ。）は，条例で，福祉に関する事務所を設置しなければならない。

2．都道府県及び市は，その区域（都道府県にあっては，市及び福祉に関する事務所を設ける町村の区域を除く。）をいずれかの福祉に関する事務所の所管区域としなければならない。

3．町村は，条例で，その区域を所管区域とする福祉に関する事務所を設置することができる。

4．町村は，必要がある場合には，地方自治法の規定により一部事務組合又は広域連合を設けて，3．の事務所を設置することができる。この場合には，当該一部事務組合又は広域連合内の町村の区域をもって，事務所の所管区域とする。

5．都道府県の設置する福祉に関する事務所は，生活保護法，児童福祉法及び母子及び父子並びに寡婦福祉法に定める援護又は育成の措置に関する事務のうち都道府県が処理することとされているものをつかさどるところとする。

6．市町村の設置する福祉に関する事務所は，生活保護法，児童福祉法，母子及び父子並びに寡婦福祉法，老人福祉法，身体障害者福祉法及び知的障害者福祉法に定める援護，育成又は更生の措置に関する事務のうち市町村が処理することとされているもの（政令で定めるものを除く。）をつかさどるところとする。

　7．町村の福祉に関する事務所の設置又は廃止の時期は，会計年度の始期又は終期でなければならない。

　8．町村は，福祉に関する事務所を設置し，又は廃止するには，あらかじめ，都道府県知事に協議しなければならない。

■組　織（法第15条）

　福祉事務所には，長及び少なくとも次の所員を置かなければならない。ただし，所の長が，その職務の遂行に支障がない場合において，自ら現業事務の指導監督を行うときは，指導監督を行う所員を置くことを要しない。

所　員　等	職　　務
1．　所の長	都道府県知事又は市町村長（特別区の区長を含む。）の指揮監督を受けて，所務を掌理する。
2．　指導監督を行う所員（社会福祉主事でなければならない。）	所の長の指揮監督を受けて，現業事務の指導監督をつかさどる。
3．　現業を行う所員（社会福祉主事でなければならない。）	所の長の指揮監督を受けて，援護，育成又は更生の措置を要する者等の家庭を訪問し，又は訪問しないで，これらの者に面接し，本人の資産，環境等を調査し，保護その他の措置の必要の有無及びその種類を判断し，本人に対し生活指導を行う等の事務をつかさどる。
4．　事務を行う所員	所の長の指揮監督を受けて，所の庶務をつかさどる。

（注）　前記のほか，福祉事務所には，次の職員が置かれている。
　(1)　老人福祉の業務に従事する社会福祉主事（老人福祉法第6条）
　(2)　身体障害者福祉司（身体障害者福祉法第11条の2）
　(3)　知的障害者福祉司（知的障害者福祉法第13条）

■所員の定数（法第16条）

　所員の定数は，条例で定める。ただし，現業を行う所員の数は，各福祉事務所につき，それぞれ次に掲げる数を標準として定めるものとする。

設置主体の区分	基　本　定　数		基本定数に追加すべき定数	
都　道　府　県	被保護世帯が390以下の場合	6	被保護世帯が65を増すごとに	1
市（特別区）	〃　　　240　〃	3	〃　　80　〃	1
町　　　　村	〃　　　160　〃	2	〃　　80　〃	1

【参　考】福祉事務所の活動

福祉事務所の活動		

郡部福祉事務所
市部福祉事務所

生活保護の決定と実施（生活保護法）	児童，妊産婦の実情把握・相談・調査指導，助産施設及び母子生活支援施設への入所事務等（児童福祉法）	母子家庭の実情把握・相談及び調査指導等（母子及び父子並びに寡婦福祉法）

郡部福祉事務所

老人福祉（老人福祉法）	身体障害者福祉（身体障害者福祉法）	知的障害者福祉（知的障害者福祉法）
広域連絡調整機関として，①市町村相互間の連絡調整，情報提供，助言・支援等，②各市町村の実態把握		

市部福祉事務所

老人の実情把握，情報提供・相談及び調査指導，施設への入所事務等（老人福祉法）	身体障害者の発見・相談・指導，情報提供，施設への入所事務等（身体障害者福祉法）	知的障害者の実情把握，情報提供，相談・調査指導，施設への入所事務等（知的障害者福祉法）

福祉事務所　1,251か所

所　　長	老人福祉指導主事
査察指導員	家庭児童福祉主事
現 業 員	家庭相談員
面接相談員	婦人相談員
身体障害者福祉司	母子・父子自立支援員
知的障害者福祉司	嘱 託 医

その他福祉六法外の事務
婦人保護・災害救助・民生委員・児童委員・社会福祉協議会・生活福祉資金に関する事務等

（令和5年4月現在）

■服　務（法第17条）

　指導監督を行う所員及び現業を行う所員は，定められた職務にのみ従事しなければならない。ただし，その職務の遂行に支障がない場合に，これらの所員が，他の社会福祉又は保健医療に関する事務を行うことを妨げない。

4　社会福祉主事

■設　置（法第18条）

　都道府県，市及び福祉事務所を設置する町村に，社会福祉主事を置く。

　なお，福祉事務所を設置しない町村にも，社会福祉主事を置くことができる。

■業　務（法第18条）

1．都道府県の社会福祉主事

　　福祉事務所において，生活保護法，児童福祉法及び母子及び父子並びに寡婦福祉法に定める援護又は育成の措置に関する事務を行うことを職務とする。

2．市及び福祉事務所を設置する町村の社会福祉主事

　　福祉事務所において，生活保護法，児童福祉法，母子及び父子並びに寡婦福祉法，老人福祉法，身体障害者福祉法及び知的障害者福祉法に定める援護，育成又は更生の措置に関する事務を行うことを職務とする。

3．福祉事務所を設置しない町村の社会福祉主事

　　老人福祉法，身体障害者福祉法及び知的障害者福祉法に定める援護又は更生の措置に関する事務を行うことを職務とする。

■資　格（法第19条）

　社会福祉主事は，都道府県知事又は市町村長の補助機関である職員とし，年齢18年以上の者であって，人格が高潔で，思慮が円熟し，社会福祉の増進に熱意があり，かつ，次のいずれかに該当するもののうちから任用しなければならない。

1．学校教育法に基づく大学，旧大学令に基づく大学，旧高等学校令に基づく高等学校又は旧専門学校令に基づく専門学校において，厚生労働大臣の指定する社会福祉に関する科目を修めて卒業した者（当該科目を修めて学校教育法に基づく専門職大学の前期課程を修了した者を含む。）

2．都道府県知事の指定する養成機関又は講習会の課程を修了した者

3．社会福祉士

4．厚生労働大臣の指定する社会福祉事業従事者試験（現在は実施されていない）に合格

した者

5．精神保健福祉士等

　なお，前記1．の「厚生労働大臣の指定する社会福祉に関する科目」は，次の科目のうち3科目以上とされている（昭和25年厚生省告示第226号）。

　社会福祉概論，社会福祉事業史，社会福祉援助技術論，社会福祉調査論，社会福祉施設経営論，社会福祉行政論，社会保障論，公的扶助論，児童福祉論，家庭福祉論，保育理論，身体障害者福祉論，知的障害者福祉論，精神障害者保健福祉論，老人福祉論，医療社会事業論，地域福祉論，法学，民法，行政法，経済学，社会政策，経済政策，心理学，社会学，教育学，倫理学，公衆衛生学，医学一般，リハビリテーション論，看護学，介護概論，栄養学，家政学

5　社会福祉法人

　社会福祉法人とは，社会福祉法第2条に定められている社会福祉事業を行うことを目的として設立された法人をいう。

　社会福祉法人制度は，民間社会福祉事業の公共性と純粋性とを確保するために，公益法人とは異なる特別の法人を創設しようとするものであり，社会福祉法人以外の者は，その名称中に，「社会福祉法人」又はこれに紛らわしい文字を用いてはならないと規定して，その名称を保護している。

　なお，社会福祉法人は，社会福祉法第26条の規定により，公益事業及び収益事業を行うことができることとされている。

■設　立（法第30条，第31条）

　社会福祉法人を設立しようとする者は，定款をもって少なくとも次に掲げる事項を定め，厚生労働省令で定める手続に従い，当該定款について所轄庁の認可を受けなければならない。

1．定款に掲げる事項

(1)　目的

(2)　名称

(3)　社会福祉事業の種類

(4)　事務所の所在地

(5)　評議員及び評議員会に関する事項

(6)　役員（理事及び監事をいう。以下同じ。）の定数その他役員に関する事項

(7)　理事会に関する事項

(8)　会計監査人を置く場合には，これに関する事項

(9)　資産に関する事項

(10)　会計に関する事項

(11)　公益事業を行う場合には，その種類

(12)　収益事業を行う場合には，その種類

(13)　解散に関する事項

(14)　定款の変更に関する事項

(15)　公告の方法

2．1．の定款は，電磁的記録（電子的方式，磁気的方式その他人の知覚によっては認識することができない方式で作られる記録であって，電子計算機による情報処理の用に供されるものとして厚生労働省令で定めるもの（磁気ディスク等）をいう。以下同じ。）をもって作成することができる。

3．設立当初の役員及び評議員は，定款で定めなければならない。

4．設立しようとする社会福祉法人が会計監査人設置社会福祉法人（会計監査人を置く社会福祉法人又はこの法律の規定により会計監査人を置かなければならない社会福祉法人をいう。）であるときは，設立当初の会計監査人は，定款で定めなければならない。

5．1．(5)の評議員に関する事項として，理事又は理事会が評議員を選任し，又は解任する旨の定款の定めは，その効力を有しない。

6．前記1．の(13)に掲げる事項中に，残余財産の帰属すべき者に関する規定を設ける場合には，その者は，社会福祉法人その他社会福祉事業を行う者のうちから選定されるようにしなければならない。

7．社会福祉法人の所轄庁は，主たる事務所の所在地の都道府県知事である。ただし，主たる事務所が市の区域内にある社会福祉法人であってその行う事業が当該市の区域を超えないものについては市長（特別区区長を含む。），主たる事務所が指定都市区域内にある社会福祉法人であってその行う事業が1つの都道府県のなかで複数の市町村区域にわたるものについては指定都市市長，社会福祉法人でその行う事業が複数の地方厚生局の管轄区域にわたるものであって，全国を単位として行われる事業等，特定の要件を満たしたものについては厚生労働大臣とする。

■認　可（法第32条）

　　所轄庁は，社会福祉法人の認可の申請があったときは，当該申請に係る社会福祉法人の資産が社会福祉法第25条の要件（社会福祉事業を行うに必要な資産）に該当しているかどうか，その定款の内容及び設立の手続が，法令の規定に違反していないかどうか等を審査した上で，当該定款の認可を決定しなければならない。

■成立の時期（法第 34 条）

社会福祉法人は，その主たる事務所の所在地において設立の登記をすることによって成立する。

■機関の設置及び会計監査人の設置義務（法第 36 条・第 37 条）

1．社会福祉法人は，評議員，評議員会，理事，理事会及び監事を置かなければならない。
2．社会福祉法人は，定款の定めによって，会計監査人を置くことができる。
3．特定社会福祉法人（その事業の規模が政令で定める基準を超える社会福祉法人をいう。）は，会計監査人を置かなければならない。

■評議員（法第 39 条・第 40 条・第 41 条）

1．評議員は，社会福祉法人の適正な運営に必要な識見を有する者のうちから，定款の定めるところにより，選任する。
2．次の者は評議員となることができない。
(1)　法人
(2)　心身の故障のため職務を適正に執行するに当たって必要な認知，判断及び意思疎通を適切に行うことができない者
(3)　生活保護法，児童福祉法，老人福祉法，身体障害者福祉法又はこの法律の規定に違反して刑に処せられ，その執行を終わり又は執行を受けることがなくなるまでの者
(4)　(3)に該当する者を除くほか，禁錮以上の刑に処せられ，その執行を終わり又は執行を受けることがなくなるまでの者
(5)　所轄庁の解散命令により解散を命ぜられた社会福祉法人の解散当時の役員
(6)　暴力団員による不当な行為の防止等に関する法律に規定する暴力団員又は暴力団員でなくなった日から 5 年を経過しない者
3．評議員は，役員又は当該社会福祉法人の職員を兼ねることができない。
4．評議員の数は，定款で定めた理事の員数を超える数でなければならない。
5．評議員のうちには，各評議員について，その配偶者又は 3 親等以内の親族その他各評議員と厚生労働省令で定める特殊の関係がある者が含まれることになってはならない。
6．評議員のうちには，各役員について，その配偶者又は 3 親等以内の親族その他各役員と厚生労働省令で定める特殊の関係がある者が含まれることになってはならない。
7．評議員の任期は，選任後 4 年以内に終了する会計年度のうち最終のものに関する定時評議員会の終結の時までとする。ただし，定款の定めによって 6 年以内に終了する会計年度のうち最終のものに関する定時評議員会の終結の時まで伸長することができる。

■役員等の選任・任期・解任（法第43条〜第45条の7）

1．役員及び会計監査人は，評議員会の決議によって選任する。

2．役員の欠格事由は，■**評議員**の欠格事由2．と同様である。

3．監事は，理事又は当該社会福祉法人の職員を兼ねることができない。

4．理事は6人以上，監事は2人以上でなければならない。

5．役員の任期は，選任後2年以内に終了する会計年度のうち最終のものに関する定時評議員会の終結の時までとする。ただし，定款の定めによって任期を短縮することができる。

6．会計監査人は，公認会計士又は監査法人でなければならない。

7．会計監査人の任期は，選任後1年以内に終了する会計年度のうち最終のものに関する定時評議員会の終結の時までとする。

8．役員が職務上の義務に違反し又は職務を怠ったとき，あるいは心身の故障のため職務の執行に支障があり，又はこれに堪えないときは，評議員会の決議によって，当該役員を解任することができる。

9．監事は，会計監査人が次のいずれかに該当するときは，当該会計監査人を解任することができる。

(1)　職務上の義務に違反し，又は職務を怠ったとき。

(2)　会計監査人としてふさわしくない非行があったとき。

(3)　心身の故障のため，職務の執行に支障があり，又はこれに堪えないとき。

■評議員及び評議員会（法第45条の8〜第45条の12）

1．評議員会は全ての評議員で組織する。

2．定時評議員会は，毎会計年度終了後一定の時期に招集されるが，必要がある場合には，いつでも招集することができる。

3．評議員会の議決事項

(1)　定款の変更

(2)　理事・監事・会計監査人の選任，解任

(3)　理事・監事の報酬の決定　等

■理事及び理事会（法第45条の13〜第45条の17）

1．理事会は全ての理事で組織する。

2．理事会は，次に掲げる職務を行う。

(1)　社会福祉法人の業務執行の決定

(2)　理事の職務の執行の監督

(3)　理事長の選定及び解職

3．理事会は理事の中から理事長1人を選定する。

4．理事会は各理事が招集する。ただし，理事会を招集する理事を定款等で定めたときは，その理事が招集する。

5．理事会の決議は，議決に加わることができる理事の過半数が出席し，その過半数をもって行う。

6．理事長及び理事会の決議によって社会福祉法人の業務を執行するとして選定された理事は，3月に1回以上，自己の職務の執行の状況を理事会に報告しなければならない。

7．理事長は，社会福祉法人の業務に関する一切の裁判上又は裁判外の行為をする権限を有する。

■監　事（法第45条の18）

1．監事は，理事の職務の執行を監査する。この場合において，監事は，厚生労働省令で定めるところにより，監査報告を作成しなければならない。

2．監事はいつでも，理事及び当該社会福祉法人の職員に対して事業の報告を求め，又は業務及び財産の状況の調査をすることができる。

■会計監査人（法第45条の19）

1．会計監査人は，社会福祉法人の計算書類及びその附属明細書を監査する。この場合において，会計監査人は，職務の遂行のため，理事，職員等と意思疎通を図り情報の収集及び監査環境の整備に努め，会計監査報告を作成しなければならない。

2．会計監査人は，財産目録その他の厚生労働省令で定める書類（社会福祉法人会計基準に規定する法人単位貸借対照表に対応する項目）を監査する。この場合において，会計監査人は，会計監査報告に当該監査の結果を併せて記載し，又は記録しなければならない。

3．会計監査人は，その職務を行うため必要があるときは，会計監査人設置社会福祉法人の業務及び財産の状況の調査をすることができる。

■計　算（法第45条の23〜第45条の35）

1．社会福祉法人は，厚生労働省令で定める基準に従い，会計処理を行わなければならない。

2．社会福祉法人の会計年度は，4月1日に始まり，翌年3月31日に終わるものとする。

3．社会福祉法人は，適時に，正確な会計帳簿を作成しなければならない。また，会計帳簿の閉鎖の時から10年間，その会計帳簿及びその事業に関する重要な資料を保存しなければならない。

4．社会福祉法人は，その成立の日における貸借対照表を作成しなければならない。また，

毎会計年度終了後3月以内に，各会計年度に係る計算書類（貸借対照表及び収支計算書）及び事業報告並びにこれらの附属明細書を作成しなければならない。計算書類及び事業報告並びにこれらの附属明細書は，電磁的記録をもって作成することができる。

5．社会福祉法人は，計算書類を作成した時から10年間，当該計算書類及びその附属明細書を保存しなければならない。

6．4．の計算書類，事業報告及び付属明細書は，監事の監査を受け，理事会の承認を受けなければならない。

7．理事は，6．の承認を受けた計算書類等，監査報告を評議員及び定時評議員会に提供又は提出しなければならない。

■定款の変更（法第45条の36）

1．定款の変更は評議員会の決議によらなければならない。

2．定款の変更（厚生労働省令で定める事項を除く。）は，所轄庁の認可を受けなければその効力を生じない。

3．社会福祉法人は，2．の厚生労働省令で定める事項に係る定款の変更をしたときは，遅滞なくその旨を所轄庁に届け出なければならない。

■解散事由（法第46条）

1．社会福祉法人は，次の事由によって解散する。

(1)　評議員会の決議

(2)　定款に定めた解散事由の発生

(3)　目的たる事業の成功の不能

(4)　合併（合併により当該社会福祉法人が消滅する場合に限る。）

(5)　破産手続開始の決定

(6)　所轄庁の解散命令

2．前記1．の(1)又は(3)に掲げる事由による解散は，所轄庁の認可又は認定がなければ，その効力を生じない。

3．清算人は，前記1．の(2)又は(5)に掲げる事由によって解散した場合には，遅滞なくその旨を所轄庁に届け出なければならない。

■残余財産の帰属（法第47条）

1．解散した社会福祉法人の残余財産は，合併（合併により当該社会福祉法人が消滅する場合に限る。）及び破産手続開始の決定による解散の場合を除くほか，所轄庁に対する清算結了の届出の時において，定款の定めるところにより，その帰属すべき者に帰属する。

2．前記1．の規定により処分されない財産は，国庫に帰属する。

■**合 併**（法第48条）

社会福祉法人は，他の社会福祉法人と合併することができる。この場合においては，合併をする社会福祉法人は，合併契約を締結しなければならない。

合併には，吸収合併と新設合併がある。

1．吸収合併

社会福祉法人が他の社会福祉法人とする合併であって，合併により消滅する社会福祉法人の権利義務の全部を合併後存続する社会福祉法人に承継させるものをいう。

2．新設合併

2以上の社会福祉法人がする合併であって，合併により消滅する社会福祉法人の権利義務の全部を合併により設立する社会福祉法人に承継させるものをいう。

■**監 督**（法第56条）

1．所轄庁は，この法律の施行に必要な限度において，社会福祉法人に対し，その業務若しくは財産の状況に関し報告をさせ，又は当該職員に，社会福祉法人の事務所その他の施設に立ち入り，その業務若しくは財産の状況若しくは帳簿，書類その他の物件を検査させることができる。

2．前項の規定により立入検査をする職員は，その身分を示す証明書を携帯し，関係人にこれを提示しなければならない。

3．1．の規定による立入検査の権限は，犯罪捜査のために認められたものと解してはならない。

4．所轄庁は，社会福祉法人が，法令，法令に基づいてする行政庁の処分若しくは定款に違反し，又はその運営が著しく適正を欠くと認めるときは，当該社会福祉法人に対し，期限を定めて，その改善のために必要な措置（役員の解職を除く。）をとるべき旨を勧告することができる。

5．所轄庁は，4．の規定による勧告をした場合において，当該勧告を受けた社会福祉法人が期限内にこれに従わなかったときは，その旨を公表することができる。

6．所轄庁は，4．の規定による勧告を受けた社会福祉法人が，正当な理由がないのに当該勧告に係る措置をとらなかったときは，当該社会福祉法人に対し，期限を定めて，当該勧告に係る措置を採るべき旨を命ずることができる。

7．社会福祉法人が前記6．の命令に従わないときは，所轄庁は，当該社会福祉法人に対し，期間を定めて業務の全部若しくは一部の停止を命じ，又は役員の解職を勧告することができる。

8．所轄庁は，社会福祉法人が，法令，法令に基づいてする行政庁の処分若しくは定款に違反した場合であって他の方法により監督の目的を達することができないとき，又は正当の事由がないのに1年以上にわたってその目的とする事業を行わないときは，解散を

命ずることができる。

9．所轄庁は，前記7．の規定により役員の解職を勧告しようとする場合には，当該社会福祉法人に，所轄庁の指定した職員に対して弁明する機会を与えなければならない。この場合においては，当該社会福祉法人に対し，あらかじめ，書面をもって，弁明をなすべき日時，場所及びその勧告をなすべき理由を通知しなければならない。

10．前記9．の通知を受けた社会福祉法人は，代理人を出頭させ，かつ，自己に有利な証拠を提出することができる。

11．前記9．の規定による弁明を聴取した者は，聴取書及び当該勧告をする必要があるかどうかについての意見を付した報告書を作成し，これを所轄庁に提出しなければならない。

■助成等（法第58条）

1．国又は地方公共団体は，必要があると認めるときは，厚生労働省令又は当該地方公共団体の条例で定める手続に従い，社会福祉法人に対し，補助金を支出し，又は通常の条件よりも当該社会福祉法人に有利な条件で，貸付金を支出し，若しくはその他の財産を譲り渡し，若しくは貸し付けることができる。ただし，国有財産法及び地方自治法第237条第2項の規定の適用を妨げない。

2．前記1．の規定により，社会福祉法人に対する助成がなされたときは，厚生労働大臣又は地方公共団体の長は，その助成の目的が有効に達せられることを確保するため，当該社会福祉法人に対して，次に掲げる権限を有する。

(1)　事業又は会計の状況に関し報告を徴すること。

(2)　助成の目的に照らして，社会福祉法人の予算が不適当であると認める場合において，その予算について必要な変更をすべき旨を勧告すること。

(3)　社会福祉法人の役員が法令，法令に基づいてする行政庁の処分又は定款に違反した場合において，その役員を解職すべき旨を勧告すること。

3．国又は地方公共団体は，社会福祉法人が前記2．の規定による措置に従わなかったときは，交付した補助金若しくは貸付金又は譲渡し，若しくは貸し付けたその他の財産の全部又は一部の返還を命ずることができる。

4．社会福祉法第56条第9項から第11項（社会福祉法人の役員の解職を勧告する場合における，弁明の機会を与えること等）までの規定は，前記2．の(3)の規定により解職を勧告し，又は前記3．の規定により補助金若しくは貸付金の全部若しくは一部の返還を命令する場合に準用する。

6　社会福祉連携推進法人

　社会福祉連携推進法人とは，地域における良質かつ適切な福祉サービスの提供及び社会福祉法人の経営基盤の強化を図るため，社会福祉法人等が社員となり，福祉サービス事業者間の連携・協働を図るための取組を行う法人をいう。

■**認　定**（法第125条）

　一般社団法人は，次に掲げる業務（以下「社会福祉連携推進業務」という。）の全部又はいずれかを行おうとする場合に，所轄庁から社会福祉連携推進法人に係る認定（以下「社会福祉連携推進認定」という。）を受けることができる。

1．地域福祉の推進に係る取組を社員が共同して行うための支援
2．災害が発生した場合における社員（社会福祉事業を経営するものに限る。）が提供する福祉サービスの利用者の安全を社員が共同して確保するための支援
3．社員が経営する社会福祉事業の経営方法に関する知識の共有を図るための支援
4．資金の貸付けその他の社員（社会福祉法人に限る。）を通じた社会福祉事業に係る業務を行うのに必要な資金を調達するための支援
5．社員が経営する社会福祉事業の従事者の確保のための支援及びその資質の向上を図るための研修
6．社員が経営する社会福祉事業に必要な設備又は物資の供給

■**認定申請**（法第126条）

1．認定の申請は，必要事項を記載した申請書に，定款，社会福祉連携推進方針等の書類を添えてしなければならない。
2．社会福祉連携推進方針には，次に掲げる事項を記載しなければならない。
　(1)　社員の氏名又は名称
　(2)　社会福祉連携推進区域の範囲
　(3)　社会福祉連携推進業務の内容
　(4)　貸付業務に係る事項

■**認定の基準**（法第127条）

　所轄庁は，社会福祉連携推進認定の申請をした一般社団法人が次に掲げる基準に適合すると認めるときは，当該法人について社会福祉連携推進認定をすることができる。

1．その設立の目的について，社員の社会福祉に係る業務の連携を推進し，並びに地域における良質かつ適切な福祉サービスの提供及び社会福祉法人の経営基盤の強化に資することが主たる目的であること。

2．社員の構成について，社会福祉法人その他社会福祉事業を経営する者又は社会福祉法人の経営基盤を強化するために必要な者として厚生労働省令で定める者を社員とし，社会福祉法人である社員の数が社員の過半数であること。

3．社会福祉連携推進業務を適切かつ確実に行うに足りる知識及び能力並びに財産的基礎を有するものであること。

4．社員の資格の得喪に関して，1.の目的に照らし，不当に差別的な取扱いをする条件その他の不当な条件を付していないものであること。

5．定款において，一般社団法人及び一般財団法人に関する法律（以下「一般法人法」という。）第11条第1項各号に掲げる事項のほか，必要事項を定めていること。

■名　称（法第130条）

1．その名称中に社会福祉連携推進法人という文字を用いなければならない。

2．社会福祉連携推進法人でない者は，その名称又は商号中に，社会福祉連携推進法人であると誤認されるおそれのある文字を用いてはならない。

■認定所轄庁（法第131条）

社会福祉連携推進法人の所轄庁（以下「認定所轄庁」という。）は，社会福祉法人に関する規定（法第30条）を準用する。

■業務運営（法第132条）

1．社員の社会福祉に係る業務の連携の推進及びその運営の透明性の確保を図り，地域における良質かつ適切な福祉サービスの提供及び社会福祉法人の経営基盤の強化に資する役割を積極的に果たすよう努めなければならない。

2．社会福祉連携推進業務を行うに当たり，当該一般社団法人の社員，理事，監事，職員その他の関係者に対し特別の利益を与えてはならない。

3．社会福祉連携推進業務以外の業務を行う場合には，社会福祉連携推進業務以外の業務を行うことによって社会福祉連携推進業務の実施に支障を及ぼさないようにしなければならない。

4．社会福祉事業を行うことができない。

■社員の義務（法第133条）

社員（社会福祉事業を経営する者に限る。■業務運営において同じ。）は，その提供する福祉サービスに係る業務を行うに当たり，その所属する社会福祉連携推進法人の社員である旨を明示しておかなければならない。

■委託募集の特例等（法第134条）

1. 社会福祉連携推進法人の社員が，当該社会福祉連携推進法人をして社会福祉事業に従事する労働者の募集に従事させようとする場合において，当該社会福祉連携推進法人が社会福祉連携推進業務として当該募集に従事しようとするときは，職業安定法第36条第1項・第3項の規定（委託募集の際の厚生労働大臣の許可）は，当該社員については，適用しない。

2. 社会福祉連携推進法人は，社会福祉事業に従事する労働者の募集に従事するときは，あらかじめ，募集時期，募集人員，募集地域その他の労働者の募集に関する事項を厚生労働大臣に届け出なければならない。

■評価の結果の公表等（法第136条）

1. 社会福祉連携推進評議会による評価の結果を公表しなければならない。

2. 社会福祉連携推進評議会による意見を尊重するものとする。

■定款の変更等（法第139条）

1. 厚生労働省令で定める事項に係るものを除く定款の変更は，認定所轄庁の認可を受けなければ，その効力を生じない。

2. 厚生労働省令で定める事項に係る定款の変更をしたときは，遅滞なくその旨を認定所轄庁に届け出なければならない。

■社会福祉連携推進方針の変更（法第140条）

社会福祉連携推進方針を変更しようとするときは，認定所轄庁の認定を受けなければならない。

■代表理事の選定及び解職（法第142条）

代表理事の選定及び解職は，認定所轄庁の認可を受けなければ，その効力を生じない。

■社会福祉連携推進認定の取消し（法第145条）

1. 認定所轄庁は，社会福祉連携推進法人が次の(1)(2)のいずれかに該当するときは，社会福祉連携推進認定を取り消さなければならない。

(1) 欠格事由のいずれかに該当するに至ったとき。

(2) 偽りその他不正の手段により社会福祉連携推進認定を受けたとき。

2. 認定所轄庁は，社会福祉連携推進法人が次の(1)～(3)のいずれかに該当するときは，社会福祉連携推進認定を取り消すことができる。

(1) **■認定の基準** 1.～4.に掲げる認定基準のいずれかに適合しなくなったとき。

(2)　社会福祉連携推進法人から社会福祉連携推進認定の取消しの申請があったとき。

(3)　社会福祉法若しくは社会福祉法に基づく命令又はこれらに基づく処分に違反したとき。

■**社会福祉法人に関する規定の準用**（法第138条第1項，第141条，第143条第1項及び第144条）

社会福祉連携推進法人の計算，解散及び清算，役員等並びに認定所轄庁による監督等については，社会福祉法人に関する規定を準用する。

■**一般社団法人及び一般財団法人に関する法律の適用除外**（法第147条）

社会福祉連携推進法人については，一般法人法における名称，監事の任期，貸借対照表の公告，合併に関する法律の規定は，適用しない。

7　社会福祉事業等従事者の確保の促進のための措置

■**目　的**

社会福祉事業を適正に実施していく観点から，社会福祉事業従事者の確保の促進を図るため，いわゆる福祉人材確保法（社会福祉事業法及び社会福祉施設職員退職手当共済法の一部を改正する法律）により，以下の措置が法制化された。

■**基本指針**（法第89条）

1．厚生労働大臣は，社会福祉事業の適正な実施を確保し，社会福祉事業その他政令で定める社会福祉を目的とする事業の健全な発達を図るため，社会福祉事業等従事者の確保及び国民の社会福祉に関する活動への参加の促進を図るための措置に関する基本指針を定める。

2．基本指針に定める事項

(1)　社会福祉事業等従事者の就業の動向に関する事項

(2)　社会福祉事業等を経営する者が行う，社会福祉事業等従事者に係る処遇の改善（民間施設等），資質の向上，新規の社会福祉事業等従事者の確保に資する措置その他の社会福祉事業等従事者の確保に資する措置の内容に関する事項

(3)　(2)の適正かつ有効な実施を図るために必要な措置の内容に関する事項

(4)　国民の社会福祉事業等に対する理解を深め，国民の社会福祉に関する活動への参加を促進するために必要な措置の内容に関する事項

■「社会福祉事業に従事する者の確保を図るための措置に関する基本的な指針」の概要

（平成 19 年厚生労働省告示第 289 号）

　　人材確保のために講ずべき措置を以下の 5 つの観点から整理するとともに，これらの措置について，経営者・関係団体等並びに国及び地方公共団体が十分な連携を図りつつそれぞれの役割を果たすことにより，従事者の処遇の改善や福祉・介護サービスの社会的評価の向上等に取り組んでいくこととしている。なお，指針の実施状況については，評価・検討し，必要に応じて見直すこととしている。

1．就職期の若年層から魅力ある仕事として評価・選択されるようにし，さらには従事者の定着の促進を図るための「労働環境の整備の推進」

　　（具体的な取組例）

　(1)　キャリアと能力に見合う給与体系の構築，適切な給与水準の確保，給与水準・事業収入の分配状況等の実態を踏まえた適切な水準の介護報酬等の設定，介護報酬等における専門性の高い人材の評価の在り方についての検討

　(2)　労働時間の短縮の推進，労働関係法規の遵守，健康管理対策等の労働環境の改善

　(3)　新たな経営モデルの構築，介護技術等に関する研究及び普及　等

2．今後，ますます増大する福祉・介護ニーズに的確に対応し，質の高いサービスを確保する観点から，従事者の資質の向上を図るための「キャリアアップの仕組みの構築」

　　（具体的な取組例）

　(1)　施設長や生活相談員等の資格要件の見直し等を通じた従事者のキャリアパスの構築

　(2)　従事者のキャリアパスに対応した研修体系の構築

　(3)　経営者間のネットワークを活かした人事交流による人材育成　等

3．国民が，福祉・介護サービスの仕事が今後の少子高齢社会を支える働きがいのある仕事であること等について理解し，福祉・介護サービス分野への国民の積極的な参入・参画が促進されるための「福祉・介護サービスの周知・理解」

　　（具体的な取組例）

　(1)　教育機関等によるボランティア体験の機会の提供

　(2)　職場体験，マスメディアを通じた広報活動等による理解の促進　等

4．介護福祉士や社会福祉士等の有資格者等を有効に活用するため，潜在的有資格者等の掘り起こし等を行うなどの「潜在的有資格者等の参入の促進」

　　（具体的な取組例）

　　潜在的有資格者等の実態把握，福祉人材センター等による相談体制の充実，無料職業紹介等による就業支援・定着の支援　等

5．福祉・介護サービス分野において，新たな人材として期待される，他分野で活躍している人材，高齢者等の「多様な人材の参入・参画の促進」

　　（具体的な取組例）

高齢者への研修，障害者への就労支援等を通じた参入・参画の促進

■福祉人材センター（法第93条〜第101条）

1．都道府県福祉人材センター

都道府県知事は，次の業務を行う社会福祉法人を都道府県福祉人材センターとして指定することができる。

(1)　社会福祉事業等に関する啓発活動

(2)　社会福祉事業等従事者の確保に関する調査研究

(3)　指針に基づき経営者が行う社会福祉事業等従事者の確保に資する措置に関する相談その他の援助

(4)　社会福祉事業等の業務に関する研修

(5)　社会福祉事業等従事者の確保に関する連絡

(6)　社会福祉事業等に従事しようとする者への就業の援助

(7)　(1)〜(6)に掲げるもののほか，社会福祉事業等従事者の確保を図るために必要な業務

2．中央福祉人材センター

厚生労働大臣は，都道府県福祉人材センターの業務について，啓発，連絡調整，指導，情報提供等の業務を行う社会福祉法人を中央福祉人材センターとして指定することができる。

■福祉人材バンク

福祉人材バンク事業は，地域住民に福祉サービスについての啓発を行うとともに，福祉マンパワーの育成及び潜在福祉マンパワーの就労促進に必要な事業を実施し，もって福祉マンパワー確保対策の推進を図ることを目的とする。

1．実施主体

都道府県，指定都市，中核市。ただし社会福祉法人に委託することができる。

2．事業内容

(1)　福祉マンパワーの啓発広報

(2)　福祉マンパワーの求人，求職の登録・斡旋

(3)　福祉マンパワーの求人，求職の情報について福祉人材センターとの連携

(4)　福祉人材センターが実施する養成研修の支援等

■福利厚生センター（法第102条〜第106条）

厚生労働大臣は，社会福祉事業等従事者の以下の福利厚生に関する事業を実施する社会福祉法人を福利厚生センターとして指定することができる。

1．社会福祉事業等経営者に対する社会福祉事業等従事者の福利厚生に関する啓発活動

2．社会福祉事業等従事者の福利厚生に関する調査研究
3．福利厚生契約に基づき，社会福祉事業等従事者の福利厚生の増進を図るための事業の実施
4．社会福祉事業等従事者の福利厚生に関し，社会福祉事業等経営者に対する連絡，助成
5．前記1．～4．に掲げるもののほか，社会福祉事業等従事者の福利厚生の増進を図るために必要な業務

8　重層的支援体制整備事業

根拠▶重層的支援体制整備事業の実施について
（令5.8.8 社援発0808 第48 号ほか）

　社会福祉法第106条の4第2項に基づき，市町村（特別区，広域連合及び一部事務組合を含む。）において，対象者の属性を問わない相談支援，多様な参加支援，地域づくりに向けた支援を一体的に実施することにより，地域住民の複合化・複雑化した支援ニーズに対応する包括的な支援体制を整備することを目的とする。

■実施主体
　市町村

■事業の種類
　市町村は，次に掲げる事業を実施する。
　1．包括的相談支援事業
　⑴　介護保険法に掲げる地域支援事業に定める包括的支援事業（地域包括支援センターの運営）
　⑵　障害者の日常生活及び社会生活を総合的に支援するための法律に掲げる地域生活支援事業等に定める相談支援事業
　⑶　子ども・子育て支援法に定める利用者支援事業
　⑷　生活困窮者自立支援法に定める生活困窮者自立相談支援事業
　⑸　生活困窮者自立支援法に定める福祉事務所未設置町村による相談事業
　2．地域づくり事業
　⑴　介護保険法に掲げる事業のうち厚生労働大臣が定める事業（地域支援事業に定める介護予防・日常生活支援総合事業の一般介護予防事業のうち地域介護予防活動支援事業）
　⑵　介護保険法に掲げる事業（地域支援事業に定める包括的支援事業（社会保障充実分）

のうち生活支援体制整備事業）

(3)　障害者総合支援法に掲げる事業（地方交付税により措置する基礎的事業及び地域生活支援事業等に定める地域活動支援センター機能強化事業）

(4)　子ども・子育て支援法に掲げる事業（地域子育て支援拠点事業に定める地域子育て支援拠点事業）

(5)　「生活困窮者自立相談支援事業等の実施について」に定める生活困窮者支援等のための地域づくり事業

3．多機関協働事業等

　　参加支援事業，アウトリーチ等を通じた継続的支援事業及び多機関協働事業を行う事業

■事業の実施

各事業の実施は次による。

1．重層的支援体制整備事業の実施における留意事項
2．重層的支援体制整備事業の枠組みについて
3．包括的相談支援事業実施要領
4．地域づくり事業実施要領
5．多機関協働事業等実施要領

1　重層的支援体制整備事業の実施における留意事項

■重層的支援体制整備事業実施に係る心構え

　市町村において包括的な支援体制を整備するには，個別支援と地域に対する支援の両面を通じ，人と人のつながりを基盤としたセーフティネットを強化することが必要。このためには，地域住民・支援関係機関等との間で意見交換や対話を繰り返し，目的意識の共有が必要不可欠である。事業の担当者は，既存の支援関係機関等を支援する「支援者支援」の機能を担うべきであり，個別の対象者への支援や地域活動への支援を一手に担うことは決して望ましくはない。特に，「支援困難ケース」の担当部署で担当者が孤立し疲弊するような状況になると，事業本来の意義が失われかねないことに留意が必要である。

■重層事業実施に向けて必要なプロセス

1．なぜ「わがまち」に重層事業が必要なのかの理解
2．「重層的」な取組を行うことの合意
3．事業のデザイン

2　重層的支援体制整備事業の枠組みについて

■重層的支援体制整備事業の枠組み

　市町村において，地域住民の複雑化・複合化した支援ニーズに対応する包括的な支援体制を整備するため，①属性を問わない相談支援，②参加支援，③地域づくりに向けた支援を柱として，これら3つの支援を一層効果的・円滑に実施するために，④多機関協働による支援，⑤アウトリーチ等を通じた継続的支援を新たな機能として強化し，①から⑤までの事業を一体的に実施する。

■社会福祉法第106条の3第1項に規定する市町村の努力義務を踏まえた対応

　社会福祉法において，市町村は，重層的支援体制整備事業をはじめとする次の1.～3.の各施策の積極的な実施等を通じ，地域住民等・関係機関による地域福祉推進のための相互協力が円滑に行われ，地域生活課題の解決に資する支援が包括的に提供される体制を整備するよう努める。

1. 地域住民の地域福祉活動への参加を促進するための環境整備のための施策
2. 住民に身近な圏域において，分野を超えて地域生活課題について総合的に相談に応じ，関係機関と連絡調整等を行う体制整備のための施策
3. 主に市町村圏域において，生活困窮者自立相談支援機関等の関係機関が協働して，複合化した地域生活課題を解決するための体制整備のための施策

　本事業はこれら3施策を一体的に備えた事業であり，相談支援及び地域づくりに向けた支援を実施する場合は，地域生活課題の解決に資する支援が包括的に提供される体制を整備する観点から，市町村全体で事業の対象者の属性や世代に関わらず包括的に相談を受け止めるものとする。

3　包括的相談支援事業実施要領

　介護，障害，子育て，生活困窮分野の各相談支援事業者が，相談者の属性に関わらず包括的に相談を受け止め，相談者の課題を整理し，利用可能な福祉サービス等の情報提供等を行うとともに，受け止めた相談のうち，解決が難しい事例は適切な事業者や各種支援機関と連携を図りながら支援を行い，地域住民の複雑化・複合化した支援ニーズに対応する包括的な支援体制を整備する。

■実施主体

　市町村。ただし，事務の全部又は一部を地域における福祉に資する事業について実績を有する社会福祉法人，一般社団法人若しくは一般財団法人又は特定非営利活動法人その他

事業を適切に実施できると認めるものに委託できる。

■**事業内容**

　介護，障害，子育て，生活困窮分野ごとに行われている相談支援の取組を一体的に実施することで，地域包括支援センターの運営，相談支援事業，利用者支援事業及び自立相談支援事業（福祉事務所未設置町村は福祉事務所未設置町村相談事業）を実施する事業者は，相談者の属性に関わらず地域住民からの相談を幅広く受け止めることができ，市町村の創意工夫のもとで分野横断的に包括的な支援体制を整備することができる。こうした点を踏まえ，次の取組を行う。

1．実施市町村内において，次の(1)～(4)の全ての事業を一体的に実施する。

　(1)　地域包括支援センターの運営

　(2)　相談支援事業

　(3)　利用者支援事業

　(4)　自立相談支援事業（福祉事務所未設置町村は福祉事務所未設置町村相談事業）

2．包括的相談支援事業者は，次の取組を行う。

　(1)　包括的な相談の受け止め

　　　相談者の属性や世代，相談内容に関わらず，相談を受け止め，本人に寄り添い，抱える課題の解きほぐしや整理を行う。受け止めた相談のうち，当該事業者のみでは解決が難しい場合，地域における各支援関係機関と連携を図りながら対応し，必要に応じて適切な支援関係機関につなぐ。

　(2)　包括的相談支援事業者から多機関協働事業者へのつなぎ

　①　多機関協働事業者へのつなぎ（支援依頼）

　　　相談者が複合化・複雑化した支援ニーズを抱えているため，課題の全体像を俯瞰し，支援関係機関の役割分担を整理する必要のある事例や，アウトリーチ等を通じた継続的支援や参加支援の対象になることが想定される事例については，包括的相談支援事業者から多機関協働事業者に支援を依頼する。

　②　重層的支援会議への参加

　　　重層的支援会議には，原則として包括的相談支援事業者も参加する。重層的支援会議の結果，多機関協働事業者に紹介した元の包括的相談支援事業者が主担当として適当と判断された場合は，多機関協働事業者からの助言や支援関係機関等の連携体制を活用しながら，当該包括的相談支援事業者において当該事例への対応を行う。

　③　多機関協働事業による支援が行われている際の包括的相談支援事業との連携

　　　支援関係機関の紹介により多機関協働事業につながった事例のうち，支援関係機関の役割分担に時間を要する等の理由により，一定期間，多機関協働事業による継続的支援が行われる場合も想定される。この場合，包括的相談支援事業者は，多機

関協働事業者からの要請に基づき積極的に連携を図り，支援に関わることが求められる。

④　支援終結後の包括的相談支援事業へのつなぎもどし

　　支援関係機関の役割分担等が定まり多機関協働事業による支援が終結した場合には，多機関協働事業のプランに基づき適切な機関につなぐ。多機関協働事業者から包括的相談支援事業者につながることも想定されることから，日頃から地域の支援関係機関と連携することが重要であり，終結後に適切な支援ができるよう事前に体制を整えておく。また，多機関協働事業のプランの適切性の検討や支援決定は，重層的支援会議で行われることから，原則，包括的相談支援事業者も重層的支援会議に参加することが求められる。

3．包括的相談支援事業の実施体制

　本事業は，市町村全体で包括的な支援体制の構築を目指すもので，個々の相談支援拠点の具体的設置形態については，各分野の相談支援拠点のまま他の分野の機関と連携して対応する形態やワンストップの総合相談窓口を設けるものなど，想定される設置形態の類型は以下のとおりである。

(1)　基本型事業・拠点

　　事業内容の1　の(1)〜(4)の事業のうち，単一の事業の委託を受けて支援を実施する形態。従来の機能をベースとしつつも，地域住民の様々なニーズに対応する。

(2)　統合型事業・拠点

　　事業内容の1　の(1)〜(4)の事業のうち，複数の事業の委託を受けて相談支援拠点を集約して支援を実施する形態。なお，統合型による実施体制の場合でも，各事業に規定の人員配置基準を満たす必要がある。

(3)　地域型事業・拠点

　　各事業の基準を満たす基本型事業・拠点や統合型事業・拠点を市町村内においた上で，地域住民に身近な場所等で相談や活動を行う形態。住民自身も担い手となることも想定される。

4　地域づくり事業実施要領

　地域資源を幅広く把握した上で，世代や属性を超えて住民同士が交流できる多様な場や居場所を整備する，交流・参加・学びの機会を生み出すために個別の活動や人をコーディネートする，地域のプラットフォームの促進を通じて地域における活動を活性化すること等を通じて，多様な地域活動が生まれやすい環境整備を行う。

■実施主体

　市町村。ただし，事務の全部又は一部を地域における福祉に資する事業について実績を

有する社会福祉法人，一般社団法人若しくは一般財団法人又は特定非営利活動法人その他事業を適切に実施できると認めるものに委託できる。

■事業内容

　介護，障害，子育て，生活困窮分野ごとに行われている地域づくりに向けた支援の取組を一体的に実施することで，地域介護予防活動支援事業，生活支援体制整備事業，地域活動支援センター事業，地域子育て支援拠点事業及び生活困窮者支援等のための地域づくり事業を実施する事業者は，属性に関わらず地域住民を広く対象としつつ，多様な地域活動が生まれやすい環境整備を行うことができる。本事業では以下の取組を行う。

１．次の(1)～(5)の全ての事業を一体的に実施する。

(1) 地域介護予防活動支援事業

(2) 生活支援体制整備事業

(3) 地域活動支援センター事業

(4) 地域子育て支援拠点事業

(5) 生活困窮者支援等のための地域づくり事業

２．地域づくり事業者は，次の取組を行う。

(1) 世代や属性を超えて交流できる場や居場所の整備

　　血縁・地縁等の共同体機能が脆弱化する中，人と人がつながり支えあう環境を整え，緩やかなつながりによる見守り等のセーフティネットの充実を図るため，地域づくり事業の拠点等の利活用や，サロン，地域食堂，民間のカフェ等の交流場所の新設などを行う。

(2) 個別の活動や人のコーディネート

　　地域づくり事業で，コーディネーターに求められる役割として，人と人，人と社会資源をつなぎ，気にかけあう関係性が地域で生まれやすくなるよう働きかけていく。

(3) 多分野がつながるプラットフォームの展開について

　　地域の社会資源がつながり，地域における様々な活動や次の展開に向けて働きかけることを目的として，地域の多様な主体が情報交換等ができる場・機会（プラットフォーム）を設定するよう努める。

5　多機関協働事業等実施要領

■多機関協働事業

　支援の進捗状況等を把握し，必要に応じて専門職に助言を行い，単独の支援関係機関では対応が難しい複合化・複雑化した事例の調整役を担い，支援関係機関の役割分担や支援の方向性を定め，支援プランの策定等の取組を通じ，重層的支援体制整備事業に関わる関

係者の連携の円滑化を進め，市町村における包括的な支援体制の構築を支援する。

1．実施主体

　　市町村。事務の全部又は一部を地域における福祉に資する事業について実績を有する社会福祉法人，一般社団法人若しくは一般財団法人又は特定非営利活動法人その他事業を適切に実施することができると認めるものに委託できる。

2．事業内容

(1)　多機関協働事業の基本的な役割

　　複雑化・複合化した事例に対応する支援関係機関の抱える課題の把握や，各支援関係機関の役割分担，支援の方向性の整理といった，事例全体を調整するものであり，多機関協働事業は主に支援者を支援する役割を担う。ただし，必要に応じて，相談者本人に直接会って独自のアセスメントを行うといった直接的支援も行う。

(2)　相談受付・アセスメント

　　多機関協働事業による相談受付を行うことが決まった場合，原則，本人に相談受付・申込票（参考様式）を記入してもらい，利用申込（本人同意）を受ける。その後，支援方針等の検討を行うため，必要な情報を関係機関や本人等から収集する。収集した情報はアセスメント・シートや重層的支援会議に提示する。

(3)　プラン作成

　　アセスメントの結果を踏まえ，支援関係機関の連携体制のもと，支援関係機関の役割分担や支援目標・方向性を整理したプランを作成する。

(4)　支援の実施

　　支援関係者がチーム一体となりプランに基づく支援が円滑に進むよう必要な支援を行う。支援状況は重層的支援会議等において随時把握し，必要があれば支援関係機関の役割分担や支援の方向性の整理・変更を行う。

(5)　終結

　　支援の見通しがつき，プランによって支援関係機関の役割分担について合意形成が図られた時点で支援者としての多機関協働事業の関わりは終了する。なお，終結後に本人の状態や環境に変化が生じた場合等には，支援を再開する。そのためには支援終結後も支援関係機関と情報共有できる体制を確保しておく。

(6)　重層的支援会議

　①　会議の開催

　　会議は多機関協働事業者が主催し，市町村はすべての会議に参加する。

　②　会議の役割

　　重層的支援体制整備事業が適切・円滑に実施されるために開催するものであり，以下の役割がある。

　　ア　プランの適切性の協議

イ　プラン終結時等の評価

ウ　社会資源の充足状況の把握と開発に向けた検討

③　会議の参加者

多機関協働事業者，市町村は必須。包括的相談支援事業，アウトリーチ等を通じた継続的支援事業，参加支援事業の事業者，本人等は必要に応じて招集する。

■アウトリーチ等を通じた継続的支援事業

支援関係機関等との連携や地域住民とのつながりを構築し，複合化・複雑化した課題を抱えながらも支援が届いていない人を把握する。また，潜在的ニーズを抱える人の情報を得たのち，本人と信頼関係に基づくつながりを形成するために，時間をかけた丁寧な働きかけを行い，関係性をつくる。

1．実施主体

市町村。ただし，事務の全部又は一部を地域における福祉に資する事業について実績を有する社会福祉法人，一般社団法人若しくは一般財団法人又は特定非営利活動法人その他事業を適切に実施できると認めるものに委託できる。

2．事業内容

長期にわたりひきこもりの状態にあるなど，複雑化・複合化した支援ニーズを抱えながらも必要な支援が届いていない者に支援を届ける。支援関係機関や地域の関係者との連携した情報収集，事前調整，関係性構築に向けた支援，家庭訪問及び同行支援によって支援を実施する。

■参加支援事業

既存の社会参加に向けた事業では対応できない本人のため，本人やその世帯のニーズや課題などを丁寧に把握し，地域の社会資源や支援メニューとマッチングを行う。また，既存の社会資源に働きかけるなど，本人やその世帯の支援ニーズ等に合った支援メニューをつくることを目的とし，マッチング後に希望に沿った支援が実施できているかフォローアップ等を行い，本人やその世帯と社会とのつながりづくりに向けた支援を行う。

1．実施主体

市町村。ただし，事務の全部又は一部を地域における福祉に資する事業について実績を有する社会福祉法人，一般社団法人若しくは一般財団法人又は特定非営利活動法人その他事業を適切に実施できると認めるものに委託できる。

2．事業内容

既存の事業では対応できない狭間の個別ニーズに対応するため，本人やその世帯の支援ニーズと地域の社会資源との間の調整を行うことで，多様な社会参加の実現を目指す。

3．支援の実施

(1) 本人のアセスメントを行い，社会参加に向けた支援の内容が決まった段階でプランを作成し，重層的支援会議に諮る。

(2) 本人やその世帯の支援ニーズを踏まえた丁寧なマッチングと社会参加に向けたメニューづくりを行う。

(3) 地域の社会資源とのつながりができ，本人との関係性が安定した段階で支援は終結となる。ただし，定期的な連絡などのつながりの維持に向けた働きかけも行う。

9　共同募金

■目　的（法第 112 条）

　この法律において「共同募金」とは，都道府県の区域を単位として，毎年1回，厚生労働大臣の定める期間内に限ってあまねく行う寄付金の募集であって，その区域内における地域福祉の推進を図るため，その寄付金をその区域内において社会福祉事業，更生保護事業その他の社会福祉を目的とする事業を経営する者（国及び地方公共団体を除く。）に配分することを目的とするものをいう。

■共同募金会（法第 113 条）

1．共同募金を行う事業は，第一種社会福祉事業とする。

2．共同募金事業を行うことを目的として設立される社会福祉法人を共同募金会と称する。

3．共同募金会以外の者は，共同募金事業を行ってはならない。

4．共同募金会及びその連合会以外の者は，その名称中に，「共同募金会」又はこれと紛らわしい文字を用いてはならない。

■共同募金会の認可（法第 114 条）

　都道府県知事は，共同募金会の設立の認可にあたっては，社会福祉法第 32 条（社会福祉法人の認可）に規定する事項のほか，次に掲げる事項をも審査しなければならない。

1．当該共同募金の区域内に都道府県社会福祉協議会が存すること。

2．特定人の意思によって事業の経営が左右されるおそれがないものであること。

3．当該共同募金の配分を受ける者が役員，評議員又は配分委員会の委員に含まれないこと。

4．役員，評議員又は配分委員会の委員が，当該共同募金の区域内における民意を公正に代表するものであること。

■配分委員会（法第 115 条）

1. 寄付金の公正な配分に資するため，共同募金会に配分委員会を置く。
2. 社会福祉法人の役員の欠格事由（法第 40 条第 1 項）に該当する者は，配分委員会の委員になることができない。
3. 共同募金会の役員は，配分委員会の委員となることができる。ただし，委員の総数の 3 分の 1 を超えてはならない。

■共同募金の性格（法第 116 条）

共同募金は，寄付者の自発的な協力を基礎とするものでなければならない。

■共同募金の配分（法第 117 条）

1. 共同募金は，社会福祉を目的とする事業を経営する者以外の者に配分してはならない。
2. 共同募金会は，その寄付金の配分を行うにあたっては，配分委員会の承認を得なければならない。
3. 共同募金会は，毎年 1 回，厚生労働大臣の定める期間が満了した日の属する会計年度の翌年度の末日までに，その寄付金を配分しなければならない。
4. 国及び地方公共団体は，寄付金の配分について干渉してはならない。

■準備金（法第 118 条）

1. 共同募金会は，災害救助法（昭和 22 年法律第 118 号）第 2 条に規定する災害の発生その他厚生労働省令で定める特別の事情がある場合に備えるため，共同募金の寄付金の額に厚生労働省令で定める割合を乗じて得た額を限度として，準備金を積み立てることができる。
2. 共同募金会は，前記 1 .の災害の発生その他特別の事情があった場合には，当該共同募金会が行う共同募金の区域外の区域において社会福祉を目的とする事業を経営する者に配分することを目的として拠出の趣旨を定め，当該準備金の全部又は一部を他の共同募金会に拠出することができる。
3. 当該拠出を受けた共同募金会は，拠出された金額を，拠出の趣旨に従い，当該共同募金会の区域において社会福祉を目的とする事業を経営する者に配分しなければならない。
4. 共同募金会は，準備金の積立て，拠出及び配分を行うにあたっては，配分委員会の承認を得なければならない。

■計画の公告（法第 119 条）

共同募金会は，共同募金を行うには，あらかじめ，都道府県社会福祉協議会の意見を聴

き，及び配分委員会の承認を得て，共同募金の目標額，受配者の範囲及び配分の方法を定め，これを公告しなければならない。

■結果の公告（法第 120 条）

1．共同募金会は，寄付金の配分を終了したときは，1 月以内に，募金の総額，配分を受けた者の氏名又は名称及び配分した額並びに新たに積み立てられた準備金の額及び総額を公告しなければならない。

2．共同募金会は，準備金を拠出した場合には，速やかに，拠出の趣旨，拠出先の共同募金会及び拠出した額を公告しなければならない。

3．共同募金会は，準備金の配分を行った場合には，配分を終了した後 3 月以内に，拠出を受けた総額及び拠出された金額の配分を受けた者の氏名又は名称を公告するとともに，当該拠出を行った共同募金会に対し，拠出された金額の配分を受けた者の氏名又は名称を通知しなければならない。

■受配者の寄付金募集の禁止（法第 122 条）

共同募金の配分を受けた者は，その配分を受けた後 1 年間は，その事業の経営に必要な資金を得るために寄付金を募集してはならない。

■連合会（法第 124 条）

共同募金会は，相互の連絡及び事業の調整を行うため，全国を単位として，共同募金会連合会を設立することができる。

10 社会福祉協議会

社会福祉協議会は，地域住民が主体となって地域福祉の推進を図るため，公私関係者の参加協力を得て組織的活動を行うことを目的とする民間の自主的な組織である。

■目 的（法第 109 条～第 111 条）

1．市町村社会福祉協議会及び地区社会福祉協議会

(1) 市町村社会福祉協議会

1 又は同一都道府県内の 2 以上の市町村の区域内において，次の事業の実施により地域福祉の推進を図ることを目的とする。

① 社会福祉を目的とする事業の企画及び実施

② 社会福祉に関する活動への住民の参加のための援助

③ 社会福祉を目的とする事業に関する調査，普及，宣伝，連絡，調整及び助成

④　社会福祉を目的とする事業の健全な発達を図るために必要な事業

また，市町村社会福祉協議会及び地区社会福祉協議会は，広域的に事業を実施することにより効果的な運営が見込まれる場合には，その区域を越えて前記事業を実施できる。

また，市町村社会福祉協議会のうち，指定都市の区域を単位とするものは，その区域内における地区社会福祉協議会の相互の連絡及び事業の調整の事業を実施する。

(2)　地区社会福祉協議会

1又は2以上の区（政令指定都市に設置する区）の区域内において，次の事業の実施により，地域福祉の推進を図ることを目的とする。

①　社会福祉を目的とする事業の企画及び実施

②　社会福祉に関する活動への住民の参加のための援助

③　社会福祉を目的とする事業に関する調査，普及，宣伝，連絡，調整及び助成

④　社会福祉を目的とする事業の健全な発達を図るために必要な事業

2．都道府県社会福祉協議会

都道府県の区域内において次に掲げる事業を行うことにより地域福祉の推進を図ることを目的とする。

①　市町村社会福祉協議会が行う事業であって各市町村を通ずる広域的な見地から行うことが適切なもの

②　社会福祉を目的とする事業に従事する者の養成及び研修

③　社会福祉を目的とする事業の経営に関する指導及び助言

④　市町村社会福祉協議会の相互の連絡及び事業の調整

3．社会福祉協議会連合会

都道府県社会福祉協議会は，相互の連絡及び事業の調整を行うため，全国を単位として社会福祉協議会連合会を設立できる。

■組　織（法第109条〜第111条）

1．市町村社会福祉協議会は，その区域内における社会福祉を目的とする事業を経営する者及び社会福祉に関する活動を行う者が参加し，かつ，指定都市にあってはその区域内における地区社会福祉協議会の過半数及び社会福祉事業又は更生保護事業を経営する者の過半数が，指定都市以外の市及び町村にあってはその区域内における社会福祉事業又は更生保護事業を経営する者の過半数が参加するものとする。

2．地区社会福祉協議会は，その区域内における社会福祉を目的とする事業を経営する者及び社会福祉に関する活動を行う者が参加し，かつ，その区域内において社会福祉事業又は更生保護事業を経営する者の過半数が参加するものとする。

3．都道府県社会福祉協議会は，その区域内における市町村社会福祉協議会の過半数及び

社会福祉事業又は更生保護事業を経営する者の過半数が参加するものとする。

4．関係行政庁の職員は，社会福祉協議会連合会，都道府県社会福祉協議会，市町村社会
　福祉協議会，地区社会福祉協議会の役員となることができる。ただし，役員の総数の5
　分の1を超えてはならない。

5．都道府県社会福祉協議会，市町村社会福祉協議会，地区社会福祉協議会は，社会福祉
　を目的とする事業を経営する者又は社会福祉に関する活動を行う者からの参加の申出が
　あったときは，正当な理由がないのに，これを拒んではならない。

【参　考】社会福祉協議会の概要

全国社会福祉協議会 （都道府県社協，社会福祉関係中央団体等により組織） （1か所）	○都道府県社協の連絡調整 ○関係機関・団体との連絡 ○社会福祉に関する企画・調査・連絡・広報 ○全国ボランティア活動振興センターの運営 ○中央福祉人材センターの運営 ○民生委員児童委員の連絡調整 ○国際協力
都道府県・指定都市社会福祉協議会 （市区町村社協，社会福祉関係団体，社会福祉施設等により組織） （67か所）	○市区町村社協の連絡調整 ○関係機関・団体との連絡 ○社会福祉に関する企画・調査・連絡・広報 ○都道府県・指定都市ボランティアセンターの運営 ○福祉人材センターの運営 ○日常生活自立支援事業の実施 ○生活福祉資金制度の運営 ○共同募金への協力
市区町村社会福祉協議会 （市区町村の住民組織，社会福祉関係団体・社会福祉施設等により組織） （1,825か所）	○関係機関・団体との連絡 ○社会福祉に関する企画・調査・研究・広報 ○市町村ボランティアセンターの運営 ○在宅福祉サービスの企画・実施 ○心配ごと相談所の運営 ○社会福祉センターの運営 ○日常生活自立支援事業の窓口 ○生活福祉資金の窓口 ○共同募金への協力

※社会福祉協議会のか所数は令和5年4月1日現在

11　民生委員法の概要

〔根拠▶民生委員法（昭 23.7.29 法律第 198 号）〕

■設　置

　　民生委員は，市町村（特別区を含む。以下同じ。）の区域に置き（法第 3 条），その定数は厚生労働大臣の定める基準を参酌して，都道府県の条例でこれを定める（法第 4 条）。都道府県の条例を制定する場合には，都道府県知事は，あらかじめ，その区域を管轄する市町村長（特別区の区長を含む。以下同じ。）の意見を聴くものとする（法第 4 条）。

■委嘱手続き

　　都道府県知事は，市町村に設置された民生委員推薦会が推薦した者について推薦を行い，厚生労働大臣が委嘱する（法第 5 条第 1 項）。民生委員推薦会が推薦した者について，地方社会福祉審議会の意見を聴くように努めるものとする（法第 5 条第 2 項）。

■任　期

　　民生委員には，給与を支給しないものとし，その任期は 3 年とする。但し，補欠の民生委員の任期は，前任者の残任期間とする（法第 10 条）。

■解　嘱

　　民生委員が次のいずれかに該当する場合においては，厚生労働大臣は，都道府県知事の具申に基いて，これを解嘱することができる（法第 11 条）。
1．職務の遂行に支障があり，又はこれに堪えない場合
2．職務を怠り，又は職務上の義務に違反した場合
3．民生委員たるにふさわしくない非行のあった場合
　　都道府県知事が解嘱の具申をするに当たっては，地方社会福祉審議会の同意を経なければならない。

■職　務

　　民生委員の職務は，次のとおりとする（法第 14 条）。
1．住民の生活状態を必要に応じ適切に把握しておくこと。
2．援助を必要とする者がその有する能力に応じ自立した日常生活を営むことができるように生活に関する相談に応じ，助言その他の援助を行うこと。
3．援助を必要とする者が福祉サービスを適切に利用するために必要な情報の提供その他の援助を行うこと。

4．社会福祉を目的とする事業を経営する者又は社会福祉に関する活動を行う者と密接に連携し，その事業又は活動を支援すること。

5．社会福祉法に定める福祉に関する事務所その他の関係行政機関の業務に協力すること。

6．その他，必要に応じて，住民の福祉の増進を図るための活動を行う。

民生委員は，その職務を遂行するに当たっては，個人の人格を尊重し，その身上に関する秘密を守り，人種，信条，性別，社会的身分又は門地によって，差別的又は優先的な取扱をすることなく，かつ，その処理は，実情に即して合理的にこれを行わなければならない（法第15条）。

民生委員は，その職務上の地位を政党又は政治的目的のために利用してはならない。

違反した民生委員は，規定に従い解嘱せられるものとする（法第16条）。

■指揮監督

民生委員は，その職務に関して，都道府県知事の指揮監督を受ける。

市町村長は，民生委員に対し，援助を必要とする者に関する必要な資料の作成を依頼し，その他民生委員の職務に関して必要な指導をすることができる（法第17条）。

都道府県知事は，民生委員の指導訓練を実施しなければならない（法第18条）。

12 社会福祉士及び介護福祉士法の概要

〔根拠▶社会福祉士及び介護福祉士法（昭62.5.26法律第30号）〕

■法律制定の趣旨

我が国においては，急速な人口の高齢化の進行に伴い，寝たきり老人等要介護者の急増が確実視される一方，世帯規模の縮小，扶養意識の変化等に伴い，家庭における介護能力の低下がみられるところである。この法律は，こうした状況の中で，福祉に関する相談や介護を依頼することができる専門的能力を有する人材を養成，確保し，増大する福祉ニーズに適切に対応し，在宅介護の充実強化を図ること，また，近年シルバーサービスといわれる民間部門が拡大しつつあり，これを健全に発展させ，国民の福祉を向上させることを目的として制定された。

■法の目的

社会福祉士及び介護福祉士の資格を定めて，その業務の適正を図り，もって社会福祉の増進に寄与することを目的とする（法第1条）。

■**法律の内容**

1. 社会福祉士

(1) 業務

　　社会福祉士は，社会福祉士となる資格を有する者が社会福祉士登録簿に，氏名，生年月日その他厚生労働省令で定める事項の登録を受け（法第28条），社会福祉士の名称を用いて，専門的知識及び技術をもって，身体上若しくは精神上の障害があること又は環境上の理由により日常生活を営むのに支障がある者の福祉に関する相談に応じ，助言，指導，福祉サービスを提供する者又は医師その他の保健医療サービスを提供する者その他の関係者との連絡及び調整その他の援助を行うことを業とする者（法第2条）である。

(2) 資格要件

　　大学等において文部科学省令・厚生労働省令で定める社会福祉に関する科目を修めて卒業した者等で社会福祉士試験に合格した者は，登録を受けて社会福祉士になることができる。社会福祉士試験は毎年1回以上，厚生労働大臣が行うこととなっている（法第4条〜第7条）。

2. 介護福祉士

(1) 業務

　　介護福祉士は，介護福祉士となる資格を有する者が，介護福祉士登録簿に，氏名，生年月日その他厚生労働省令で定める事項の登録を受け（法第42条），介護福祉士の名称を用いて，専門的知識及び技術をもって，身体上又は精神上の障害があることにより日常生活を営むのに支障がある者について心身の状況に応じた介護（平成28年4月以降は，喀痰吸引その他その者が日常生活を営むのに必要な行為であって，医師の指示の下に行われるもの（厚生労働省令で定めるものに限る。）を含む。）を行い，並びにその者及びその介護者に対して介護に関する指導を行うことを業とする者（法第2条）である。

(2) 資格要件

① 介護福祉士養成施設等において必要な知識及び技能を修得を経た後に，国家試験に合格した者

② 3年以上の介護等の業務に関する実務経験及び実務者研修等における必要な知識及び技能の修得を経た後に，国家試験に合格した者

③ 文部科学大臣及び厚生労働大臣が指定する福祉系高校において必要な知識及び技能を修得した後に，国家試験に合格した者

④ EPA（経済連携協定）（インドネシア・フィリピン・ベトナム）による介護福祉士候補者が3年以上の介護等の業務に関する実務経験を経た後に，国家試験に合格した者

【参　考】社会福祉士試験・介護福祉士試験の受験資格

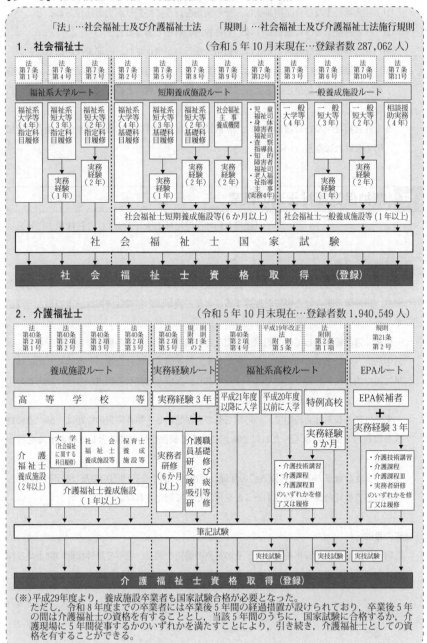

「法」…社会福祉士及び介護福祉士法　　「規則」…社会福祉士及び介護福祉士法施行規則

1．社会福祉士　　（令和5年10月末現在…登録者数287,062人）

2．介護福祉士　　（令和5年10月末現在…登録者数1,940,549人）

（※）平成29年度より，養成施設卒業者も国家試験合格が必要となった。
　　ただし，令和8年度までの卒業者には卒業後5年間の経過措置が設けられており，卒業後5年の間は介護福祉士の資格を有することとし，当該5年間のうちに，国家試験に合格するか，介護現場に5年間従事するかのいずれかを満たすことにより，引き続き，介護福祉士としての資格を有することができる。

3．社会福祉士及び介護福祉士の義務等（法第 44 条の 2 ～第 48 条）

(1)　社会福祉士及び介護福祉士は，その業務を行うに当たり誠実義務があること。

(2)　社会福祉士及び介護福祉士は，名称独占の資格であること。

(3)　社会福祉士及び介護福祉士は，信用失墜行為が禁止され，守秘義務があること。

(4)　社会福祉士及び介護福祉士は，その業務を行うに当たっては，福祉サービス等が総合的かつ適切に提供されるよう，福祉サービス関係者等との連携を保たなければならないこと。

(5)　社会福祉士及び介護福祉士は，相談援助又は介護等に関する知識及び技能の向上に努めなければならないこと。

13　精神保健福祉士法の概要

〔根拠▶精神保健福祉士法（平 9.12.19 法律第 131 号）〕

■法律制定の背景

　我が国の精神障害者については，長期入院の傾向が著しいことが指摘され，その解消を図り，精神障害者の社会復帰を促進することが，我が国の精神保健福祉施策の最大の課題であった。

　精神障害の特徴としては，幻覚や妄想などの精神症状としての機能障害だけでなく，日常生活能力の低下等の能力障害をももたらす。精神障害者の社会復帰を進めるためには，単に医療的なケアを行うだけでは不十分であり，医療とは異なる観点から精神障害者の生活を支援していくことが必要であった。

　また，ストレス社会の中で，心の病をもつ者が急増し，精神障害の問題は一部の者の特殊な疾病としてではなく，だれにでも起こりうる国民全体の問題として検討する必要があった。

　このような背景の中，精神障害者の保健及び福祉に関する専門的知識及び技術をもって，精神障害者の社会復帰に寄与することを目的として制定された。

■法の目的

　精神保健福祉士の資格を定めて，その業務の適正を図り，もって精神保健の向上及び精神障害者の福祉の増進に寄与することを目的とする（法第 1 条）。

■法律の内容

1．業務

　精神保健福祉士は，精神保健福祉士となる資格を有する者が精神保健福祉士登録簿に，

氏名，生年月日その他厚生労働省令で定める事項の登録を受け（法第 28 条），精神保健福祉士の名称を用いて，専門的知識及び技術をもって，精神科病院その他の医療施設において精神障害の医療を受け，又は精神障害者の社会復帰の促進を図ることを目的とする施設を利用している者の地域相談支援の利用に関する相談その他の社会復帰に関する相談に応じ，助言，指導，日常生活への適応のために必要な訓練その他の援助を行うことを業とする者（法第 2 条）である。

2．資格要件（法第 4 条〜第 7 条）

　　大学等において，文部科学省令・厚生労働省令で定める精神障害者の保健及び福祉に関する科目を修めて卒業した者で精神保健福祉士試験に合格した者は，登録を受けて精神保健福祉士になることができる。

　　精神保健福祉士試験は，毎年 1 回以上，厚生労働大臣が行うこととなっている。

【参　考】精神保健福祉士試験の受験資格

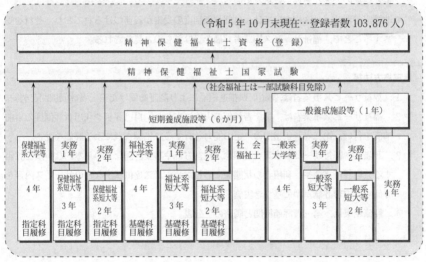

14　その他

1　福祉サービスにおける第三者評価事業

〔根拠▶社会福祉法第 78 条〕

■事業の概要

　「福祉サービス第三者評価事業」は，福祉サービスを提供する事業者のサービスの質を公正・中立な第三者評価機関が，専門的かつ客観的な立場から評価し，個々の事業者が施設運営における問題点を把握した上で，サービスの質の向上に結びつけるとともに，第三者評価を受けた結果を公表することにより，利用者の適切なサービス選択に資することを目的としている。

※社会的養護関係施設では，サービスの特性から，平成 24 年度から 3 年間で 1 回以上の受審と結果の公表が義務づけられている。

※地域密着型サービスについては，外部評価制度の受審が義務づけられており，それを受審することで，福祉サービス第三者評価を受けたものと見なされる。

■実施方法等

1．福祉サービス事業者は，都道府県推進組織により認証を受けた第三者評価機関と契約。

2．福祉サービス事業者は，第三者評価の実施に当たり，自己評価や利用者評価等の事前準備を行い，第三者評価機関の一定の能力を有する評価調査者による評価を受審。

3．評価は，福祉サービス事業者の理念，経営方針や事業計画などの基本的な事項を評価する共通評価基準や，利用者の状態像に応じたサービス提供状況などのサービス内容を評価する内容評価基準に基づき実施。

4．評価結果は，第三者評価機関と調整の上公表。

第三者評価制度の仕組み

全国推進組織
（全国社会福祉協議会）

福祉サービスの質の向上委員会

・評価基準ガイドライン等の策定，更新等の全国基準案の策定
・評価調査指導者，評価者の養成，指導等，事業の普及啓発等を実施

連携

都道府県推進組織

（都道府県・都道府県社会福祉協議会等）
・第三者評価基準の策定
・第三者評価機関の認証
・評価結果の公表
・評価調査者の研修
等の第三者評価の実施に関する業務を実施

認証・基準の
策定・研修の
実施

第三者評価機関

・法人格を有する
・組織運営管理業務経験者，福祉，医療，保健分野の有資格者，学識
経験者であり，研修受講者を配置

評価　　　　受審

福祉サービス事業者

結果の公表　　　情報の利用

サービス利用者

福祉サービスに関する苦情解決の仕組みの概要図

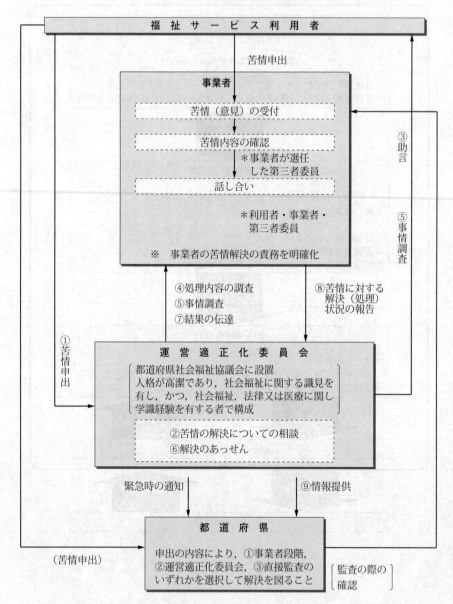

2　福祉サービスに関する苦情解決事業

〔根拠▶社会福祉法第82条，第83条，第85条，第86条〕

　苦情解決事業とは，福祉サービスの適正な利用に資するため，利用者等からの福祉サービスに関する苦情を公正かつ円滑に解決する仕組みである。

　サービスに関する苦情は，当事者間で解決されるべきものであることから，まず一義的に事業者段階に苦情受付体制や第三者委員などの苦情解決の仕組みを整備する。さらに，事業者段階では解決が困難な事案の解決や，虐待や法令違反など重大な不当行為の場合の都道府県知事への通知などの役割を担うため，都道府県段階に公正・中立な運営適正化委員会を設置し，福祉サービスに関する苦情解決を図るものである。

■実施主体

　都道府県社会福祉協議会に設置する運営適正化委員会

■事業の範囲

　社会福祉法第2条に規定する社会福祉事業において提供されるすべての福祉サービス

3　日常生活自立支援事業

〔根拠▶生活困窮者自立相談支援事業等の実施について
（平27.7.27 社援発0727第2号）〕

　日常生活自立支援事業は，認知症高齢者，知的障害者，精神障害者等のうち判断能力が不十分な者に対し，福祉サービスの利用に関する援助等を行うことにより，地域において自立した生活が送れるよう支援することを目的とする。

■実施主体

　都道府県社会福祉協議会又は指定都市社会福祉協議会とする。ただし，本事業の一部を社会福祉法人等に委託できる。

■対象者

　次のいずれにも該当する者とする。

1. 判断能力が不十分な者（認知症高齢者，知的障害者，精神障害者等であって，日常生活を営むのに必要なサービスを利用するための情報の入手，理解，判断，意思表示を本人のみでは適切に行うことが困難な者）

　2．本事業の契約の内容について判断し得る能力を有していると認められる者

■援助内容

1．本事業に基づく援助の内容は，次に掲げるものを基準とする。

(1) 福祉サービスの利用援助

(2) 福祉サービスの利用に関する苦情解決制度の利用援助

(3) 住宅改造，居住家屋の賃借，日常生活上の消費契約及び住民票の届出等の行政手続に関する援助その他福祉サービスの適切な利用のために必要な援助

2．1．に伴う援助の内容は，次に掲げるものを基準とする。

(1) 預金の払い戻し，預金の解約，預金の預け入れの手続等利用者の日常生活費の管理（日常的金銭管理）

(2) 定期的な訪問による生活変化の察知

日常生活自立支援事業の実施方法

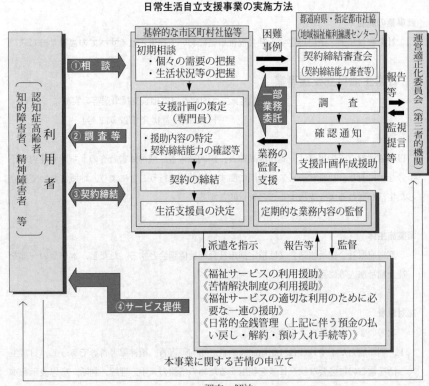

３．1.及び2.の具体的な援助の方法は，原則として情報提供，助言，契約手続，利用手続等の同行又は代行による。法律行為にかかわる事務に関し，事業の目的達成のため，本人から代理権を授与されて援助を行う場合，契約締結審査会に諮り，その意見を踏まえて慎重に対応すること。

■手続きの流れ

１．利用希望者は，実施主体に対して申請（相談）を行う。

２．実施主体は，利用希望者の生活状況や希望する援助内容を確認するとともに，本事業の契約の内容について判断し得る能力の判定を行う。

３．実施主体は，利用希望者が本事業の対象者の要件に該当すると判断した場合には，利用希望者の意向を確認しつつ，援助内容や実施頻度等の具体的な支援を決める「支援計画」を策定し，契約が締結される。なお，「支援計画」は，利用者の必要とする援助内容や判断能力の変化等利用者の状況を踏まえ，定期的に見直される。

■利用料

実施主体が地域の実情に応じて定める利用料を利用者が負担する。

ただし，契約締結前の初期相談等に係る経費や生活保護受給世帯の利用料については無料とする等の配慮がなされている。

4　成年後見制度の利用促進

根拠▶成年後見制度の利用の促進に関する法律（平28.4.15法律第29号）
第二期成年後見制度利用促進基本計画（令4.3.25閣議決定）

成年後見制度は，認知症，知的障害その他の精神上の障害があることにより財産の管理又は日常生活等に支障がある者を支える重要な手段であるにもかかわらず，十分に利用がされていない。

このような状況を踏まえ，成年後見制度の利用促進に関する施策を総合的・計画的に推進するため，2016（平成28）年4月に「成年後見制度の利用の促進に関する法律（平成28年法律第29号）」が成立し，本法律に基づき，2017（平成29）年3月に「成年後見制度利用促進基本計画」が策定され，平成29年度から令和3年度までの間に，利用者がメリットを実感できる成年後見制度の制度・運用の改善，権利擁護支援の地域連携ネットワークづくり，安心して成年後見制度を利用できる環境整備などが進められた。

その後，令和4年3月に策定された「第二期成年後見制度利用促進基本計画」（実施期間：令和4年度～8年度）では，地域共生社会の実現という目的に向け，以下の基本的な考え方のもと，本人を中心にした支援・活動における共通基盤となる考え方として「権利擁護支援」

を位置付けた上で，権利擁護支援の地域連携ネットワークの一層の充実などの成年後見制度利用促進の取組をさらに進めることとされた。

成年後見制度の利用促進に当たっての基本的な考え方

○地域共生社会の実現に向けて，権利擁護支援を推進する。

○成年後見制度の利用促進は，全国どの地域においても，制度の利用を必要とする人が，尊厳のある本人らしい生活を継続することができる体制を整備して，本人の地域社会への参加の実現を目指すものである。以下を基本として成年後見制度の運用改善等に取り組む。

・本人の自己決定権を尊重し，意思決定支援・身上保護も重視した制度の運用とすること。

・成年後見制度を利用することの本人にとっての必要性や，成年後見制度以外の権利擁護支援による対応の可能性も考慮された上で，適切に成年後見制度が利用されるよう，連携体制等を整備すること。

・成年後見制度以外の権利擁護支援策を総合的に充実すること。任意後見制度や補助・保佐類型が利用される取組を進めること。不正防止等の方策を推進すること。

○福祉と司法の連携強化により，必要な人が必要な時に，司法による権利擁護支援などを適切に受けられるようにしていく必要がある。

第2編

高齢者の保健福祉

1 介護保険法の概要

〔根拠▶介護保険法（平 9.12.17 法律第 123 号）〕

■介護保険法の目的（法第 1 条）

　介護保険は，加齢に伴って生ずる心身の変化に起因する疾病等により要介護状態となり，入浴，排せつ，食事等の介護，機能訓練並びに看護及び療養上の管理その他の医療を要する者等について，これらの者が尊厳を保持し，その有する能力に応じ自立した日常生活を営むことができるよう，必要な保健医療サービス及び福祉サービスに係る給付を行うため，国民の共同連帯の理念に基づき，介護保険制度を設け，その行う保険給付等に関して必要な事項を定め，もって国民の保健医療の向上及び福祉の増進を図ることを目的とする。

■保険者（法第 3 条）

　保険者は，市町村及び特別区（以下「市町村」という。）である。

　なお，個々の市町村域を越えた複数の市町村が地方自治法上の「広域連合」又は「一部事務組合」を設ける場合がある。この場合には，個々の市町村に代わって，その広域連合や一部事務組合が保険者となり，介護保険法上市町村が行うこととされている保険事業を行うことができる。

■被保険者の範囲（法第 9 条）

1．被保険者は，次のように第 1 号被保険者と第 2 号被保険者に区分している。

　(1)　第 1 号被保険者：市町村の区域内に住所を有する 65 歳以上の者

　(2)　第 2 号被保険者：市町村の区域内に住所を有する 40 歳以上 65 歳未満の医療保険加入者

　被保険者は上記のように，年齢要件のほか，住所を有することが要件とされている。

これにより，65 歳以上の者及び 40 歳以上 65 歳未満であって医療保険に加入している者については，市町村の区域内に住所を有していれば，介護保険法の規定により，住所地の市町村が実施する介護保険の被保険者となる。

2．住所地特例（法第 13 条）

　　介護保険施設，特定施設，老人福祉法第 20 条の 4 に規定する養護老人ホームに入所又
　は入居することにより，施設所在地に住所を変更したと認められる被保険者については，
　その施設に住所を移転する前の住所地であった市町村を保険者とする特例措置（住所地
　特例）が設けられている。なお，2 か所以上の介護保険施設等に順次入所又は入居し，
　順次住所をその施設に移動した被保険者については，最初の施設に入所又は入居する前
　の住所地であった市町村が保険者となる。

3．適用除外（介護保険法施行法第 11 条）

　　被保険者の資格要件にかかわらず，指定障害者支援施設に入所している者等について
　は，当分の間，被保険者としないこととされている。

（適用除外施設）

　①　障害者の日常生活及び社会生活を総合的に支援するための法律（障害者総合支援
　　　法）による指定障害者支援施設（障害者総合支援法第 29 条）

　②　身体障害者福祉法又は知的障害者福祉法による障害者支援施設（障害者総合支援
　　　法第 5 条）

　③　児童福祉法による医療型障害児入所施設（児童福祉法第 42 条）

　④　児童福祉法による内閣総理大臣が指定する医療機関（児童福祉法第 6 条の 2）

　⑤　独立行政法人国立重度知的障害者総合施設のぞみの園法に規定する福祉施設（独
　　　立行政法人国立重度知的障害者総合施設のぞみの園法第 11 条）

　⑥　国立ハンセン病療養所（ハンセン病問題の解決の促進に関する法律第 2 条）

　⑦　生活保護法による救護施設（生活保護法第 38 条）

　⑧　労働者災害補償保険法による被災労働者の受ける介護の援護を図るために必要な
　　　事業に係る施設（労働者災害補償保険法第 29 条）

　⑨　障害者総合支援法による指定障害福祉サービス事業者で，障害者総合支援法施行
　　　規則に定める施設（障害者総合支援法施行規則第 2 条の 3）

4．資格取得の時期及び喪失の時期

（1）取得（法第 10 条）

　　被保険者は次のいずれかに該当するに至った日から資格を取得する。

　①　その市町村の区域内に住所を有する医療保険加入者が 40 歳に達したとき（年齢
　　　到達の場合）

　②　40 歳以上 65 歳未満の医療保険加入者又は 65 歳以上の者がその市町村の区域内
　　　に住所を有するに至ったとき（住所移転の場合）

　③　その市町村の区域内に住所を有する 40 歳以上 65 歳未満の者が医療保険加入者と
　　　なったとき（主に生活保護の被保護者が健康保険又は国民健康保険に加入した場合）

　④　その市町村の区域内に住所を有する者（医療保険加入者を除く。）が 65 歳に達し

たとき（主に生活保護の被保護者が 65 歳に到達した場合）

(2)　喪失（法第 11 条）

　　被保険者は，その市町村の区域内に住所を有しなくなった日の翌日にその資格を喪失する。ただし，住所を有しなくなった日に他の市町村の区域内に住所を有するに至ったときは，その日からその資格を喪失する。

　　また，第 2 号被保険者は，医療保険加入者でなくなった日からその資格を喪失する。なお，死亡した場合にも資格を喪失する。

■保険事故（法第 2 条）

　　介護保険における保険事故は「要介護状態」又は「要支援状態」である。

　　ただし，第 2 号被保険者については，脳血管障害などの，加齢に伴って生ずる心身の変化に起因する疾病（以下「特定疾病」という。）がその原因となっているものに限られる（法第 7 条第 3 項，第 4 項）。特定疾病とは**別表**に掲げるとおりである。

　　なお，この保険事故の発生の有無は，保険者である市町村が認定（要介護認定・要支援認定）する。

1．「要介護状態」の定義（法第 7 条第 1 項）

　　要介護状態とは，「身体上又は精神上の障害があるために，入浴，排せつ，食事等の日常生活における基本的な動作の全部又は一部について，厚生労働省令で定める期間（6 か月間）にわたり継続して，常時介護を要すると見込まれる状態であって，その介護の必要の程度に応じて厚生労働省令で定める区分（要介護状態区分）のいずれかに該当するもの（要支援状態に該当するものを除く。）」である。

2．「要支援状態」の定義（法第 7 条第 2 項）

　　要支援状態とは，「身体上若しくは精神上の障害があるために入浴，排せつ，食事等の日常生活における基本的な動作の全部若しくは一部について厚生労働省令で定める期間にわたり継続して常時介護を要する状態の軽減若しくは悪化の防止に特に資する支援を要すると見込まれ，又は身体上若しくは精神上の障害があるために厚生労働省令で定める期間にわたり継続して日常生活を営むのに支障があると見込まれる状態であって，支援の必要の程度に応じて厚生労働省令で定める区分（要支援状態区分）のいずれかに該当するもの」である。

（別表）　　　　　　　　　　　　　　特定疾病一覧

（介護保険法施行令第 2 条）

①　がん（医師が一般に認められている医学的知見に基づき回復の見込みがない状態に至ったと判断したものに限る。）

②　関節リウマチ

③　筋萎縮性側索硬化症

④　後縦靭帯骨化症

⑤　骨折を伴う骨粗鬆症

⑥　初老期における認知症（法第 5 条の 2 に規定する認知症をいう。）

⑦　進行性核上性麻痺，大脳皮質基底核変性症及びパーキンソン病

⑧　脊髄小脳変性症

⑨　脊柱管狭窄症

⑩　早老症

⑪　多系統萎縮症

⑫　糖尿病性神経障害，糖尿病性腎症及び糖尿病性網膜症

⑬　脳血管疾患

⑭　閉塞性動脈硬化症

⑮　慢性閉塞性肺疾患

⑯　両側の膝関節又は股関節に著しい変形を伴う変形性関節症

■要介護・要支援認定

　保険給付を受けるための前提として，被保険者は原則としてあらかじめ認定を受ける必要がある。

　市町村は，全国一律の基準を用いて，要介護認定又は要支援認定を行う。認定においては，申請者が，要介護状態又は要支援状態にあるかどうかに加え，要介護状態の程度（要介護度）又は要支援状態の程度（要支援度）も併せて確認される。要介護認定を受けた被保険者は「要介護者」とされ，要支援認定を受けた被保険者は「要支援者」とされている。これら要介護者及び要支援者が介護保険の受給者となる。

　なお，要介護度に応じて，居宅サービス等を受ける場合は支給限度額，施設サービスを受ける場合は保険給付の額が決められ，また，要支援度に応じて，介護予防サービスを受ける場合の支給限度額が決められる。

要介護者及び要支援者の区分

	要 介 護 者	要 支 援 者
第 1 号被保険者	要介護状態にある 65 歳以上の者	要支援状態にある 65 歳以上の者
第 2 号被保険者	要介護状態にある 40 歳以上 65 歳未満の者であって，その要介護状態の原因である身体上又は精神上の障	要支援状態にある 40 歳以上 65 歳未満の者であって，その要支援状態の原因である身体上又は精神上の障

	害が加齢に伴って生ずる心身の変化に起因する特定疾病によって生じたものであるもの。	害が加齢に伴って生ずる心身の変化に起因する特定疾病によって生じたものであるもの。

■保険料（第1号被保険者）

1．特別徴収と普通徴収

市町村は，第1号被保険者から保険料を徴収することとなるが，その徴収方法は，確実性や効率性の観点から年金の特別徴収（天引き）を原則とし，特別徴収に該当しない被保険者からは普通徴収することとなっている。特別徴収の対象者は，老齢・退職年金等の受給額が年額18万円以上の者である。

2．保険料率の算定

第1号被保険者の保険料率は，保険者である市町村が，条例で定め，原則として3年に一度改定する。賦課率の区分は，下表のように9段階が標準であるが，各市町村の実情に応じ，多段階化を可能とし，被保険者の負担能力に応じたよりきめ細やかな段階数及び保険料率の設定も可能である。

保険料の算定に関する基準（令和3～5年度）

段階		対象者	賦課率
第1段階	世帯全員非課税	生活保護受給者，老齢福祉年金受給者，本人年金収入等80万円以下	基準額×0.30
第2段階		本人年金収入等80万円超120万円以下	基準額×0.50
第3段階		本人年金収入等120万円超	基準額×0.70
第4段階	本人非課税世帯課税	本人年金収入等80万円以下	基準額×0.85
第5段階		本人年金収入等80万円超	基準額×1.00
第6段階	本人課税	所得金額120万円未満	基準額×1.20
第7段階		所得金額120万円以上210万円未満	基準額×1.30
第8段階		所得金額210万円以上320万円未満	基準額×1.50
第9段階		所得金額320万円以上	基準額×1.70

2　介護保険給付

■保険給付の種類（法第 18 条）

　保険給付は，介護給付，予防給付及び市町村が条例で定めるところによる市町村特別給付の 3 種類である。

介護給付	被保険者の要介護状態に関する保険給付 （要介護者に対して行う法定の保険給付）
予防給付	被保険者の要支援状態に関する保険給付 （要支援者に対して行う法定の保険給付）
市 町 村 特別給付	介護給付及び予防給付のほか，要介護状態又は要支援状態の軽減又は悪化の防止に資する保険給付として条例で定めるもの（法第 62 条） （要介護者又は要支援者に対して市町村が条例で定めて行う，その市町村独自の保険給付）

1．介護給付及び予防給付

　介護給付及び予防給付は，それぞれいくつかの保険給付に細分されている。介護給付で利用できるサービスとしては，①居宅サービス，②地域密着型サービス，③居宅介護支援，④施設サービス等がある。また，予防給付で利用できるサービスとしては，①介護予防サービス，②地域密着型介護予防サービス，③介護予防支援等がある（なお，予防給付には，施設サービスは含まれない。）。

介護給付（サービス）の内容

	訪問介護 （法第 8 条第 2 項）	訪問介護員（ホームヘルパー）等が居宅において，入浴，排せつ，食事等の介護その他の日常生活上の世話を行うサービス
居 宅 サ ー ビ ス	訪問入浴介護 （法第 8 条第 3 項）	居宅を訪問して，浴槽を提供して行われる入浴の介護を行うサービス
	訪問看護 （法第 8 条第 4 項）	看護師等が居宅において（主治の医師がその治療の必要の程度につき厚生労働省令で定める基準に適合していると認めたものに限る。）療養上の世話又は必要な診療の補助を行うサービス
	訪問リハビリテーション （法第 8 条第 5 項）	理学療法士や作業療法士等が居宅において（主治の医師がその治療の必要の程度につき厚生労働省令で定める基準に適合していると認めたものに限る。）心身の機能の維持回復を図り，日常生活の自立を助けるために行う理学療法，作業療法その他必要なリハビリテーションを行うサービス

居 宅 サ ー ビ ス	居宅療養管理指導 （法第8条第6項）	病院，診療所又は薬局の医師，歯科医師，薬剤師等が居宅を訪問し，療養上の管理や指導を行うサービス
	通所介護 （法第8条第7項）	老人デイサービスセンター等に通わせ，その施設において，入浴，排せつ，食事等の介護その他の日常生活上の世話，機能訓練を行うサービス
	通所リハビリテーション （法第8条第8項）	介護老人保健施設，介護医療院，病院等に通わせ（主治の医師がその治療の必要の程度につき厚生労働省令で定める基準に適合していると認めたものに限る。），その施設において，心身の機能の維持回復を図り，日常生活の自立を助けるために行われる理学療法，作業療法その他必要なリハビリテーションを行うサービス
	短期入所生活介護 （法第8条第9項）	老人短期入所施設等に短期間入所させ，その施設において入浴，排せつ，食事等の介護その他の日常生活上の世話，機能訓練を行うサービス
	短期入所療養介護 （法第8条第10項）	介護老人保健施設，介護医療院，介護療養型医療施設等に短期間入所させ（その治療の必要の程度につき厚生労働省令で定めるものに限る。），その施設において，看護，医学的管理の下における介護及び機能訓練その他必要な医療並びに日常生活上の世話を行うサービス ※　介護療養型医療施設は，令和6年3月末までその効力を有する。
	特定施設入居者生活介護 （法第8条第11項）	有料老人ホーム，軽費老人ホーム等に入居している要介護者について，介護サービス計画に基づき行われる，入浴，排せつ，食事等の介護その他の日常生活上の世話，機能訓練及び療養上の世話を行うサービス
	福祉用具貸与 （法第8条第12項）	厚生労働大臣が定める福祉用具の貸与を行うサービス（p.58注1）
	特定福祉用具販売 （法第8条第13項）	福祉用具のうち，貸与になじまない入浴や排せつの用に供するものその他厚生労働大臣が定めるものの販売（p.59注2）
居宅介護住宅改修費 （法第45条）等		手すりの取付け等の小規模な住宅改修費用の支給（厚生労働大臣が定めるもの）（p.60注3）
居宅介護支援 （法第8条第24項）		居宅サービス，地域密着型サービス若しくはこれに相当するサービス及びその他の居宅において日常生活を営むために必要な保健医療サービス又は福祉サービスの適切な利用等をすることができるよう，居宅サービス計画を作成するとともに，サービスの

		提供が確保されるよう，指定居宅サービス事業者などとの連絡調整等を行うほか，介護保険施設等に入所する場合に，介護保険施設等への紹介その他の便宜の提供を行うサービス
施設サービス	介護福祉施設サービス（法第8条第27項）	介護老人福祉施設（入所定員30人以上の特別養護老人ホーム）に入所する者につき，施設サービス計画に基づいて行われる入浴，排せつ，食事等の介護その他の日常生活上の世話，機能訓練，健康管理及び療養上の世話を行うサービス
	介護保健施設サービス（法第8条第28項）	介護老人保健施設に入所する者につき，施設サービス計画に基づいて行われる看護，医学的管理の下における介護及び機能訓練その他必要な医療並びに日常生活上の世話を行うサービス
	介護医療院サービス（法第8条第29項）	介護医療院に入所する要介護者に対し，施設サービス計画に基づいて行われる療養上の管理，看護，医学的管理の下における介護及び機能訓練その他必要な医療並びに日常生活上の世話を行うサービス
	介護療養施設サービス（旧法第8条第26項）	介護療養型医療施設の療養病床等に入院する者につき，施設サービス計画に基づいて行われる療養上の管理，看護，医学的管理の下における介護その他の世話及び機能訓練その他必要な医療を行うサービス※　介護療養型医療施設は，令和6年3月末までその効力を有する。
地域密着型サービス	定期巡回・随時対応型訪問介護看護（法第8条第15項）	①，②のいずれかに該当するもの①　定期的な巡回訪問により，又は随時通報を受け，居宅において，訪問介護員等により行われる入浴，排せつ，食事等の介護その他の日常生活上の世話を行うとともに，看護師等により行われる療養上の世話又は必要な診療の補助を行うサービス②　定期的な巡回訪問により，又は随時通報を受け，訪問看護事業所と連携しつつ，居宅において訪問介護員等により行われる入浴，排せつ，食事等の介護その他の日常生活上の世話を行うサービス
	夜間対応型訪問介護（法第8条第16項）	夜間において，定期的な巡回訪問により，又は随時通報を受け，居宅において，訪問介護員等により行われる入浴，排せつ，食事等の介護その他の日常生活上の世話を行うサービス

地域密着型サービス	地域密着型通所介護 (法第8条第17項)	居宅要介護者について，特別養護老人ホーム等又は老人デイサービスセンターに通わせ，当該施設において入浴，排せつ，食事等の介護その他の日常生活上の世話，機能訓練を行うサービス
	認知症対応型通所介護 (法第8条第18項)	認知症高齢者について，老人デイサービスセンター等に通わせ，その施設において，入浴，排せつ，食事等の介護その他の日常生活上の世話及び機能訓練を行うサービス
	小規模多機能型居宅介護 (法第8条第19項)	心身の状況，その置かれている環境等に応じて，利用者の選択に基づき，居宅において，又はサービス拠点に通わせ，若しくは短期間宿泊させ，その拠点において，入浴，排せつ，食事等の介護その他の日常生活上の世話及び機能訓練を行うサービス
	認知症対応型共同生活介護 (法第8条第20項)	認知症高齢者につき，その共同生活を営むべき住居において，入浴，排せつ，食事等の介護その他の日常生活上の世話及び機能訓練を行うサービス
	地域密着型特定施設入居者生活介護 (法第8条第21項)	地域密着型特定施設の入居者につき，サービス計画に基づいて，入浴，排せつ，食事等の介護その他の日常生活上の世話，機能訓練及び療養上の世話を行うサービス
	地域密着型介護老人福祉施設入所者生活介護 (法第8条第22項)	地域密着型介護老人福祉施設に入所する要介護者（厚生労働省令で定める要介護状態区分に該当する状態である者その他居宅において日常生活を営むことが困難な者）につき，地域密着型施設サービス計画に基づいて，入浴，排せつ，食事等の介護その他の日常生活上の世話，機能訓練，健康管理及び療養上の世話を行うサービス
	看護小規模多機能型居宅介護 (法第8条第23項)	訪問介護，訪問入浴介護，訪問看護，訪問リハビリテーション，居宅療養管理指導，通所介護，通所リハビリテーション，短期入所生活介護，短期入所療養介護，定期巡回・随時対応型訪問介護看護，夜間対応型訪問介護，地域密着型通所介護，認知症対応型通所介護又は小規模多機能型居宅介護を2種類以上組み合わせることにより提供されるサービスのうち，訪問看護及び小規模多機能型居宅介護の組合せにより提供される看護小規模多機能型居宅介護

予防給付（サービス）の内容

介護予防サービス （法第8条の2第1項～第11項）	介護予防訪問入浴介護，介護予防訪問看護，介護予防訪問リハビリテーション，介護予防居宅療養管理指導，介護予防通所リハビリテーション，介護予防短期入所生活介護，介護予防短期入所療養介護，介護予防特定施設入居者生活介護，介護予防福祉用具貸与，特定介護予防福祉用具販売について，生活機能の維持・改善など介護予防の目的で行われるサービス
介護予防住宅改修費（法第57条）	介護予防住宅改修費の支給
介護予防支援 （法第8条の2第16項）	介護予防サービス，地域密着型介護予防サービス若しくはこれに相当するサービス，特定介護予防・日常生活支援総合事業及びその他の介護予防に資する保健医療サービス又は福祉サービスの適切な利用等をすることができるよう，地域包括支援センターの職員等が介護予防サービス計画を作成するとともに，サービスの提供が確保されるよう，指定介護予防サービス事業者などとの連絡調整等を行うサービス
地域密着型介護予防サービス （法第8条の2第12項～第15項）	認知症対応型通所介護，小規模多機能型居宅介護，認知症対応型共同生活介護について，介護予防の目的で行われる地域密着型サービス

（注1）　福祉用具貸与の範囲（平成11年厚生省告示第93号）

種　　目	機　能　ま　た　は　構　造　等
1　車いす	自走用標準型車いす，普通型電動車いす又は介助用標準型車いすに限る。
2　車いす付属品	クッション，電動補助装置等で，車いすと一体的に使用されるものに限る。
3　特殊寝台	サイドレールが取り付けてあるもの又は取り付けることが可能なものであって，次に掲げる機能のいずれかを有するもの ・背部又は脚部の傾斜角度が調整できる機能 ・床板の高さが無段階に調整できる機能
4　特殊寝台付属品	マットレス，サイドレール等で，特殊寝台と一体的に使用されるものに限る。
5　床ずれ防止用具	次のいずれかに該当するものに限る。 ・送風装置又は空気圧調整装置を備えた空気マット ・水等によって減圧による体圧分散効果をもつ全身用のマット

6　体位変換器	空気パッド等を身体の下に挿入することにより，居宅要介護者等の体位を容易に変換できる機能を有するものに限り，体位の保持のみを目的とするものを除く。
7　手すり	取付けに際し工事を伴わないものに限る。
8　スロープ	段差解消のためのものであって，取付けに際し工事を伴わないものに限る。
9　歩行器	歩行が困難な者の歩行機能を補う機能を有し，移動時に体重を支える構造を有するものであって，次のいずれかに該当するものに限る。 ・車輪を有するものにあっては，体の前及び左右を囲む把手等を有するもの ・四脚を有するものにあっては，上肢で保持して移動させることが可能なもの
10　歩行補助つえ	松葉づえ，カナディアン・クラッチ，ロフストランド・クラッチ，プラットホームクラッチ及び多点杖に限る。
11　認知症老人徘徊感知機器	認知症である老人が屋外へ出ようとした時等，センサーにより感知し，家族，隣人等へ通報するもの
12　移動用リフト（つり具の部分を除く。）	床走行式，固定式又は据置式であり，かつ，身体をつり上げ又は体重を支える構造を有するものであって，その構造により，自力での移動が困難な者の移動を補助する機能を有するもの（取付けに住宅改修を伴うものを除く。）
13　自動排泄処理装置	尿又は便が自動的に吸引されるものであり，かつ，尿や便の経路となる部分を分割することが可能な構造を有するものであって，居宅要介護者等又はその介護を行う者が容易に使用できるもの（交換可能部品（レシーバー，チューブ，タンク等のうち，尿や便の経路となるものであって，居宅要介護者等又はその介護を行う者が容易に交換できるものをいう。）を除く。）。

（注2）　居宅介護福祉用具購入費の対象となる特定福祉用具

　　　　入浴又は排せつの用に供する福祉用具等であり，購入費の対象となる福祉用具の範囲は，次のとおり（平成11年厚生省告示第94号）。

種　目	機　能　ま　た　は　構　造　等
1　腰掛便座	次のいずれかに該当するものに限る。 ・和式便器の上に置いて腰掛式に変換するもの ・洋式便器の上に置いて高さを補うもの ・電動式又はスプリング式で便座から立ち上がる際に補助できる機能を有しているもの ・便座，バケツ等からなり，移動可能である便器（居室において利用可能であるものに限る。）

2	自動排泄処理装置の交換可能部品	
3	排泄予測支援機器	膀胱内の状態を感知し，尿量を推定するものであって，排尿の機会を居宅要介護者等又はその介護を行う者に通知するもの
4	入浴補助用具	座位の保持，浴槽への出入り等の入浴に際しての補助を目的とする用具であって次のいずれかに該当するものに限る。 ・入浴用椅子 ・浴槽用手すり ・浴槽内椅子 ・入浴台（浴槽の縁にかけて利用する台であって，浴槽への出入りのためのもの） ・浴室内すのこ ・浴槽内すのこ ・入浴用介助ベルト
5	簡易浴槽	空気式又は折りたたみ式等で容易に移動できるものであって，取水又は排水のために工事を伴わないもの
6	移動用リフトのつり具の部分	

（注3）　居宅介護住宅改修費等の対象となる住宅改修

　　　　　手すりの取付けや段差解消等，小規模な住宅改修であり，対象となる具体的な住宅改修の種類の範囲は，次のとおり（平成11年厚生省告示第95号）。

---

① 手すりの取付け
② 段差の解消
③ 滑りの防止及び移動の円滑化等のための床又は通路面の材料の変更
④ 引き戸等への扉の取替え
⑤ 洋式便器等への便器の取替え
⑥ その他①から⑤の住宅改修に付帯して必要となる住宅改修

2．市町村特別給付（法第62条）

　　市町村特別給付は，第1号被保険者の保険料を財源として，要介護者又は要支援者に対して，市町村が条例で定めるところにより行う，その市町村独自の保険給付である。

■支給限度額

1．支給限度額の基本的考え方

　　保険給付はその支給限度基準額の範囲内で利用されたサービスについて行う仕組みとされており，介護給付に関する支給限度額としては，厚生労働大臣が定める「居宅介護サービス費等区分支給限度基準額（区分支給限度額）」と市町村が定めることのできる「居

宅介護サービス費等種類支給限度基準額（種類支給限度額）」の２種類のほか，居宅介護福祉用具購入費及び居宅介護住宅改修費について，支給限度基準額が設定されている。

　なお，予防給付についても同様に，支給限度基準額が設けられているが，以下の説明では割愛する。

在宅サービスにおける区分支給限度基準額（令和元年10月〜）

区分に含まれる サービスの種類	限度額の 管理期間	区分支給限度基準額	
訪問介護，訪問入浴介護，訪問看護，訪問リハビリ，通所介護，通所リハビリ，福祉用具貸与，短期入所生活介護，短期入所療養介護，特定施設入居者生活介護*，定期巡回・随時対応型訪問介護看護，夜間対応型訪問介護，認知症対応型通所介護，小規模多機能型居宅介護，認知症対応型共同生活介護*，地域密着型特定施設入居者生活介護*，複合型サービス	1か月 （暦月単位）	要支援1 要支援2 要介護1 要介護2 要介護3 要介護4 要介護5	5,032 単位 10,531 単位 16,765 単位 19,705 単位 27,048 単位 30,938 単位 36,217 単位

*利用期間を定めて行うものに限る。

2．居宅介護サービス費等区分支給限度基準額（区分支給限度額）（法第43条第1項，第2項）

　　居宅サービス等については，サービスの種類ごとの相互の代替性の有無等を勘案していくつかのサービス種類を一つの区分としてまとめ（居宅サービス等区分），居宅サービス等区分ごとに要介護度に応じた支給限度額（区分支給限度額）が設定されている。

3．居宅介護サービス費等種類支給限度基準額（種類支給限度額）（法第43条第4項，第5項）

　　市町村は，厚生労働大臣が定める区分支給限度額の範囲内において，条例により，地域のサービス基盤の整備状況等に応じて，個別の種類のサービスの支給限度額を定めることができる。

4．居宅介護福祉用具購入費支給限度額（法第44条第4項，第5項）

　　居宅介護福祉用具購入費の支給は，要介護状態区分にかかわらず，厚生労働大臣が月を単位として省令で定める期間について設定する居宅介護福祉用具購入費支給限度額の範囲内において行われる。

　　居宅介護福祉用具購入費の支給限度基準額：10万円

5．居宅介護住宅改修費支給限度額（法第45条第4項，第5項）

　　居宅介護住宅改修費の支給は，1つの種類の住宅改修について，要介護状態区分にかかわらず，厚生労働大臣が設定する居宅介護住宅改修費支給限度額の範囲内において行

われる。

居宅介護住宅改修費の支給限度基準額：20万円

6. 支給限度額の上乗せ（法第43条第3項等）

区分支給限度額，居宅介護福祉用具購入費支給限度額及び居宅介護住宅改修費支給限度額については，市町村の独自の判断で，厚生労働大臣が定める支給限度額を上回る額を条例で定め，その市町村における支給限度額とすることができる。

7. 支給限度額が設定されていないサービス

居宅療養管理指導，認知症対応型共同生活介護（短期利用を除く。），特定施設入居者生活介護，居宅介護支援（ケアマネジメント），地域密着型特定施設入居者生活介護，地域密着型介護老人福祉施設入所者生活介護，施設サービスについては，これらのサービスは，他のサービスとの代替性等を考慮する必要がないこと等から支給限度額が設定されていない。

■利用者負担

1. 利用者負担

保険給付の対象となる介護サービスに要した費用のうち，保険給付が行われる部分以外はサービスの利用者が負担することとなるが，介護保険制度における利用者負担は基本的に定率の1割とされており，サービスの利用に応じた応益負担が原則となっている。

なお，居宅サービス事業者，地域密着型サービス事業者，介護保険施設が利用者に対して提供したサービスのうち保険給付の対象外であるもの（食費，居住費，日常生活費等）については，原則として全額利用者が負担する。

2. 一定以上所得者の利用者負担

一定以上の所得を有する第1号被保険者に係る利用者負担の割合を2割とする。世代間・世代内の公平性を保ちつつ，制度の持続性を高める観点から，2割負担者のうち，特に所得の高い層の負担割合を3割とする（月額負担の上限あり。）。

3. 低所得者等への配慮

1割の利用者負担（月額）が一定額を上回った場合には，利用者の負担軽減を図るため，高額介護サービス費の支給が行われるが，低所得者については，この上限額が低額に設定されている。

また，介護サービスの利用者負担額と医療保険等における一部負担金等の額の合計額（年額）が一定額を上回った場合，高額医療合算介護サービス費の支給が行われる。

なお，介護保険施設等（ショートステイを含む。）の食費及び居住費についても，低所得者には所得に応じた負担限度額を設け，特定入所者介護サービス費を支給することとしている。さらに，介護保険法施行日（平成12年4月1日）において特別養護老人ホームに入所している者（旧措置入所者）のうち実質的な負担軽減者（平成17年9月30日段

階で定率の利用者負担が5％以下であった者）については，従来の負担能力に応じた負担（応能負担）から利用に応じた負担（応益負担）に変更されることにより，大きく利用者負担の増大が生じることを緩和するため，経過措置として，介護保険制度上の利用者負担（1割の定率負担，食費，居住費）について，負担能力に応じた軽減措置が講じられている（介護保険法施行法第13条第3項，第5項）。

4．1割定率負担の減免

　　市町村は，災害により一時的に負担能力の減退が認められる等，特別の理由があり支払いが困難と認められる被保険者に対しては，1割の利用者負担を減額又は免除することができる。

利用者負担段階

段　階		対　　象　　者
第1段階		・生活保護受給者等[1] ・市町村民税世帯非課税[2]かつ老齢福祉年金受給者
第2段階		・市町村民税世帯非課税[2]かつ課税年金収入額と合計所得金額の合計が80万円以下の者等[1]
第3段階	①	・市町村民税世帯非課税[2]かつ課税年金収入額と合計所得金額の合計が80万円超，120万円以下の者
	②	・市町村民税世帯非課税かつ課税年金収入額と合計所得金額の合計が120万円超の者
第4段階		・利用者負担第1段階から第3段階以外の者
第5段階		・現役並み所得者

注1）　「等」は，第2段階から第4段階の利用者負担段階を適用すれば，生活保護法上の保護が必要となる者であって，それより低い利用者負担段階を適用することにより保護を必要としなくなる者
　　2）　被保険者の属する世帯の全員について，市町村民税が非課税
※別に定める資産要件あり

介護保険施設等に係る食費の負担限度額（日額）

負担限度額				基準費用額
利用者負担 第1段階	利用者負担 第2段階	利用者負担　第3段階		
		①	②	
300円 [300円]	390円 [600円]	650円 [1,000円]	1,360円 [1,300円]	1,445円

[　　]はショートステイ利用者。
注　施設には告示で定める平均的な食費（＝基準費用額。現に食事の提供に要した額がこの額以下ならば当該現に要した額）と上表の負担限度額との差額が，介護保険から給付される。

介護保険施設等（ショートステイを含む。）に係る居住費の負担限度額

数字については（円／日額）

		負担限度額			基準費用額
		利用者負担 第1段階	利用者負担 第2段階	利用者負担 第3段階	
多床室	特養等[1]	0	370	370	855
	老健・療養等[2]	0	370	370	377
従来型個室	特養等[1]	320	420	820	1,171
	老健・療養等[2]	490	490	1,310	1,668
ユニット型個室的多床室		490	490	1,310	1,688
ユニット型個室		820	820	1,310	2,006

注1）「特養等」は，特別養護老人ホーム，地域密着型特別養護老人ホーム，短期入所
　　生活介護の場合
　2）「老健・療養等」は，介護老人保健施設，介護医療院，介護療養型医療施設，短
　　期入所療養介護の場合
　3）　施設には告示で定める平均的な居住費（＝基準費用額。現に居住に要した額が
　　この額以下ならば当該現に要した額）と上表の負担限度額との差額が，介護保険か
　　ら給付される。

高額介護（介護予防）サービス費

利用者負担段階区分	負担上限額
生活保護受給者等	15,000円（世帯）
世帯の全員が市町村民税非課税	24,600円（世帯）
前年の公的年金等収入金額＋その他の合計所得金額の合計が80万 　円以下	24,600円（世帯） 15,000円（個人）
市町村民税課税～課税所得380万円（年収約770万円）未満	44,400円（世帯）
課税所得380万円（年収約770万円）～課税所得690万円（年収約 1,160万円）未満	93,000円（世帯）
課税所得690万円（年収約1,160万円）以上	140,100円（世帯）

注　「世帯」とは，住民基本台帳上の世帯員で，介護サービスを利用した者全員の負担の合計
　の上限額を指し，「個人」とは，介護サービスを利用した本人の負担の上限額を指す。

3 地域支援事業

根拠▶地域支援事業の実施について
（平 18.6.9 老発第 0609001 号）
介護予防・日常生活支援総合事業の基本的事項について
（平 23.9.30 老振発 0930 第 1 号）
介護保険法（平 9.12.17 法律第 123 号）第 115 条の 45

　被保険者が要介護状態又は要支援状態（要介護状態等）となることを予防し，社会に参加しつつ，地域において自立した日常生活を営むことができるよう支援することを目的とし，地域における包括的な相談及び支援体制，多様な主体の参画による日常生活の支援体制，在宅医療と介護の連携体制及び認知症高齢者への支援体制の構築等を一体的に推進するものである。

■実施主体

1．市町村が，その責任の下において実施する。

2．市町村は，地域の実情に応じ，利用者，サービス内容及び利用料の決定を除き，包括的支援事業の実施について，適切，公正，中立かつ効率的に実施することができると認められる老人介護支援センターの設置者（市町村社会福祉協議会，社会福祉法人等），一部事務組合若しくは広域連合等を組織する市町村，医療法人，当該事業を実施することを目的として設立された民法法人，特定非営利活動法人その他市町村が適当と認める法人に委託することができる（この委託は，包括的支援事業の実施に係る方針を示した上で，包括的支援事業（地域包括支援センターの運営）についてはそのすべてにつき一括して行わなければならない）。なお，市町村は，包括的支援事業（社会保障充実分）の実施については，地域包括支援センター以外に委託することも可能であり，地域の実情に応じてそれぞれの事業の実施要綱に定めるところによるものとする。また，委託した場合においても，市町村と委託先は密に連携を図りつつ，事業を実施しなければならない。

3．市町村は，地域の実情に応じ，利用者，サービス内容及び利用料の決定を除き，総合事業について，厚生労働省令に定める基準に適合する者（第 1 号介護予防支援事業については，地域包括支援センターの設置者に限る。）に対して，事業の実施を委託することができるものとする。また，総合事業のうち，介護予防・生活支援サービス事業（第 1 号事業）については，市町村が事業者を指定して事業を実施することができるものとする。

4．市町村は，地域の実情に応じ，利用者，サービス内容及び利用料の決定を除き，任意事業の全部又は一部について，老人介護支援センターの設置者その他市町村が適当と認める者に対し，その実施を委託することができる。

5．2．から4．までの受託者に対して支払う費用の額については，市町村において，地域の実情に応じて柔軟に決定するものとする。なお，総合事業については，受託者に対する費用の審査・支払いに係る事務を国民健康保険団体連合会（国保連）に委託することが可能である。

6．住所地特例適用被保険者に対する地域支援事業の実施に関しては，当該住所地特例適用被保険者が入所又は入居する施設が所在する市町村（施設所在市町村）が行うものとしている。ただし，任意事業については，転居前の市町村（保険者市町村）も行うことができる仕組みとなっており，事業の内容によっては，引き続き，保険者市町村が行うことができる。

7．地域包括支援センターの設置者（法人である場合は，その役員）若しくはその職員又はこれらの職にあった者は，正当な理由なしに，その業務に関して知り得た秘密を漏らしてはならない。

8．総合事業は市町村が実施主体となり，保健所その他の関係行政機関，医師会，歯科医師会その他の保健医療関係団体，社会福祉協議会その他の福祉関係団体，介護関係事業者その他の民間事業者，ボランティアを含む地域住民等の協力を得て推進するものとする。

■**利用料**

市町村及び地域支援事業の実施について市町村から委託を受けた者又は第1号事業の指定事業者は，地域支援事業の利用者に対し，介護予防把握事業にかかる費用を除いて，利用料を請求することができる。利用料に関する事項は，地域の実情や各事業の内容に応じて，市町村において決定する。利用料の額の設定に当たっては，予防給付及び総合事業との均衡等を勘案しながら適切に設定する。

1　総合事業

総合事業は，要支援者等に対して必要な支援を行う第1号事業（以下「介護予防・生活支援サービス事業」という。）と，住民主体の介護予防活動の育成及び支援等を行う事業（以下「一般介護予防事業」という。）からなる。

■**介護予防・生活支援サービス事業**

1．総則

(1)　目的

要支援者等に対して，要介護状態等となることの予防又は要介護状態等の軽減若しくは悪化の防止及び地域における自立した日常生活の支援を実施することにより，一人ひとりの生きがいや自己実現のための取組を支援し，活動的で生きがいのある生活

や人生を送ることができるように支援することを目的とする。また，要支援者等の多様なニーズに対して，旧介護予防訪問介護等により提供されていた専門的サービスに加え住民等の多様な主体が参画し，多様なサービスを充実することにより，要支援者等に対する効果的かつ効率的な支援等を可能とし，地域の支え合いの体制づくりを推進することを目的とする。その目的の達成のため，事業の実施に際しては，第1号介護予防支援事業(以下「介護予防ケアマネジメント」という。)により，個々の要支援者等の心身の状況，その置かれている環境その他の状況 (以下「心身の状況等」という。)に応じて，要支援者等の選択に基づき，適切な事業を包括的かつ効率的に実施する。

介護予防・生活支援サービス事業については，介護サービス事業者，ボランティア，地縁組織，NPO法人，民生委員，シルバー人材センター等，地域における多様な主体を積極的に活用し，公民館，自治会館，保健センター等，地域の多様な社会資源を積極的に活用しながら実施する。

(2) 事業の構成

第1号訪問事業 (以下「訪問型サービス」という。)，第1号通所事業 (以下「通所型サービス」という。)，第1号生活支援事業 (以下「その他生活支援サービス」という。) 及び介護予防ケアマネジメントから構成される。

(3) 対象者

居宅要支援被保険者等 (居宅要支援被保険者及び基準に該当した者 (以下「事業対象者」という。) を対象に実施する。

(4) 利用者負担

市町村がサービス内容や時間，基準等を踏まえ，要綱等において定める。

① 利用者負担は，介護給付と同様に事業費用に対して定率とするほか，1回当たりの定額の負担とすることも可能。

② 食材料費及び調理費相当分については，介護給付と同様に利用者負担とする。

③ 指定事業者によって提供されるサービスについては高額介護予防サービス費相当事業の対象となる。それ以外のサービスについては利用料の設定に当たり低所得者への配慮を行う。

(5) 高額介護予防サービス費相当事業及び高額医療合算介護予防サービス費相当事業

総合事業によるサービス利用に係る利用者負担の家計に与える影響を考慮し，高額介護予防サービス費及び高額医療合算介護予防サービス費に相当する事業を実施する。

2. 各論

要支援者等の多様なニーズに対して，多様なサービスを提供していくためには，市町村が中心となって，地域の実情に応じて，サービスを類型化し，それに合わせた基準や単価等を定めることが必要である。以下のとおり，旧介護予防訪問介護等に相当する

サービスのほか，多様なサービス例を参考として示すので，市町村においては，これらを参考にしつつ，地域の実情に応じて，サービスの内容を定める。

(1)　訪問型サービス

　　主に①から⑤までのようなサービス類型が想定される。

①　旧介護予防訪問介護に相当するサービス（訪問介護員等によるサービス）

　　要支援者等の居宅において，介護予防を目的として，訪問介護員等により行われる入浴，排せつ，食事等の身体介護や生活援助を行う。また，短時間の身体介護といったサービス内容も含まれる。

②　主に雇用されている労働者により提供される，旧介護予防訪問介護に係る基準よりも緩和した基準によるサービス（訪問型サービスA）

　　要支援者等の居宅において，介護予防を目的として，主に雇用される労働者（訪問介護員又は一定の研修受講者）が行う生活援助等のサービス（調理，掃除等やその一部介助等）。

③　有償・無償のボランティア等により提供される住民主体による支援（訪問型サービスB）

　　要支援者等及び継続利用要介護者の居宅において，介護予防を目的として，主に住民ボランティア等，住民主体の自主活動として行う生活援助等の多様な支援（買い物代行，調理，ゴミ出し，電球の交換等）。

④　保健・医療の専門職により提供される，3〜6か月の短期間で行われるサービス（訪問型サービスC）

　　閉じこもり等の心身の状況のため通所による事業への参加が困難で訪問による取組が必要と認められる者を対象に，保健・医療専門職が居宅を訪問して生活機能に関する問題を把握，評価し，社会参加を高めるため必要な相談・指導等を実施する短期集中予防サービスである。

⑤　介護予防・生活支援サービス事業と一体的に行われる移動支援や移送前後の生活支援（訪問型サービスD）

　　通院等をする場合における送迎前後の付き添い支援，通所型サービスや一般介護予防事業における送迎を別主体が実施する場合の送迎。

(2)　通所型サービス

　　主に①から④までのようなサービス類型が想定される。

①　旧介護予防通所介護に相当するサービス（通所介護事業者の従事者によるサービス）

　　介護予防を目的として施設に通わせ，当該施設において，一定の期間，入浴，排せつ，食事等の介護等の日常生活上の支援及び機能訓練を行う。

②　主に雇用されている労働者，又は労働者とともにボランティアが補助的に加わっ

た形により提供される旧介護予防通所介護に係る基準よりも緩和した基準による
サービス（通所型サービスＡ）。

　高齢者の閉じこもり予防や自立支援に資する通所事業（ミニデイサービス，運動・
レクリエーション活動等）。

③　有償・無償のボランティア等により提供される住民主体による支援（通所型サー
ビスＢ）

　住民主体による要支援者等を中心とした定期的な利用が可能な自主的な通いの場
づくり（体操，運動等の活動等）。

④　保健・医療専門職により提供される，３〜６か月の短期間で行われるサービス（通
所型サービスＣ）

　個人の活動として行う排泄，入浴，調理，買物，趣味活動等の生活行為に支障の
ある者を対象に，保健・医療専門職が，生活環境を踏まえた適切な評価のための訪
問を実施した上で，およそ週１回以上，生活行為の改善を目的とした効果的な介護
予防プログラムを実施する短期集中予防サービス。

(3)　その他生活支援サービス

　要支援者等の地域における自立した日常生活の支援のための事業であって，訪問型
サービスや通所型サービスと一体的に行われる場合に効果があると認められるものと
し，具体的には，以下のサービスとする。

①　栄養改善を目的とした配食や一人暮らし高齢者に対する見守りとともに行う配食
等

②　定期的な安否確認及び緊急時の対応，住民ボランティア等が行う訪問による見守
り

③　その他，訪問型サービス及び通所型サービスの一体的提供等地域における自立し
た日常生活の支援に資するサービスとして市町村が定める生活支援

(4)　介護予防ケアマネジメント

　要支援者等から依頼を受けて，介護予防及び日常生活支援を目的とし，その心身の
状況，置かれている環境等に応じて，その選択に基づき，訪問型サービス，通所型サー
ビス，その他生活支援サービスのほか，一般介護予防や市町村の独自施策，市場にお
いて民間企業により提供される生活支援サービスも含め，要支援者等の状態等にあっ
た適切なサービスが包括的かつ効率的に提供されるよう必要な援助を行う。

■一般介護予防事業

1.　総則

(1)　目的

　市町村の独自財源で行う事業や地域の互助，民間サービスとの役割分担を踏まえ，

　高齢者を年齢や心身の状況等によって分け隔てることなく，住民主体の通いの場を充実させ，人と人とのつながりを通じて，参加者や通いの場が継続的に拡大していくような地域づくりを推進し，リハビリテーションに関する専門的知見を有する者を活かした自立支援に資する取組を推進し，要介護状態になっても生きがい・役割をもって生活できる地域を構築することにより，介護予防を推進することを目的とする。

　なお，これらの取組は，認知機能低下の予防につながる可能性も高いことから，認知症の発症予防の観点も踏まえ推進する。

　そのため，市町村は，介護予防把握事業，介護予防普及啓発事業，地域介護予防活動支援事業，一般介護予防事業評価事業及び地域リハビリテーション活動支援事業のうち必要な事業を組み合わせ，地域の実情に応じて効果的かつ効率的に実施する。その際，短期集中予防サービスや地域ケア会議，生活支援体制整備事業等との連携に加え，運動，口腔，栄養，社会参加などの観点から高齢者の保健事業と一体的に進めることが重要。また，一般介護予防事業の充実を図るため，行政内の様々な分野の担当部局と連携し，横断的に進める体制を構築し，地域自治会や医療・介護等関係団体・機関等を含めた多様な主体との連携を進めていくことが重要。さらに，事業の推進に当たり，市町村及び地域の医療機関等の医師等専門職も重要な役割を担うことから，体制の充実を図ることや，専門職が配置されている他部門との連携に努めることも重要である。

(2)　対象者

　当該市町村の第 1 号被保険者の全ての者及びその支援のための活動に関わる者を対象に実施するが，住民主体の通いの場に 65 歳未満の住民が参加し，ともに介護予防に取組むことを妨げるものではない。

2．各論

(1)　介護予防把握事業

　例えば，次に掲げる方法等により，地域の実情に応じ，効果的かつ効率的に収集した情報等を活用して，何らかの支援を要する者を早期に把握し，住民主体の介護予防活動へつなげることを目的とする。

①　要介護認定及び要支援認定の担当部局との連携による把握

②　訪問活動を実施している保健部局との連携による把握

③　医療機関からの情報提供による把握

④　民生委員等地域住民からの情報提供による把握

⑤　地域包括支援センターの総合相談支援業務との連携による把握

⑥　本人，家族等からの相談による把握

⑦　特定健康診査等の担当部局との連携による把握

⑧　高齢者保健事業等の担当部局との連携による把握

⑨　重層的支援体制整備事業等の担当部局との連携による把握

⑩　その他市町村が適当と認める方法による把握

　　なお，多様な課題を抱える者や閉じこもりがちで健康状態が把握できていない者等何らかの支援を要する者を把握するため，上記のほか，保健師等の専門性をいかし，健診・医療レセプト・介護情報がない者の把握や訪問も検討する。その際，民生委員や地域のボランティア等とも連携も重要である。

(2)　介護予防普及啓発事業

　　市町村が介護予防に資すると判断した内容を地域の実情に応じて効果的かつ効率的に実施する。実施に際しては，高齢者本人のみならず，家族や現役世代に対する働きかけにより理解を得ることや，様々な関係者が連携し介護予防に取り組むという気運を高めていくことも重要である。また，特に必要と認められる場合，リフトバス等による送迎を行うことができる。

①　介護予防に資する基本的知識を普及啓発するためのパンフレット等の作成及び配布，有識者等による講演会や相談会等の開催，運動・栄養・口腔等に係る介護予防教室等の開催等

②　介護予防に関する知識又は情報，各対象者の介護予防事業の実施の記録等を管理するための媒体（介護予防手帳等）の配布

(3)　地域介護予防活動支援事業

　　年齢や心身の状況等によって高齢者を分け隔てることなく，誰でも参加することのできる介護予防活動の地域展開を目指して，市町村が介護予防に資すると判断する住民主体の通いの場等の活動を地域の実情に応じて効果的かつ効率的に支援する。以上の取組に加え，概ね次のようなものも組み合わせて支援することが考えられる。

①　介護予防に関するボランティア等の人材を育成するための研修

②　介護予防に資する多様な地域活動組織の育成及び支援

③　社会参加活動を通じた介護予防に資する地域活動の実施

④　介護予防に資する取組への参加やボランティア等へのポイント付与

(4)　一般介護予防事業評価事業

　　介護保険事業計画において定める目標値の達成状況等の検証を通じ，一般介護予防事業を含め，地域づくりの観点から総合事業全体を評価し，その評価結果に基づき事業全体を改善する。その際，PDCAサイクルに沿って効果・効率的に取組が進むよう，関連データを活用し，適切かつ有効に行うよう努める。

(5)　地域リハビリテーション活動支援事業

　　市町村が地域における介護予防の取組を強化する効果があると判断した内容を地域の実情に応じて効果的かつ効率的に実施するよう努める。実施に際しては，リハビリテーションに関する専門的知見を有する者が，高齢者の有する能力を評価し改善の可

能性を助言する等，地域包括支援センターと連携しながら，通所系サービス，訪問系サービス，地域ケア会議，サービス担当者会議，住民主体の通いの場等の介護予防の取組を総合的に支援する。

① 　住民への介護予防に関する技術的助言

② 　介護職員等（介護サービス事業所従事者を含む。）への介護予防に関する技術的助言

③ 　地域ケア会議やサービス担当者会議におけるケアマネジメント支援

2　包括的支援事業（地域包括支援センターの運営）

ア　包括的支援事業（地域包括支援センターの運営）の内容

■第1号介護予防支援事業

包括的支援事業のうち，第1号介護予防支援事業（居宅要支援被保険者に係るものを除く。）は，1の介護予防ケアマネジメント（p.69参照）として実施するものとし，費用についても，総合事業として賄われるものとする。また，第1号介護予防支援事業（居宅要支援被保険者に係るものを除く。）の一部について，指定居宅介護支援事業所に委託ができる。

■総合相談支援業務

1．目的

高齢者が住み慣れた地域で安心してその人らしい生活を継続していくことができるよう，地域における関係者とのネットワークを構築するとともに，高齢者の心身の状況や生活の実態，必要な支援等を幅広く把握し，相談を受け，地域における適切な保健・医療・福祉サービス，機関又は制度の利用につなげる等の支援を行う。

2．事業内容

(1) 地域におけるネットワークの構築

地域包括支援センターは，支援を必要とする高齢者を見出し，保健・医療・福祉サービスをはじめとする適切な支援へのつなぎ，継続的な見守りを行い，更なる問題の発生を防止するため，介護サービス事業者，医療機関，民生委員，高齢者の日常生活支援に関する活動に携わるボランティアなど，地域における様々な関係者のネットワークの構築を図る。

(2) 実態把握

(1)のネットワークを活用するほか，様々な社会資源との連携，高齢者世帯への戸別訪問，同居していない家族や近隣住民からの情報収集等により，高齢者や家族の状況等についての実態把握を行う。特に，地域から孤立している要介護（支援）者のいる

世帯や重層的課題を抱えている世帯など，支援が必要な世帯を把握し，当該世帯の高齢者や家族への支援につなげることができるように留意する。

(3)　総合相談支援

①　初期段階の相談対応

　　本人，家族，近隣の住民，地域のネットワーク等を通じた様々な相談を受けて，的確な状況把握等を行い，専門的・継続的な関与又は緊急の対応の必要性を判断する。適切な情報提供により相談者自身が解決できると判断した場合には，相談内容に即したサービス又は制度に関する情報提供，関係機関の紹介等を行う。

②　継続的・専門的な相談支援

　　①の対応により，専門的・継続的な関与又は緊急の対応が必要と判断した場合には，より詳細な情報収集を行い，個別の支援計画を策定する。支援計画に基づき，適切なサービスや制度につなぐとともに，定期的に情報収集を行い，期待された効果の有無を確認する。

(4)　家族を介護する者に対する相談支援の留意点

　　地域における高齢者の在宅生活を支えるに当たっては，介護を行う家族に対する支援も重要である。家族を介護する者が求めている支援としては，相談援助・支援，介護に関する情報や知識・技術の提供，家族介護者同士の支え合いの場の確保，家族介護者に関する周囲の理解の促進などがあり，地域包括支援センターにおいて，家族を介護する者に対する相談支援を実施する場合には，これらのニーズを踏まえ，育児と介護を同時期に担う方にも配慮しつつ，4の任意事業（**p.81参照**）における家族介護支援事業と連携して支援を行う。

(5)　地域共生社会の観点に立った包括的な支援の実施

　　社会福祉法が平成29年に改正され，複合化・複雑化した課題を抱える個人や世帯に対する適切な支援・対応を行うため，地域包括支援センターを含む相談支援を担う事業者は，相談等を通じて自らが解決に資する支援を行うことが困難な地域生活課題を把握した場合には，必要に応じて適切な支援関係機関につなぐことが努力義務とされた。総合相談支援の実施にあたっては，他の相談支援を実施する機関と連携し，必要に応じて引き続き相談者とその世帯が抱える地域生活課題全体の把握に努めながら相談支援に当たる。

■権利擁護業務

1．目的

　　権利擁護業務は，地域の住民，民生委員，介護支援専門員などの支援だけでは十分に問題が解決できない。適切なサービス等につながる方法が見つからない等の状況にある高齢者が，地域において尊厳のある生活を維持し，安心して生活できるよう，専門的・

継続的な視点から，高齢者の権利擁護のため必要な支援を行う。

2．事業内容

日常生活自立支援事業，成年後見制度などの権利擁護を目的とする制度を活用するなど，ニーズに即した適切なサービスや機関につなぎ，適切な支援を提供することにより，高齢者の生活の維持を図る。特に，高齢者の権利擁護の観点からの支援が必要と判断した場合には，次のような諸制度を活用する。

(1) 成年後見制度の活用促進

成年後見制度の利用が必要と思われる高齢者の親族等に対して制度の説明や申立てに当たっての関係機関の紹介などを行う。申立てを行える親族がないと思われる場合や，親族があっても申立てを行う意思がない場合で，成年後見の利用が必要と認める場合，速やかに市町村担当部局に状況等を報告し，市町村申立てにつなげる。

(2) 老人福祉施設等への措置の支援

虐待等の場合で，高齢者を老人福祉施設等へ措置入所させることが必要と判断した場合は，市町村担当部局に状況等を報告し，措置入所の実施を求める。

(3) 高齢者虐待への対応

虐待の事例を把握した場合には，「高齢者虐待の防止，高齢者の養護者に対する支援等に関する法律」等に基づき，速やかに当該高齢者を訪問して状況を確認する等，適切な対応をとる。

(4) 困難事例への対応

高齢者やその家庭に重層的に課題が存在している場合，高齢者自身が支援を拒んでいる場合等の困難事例を把握した場合には，地域包括支援センターに配置されている専門職が相互に連携するとともに，センター全体で対応を検討し，必要な支援を行う。

(5) 消費者被害の防止

訪問販売による消費者被害等を未然に防止するため，消費者センター等と定期的な情報交換を行うとともに，民生委員，介護支援専門員，訪問介護員等に必要な情報提供を行う。

■包括的・継続的ケアマネジメント支援業務

1．目的

高齢者が住み慣れた地域で暮らし続けることができるよう，介護支援専門員，主治医，地域の関係機関等の連携，在宅と施設の連携など，地域において，多職種相互の協働等により，個々の高齢者の状況や変化に応じて，包括的かつ継続的に支援していく包括的・継続的ケアマネジメントが重要であり，地域における連携・協働の体制づくりや個々の介護支援専門員に対する支援等を行う。

2．事業内容

(1)　包括的・継続的なケア体制の構築

　　在宅・施設を通じた地域における包括的・継続的なケアを実施するため，医療機関を含めた関係機関との連携体制を構築し，地域の介護支援専門員と関係機関の間の連携を支援する。また，地域の介護支援専門員が，地域における健康づくりや交流促進のためのサークル活動，老人クラブ活動，ボランティア活動など介護保険サービス以外の様々な社会資源を活用できるよう，地域の連携・協力体制を整備する。

(2)　地域における介護支援専門員のネットワークの活用

　　介護支援専門員の日常的な業務の円滑な実施を支援するため，介護支援専門員相互の情報交換等を行う場を設定するなど介護支援専門員のネットワーク構築やその活用を図る。

(3)　日常的個別指導・相談

　　介護支援専門員の日常的業務の実施に関し，介護支援専門員に対する個別の相談窓口の設置，居宅（介護予防）・施設サービス計画の作成技術の指導，サービス担当者会議の開催支援など，専門的見地からの個別指導，相談への対応を行う。また，地域の介護支援専門員の資質向上を図る観点から，必要に応じ，地域包括支援センターの各専門職や関係機関とも連携の上，事例検討会や研修の実施，制度や施策等に関する情報提供等を行う。

(4)　支援困難事例等への指導・助言

　　介護支援専門員が抱える支援困難事例について，適宜，地域包括支援センターの各専門職や地域の関係者，関係機関との連携の下で，具体的な支援方針を検討し，指導助言等を行う。

イ　包括的支援事業（地域包括支援センターの運営）の実施に際しての留意事項

　　地域包括支援センターの運営に当たっては，「地域包括支援センターの設置運営について」（平成18年10月18日厚生労働省通知）を参照するとともに，以下の点に留意すること。

1．地域包括支援ネットワークの構築について

　　包括的支援事業を効果的に実施するためには，介護サービスに限らず，地域の保健・福祉・医療サービスやボランティア活動，インフォーマルサービスなどの様々な社会的資源が有機的に連携することができる環境整備を行うことが重要である。このため，こうした連携体制を支える共通的基盤として多職種協働による「地域包括支援ネットワーク」を構築することが必要であり，地域包括支援センターは，これらの関係者との連携に努めていくことが求められている。

　　そのための手段の一つとして，3の■生活支援体制整備事業 (p. 78 参照) において，地

域の多様な関係者の参画による協議体を設置することとされ，地域包括支援センターにおいてもこの協議体に積極的に参加していくことを通じて，構築すべき地域包括支援ネットワークの充実にもつながることが考えられる。

2．地域ケア会議の実施について

　　市町村は，■包括的・継続的ケアマネジメント支援業務 (p.74 参照) の効果的な実施のために，介護支援専門員，保健医療及び福祉に関する専門的知識を有する者，民生委員その他の関係者，関係機関及び関係団体により構成される会議（地域ケア会議）の設置に努めなければならない。

　　個別ケースを検討する地域ケア会議（地域ケア個別会議）は，地域包括支援センター等が主催し，医療・介護等の専門職をはじめ，民生委員，自治会長，NPO 法人，社会福祉法人，ボランティアなど地域の多様な関係者が協働し，介護支援専門員のケアマネジメント支援を通じ，介護等が必要な高齢者の住まいでの生活を地域全体で支援していくことを目的とする。なお，介護支援専門員の資質向上に資するよう，市町村内の全ての介護支援専門員が年に1回は地域ケア会議での支援が受けられるようにするなど，その効果的な実施に努める。また，個別ケースの検討により共有された地域課題を地域づくりや政策形成に着実に結びつけていくことで，市町村が取り組む地域包括ケアシステム構築に向けた施策の推進にもつながることから，市町村と地域包括支援センターが緊密に連携，かつ役割分担を行いながら，取組を推進していく。

3　包括的支援事業（社会保障充実分）

■在宅医療・介護連携推進事業

1．目的

　　医療と介護の両方を必要とする状態の高齢者が，住み慣れた地域で自分らしい暮らしを人生の最期まで続けることができるよう，切れ目ない在宅医療と介護の提供体制を構築するため，住民，地域医療・介護関係者とめざすべき姿を共有しつつ，医療機関と介護事業所等の関係者の連携を推進することを目的とする。

2．実施主体

　　市町村が主体的に実施する。ただし，事業の全部又は一部について，市町村が適当と認める者に委託することができる。

3．事業内容

　　地域包括ケアシステム実現に向けて，切れ目ない在宅医療と介護の提供体制構築のため，地域のめざすべき姿を設定し，医療・介護関係者と共有した上で地域の実情に応じ，取組内容の充実を図りつつ，(1)～(3)の PDCA サイクルに沿った取組を進める。その際，企画立案時から，医師会等関係団体との協働が重要で，また，医療や介護・健康づくり

部門で庁内連携に努め，総合的に事業を進める人材の育成・配置や他の地域支援事業等の関連施策との連携・調整を図る。さらに，災害・緊急時の対応も含めて，検討を行う。

(1) 現状分析・課題抽出・施策立案（計画）

　切れ目ない在宅医療と介護の提供体制構築に向け，現状の分析，課題の抽出，施策の立案を行う。

① 地域の医療・介護の資源の把握

　地域の医療機関，介護事業所等の機能等の社会資源及び在宅医療・介護サービス利用者情報を把握する。その際，これまでに把握している情報を整理し，リスト又はマップ等を自治体の状況に応じて作成し，地域の医療・介護関係者間の連携等に活用する。

② 在宅医療・介護連携の課題の抽出と対応策の検討

　地域の医療・介護関係者等が参画する会議を開催し，在宅医療・介護連携の現状の把握と課題の抽出，解決策等の検討を行う。

③ 切れ目のない在宅医療と在宅介護の提供体制の構築推進

　地域の医療・介護関係者の協力を得ながら，切れ目なく在宅医療と介護が一体的に提供される体制の構築に向けて必要となる具体的取組を企画・立案する。

(2) 対応策の実施

① 在宅医療・介護連携に関する相談支援

　地域の在宅医療・介護の連携を支援する相談窓口の設置・運営のために，在宅医療・介護の連携を支援する人材を配置し，地域の医療・介護関係者，地域包括支援センター等からの，在宅医療・介護連携に関する事項の相談を受け付ける。

② 地域住民への普及啓発

　在宅医療・介護連携に関する講演会やシンポジウム等の開催，在宅医療・介護サービスに関するパンフレットの作成・配布，ウェブサイト作成等により，地域住民の理解を促進する。

③ 医療・介護関係者の情報共有の支援，知識の習得等のための研修などの地域の実情に応じた医療・介護関係者の支援

　在宅での看取り，急変時，入退院時にも活用できる情報共有の手順等を定めた情報共有ツールの整備，多職種でのグループワーク等の協働・連携に関する研修など，地域の医療・介護関係者との協働・連携を深めるための医療・介護関係者への支援を地域の実情に応じて柔軟に実施する。

(3) 対応策の評価の実施，改善の実施

　立案時に評価の時期や指標を定め，実施した対応策に基づき評価を行う。その結果を踏まえ，目標設定や課題抽出，対応策の実施内容等について，地域包括ケアシステムの実現に向け，改善のための検討を行う。

■生活支援体制整備事業

1．目的

　　単身や夫婦のみの高齢者世帯，認知症の高齢者が増加する中，医療，介護のサービス提供のみならず，市町村が中心となって，NPO法人，民間企業，協同組合，ボランティア，社会福祉法人，社会福祉協議会，地縁組織，介護サービス事業所，シルバー人材センター，老人クラブ，家政婦紹介所，商工会，民生委員等の生活支援サービスを担う事業主体と連携しながら，多様な日常生活上の支援体制の充実・強化及び高齢者の社会参加の推進を一体的に図っていくことを目的とする。

2．実施主体

　　市町村。ただし，事業の全部又は一部について，市町村が適当と認める者に委託することができる。

3．実施内容

(1)　生活支援コーディネーター（地域支え合い推進員）の配置

　　高齢者の生活支援等サービスの体制整備を推進するため，サービスの提供体制の構築に向けて，コーディネート機能を有する者を生活支援コーディネーター（地域支え合い推進員）とし，市町村区域（第1層）及び日常生活圏域（中学校区域等，第2層）に配置する。

(2)　協議体の設置

　　生活支援等サービスの体制整備に向けて，市町村が主体となって，生活支援コーディネーターと多様な提供主体等が参画する定期的な情報の共有・連携強化の場を設置することにより，生活支援コーディネーターを補完し，多様な主体間の情報共有及び連携・協働による体制整備を推進する。

(3)　就労的活動支援コーディネーター（就労的活動支援員）の配置

　　役割がある形での高齢者の社会参加等を促進するため，「就労的活動支援コーディネーター（就労的活動支援員）」を配置することができる。

■認知症総合支援事業

1．認知症初期集中支援推進事業

(1)　目的

　　認知症になっても本人の意思が尊重され，できる限り住み慣れた地域のよい環境で暮らし続けられるために，認知症の人やその家族に早期に関わる「認知症初期集中支援チーム」（支援チーム）を配置し，早期診断・早期対応に向けた支援体制を構築することを目的とする。

(2)　実施主体

　　市町村。ただし，事業の全部又は一部について，市町村が適当と認める者（地域包

括支援センター，認知症疾患医療センター，診療所等）に委託することができる。

(3)　実施内容

　以下の①から③までについていずれも実施する。なお，③については市町村が自ら実施する。

①　支援チームに関する普及啓発

②　認知症初期集中支援の実施

　ア　訪問支援対象者の把握

　イ　情報収集及び観察・評価

　ウ　初回訪問時の支援

　エ　専門医を含めたチーム員会議の開催

　オ　初期集中支援の実施

　カ　引き継ぎ後のモニタリング

　キ　支援実施中の情報の共有について

③　認知症初期集中支援チーム検討委員会の設置

2．認知症地域支援・ケア向上事業

(1)　目的

　認知症の人が地域で安心して暮らすために，必要な医療，介護及び生活支援を行うサービスが有機的に連携したネットワーク，効果的な支援が行われる体制の構築，認知症ケアの向上を図るための取組の推進が重要である。このため，認知症疾患医療センターを含む医療機関や介護サービス及び地域の支援機関の間の連携を図るための支援や相談業務地域において「生きがい」をもった生活を送れるよう社会参加活動のための体制整備等を行う認知症地域支援推進員（推進員）を配置し，当該推進員を中心として，医療・介護等の連携強化等による支援体制の構築と認知症ケアの向上を図ることを目的とする。

(2)　実施主体

　市町村。ただし，事業の全部又は一部について，市町村が適当と認める者に委託することができる。

(3)　事業内容

①　認知症の人に対し，状態に応じた適切なサービスが提供されるよう，地域包括支援センター，認知症疾患医療センターを含む医療機関や，介護サービス事業者や認知症サポーター等地域において認知症の人を支援する関係者の連携を図る。

②　認知症地域支援推進員を中心に地域の実情に応じて，地域における認知症の人とその家族を支援する相談支援や支援体制を構築する。

③　以下のアからカまでの事業実施に関する企画及び調整

　ア　病院・介護保険施設等で認知症対応力向上を図るための支援事業

　　　イ　地域密着型サービス事業所・介護保険施設等での在宅生活継続のための相談・
　　　　　支援事業

　　　ウ　認知症の人の家族に対する支援事業

　　　エ　認知症ケアに携わる多職種協働のための研修事業

　　　オ　認知症高齢者をはじめとする高齢者や若年性認知症の人の社会参加活動の体制
　　　　　整備事業

　　　カ　認知症の人と家族への一体的支援事業

3．認知症サポーター活動促進・地域づくり推進事業

　(1)　目的

　　　認知症の人ができる限り地域のよい環境で自分らしく暮らし続けることができるよ
　　う，認知症の人やその家族の支援ニーズと認知症サポーターを中心とした支援を繋ぐ
　　仕組みを地域ごとに整備し，認知症施策推進大綱に掲げた「共生」の地域づくりを推
　　進することを目的とする。

　(2)　実施主体

　　　市町村。ただし，事業の全部又は一部について，市町村が適当と認める者に委託す
　　ることができる。

　(3)　事業内容

　①　実施体制

　　　事業の実施に当たって，②の役割を担う「チームオレンジコーディネーター」を
　　地域包括支援センター，市町村本庁，認知症疾患医療センター等に1名以上配置す
　　る。なお，認知症の人の数等の状況により，認知症地域支援推進員がチームオレン
　　ジコーディネーターを兼務するなど，地域の実情に応じた柔軟な対応を行うことも
　　可能。

　②　チームオレンジコーディネーターの業務内容

　　　地域の認知症の人やその家族の支援ニーズと認知症サポーター（認知症サポー
　　ター養成講座に加え，より実際の活動につなげるためのステップアップ講座受講者）
　　を中心とした支援を繋ぐ仕組みを整備し，その運営を支援する。

■地域ケア会議推進事業

　　地域ケア会議推進事業の内容については，2の地域ケア会議の実施について **(p. 76 参照)**
　に記載するとおりとする。

4　任意事業

■目　的

　地域の高齢者が，住み慣れた地域で安心してその人らしい生活を継続していくことができるようにするため，介護保険事業の運営の安定化を図るとともに，被保険者及び要介護被保険者を現に介護する者等に対し，地域の実情に応じた必要な支援を行う。

■対象者

　被保険者，要介護被保険者を現に介護する者その他個々の事業の対象者として市町村が認める者とする。ただし，住宅改修費の支給の申請に係る必要な理由がわかる書類を作成する事業又は必要な理由がわかる書類を作成した場合の経費を助成する事業については，住宅改修の活用を希望する要介護（支援）被保険者で居宅介護（介護予防）支援の提供を受けていない者に対して当該者の住宅改修費の支給の申請に係る必要な書類を作成した者に限る。

■事業内容

　法上，介護給付等費用適正化事業，家族介護支援事業，その他介護保険事業の運営の安定化及び被保険者の地域における自立した日常生活の支援のため必要な事業が規定されているが，地域の実情に応じ，創意工夫を生かした多様な事業形態が可能であり，具体的には，次に掲げる事業を対象とする。

１．介護給付等費用適正化事業

　　介護（予防）給付について真に必要なサービス以外の不要なサービスが提供されていないかの検証，本事業の趣旨の徹底や良質な事業展開のために必要な情報の提供，介護サービス事業者間による連絡協議会の開催等により，利用者に適切なサービスを提供できる環境の整備を図るとともに，介護給付等（指定事業者による介護予防・生活支援サービス事業も含む。）に要する費用の適正化のための事業を実施する。なお，介護給付等（指定事業者による介護予防・生活支援サービス事業も含む。）に要する費用の適正化のための事業のうち，主要な事業は「主要介護給付等費用適正化事業」である。

２．家族介護支援事業

　　介護方法の指導その他の要介護被保険者を現に介護する者の支援に必要な事業を実施する。

(1)　介護教室の開催

　　　要介護被保険者の状態の維持・改善を目的とした，適切な介護知識・技術の習得や，外部サービスの適切な利用方法の習得等を内容とした教室を開催する。

(2)　認知症高齢者見守り事業

　　地域における認知症高齢者の見守り体制の構築を目的とした，認知症に関する広報・啓発活動，徘徊高齢者を早期発見できる仕組みの構築・運用，認知症高齢者に関する知識のあるボランティア等による見守りのための訪問などを行う。

(3)　家族介護継続支援事業

　　家族の身体的・精神的・経済的負担の軽減を目的とした以下の事業とする。

①　健康相談・疾病予防等事業

②　介護者交流会の開催

③　介護自立支援事業

3．その他の事業

　　次の(1)から(6)までに掲げる介護保険事業の運営の安定化及び被保険者の地域における自立した日常生活の支援のため必要な事業を実施する。

(1)　成年後見制度利用支援事業

　　市町村申立て等に係る低所得の高齢者に係る成年後見制度の申立てに要する経費や成年後見人等の報酬の助成等を行う。市町村申立てに限らず，本人申立て，親族申立て等についてもその対象となりうる。

(2)　福祉用具・住宅改修支援事業

　　福祉用具・住宅改修に関する相談・情報提供・連絡調整等・助言の実施，住宅改修費の支給の申請に係る必要な理由がわかる書類の作成及び必要な理由がわかる書類を作成した場合の経費の助成を行う。

(3)　認知症対応型共同生活介護事業所の家賃等助成事業

　　認知症対応型共同生活介護事業所において，要介護及び要支援2の認定を受けた者を受け入れ，家賃，食材料費及び光熱水費の費用負担が困難な低所得者に利用者負担の軽減を行っている事業者を対象として助成を行う。

(4)　認知症サポーター等養成事業

　　認知症サポーター養成講座の企画・立案及び実施を行うキャラバン・メイトを養成するとともに，地域や職域において認知症の人と家族を支える認知症サポーターを養成する。

(5)　重度のALS患者の入院におけるコミュニケーション支援事業

　　重度のALS患者の入院において，入院前から支援を行っている等，当該重度のALS患者とのコミュニケーションについて熟知している支援者が，当該重度のALS患者の負担により，その入院中に付き添いながらコミュニケーション支援を行う。

(6)　地域自立生活支援事業

　　次の①から④までに掲げる事業を実施する。

①　高齢者の安心な住まいの確保に資する事業

　②　介護サービス等の質の向上に資する事業

　③　地域資源を活用したネットワーク形成に資する事業

　④　家庭内の事故等への対応の体制整備に資する事業

■**留意事項**

1．任意事業の実施に当たっては，包括的支援事業の円滑な実施に資するネットワークの構築や地域のコミュニティの形成を踏まえるなど，地域における社会資源の活用に留意しながら，事業ごとの目標設定や効果検証などを行い，効果的・効率的な実施に努める。

2．特に，包括的支援事業（地域包括支援センターの運営等）及び任意事業の実施に必要な上限額について，平成27年度以降は，原則の上限額と特例の上限額を定めて，一定の条件を満たす場合に特例の上限額を選択できることとされたが，当該条件に定められる，介護給付費適正化主要5事業の実施に当たっては，「「介護給付適正化計画」に関する指針」等の趣旨を踏まえ策定された都道府県介護給付適正化計画及び市町村介護給付適正化計画と整合性を図りながら，5つの事業ごとに目標の設定，実施後の分析・評価，課題の整理及び改善策の検討を行い，効果的な事業実施に努める。

3．住宅改修費の支給の申請に係る必要な理由がわかる書類を作成する事業及び必要な理由がわかる書類を作成した場合の経費を助成する事業の実施に当たっては，介護支援専門員又は作業療法士，福祉住環境コーディネーター検定試験2級以上その他これに準ずる資格等を有する者など，支給の対象となる住宅改修について十分な専門性があると認められる者が作成者であること。

4．認知症対応型共同生活介護事業所を利用している低所得の要介護者及び要支援2の認定を受けた者に対し，家賃等の利用者負担軽減を行っている事業者へ助成する事業を実施する場合，低所得者の範囲や助成対象経費等を予め要綱等において明確に規定しておくこと。

5．配食の支援を活用した事業を実施する場合，食材料費及び調理費相当分は利用者負担を基本とするが，利用料設定に当たっては，低所得者への配慮や市町村の財源等を考慮する。事業の対象者・利用の負担額等については，予め要綱等において明確に規定しておくこと。

6．任意事業については，他の国庫補助事業の対象となる場合は，当該他の補助事業を優先すること。

7．実施する事業の目的が介護予防に資するものであって，例えば介護予防教室や高齢者の介護予防に係る指導者の養成，高齢者の生きがいや健康づくり，介護予防・社会参加を目的とした場づくり，介護支援ボランティアポイントなど，介護予防の取組として実施することが適切な場合は，任意事業ではなく，総合事業において実施すること。

8．介護サービス等の質の向上に資する事業の実施に当たっては，都道府県と市町村が連

携し，住宅型有料老人ホームやサービス付き高齢者向け住宅での介護サービス相談員の受入を促進するなど，効果的な事業実施に努めること。

4　高齢者の福祉

〔根拠▶老人福祉法（昭 38.7.11 法律第 133 号）ほか〕

1　要援護老人等対策

ア　老人日常生活用具給付等

要援護老人及びひとり暮らし老人に対し，電磁調理器等の日常生活用具を給付又は貸与し，日常生活の便宜を図る。なお，本事業は平成 18 年度より一般財源化されており，市町村により地域の実情に応じた取組みが可能となっている。

■実施主体

市町村（特別区を含む。）

■対　象

おおむね 65 歳以上の要援護老人及びひとり暮らし老人

■給付・貸与の内容

給付又は貸与の対象となる品目等は，次表のとおりである。

区分	種　目	対　象　者	性　　能
給付	電磁調理器	おおむね 65 歳以上であって，心身機能の低下に伴い防火等の配慮が必要なひとり暮らし老人等	電磁による調理器であって，老人が容易に使用し得るものであること。
給付	火災警報器	おおむね 65 歳以上の低所得のねたきり老人，ひとり暮らし老人等	屋内の火災を煙又は熱により感知し，音又は光を発し，屋外にも警報ブザーで知らせ得るものであること。
給付	自動消火器	同　　　　上	室内温度の異常上昇又は炎の接触で自動的に消火液を噴出し初期火災を消火し得るものであること。
貸与	老人用電話	おおむね 65 歳以上の低所得のひとり暮らし老人等	加入電話

■費用負担

　用具の給付等を受けた者又はこの者の属する世帯の生計中心者は，次の基準により，必要な用具の購入等に要する費用の一部又は全部を負担する。

■日常生活用具給付等事業費用負担基準

（平成 5 年 7 月から適用）

利 用 者 世 帯 の 階 層 区 分		利用者負担額
A	生活保護法による被保護世帯（単給世帯を含む。）	0 円
B	生計中心者が前年所得税非課税世帯	0
C	生計中心者の前年所得税課税年額が 10,000 円以下の世帯	16,300
D	生計中心者の前年所得税課税年額が 10,001 円以上 30,000 円以下の世帯	28,400
E	生計中心者の前年所得税課税年額が 30,001 円以上 80,000 円以下の世帯	42,800
F	生計中心者の前年所得税課税年額が 80,001 円以上 140,000 円以下の世帯	52,400
G	生計中心者の前年所得税課税年額が 140,001 円以上の世帯	全 額

■その他

　老人用電話の貸与期間は，老人ホームへの入所等により必要としなくなるまでの間である。

イ　在宅介護支援センター

[**根拠**▶老人（在宅）介護支援センターの運営について
（平 18.3.31 老発第 0331003 号）]

　在宅の要援護高齢者若しくは要援護となるおそれのある高齢者又はその家族等からの相談に応じ，在宅の要援護高齢者若しくは要援護となるおそれのある高齢者又はその家族等の介護等に関するニーズに対応した各種の保健，福祉サービス（介護保険を含む）が，総合的に受けられるように市町村等関係行政機関，サービス実施機関及び居宅介護支援事業所等との連絡調整等の便宜を供与し，もって，地域の要援護高齢者及び要援護となるおそれのある高齢者並びにその家族等の福祉の向上を図る。

■実施主体

　地方公共団体，社会福祉法人，医療法人（地域医師を含む。）又は民間事業者等

■利用対象者

おおむね 65 歳以上の要援護高齢者及び要援護となるおそれのある高齢者並びにその家族等とする。

■事業内容

在宅介護支援センターは，次に定める事業を地域に積極的に出向き又は当該在宅介護支援センターにおいて行う。ただし，3., 7., 8. 及び 12. については，これを行わないことができる。

1.　地域の要援護高齢者等の心身の状況及びその家族等の状況等の実態を把握するとともに介護ニーズ等の評価を行うこと。

　　ただし，これらが既に居宅介護支援事業所や地域包括支援センターによって行われている要援護高齢者等であって在宅介護支援センター自らが実態把握，ニーズ評価等を行う必要がない場合には，居宅介護支援事業所等から当該情報を得ることで差し支えない。

2.　市町村の公的保健福祉サービス，介護保険制度等の円滑な適用に資するため，要援護高齢者等及びその家族等（原則として担当区域内の者に限る。）に関する基礎的事項，支援・サービス計画の内容及び実施状況，サービス利用意向及び今後の課題等を記載した台帳（以下「サービス基本台帳」という。）を整備すること。

　　ただし，これらが既に居宅介護支援事業所や地域包括支援センターによって行われている要援護高齢者等であって在宅介護支援センター自らが実態把握，ニーズ評価等を行う必要がない場合には，居宅介護支援事業所等から当該情報を得ることで差し支えない。

3.　要介護状態になる危険因子の高い者に対して，できる限り寝たきり等の要介護状態にならないための適切な介護予防サービス等を利用できるように支援すること。

4.　各種の保健福祉サービス及び介護保険サービスの存在，利用方法等に関する情報の提供及びその積極的な利用についての啓発を行うこと。

5.　在宅介護等に関する各種の相談に対し，電話相談，面接相談等により，総合的に応じること。

6.　要援護高齢者等の家族等からの相談や在宅介護相談協力員（以下「相談協力員」という。）からの連絡を受けた場合，これらの者に対し，訪問等により在宅介護の方法等についての指導，助言を行うこと。

7.　高齢者の地域における自立した生活を支援するため，転倒骨折予防教室や認知症介護教室等を開催するとともに，必要なサービス等の利用（例えば，家族介護者に対するサービスや介護保険制度の福祉用具・住宅改修等）に関する相談に応じ，助言を行うこと。

8.　介護サービスのほか，各種の保健・福祉サービス，地域住民によるボランティア活動等の各サービスの内容や特徴，場所等を盛り込んだ地域密着型のサービス情報マップを作成し，地域の高齢者や介護支援専門員等に配布すること。

　また，介護サービスの利用者及び事業者に対し，契約の手続や留意点等について周知するとともに，契約に関する相談に応じること等により，介護サービスに係る適正な契約の普及を図ること。

9．地域の要援護高齢者等又はその家族等の保健福祉サービスの利用申請手続の受付，代行（市町村等への申請書の提出）等の便宜を図る等，利用者の立場に立って保健福祉サービスの適用の調整を行うこと。

10．在宅介護支援センターと地域包括支援センターの職員，居宅介護支援事業所の介護支援専門員，相談協力員との情報交換及び相談協力員相互の情報交換の場の提供等の必要な支援並びに相談協力員との日常的な連絡調整を行うこと。

11．居宅介護支援事業所の介護支援専門員よりソーシャルワーク援助の依頼があった場合に，これに応ずるよう努めること。

12．地域包括支援センターのブランチ（住民の利便性を考慮し，地域の住民から相談を受け付け，集約した上で，地域包括支援センターにつなぐための「窓口」）の設置及び業務の協力に関する事業を行うこと。

＊　なお，在宅介護支援センターは，平成2年度の創設から，市町村から委託を受けて地域における老人福祉に関する総合的な相談，援助を行う拠点として，重要な役割を果たしてきたが，平成18年度からは，この機能をより強化した「地域包括支援センター」が地域における地域包括ケアの中核拠点としての役割を担っている。今後，在宅介護支援センターは，①老人福祉一般に関する相談を受ける，「地域包括支援センター」を中心とした地域ケアのネットワークの拠点の1つとしての役割を担ったり，②地域の実情に応じて，市町村からの委託を受けて介護予防事業等を行ったり，③地域包括支援センターのブランチ（住民の利便性を考慮し，地域の住民から相談を受け付け，集約した上で，「地域包括支援センター」につなぐための窓口）となるなど，地域において様々な役割を担うことが期待されている。

ウ　生活支援ハウス（高齢者生活福祉センター）

[根拠▶高齢者生活福祉センター運営事業の実施について（平12.9.27老発第655号）]

　高齢者に対して，介護支援機能，居住機能及び交流機能を総合的に提供することにより，高齢者が安心して健康で明るい生活を送れるよう支援し，高齢者の福祉の増進を図る。
　なお，本事業は平成17年度より一般財源化されており，地域の実情に応じて取り組むことが可能となっているが，国が示す通知（技術的助言）では以下のとおりとなっている。

■実施主体

　市町村（事業の一部を適切な事業運営が確保できると認められる介護保険法に規定する指定通所介護事業所となる老人デイサービスセンター等，又は通所リハビリテーション事業を行う介護老人保健施設を経営する者に委託することができる。）

■事業内容

1. 高齢等のため居宅において生活することに不安のある者に対し，必要に応じた住居の提供（おおむね10人程度で，20人を限度）
2. 居住部門利用者に対する各種相談，助言及び緊急時の対応
3. 居住部門利用者の通所介護，訪問介護等介護サービス及び保健福祉サービスの利用手続きの援助等
4. 利用者と地域住民との交流を図るための各種事業及び交流のための場の提供等

エ　高齢者総合相談センター

> **根拠**▶高齢者総合相談センター運営事業の実施について
> （昭62.6.18 健政発第330号・健医発第733号・社老第80号）

　高齢者及びその家族等の抱える保健，福祉，医療等に係る各種心配ごと，悩みごとに対する相談に応じるとともに，市町村の相談体制を支援することにより，高齢者及びその家族等の福祉の増進を図る。

■実施主体

　都道府県（事業の運営を財団法人等民間団体に委託することができる。）

■事業内容

1. 高齢者及びその家族等が抱える各種の心配ごと，悩みごとを解決するために必要，適切と考えられる各種情報の収集，整理
2. 高齢者及びその家族等からの相談に対する電話相談，面接相談
3. 市町村，在宅介護支援センター等の相談体制の支援に必要な定期的情報提供，研修等
4. その他高齢者の居住環境の改善に関する啓発，研修，福祉機器の展示及び情報誌の発行等

■その他

1. センターには，都道府県民生主管部（局）長，衛生主管部（局）長，医師会，歯科医師会，薬剤師会，老人福祉施設協議会，保健所等のそれぞれの代表者からなる高齢者総

合相談センター運営委員会を設置し，その運営方針等の協議の場を設ける。

2．センターの所在地，電話番号，事業内容について積極的な広報活動を行う。

オ　在宅高齢者への支援等

これまで，在宅の高齢者に対する要介護状態にならないための介護予防サービスや，在宅での生活を支援する生活支援サービス等は，「介護予防・地域支え合い事業」として実施されてきた。平成18年度から，総合的な介護予防システムの確立のため，「介護予防・地域支え合い事業」を廃止し，市町村が地域の実態に合わせた効果的なサービスを提供することを目的とする「地域支援事業」が創設された。

これまで「介護予防・地域支え合い事業」で実施されてきた家族介護支援事業等の事業は，「地域支援事業」の「任意事業」において実施が可能となっており，高齢者が要介護・要支援状態になることを予防するとともに，要介護状態になっても，可能な限り地域で自立した日常生活を営めるよう支援することとしている（**p. 81 参照**）。

また，従来「介護予防・地域支え合い事業」のメニュー事業として実施してきた「軽度生活援助事業」や「外出支援サービス事業」，「緊急通報体制等整備事業」等の事業は，国庫補助を廃止し，税源移譲を行うことにより，市町村が地域の実情に応じて，創意工夫をこらした事業を実施できるようになっている。

2　ひとり暮らしの老人対策（養護委託制度）

〔**根拠**▶老人福祉法第11条〕

養護に欠ける老人について，温かい家庭的雰囲気の中で生活できるよう個人の家庭に養護を委託する。

■実施主体

市町村

■対象者

次の要件を満たすものであること。

1．養護者がないか，又は養護者があってもこれに養護させることが不適当であると認められる者

2．65歳以上であるか，又は65歳未満であっても老衰が著しい等，特に必要があると認められる者

■養護受託者

　老人を自己のもとに預って養護することを希望する者であって，養護受託者登録簿に登録されている者

■養護受託者の登録

　1．養護受託希望者は，その者の居住地の市町村長にその旨を申し出る。
　2．市町村は，審査のうえ適当と認めた者について「養護受託者登録簿」に登録する。

■費　用

　養護委託に必要な費用として，事務費 32,000 円（月額）のほか飲食物費等の生活費が支給される。生活費の額は，養護老人ホーム入所者にかかる生活費の額と同額である。

■その他

　養護委託された老人については，所得税法上養護者の扶養親族として所得控除の対象とされる。

3　都道府県明るい長寿社会づくり推進機構

　高齢者が家庭・地域・企業等社会の各分野において，それまで培った豊かな経験と知識・技能を生かし，生涯を健康で，かつ生きがいをもって社会活動ができるよう，高齢者，青壮年，婦人等社会の各層における高齢者観についての意識改革を図るとともに，社会の各分野において高齢者の社会活動が活発に展開されるよう，中央に「長寿社会開発センター」を，都道府県に「明るい長寿社会づくり推進機構」を整備し，
　1．高齢者の社会活動についての国民の啓発
　2．高齢者のスポーツ活動，健康づくり活動及び地域活動等を推進するための組織づくり
　3．高齢者の社会活動（ボランティア活動等）の振興のための指導者等育成事業の推進
等の事業を実施する。

■実施主体

　本事業の実施主体は，原則として財団法人とする。

■明るい長寿社会づくり推進機構運営協議会（以下「運営協議会」という。）の設置

　1．明るい長寿社会づくり推進機構（以下「推進機構」という。）には，運営協議会を設置するものとする。
　2．運営協議会は，次の団体等にひろく参加を呼びかけ組織するものとする。

⑴ 都道府県社会福祉協議会，都道府県老人クラブ連合会，都道府県医師会等福祉・保健・医療関係団体

⑵ 都道府県厚生年金受給者協会等年金受給権者団体

⑶ 連合自治会，青年会議所ブロック協議会，都道府県青年団協議会，都道府県婦人団体連絡協議会，都道府県公民館連合会等地域団体

⑷ 都道府県体育協会，都道府県レクリエーション協会等スポーツ関係団体

⑸ 新聞社，テレビ局，ラジオ局等マスコミ関係機関

⑹ 都道府県商工会議所連合会，シルバーサービス関係団体及び都道府県農業協同組合中央会等経済団体等

⑺ 学識経験者

⑻ 都道府県民生・衛生部局等関係部局，都道府県教育委員会，市長会，町村会等行政関係機関

⑼ その他，本事業を推進するため適当と認められる個人又は団体等

3．運営協議会は，本事業を実施するための企画，立案を行うとともに，運営協議会の構成団体等は，事業の実施にあたり協力をするものとする。

■事業の内容

1．高齢者の社会活動についての啓発，普及

⑴ 推進機構及び運営協議会構成団体等が発行する機関誌，パンフレット，ビデオ及びテレビ・ラジオ等マスコミを利用した広報活動

⑵ 高齢者，青壮年，婦人等社会の各層に応じた啓発普及用指導書の作成とその活用

⑶ 向老期の者に対する研修会等の開催

⑷ シンポジウム及び優良活動事例発表会の開催

2．都道府県健康福祉祭（高齢者のスポーツ・健康づくり・福祉等の総合イベント）の開催

3．全国健康福祉祭の参加選手の選考及び派遣

4．高齢者スポーツ団体等高齢者関係団体の育成及び連絡・調整

5．都道府県高齢者教養講座，レクリエーション等事業（いわゆる老人大学校運営事業）の実施及び都道府県下における同様の事業との連絡・調整

6．高齢者による各種作品等の流通促進に関する事業

7．高齢者の生きがいと健康づくりに関する市町村事業への協力・支援

8．関係団体・機関との連絡・調整

9．生きがい健康づくり推進協力員（コーディネーター）の養成・研修

10．高齢指導者（シニアリーダー）の養成・研修等

11．高齢者の生きがいと健康づくり活動に関する情報収集・提供及び調査・研究

12．高齢者を対象として民間事業者が行う各種のサービス及び事業に関する調査・研究

13. その他本事業として適当と認められる活動

4　高齢者向け民間サービス（シルバーサービス）

■高齢者向け民間サービス（シルバーサービス）の健全育成

　　高齢化の進展等を背景として，民間事業者における高齢者向け民間サービス（シルバーサービス）が急速に拡大してきている。

　　また，介護保険制度の導入に伴い，介護保険サービスに関しては，市町村等からの受託による事業運営から，都道府県知事の指定により一定の要件を満たせば事業参加できる仕組みとなり，民間事業者を始めとして多様な事業主体の参入が促進されている。

　　こうして，多様な事業主体がサービスを提供することにより，効率的で高齢者のニーズに対応したサービスの提供や，競争を通じたサービスの質の向上等，利用者本位のサービス提供の振興を図っている。

　　厚生労働省においては，各種の調査研究，事業者の指導及び事業基準の検討や融資制度，税制措置等により優良なシルバーサービスの供給を確保するなどシルバーサービスを健全に育成するための支援を行っている。

【参　考】主な高齢者向け民間サービス（シルバーサービス）の種類

介護保険対象サービス	●訪問介護（ホームヘルプサービス）
	●訪問入浴介護
	●訪問看護
	●通所介護（デイサービス）
	●短期入所生活介護（ショートステイ）
	●認知症対応型共同生活介護 　（グループホームにおける介護）
	●特定施設入居者生活介護 　（有料老人ホーム，軽費老人ホームでの介護）
	●福祉用具の貸与
	●福祉用具販売
	●住宅改修
	●居宅介護支援
介護保険対象外サービス	●配食サービス
	●移送・外出支援サービス
	●訪問理美容サービス
	●寝具洗濯乾燥消毒サービス

	●高齢者配慮型住宅の建設・改修等
	●宅老所
	●高齢者共同住宅
	●緊急通報・安否確認サービス
健康・生きがいづくり関連 サービス	●健康・スポーツ
	●レジャー（旅行・娯楽）
	●生涯学習・教育
	●出版・放送
	●就業・起業支援
	●保険
	●個人年金
	●不動産担保型融資等

■**有料老人ホーム**（老人福祉法第 29 条）

　老人を入居させ，入浴，排せつ若しくは食事の介護，食事の提供，洗濯，掃除等の家事又は健康管理の供与をする事業を行う施設であって，老人福祉施設等でないものをいう。

１．届出

　あらかじめ，都道府県知事に必要な事項を届け出る。

有料老人ホームに対する融資制度

		対象法人	融資率	利率（年利）	条件その他
独立行政法人福祉医療機構	特定有料老人ホーム	○社会福祉法人 　（既に特別養護老人ホーム 　　等を運営している法人） ○医療法人 ○日本赤十字社 ○一般社団・財団法人	基準額の 90％ の範囲内	償還期間に応じ て　1.3～1.9％ （令和 5 年 11 月 1 日現在）	償還期間 　耐火構造 　　　　　　30 年以内 　耐火構造以外 　　　　　　15 年以内 （設備備品 　　　　　　15 年以内） 据置期間　3 年以内 施設規模 　　　定員 50 名未満
日本政策投資銀行		○営利法人 　（介護付有料老人ホームの 　　うち介護専用型特定施設以 　　外の特定施設に限る）	所要資金の 30％ の範囲内	個別の事業内 容，リスク等を 勘案して決定	据置期間　　　3 年

※　貸付の対象は，建築資金，設備備品整備資金，土地取得資金である。

2．都道府県知事の権限

報告徴収，質問，立入検査，改善命令，改善命令の際の公表

3．助成措置及び指導

(1)　助成措置

建設費について，独立行政法人福祉医療機構，日本政策投資銀行による低利融資制度がある（**前頁の表参照**）。

(2)　指導

都道府県の策定した指導指針又は「有料老人ホームの設置運営標準指導指針」による指導

4．施設数及び定員（令和 3 年 10 月現在）

16,724 施設　　634,395 人

5．類型

(1)　「介護」に着目した整理

介護の形態に着目して次の 4 類型に分類し，一定の事項の表示を義務付ける。

①　介護付有料老人ホーム（一般型特定施設入居者生活介護）

特定施設入居者生活介護の指定を受けたもの（介護サービスは有料老人ホームの職員が提供する。）

②　介護付有料老人ホーム（外部サービス利用型特定施設入居者生活介護）

特定施設入居者生活介護の指定を受けたもの（有料老人ホームの職員が安否確認や計画作成等を実施し，介護サービスは委託先の介護サービス事業所が提供する。）

③　住宅型有料老人ホーム

介護が必要となった場合，入居者自身の選択により，訪問介護等の介護サービスを利用するもの

④　健康型有料老人ホーム

介護が必要となった場合，契約を解除し退去するもの

(2)　入居形態による整理

①　利用権方式

②　建物賃貸借方式

③　終身建物賃貸借方式

(3)　利用料の支払い方式による整理

①　一時金方式

②　月払い方式

③　選択方式

【参　考】在宅サービスに対する融資条件

	独立行政法人福祉医療機構
貸付対象	在宅サービス事業 　1．在宅介護サービス事業 　2．在宅入浴サービス事業 　3．福祉用具賃貸事業 　4．福祉用具販売事業 　5．日帰り介護事業（デイサービス） 　6．短期入所生活介護事業（ショートステイ） 　7．認知症対応型老人共同生活援助事業（認知症高齢者グループホーム）を営み，又は，営もうとする事業者
貸付金の 使途	設置・整備資金 　1．建築資金 　　新築，増改築，修繕，購入，賃借 　2．設備備品整備資金 　3．土地取得資金 経営資金
貸付利率	設置・整備資金（令和5年11月1日現在）　　　　年利 1.300～1.900% 経営資金　　　　（令和5年11月1日現在）　　　　年利 1.100%
償還期間 （据置期間）	設置・整備資金（据置期間3年以内） 　1．耐火構造による建築資金　30年以内 　2．耐火構造以外による建築資金　15年以内 　3．設備備品整備資金　15年以内 　4．施設の用に供するための土地取得資金　30年以内 経営資金　　　　　5年以内（6か月以内）
限度額	所要資金の70%以内

5　認知症対策

根拠 ▶認知症施策等総合支援事業の実施について
（平26.7.9老発0709第3号）

　認知症施策については，早期の段階からの適切な診断と対応，認知症に関する正しい知識と理解に基づく本人や家族への支援などを通して地域単位での総合的かつ継続的な支援体制を確立していくことが必要とされている。

ア　認知症総合戦略推進事業

認知症施策推進大綱に基づき，認知症高齢者等にやさしい地域づくりを推進していくための事業を実施する。

■実施主体

本事業の実施主体は都道府県とする。ただし，「認知症施策普及・相談・支援事業」から「ピアサポート活動支援事業」については，都道府県及び指定都市とし，認知症伴走型支援事業については市町村とする。なお，事業運営の全部又は一部を適切な事業運営が確保できると認められる団体等に委託することができる。

■事業内容

1．認知症総合戦略加速化推進事業

認知症高齢者等にやさしい地域づくりを推進していくため，都道府県を中心とした以下の取組を実施する。

(1) 認知症の人の見守りに係る市町村（特別区，一部事務組合，広域連合等を含む。），都道府県を越えた広域のネットワークの構築

(2) 認知症の人の地域活動等の推進

(3) 管内市町村における認知症施策の取組の向上・強化

(4) その他地域の実情に応じた認知症施策全般の推進についての取組

2．認知症施策普及・相談・支援事業

認知症の人や家族が気軽に相談できる体制を構築するとともに，地域における認知症の理解の促進を図ることにより，地域の実情に応じた効果的な支援を行う。

3．若年性認知症施策総合推進事業

若年性認知症の人が，その状態に応じた適切な支援を受けられるようにするための取組を実施する。

(1) 若年性認知症支援コーディネーター設置事業

若年性認知症の人やその家族等からの相談及び若年性認知症の人やその家族等の支援に携わる者のネットワークを調整するため若年性認知症支援コーディネーターを配置し，若年性認知症の特性に配慮した就労継続支援及び社会参加支援等を推進する。

(2) 若年性認知症支援ネットワーク構築事業

若年性認知症の人に対して発症初期から高齢期まで状態に合わせた適切な支援が図られるよう，医療，介護，福祉，雇用の関係者が連携する若年性認知症自立支援ネットワークを構築するための会議を設置するとともに，ネットワークを構成する関係者

等，支援に携わる者に対して研修を行い，若年性認知症に対する理解促進を図る。

①　若年性認知症自立支援ネットワークの構築

②　若年性認知症自立支援ネットワーク研修の実施

(3)　若年性認知症の人の社会参加活動の支援

　　若年性認知症の人が，これまでの経験や残された能力を活用して，例えば，農作業や商品の製造・販売，食堂の運営，その他の軽作業，地域活動等に携わり，地域において役割を担うことを通じて，「生きがい」をもった生活が送れるよう，若年性認知症の人が集まって定期的に行う社会参加活動を支援する。

(4)　若年性認知症実態調査及び支援ニーズの把握

　　若年性認知症の人の実態やニーズは地域の社会資源等の状況によって，それぞれ異なっていることから，各都道府県等において若年性認知症施策を進めるうえで基礎的なデータを収集する。

①　各都道府県等管内の若年性認知症の実態調査

②　若年性認知症の人やその家族へのヒアリング等による支援ニーズ把握及び支援方策の共有

4．ピアサポート活動支援事業

　　今後の生活の見通しなどに大きな不安を抱えている認知症の人に対し，認知症当事者によるピアサポート活動を実施し，精神的な負担の軽減を図るとともに，これらの取組を通じて，認知症当事者も地域を支える一員として活躍することで，社会参加の促進を図る。

(1)　居住地域や制度の情報，本人や家族の悩みを共有するための相談支援

(2)　認知症当事者とともに管内の各地域に赴き，相談会，講演の開催

(3)　悩みを共有するための認知症当事者同士の交流会の開催

5．認知症伴走型支援事業

　　認知症高齢者グループホーム（認知症対応型共同生活介護），特別養護老人ホーム，小規模多機能型居宅介護等の地域の介護サービス事業所における既存資源を活用し，認知症の人とその家族に対する専門的な相談・助言等を日常的かつ継続的に行う伴走型支援拠点の整備を推進することで，認知症の人やその家族の支援体制の充実を図る。

イ　認知症疾患医療センター運営事業

　　都道府県及び指定都市が認知症疾患医療センター（以下「センター」という。）を設置することにより，保健医療・介護機関等と連携を図りながら，認知症疾患に関する鑑別診断とその初期対応，認知症の行動・心理症状と身体合併症の急性期治療に関する対応，専門医療相談診断後の相談指導等を実施することとする。また，地域保健医療・介護関係者へ

の研修等を行うことにより，地域において認知症に対して進行予防から地域生活の維持まで必要となる医療を提供できる機能体制の構築を図り，事業の着実な実施を推進していくことを目的とする。

■実施主体

都道府県及び指定都市とし，都道府県知事又は指定都市市長が指定した病院又は診療所で事業を行う。ただし，当該病院又は診療所は，事業の内容に応じて，その一部を適切な事業運営が確保できると認められる団体等に委託することができる。

■事業内容

1．専門的医療機能

(1) 鑑別診断とそれに基づく初期対応

① 初期診断

② 鑑別診断

③ 治療方針の選定

④ 入院先紹介

⑤ かかりつけ医等との診療情報の共有

(2) 認知症の行動・心理症状と身体合併症への急性期対応

① 認知症の行動・心理症状・身体合併症の初期診断・治療（急性期入院医療を含む。）

② 認知症の行動・心理症状及び身体合併症の急性期入院医療を要する認知症疾患患者のための病床として，連携する医療機関の空床情報の把握

(3) 専門医療相談

① 初診前医療相談

ア　患者家族等の電話・面談・照会

イ　医療機関等紹介

② 情報収集・提供

ア　かかりつけ医等医療機関との連絡調整

イ　保健所，福祉事務所等との連絡調整

ウ　地域包括支援センターとの連絡調整

エ　認知症初期集中支援チームとの連絡調整

2．地域連携拠点機能

(1) 認知症疾患医療センター地域連携協議会の設置及び運営

都道府県医師会・郡市区等医師会など地域の保健医療関係者，地域の介護関係者，認知症医療に関する有識者，地域包括支援センター，認知症初期集中支援チームや地域包括支援センター等から組織された地域の支援体制構築に資するための会議の設置

及び運営

⑵　研修会の開催

　　地域の認知症医療従事者に対する研修や，地域包括支援センター職員等の関係機関，認知症患者の家族や地域住民等を対象とする研修の開催及び他の主体の実施する認知症医療に関する研修への協力等

３．診断後等支援機能

　認知症の人や家族が，診断後であっても，今後の生活や認知症に対する不安の軽減が図られるとともに円滑な日常生活を過ごせるよう，かかりつけ医等の医療機関の他，介護支援専門員等地域の介護に関する関係機関，地域包括支援センター等との連携の推進を図るため，センターは地域の実情や必要に応じて，以下⑴⑵のいずれか又はその両方の取組を行う。

⑴　診断後等の認知症の人や家族に対する相談支援

　　かかりつけ医等の医療機関や地域包括支援センター等の地域の関係機関と連携の上，地域の実情や必要に応じて診断後や症状増悪時において，認知症の人や家族における今後の生活や認知症に対する不安の軽減が図られるよう，社会福祉士，精神保健福祉士等の専門的職員をセンターに配置し，必要な相談支援を実施

⑵　当事者等によるピア活動や交流会の開催

　　既に認知症と診断された認知症の人やその家族による，ピアカウンセリングなどのピアサポート活動の実施

４．事業の着実な実施に向けた取組の推進

　当該都道府県及び指定都市の実情に応じ，基幹型が存在する場合には当該基幹型を中心として，基幹型が存在しない場合には地域型及び連携型が連携すること等により，都道府県の責務等に記載された事業（都道府県認知症疾患医療連携協議会の設置及び運営，事業の取組に関する評価，センター事業に携わる職員の研修等）の推進を支援する。

５．実施状況の報告

　都道府県及び指定都市は，毎年度，各センターの事業実施状況を老健局長へ報告するものとする。

6　高齢者虐待の防止，高齢者の養護者に対する支援等に関する法律の概要

根拠▶高齢者虐待の防止，高齢者の養護者に対する支援等に関する法律（平17.11.9法律第124号）

　現在，我が国において，高齢者への虐待は深刻な問題となっており，背景・原因の複雑さ，深刻な事態が生じている事実，対応の難しさ及び対応体制の立ち遅れなどから，高齢者の尊厳を保持するために早急な対応が必要な状況となっている。このため，平成17年の第163回

国会において，「高齢者虐待の防止，高齢者の養護者に対する支援等に関する法律」（平成 17 年法律第 124 号）が成立し，平成 18 年 4 月より施行されている。

■定　義（法第 2 条）

1．高齢者の定義

　「高齢者」とは，65 歳以上の者をいう。

2．高齢者虐待の定義

　「高齢者虐待」とは，家庭における養護者又は施設等の職員による次に掲げる類型の虐待をいう。

(1)　身体的虐待（暴行）

(2)　養護を著しく怠ること（ネグレクト）

(3)　心理的虐待（著しい心理的外傷を与える言動）

(4)　性的虐待

(5)　経済的虐待（財産の不当処分，不当に財産上の利益を得ること）

■家庭における養護者による高齢者虐待への対応

1．市町村への通報等（法第 7 条）

　高齢者虐待を発見した者は，

(1)　高齢者の生命又は身体に重大な危険が生じている場合には，速やかに市町村に通報しなければならない。

(2)　前記(1)以外の場合は，速やかに市町村に通報するよう努めなければならない。

　　※虐待を受けた本人が市町村に届け出ることも可能。

2．市町村の対応（法第 6 条，第 9 条～第 12 条）

(1)　高齢者及び養護者に対する相談，指導，助言を行う。

(2)　通報があった場合の事実確認のための措置を講ずる。

(3)　高齢者の保護のため，生命又は身体に重大な危険が生じているおそれがあると認められる高齢者を一時的に保護するため迅速に施設へ入所させる等，適切に老人福祉法による保護のための措置を講ずる。

(4)　(3)の措置を採るために必要な居室を確保するための措置を講ずる。

(5)　高齢者の生命又は身体に重大な危険が生じている場合は，立入調査をすることができる。立入調査を行うに当たって，所管の警察署長に援助を求めることができる。

3．養護者に対する支援（法第 14 条）

(1)　市町村は，養護者の負担の軽減のため，養護者に対する相談，指導及び助言その他必要な措置を講ずるものとする。

(2)　市町村は，(1)の措置として，養護者の心身の状態に照らしその養護の負担の軽減を

図るため緊急の必要があると認める場合に，高齢者が短期間養護を受けるために必要
となる居室を確保するための措置を講ずるものとする。

4．連携協力体制の整備等（法第16条，第17条）

(1) 市町村は，養護者による高齢者虐待の防止等の適切な実施のため，地域包括支援セ
ンター等との連携協力体制を整備しなければならない。

(2) 市町村は，①相談，指導，助言，②通報の受理，③事実の確認のための措置，④養
護者に対する支援，の事務を地域包括支援センター等に委託することができる。

■施設等の職員による高齢者虐待への対応

1．市町村への通報等（法第21条）

(1) 施設等の職員は，業務に従事している施設等で虐待を受けた高齢者を発見した場合
は，速やかに市町村に通報しなければならない。

(2) (1)以外の場合は，

① 高齢者の生命又は身体に重大な危険が生じている場合は，速やかに市町村に通報
しなければならない。

② 前記①以外の場合は，速やかに市町村に通報するよう努めなければならない。

※虐待を受けた本人が市町村に届け出ることも可能。

※虚偽・過失による通報は保護されない。

2．都道府県への報告（法第22条）

市町村は，前記1．による通報を受けた場合は，次の事項を都道府県に報告するものと
する。

(1) 施設・事業所の名称，所在地，種別

(2) 虐待を受けた高齢者の性別，年齢，要介護状態等，心身の状況

(3) 虐待の種別，内容及び発生要因

(4) 虐待を行った従事者等の氏名，生年月日及び職種

(5) 市町村が行った対応

(6) 施設・事業所における改善措置状況

3．市町村長又は都道府県知事の対応（法第24条）

市町村長又は都道府県知事は，前記1．による通報又は2．による報告を受けた場合は，
適切に老人福祉法又は介護保険法による監督権限を行使するものとする（報告徴収，立
入調査，勧告・公表，措置命令・公示，指定取消等・公示など）。

4．都道府県知事による公表（年次報告）（法第25条）

都道府県知事は，毎年度，施設・事業者による高齢者虐待の状況等について次の事項
を公表する。

(1) 虐待の状況

　　　① 被虐待者の状況（性別，年齢階級，心身の状態等）

　　　② 虐待の類型

　　(2) 虐待に対してとった措置

　　(3) 虐待を行った施設等のサービス種別

　　(4) 虐待を行った従事者等の職種

7　サービス付き高齢者向け住宅事業の登録制度

根拠▶高齢者の居住の安定確保に関する法律
（平 13.4.6 法律第 26 号）

　高齢者の居住の安定を確保するため，バリアフリー構造等を有し，介護・医療と連携して，高齢者を支援するサービスを提供する「サービス付き高齢者向け住宅」の登録制度を目的として，「高齢者の居住の安定確保に関する法律等の一部を改正する法律」が平成 23 年 4 月 28 日に公布され，同年 10 月 20 日から施行されている。

　「サービス付き高齢者向け住宅」に，24 時間対応の「定期巡回・随時対応型訪問介護看護」（介護保険法）などの介護保険サービスを組み合わせた仕組みの普及が図られる。

■制度の内容

　高齢者向けの賃貸住宅又は有料老人ホームであって居住の用に供する専用部分を有するものに高齢者を入居させ，状況把握サービス（入居者の心身の状況を把握し，その状況に応じた一時的な便宜を供与するサービスをいう。），生活相談サービス（入居者が日常生活を支障なく営むことができるようにするために入居者からの相談に応じ必要な助言を行うサービスをいう。）その他の高齢者が日常生活を営むために必要な福祉サービスを提供する事業（「サービス付き高齢者向け住宅事業」という。）を行う者は，サービス付き高齢者向け住宅事業に係る賃貸住宅又は有料老人ホーム（「サービス付き高齢者向け住宅」という。）を構成する建築物ごとに，都道府県知事の登録を受けることができる。

1．登録基準

　① 入居者

　　・60 歳以上の者又は要介護認定・要支援認定を受けている 60 歳未満の者及びその同居者

　　・同居者は，配偶者，60 歳以上の親族又は要介護認定・要支援認定を受けている 60 歳未満の親族等

　② 住宅

　　・1 戸当たりの床面積は 25㎡以上（居間，食堂，台所等が，高齢者が共同して利用するために十分な面積を有する場合は 18㎡以上）

・各戸に，台所，水洗便所，収納設備，洗面設備及び浴室を設置（共用部分に共同して利用するため適切な台所，収納設備又は浴室を備えた場合は，各戸が水洗便所と洗面設備を備えていれば可）

・バリアフリーであること

③　サービス

少なくとも安否確認サービス及び生活相談サービスを提供すること。有料老人ホームは，入浴・排せつ・食事等の介護，食事の提供，調理・洗濯・掃除等の家事，心身の健康の維持及び増進のいずれかのサービスを提供する。

④　契約

・高齢者の居住の安定が図られた契約であること

・前払家賃等の返還ルール及び保全措置が講じられていること

2．事業者の義務

①　入居契約に係る措置（提供するサービス等の登録事項の情報開示，入居者に対する契約前の説明）

②　誇大広告の禁止

3．指導監督

住宅管理やサービスに関する行政の指導監督（報告徴収・立入検査・指示等）

8　その他の施策

ア　福祉用具の研究開発及び普及の促進

根拠▶福祉用具の研究開発及び普及の促進に関する法律
（平5.5.6法律第38号）

高齢者や障害者が，住み慣れた地域や家庭で安心して暮らし続けるとともに，できるだけ自立して積極的に社会に参加していくためには，適切な福祉用具の利用を進めることが重要である。

このため，福祉用具の研究開発や普及を一層推進するための法律として，「福祉用具の研究開発及び普及の促進に関する法律」が，平成5年10月1日から施行されている。

■目　的（法第1条）

老人及び心身障害者の自立の促進及びこれらの者の介護を行う者の負担の軽減を図るため，福祉用具の研究開発及び普及を促進し，もってこれらの者の福祉の増進に寄与し，あわせて産業技術の向上に資することを目的とする。

■**定　義**（法第２条）

　福祉用具とは，心身の機能が低下し，日常生活を営むのに支障のある老人又は心身障害者の日常生活上の便宜を図るための用具及びこれらの者の機能訓練のための用具並びに補装具をいう。

■**基本方針等**

1．基本方針（法第３条）

　(1)　厚生労働大臣及び経済産業大臣は，福祉用具の研究開発及び普及を促進するための措置に関する基本方針を定めなければならない。

　(2)　基本方針の内容

　　①　福祉用具の研究開発及び普及の動向に関する事項

　　②　福祉用具の研究開発及び普及の目標に関する事項

　　③　福祉用具の研究開発及び普及を促進するため講じようとする施策の基本となるべき事項

　　④　福祉用具の研究開発及び普及を促進するため事業者及び老人福祉施設，障害者支援施設等の開設者が講ずべき措置に関する事項

　　⑤　その他福祉用具の研究開発及び普及の促進に関する重要事項

2．国及び地方公共団体の責務（法第４条）

　(1)　国は，福祉用具の研究開発及び普及の促進を図るための財政上及び金融上の措置その他の措置を講ずるよう努めなければならない。

　(2)　地方公共団体は，福祉用具の普及の促進を図るために必要な措置を講ずるよう努めなければならない。

　(3)　国及び地方公共団体は，広報活動等を通じて，福祉用具に対する国民の関心と理解を深めるよう努めなければならない。

3．事業者等の責務（法第５条）

　(1)　福祉用具の製造事業者は，福祉用具の品質の向上及び利用者等からの苦情の適切な処理に努めなければならない。

　(2)　福祉用具の販売事業者又は賃貸事業者は，福祉用具を衛生的に取り扱うとともに，利用者の相談に応じて，利用者が福祉用具を適切に利用できるよう努めなければならない。

　(3)　老人福祉施設，障害者支援施設等の開設者は，必要な福祉用具の導入に努めなければならない。

4．国有施設の使用（法第６条）

　国は，福祉用具の研究開発を行う者に国有の試験研究施設を使用させる場合において，その使用の対価を時価よりも低く定めることができる。

■国立研究開発法人新エネルギー・産業技術総合開発機構の業務（法第 7 条）

国立研究開発法人新エネルギー・産業技術総合開発機構は，福祉用具に関する産業技術の研究開発を促進するため，次の業務を行う。

1. 産業技術の実用化に関する研究開発であって，福祉用具に係る技術の向上に資するものに対する助成
2. 福祉用具に関する産業技術に係る情報の収集及び提供等

■地方公共団体の講ずる措置等（法第 8 条〜第 10 条）

1. 市町村は，利用者が福祉用具を適切に利用できるよう，福祉用具に関する情報の提供，相談その他必要な措置を講ずるよう努めなければならない。
2. 都道府県は，福祉用具に関する情報の提供及び相談のうち専門的な知識及び技術を必要とするものを行うとともに，市町村の講ずる措置の実施に関し助言その他の援助を行うよう努めなければならない。
3. 都道府県及び市町村は，その措置の実施に当たっては，関係機関及び関係団体等との連携に努めなければならない。

イ 老人世帯向公営住宅

> **根拠** ▶ 老人世帯向公営住宅の建設等について
> 　　（昭 39.4.1 厚生省社発第 166 号・建設省住発第 92 号）
> 　　特定目的公営住宅の供給について
> 　　（昭 63.1.21 住総発第 124 号）

高齢に伴う種々の不利な条件にある老人の心身の健康の保持と生活の安定を図るため，公営住宅において，設備等につき老人向に配慮するとともに，入居にあたり住宅困窮度の高いものとして優先的に取り扱われる。

■入居対象世帯

優先入居の対象となる老人世帯は，60 歳以上の者及びその民法上の親族で次のいずれかに該当する者のみからなる世帯

1. 配偶者
2. 18 歳未満の児童
3. 重度又は中度の身体障害者若しくは知的障害者
4. おおむね 60 歳以上の者

■証　明

　　入居の申込みにあたっては，一般公営住宅入居者としての資格を有し，老人世帯であり，かつ，住宅困窮度が著しく高いものとして優先的に取り扱う必要性等につき，民生委員，福祉事務所長又は福祉事務所を設置しない町村の長の証明を受けなければならない。

ウ　老人クラブ活動等事業

> **根拠** ▶ 老人クラブ活動等事業の実施について
> 　　　　　（平 13.10.1 老発第 390 号）

　　高齢者の生きがいと健康づくりに資する活動・事業の推進を通じ，明るい長寿社会の実現と保健福祉の向上に資することを目的とする。

■実施主体

　　老人クラブ，市町村老連，都道府県・指定都市老連

■組　織

1. 老人クラブ

(1) 会員

　ア　年齢は 60 歳以上とする。

　　　ただし，老後の社会活動の円滑な展開に資するため，60 歳未満の加入を妨げない。

　イ　クラブ活動が円滑に行える程度の同一小地域に居住する者とする。

　　　ただし，当該小地域を越える区域における活動形態別の組織化を妨げない。

(2) 会員の規模

　　おおむね 30 人以上とする。ただし，山村，離島などの地理的条件，その他特別の事情がある場合は，この限りではない。

(3) 役員

　　会員の互選による代表者 1 人を置くとともに，必要に応じて役員を置くことができる。

2. 市町村老人クラブ連合会（市町村老連）

(1) 組織の構成

　　市町村の地域を範囲として，当該地域内の老人クラブによって組織する。

(2) 役員

　　代表者としての会長及びこれを補佐する副会長その他必要な役員を置く。

　　なお，役員の選考に当たっては，年齢，男女別を問わず，適任者の選任に努めなければならない。また，役員のほかに，適任者による活動別リーダーを置く。

(3) 組織の運営

事務局については自主的に設置運営するよう努める。

また，目的を達成するために必要に応じて，委員会を設置する。

3．都道府県・指定都市老人クラブ連合会（都道府県・指定都市老連）

(1) 組織の構成

都道府県・指定都市の地域を範囲として，当該地域内の市町村老連及び老人クラブによって組織する。

(2) 役員及び組織の運営

2．の(2)及び(3)に準じる。

■事業内容

1．老人クラブ事業

老人クラブにおける高齢者自らの生きがいを高め，健康づくりを進める活動や，ボランティア活動をはじめとした地域を豊かにする各種活動

2．市町村老連事業

(1) 活動促進事業

(2) 健康づくり・介護予防支援事業

(3) 地域支え合い事業

(4) 若手高齢者組織化・活動支援事業

(5) 市町村老連活動支援体制強化事業

3．都道府県・指定都市老連事業

(1) 老人クラブ等活動推進事業

(2) 健康づくり・介護予防支援事業

(3) 地域支え合い事業

(4) 若手高齢者組織化・活動支援事業

4．その他，高齢者の生きがいと健康づくりに資するとともに社会参加の促進を目的とする等，市町村老連又は都道府県・指定都市老連が行う事業として適当と認められる事業

■助　成

老人クラブ，市町村老連及び都道府県・指定都市老連に対し，市町村又は都道府県・指定都市から助成が行われる。

5　高齢者の医療等

根拠▶高齢者の医療の確保に関する法律
（昭 57.8.17 法律第 80 号）

　国民の高齢期における適切な医療の確保を図るため，医療費適正化計画の作成及び健康診査等の実施に関する措置を講ずるとともに，高齢者の医療について，国民の共同連帯の理念等に基づき，前期高齢者に係る保険者間の費用負担の調整，後期高齢者に対する適切な医療給付等を行うために必要な制度を設けることで，国民保健の向上及び高齢者福祉の増進を図る。

1　後期高齢者医療制度

　高齢者の疾病，負傷又は死亡に関して必要な給付を行う（法第 47 条）。

■運営主体（法第 48 条）

　後期高齢者医療広域連合（後期高齢者医療の事務（保険料徴収事務等を除く。）を行うために，都道府県区域内のすべての市町村が加入して設立されたもの。以下「広域連合」という。）

■被保険者

1．被保険者は，次のいずれかに該当する者をいう（法第 50 条）。また，被保険者には，一人ひとりに後期高齢者医療被保険者証が交付される。

　(1)　広域連合の区域内に住所を有する 75 歳以上の者

　(2)　広域連合の区域内に住所を有する 65 歳以上 75 歳未満の者であって，一定の障害の状態にあるもの

2．適用除外（法第 51 条）

　前記1．にかかわらず，次のいずれかに該当する者は，被保険者とならない。

　(1)　生活保護法による保護を受けている世帯（その保護を停止されている世帯を除く。）に属する者

　(2)　前記(1)のほか，適用除外とすべき特別の理由がある者

3．資格の取得及び喪失（法第 52 条，第 53 条）

　(1)　広域連合の区域内に住所を有する者が 75 歳に達した日，75 歳以上の者が広域連合の区域内に住所を有するに至った日，前記1．の(2)に該当することとなった日又は前記2．に該当しなくなった日から被保険者となる。

　(2)　広域連合の区域内に住所を有しなくなった日，前記1．の(2)に該当しなくなった日

又は前記２．の(2)に該当することとなった日の翌日（ただし，広域連合の区域内に住所を有しなくなった日に他の広域連合の区域内に住所を有するに至ったときは，その日）から被保険者でなくなる。

■後期高齢者医療給付（法第56条～第92条）

１．給付の種類は次のとおりである。給付内容は基本的に他の医療保険制度と同様である。

1	療養の給付（法第64条）	7	特別療養費（法第82条）
2	入院時食事療養費（法第74条）	8	移送費（法第83条）
3	入院時生活療養費（法第75条）	9	高額療養費（法第84条）
4	保険外併用療養費（法第76条）	10	高額介護合算療養費（法第85条）
5	療養費（法第77条）	11	葬祭費の支給又は葬祭の給付（法第86条第1項）
6	訪問看護療養費（法第78条）	12	傷病手当金その他の給付（法第86条第2項）

２．療養の給付等を受けるときは，保険医療機関等に被保険者証を提出して受ける。

療養の給付を受けた被保険者は，一部負担金として医療費の１割（一定以上の所得のある者は２割，現役並み所得者は３割）を支払う。一定以上の所得とは，課税所得が28万円以上かつ「年金収入＋その他の合計所得金額」が200万円以上（単身世帯の場合。後期高齢者が２人以上いる複数世帯の場合は合計額が320万円以上）とする。また，令和４年10月１日からの３年間，自己負担割合が２割となる者の急激な自己負担額の増加を抑えるため，外来医療の負担増加額上限が１か月あたり最大3,000円までとなる。

３．入院時食事療養に係る標準負担額は，次のとおりである。

被保険者区分		食事療養標準負担額（１食につき）
一般		460円*
市町村民税世帯非課税被保険者	入院日数90日以下	210円
	入院日数90日超	160円
市町村民税世帯非課税被保険者のうち，所得が一定基準に満たない者等		100円

＊特定医療を受ける指定難病の患者は260円

４．入院時生活療養に係る標準負担額（入院医療の必要性の高い患者以外）は，次のとおりである。

被保険者区分		生活療養標準負担額	
		食費（１食につき）	居住費（１日につき）
一般	入院時生活療養(I)を算定する保険医療機関の入院者	460円	370円
	入院時生活療養(II)を算定する保険医療機関の入院者	420円	

市町村民税世帯非課税被保険者	210 円
市町村民税世帯非課税被保険者 （所得が一定基準に満たない者）	130 円

（右端欄） 370 円

(注)1　市町村民税世帯非課税被保険者のうち，老齢福祉年金受給者については食費（1食につき）100円のみ

2　入院医療の必要性の高い患者の負担は，食事療養標準負担額と同額

3　入院時生活療養(I)を算定する保険医療機関とは，管理栄養士又は栄養士による管理が行われているなど生活療養について一定の基準に適合しているものとして届出のある保険医療機関のことをいう。

4　入院時生活療養(II)を算定する保険医療機関とは，入院時生活療養(I)を算定する保険医療機関以外の保険医療機関をいう。

5．保険料を滞納している被保険者には，被保険者証の代わりに被保険者資格証明書が交付される。療養を受けたときは，費用の全額を保険医療機関にいったん支払い，広域連合に申請したうえで，保険給付分について特別療養費として払い戻しを受ける。

6．高額療養費は，同一月に受けた療養に係る一部負担金等の合計額が，所得状況に応じた自己負担限度額を超えた場合に支給される。

高額療養費の自己負担限度額（月額）は，次のとおりである（令和4年10月から）。

被保険者区分		外来（個人単位）	世帯単位
現役並み	課税所得 690 万円以上	252,600 円＋（医療費－ 842,000 円）× 1 % 〈多数回該当は 140,100 円〉	
	課税所得 380 万円以上	167,400 円＋（医療費－ 558,000 円）× 1 % 〈多数回該当は 93,000 円〉	
	課税所得 145 万円以上	80,100 円＋（医療費－ 267,000 円）× 1 % 〈多数回該当は 44,400 円〉	
一般 II	課税所得 28 万円以上かつ「年金収入＋その他の合計所得金額」が 200 万円以上（単身世帯の場合。後期高齢者が 2 人以上いる複数世帯の場合は合計額が 320 万円以上）	6,000 円＋（医療費－ 30,000 円）× 10 % 又は 18,000 円のいずれか低い額 （年間上限 14.4 万円）	57,600 円 〈多数回該当は 44,400 円〉
一般 I	「現役並み」「一般 II」「低所得者」以外の被保険者	18,000 円 （年間上限 14.4 万円）	
低所得者	II 住民税非課税世帯	8,000 円	24,600 円
	I 住民税非課税世帯 <small>年金収入 80 万円以下など</small>		15,000 円

(注)　75 歳に達する日の属する月に受けた療養（75 歳到達時特例対象療養）については，表中の額の 2 分の 1 が自己負担限度額となる。

7．高額介護合算療養費は，療養の給付に係る一部負担金等の額及び介護保険サービスの利用者負担額の合計額が自己負担限度額を超えた場合に支給される。

高額介護合算療養費の自己負担限度額は，次のとおりである（平成30年8月から）。

被保険者区分	自己負担限度額
年収約1,160万円～　標準報酬83万円以上	212万円
年収約770万～約1.160万円　標準報酬53万～79万円	141万円
年収約370万～約770万円　標準報酬28万～50万円	67万円
年収約156万～約370万円　標準報酬26万円以下	56万円
市町村民税世帯非課税被保険者	31万円
市町村民税世帯非課税被保険者（所得が一定基準に満たない者）	19万円

（注）　前年8月1日～翌年7月31日の1年間に支払った自己負担額を対象とする。

8．葬祭費の支給又は葬祭の給付は，条例の定めるところにより行う（広域連合は，特別な理由がない限り実施しなければならない。）。

9．傷病手当金の支給その他の後期高齢者医療給付は，条例の定めるところにより行うことができる。

■**給付制限**
■**受給権の保護等**　　　}他の医療保険制度とほぼ同様である。
■**損害賠償請求権の代位取得**

■**費用負担**（法第93条，第96条，第98条）

後期高齢者医療の給付等に要する費用の額から現役並み所得者に係る給付等に要する費用の額を控除した額について，国が12分の3，都道府県が12分の1，市町村が12分の1に相当する額をそれぞれ負担する。

■**保険料**（法第104条～第115条）

1．保険料の賦課

⑴　被保険者が，個人単位で年度ごと（4月1日）に賦課される。保険料の額は，被保険者全員が等しく負担する均等割額と，被保険者の負担能力（所得）に応じて負担する所得割額を合計した額である（限度額66万円）。

⑵　所得割の率や均等割の額は，各広域連合が，それぞれの都道府県の医療の給付に応じて，2年ごとに条例で定める。

⑶　保険料軽減措置

①　所得に応じた軽減

世帯の所得に応じて，保険料のうちの均等割が次のとおり軽減される。

軽減割合	同一世帯の被保険者と世帯主の総所得金額の合計
7割軽減	43万円＋10万円×（給与・年金所得者等の数－1）以下
5割軽減	43万円＋29万円×被保険者数＋10万円×（給与・年金所得者等の数－1）以下
2割軽減	43万円＋53.5万円×被保険者数＋10万円×（給与・年金所得者等の数－1）以下

(注)　給与・年金所得者等とは，給与所得もしくは年金所得がある者，又は給与所得及び年金所得の両方の所得がある者を指す。

②　被用者保険の被扶養者であった者の保険料「均等割額」の軽減措置

後期高齢者医療制度へ加入する前日において被用者保険の被扶養者であった者は，資格取得後2年間まで均等割が5割軽減（3年目以降は軽減無し）となる。ただし，軽減措置の対象でなくなっても世帯の所得状況に応じて，「均等割額」の軽減が受けられる。

2．保険料の納付

(1)　年額18万円以上の年金受給者については，年金から天引きされる（特別徴収）。

(注)　平成21年度から，原則としてすべての者が口座振替による納付を選択できる。

(2)　年額18万円未満の年金受給者の場合や，介護保険料と後期高齢者医療保険料を合わせた額が年金額の2分の1を超える場合には，特別徴収の方法によらず，納付書や口座振替等により，市町村に対し個別に納付する（普通徴収）。

■**前期高齢者に係る保険者間の費用負担の調整**（法第32条～第46条）

65歳以上75歳未満の者については，前期高齢者として国民健康保険又は被用者保険に加入する。

各医療保険の保険者に係る加入者数に占める前期高齢者の割合によって生じる医療費負担の不均衡を調整するために，保険者が納付する前期高齢者納付金が充てられる。

2　特定健康診査及び特定保健指導（特定健康診査等）

■**特定健康診査**（法第18条～第23条，平成19年厚生労働省令第157号）

1．特定健康診査とは，高血圧症，脂質異常症，糖尿病などの生活習慣病で，内臓脂肪（腹腔内の腸間膜，大網等に存在する脂肪細胞内に貯蔵された脂肪をいう。）の蓄積に起因するものに関する健康診査をいう。

2．国民健康保険や各被用者保険の保険者は，厚生労働大臣が定める特定健康診査等基本指針に即して，5年ごとに，5年を1期として，特定健康診査等実施計画を定める。

3．特定健康診査等実施計画に基づき，実施年度中に 40～74 歳となる各医療保険加入者（実施年度中に 75 歳となる 75 歳未満の者も含み，妊産婦等を除く。）に対して保険者による特定健康診査が行われる。

　　特定健康診査の実施項目は，次のとおりである。

> 1　既往歴の調査（服薬歴及び喫煙習慣の状況に係る調査を含む。）
> 2　自覚症状及び他覚症状の有無の検査
> 3　身長，体重及び腹囲の検査
> 4　BMI（次の算式により算出した値）の測定
> 　　BMI ＝体重（kg）÷身長（m）^{2}
> 5　血圧の測定
> 6　肝機能検査
> 7　血中脂質検査
> 8　血糖検査
> 9　尿検査
> 10　前記 1 から 9 までのほか，医師が必要と認めるときに行うもの

4．加入者が，労働安全衛生法等に基づく特定健康診査に相当する健康診断を受けた場合は，特定健康診査の全部又は一部を行ったものとする。

5．保険者は，加入者に対し特定健康診査の結果を通知するとともに，特定健康診査に関する記録を保存しなければならない。

■**特定保健指導**（法第 24 条，平成 19 年厚生労働省令第 157 号）

　　保険者は，特定健康診査等実施計画に基づき，特定健康診査の結果により健康保持に努める必要がある者に対して，動機付け支援又は積極的支援により，特定保健指導を行う。

1．動機付け支援

⑴　対象者が自らの健康状態を自覚し，生活習慣の改善に係る自主的な取組の実施に資することを目的とする。

⑵　対象者は，医師，保健師，管理栄養士又は保健指導に関する実務経験を有する看護師の面接による指導の下に行動計画を策定する。また，医師，保健師，管理栄養士又は保健指導に関する実務経験を有する看護師等は，対象者に対して生活習慣の改善のための取組に係る動機付けに関する支援を行う。

⑶　行動計画策定日から 3 か月以上経過した日に，対象者及び次の①②のいずれかの者が，行動計画の実績に関する評価を行う。

①　面接による指導を行った者

②　対象者の健康状態等の情報を①の者と共有する医師，保健師，管理栄養士又は保健指導に関する実務経験を有する看護師

2．積極的支援

⑴　対象者が自らの健康状態を自覚し，生活習慣の改善に係る自主的な取組の継続的な実施に資することを目的とする。

(2)　対象者は，医師，保健師，管理栄養士又は保健指導に関する実務経験を有する看護師の面接による指導の下に行動計画を策定する。また，医師，保健師，管理栄養士又は保健指導に関する実務経験を有する看護師等は，対象者に対して生活習慣の改善のための取組に資する働きかけに関する支援を相当な期間継続して行う（厚生労働大臣が定める要件に該当する者については厚生労働大臣の定めるところにより行う。）。

(3)　対象者及び次の①②のいずれかの者が，行動計画の進捗状況や実績に関する評価を行う（実績評価については，行動計画策定日から3か月以上経過した日）。

①　面接による指導を行った者

②　対象者の健康状態等の情報を①の者と共有する医師，保健師，管理栄養士又は保健指導に関する実務経験を有する看護師

6　健康増進事業の概要

根拠▶健康増進法（平14.8.2法律第103号）

健康増進法第17条第1項及び第19条の2に基づく健康増進事業について

（平20.3.31健発第0331026号）

がん予防重点健康教育及びがん検診実施のための指針について

（平20.3.31健発第0331058号）

健康増進事業に基づく肝炎ウイルス検診等の実施について

（平20.3.31健発第0331009号）

　健康増進事業は，市町村が実施主体となり，40歳以上（健康教育，健康相談及び訪問指導については，64歳までの者を対象）の居住者に対して行われる。

種　類　等		対　象　者	内　　容
健康教育	個別健康教育	・40歳から64歳までの者で，特定健康診査又は健康診査の結果，生活習慣病の改善を促す必要があると判断される者（特定保健指導又は保健指導対象者は除く）	○疾病の特性や個人の生活習慣等を具体的に把握しながら，継続的に個別に健康教育を行う。 ・高血圧個別健康教育 ・脂質異常症個別健康教育 ・糖尿病個別健康教育 ・喫煙者個別健康教育
	集団健康教育	・40歳から64歳までの者 ・健康教育の内容や対象者の状況によっては，その家族等	○健康教室，講演会等により，以下の健康教育を行う。 ・一般健康教育 ・歯周疾患健康教育 ・ロコモティブシンドローム（運動器症候群）健康教育 ・慢性閉塞性肺疾患（COPD）健康教育

				・病態別健康教育 ・薬健康教育
健康相談	重点健康相談		・40歳から64歳までの者 ・健康相談の内容や対象者の状況によっては，その家族等	○幅広く相談できる窓口を開設し，以下の健康相談を行う。 ・高血圧・脂質異常症・糖尿病 ・歯周疾患・骨粗鬆症・女性の健康・病態別（肥満，心臓病等）
	総合健康相談			○対象者の心身の健康に関する一般的事項についての指導，助言
健康診査	健康診査	健康診査	・40歳以上の者で特定健康診査及び後期高齢者医療広域連合が保健事業として行う健康診査の対象とならない者	○必須項目 ・既往歴の調査等（服薬歴・喫煙習慣の状況に係る調査を含む。） ・身長，体重及び腹囲の検査等 ・理学的検査（視診，打聴診，腹部触診等） ・血圧測定 ・肝機能検査（血清GOT，GPT，γ-GTP） ・血中脂質検査（中性脂肪，HDLコレステロール，LDLコレステロール） ・血糖検査 ・尿検査（糖，蛋白） ○選択項目〔医師の判断に基づき実施〕 ・貧血検査（ヘマトクリット値，血色素量及び赤血球数） ・心電図検査及び眼底検査
		訪問健康診査	・健康診査の対象者であって寝たきり者等	○健康診査の検査項目に準ずる。
		介護家族訪問健康診査	・健康診査の対象者であって家族等の介護を担う者	○健康診査の検査項目に準ずる。
	保健指導		・健康診査の結果から保健指導の対象とされた者（40歳から74歳までの者）	○動機付け支援 ○積極的支援
	歯周疾患検診		・40，50，60，70歳の者	○検診項目・問診 　　　　　・歯周組織検査
	骨粗鬆症検診		・40，45，50，55，60，65，70歳の女性	○検診項目・問診 　　　　　・骨量測定
	肝炎ウイルス検診		・当該年度において満40歳となる者 ・当該年度において満41歳以上となる者で過去に肝炎ウイルス検診に相当する検診を受けたことがない者等	○問診 ○B型肝炎ウイルス検査 　・HBs抗原検査 ○C型肝炎ウイルス検査 　・HCV抗体検査 　・HCV抗原検査（必要な者のみ） 　・HCV核酸増幅検査（必要な者のみ）

訪問指導	・40 歳から 64 歳までの者であって，その心身の状況，置かれている環境等に照らして療養上の保健指導が必要であると認められるもの	○家庭における療養方法に関する指導 ○介護を要する状態になることの予防に関する指導 ○家庭における機能訓練方法，住宅改造，福祉用具の使用に関する指導 ○家族介護を担う者の健康管理に関する指導 ○生活習慣病の予防等に関する指導 ○関係諸制度の活用方法等に関する指導 ○認知症に関する正しい知識等に関する指導
総合的な保健推進事業	・他の健康増進事業の対象者と同様	○健康増進法第 19 条の 2 に基づき市町村が実施する各健診等の一体的実施及び追加の健診項目に係る企画・検討
がん検診	・40 歳以上の者（※） 　ただし，胃がん検診は 50 歳以上の者（胃部エックス線検査については当分の間，40 歳以上の者を対象としても差し支えない），子宮頸がん検診は 20 歳以上の女性，肺がん及び大腸がん検診は 40 歳以上の者，乳がん検診は 40 歳以上の女性，総合がん検診は 40 歳及び 50 歳の者 　○胃がん検診　○子宮頸がん検診　○肺がん検診　○乳がん検診 　○大腸がん検診　○総合がん検診	

※　受診を特に推奨する者として，胃がん検診は 50 歳以上 69 歳以下の者，子宮頸がん検診は 20 歳以上 69 歳以下の者，肺がん検診及び大腸がん検診は 40 歳以上 69 歳以下の者，乳がん検診は 40 歳以上 69 歳以下の者とする。

(注)　65 歳以上の介護予防に資する事業については，平成 18 年度から地域支援事業（介護予防事業）において実施されている。

第3編

障害者の保健福祉

1 障害者の日常生活及び社会生活を総合的に支援するための法律の概要

[根拠▶障害者の日常生活及び社会生活を総合的に支援するための法律]
（平 17.11.7 法律第 123 号）

■目　的（法第1条）

　障害者及び障害児（以下，障害者等）の福祉に関する法律と相まって，障害者等が基本的人権を享有する個人としての尊厳にふさわしい日常生活又は社会生活を営むことができるよう，必要な障害福祉サービスに係る給付，地域生活支援事業その他の支援を総合的に行い，もって障害者等の福祉の増進を図るとともに，障害の有無にかかわらず国民が相互に人格と個性を尊重し安心して暮らすことのできる地域社会の実現に寄与することを目的とする。

■理　念（法第1条の2）

　障害者及び障害児が日常生活又は社会生活を営むための支援は，全ての国民が，障害の有無にかかわらず，等しく基本的人権を享有するかけがえのない個人として尊重されるものであるとの理念にのっとり，全ての国民が，障害の有無によって分け隔てられることなく，相互に人格と個性を尊重し合いながら共生する社会を実現するため，全ての障害者及び障害児が可能な限りその身近な場所において必要な日常生活又は社会生活を営むための支援を受けられることにより社会参加の機会が確保されること及びどこで誰と生活するかについての選択の機会が確保され，地域社会において他の人々と共生することを妨げられないこと並びに障害者及び障害児にとって日常生活又は社会生活を営む上で障壁となるような社会における事物，制度，慣行，観念その他一切のものの除去に資することを旨として，総合的かつ計画的に行わなければならない。

■対象者（法第4条）

　1．障害者

　(1)　身体障害者福祉法第4条に規定する身体障害者

　(2)　知的障害者福祉法にいう知的障害者のうち 18 歳以上である者

　⑶　精神保健及び精神障害者福祉に関する法律第5条第1項に規定する精神障害者（発達障害者支援法第2条第2項に規定する発達障害者を含み，知的障害者福祉法にいう知的障害者を除く。）のうち18歳以上である者

　⑷　障害者総合支援法で定める特殊の疾病（治療方法が確立しておらず，その診断に関し客観的指標による一定の基準が定まっており，かつ，当該疾病にかかることにより長期療養を必要とするものであって，患者の置かれている状況からみて日常生活又は社会生活を営むための支援を行うことが特に必要なもの（366疾患））による障害により継続的に日常生活又は社会生活に相当な制限を受ける状態にある18歳以上である者

２．障害児

　⑴　児童福祉法第4条第2項に規定する障害児（身体障害のある18歳未満の者，知的障害のある18歳未満の者又は精神障害のある18歳未満の者（発達障害者支援法第2条第2項に規定する発達障害児を含む。））

　⑵　障害者総合支援法で定める特殊の疾病（治療方法が確立しておらず，その診断に関し客観的指標による一定の基準が定まっており，かつ，当該疾病にかかることにより長期療養を必要とするものであって，患者の置かれている状況からみて日常生活又は社会生活を営むための支援を行うことが特に必要なもの（366疾患））による障害により継続的に日常生活又は社会生活に相当な制限を受ける状態にある児童
　　（「児童」の定義については，「第4編　2　児童の定義等」（p. 247 参照））

■**市町村等の役割**（法第2条）

１．市町村の役割

　⑴　自立支援給付及び地域生活支援事業を総合的かつ計画的に行う。

　⑵　情報提供，相談，調査，指導，並びにこれらに付随する業務を行う。

　⑶　サービスを円滑に利用できる便宜の供与，虐待の防止・早期発見のための関係機関との連絡調整，権利擁護のための援助を行う。

２．都道府県の役割

　⑴　市町村に対する必要な助言，情報の提供その他の援助を行う。

　⑵　自立支援医療費の支給及び地域生活支援事業を行う。

　⑶　専門的な知識及び技術を必要とする相談及び指導を行う。

　⑷　権利擁護のための援助を行う。

３．国の役割

　　市町村及び都道府県に対する助言，情報提供その他の援助を行う。

■**自立支援給付の種類**（法第6条）

　自立支援給付には，次の給付がある。

1．介護給付費（特例介護給付費）

2．訓練等給付費（特例訓練等給付費）

3．特定障害者特別給付費（特例特定障害者特別給付費）

4．地域相談支援給付費（特例地域相談支援給付費）

5．計画相談支援給付費（特例計画相談支援給付費）

6．自立支援医療費

7．療養介護医療費（基準該当療養介護医療費）

8．補装具費

9．高額障害福祉サービス等給付費

(注)　介護保険法の規定による介護給付，健康保険法の規定による療養の給付等で自立支援給付に相当するものを受けることができるときや，国又は地方公共団体の負担において自立支援給付に相当するものが行われたときは，その限度において自立支援給付は行わない（法第7条）。

2　介護給付・訓練等給付

■介護給付費等の支給決定の仕組み

1．申請

(1)　介護給付費，特例介護給付費，訓練等給付費又は特例訓練等給付費（以下「介護給付費等」という。）の支給を受けようとする障害者又は障害児の保護者は，居住地の市町村（居住地がない，又は明らかでないときは，現在地の市町村）に申請を行う（法第19条，第20条）。

(2)　申請を受けた市町村は，当該申請に係る障害者等又は障害児の保護者に面接を行い，その心身の状況，その置かれている環境等について調査を行う（当該調査は指定一般相談支援事業者等に委託することができる。）。

2．障害支援区分の認定

　　市町村は，介護給付費，特例介護給付費，訓練等給付費（共同生活援助に限る。）又は特例訓練等給付費（共同生活援助に限る。）の支給の申請があった場合，障害保健福祉の学識経験者からなる市町村審査会が行う障害支援区分に関する審査及び判定の結果に基づき，障害支援区分の認定を行う（法第21条）。

3．支給要否決定等

　　市町村は，障害支援区分，介護者の状況，障害者の環境，障害者等の障害福祉サービスの利用に関する意向等を勘案して，支給の要否の決定を行う。決定にあたっては，市町村審査会，身体障害者更生相談所，知的障害者更生相談所，精神保健福祉センター，

児童相談所等の意見を聴くことができ，また，決定を行うに当たって必要と認められる場合には，障害者又は障害児の保護者に対し，指定特定相談支援事業者が作成するサービス等利用計画案の提出を求め，提出があった場合に計画案を勘案して決定する。

　また，支給決定を行うときには，障害福祉サービスの種類ごとに支給量を定め，支給量，支給決定の有効期間，障害支援区分等を記載した「障害福祉サービス受給者証」を交付する（法第22条）。

■介護給付費・訓練等給付費の支給

1．市町村は，支給決定障害者等が，都道府県知事が指定する障害福祉サービス事業者（指定障害福祉サービス事業者）又は障害者支援施設（指定障害者支援施設）から，当該指定にかかるサービスを受けたとき，介護給付費又は訓練等給付費を支給する（法第29条第1項）。

2．介護給付費（特例介護給付費）は，居宅介護，重度訪問介護，同行援護，行動援護，療養介護（医療に係るものを除く。），生活介護，短期入所，重度障害者等包括支援，施設入所支援の9サービスについて支給される（法第28条第1項）。訓練等給付費（特例訓練等給付費）は，自立訓練，就労移行支援，就労継続支援，就労定着支援，自立生活援助，共同生活援助の6サービスについて支給される（法第28条第2項）。

3．支給決定障害者等が支給決定の申請日から支給決定の効力が生じた日の前日までに指定障害福祉サービス等を受けたとき，あるいは基準該当障害福祉サービスを受けたときには，特例介護給付費又は特例訓練等給付費が支給される（法第30条第1項）。

4．介護給付費及び訓練等給付費については，支給決定障害者等に代わり，指定障害福祉サービス事業者・指定障害者支援施設に支払うことができる（代理受領）（法第29条第4項・第5項）。

介護給付費（特例介護給付費）に関するサービスの種類

サービス名	サービスの内容	法第5条	規則
居宅介護 （ホームヘルプ）	居宅において，入浴，排せつ及び食事等の介護，調理，洗濯及び掃除等の家事並びに生活等に関する相談及び助言その他の生活全般にわたる援助を供与する。 ※障害者又は障害児（以下，「障害者等」という。）が対象	2項	1条の3
重度訪問介護	居宅又は病院，診療所，助産所，介護老人保健施設及び介護医療院において，入浴，排せつ及び食事等の介護，調理，洗濯及び掃除等の家事並びに生活等に関する相談及び助言その他の生活全般にわたる援助及び外出時における移動中の介護を	3項	1条の3 1条の4

	総合的に供与する。 ※重度の肢体不自由者又は重度の知的障害もしくは精神障害により行動上著しい困難を有する障害者であって常時介護を要する者が対象		
同行援護	外出時において，当該障害者等に同行し，移動に必要な情報を提供するとともに，移動の援護，排せつ及び食事等の介護その他の当該障害者等の外出時に必要な援助を供与する。 ※視覚障害により，移動に著しい困難を有する障害者等が対象	4項	1条の5
行動援護	行動する際に生じ得る危険を回避するために必要な援護，外出時における移動中の介護，排せつ及び食事等の介護その他の当該障害者等が行動する際に必要な援助を供与する。 ※知的障害又は精神障害により行動上著しい困難を有する障害者等であって常時介護を要するものが対象	5項	2条
療養介護	主として昼間，病院において，機能訓練，療養上の管理，看護，医学的管理の下における介護及び日常生活上の世話を供与する。 ※病院において当該サービスを要する障害者であって，常時介護を要する障害者が対象	6項	2条の2 2条の3
生活介護	主として昼間，障害者支援施設等の施設において，入浴，排せつ及び食事等の介護，調理，洗濯及び掃除等の家事，生活等に関する相談及び助言その他の必要な日常生活上の支援並びに創作的活動及び生産活動の機会の提供その他の身体機能又は生活能力の向上のために必要な支援を供与する。 ※障害者支援施設等の施設において当該サービスを要する障害者であって，常時介護を要するものが対象	7項	2条の4 2条の5 2条の6
短期入所 （ショートステイ）	障害者支援施設等の施設に短期間の入所をさせ，入浴，排せつ及び食事の介護その他の必要な支援を供与する。 ※居宅においてその介護を行う者の疾病その他の理由により，障害者支援施設等の施設への短期間の入所を必要とする障害者等が対象	8項	5条 6条
重度障害者等包括支援	居宅介護，重度訪問介護，同行援護，行動援護，生活介護，短期入所，自立訓練，就労移行支援，就労継続支援，就労定着支援，自立生活援助及び共同生活援助を包括的に提供する。 ※常時介護を要する障害者等であって，意思疎通を図ることに著しい支障があるもののうち，四肢の麻痺及び寝たきりの状態にあるもの並びに知的障害又は精神障害により行動上著しい困難を有するものが対象	9項	6条の2 6条の3

| 施設入所支援 | 主として夜間において，入浴，排せつ及び食事等の介護，生活等に関する相談及び助言その他の必要な日常生活上の支援を供与する。
※その施設に入所する障害者であって，①生活介護を受けている者，②自立訓練，就労移行支援又は就労継続支援B型を受けている者であって，入所させながら訓練等を実施することが必要かつ効果的であると認められるもの又は地域における障害福祉サービスの提供体制の状況その他やむを得ない事情により，通所によって訓練等を受けることが困難なものが対象 | 10項 | 6条の5 |

訓練等給付費（特例訓練等給付費）に関するサービスの種類

サービス名	サービスの内容	法第5条	規則
自立訓練	＜機能訓練＞ 　障害者支援施設若しくはサービス事業所又は居宅において，理学療法，作業療法その他必要なリハビリテーション，生活等に関する相談及び助言その他の必要な支援を供与する。 ※障害者が対象，期間は1年6月間（頸髄損傷による四肢の麻痺等の場合には3年間） ＜生活訓練＞ 　障害者支援施設若しくはサービス事業所又は居宅において，入浴，排せつ及び食事等に関する自立した日常生活を営むために必要な訓練，生活等に関する相談及び助言その他の必要な支援を供与する。 ※障害者が対象，期間は2年間（長期間の入院等の事由がある場合には3年間）	12項	6条の6 6条の7
就労移行支援	生産活動，職場体験その他の活動の機会の提供その他の就労に必要な知識及び能力の向上のために必要な訓練，求職活動に関する支援，その適性に応じた職場の開拓，就職後における職場への定着のために必要な支援を供与する。 ※就労を希望する65歳未満の障害者又は65歳以上の障害者（65歳に達する前5年間引き続き支給決定を受けていた者）であって，通常の事業所に雇用されることが可能と見込まれるものが対象，期間は2年間（あん摩マッサージ指圧師，はり師又はきゅう師の資格取得を目的とする場合は，3年又は5年）	13項	6条の8 6条の9
就労継続支援	＜就労継続支援A型＞ 　雇用契約の締結等による就労の機会の提供及び生産活動の機会の提供その他の就労に必要な知識及び能力の向上のために必要な訓練その他の必要	14項	6条の10

	な支援を供与する。 ※通常の事業所に雇用されることが困難であって，雇用契約に基づく就労が可能である障害者が対象 <就労継続支援B型> 就労の機会の提供及び生産活動の機会の提供その他の就労に必要な知識及び能力の向上のために必要な訓練その他の必要な支援を供与する。 ※通常の事業所に雇用されることが困難であって，雇用契約に基づく就労が困難である障害者が対象		
就労定着支援	一般就労へ移行した障害者について，3年間にわたり就労に伴う生活面の課題に対し，就労の継続を図るために企業・自宅等への訪問や障害者の来所により必要な連絡調整や指導・助言等を行う。 ※就労移行支援等の利用を経て一般就労へ移行した障害者で，就労に伴う環境変化により生活面の課題が生じている者が対象	15項	6条の10の2〜6条の10の4
自立生活援助	居宅において単身等で生活する障害者につき，定期的な巡回訪問，又は随時通報を受けて行う訪問，相談対応等により，自立した日常生活を営む上での各般の問題を把握し，必要な情報の提供及び助言，相談，関係機関との連絡調整等の必要な援助を行う。 ※障害者支援施設若しくは共同生活援助を行う住居等を利用していた，又は居宅において単身であるため若しくは同居家族が障害や疾病等のため自立した日常生活を営む上での問題に対する支援が見込めない障害者	16項	6条の10の5〜6条の10の7
共同生活援助 （グループホーム）	主として夜間において，共同生活を営むべき住居において相談，入浴，排せつ又は食事の介護その他の日常生活上の援助を行う。 ※身体障害者（65歳未満の者又は65歳に達する日の前日までに障害福祉サービス等を利用したことがある者に限る。），知的障害者及び精神障害者が対象	17項	

(注) 障害児の施設入所については，児童福祉法に規定が置かれており，障害児入所支援に要した費用について，都道府県等から障害児入所給付費が支給される。

■**利用者負担**

　原則として，利用したサービスにかかる費用の1割負担であったが，平成24年4月から家計の負担能力等をしん酌して政令で定める額を負担する（応能負担）。なお，食費や光熱水費は，給付の対象外とされているため，実費負担が原則となる。

■**利用者負担の軽減**

1．利用者負担については，所得等の状況に応じた月額の負担上限を設定することにより軽減が図られている。

利用者負担の月額上限設定（令和 5 年度）

区分	世帯の収入状況	負担上限月額
生活保護	生活保護受給世帯	0 円
低所得	市町村民税非課税世帯	0 円
一般 1	市町村民税課税世帯（所得割 16 万円未満） ※入所施設利用者（20 歳以上），グループホーム利用者等は，市町村民税課税世帯の場合，「一般 2」となる。	9,300 円
一般 2	上記以外	37,200 円

※世帯の範囲については，18 歳以上の障害者（施設に入所する 18，19 歳を除く）は，本人又は本人とその配偶者，障害児（施設に入所する 18，19 歳を含む）は，保護者の属する住民基本台帳での世帯となる。

2．また，低所得者等に対しては，以下のような利用者負担の軽減措置が講じられる。

(1) 高額障害福祉サービス等給付費の支給

① 同一世帯に障害福祉サービスの利用者が複数いる場合や，介護保険の居宅サービス等を併せて利用する場合，補装具の購入又は修理をした場合等で，世帯における利用者負担額が一定の限度額（高額障害福祉サービス等給付費算定基準額）を超える場合に，高額障害福祉サービス等給付費が支給される。

② 65 歳になるまでに 5 年以上，特定の障害福祉サービスを利用しており，一定の要件を満たす場合には，介護保険移行後に利用した相当（類似）する介護保険サービスの利用者負担が償還される。

(2) 食費等の負担軽減

① 補足給付の支給

施設利用に伴う食費や光熱水費の負担軽減を図るため，特定障害者特別給付費又は特例特定障害者特別給付費が支給される（所得等に応じた負担限度額を設定し，平均的な費用額との差額を支給するもの）。

② 補足給付（家賃助成）の支給

グループホーム（重度障害者等包括支援の一環として提供される場合を含む。）の利用者（生活保護又は低所得の世帯）が負担する家賃を対象として利用者 1 人あたり月額 1 万円を上限に特定障害者特別給付費又は特例特定障害者特別給付費が支給される。

③ 医療型個別減免

療養介護を利用する場合に，所得等に応じて医療費と食費が減免される。

(3)　生活保護への移行防止

　　利用者負担の支払いにより，生活保護を要する状態に陥ることを防止するため，利用者負担の適用段階区分を調整する仕組み（境界層措置）が設けられている。

3．障害児（20歳未満の施設入所者を含む）の利用者負担

(1)　負担上限月額の設定

　　利用者負担については，所得等の状況に応じた負担上限を設定することにより軽減が図られている。

負担上限月額（令和5年度）

区分	世帯の収入状況		負担上限月額
生活保護	生活保護受給世帯		0円
低所得	市町村民税非課税世帯		0円
一般1	市町村民税課税世帯（所得割28万円未満）	居宅・通所サービス利用の場合	4,600円
		入所施設利用の場合	9,300円
一般2	上記以外		37,200円

※世帯の範囲については，18歳以上の障害者（施設に入所する18，19歳を除く）は，本人又は本人とその配偶者，障害児（施設に入所する18，19歳を含む）は，保護者の属する住民基本台帳での世帯となる。
※就学前障害児の発達支援の無償化により，満3歳になって最初の4月1日から3年間は以下のサービスについて利用者負担が無料となる。
　・児童発達支援，医療型児童発達支援，居宅訪問型児童発達支援，保育所等訪問支援，福祉型障害児入所施設，医療型障害児入所施設

(2)　食費等の負担軽減

　①　補足給付の支給

　　　福祉型入所施設利用に伴う食費や光熱水費の負担軽減を図るため，特定入所障害児食費等給付費が支給される（地域で子どもを養育する費用と同様の負担となるように，負担を軽減するもの。）。

　②　医療型個別減免

　　　医療型障害児入所施設に入所する場合や，療養介護を利用する場合に，所得等に応じて医療費と食費が減免される。

3　地域相談支援給付費・計画相談支援給付費

■**地域相談支援給付費**（法第51条の14）

　　地域相談支援給付費の給付決定を受けた障害者が，地域相談支援給付決定の有効期間内において，都道府県知事が指定する指定一般相談支援事業者から指定地域相談支援を受け

たときに，それに要した費用が市町村から支給される。

(注)　地域相談支援とは，地域移行支援（精神科病院，障害者支援施設等，救護施設等又
は刑事施設等に入院，入所している障害者に対する住居の確保その他地域生活移行の
ための相談等）及び地域定着支援（居宅において単身生活をする障害者等に対する常
時の連絡体制の確保，緊急の事態等における相談等）をいう。

■**計画相談支援給付費**（法第51条の17）

　障害者等が，市町村長が指定する指定特定相談支援事業者から指定計画相談支援を受け
た場合に要した費用が市町村から支給される。

(注)　計画相談支援とは，サービス利用支援（障害者の心身の状況や環境等を勘案し，利
用するサービスの内容等を定めたサービス等利用計画案を作成し，支給決定等が行わ
れた後に行う，当該支給決定等の内容を反映したサービス等利用計画の作成等）及び
継続サービス利用支援（障害福祉サービス等の利用状況を検証し，その結果及び障害
者の心身の状況，その置かれている環境等を勘案し，サービス等利用計画の見直しを
行う）をいう。

4　自立支援医療等

■自立支援医療の種類

　自立支援医療には，次に掲げるものがある。

1．育成医療

　障害児（身体に障害のある者に限る。）に対し行われる生活の能力を得るために必要な
医療

2．更生医療

　身体障害者に対し行われるその更生のために必要な医療

3．精神通院医療

　精神障害者に対し，本人が病院又は診療所へ入院することなく行われる精神障害の医
療

■実施主体

　育成医療及び更生医療は市町村，精神通院医療は都道府県・指定都市

■支給認定

1．申請（法第53条）

　自立支援医療費の支給を受けようとする障害者又は障害児の保護者は，居住地（居住地がない，又は明らかでないときは，現在地）の市町村に申請をする（精神通院医療については，都道府県に申請。ただし，居住地（現在地）の市町村を経由して行う。）。

2．支給認定に係る基準（法第54条）

　支給認定は，心身の障害の状態，所得の状況，治療状況その他の事情を勘案して，自立支援医療の種類ごとに行う。なお，市町村民税の所得割額が23万5000円以上の場合は，原則として支給対象とならないが，令和6年3月末までの間は，継続的に相当額の医療費負担が発生する高額治療継続者（重度かつ継続）については，対象に含めることとしている。また，更生医療，精神通院医療については，戦傷病者特別援護法又は心神喪失等の状態で重大な他害行為を行った者の医療及び観察等に関する法律の規定により受けることができるときは，支給認定を行わない。

　市町村又は都道府県は，支給認定をしたときは，都道府県知事が指定する医療機関（指定自立支援医療機関）の中から，障害者等の希望を参考にして，自立支援医療を受ける医療機関を定める。また，支給認定を受けた障害者又は障害児の保護者に対し，支給認定の有効期間，指定自立支援医療機関の名称等を記載した自立支援医療受給者証を交付する。

■利用者負担

1．家計の負担能力等をしん酌して政令で定める額（当該額がかかった医療費の1割相当額より高い場合は1割相当額）を負担する（応能負担）。

負担上限月額（令和5年度）

区分	世帯の収入の状況	負担上限月額
生活保護	生活保護世帯	0円
低所得1	市町村民税非課税世帯で，利用者本人の収入が年80万円以下の場合	2,500円
低所得2	市町村民税非課税世帯で，利用者本人の収入が年80万円を超える場合	5,000円
中間所得層	市町村民税課税世帯で，所得割が年23万5000円未満の場合	医療保険の自己負担限度額（高額治療継続者の軽減措置及び育成医療の経過措置あり）
一定所得以上	市町村民税課税世帯で，所得割が年23万5000円以上の場合	公費負担の対象外（高額治療継続者の経過措置あり）

2．市町村民税課税世帯であっても，継続的に相当額の医療費負担が発生する高額治療継続者には，前記1．のほか以下のように負担上限月額が設定されている。なお，市町村民税額（所得割）が23万5000円以上の世帯に対する負担上限月額は，経過措置（令和5

年度まで）として設定されている。

高額治療継続者の負担上限月額

区分	市町村民税額（所得割）	負担上限月額
中間所得層1	3万3000円未満の世帯	5,000円
中間所得層2	3万3000円以上23万5000円未満の世帯	10,000円
一定所得以上	23万5000円以上の世帯	20,000円

3．育成医療の受給者については，経過措置として，前記1．及び2．のほか，次のように負担上限月額が設定されている。

育成医療の経過措置

区分	市町村民税額（所得割）	負担上限月額
中間所得層1	3万3000円未満の世帯	5,000円
中間所得層2	3万3000円以上23万5000円未満の世帯	10,000円

■**療養介護医療費の支給**（法第70条・第71条）

　市町村は，療養介護に係る支給決定を受けた障害者が，療養介護医療（療養介護のうち，医療に係るもの）を受けたときは，療養介護医療費を支給する。なお，療養介護に係る特例介護給付費の支給決定障害者が，基準該当事業所又は基準該当施設から療養介護医療を受けたときは，基準該当療養介護医療費を支給する。

5　補装具

■**補装具費の支給**

　市町村は，障害者又は障害児の保護者から申請があった場合において，障害の状態からみて，補装具の購入，借受け又は修理が必要と認めるときは，当該補装具の購入，借受け又は修理に要した費用について，補装具費を支給する。

　また，補装具費の支給に当たっては，身体障害者更生相談所，指定自立支援医療機関，保健所の意見を聴くことができる。

■**補装具の種目**（平成18年厚生労働省告示第528号）

　補装具の種目については，次のとおりである。

① 義肢　　　　　　　③ 座位保持装置　　　　⑤ 義眼

② 装具　　　　　　　④ 視覚障害者安全つえ　⑥ 眼鏡

⑦　補聴器

⑧　人工内耳（人工内耳用音声信号処理装置の修理に限る）

⑨　車椅子

⑩　電動車椅子

⑪　座位保持椅子

⑫　起立保持具

⑬　歩行器

⑭　頭部保持具

⑮　排便補助具

⑯　歩行補助つえ

⑰　重度障害者用意思伝達装置

■利用者負担

　家計の負担能力等をしん酌して政令で定める額（当該額が補装具費の基準額の1割相当額より高い場合は1割相当額）を負担する（応能負担）。

負担上限月額（令和5年度）

区分	世帯の収入状況	負担上限月額
生活保護	生活保護受給世帯	0円
低所得	市町村民税非課税世帯 例）3人世帯で障害基礎年金1級受給の場合，概ね300万円以下の収入	0円
一般	市町村民税課税世帯	37,200円

【参　考】補装具費の支給の仕組み

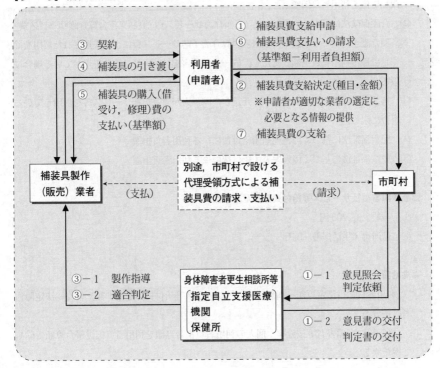

6　高額障害福祉サービス等給付費

■高額障害福祉サービス等給付費の支給（法第76条の2）

　同一の月に受けた障害福祉サービス及び介護保険の介護給付等対象サービス並びに補装具の購入，借受け又は修理に要した費用の合計額から，当該費用につき支給された介護給付費等並びに補装具費との合計額を控除して得た額並びに児童福祉法に規定する指定施設支援に要した費用から当該費用につき支給された障害児通所給付費及び障害児入所給付費の合計額を控除して得た額の合計額が著しく高額であるとき（世帯合算），市町村は高額障害福祉サービス等給付費を支給する。

■合算の対象となる費用

　同一世帯に属する者が同一の月に受けたサービス等によりかかる①〜⑤の負担額を合算する。

① 障害者の日常生活及び社会生活を総合的に支援するための法律（障害者総合支援法）に基づく介護給付費等（介護給付費，訓練等給付費，特例介護給付費，特例訓練等給付費）に係る利用者負担額

② 介護保険法に基づく介護給付等（高額介護サービス費・高額医療合算介護サービス費・高額介護予防サービス費・高額医療合算介護予防サービス費により償還された費用を除く）に係る利用者負担額。ただし，同一人が障害福祉サービス等を併用している場合に限る。

③ 補装具費に係る利用者負担額。ただし，同一人が障害福祉サービス等を併用している場合に限る。

④ 児童福祉法に基づく障害児通所給付費に係る利用者負担額

⑤ 児童福祉法に基づく障害児入所給付費に係る利用者負担額

■高額障害福祉サービス等給付費等算定基準額

① 一般　37,200円

② 低所得・生活保護　0円

■支給額

　（利用者負担世帯合算額−高額障害福祉サービス等給付費算定基準額）×支給決定障害者等按分率

　（※支給決定障害者等按分率：個人の利用者負担合算額を利用者負担世帯合算額で除して得た率をいう）

■新高額障害福祉サービス等給付費の支給（法第 76 条の 2）

　以下の全ての条件を満たす場合，介護保険移行後に利用した相当（類似）する介護保険サービスの利用者負担が償還される。

① 65 歳に達する日前 5 年間，特定の障害福祉サービス（ホームヘルプ，デイサービス，ショートステイ）の支給決定を受けており，介護保険移行後，これらに相当する介護保険サービスを利用すること。

② 利用者の方とその配偶者の方が，当該利用者が 65 歳に達する日の前日の属する年度（65 歳に達する日の前日が 4 月から 6 月までの場合にあっては，前年度）において市町村民税非課税者又は生活保護受給者等であったこと（申請時も同様）。

③ 障害支援区分（障害程度区分）が区分 2 以上であったこと。

④ 65 歳に達するまでに介護保険法による保険給付を受けていないこと。

7　地域生活支援事業

> **根拠**▶地域生活支援事業等の実施について
> （平 18.8.1 障発第 0801002 号）

　障害者の日常生活及び社会生活を総合的に支援するための法律に規定する障害者及び障害児（以下「障害者等」という。）が基本的人権を享有する個人としての尊厳にふさわしい日常生活又は社会生活を営むことができるよう，地域の特性や利用者の状況に応じた柔軟な事業形態による事業を計画的に実施し，もって障害者等の福祉の増進を図るとともに，障害の有無に関わらず国民が相互に人格と個性を尊重し安心して暮らすことのできる地域社会の実現に寄与することを目的とする。

■実施主体

　都道府県，指定都市，中核市及び市区町村等，各事業の実施要領による。

■事業の種類

1．市町村地域生活支援事業

　実施主体は，必須事業を実施するものとし，地域の実情に応じて任意事業を実施することができる。なお，実施に当たっては，実施主体が適当と認める団体等（地方公共団体を除く。）に事業の全部又は一部を委託することができ，広域的な事業展開のため複数の実施主体が連携することができる。

(1)　市町村必須事業

　ア　理解促進研修・啓発事業

イ　自発的活動支援事業

ウ　相談支援事業

エ　成年後見制度利用支援事業

オ　成年後見制度法人後見支援事業

カ　意思疎通支援事業

キ　日常生活用具給付等事業

ク　手話奉仕員養成研修事業

ケ　移動支援事業

コ　地域活動支援センター機能強化事業

(2)　市町村任意事業

2．都道府県地域生活支援事業

実施主体は，必須事業を実施するものとし，地域の実情に応じて任意事業を実施することができる。なお，実施に当たっては，実施主体が適当と認める団体等（地方公共団体を除く。ただし，実施主体である都道府県が指定都市又は中核市が事業を実施することが適当と認める場合は，当該指定都市又は中核市を含む。）に事業の全部又は一部を委託することができる。

(1)　都道府県必須事業

ア　専門性の高い相談支援事業

イ　専門性の高い意思疎通支援を行う者の養成研修事業

ウ　専門性の高い意思疎通支援を行う者の派遣事業

エ　意思疎通支援を行う者の派遣に係る市町村相互間の連絡調整事業

オ　広域的な支援事業

(2)　都道府県任意事業

ア　(1)に掲げる事業のほか，障害福祉サービス又は相談支援を提供する者若しくはこれらの者に対し必要な指導を行う者等を育成する事業及び障害者等が自立した日常生活又は社会生活を営むために必要な事業

イ　社会福祉法人等が実施するアに掲げる事業に対し補助する事業

3．特別支援事業

実施主体は，1．及び2．に掲げる事業のほか，予め厚生労働省に協議の上，特別支援事業を実施することができる。なお，実施に当たっては，実施主体が適当と認める団体等（地方公共団体を除く。ただし，実施主体である都道府県が指定都市又は中核市が事業を実施することが適当と認める場合は当該指定都市又は中核市を含む。）に事業の全部又は一部を委託することができ，広域的な事業展開のため複数の実施主体が連携することができる。

(1)　特別支援事業

① 実施が遅れている必須事業の促進を図るための事業又は地域における必須事業の実施水準の格差是正を図るための事業のうち，厚生労働省が適当と認める事業。

② 社会福祉法人等が実施する①に掲げる事業に対し補助する事業。

■利用者負担

実施主体の判断による。

1　市町村地域生活支援事業

❶　市町村必須事業

ア　理解促進研修・啓発事業

障害者等や障害特性等に関する地域住民の理解を深めるための，又は「心のバリアフリー」の推進を図るための研修及び啓発活動を実施することにより，障害者等が日常生活及び社会生活を営む上で生じる「社会的障壁」を除去及び共生社会の実現を図る。

■実施主体

市町村，特別区，一部事務組合及び広域連合。ただし，都道府県が地域の実情を勘案して実施主体に代わって事業の一部を実施することができる（以下，市町村必須事業において同じ。）。

■事業内容

実施主体が実施する，地域社会の住民に対して障害者等に対する理解を深めるための研修・啓発事業とする。

1．教室等開催

身体障害，知的障害，精神障害，発達障害，高次脳機能障害，盲ろう者，重症心身障害児，難病等の障害特性等をわかりやすく解説するとともに，手話や介護等の実践や障害特性に対応した福祉用具等の使用等を通じ，障害者等の理解を深めるための教室等を開催する。

2．事業所訪問

地域住民が，障害福祉サービス事業所等へ直接訪問する機会を設け，職員や当事者と交流し，障害者等に対して必要な配慮・知識や理解を促す。

3．イベント開催

有識者による講演会や障害者等と実際にふれあうイベント等，多くの住民が参加できるような形態により，障害者等に対する理解を深める。

4．広報活動

　　障害別の接し方を解説したパンフレットやホームページの作成，障害者に関するマークの紹介等，障害者等に対する普及・啓発を目的とした広報活動を実施する。

5．身近な地域における「心のバリアフリー」推進のための取組

　(1)　具体的事例を通じ，障害者等が日常生活において感じる心のバリアを知り，そうした場面のコミュニケーション手法を学ぶ教材の作成，住民に対する研修会を開催する。

　(2)　内部障害等，外見からは障害がわかりづらい方が，周囲に支援を求めるために有効なツール等の周知等を行う。

　(3)　サービス業をはじめとする企業の従業員向けに，障害のある方に対する接遇の向上や合理的配慮の推進に資する情報発信・研修等を行う。

6．その他形式

　　前記の形式以外に，事業の目的を達成するために有効な形式により実施する。

イ　自発的活動支援事業

　　障害者等が自立した日常生活及び社会生活を営むことができるようにするため，障害者等，その家族，地域住民等による地域における自発的な活動を支援することにより，「心のバリアフリー」の推進及び共生社会の実現を図る。

■事業内容

　　障害者等やその家族，地域住民等が自発的に行う活動に対する支援事業とする。

1．ピアサポート活動支援

　　障害者等やその家族が互いの悩みを共有することや，情報交換のできる交流会活動を支援する。

2．災害対策活動支援

　　障害者等を含めた地域における災害対策活動を支援する。

3．孤立防止活動支援

　　地域で障害者等が孤立することがないよう見守り活動を支援する。

4．社会活動支援

　　障害者等が，仲間と話し合い，自分たちの権利や自立のための社会に働きかける活動（ボランティア等）の支援や，障害者等に対する社会復帰活動を支援する。

5．ボランティア活動支援

　　障害者等に対するボランティアの養成や活動を支援する。

6．身近な地域における「心のバリアフリー」推進のための活動支援

　(1)　地域住民が，障害者等が社会生活を営む上で感じる心のバリアに気づき，声掛けや簡易な支援等ができるよう，実践的研修会を開催する。

⑵　障害者等が日常生活で困りごとが生じた際，円滑に周囲に援助を求められるよう，障害者等に対する一定の理解を有するとともに適切な支援を行うことのできる地域住民が，一見してそれとわかるためのツールの周知等を行う。

7．その他形式支援

前記の形式以外に，事業の目的を達成するために有効な形式により支援する。

ウ　相談支援事業

障害者等，障害児の保護者又は障害者等の介護を行う者などからの相談に応じ，必要な情報の提供等の便宜を供与することや，権利擁護のために必要な援助を行うことにより，障害者等が自立した日常生活又は社会生活を営むことができるようにする。

■基幹相談支援センター等機能強化事業

社会福祉士，保健師，精神保健福祉士等の専門的職員を基幹相談支援センター等に配置することや，基幹相談支援センター等が地域における相談支援事業者等に対する専門的な指導・助言，情報収集・提供，人材育成の支援，地域移行に向けた取組等を実施することにより，相談支援機能の強化を図る。

■住宅入居等支援事業（居住サポート事業）

賃貸契約による一般住宅への入居に当たって支援が必要な障害者等について，主に次の支援を行う。

1．入居支援

不動産業者に対する物件斡旋依頼，及び家主等との入居契約手続き支援を行う。また，地域において公的保証人制度がある場合には，必要に応じてその利用支援を行う。

2．居住支援のための関係機関によるサポート体制の調整

利用者の生活上の課題に応じ，関係機関から必要な支援を受けることができるよう調整を行う。

※　経過的取扱い

以下の事業については，平成24年4月創設の地域移行支援・地域定着支援の実施体制が整備されるまでの間，経過的に実施できるものとする。

⑴　現に障害者支援施設，のぞみの園，児童福祉施設若しくは療養介護事業所に入所している障害者又は精神科病院に入院している精神障害者に対する入居支援及び居住支援のための関係機関によるサポート体制の調整

⑵　24時間支援

夜間を含め，緊急に対応が必要となる場合における相談支援，関係機関との連絡・調整等必要な支援を行う。

┌─ 別添1 ─────────────────────────────────┐

障害者相談支援事業

　障害者等の福祉に関する各般の問題につき，障害者等からの相談に応じ，必要な情報の提供及び助言その他の障害福祉サービスの利用支援等，必要な支援を行うとともに，虐待の防止及びその早期発見のための関係機関との連絡調整その他の障害者等の権利擁護のために必要な援助（相談支援事業）を行う。

(注)　交付税を財源として実施される。

1．実施主体

　　市町村（必要に応じ複数市町村による共同実施，運営については常勤の相談支援専門員が配置されている指定特定相談支援事業者又は指定一般相談支援事業者への委託可）

2．事業の具体的内容

(1)　福祉サービスの利用援助（情報提供，相談等）

(2)　社会資源を活用するための支援（各種支援施策に関する助言・指導等）

(3)　社会生活力を高めるための支援

(4)　ピアカウンセリング

(5)　権利の擁護のために必要な援助

(6)　専門機関の紹介　等

└──────────────────────────────────┘

┌─ 別添2 ─────────────────────────────────┐

基幹相談支援センター

　地域における相談支援の中核的な役割を担う機関として，障害者相談支援事業，及び成年後見制度利用支援事業並びに身体障害者福祉法，知的障害者福祉法，精神保健及び精神障害者福祉に関する法律に基づく相談等の業務を総合的に行う。

1．設置主体

(1)　市町村

(2)　市町村から業務の委託を受けた一般相談支援事業者又は特定相談支援事業者

2．設置方法

　　単独又は複数市町村による設置，市町村直営又は委託による設置等，地域の実情に応じて最も効果的な方法により設置することができる。

3．業務内容

(1)　総合的・専門的な相談支援の実施

(2)　地域の相談支援体制の強化の取組

└──────────────────────────────────┘

⑶　地域移行・地域定着の促進の取組

⑷　権利擁護・虐待の防止

エ　成年後見制度利用支援事業

　　成年後見制度の利用が有用と認められる知的障害者又は精神障害者で，補助を受けなければ成年後見制度の利用が困難であると認められる者に対し，成年後見制度の申立てに要する経費（登記手数料，鑑定費用等）及び後見人等の報酬の全部又は一部を補助する。

オ　成年後見制度法人後見支援事業

　　成年後見制度における後見等の業務を適正に行うことができる法人を確保できる体制を整備するとともに，市民後見人の活用も含めた法人後見の活動を支援することで，障害者の権利擁護を図る。

■事業内容

1. 法人後見実施のための研修

　　法人後見実施団体，法人後見の実施を予定している団体等に対し，実施主体は地域の実情に応じて，法人後見に要する運営体制，財源確保，障害者等の権利擁護，後見監督人との連携手法等，市民後見人の活用も含めた法人後見の業務を適正に行うために必要な知識・技能・倫理が修得できる内容の研修カリキュラムを作成する。

2. 法人後見の活動を安定的に実施するための組織体制の構築

　　法人後見の活用等のための地域の実態把握及び法人後見推進のための検討会等の実施。

3. 法人後見の適正な活動のための支援

　　弁護士，司法書士，社会福祉士等の専門職により，法人後見団体が困難事例等に円滑に対応できるための支援体制の構築。

4. その他，法人後見を行う事業所の立ち上げ支援など，法人後見の活動の推進に関する事業

カ　意思疎通支援事業

　　聴覚，言語機能，音声機能，視覚，盲ろう，失語，知的，発達，高次脳機能，重度の身体などの障害や難病のため，意思疎通を図ることに支障がある障害者等に，手話通訳，要約筆記等の方法により，障害者等とその他の者の意思疎通を支援する手話通訳者，要約筆記者等の派遣等を行い，意思疎通の円滑化を図る。

■事業内容

　　手話通訳者，要約筆記者を派遣する事業，手話通訳者を設置する事業，点訳，代筆，代読，音声訳等による支援事業など，意思疎通を図ることに支障がある障害者等とその他の者の意思疎通を支援する。

キ　日常生活用具給付等事業

　　日常生活上の便宜を図るため，障害者等に自立生活支援用具等の日常生活用具を給付又は貸与する。

■用具の用途及び形状

1．介護・訓練支援用具

　　特殊寝台，特殊マットその他の障害者等の身体介護を支援する用具並びに障害児が訓練に用いるいす等のうち，障害者等及び介助者が容易に使用できるものであって，実用性のあるもの

2．自立生活支援用具

　　入浴補助用具，聴覚障害者用屋内信号装置その他の障害者等の入浴，食事，移動等の自立生活を支援する用具のうち，障害者等が容易に使用することができるものであって，実用性のあるもの

3．在宅療養等支援用具

　　電気式たん吸引器，盲人用体温計その他の障害者等の在宅療養等を支援する用具のうち，障害者等が容易に使用することができるものであって，実用性のあるもの

4．情報・意思疎通支援用具

　　点字器，人工喉頭その他の障害者等の情報収集，情報伝達，意思疎通等を支援する用具のうち，障害者等が容易に使用することができるものであって，実用性のあるもの

5．排泄管理支援用具

　　ストーマ装具その他の障害者等の排泄管理を支援する用具及び衛生用品のうち，障害者等が容易に使用することができるものであって，実用性のあるもの

6．居宅生活動作補助用具

　　障害者等の居宅生活動作等を円滑にする用具で，設置に小規模な住宅改修を伴うもの

■対象者

　　身体障害者（児），知的障害者（児），精神障害者，難病患者等

ク　手話奉仕員養成研修事業

　　手話で日常会話を行うのに必要な手話語彙及び手話表現技術を習得した者を養成し，意

思疎通を図ることに支障がある障害者等の自立した日常生活又は社会生活を営むことができるようにすることを目的とする。

■事業内容

聴覚障害者等との交流活動の促進，市町村の広報活動などの支援者として期待される日常会話程度の手話表現技術を習得した手話奉仕員を養成研修する。

ケ　移動支援事業

屋外での移動が困難な障害者等について，外出のための支援を行うことにより，地域における自立生活及び社会参加を促す。

■事業内容

移動支援を実施することにより，社会生活上必要不可欠な外出及び余暇活動等の社会参加のための外出の際の移動を支援する。実施主体の判断により地域の特性や個々の利用者の状況やニーズに応じた柔軟な形態で実施されるが，具体的には以下の利用形態が想定される。

1. 個別支援型

　　個別的支援が必要な者に対するマンツーマンによる支援

2. グループ支援型

　　複数の障害者等への同時支援（屋外でのグループワーク，同一目的地・同一イベントへの複数人同時参加の際の支援）

3. 車両移送型

　　福祉バス等車両の巡回による送迎支援（公共施設，駅，福祉センター等障害者等の利便を考慮し，経路を定めた運行，各種行事の参加のための運行等，必要に応じて支援）

コ　地域活動支援センター機能強化事業

障害者等を通わせ，創作的活動又は生産活動の機会の提供，社会との交流の促進等の便宜を供与する地域活動支援センターの機能を強化し，もって障害者等の地域生活支援の促進を図るため，交付税措置により実施される基礎的事業に加え実施するもの。

■事業形態の例

1. 地域活動支援センターⅠ型

　　専門職員（精神保健福祉士等）を配置し，医療・福祉及び地域の社会基盤との連携強化のための調整，地域住民ボランティア育成，障害に対する理解促進を図るための普及啓発等の事業を実施（相談支援事業を併せて実施又は委託を受けていることが要件）

2．地域活動支援センターⅡ型

地域において雇用・就労が困難な在宅障害者に対し，機能訓練，社会適応訓練，入浴等のサービスを実施

3．地域活動支援センターⅢ型

地域の障害者のための援護対策として地域の障害者団体等が実施する通所による援護事業の実績を概ね5年以上有し，安定的な運営が図られているもの（自立支援給付に基づく事業所に併設しての実施が可能）

■職員配置の例

1．地域活動支援センターⅠ型

基礎的事業による職員の他1名以上を配置（うち2名以上を常勤）

2．地域活動支援センターⅡ型

基礎的事業による職員の他1名以上を配置（うち1名以上を常勤）

3．地域活動支援センターⅢ型

基礎的事業による職員（うち1名以上を常勤）

（注）　基礎的事業における職員配置は，2名以上（うち1名が専任者）。デジタル技術等活用による業務効率化で他事業所の職員兼務など，業務に支障のない場合はこの限りでない。

■利用者数等の例

1．地域活動支援センターⅠ型

1日当たりの実利用人員が概ね20名以上

2．地域活動支援センターⅡ型

1日当たりの実利用人員が概ね15名以上

3．地域活動支援センターⅢ型

1日当たりの実利用人員が概ね10名以上

❷　市町村任意事業

市町村，特別区，一部事務組合及び広域連合は，市町村必須事業のほか，その判断により，障害者等が自立した日常生活又は社会生活を営むために必要な事業を実施することができる。事業の例を以下に示す。

■日常生活支援に関する事業

1．福祉ホームの運営

(1)　目的

現に住居を求めている障害者につき，低額な料金で，居室その他の設備を利用させるとともに，日常生活に必要な便宜を供与することにより，障害者の地域生活を支援する。

(2) 実施主体

市町村，特別区，一部事務組合及び広域連合（以下，市町村任意事業において同じ。）

(3) 事業内容

家庭環境，住宅事情等の理由により，居宅において生活することが困難な障害者（ただし，常時の介護，医療を必要とする状態にある者を除く。）につき，低額な料金で，居室その他の設備を利用させるとともに，施設の管理，利用者の日常に関する相談，助言，福祉事務所等関係機関との連絡，調整等を行う。

(4) 利用方法

利用者と経営主体との契約による利用

2．訪問入浴サービス

(1) 目的

地域における身体障害者・児の生活を支援するため，訪問により居宅において入浴サービスを提供し，身体障害者・児の身体の清潔の保持，心身機能の維持等を図り，もって福祉の増進を図る。

(2) 事業内容

看護師又は准看護師若しくは介護職員が，身体障害者・児の居宅を訪問し，浴槽を提供して入浴の介護を行う。なお，サービス提供時に利用者の病状の急変が生じた場合，その他必要な場合は，サービス提供従事者は速やかに主治医又はあらかじめサービス提供従事者が定めた協力医療機関への連絡を行う等の必要な措置を講じる。

3．生活訓練等

障害者等に対して，日常生活上必要な訓練・指導等を行うことにより，生活の質の向上を図る。

4．日中一時支援

(1) 目的

障害者等の日中における活動の場を確保し，障害者等の家族の就労支援及び障害者等を日常的に介護している家族の一時的な休息が得られるようにする。

(2) 事業内容

日中，障害福祉サービス事業所，障害者支援施設，学校の空き教室等において，障害者等に活動の場を提供し，見守り，社会に適応するための日常的な訓練その他実施主体が認めた支援を行う。また，事業は，地域のニーズに応じて行うものとし，送迎サービスその他適切な支援を実施主体の判断により行う。

5．地域移行のための安心生活支援

(1)　目的

　　障害者が地域で安心して暮らすための支援体制を整備することにより，障害があっても自ら選んだ地域で暮らしていけるよう地域生活への移行や定着を支援する。

(2)　事業内容

　　以下の地域生活への移行や定着のための支援体制を整備する。

①　居室確保事業（緊急一時的な宿泊・体験的宿泊）

②　コーディネート事業

(3)　経過的取扱い

　　障害者が地域で安心して暮らしていけるよう地域生活への移行や定着のための支援策を盛り込んだプラン（地域移行推進重点プラン）を作成してこれに基づき実施する事業（緊急時相談支援事業，緊急時ステイ事業，地域生活体験事業）については，平成24年4月の障害者自立支援法の一部改正により創設された地域移行支援・地域定着支援の実施体制が整備されるまでの間，経過的に実施できる。

　　なお，市町村は，地域の社会資源の開発・改善を行う協議会（障害者総合支援法第89条の3の規定に基づく協議会，以下同じ。）も積極的に活用しながら，地域移行支援・地域定着支援の実施体制の計画的な整備に努める。また，当該プランには，地域移行支援・地域定着支援への移行予定時期など今後の具体的な計画を盛り込む。

6．相談支援事業所等（地域援助事業者）における退院支援体制確保

(1)　目的

　　精神保健及び精神障害者福祉に関する法律の規定に基づく地域援助事業者が退院支援体制の確保に要する費用の一部について補助を行い，医療保護入院者の地域生活への移行を促進する。

(2)　事業内容

　　相談支援事業所等（地域援助事業者）における退院支援体制を確保するため，必置職員以外の職員を配置するために必要となる賃金や諸経費等について助成する。

7．協議会における地域資源の開発・利用促進等の支援

(1)　目的

　　市町村の協議会において，先進的な地域資源の開発・利用促進等に向けた取り組みを行い，障害者への総合的な地域生活支援の実現を図る。

(2)　事業内容

　　社会的資源の開発に向けて，障害児者のニーズ調査や先進例の情報収集，商工会議所・地域住民等への啓発の実施，など

8．地域生活定着支援センターとの連携強化事業

(1)　目的

　　障害者等が，矯正施設（刑務所，少年刑務所，拘置所及び少年院）；留置施設等から

の退所後に実生活を営もうとする市町村等において，円滑に福祉サービス等を利用できるよう，市町村等が地域生活定着支援センターとの連携をより促進することで地域における支援体制の強化を図る。

(2)　事業内容

①　地域生活定着支援センターとの連携による相談支援事業所等の利用調整

　　地域生活定着支援センターからの依頼に応じ，同センターとの連携のもと，対象者の意向，状態等を勘案して相談支援事業所及び障害その他福祉サービス事業所等の円滑な利用に向けた対象者や地域生活定着支援センターとの調整

②　事業所等の後方支援

　　対象者を受け入れた事業所等に対し，事業所独自では困難な課題の解決を図る等のための後方支援

③　支援者の育成，社会資源の開発

　　矯正施設等退所者への対応に関し専門性，ノウハウを有する事業所等，支援者の育成のための取組，受入可能な事業所等の増加に向けた取組，地域生活定着支援センターとの定期的な協議・情報交換の実施等

■社会参加支援に関する事業

1．レクリエーション活動等支援

　　障害者等の交流，余暇活動の質の向上，体力増強等に資するためのレクリエーション活動等を行うことにより，障害者等の社会参加を促進する。

2．芸術文化活動振興

　　障害者等の芸術文化活動を振興することにより，障害者等の社会参加を促進する。

3．点字・声の広報等発行

　　文字による情報入手が困難な障害者等のために，地域生活を営む上で必要な情報を提供することにより，障害者等の社会参加を促進する。

4．奉仕員養成研修

　　点訳又は朗読に必要な技術等を習得した点訳奉仕員，朗読奉仕員等を養成することにより，障害者等の社会参加を促進する。

5．複数市町村による意思疎通支援の共同実施促進

　　意思疎通に支障がある障害者等を支援するため，複数の市町村による意思疎通支援事業の共同実施のための検討を進めることにより，障害者等の社会参加を促進する。

6．家庭・教育・福祉連携推進事業

　　市区町村において，家庭への身近な支援を行うための教育・福祉連携施策を実施することにより，地域で教育と福祉が連携した切れ目ない支援を行う。

■就業・就労支援に関する事業

1．盲人ホームの運営

　　視覚障害者の自立更生を図ることを目的とする盲人ホームを運営することにより，視覚障害者の就業・就労促進を図り，もって視覚障害者の福祉の向上を図る。

2．知的障害者職親委託

(1)　目的

　　知的障害者の自立更生を図るため，知的障害者を一定期間，知的障害者の更生援護に熱意を有する事業経営者等の私人（職親）に預け，生活指導及び技能習得訓練等を行うことにより，就職に必要な素地を与えるとともに雇用の促進と職場における定着性を高め，もって知的障害者の福祉の向上を図る。

(2)　事業内容

　　知的障害者更生相談所の判定の結果，職親に委託することが適当とされた知的障害者を一定期間，職親に預け，生活指導及び技能習得訓練等を行うことにより，就職に必要な素地を与えるとともに雇用の促進と職場における定着性を高め，もって知的障害者の福祉の向上を図る。職親への委託については，福祉事務所により行われることが適切なので，その権限を福祉事務所長に委任することが望ましい。なお，知的障害者更生相談所は，この制度の運営について，福祉事務所長に協力して必要な判定及び相談指導を行う。

別添3

障害支援区分認定等事務

　　障害福祉サービスの円滑な利用を促進するため，障害支援区分認定等事務の円滑かつ適切な実施を図る。

（注）　交付税を財源として実施される。

自動車運転免許取得・改造助成

　　自動車運転免許の取得及び自動車の改造に要する費用の一部を助成する。

　　※交付税を財源として実施される。

更生訓練費給付

1．目的

　　更生訓練費を支給することで社会復帰の促進を図る。

2．支給対象者

　　就労移行支援事業又は自立訓練事業を利用している者（ただし，障害福祉サービスに係る利用者負担額の生じない者，又はこれに準ずる者として市町村が認めた者）に対する更生訓練費の支給。

（注）　交付税を財源として実施される。

2　都道府県地域生活支援事業

❶　都道府県必須事業

ア　専門性の高い相談支援事業

　　特に専門性の高い相談について，必要な情報の提供等の便宜を供与し，障害者等が自立した日常生活又は社会生活を営むことができるようにする。

■実施主体

　　発達障害者支援センター運営事業は都道府県及び指定都市，高次脳機能障害及びその関連障害に対する支援普及事業は都道府県

■発達障害者支援センター運営事業

　　「発達障害者支援センター運営事業の実施について」（平成 17 年障発第 0708004 号）（**p. 219 参照**）に基づき実施される事業。

■高次脳機能障害及びその関連障害に対する支援普及事業

　　「高次脳機能障害及びその関連障害に対する支援普及事業の実施について」（平成 19 年障発第 0525001 号）に基づき実施される事業で，目的，事業内容等は次のとおりである。

　　都道府県に高次脳機能障害者への支援を行うための支援拠点機関（リハビリテーションセンター，大学病院，県立病院等）を置き，高次脳機能障害者に対する専門的な相談支援，関係機関との地域支援ネットワークの充実，高次脳機能障害の支援手法等に関する研修等を行い高次脳機能障害者に対する支援体制を整備する。

　1．事業内容
　⑴　支援拠点機関に支援コーディネーターを配置し，専門的な相談支援，関係機関との連携，調整を行う。
　⑵　自治体職員，支援拠点機関職員，福祉事業者等に対して，高次脳機能障害の支援手法等に関する研修を行い，地域において高次脳機能障害者に対する適切な支援が行われるよう支援体制の整備を行う。
　2．支援コーディネーター
　　社会福祉士，精神保健福祉士，保健師，作業療法士，心理技術者等の高次脳機能障害者に対する専門的相談支援を行うのに適切な者

┌─ 別添 4

障害児等療育支援事業

　在宅の重症心身障害児等の地域における生活を支えるため，身近な地域で療育指導等

が受けられる療育機能の充実を図るとともに，これらを支援する都道府県域の療育機能
との重層的な連携を図る。

1．実施主体

　都道府県，指定都市，中核市（社会福祉法人等への委託可）

2．対象者

　在宅の重症心身障害児（者），知的障害児（者），身体障害児

3．事業の具体的内容

(1)　訪問による療育指導

(2)　外来による専門的な療育相談，指導

(3)　障害児の通う保育所や放課後児童クラブや障害児通園事業等の職員の療育技術の
　指導

(4)　療育機関に対する支援

イ　専門性の高い意思疎通支援を行う者の養成研修事業

　手話通訳者，要約筆記者，盲ろう者向け通訳・介助員，失語症者向け意思疎通支援者を
養成することにより，聴覚，言語機能，音声機能等の障害のため，意思疎通を図ることに
支障がある障害者等が自立した日常生活又は社会生活を営むことができるようにすること
を目的とする。

■実施主体

　都道府県，指定都市及び中核市

■事業内容

1．手話通訳者・要約筆記者養成研修事業

　身体障害者福祉の概要や手話通訳又は要約筆記の役割・責務等について理解ができ，
手話通訳に必要な手話語彙，手話表現技術及び基本技術を習得した手話通訳者並びに要
約筆記に必要な要約技術及び基本技術を習得した要約筆記者を養成研修する。（平成10
年7月24日障企第63号「手話奉仕員及び手話通訳者の養成カリキュラム等について」
及び平成23年3月30日障企自発0330第1号「要約筆記者の養成カリキュラム等につ
いて」を基本に実施する。）

2．盲ろう者向け通訳・介助員養成研修事業

　盲ろう者の自立と社会参加を図るため，盲ろう者向け通訳・介助員を養成研修する。
（平成25年3月25日障企自発0325第1号「盲ろう者向け通訳・介助員の養成カリキュ
ラム等について」を基本に実施する。）

３．失語症者向け意思疎通支援者養成研修事業

　　失語症者の自立と社会参加を図るため，失語症者向け意思疎通支援者を養成研修する

　（平成30年3月29日障企自発0329第1号「失語症者向け意思疎通支援者養成カリキュ
　ラム等について」を基本に実施する。）。

ウ　専門性の高い意思疎通支援を行う者の派遣事業

　　特に専門性の高い意思疎通支援を行う者を派遣する体制を整備することにより，広域的
な派遣や市町村での実施が困難な派遣等を可能とし，意思疎通を図ることが困難な障害者
等が自立した日常生活又は社会生活を行うことができるようにすることを目的とする。
　（平成25年3月27日障企自発0327第1号「地域生活支援事業における意思疎通支援を
　行う者の派遣等について」を参考に実施するよう努めること。）

■実施主体

　　都道府県，指定都市及び中核市

■事業内容

１．手話通訳者・要約筆記者派遣事業

　　聴覚障害者の自立と社会参加を図るため，市町村域を超える広域的な派遣，複数市町
村の住民が参加する障害者団体等の会議，研修，講演又は講義等並びに市町村等での対
応が困難な派遣等を可能とするため，手話通訳者又は要約筆記者を派遣する。

　　なお，急な派遣依頼など手話通訳者等の派遣が困難な場合，タブレット等を用いた遠
隔による手話通訳等の実施も可能とする。

２．盲ろう者向け通訳・介助員派遣事業

　　盲ろう者の自立と社会参加を図るため，コミュニケーション及び移動等の支援を行う
盲ろう者向け通訳・介助員を派遣する。

３．失語症者向け意思疎通支援者派遣事業

　　失語症者の自立と社会参加を図るため，市区町村域を越える広域的な派遣，複数市区
町村の住民が参加する障害者団体等の会議，研修，講演又は講義等並びに市町村等での
対応が困難な派遣等を可能とするため，失語症者向け意思疎通支援者を派遣する。

エ　意思疎通支援を行う者の派遣に係る市町村相互間の連絡調整事業

　　手話通訳者，要約筆記者の派遣に係る市町村相互間の連絡調整体制を整備することによ
り，広域的な派遣を円滑に実施し，聴覚障害者等が自立した日常生活又は社会生活を行う
ことができるようにすることを目的とする。

■実施主体

　　都道府県

■事業内容

　　市町村域又は都道府県域を超えた広域的な派遣を円滑に実施するため，市町村間では派遣調整ができない場合には，都道府県が市町村間の派遣調整を行う。（平成25年3月27日障企自発0327第1号「地域生活支援事業における意思疎通支援を行う者の派遣等について」を参考に実施するよう努めることとする。）

オ　広域的な支援事業

　　市町村域を超えて広域的な支援を行い，障害者等が自立した日常生活又は社会生活を営むことができるようにする。

■都道府県相談支援体制整備事業

　1．目的

　　都道府県に，相談支援に関するアドバイザーを配置し，地域のネットワーク構築に向けた指導・調整等の広域的支援を行うことにより，地域における相談支援体制の整備を推進する。

　2．実施主体

　　都道府県

　3．事業内容

　　(1)　地域のネットワーク構築に向けた指導，調整

　　(2)　地域で対応困難な事例に係る助言等

　　(3)　地域における専門的支援システムの立ち上げ援助（例：権利擁護，就労支援などの専門部会）

　　(4)　広域的課題，複数圏域にまたがる課題の解決に向けた体制整備への支援

　　(5)　相談支援従事者のスキルアップに向けた指導

　　(6)　地域の社会資源（インフォーマルなものを含む。）の点検，開発に関する援助等

■精神障害者地域生活支援広域調整等事業

　1．目的

　　精神障害者が自立した日常生活及び社会生活を営むために必要な広域調整，専門性が高い相談支援及び事故・災害等発生時に必要な緊急対応を図る。

　2．実施主体

　　3．の別添1，2については都道府県，特別区及び保健所を設置している市町村，別

添3については都道府県及び指定都市

3．実施方法等

　　平成26年3月31日障発0331第2号厚生労働省社会・援護局障害保健福祉部長通知「精神障害者地域生活支援広域調整等事業の実施について」の別添1，2及び別添3に基づき実施する。

■発達障害者支援地域協議会による体制整備事業

1．目的

　　自閉症，アスペルガー症候群等の広汎性発達障害，学習障害，注意欠陥多動性障害等の発達障害を有する障害児者（発達障害の疑いのある児者を含む。）への支援体制を整備するため，医療，保健，福祉，教育，労働等の関係者で構成する「発達障害者支援地域協議会」（発達障害者支援法に規定する発達障害者支援地域協議会（以下「協議会」という。）を設置し，発達障害児者への支援体制の充実を図る。

2．実施主体

　　都道府県及び指定都市

3．事業内容

⑴　都道府県または指定都市に協議会を設置する。

⑵　協議会の構成は，発達障害児者及びその家族，学識経験者その他の関係者並びに医療，保健，福祉，教育，労働等の業務を行う関係機関及び民間団体並びにその従事者とする。

⑶　事業内容

　　協議会では，地域ごとの支援体制の整備の状況や発達障害者支援センターの活動状況等について検証を行う。また，関係者の連携の緊密化を図り，地域の実情に応じた体制の整備について協議を行う。

❷　都道府県任意事業

　都道府県等は，都道府県必須事業のほか，その判断により，障害福祉サービス又は相談支援を提供する者若しくはこれらの者に対し必要な指導を行う者等を育成する事業及び障害者等が自立した日常生活又は社会生活を営むために必要な事業を実施することができる。

■サービス・相談支援者，指導者育成事業

　障害福祉サービス又は相談支援が円滑に実施されるよう，サービス等を提供する者又はこれらの者に対し，必要な指導を行う者を育成することにより，サービス等の質の向上を図る（受講に係る教材費等は受講者負担）。

1．障害支援区分認定調査員等研修事業

　全国一律の基準に基づき，客観的かつ公平・公正に障害者給付等の事務が行われるよう，障害支援区分認定調査員等に対する各研修を実施し，障害支援区分認定調査員等の資質向上を図る。

　実施主体は，都道府県（以下，1.〜4.，6.，7.及び10.において同じ。）とする。

2．相談支援従事者等研修事業

　地域の障害者等の意向に基づく地域生活を実現するために必要な保健，医療，福祉，就労，教育などのサービスの総合的かつ適切な利用支援等の援助技術を習得すること及び困難事例に対する支援方法について助言を受けるなど，日常の相談支援業務の検証を行うことにより，相談支援に従事する者の資質の向上を図る。

3．サービス管理責任者研修事業

　事業所や施設において，サービスの質を確保するため，個別支援計画の作成やサービス提供プロセスの管理等を行うために配置される「サービス管理責任者」及び「児童発達支援管理責任者」の養成を行う。

4．居宅介護従業者等養成研修事業

　障害者等の増大かつ多様化するニーズに対応した適切な居宅介護を提供するため，必要な知識，技能を有する居宅介護従業者等の養成を図る。

5．障害者ピアサポート研修事業

　自ら障害や疾病の経験を持ち，その経験を活かしながら，他の障害や疾病のある障害者の支援を行うピアサポーター及びその活用方法等を理解した障害福祉サービス事業所等の管理者等を養成することにより，質の高いピアサポート活動の取組を支援する。

　実施主体は，都道府県及び指定都市とする。

6．身体障害者・知的障害者相談員活動強化事業

　身体障害者相談員及び知的障害者相談員を対象に研修会を行い，相談員の相談対応能力の向上と相談員間の連携を図る。

7．音声機能障害者発声訓練指導者養成事業

　疾病等により喉頭を摘出し音声機能を喪失した者に発声訓練を行う指導者を養成する。

8．精神障害関係従事者養成研修事業

　精神医療等に従事する者等に対し，専門的な能力の向上及び人材育成を進めることを目的とする。

　実施主体は，都道府県及び指定都市とする。

9．精神障害者支援の障害特性と支援技法を学ぶ研修事業

　障害・介護分野ともに精神障害者の特性に応じた支援を提供できる従事者を養成する。

　実施主体は，都道府県及び指定都市とする。

10．成年後見制度法人後見養成研修事業

成年後見制度における後見等の業務を適正に行うことができる法人を確保するための研修を実施する。

実施主体は，都道府県（社会福祉協議会，NPO法人等適切な事業運営が確保できる団体に委託できる。）。

11. その他サービス・相談支援者，指導者育成事業

移動支援事業等が円滑に実施されるよう，事業等に従事する者の資質向上を図る。

■日常生活支援に関する事業

1. 福祉ホームの運営

現に住居を求めている障害者につき，低額な料金で，居室その他の設備を利用させるとともに，日常生活に必要な便宜を供与することにより，障害者の地域生活を支援する。

実施主体は，都道府県とする（以下，1.～3.5.及び7.において同じ。）。

2. オストメイト（人工肛門，人工膀胱造設者）社会適応訓練

オストメイトに対して，日常生活上必要な訓練及び指導等を行うことにより，生活の質の向上を図る。

3. 音声機能障害者発声訓練

疾病等により喉頭を摘出し音声機能を喪失した者に対し発声訓練を行う。

4. 矯正施設等を退所した障害者の地域生活への移行促進

障害福祉サービス事業所の従事者等に対して，罪を犯した障害者等の特性や効果的な支援方法など専門性の強化を図るための研修等を実施することにより，矯正施設等を退所した障害者の地域生活への移行・定着を推進する。

5. 医療型短期入所事業所開設支援

医療型短期入所事業の対象である重症心身障害児者等が身近な地域で短期入所を利用できるよう，医療機関や介護老人保健施設による医療型短期入所事業所の開設を支援し，重症心身障害児者等が在宅で安心した生活を送れるよう支援の充実を図る。

実施主体は，都道府県，指定都市及び中核市とする。

6. 障害者の地域生活の推進に向けた体制強化支援事業

都道府県における広域的な観点での取組や，地域に密接に関係する市町村（特別区を含む。）への助言や情報提供等を通じて，障害者のニーズを的確に把握し，地域で障害者を支える体制の構築を行う。

■社会参加支援に関する事業

1. 手話通訳者設置

聴覚障害者等のコミュニケーションの円滑化を推進するため，手話通訳者を福祉事務所等公的機関に設置する。なお，手話通訳者の設置が困難な公的機関においては，遠隔

による手話通訳の実施も可能とする。

　　実施主体は，都道府県とする（以下，1．〜9．及び11．，12．において同じ。）。
2．字幕入り映像ライブラリーの提供

　　字幕又は手話を挿入したビデオカセットテープ等を製作し，聴覚障害者等に貸し出す。
なお，社会福祉法人聴力障害者情報文化センターの「字幕ビデオライブラリー共同事業」
との連携に留意すること。
3．点字・声の広報等発行

　　文字による情報入手が困難な障害者等のために，点訳，音声訳その他障害者等にわか
りやすい方法により，地方公共団体等の広報，障害者等が地域生活をするうえで必要度
の高い情報などを定期的又は必要に応じて適宜，障害者等に提供する。
4．点字による即時情報ネットワーク

　　社会福祉法人日本視覚障害者団体連合が提供する毎日の新しい情報を，地方点字図書
館等が受け取り，点字物や音声等により提供する。
5．都道府県障害者社会参加推進センター運営

　　障害者等の社会参加推進のために適当な障害者福祉団体に都道府県障害者社会参加推
進センターを設置・運営する。
6．奉仕員養成研修

　　聴覚障害者等との交流活動の推進，市町村の広報活動などの支援者として期待される
日常会話程度の手話表現技術を習得した手話奉仕員，点訳又は朗読に必要な技術等を習
得した点訳奉仕員，朗読奉仕員等を養成研修する。なお，養成研修を修了した者（これ
と同等の能力を有する者を含む。）について，本人の承諾を得て奉仕員としての登録を行
い，これを証明する証票を交付すること。なお，活動ができなくなった奉仕員について
は，証票を返還させ登録を抹消すること。
7．レクリエーション活動等支援

　　レクリエーション活動を通じて，障害者等の体力増強，交流，余暇等に資するため及び
障害者等が運動に触れる機会を提供するため，指導者の養成，広域で行う各種レクリエー
ション教室や大会・運動会を開催するなど，市町村と連携し，地域間の取組の均てんを図
りながら，障害者等が社会参加活動を行うための環境の整備や必要な支援を行う。
8．芸術文化活動振興

　　障害者等の芸術文化活動振興のため，広域的な観点から障害者等の作品展，音楽会，
映画祭など芸術文化活動の機会を提供するとともに，市町村と連携し，芸術文化活動の
機会の均てんを図りながら，障害者等の創作意欲を助長するための環境の整備や必要な
支援を行う。
9．サービス提供者情報提供等

　　障害者等が都道府県間を移動する場合，その目的地において適切なサービスの提供を

受けられるよう，必要な情報の提供等を行う。

10. 障害者自立（いきいき）支援機器普及アンテナ事業

地域において，障害者等や支援者，行政職員，医療福祉専門職，その他開発企業等の関係者らが連携した上で，障害者等の支援機器（福祉用具や日常生活用具等含む）に関する相談窓口の設置や利活用事例の普及等を図ることにより，支援機器を活用した障害者等の自立と社会参加の促進を図る。

実施主体は，都道府県及び指定都市とする。

11. 企業 CSR 連携促進

障害者福祉サービス事業所等のニーズと企業による CSR 活動とのマッチングを行うとともに，関係情報を共有・発信することにより，障害者福祉の増進と企業 CSR の認知向上を図る。

12. 障害者芸術・文化祭のサテライト開催事業

障害者芸術・文化祭と連携・連動して，障害者による芸術文化活動の全国における裾野の拡大や芸術文化活動を通じた障害者と地域住民との交流機会の拡充を図る。

■就業・就労支援に関する事業

1. 盲人ホームの運営

視覚障害者の自立更生を図ることを目的とする盲人ホームを運営することにより，視覚障害者の就業・就労促進を図り，もって視覚障害者の福祉の向上を図る。

実施主体は，都道府県とする（以下，2．〜5．において同じ。）。

2. 重度障害者在宅就労促進（バーチャル工房支援）

身体機能の障害等により企業等への通勤が困難な在宅の障害者に対して，情報機器やインターネットを活用し，在宅等で就労するための訓練等の支援を行うことにより，在宅の障害者の就労の促進を図る。

3. 一般就労移行等促進

一般就労への移行及びその後のフォローアップ等を含めた支援を実施することにより，一般就労及び就労定着について，さらなる促進を図る。

4. 障害者就業・生活支援センター体制強化等

地域の実情に応じて，障害者就業・生活支援センターの体制強化や地域における就労移行支援事業所の強化を図る。

5. 就労移行等連携調整事業

働く意欲のある障害者に対し，就労支援に係るノウハウを有した機関において，障害者がその特性や能力を活かすことができる最も適切な「働く場」に円滑に移行することができるよう支援を行うとともに，その支援体制の構築を推進する。

■**重度障害者に係る市町村特別支援**

　訪問系サービス利用者全体に占める重度障害者の割合が高く訪問系サービスの支給額が国庫負担基準を超えた市町村のうち，利用者全体に占める重度障害者の割合が一定以上の市町村に対し，都道府県が一定の財政支援を行うことにより，重度の障害者の地域生活を支援する。

　実施主体は，都道府県とする。

■**障害福祉のしごと魅力発信事業**

　障害福祉サービス等利用者は年々増加している一方，サービス提供を行う福祉・介護職員（直接処遇職員）の人材不足が指摘されている。障害福祉の職場についての理解促進のための障害福祉就職フェア等を行い，障害福祉に対するイメージを変えることで，障害福祉分野への多様な人材の参入促進を図る。

　実施主体は，都道府県とする。

3　特別支援事業

　市町村地域生活支援事業及び都道府県地域生活支援事業以外の事業であって，市町村及び都道府県の判断により，必須事業の実施が遅れている地域の支援を行う事業，実施水準に格差が見られる事業の充実を図る事業その他別に定める事業並びに社会福祉法人等が行う同事業に対し補助する事業を行う。

　実施主体は，都道府県，市町村，特別区，一部事務組合及び広域連合とする。

8　地域生活支援促進事業

根拠▶地域生活支援事業等の実施について
（平 18.8.1 障発第 0801002 号）

■**目的**

　障害者総合支援法に規定する障害者及び障害児が日常生活又は社会生活を営むことができるよう，地域生活支援事業実施要綱で定める事業に加え，政策的な課題に対応する事業を計画的に実施し，もって障害者等の福祉の増進を図るとともに，障害の有無に関わらず国民が相互に人格と個性を尊重し安心して暮らすことのできる地域社会の実現に寄与する。

■事業の種類

1．都道府県地域生活支援促進事業

　　実施主体は，次の(1)から(24)までに掲げる事業を実施することができる。なお，実施に当たっては，実施主体が適当と認める団体等（地方公共団体を除く。ただし，実施主体である都道府県が指定都市又は中核市が事業を実施することが適当と認める場合は当該指定都市又は中核市を含む。）に事業の全部又は一部を委託することができる。

(1)　発達障害児者地域生活支援モデル事業

(2)　かかりつけ医等発達障害対応力向上事業

(3)　発達障害者支援体制整備事業

(4)　障害者虐待防止対策支援事業

(5)　障害者就業・生活支援センター事業

(6)　工賃向上計画支援等事業

(7)　障害者芸術・文化祭開催事業

(8)　強度行動障害支援者養成研修事業（基礎研修，実践研修）

(9)　障害福祉従事者の専門性向上のための研修受講促進事業

(10)　成年後見制度普及啓発事業

(11)　アルコール関連問題に取り組む民間団体支援事業

(12)　薬物依存症に関する問題に取り組む民間団体支援事業

(13)　ギャンブル等依存症に関する問題に取り組む民間団体支援事業

(14)　「心のバリアフリー」推進事業

(15)　身体障害者補助犬育成促進事業

(16)　発達障害児者及び家族等支援事業

(17)　発達障害診断待機解消事業

(18)　精神障害にも対応した地域包括ケアシステムの構築推進事業

(19)　地域生活支援事業の効果的な取組推進事業

(20)　障害者ICTサポート総合推進事業

(21)　意思疎通支援従事者キャリアパス構築支援事業

(22)　地域における読書バリアフリー体制強化事業

(23)　入院者訪問支援事業

(24)　高次脳機能障害及びその関連障害に対する地域支援ネットワーク構築促進事業

2．市町村地域生活支援促進事業

　　実施主体は，次の(1)から(8)に掲げる事業を実施することができる。なお，実施に当たっては事業の実施主体が適当と認める団体等（地方公共団体を除く。）に事業の全部又は一部を委託することができ，広域的な事業展開のため複数の実施主体が連携することができる。

 (1) 発達障害児者地域生活支援モデル事業

 (2) 障害者虐待防止対策支援事業

 (3) 成年後見制度普及啓発事業

 (4) 発達障害児者及び家族等支援事業

 (5) 地域生活支援事業の効果的な取組推進事業

 (6) 重度訪問介護利用者の大学修学支援事業

 (7) 雇用施策との連携による重度障害者等就労支援特別事業

 (8) 入院者訪問支援事業

3．特別促進事業

 実施主体は，1及び2に掲げる事業のほか，予め厚生労働省に協議の上，以下の特別促進事業を実施することができる。なお，実施に当たっては，実施主体が適当と認める団体等（地方公共団体を除く。ただし，実施主体である都道府県が指定都市又は中核市が事業を実施することが適当と認める場合は当該指定都市又は中核市を含む。）に事業の全部又は一部を委託することができ，広域的な事業展開のため複数の実施主体が連携することができる。

 (1) 地域の特性等に応じた政策的な課題の解決を図るため，実施主体が目標及び実施計画を定めて実施する日常生活支援，社会参加支援，権利擁護支援及び就業・就労支援に関する事業のうち，厚生労働省が特に重要と認める事業。

 (2) 社会福祉法人等が実施する(1)に掲げる事業に対し補助する事業。

■**利用者負担**

 実施主体の判断による。

1　都道府県地域生活支援促進事業

ア　発達障害児者地域生活支援モデル事業

 発達障害児者及びその家族が地域で安心して暮らしていけるよう，発達障害児者の特性を踏まえた支援手法を開発するためのモデル事業を実施し，全国への普及に繋げる。

 実施主体は，都道府県，市町村及び特別区とする。

イ　かかりつけ医等発達障害対応力向上研修事業

 発達障害の早期発見・早期支援の重要性に鑑み，発達障害児者が日頃より受診する診療所の主治医等に対して，発達障害に関する国の研修の内容を踏まえた研修を実施し，どの地域においても一定水準の発達障害への対応を可能とする。

 実施主体は，都道府県及び指定都市とする。

ウ　発達障害者支援体制整備事業

　　発達障害児者について乳幼児期から高齢期における各ライフステージに対応する一貫した支援を行うため，地域の中核である発達障害者支援センターの地域支援機能の強化等を図る。

　　実施主体は，都道府県及び指定都市とする。

エ　障害者虐待防止対策支援事業

　　障害者虐待の未然防止や早期発見，迅速な対応，再発防止等のため，市町村障害者虐待防止センター及び都道府県障害者権利擁護センターの体制整備や関係機関等との連携協力体制の整備を図る。

　　実施主体は，都道府県，市町村，特別区，一部事務組合及び広域連合とする。

オ　障害者就業・生活支援センター事業

　　職場不適応により離職した者や離職のおそれがある在職者など，就職や職場への定着が困難な障害者及び就業経験のない障害者に対し，障害者就業・生活支援センターにおいて，就業及びこれに伴う日常生活，社会生活上の支援を行うことにより，障害者の職業生活における自立を図る。

　　実施主体は，都道府県とする。

カ　工賃向上計画支援等事業

　　都道府県ごとに工賃水準の向上を図るための方策等を定めた「工賃向上計画」を策定し，事業所等で働く障害者の工賃水準を引き上げるとともに，一般雇用への移行の準備のため，産業界等の協力を得ながら，官民一体となった取組を推進し，もって障害者が地域で自立して生活することを支援する。

　　実施主体は，都道府県とする。

キ　障害者芸術・文化祭開催事業

　　障害者芸術・文化祭を開催することにより，全ての障害者の芸術文化活動への参加を通じて，障害者の生活を豊かにするとともに，国民の障害への理解と認識を深め，障害者の自立と社会参加の促進に寄与する。

　　実施主体は，当該年度における芸術・文化祭の開催地である都道府県とする。

ク　強度行動障害支援者養成研修事業（基礎研修，実践研修）

　　強度行動障害を有する者等に対し，適切な支援を行う職員並びに適切な障害特性の評価

及び支援計画の作成ができる職員の人材育成を進める。

実施主体は，都道府県とする。

ケ　障害福祉従事者の専門性向上のための研修受講促進事業

障害福祉従事者の確保や専門性の向上を図る観点から，障害福祉従事者が研修に参加することを促すため，研修受講期間中の代替要員確保のための支援を行う。

実施主体は，都道府県とする。

コ　成年後見制度普及啓発事業

成年後見制度の利用を促進することにより，障害者の権利擁護を図る。

実施主体は，都道府県，市町村，特別区，一部事務組合及び広域連合とする。

サ　アルコール関連問題に取り組む民間団体支援事業

アルコール健康障害対策推進基本計画等に沿って，アルコール依存症を含むアルコール関連問題を抱える当事者が健康的な生活を営むことができるよう，アルコール関連問題の改善に取り組む民間団体の活動を支援する。

実施主体は，都道府県，市町村（保健所を設置しているものに限る。）及び特別区とする。

シ　薬物依存症に関する問題に取り組む民間団体支援事業

薬物依存症を抱える当事者が健康的な生活を営むことができるよう，薬物依存症に関する問題の改善に取り組む民間団体の活動を支援する。

実施主体は，都道府県，市町村（保健所を設置しているものに限る。）及び特別区とする。

ス　ギャンブル等依存症に関する問題に取り組む民間団体支援事業

ギャンブル等依存症（「ギャンブル等」には，パチンコ・パチスロなどの遊技を含む。）を抱える当事者が健康的な生活を営むことができるよう，ギャンブル等依存症に関する問題の改善に取り組む民間団体の活動を支援する。

実施主体は，都道府県，市町村（保健所を設置しているものに限る。）及び特別区とする。

セ　「心のバリアフリー」推進事業

「心のバリアフリー」（障害福祉分野において，様々な心身の特性や考え方を持つ全ての人々が，相互に理解を深めようとコミュニケーションをとり，支え合うことをいう。）を広めるための広域的な取組を行うことにより，共生社会の実現を図る。

実施主体は，都道府県とする。

ソ　身体障害者補助犬育成促進事業

　　身体障害者の自立と社会参加を促進するため，身体障害者補助犬法に規定する身体障害者補助犬の育成を行うとともに，地域における利用希望者のニーズ等を踏まえた補助犬の普及促進等を計画的に進めることにより，補助犬ユーザーの社会参加をより一層促進させる。

　　実施主体は，都道府県とする。

タ　発達障害児者及び家族等支援事業

　　ペアレントメンターの養成や活動の支援，ペアレントプログラム，ペアレントトレーニングの導入，ピアサポートの推進及び青年期の居場所作り等を行い，発達障害児者及びその家族に対する支援体制の構築を図る。

　　実施主体は，都道府県，市町村，特別区とする。

チ　発達障害診断待機解消事業

　　地域における発達障害の診断待機を解消するため，発達障害のアセスメントの強化を行う「発達障害専門医療機関初診待機解消事業」及び専門的な医療機関を中心としたネットワークを構築し，地域の医療機関に対して実地研修等を行う「発達障害専門医療機関ネットワーク構築事業」を実施することで，発達障害を早期に診断する体制を確保する。

　　実施主体は，都道府県及び指定都市とする。

ツ　精神障害にも対応した地域包括ケアシステムの構築推進事業

　　精神障害の有無等にかかわらず，誰もが安心して自分らしく暮らせるような地域包括ケアシステムの構築には，計画的な地域の基盤整備とともに，市町村や事業者が精神障害を有する方等の地域生活に関する相談に対応できるよう，市町村ごとの保健・医療・福祉関係者等による協議や個別支援における協働を通じて，精神科医療機関等，地域援助事業者，当事者・ピアサポーター，家族，居住支援関係者等との重層的連携による支援体制を構築する必要がある。また，精神障害を有する方等の日常生活圏域を基本に市町村などを基盤とする必要があることから，都道府県等は市町村との協働により，精神障害を有する方等のニーズや地域の課題を共有化し，地域包括ケアシステムの構築に資する取組を推進する。

　　実施主体は，都道府県，市町村（保健所を設置しているものに限る。）及び特別区とする（p. 204 参照）。

テ　地域生活支援事業の効果的な取組推進事業

　　障害者等が地域で自立した日常生活又は社会生活を営むことができるよう，地域の関係

者と構築するネットワークのもと，地域の障害者等やその家族のニーズに基づく適切な支援の実施や地域住民の参画を含めた地域資源の発掘等に努めることにより，地域生活支援事業を全ての地域で効果的かつ計画的に実施する。

実施主体は，都道府県，市区町村（市町村及び特別区をいう。）とする。

ト　障害者ICTサポート総合推進事業

障害者等の情報通信技術（ICT）の利用機会の拡大や活用能力の向上を図り，情報へのアクセスを円滑に行えるよう支援し，障害者等の自立と社会参加を促進する。

実施主体は，都道府県，指定都市及び中核市とする。

ナ　意思疎通支援従事者キャリアパス構築支援事業

現に手話通訳士，手話通訳者，手話奉仕員，要約筆記者及び盲ろう者向け通訳・介助員として意思疎通支援に携わる者のスキルアップ，手話通訳士の確保及び資質の向上を図る。また，地域における計画的な意思疎通支援者の養成を推進することにより，意思疎通に支障がある障害者等の自立と社会参加を支援する。

実施主体は，都道府県，指定都市及び中核市とする。

ニ　重度訪問介護利用者の大学修学支援事業

重度障害者の修学に必要な支援体制を大学が構築できるまでの間，重度障害者に対して修学に必要な身体介護等を提供し，もって，障害者の社会参加を促進する。

実施主体は市町村，特別区，一部事務組合及び広域連合とする。

ヌ　地域における読書バリアフリー体制強化事業

視覚障害者等（＝視覚障害，発達障害，肢体不自由等の障害により，書籍について視覚による表現の認識が困難な者）が，地域においてより身近に読書が楽しめるよう，読書バリアフリーに向けた地域における環境整備のための取組を総合的に実施することにより，視覚障害者等の読書環境の整備を図る。

実施主体は，都道府県，指定都市及び中核市とする。

ネ　雇用施策との連携による重度障害者等就労支援特別事業

重度障害者等に対する就労支援として，雇用施策と福祉施策が連携し，通勤支援や職場等における支援を実施する。

実施主体は，市町村，特別区，一部事務組合及び広域連合とする。

ノ　入院者訪問支援事業

　精神科病院（精神病床を有する医療機関をいう。）入院者のうち，特に医療機関外の者との面会交流が途絶えやすくなる者の希望に基づき，精神科病院へ訪問し，入院者の体験や気持ちを丁寧に聴くとともに，入院中の生活に関する一般的相談や必要な情報提供等を行うことで，入院者本人の孤独感や自尊心低下を解消する。

　実施主体は，都道府県，政令指定都市，特別区，保健所設置市とする。

ハ　高次脳機能障害及びその関連障害に対する地域支援ネットワーク構築促進事業

　高次脳機能障害当事者への専門的相談支援及び医療と福祉の一体的支援の普及・定着のため，診断及びその特性に応じた支援サービスの提供を行う協力医療機関，専門支援機関を確保・明確化する。また，地域の関係機関が相互に連携・調整を図り，当事者等の支援に資する情報提供を行う地域支援ネットワークを構築し，切れ目のない充実した支援体制の促進を図る。

　実施主体は都道府県とする。

2　市町村地域生活支援促進事業

ア　発達障害児者地域生活支援モデル事業

　都道府県地域生活支援促進事業（p. 156 参照）

イ　障害者虐待防止対策支援事業

　都道府県地域生活支援促進事業（p. 157 参照）

ウ　成年後見制度普及啓発事業

　都道府県地域生活支援促進事業（p. 158 参照）

エ　発達障害児者及び家族等支援事業

　都道府県地域生活支援促進事業（p. 159 参照）

オ　地域生活支援事業の効果的な取組推進事業

　都道府県地域生活支援促進事業（p. 159 参照）

カ　重度訪問介護利用者の大学修学支援事業

都道府県地域生活支援促進事業（p. 160 参照）

キ　雇用施策との連携による重度障害者等就労支援特別事業

都道府県地域生活支援促進事業（p. 160 参照）

ク　入院者訪問支援事業

都道府県地域生活支援促進事業（p. 161 参照）

3　特別促進事業

■目的

地域の特性等に応じた政策的な課題の解決を図るための事業を計画的に実施することにより，障害者等が自立した日常生活又は社会生活を営むことを支援する。

■実施主体

都道府県，市町村，特別区，一部事務組合及び広域連合

9　工賃向上計画支援等事業

根拠▶工賃向上計画支援等事業の実施について
（平 24. 4. 11 障発 0411 第 5 号）

都道府県が自ら策定した「工賃向上計画」に基づき実施する具体的方策等を支援することを通じ，就労継続支援B型事業所等で働く障害者の工賃水準を引き上げるとともに，共同受注窓口の機能強化を進めるため，産業界等の協力を得ながら，官民一体となった取組を推進し，工賃・賃金向上を図るとともに，もって障害者が地域で自立して生活することを支援する。

■実施主体

都道府県。在宅就業マッチング支援等事業については，都道府県が補助又は委託をする事業者として認めた在宅雇用や在宅就業支援などのノウハウを有する社会福祉法人等に補助，委託して実施することも可能。なお，在宅就業マッチング支援等事業以外の事業の全部又は一部を，社会福祉法人等であって，都道府県が適切な事業運営ができると認められ

るものに委託することができる。

■事業内容
1．基本事業
(1)　工賃等向上事業
　ア　工賃・賃金アップ取組事業所経営改善支援事業
　　　障害者就労施設等の賃金・工賃の向上や経営改善等に向け経営コンサルタントや企業経営の経験のある企業 OB 等の積極的活用により，各事業所における効果的な工賃向上計画の策定や管理者の意識向上のための支援，直接訪問による個別支援等を実施するとともに，共同受注窓口が各事業所に対して経営改善等の助言・援助を実践できるノウハウ等を培うことを支援する。生産活動の経営改善支援の実施にあたっては，各都道府県産業振興部局とも連携しながら支援方策の検討を行う。
　イ　共同受注窓口を活用した品質向上支援事業
　　　障害者就労施設等が提供する物品等の品質向上や生産効率の向上等に向け，共同受注窓口と専門家等の連携による技術指導や品質管理に係る助言等の支援を実施する。
　ウ　事業所・共同受注窓口職員の人材育成（生産活動への企業的手法の導入）のための研修等に係る事業
　　　障害者就労施設等の職員を対象に，商品開発や販売戦略，生産効率向上のための企業的手法の導入及び ICT 機器の活用や知識向上のための研修会等を開催する。
　エ　インターネットを活用した都道府県が実施する工賃・賃金向上のための支援事業
　　　障害者就労施設等の商品や役務の内容を整理した上で販売するオンラインショップや地域の障害者就労施設等に関する情報等を掲載したポータルサイトの開設運営など，安定的な販路を得るために地域住民や企業等に情報提供をオンラインにて実施する。当該事業実施の際には，参加した障害者就労施設等の工賃・賃金向上が必ず図れるようにするとともに共同受注窓口の活用を検討する。
　オ　販路開拓支援
　　　障害者就労施設等の芸術品や文化活動も含め，商品や生産活動の PR を行うとともに販売会及び商談会を実施する。なお，その際には，障害者の就労のための能力・知識の向上だけでなく，社会性が身につくことにもつながるため，障害者就労施設等の利用者も一緒に参加するようにする。また，共同受注窓口担当者も積極的に参加すること。
　カ　アからオまでに掲げるもののほか，工賃向上計画に基づく具体的な取組を実施するための事業又は都道府県が実施する賃金向上のための取組又は共同受注窓口の活性化のための取組

(2)　在宅就業マッチング支援等事業

　　仕事をする意欲と能力はあるものの，就労時間や移動の制約などの事情で一般就職や施設利用が困難な障害者に対し，ICT を活用し，アからカに掲げた取組を組み合わせ，就業支援を実施する。ただし，令和元年度まで２．特別事業であった「在宅就業の支援体制構築に向けたモデル事業」を実施した都道府県については，既に当該モデル事業において，カの取組の一環として，システム構築されている場合には，当該システムを活用した取組を実施することを基本とする。

　ア　在宅就業を希望する障害者に対する ICT 技術等のスキルアップ支援

　イ　在宅就業の障害者に対する仕事の発注促進などの企業への普及・啓発や販路開拓支援

　ウ　発注企業の開拓・企業に対する発注への相談支援

　エ　在宅障害者と企業から発注された仕事の効率的なマッチング体制の構築

　オ　在宅就業の障害者が受注した仕事を支援する体制の構築

　カ　企業と在宅就業の障害者をつなぐ ICT ネットワークの構築

(3)　共同受注窓口の機能強化事業

　　共同受注窓口の機能強化を図るため，官公需や民需に係る関係者（都道府県内行政機関，障害者就労施設等，民間企業等，農業協同組合等，商工会等）が参画する協議会を設置し，障害者就労施設等への発注拡大のための連絡調整や協議の場として活用するなど，障害者就労施設等が提供する物品等の情報提供体制を構築する。協議会では，官公需及び民需の拡大に向けて，地元企業等との協力・協働関係の構築により，ワークシェアリングや地元企業，経営者団体等との協働による製品開発，新たな官公需や民需の創出による販路拡大，農福連携に対応した地域関係者を結ぶ取組などを検討・実施する（必要に応じて，協議会の下にワーキンググループを設置し，工賃や賃金向上に資する品質向上などの方策について検討する）。このほか，本事業を活用し，都道府県内における国等による障害者就労施設等からの物品の調達の推進等に関する法律に基づく取組を進めるため，行政機関の担当者と共同受注窓口，事業所職員による情報交換会の開催なども検討・実施する。また，共同受注窓口では，以下のアからカを実施できるように体制を整備していく。

　ア　参加している障害者就労施設等が提供可能な物品及び役務等の内容を収集，整理し，国，自治体，企業等に情報が提供できる体制の整備

　イ　受発注に関する調整及び契約に関すること

　ウ　企業等と障害者就労施設等との連携による共同商品や新商品の開発に関する支援

　エ　障害者就労施設等に対する技術支援及び生産・販売体制の管理・指導の実施

　オ　工賃・賃金向上に資する研修会，販売会又は商談会等の企画立案

　カ　企業等への営業活動，販路開拓，商品等の販売活動

２．特別事業

農福連携等による障害者の就労促進プロジェクト

　　農業・林業・水産業等の分野での障害者の就労を支援し，障害者の工賃・賃金の向上等を図るとともに，地域における障害者の活躍の場の拡大を実現するため，障害者就労施設等へ農業等の専門家の派遣による農業技術等に係る指導・助言や６次産業化支援，農福連携マルシェ（林業・水産業等との連携により開催されるものを含む。）の開催等を支援する。

　　具体的には以下のアからオを実施する。

ア　農業等に関するノウハウを有していない障害者就労施設等に対し，専門家の派遣等による農業技術等の指導・助言

イ　農業等の専門家の派遣等による６次産業化への取組支援

ウ　農業等に取り組む障害者就労施設等による農福連携マルシェの開催支援（複数の都道府県が連携して，都道府県域を越えてブロック単位で開催することも可能）

エ　農業等に取り組んでいる障害者就労施設等の好事例を収集し，他の障害者就労施設等で共有するなどの意識啓発等を行うセミナーの開催

オ　農業生産者等と障害者就労施設等による施設外就労とのマッチング支援

■**対象事業所**

１．就労継続支援Ａ型事業所（経営改善計画書若しくは賃金向上計画を都道府県に提出している事業所又は都道府県が認めた事業所）

２．就労継続支援Ｂ型事業所

３．生活介護事業所（生産活動を行っている場合），地域活動支援センターのうち「工賃向上計画」を作成し，積極的な取組を行っており，工賃の向上に意欲的に取り組む事業所として都道府県が認めた事業所

10　国等による障害者就労施設等からの物品等の調達の推進等に関する法律の概要

[根拠]▶国等による障害者就労施設等からの物品等の調達の推進等に関する法律
（平24.6.27法律第50号）

　国等による障害者就労施設等からの物品及び役務の調達の推進等に関し，国等の責務を明らかにするとともに，基本方針及び調達方針の策定その他障害者就労施設等の受注機会の確保のために必要な事項等を定めることにより，障害者就労施設等が供給する物品及び役務に対する需要の増進等を図り，もって障害者就労施設で就労する障害者，在宅就業障害者等の自立の促進に資することを目的とする。

第3編　障害者の保健福祉

■定　義（法第2条）

1．「障害者」とは，障害者基本法に定める障害者をいう。

2．「障害者就労施設」とは，次に掲げる施設をいう。

(1)　障害者の日常生活及び社会生活を総合的に支援するための法律（障害者総合支援法）に定める障害者支援施設，地域活動支援センター又は障害福祉サービス事業（生活介護，就労移行支援又は就労継続支援を行う事業に限る。）を行う施設

(2)　障害者の地域における作業活動の場として必要な費用の助成を受けている施設

(3)　障害者の雇用の促進等に関する法律（障害者雇用促進法）に定める重度身体障害者，知的障害者又は精神障害者である労働者を多数雇用する事業所として政令で定めるもの

3．「在宅就業障害者」とは，障害者雇用促進法に定める在宅就業障害者をいう。

4．「障害者就労施設等」とは，障害者就労施設，在宅就業障害者及び障害者雇用促進法に定める在宅就業支援団体をいう。

5．「独立行政法人等」とは，独立行政法人又は特殊法人のうち，資本金の全部もしくは大部分が国からの出資による法人又はその事業運営に必要な経費の主たる財源を国からの交付金もしくは補助金によって得ている法人で，政令で定めるもの

6．「地方独立行政法人」とは，地方独立行政法人法に定める地方独立行政法人をいう。

7．「各省各庁の長」とは，財政法に定める各省各庁の長をいう。

■国等の責務（法第3条，第4条）

1．国及び独立行政法人等は，物品及び役務の調達に当たっては，障害者就労施設等の受注の機会の増大を図るため，予算の適正な使用に留意しつつ，優先的に障害者就労施設等から物品等を調達するよう努めなければならない。

2．地方公共団体は，その区域の障害者就労施設における障害者の就労又は在宅就業障害者の就業の実態に応じて，障害者就労施設等の受注の機会の増大を図るための措置を講ずるよう努めなければならない。

3．地方独立行政法人は，当該地方独立行政法人の事務及び事業に関し，障害者就労施設等の受注の機会の増大を図るための措置を講ずるよう努めなければならない。

■基本方針及び調達方針の策定（法第5条，第6条）

1．障害者就労施設等からの物品等の調達の推進に関する基本方針

(1)　国は，国及び独立行政法人等における障害者就労施設等からの物品等の調達を総合的かつ計画的に推進するため，障害者就労施設等からの物品等の調達の推進に関する基本方針（以下「基本方針」という。）を定めなければならない。

(2)　基本方針は，以下に掲げる事項について定める。

① 国及び独立行政法人等による障害者就労施設等からの物品等の調達の推進に関する基本的方向

② 優先的に障害者就労施設等から調達すべき物品等の種類その他の障害者就労施設等からの物品等の調達の推進に関する基本的事項

③ 障害者就労施設等に対する国及び独立行政法人等による物品等の調達に関する情報の提供に関する基本的事項

④ その他障害者就労施設等からの物品等の調達の推進に関する重要事項

(3) 厚生労働大臣は，あらかじめ各省各庁の長等（独立行政法人等にあってはその主務大臣）と協議して基本方針案を作成し，閣議決定を求めなければならない。

(4) 厚生労働大臣は，(3)の閣議決定があったときは，遅滞なく基本方針を公表しなければならない。

2．障害者就労施設等が供給する物品等の調達方針

(1) 各省各庁の長及び独立行政法人等の長（特殊法人である場合は，その代表者）は，毎年度，基本方針に即して，物品等の調達に関し，当該年度の予算及び事務又は事業の予定等を勘案して，障害者就労施設等からの物品等の調達の推進を図るための方針を作成しなければならない。

(2) (1)の方針は，次に掲げる事項について定める。

① 当該年度における障害者就労施設等からの物品等の調達の目標

② その他障害者就労施設等からの物品等の調達の推進に関する事項

(3) 各省各庁の長及び独立行政法人等の長は，(1)の方針を作成したときは，遅滞なく公表しなければならない。

(4) 各省各庁の長及び独立行政法人等の長は，(1)の方針に基づき，当該年度における物品等の調達を行う。

■調達実績の概要の公表等（法第7条）

各省各庁の長及び独立行政法人等の長は，毎会計年度又は毎事業年度の終了後，遅滞なく，障害者就労施設等からの物品等の調達の実績の概要を取りまとめ，公表するとともに，厚生労働大臣に通知するものとする。

■厚生労働大臣及び内閣総理大臣の要請（法第8条）

厚生労働大臣及び内閣総理大臣は，各省各庁の長等に対し，障害者就労施設等からの物品等の調達の推進を図るため特に必要があると認められる措置をとるべきことを要請することができる。

■**地方公共団体及び地方独立行政法人による障害者就労施設等からの物品等の調達の推進等**
（法第9条）

1. 都道府県，市町村及び地方独立行政法人は，毎年度，物品等の調達に関し，当該年度の予算及び事務又は事業の予定等を勘案して，障害者就労施設等からの物品等の調達の推進を図るための方針を作成しなければならない。

2. 1. の方針は，都道府県及び市町村にあっては当該都道府県及び市町村の区域の障害者就労施設における障害者の就労又は在宅就業障害者の就業の実態に応じて，地方独立行政法人にあっては当該地方独立行政法人の事務及び事業に応じて，当該年度に調達を推進する障害者就労施設等が供給する物品等及びその調達の目標について定める。

3. 都道府県，市町村及び地方独立行政法人は，1. の方針を作成したときは，遅滞なくこれを公表しなければならない。

4. 都道府県，市町村及び地方独立行政法人は，1. の方針に基づき，当該年度における物品等の調達を行う。

5. 都道府県，市町村及び地方独立行政法人は，毎会計年度又は毎事業年度終了後，遅滞なく，障害者就労施設等からの物品等の調達実績の概要を取りまとめ，公表する。

■**障害者就労施設等が供給する物品等に関する情報の提供等**（法第11条）

　障害者就労施設等は，単独又は相互に連携してもしくは共同して，その供給する物品等の購入者等に対し，当該物品等に関する情報を提供するよう努めるとともに，当該物品等の質の向上及び供給の円滑化に努めるものとする。

11　身体障害者の福祉

〔**根拠**▶身体障害者福祉法（昭24.12.26法律第283号）〕

　身体障害者の福祉については，障害者総合支援法等によるほか，身体障害者福祉法において，身体障害者の自立と社会経済活動への参加を促進するため，身体障害者の援助や保護を行い，身体障害者の福祉の増進を図るための規定を定めている。

1　身体障害者の定義（法第4条）

　身体障害者福祉法上の身体障害者とは，同法別表に掲げる身体上の障害がある18歳以上の者であって，都道府県知事（指定都市・中核市市長）から身体障害者手帳の交付を受けたものをいう。

■身体障害者障害程度等級表（規則別表第5号）

級別		1級	2級	3級	4級	5級	6級	7級
視覚障害		視力の良い方の眼の視力（万国式試視力表によって測ったものをいい、屈折異常のある者については、矯正視力について測ったものをいう。以下同じ。）が0.01以下のもの。	1．視力の良い方の眼の視力が0.02以上0.03以下のもの 2．視力の良い方の眼の視力が0.04かつ他方の眼の視力が手動弁以下のもの 3．周辺視野角度（Ⅰ／4視標による。以下同じ。）の総和が左右眼それぞれ80度以下かつ両眼中心視野角度（Ⅰ／2視標による。以下同じ。）が28度以下のもの 4．両眼開放視認点数が70点以下かつ両眼中心視野認点数が20点以下のもの	1．視力の良い方の眼の視力が0.04以上0.07以下のもの（2級の2に該当するものを除く。） 2．視力の良い方の眼の視力が0.08かつ他方の眼の視力が手動弁以下のもの 3．周辺視野角度の総和が左右眼それぞれ80度以下かつ両眼中心視野角度が56度以下のもの 4．両眼開放視認点数が70点以下かつ両眼中心視野認点数が40点以下のもの	1．視力の良い方の眼の視力が0.08以上0.1以下のもの（3級の2に該当するものを除く。） 2．周辺視野角度の総和が左右眼それぞれ80度以下のもの 3．両眼開放視認点数が70点以下のもの	1．視力の良い方の眼の視力が0.2かつ他方の眼の視力が0.02以下のもの 2．両眼による視野の2分の1以上が欠けているもの 3．両眼中心視野角度が56度以下のもの 4．両眼開放視認点数が70点を超えかつ100点以下のもの 5．両眼中心視野認点数が40点以下のもの	視力の良い方の眼の視力が0.3以上0.6以下かつ他方の眼の視力が0.02以下のもの	
聴覚又は平衡機能の障害	聴覚障害		両耳の聴力レベルがそれぞれ100デシベル以上のもの（両耳全ろう）	両耳の聴力レベルが90デシベル以上のもの（耳介に接しなければ大声語を理解し得ないもの）	1．両耳の聴力レベルが80デシベル以上のもの（耳介に接しなければ話声語を理解し得ないもの） 2．両耳による普通話声の最良の語音明瞭度が50パーセント以下のもの		1．両耳の聴力レベルが70デシベル以上のもの（40センチメートル以上の距離で発声された会話語を理解し得ないもの） 2．1側耳の聴力レベルが90デシベル以上、他側耳の聴力レベルが50デシベル以上	

級別		1 級	2 級	3 級	4 級	5 級	6 級	7 級
聴覚又は平衡機能の障害					セント以下のもの		ル以上、他側耳の聴力レベルが50デシベル以上のもの	
	平衡機能障害			平衡機能の極めて著しい障害		平衡機能の著しい障害		
音声機能、言語機能又はそしゃく機能の障害				音声機能、言語機能又はそしゃく機能の喪失	音声機能、言語機能又はそしゃく機能の著しい障害			
肢体不自由　上肢		1．両上肢の機能を全廃したもの 2．両上肢を手関節以上で欠くもの	1．両上肢の機能の著しい障害 2．両上肢のすべての指を欠くもの 3．一上肢を上腕の2分の1以上で欠くもの 4．一上肢の機能を全廃したもの	1．両上肢のおや指及びひとさし指を欠くもの 2．両上肢のおや指及びひとさし指の機能を全廃したもの 3．一上肢の機能の著しい障害 4．一上肢のすべての指を欠くもの 5．一上肢のすべての指の機能を全廃したもの	1．両上肢のおや指を欠くもの 2．両上肢のおや指の機能を全廃したもの 3．一上肢の肩関節、肘関節又は手関節のうち、いずれか一関節の機能を全廃したもの 4．一上肢のおや指及びひとさし指を欠くもの 5．一上肢のおや指及びひとさし指の機能を全廃したもの 6．おや指又はひとさし指を含めて一上肢の三指を欠くもの	1．両上肢のおや指の機能の著しい障害 2．一上肢の肩関節、肘関節又は手関節のうち、いずれか一関節の著しい障害 3．一上肢のおや指を欠くもの 4．一上肢のおや指の機能を全廃したもの 5．一上肢のおや指及びひとさし指の機能の著しい障害 6．おや指又はひとさし指を含めて一上肢の三指の機能の著しい障害	1．一上肢のおや指の機能の著しい障害 2．ひとさし指を含めて一上肢の二指を欠くもの 3．ひとさし指を含めて一上肢の二指の機能を全廃したもの	1．一上肢の機能の軽度の障害 2．一上肢の肩関節、肘関節又は手関節のうち、いずれか一関節の機能の軽度の障害 3．一上肢の手指の機能の軽度の障害 4．ひとさし指を含めて一上肢の二指の機能の著しい障害 5．一上肢のなか指、くすり指及び小指を欠くもの 6．一上肢のなか指、くすり指及び小指の機能を全廃したもの

区分							
上肢							7. おや指又はひとさし指を含めて一上肢の三指の機能を全廃したもの 8. おや指又はひとさし指を含めて一上肢の四指の機能の著しい障害
下肢	1. 両下肢の機能を全廃したもの 2. 両下肢を大腿の2分の1以上で欠くもの	1. 両下肢の機能の著しい障害 2. 両下肢を大腿の2分の1以上で欠くもの	1. 両下肢をショパー関節以上で欠くもの 2. 一下肢を大腿の2分の1以上で欠くもの 3. 一下肢の機能を全廃したもの	1. 両下肢のすべての指を欠くもの 2. 両下肢のすべての指の機能を全廃したもの 3. 一下肢を下腿の2分の1以上で欠くもの 4. 一下肢の機能の著しい障害 5. 一下肢の股関節又は膝関節の機能を全廃したもの 6. 一下肢が健側に比して10センチメートル以上又は健側の長さの10分の1以上短いもの	1. 一下肢の股関節又は膝関節の機能の著しい障害 2. 一下肢の足関節の機能を全廃したもの 3. 一下肢が健側に比して5センチメートル以上又は健側の長さの15分の1以上短いもの	1. 一下肢をリスフラン関節以上で欠くもの 2. 一下肢の足関節の機能の著しい障害	1. 両下肢のすべての指の機能の著しい障害 2. 一下肢の機能の軽度の障害 3. 一下肢の股関節、膝関節又は足関節のうち、いずれか一関節の機能の軽度の障害 4. 一下肢のすべての指を欠くもの 5. 一下肢のすべての指の機能を全廃したもの 6. 一下肢が健側に比して3センチメートル以上又は健側の長さの20分の1以上短いもの
体幹		体幹の機能障害により坐っていることができないもの	1. 体幹の機能障害により坐位又は起立位を保つことが困難なもの	体幹の機能障害により歩行が困難なもの	体幹の機能の著しい障害		

級別		1級	2級	3級	4級	5級	6級	7級
肢体不自由	体幹		2. 体幹の機能障害により立ち上ることが困難なもの					
	上肢	不随意運動・失調等により上肢を使用する日常生活動作がほとんど不可能なもの	不随意運動・失調等により上肢を使用する日常生活動作が極度に制限されるもの	不随意運動・失調等により上肢を使用する日常生活動作が著しく制限されるもの	不随意運動・失調等による上肢の機能障害により社会での日常生活活動が著しく制限されるもの	不随意運動・失調等による上肢の機能障害により社会での日常生活活動に支障のあるもの	不随意運動・失調等による上肢の機能の劣るもの	上肢に不随意運動・失調等を有するもの
乳幼児期以前の非進行性の脳病変による運動機能障害	上肢機能							
	移動機能	不随意運動・失調等により歩行が不可能なもの	不随意運動・失調等により歩行が極度に制限されるもの	不随意運動・失調等により歩行が家庭内での日常生活活動に制限されるもの	不随意運動・失調等により社会での日常生活活動が著しく制限されるもの	不随意運動・失調等により移動の日常生活活動に支障のあるもの	不随意運動・失調等により移動機能の劣るもの	下肢に不随意運動・失調等を有するもの
心臓、じん臓若しくは呼吸器又はぼうこう若しくは直腸、小腸若しくはヒト免疫不全ウイルスによる免疫若しくは肝臓の機能の障害	心臓機能障害	心臓の機能の障害により自己の身辺の日常生活活動が極度に制限されるもの		心臓の機能の障害により家庭内での日常生活活動が著しく制限されるもの	心臓の機能の障害により社会での日常生活活動が著しく制限されるもの			
	じん臓機能障害	じん臓の機能の障害により自己の身辺の日常生活活動が極度に制限されるもの		じん臓の機能の障害により家庭内での日常生活活動が著しく制限されるもの	じん臓の機能の障害により社会での日常生活活動が著しく制限されるもの			
	呼吸器機能障害	呼吸器の機能の障害により自己の身辺の日常生活活動が極度に制限されるもの		呼吸器の機能の障害により家庭内での日常生活活動が著しく制限されるもの	呼吸器の機能の障害により社会での日常生活活動が著しく制限されるもの			
	ぼうこう又は直腸の機能の障害	ぼうこう又は直腸の機能の障害により自己の身辺の日常生活活動が極度に制限されるもの		ぼうこう又は直腸の機能の障害により家庭内での日常生活活動が著しく制限されるもの	ぼうこう又は直腸の機能の障害により社会での日常生活活動が著しく制限されるもの			

心臓、じん臓、呼吸器若しくはぼうこう若しくは直腸若しくは小腸若しくはヒト免疫不全ウイルスによる免疫若しくは肝臓の機能の障害			
小腸機能障害	小腸の機能の障害により自己の身辺の日常生活活動が極度に制限されるもの	小腸の機能の障害により家庭内での日常生活活動が著しく制限されるもの	小腸の機能の障害により社会での日常生活活動が著しく制限されるもの
ヒト免疫不全ウイルスによる免疫機能障害	ヒト免疫不全ウイルスによる免疫の機能の障害により日常生活がほとんど不可能なもの	ヒト免疫不全ウイルスによる免疫の機能の障害により日常生活が極度に制限されるもの	ヒト免疫不全ウイルスによる免疫の機能の障害により日常生活が著しく制限されるもの（社会での日常生活活動が著しく制限されるものを除く。）	ヒト免疫不全ウイルスによる免疫の機能の障害により社会での日常生活活動が著しく制限されるもの
肝臓機能障害	肝臓の機能の障害により日常生活活動がほとんど不可能なもの	肝臓の機能の障害により日常生活活動が著しく制限されるもの（社会での日常生活活動が著しく制限されるものを除く。）	肝臓の機能の障害により社会での日常生活活動が著しく制限されるもの

備考

1. 同一の等級について二つの重複する障害がある場合は、1級うえの級とする。ただし、二つの重複する障害が特に本表中に指定されているものは、当該等級とする。

2. 肢体不自由においては、7級に該当する障害が2以上重複する場合は、6級とする。

3. 異なる等級について2以上の重複する障害がある場合については、障害の程度を勘案して当該等級以上の級とすることができる。

4. 「指を欠くもの」とは、おや指については指骨間関節、その他の指については第一指骨間関節以上を欠くものをいう。

5. 「指の機能障害」とは、中手指節関節以下の障害をいい、おや指については、対抗運動障害をもつものをいう。

6. 上肢又は下肢欠損の断端の長さは、実用長（上腕においては腋窩より、大腿においては坐骨結節の高さより計測したもの）をもって計測したものをいう。

7. 下肢の長さは、前腸骨棘より内くるぶし下端までを計測したものをいう。

■身体障害の範囲（法別表，身体障害者手帳に記載する級別は p. 169 参照）

1．次に掲げる視覚障害で永続するもの

(1) 両眼の視力（万国式試視力表によって測ったものをいい，屈折異常がある者については，矯正視力について測ったものをいう。以下同じ。）がそれぞれ 0.1 以下のもの

(2) 一眼の視力が 0.02 以下，他眼の視力が 0.6 以下のもの

(3) 両眼の視野がそれぞれ 10 度以内のもの

(4) 両眼による視野の 2 分の 1 以上が欠けているもの

2．次に掲げる聴覚又は平衡機能の障害で，永続するもの

(1) 両耳の聴力レベルがそれぞれ 70 デシベル以上のもの

(2) 一耳の聴力レベルが 90 デシベル以上，他耳の聴力レベルが 50 デシベル以上のもの

(3) 両耳による普通話声の最良の語音明瞭度が 50 パーセント以下のもの

(4) 平衡機能の著しい障害

3．次に掲げる音声機能，言語機能又はそしゃく機能の障害

(1) 音声機能，言語機能又はそしゃく機能の喪失

(2) 音声機能，言語機能又はそしゃく機能の著しい障害で，永続するもの

4．次に掲げる肢体不自由

(1) 一上肢，一下肢又は体幹の機能の著しい障害で，永続するもの

(2) 一上肢のおや指を指骨間関節以上で欠くもの又はひとさし指を含めて一上肢の二指以上をそれぞれ第一指骨間関節以上で欠くもの

(3) 一下肢をリスフラン関節以上で欠くもの

(4) 両下肢のすべての指を欠くもの

(5) 一上肢のおや指の機能の著しい障害又はひとさし指を含めて一上肢の三指以上の機能の著しい障害で，永続するもの

(6) (1)から(5)までに掲げるもののほか，その程度が(1)から(5)までに掲げる障害の程度以上であると認められる障害

5．心臓，じん臓又は呼吸器の機能の障害その他政令で定める障害（※）で永続し，かつ，日常生活が著しい制限を受ける程度であると認められるもの

※政令で定める障害（令第 36 条）

(1) ぼうこう又は直腸の機能の障害

(2) 小腸の機能の障害

(3) ヒト免疫不全ウイルスによる免疫の機能の障害

(4) 肝臓の機能の障害

■留意事項

1．18 歳未満の者については，児童福祉法によりほぼ同様の措置が講ぜられる。

2．18歳未満の者でも身体障害者手帳は本法により交付されるので，身体障害の有無，程度は，この法律により認定される。

2 身体障害者手帳 （法第15条〜第17条）

保健福祉サービスを受ける場合はもちろん，税の減免，鉄道運賃の割引等本編でのべる各種の制度を利用するための，いわば身体障害者であることの証票として交付するものである。

■交付対象者

法別表に該当する障害のある者（18歳未満の者も含む。）

■交付申請手続

1．都道府県知事（指定都市・中核市市長）の指定する医師の診断書及び意見書を添付すること。

2．福祉事務所長を経由して知事に申請する。ただし，福祉事務所を設置しない町村の居住者は，町村長を経由して知事（指定都市・中核市市長）に申請する。

3．15歳未満の者については保護者が代わって申請する。

■指定する医師

「身体障害者手帳に係る交付手続き及び医師の指定に関する取扱いについて」

（平成21年12月24日障発1224第3号）

■障害等級

身体障害者手帳の交付にあたっては，障害等級を判定し，手帳に記載する。

3 援護の実施機関等

ア 身体障害者更生相談所 （法第11条）

根拠▶身体障害者更生相談所の設置及び運営について
（平15.3.25 障発第0325001号）

■業 務

1．身体障害者に関する専門的な知識及び技術を必要とする相談及び指導業務

2．身体障害者の医学的，心理学的及び職能的判定業務

3．補装具の処方及び適合判定業務

4．市町村が行う援護の実施に関し，障害者支援施設等への入所に係る市町村相互間の連絡調整，市町村に対する情報の提供，その他必要な援助及びこれらに付随する業務

5．障害者総合支援法に基づき，自立支援給付の支給決定（認定）にあたり，意見を述べ，また，技術的事項について協力並びに援助を行う業務又は地域におけるリハビリテーションの推進に関する業務

■設置主体

都道府県（必置），指定都市（任意設置）

■留意事項

1．福祉事務所に身体障害者福祉司を置いていない市町村の長及び福祉事務所を設置していない町村の長は，身体障害者に関する専門的な知識及び技術を必要とする相談及び調査並びに指導については，身体障害者更生相談所の技術的援助及び助言を求めなければならない（法第9条第7項）。

2．市町村長は，補装具の処方及び適合判定など特に医学的，心理学的及び職能的判定を必要とするときには，身体障害者更生相談所の判定を求めなければならない（法第9条第8項）。

3．身体障害者福祉司を置いている福祉事務所の長は，身体障害者に関する特に専門的な知識及び技術を必要とする相談及び指導については，身体障害者更生相談所の技術的援助及び助言を求めなければならない（法第9条の2第3項）。

イ　身体障害者福祉司（法第11条の2～第12条）

■業　務

1．都道府県の身体障害者福祉司（必置）
身体障害者更生相談所において次の業務を行う。
(1)　市町村が行う援護の実施に関し，障害者支援施設等への入所に係る市町村相互間の連絡調整，市町村に対する情報の提供，その他必要な援助及びこれらに付随する業務のうち，専門的な知識及び技術を必要とするもの
(2)　身体障害者に関する専門的な知識及び技術を必要とする相談及び指導業務

2．市町村の身体障害者福祉司（任意設置）
福祉事務所において次の業務を行う。
(1)　福祉事務所の所員に対する技術的指導
(2)　福祉事務所における相談及び指導業務のうち，専門的な知識及び技術を必要とするもの

■**資　格**

次のいずれかに該当する者

1．社会福祉主事の資格を有する者であって，身体障害者の更生援護その他その福祉に関する事業に2年以上従事した経験を有するもの

2．大学において，厚生労働大臣の指定する社会福祉に関する科目を修めて卒業した者

3．医師

4．社会福祉士

5．都道府県知事の指定する職員を養成する学校その他の施設を卒業した者

6．1.から5.に準ずる者であって，身体障害者福祉司として必要な学識経験を有するもの

■**留意事項**

1．都道府県の身体障害者福祉司は，身体障害者更生相談所に配置され，必置となっている。

2．市町村の身体障害者福祉司は，福祉事務所に配置され，任意設置となっている。

3．福祉事務所に身体障害者福祉司を置いていない市町村の長は，身体障害者に関する専門的な知識及び技術を必要とする相談及び指導については，身体障害者更生相談所の技術的援助及び助言を求めなければならない（法第9条第7項）。

4．市の設置する福祉事務所で身体障害者福祉司を置いていない福祉事務所の長は，専門的相談指導については，当該市の他の福祉事務所に設置されている身体障害者福祉司の技術的援助及び助言を求めなければならない（法第9条の2第2項）。

ウ　身体障害者相談員（法第12条の3）

■**業　務**

1．身体障害者地域活動の中核体となり，その活動の推進を図ること。

2．身体に障害のある者の更生援護に関する相談に応じ必要な指導を行うこと。

3．身体に障害のある者の更生援護につき，関係機関の業務に協力すること。

4．身体に障害のある者に対する国民の認識と理解を深めるため関係団体等との連携を図って援護思想の普及につとめること。

5．身体に障害のある者が，障害福祉サービス，一般相談支援その他のサービスを円滑に利用することができるよう配慮し，これらのサービスを提供する者その他の関係者等との連携を保つよう努めること。

6．その他1.から5.に付帯する業務を行うこと。

■性　格

　　市町村長（障害の特性その他の事情に応じた相談援助を委託することが困難な市町村については，都道府県）から委託された身体障害者に関する援護思想の普及相談，指導等にあたる民間篤志家である。

4　診査，更生相談（法第17条の2）

　身体障害者の診査及び更生相談を行う。

■実施主体

　　市町村

■業　務

1. 医療又は保健指導を必要とする者に対しては，医療保健施設に紹介すること。
2. 公共職業能力開発施設の行う職業訓練又は就職あっせんを必要とする者に対しては，公共職業安定所に紹介すること。
3. その他更生に必要な事項につき指導すること。

5　国の委託事業

ア　視覚障害者対策

①　視覚障害者用図書貸出事業

> **根拠**▶視覚障害者用図書の貸出等について
> （平20.3.31 障発第0331039号）

　視覚障害者等の福祉向上を図るため，点字図書及び録音図書の製作・貸出事業を行う。

■事業の委託先及び所在地

1. 社会福祉法人　　日本点字図書館
　東京都新宿区高田馬場1-23-4（TEL 03-3209-0241）
2. 社会福祉法人　　日本ライトハウス
　大阪市鶴見区今津中2-4-37（TEL 06-6961-5521）

■貸出対象者

1．視覚障害者関係施設

2．視覚障害者関係団体

3．その他（社会福祉法人日本点字図書館及び同日本ライトハウスが特に認めたもの。）

■貸出方法等

1．貸出しを受けようとするものは，社会福祉法人日本点字図書館及び同日本ライトハウスに申し込むものとする。

2．各都道府県（市）における点字図書館は，社会福祉法人日本点字図書館及び同日本ライトハウスと契約を行い，貸出しを行うものとする。

② 盲人用具販売あっ旋事業

> **根拠**▶視覚障害者用図書事業等委託費の交付について
> （盲人用具販売あっ旋委託要領）
> （平 20.9.29 厚生労働省発障第 0929001 号）

　視覚障害者が低廉な価格で盲人用具を入手できるよう，そのあっ旋を行うことにより，視覚障害者の生活の安定に寄与する等，その福祉の増進を図ることを目的とする。

■事業の委託先及び所在地

1．社会福祉法人　日本点字図書館

　　東京都新宿区高田馬場 1-23-4（TEL 03-3209-0241）

2．社会福祉法人　日本視覚障害者団体連合

　　東京都新宿区西早稲田 2-18-2（TEL 03-3200-0011）

■対象品目

①時計	⑪寒暖計	㉑体温計（日本点字図書館のみ）
②リール	⑫湿度計	㉒プラスチック製懐中点字器（〃）
③録音テープ	⑬タイマー	㉓表面作図器（〃）
④カナタイプライター	⑭タイムスイッチ	㉔表面作図紙（〃）
⑤点字用紙	⑮メジャー	㉕音響懐中電灯
⑥点字タイプライター	⑯物差	（日本視覚障害者団体連合のみ）
⑦点字学習具	⑰糸通し器及び縫針	㉖カセットテープレコーダー（〃）
⑧家庭用上皿秤	⑱校正器	㉗点字謄写板（〃）
⑨体重計	⑲点消器	㉘その他
⑩身長計	⑳トランプ	

■購入方法

視覚障害者が委託法人に直接申し込み購入する方法（以下「個人購入」という。）及び点字図書館，盲人福祉団体等がとりまとめて一括購入し視覚障害者にあっ旋する方法（以下「一括購入」という。）による。

■割引率

個人購入の場合1品目につき価格のおおむね7％以上

一括購入の場合1品目につき価格のおおむね10%以上

③　視覚障害生活訓練指導員研修事業

根拠▶視覚障害者用図書事業等委託費の交付について
（視覚障害生活訓練指導員研修委託要領）
（平 20.9.29 厚生労働省発障第 0929001 号）

視覚障害者更生施設等における生活訓練内容の充実を図るため，その指導員の養成を行い，視覚障害者の社会復帰を支援することを目的とする。

■業務の委託先及び所在地

社会福祉法人　日本ライトハウス

大阪市鶴見区今津中 2-4-37（TEL 06-6961-5521）

■研修対象者

視覚障害リハビリテーション関係等施設において生活訓練を担当しようとする者

■研修内容

次の項目等について，講義（通信を含む。）及び実習を行うものであること。

1. 1年基礎 I

(1) 講義系科目

社会福祉概論，学習心理学，感覚・知覚心理学，心理学概論，眼科学，運動学，医学・生理学概論，視覚障害児・者教育，視覚障害リハビリテーションセミナー，視覚障害リハビリテーション論，生活訓練基礎論，歩行訓練論，弱視者指導論，生活訓練応用論，視覚障害児指導論，歩行地図論，歩行環境論等

(2) 実践系科目

歩行実技，基礎実習，施設見学・実習等

2. 1年基礎 II

(1)　講義系科目

　　社会福祉概論，学習心理学，感覚・知覚心理学，心理学概論，医学・生理学概論，視覚障害児・者教育，実験と研究，視覚障害リハビリテーションセミナー，視覚障害リハビリテーション論，コミュニケーション訓練論，日常生活動作訓練論，スポーツ訓練論，弱視者指導論，生活訓練応用論，視覚障害児指導論，視覚障害老人リハビリテーション概論，盲ろうリハビリテーション概論等

(2)　実践系科目

　　コミュニケーション実技，日常生活動作実技，スポーツ実技，基礎実習等

3．2年実習

　　施設実習，視覚障害リハビリテーションセミナー等

4．2年応用

(1)　講義系科目

　　社会福祉概論，発達心理学，心理学概論，眼科学，運動学，視覚障害児・者教育，社会学，実験と研究，視覚障害リハビリテーションセミナー，視覚障害リハビリテーション論，ケースワーク論，弱視者指導論，視覚障害児指導論，盲ろうリハビリテーション概論等

(2)　実践系科目

　　盲ろう実技，基礎実習，施設見学・実習等

(3)　その他

　　自主研究（卒業論文）

5．フォローアップ研修

　　視覚障害者に加えて他の障害を併せ持つ方々に対する支援等の困難事例について，専門家による講義を行う等，適切な指導方法を教授することにより支援技術のさらなる向上を図る。

■研修期間

1．1年基礎Ⅰ　　　4月から9月

2．1年基礎Ⅱ　　　10月から翌年3月

3．2年実習　　　4月から9月

4．2年応用　　　10月から翌年3月

5．フォローアップ　　　4日間

■養成人員

　　約15名（フォローアップ研修は約30名）

■受講者の決定

視覚障害リハビリテーション関係等施設の施設長が，職員の中から受講者を選定し申し込む。社会福祉法人日本ライトハウスに設けられた選考委員会が，書類選考，面接等を行い受講者を決定する。

④　点字ニュース即時提供事業

[**根拠**▶高度情報通信等福祉事業費の国庫補助について]
（平 17.6.27 厚生労働省発障第 0627002 号）

視覚障害者に日刊の新聞情報を点字によりいち早く提供することにより，視覚障害者の社会参加を促進し，生活文化の向上を図ることを目的とする。

■事業の委託先及び所在地

社会福祉法人　日本視覚障害者団体連合

東京都新宿区西早稲田 2-18-2（TEL 03-3200-0011）

■事業の実施方法

新聞等の情報を送り出す中央実施機関及び情報を受け取る地方実施機関を置いて実施。

・中央実施機関　　社会福祉法人　日本視覚障害者団体連合（旧・日本盲人会連合）

・地方実施機関　　地域生活支援事業（情報支援等事業のうち，点字による即時情報ネットワーク事業）に基づき都道府県・指定都市が委託をした点字図書館等

■点字情報ネットワークの基本的仕組み

点字情報ネットワークは，民間業者が提供するオンライン情報サービスを利用し，次により利用者に点字による情報を提供する。

1．中央実施機関

オンライン情報サービスで提供される新聞情報等を中央実施機関で受け取り，新聞情報等を点字情報として入力し，インターネット回線を用いて提供するとともに，視覚障害者が自宅に居ながらにして当日の新聞情報を得られるよう，点字データを web 上においても提供するものである。

2．地方実施機関

地方実施機関においては，インターネット回線を通して点字情報を受け取り，点字プリンターで出力するなどにより視覚障害者に情報を提供する。

⑤　全国盲人生活相談事業

> 根拠▶視覚障害者用図書事業等委託費の交付について
> （全国盲人生活相談委託要領）
> （平 20.9.29 厚生労働省発障第 0929001 号）

　視覚障害者の日常の心配事等の各種相談に応じ助言や指導を行うことにより，視覚障害者の生活の安定に寄与する等その福祉の増進を図ることを目的とする。

■事業の委託先及び所在地

　社会福祉法人　日本視覚障害者団体連合

　東京都新宿区西早稲田 2-18-2（TEL 03-3200-0011）

■事業の内容

　1．相談事業の種類

　(1)　病気，健康等家庭心配事相談

　(2)　就学，職業相談

　(3)　年金，社会保険相談

　(4)　移動，旅行相談

　2．相談事業の実施方法

　(1)　事業の実施に当たり，専門家を委託するとともに，電話，文書又は電子メールにより回答する。

　(2)　各相談事業に関し，日時を特定する等利用者に対し，点字広報等を通じて周知する。

　(3)　相談記録を作成，保管するとともに，相談を通じて知り得た個人の秘密はこれを守らなければならない。

⑥　視覚障害者行政情報等提供事業

> 根拠▶視覚障害者用図書事業等委託費の交付について
> （視覚障害者行政情報等提供事業委託要領）
> （平 20.9.29 厚生労働省発障第 0929001 号）

　視覚障害者に対し，国内外の障害保健福祉関連情報等を点字版や音声版の広報により提供することで，視覚障害者の教養の向上を図り，情報バリアフリーに資することを目的とする。

■**事業の委託先及び所在地**

社会福祉法人　日本視覚障害者団体連合

東京都新宿区西早稲田 2-18-2（TEL 03-3200-0011）

■**事業の内容**

1．広報内容

国内外の障害保健福祉関連情報や厚生労働白書等の各種報告書等

(1)　福祉制度及び関連制度の解説

(2)　国・地方公共団体等の行事等

(3)　更生相談・指導

(4)　自立更生体験の事例紹介

(5)　外国の事情等の紹介

(6)　その他

2．提供方法

点字版，音声版を，視覚障害者のニーズを踏まえた様々な媒体（紙，カセットテープ，CD 等）やインターネット等により提供する。

3．発行時期

年 6 回以上発行するものとする。

ただし，国際情報及び厚生労働白書等の報告書については，別に年 2 回以上発行するものとする。

■**貸出先**

点字図書館，盲人福祉団体等で貸出しを行う。

イ　聴覚障害者対策

①　手話通訳技術向上等研修事業

> **根拠**▶手話通訳技術向上等研修等委託費の交付について
> （平 20.9.8 厚生労働省発障第 0908002 号）

手話通訳に関して，手話通訳者や手話通訳士等の技術向上や指導者としての能力向上を図るための研修等を行い，聴覚障害者の社会参加の促進に寄与することを目的とする。

■**事業の委託先及び所在地**

社会福祉法人　全国手話研修センター

京都市右京区嵯峨天龍寺広道町 3-4（TEL 075-873-2646）

■事業の内容

1．手話通訳者・手話通訳士現任研修分

(1)　研修内容

　　手話通訳者や手話通訳士等の技術向上や指導者としての能力向上を図るための研修等を全国各地の会場において行うものである。

(2)　研修回数

　　年間の研修回数は，概ね 8 回とする。

(3)　研修日数

　　1 回あたりの研修日数は，概ね 4 日間（30 時間）とする。

(4)　研修定員

　　1 回あたりの研修定員は，概ね 30 人とする。

2．手話奉仕員・手話通訳者養成研修事業担当講師養成研修分

(1)　研修内容

　　都道府県や市町村において開催される手話奉仕員養成研修や手話通訳者養成研修等の指導者の養成，技術向上を図るための研修等を全国各地の会場において行うものである。

(2)　研修回数

　　年間の研修回数は，概ね 40 回とする。

(3)　研修日数

　　1 回あたりの研修日数は，概ね 2 日間（9 時間）とする。

(4)　研修定員

　　1 回あたりの研修定員は，概ね 20 人とする。

3．手話通訳者・手話奉仕員養成担当講師リーダー養成研修分

(1)　研修内容

　　良質な手話通訳者・手話奉仕員を養成するために，地域における講師リーダーを養成することにより，養成担当講師の質を担保することを目的として，全国各地の会場において講師リーダーの養成研修を行うものである。

(2)　研修回数

　　年間の研修回数は，概ね 8 回とする。

(3)　研修日数

　　1 回あたりの研修日数は，概ね 3 日間（20 時間）とする。

(4)　研修定員

　　1 回あたりの研修定員は，概ね 30 人とする。

②　手話入り映像ライブラリー等製作貸出事業

> **根拠**▶手話入り映像ライブラリー等製作貸出事業について
> （平 28.3.29 障発 0329 第 4 号）

　映像作品に手話，字幕を挿入した映像ライブラリー及び手話普及のための教材の製作貸出しを行うことにより，聴覚障害者の知識，教養の向上を図ることを目的とする。

■事業の委託先及び所在地

　　社会福祉法人　聴力障害者情報文化センター

　　東京都目黒区五本木 1-8-3（TEL 03-6833-5001）

■事業の内容

　聴覚障害者，学識経験者及び手話通訳者等により構成された企画編集委員会において検討された企画内容（市販の作品等への手話，字幕挿入を含む）に基づき DVD 等を製作し，「手話入り映像ライブラリー等貸出規程」により貸出を行う。

③　要約筆記者指導員養成研修事業

> **根拠**▶手話通訳技術向上等研修等委託費の交付について
> （平 20.9.8 厚生労働省発障第 0908002 号）

　要約筆記に関して，専門性を有する要約筆記者の養成を行うため，その指導者の養成研修を実施することにより，障害者の情報・コミュニケーション支援を担う専門的な人材確保を図る。

■事業年度

　毎年 4 月 1 日に始まり，翌年 3 月 31 日に終わる。

■事業の内容

1. 基礎研修コース

　都道府県等において開催される要約筆記者養成研修の指導者をこれから目指す者を対象とし，手書き要約筆記者の指導者を目指す「手書きクラス」と，パソコン要約筆記者の指導者を目指す「パソコンクラス」の 2 つのクラスを実施する。

　回数は概ね 1 回とし，日数は 1 回当たり概ね 9 日間（54 時間），定員は概ね 80 名とする。

２．難聴者コース

　要約筆記者養成研修に難聴当事者講師として参画する難聴者を対象に，指導者養成を実施する。

　回数は概ね１回とし，日数は１回当たり概ね６日間（36時間），定員は概ね20名とする。

３．ステップアップコース

　要約筆記者指導員養成研修修了者等を対象とし，使用機材の性能向上等の変化や発展に対応した指導ができるよう，時代に即した要約筆記者養成研修を担う指導者の養成を実施する。

　回数は概ね２回とし，日数は概ね３日間（18時間），定員は概ね50名とする。

④　**手話研究・普及等事業**

[**根拠**▶手話通訳技術向上等研修等委託費の交付について
（平20.9.8厚生労働省発障第0908002号）]

　聴覚障害者の日常生活の利便を図るため，手話の研究や新たな造語等を行うとともに，聴覚障害者及び関係者等へ研究成果等の普及啓発を行い，聴覚障害者福祉の促進に寄与することを目的とする。

■**事業の委託先及び所在地**

　社会福祉法人　全国手話研修センター

　京都市右京区嵯峨天龍寺広道町3-4（TEL 075-873-2646）

■**事業の内容**

１．手話の研究等

　聴覚障害者，学識経験者，手話通訳士等広く手話に専門的知識を有する者からなる委員会を設置し，新たな日常用語や医療，年金，法律等の専門用語等の研究や造語，外国語手話の研究等を行う。

２．研究成果等の普及啓発

　研究成果や新たな造語等は，映像として記録（データベース化）し，インターネット等を活用して，全国の聴覚障害者や関係団体，聴覚障害者情報提供施設等に対し，普及啓発を行う。

⑤　若年層の手話通訳者養成モデル事業

[根拠▶手話通訳技術向上等研修等委託費の交付について]
（平 20.9.8 厚生労働省発障第 0908002 号）

　　手話通訳者の今後の高齢化への対応策として，若年層の手話通訳者の養成の促進を目指し，大学生等を対象としたモデル事業を実施し，もって手話通訳者の人材確保を図ることを目的とするものである。

■実施年度

　　毎年 4 月 1 日に始まり，翌年 3 月 31 日に終わる。

■内容

1．全国の高等教育機関において実施されている手話教育について，実態を把握すること。
2．高等教育機関において実施可能な手話通訳者養成カリキュラムを作成すること。
3．作成した養成カリキュラムに基づき，養成研修をモデル的に実施すること。
4．高等教育機関において養成された手話通訳者が地域で円滑に活動できるよう，手話通訳者派遣事業の実施主体である都道府県及び市町村，手話関係団体等の調整を図ること。

⑥　盲ろう者向け通訳者養成研修等事業

[根拠▶盲ろう者福祉総合推進事業委託費の交付について]
（平 24.4.5 厚生労働省発障 0405 第 20 号）

　　視覚及び聴覚に障害を併せもつ者（盲ろう者）のコミュニケーション手段を確保し，自立と社会参加の促進を図るため，点字や手話を一定程度習得している者等を対象に，盲ろう者向け通訳者としての養成及び，盲ろう者自身やその支援者，家族等の日常生活等における各種相談に応じ，助言，指導をする他，盲ろう者に必要な情報提供や盲ろう者福祉の啓発を行い，盲ろう者福祉の促進に寄与することを目的とする。

■事業の委託先及び所在地

　　社会福祉法人　全国盲ろう者協会
　　東京都新宿区早稲田町 67　早稲田クローバービル 3 階（TEL 03-5287-1140）

■事業の内容

1．盲ろう者向け通訳者養成研修事業

(1) 講 義

① 盲ろう者福祉論

② 盲ろう者コミュニケーション概論

③ 手話概論

④ 点字概論

⑤ その他

(2) 実 技

① 手話通訳（聞き取り，読み取り）

② 点字通訳（聞き取り，読み取り）

③ 指点字通訳（聞き取り，読み取り）

④ 指文字通訳（聞き取り，読み取り）

⑤ 通訳機器（ブリスター）の操作方法

⑥ その他

(3) 養成人員

おおむね 30 名程度とする。

2．盲ろう者関係生活相談等事業

(1) 盲ろう者及びその支援者，家族等への相談事業

① 相談の種類

ア 日常生活相談

イ 各種社会保障制度相談

ウ 盲ろう者の情報提供相談

エ その他

② 実施方法

ア ①に掲げる各相談に関し，来所相談に応じ，電話又は文書等により回答する。

イ ①に掲げる各相談に関し，日時を特定する等利用者に対し，広報誌等を通じて周知徹底に努める。

ウ 相談記録を作成，保管するとともに，相談を通じて知り得た個人情報の漏えい，滅失，き損等の防止に努める。

(2) 広報誌発行事業

① 編集委員会の設置

ア 委員は盲ろう者，学識経験者，通訳者等 8 名により構成する。

イ 委員会は盲ろう者及びその通訳・介助者等に広報誌を通じて必要な情報を提供するための企画，編集を行う。

3．盲ろう者国際協力推進事業

(1) 情報委員会の設置

① 委員は盲ろう者，学識経験者，通訳者等5名により構成すること。

② 委員会は，本事業において収集・提供する情報に関し，日本国内と海外の盲ろう者関係団体の協力関係の構築及び活動の強化に資するテーマについて企画，検討を行うこと。

⑵ 情報収集事業

日本国内の盲ろう者福祉に関する情報の入手のほか，世界盲ろう者連盟加盟各国の盲ろう者福祉に関する情報について現地取材や文献等により入手すること。

⑶ 情報提供事業

⑵で収集した情報について，報告書を作成し，国内外の関係団体等に提供すること。

4．盲ろう者福祉啓発事業

地域での盲ろう者福祉の実現のため，盲ろう者向け事業を実施している自治体関係者及び関係団体等に対する啓発を目的とした会議の開催や，盲ろう者の生活状況，社会参加の実態等について調査研究を行うこと。

（啓発内容）

⑴ 盲ろう者の現状等について

⑵ 他の自治体における盲ろう者向け福祉事業の実施状況について

⑶ 自治体及び関係団体等の連携について

⑦　盲ろう者の総合リハビリテーション・システム試行事業委託要領

[根拠 ▶ 盲ろう者福祉総合推進事業委託費の交付について]
（平24.4.5厚生労働省発障0405第20号）

平成29年度まで「盲ろう者等支援調査・研究事業」の一環として進められた「盲ろう者の総合リハビリテーション・システム検討委員会」の検討結果を踏まえ，盲ろう者の特性に対応したリハビリテーション・システムの構築を目指し，先行的試行事業を実施し，もって盲ろう者福祉の促進に寄与することを目的とする。

■事業年度

毎年4月1日に始まり，翌年3月31日に終わる。

■事業の内容

1．児童部門

盲ろう者が利用している児童発達支援事業所や放課後等デイサービス等への訪問指導や，盲ろう児の保護者への専門相談，盲ろう児が在籍する特別支援学校と連携した支援等を行う。

2．成人部門

短期の宿泊訓練，通所による訓練，訓練終了後の地域移行を目指したケアマネジメント等の支援を行う。

3．その他の対策

盲ろう児・者に関する専門的なデータベースの構築，全国各地の盲ろう者支援センターや盲ろう者関係事業所等との連絡調整，その他必要な支援を行う。

ウ　共通対策

①　福祉機器開発普及等事業

> **根拠**▶視覚障害者用図書事業等委託費（福祉機器開発普及等事業等）
> の交付について
> 　　　（平 20.5.28 厚生労働省発障第 0528003 号）

福祉機器に関する調査研究や規格化，標準化の研究を実施し，また，福祉機器のニーズと技術シーズの適切な情報連携を促進することにより，福祉機器利用者の立場に立った福祉機器の開発，普及等を行うことで，障害者の福祉の促進に資することを目的とする。

■事業の委託先及び所在地

公益財団法人　テクノエイド協会

東京都新宿区神楽河岸 1 番 1 号　セントラルプラザ 4 階（TEL 03-3266-6880）

■事業の概要等

福祉機器ニーズの増大・多様化，科学技術の進歩による高度化に適切に対応し，真に身体障害者等の役に立つ福祉機器の開発普及等を推進するため，福祉機器に関する調査研究及び福祉機器のニーズと技術シーズの適切な情報連携の促進を行うことにより，身体障害者等の福祉の向上に資することを目的とする。

②　障害者情報ネットワーク等運営事業

> **根拠**▶高度情報通信等福祉事業費の国庫補助について
> 　　　　（平 17.6.27 厚生労働省発障第 0627002 号）

国内外の障害保健福祉関係情報に関するデータベースを構築し，障害者及び研究者等に必要な情報を提供することにより，障害者の保健福祉の向上及び自立と社会参加の促進を目的とする。

■**事業の委託先及び所在地**

　　公益財団法人　日本障害者リハビリテーション協会

　　東京都新宿区戸山1-22-1（TEL 03-5273-0601）

■**事業の内容**

　　障害者の福祉向上，自立と社会参加の促進に資する国内外の障害保健関連情報を収集し，障害者が利用しやすいように整理，提供する。また，障害者や関係団体等の情報交換，情報発信を円滑に行うための支援を行う。

　1．事業運営委員会

　　　事業の円滑な実施のため，学識経験者等からなる委員会を開催する。

　2．情報内容

　⑴　行政関連情報

　⑵　障害者団体情報

　⑶　保健・医療・福祉用具・生活等の情報

　⑷　災害緊急時対策情報

　⑸　情報通信技術の情報

　⑹　その他

　　収集した情報は障害者等が利用しやすい文字情報，音声情報及び画像等を活用して総合的に提供することとする。

③　**パソコンボランティア指導者養成事業**

> **根拠**▶高度情報通信等福祉事業費の国庫補助について
> （平17.6.27 厚生労働省発障第0627002号）

　　障害者の情報通信技術の利用機会や活用能力の格差是正のためには，障害者にパソコンの使用方法を教えることができる人材（パソコンボランティア）の確保が必要であるため，パソコンボランティアを指導する者の養成研修を実施し，もって障害者の情報バリアフリー及び社会参加の推進に資することを目的とする。

■**事業年度**

　　毎年度4月1日に始まり，翌年3月31日に終わる。

■**事業内容**

　1．研修方法

　　　障害者の生活の質の向上を図るコミュニケーション機器としてのパソコン活用につい

て，対象障害別カリキュラムにより講義及び実技を行う。

2．研修日数

　　対象障害別カリキュラムごとに，1回当たり1～4日間程度

3．受講者数

　　対象障害別カリキュラムごとに，1回当たり5～100人程度

4．受講対象者

　　ボランティアグループのリーダー等，地域において実施されるパソコンボランティア養成事業における指導者を目指す者

5．研修会場

　　東京，その他の受講希望者の多い地域において，パソコンボランティア指導者養成事業を実施することが可能な会議室

12　知的障害者の福祉

〔根拠▶知的障害者福祉法(昭35.3.31法律第37号)〕

知的障害者の福祉については，障害者総合支援法や児童福祉法等によるほか，知的障害者福祉法において，知的障害者の自立と社会活動への参加を促進するため，知的障害者の援助や保護を行い，もって知的障害の福祉の増進を図るための規定を置いている。

1　知的障害者の定義

知的障害者については，知的障害者福祉法上定義づけられていないが，平成17年の知的障害児（者）基礎調査においては，「知的機能の障害が発達期（おおむね18歳まで）にあらわれ，日常生活に支障が生じているため，何らかの特別の援助を必要とする状態にあるもの」とされている。なお，知的障害者福祉法による福祉サービスの対象とされるのは18歳以上の者である。

2　援護の実施機関等

ア　福祉事務所

■**主要業務**（法第10条）

1．知的障害者の福祉に関し，必要な実情の把握に努めること。

2．知的障害者の福祉に関し，必要な情報の提供を行うこと。

3．知的障害者の福祉に関する相談に応じ，必要な調査及び指導を行うこと並びにこれらに付随する業務を行うこと。

　4．知的障害者福祉司を置いていない福祉事務所長は，前記3.の業務のうち，専門的な知識及び技術を必要とするものは，知的障害者更生相談所の技術的援助及び助言を求めなければならない。

　5．前記3.の業務を行うにあたって，特に，医学的，心理学的及び職能的判定を必要とする場合には，知的障害者更生相談所の判定を求めなければならない。

■**民生委員の協力**（法第15条）

　民生委員は，この法律の施行について，市町村長，福祉事務所長，知的障害者福祉司又は社会福祉主事の事務の執行に協力するものとする。

イ　知的障害者更生相談所

> **根拠**▶知的障害者更生相談所の設置及び運営について
> （平15.3.25 障発第0325002号）

■**設置主体**（法第12条）

　都道府県（必置），指定都市（任意設置）

■**主要業務**

　1．市町村の更生援護の実施に関し，市町村相互間の連絡及び調整，市町村に対する情報の提供その他必要な援助を行うこと並びにこれらに付随する業務を行うこと（市町村が施設入所させて更生援護を行い，又は更生援護を行うことを委託する措置に係るものに限る。）。

　2．知的障害者に関する相談及び指導のうち，専門的な知識及び技術を必要とするものを行うこと。

　3．18歳以上の知的障害者の医学的，心理学的及び職能的判定を行うこと。

　4．障害者総合支援法に基づき，自立支援給付の支給決定に際し意見を述べ，また，技術的事項について協力並びに援助を行うこと。

ウ　知的障害者福祉司

> **根拠**▶知的障害者福祉司の職務内容等について
> （昭35.6.17 社発第381号）

■**主要業務**（法第13条）

　1．都道府県の知的障害者福祉司は，知的障害者更生相談所の長の命を受けて，次に掲げる業務を行うものとする。

(1)　市町村の更生援護の実施に関し，市町村相互間の連絡及び調整，市町村に対する情報の提供その他必要な援助を行うこと並びにこれらに付随する業務のうち，専門的な知識及び技術を必要とするものを行うこと。

(2)　知的障害者の福祉に関し，知的障害者に関する相談及び指導のうち，専門的な知識及び技術を必要とするものを行うこと。

2．市町村の知的障害者福祉司は，福祉事務所長の命を受けて，知的障害者の福祉に関し，主として，次の業務を行うものとする。

(1)　福祉事務所の所員に対し，技術的指導を行うこと。

(2)　知的障害者の福祉に関する相談に応じ，必要な調査及び指導を行うこと並びにこれらに付随する業務のうち，専門的な知識及び技術を必要とするものを行うこと。

■**資　格**（法第14条）

次のいずれかに該当する者であること。

1．社会福祉主事の資格を有する者であって，知的障害者の福祉に関する事業に2年以上従事した経験を有するもの

2．大学において，厚生労働大臣の指定する社会福祉に関する科目を修めて卒業した者（当該科目を修めて専門職大学の前期課程を修了した者を含む。）

3．医師

4．社会福祉士

5．都道府県知事の指定する職員を養成する学校その他の施設を卒業した者

6．1.から5.に準ずる者であって，知的障害者福祉司として必要な学識経験を有するもの

■**留意事項**

都道府県は必置，市町村は任意設置である。

エ　知的障害者相談員（法第15条の2）

■**主要業務**

1．市町村（障害の特性その他の事情に応じた相談援助を委託することが困難な市町村については，都道府県）から委託を受け，知的障害者又はその保護者からの相談に応じ，更生のために必要な援助を行うこと（相談援助）。

2．委託を受けた業務を行うに当たっては，知的障害者又はその保護者が障害福祉サービス，一般相談支援その他のサービスを円滑に利用できるよう配慮し，サービスを提供する者その他関係者等との連携を保つよう努める。

■留意事項

　相談員は，その業務を行うに当たっては，個人の人格を尊重し，その身上に関する秘密を守らなければならない。

3　療育手帳の交付

> **根拠**▶療育手帳制度について
> 　　　　（昭 48.9.27 厚生省発児第 156 号）

　知的障害児（者）に対して一貫した指導・相談を行うとともに，知的障害児（者）に対する各種の援助措置（特別児童扶養手当等）を受けやすくするため手帳を交付する。

■実施主体

　都道府県知事，指定都市市長，児童相談所を設置する中核市市長

■窓　口

　福祉事務所（福祉事務所を設置していない町村については，当該町村）

■交付対象者

　児童相談所又は知的障害者更生相談所において知的障害と判定された者

■障害程度の確認

　原則として 2 年ごとに児童相談所又は知的障害者更生相談所において判定を行う。

■援助措置

・特別児童扶養手当の支給（p. 207 参照）

・JR 等運賃の割引（p. 231 参照）

・NHK 放送受信料の減免（p. 233 参照）

・公営住宅の優先入居（p. 230 参照）

・心身障害者扶養共済（p. 236 参照）

・国税，地方税の諸控除及び減免税（p. 739 参照）

以上の援助措置の内容については，それぞれについて掲げられた頁を参照のこと。

4　職親委託（法第 16 条）

　知的障害者の自立更生を図るため，知的障害者を一定期間職親に預け，生活指導及び技能

習得訓練等を行うことによって，就職に必要な素地を与えるとともに雇用の促進と職場における定着性をたかめる制度として運用されている。なお，本制度は，地域生活支援事業の対象として位置付けられている（p. 144 参照）。

13 精神障害者の保健福祉

[根拠▶精神保健及び精神障害者福祉に関する法律]
（昭 25.5.1 法律第 123 号）

障害者基本法の基本的な理念にのっとり，精神障害者の権利の擁護を図りつつ，その医療及び保護を行い，障害者総合支援法と相まって，その社会復帰の促進及びその自立と社会経済活動への参加の促進のために必要な援助を行い，並びにその発生の予防その他国民の精神的健康の保持及び増進に努めることによって，精神障害者の福祉の増進及び国民の精神保健の向上を図る。

1 精神障害者等の定義（法第 5 条）

■精神障害者

「精神障害者」とは，統合失調症，精神作用物質による急性中毒又はその依存症，知的障害その他の精神疾患を有する者をいう。

■精神障害者の家族等

「家族等」とは，精神障害者の配偶者，親権を行う者，扶養義務者及び後見人又は保佐人をいう。ただし，次のいずれかに該当する者を除く。

1．行方の知れない者
2．当該精神障害者に対して訴訟をしている者又はした者並びにその配偶者及び直系血族
3．家庭裁判所で免ぜられた法定代理人，保佐人又は補助人
4．当該精神障害者に対して配偶者からの暴力の防止及び被害者の保護等に関する法律に規定する身体に対する暴力等を行った配偶者その他の当該精神障害者の入院及び処遇についての意思表示を求めることが適切でない者（児童虐待，障害者虐待等を行った者）
5．精神の機能の障害により当該精神障害者の入院及び処遇についての意思表示を適切に行うに当たって必要な認知，判断及び意思疎通を適切に行うことができない者
6．未成年者

2　精神障害者の医療の提供を確保するための指針（法第41条）

　厚生労働大臣は，精神障害者の障害の特性その他の心身の状態に応じた良質かつ適切な精神障害者に対する医療の提供を確保するための指針を定めなければならない。

■指　針

　指針には以下の事項が定められる。

1．精神病床の機能分化に関する事項

2．精神障害者の居宅等における保健医療サービス及び福祉サービスの提供に関する事項

3．精神障害者に対する医療の提供に当たっての医師，看護師その他の医療従事者と精神保健福祉士その他の精神障害者の保健及び福祉に関する専門的知識を有する者との連携に関する事項

4．その他良質かつ適切な精神障害者に対する医療の提供の確保に関する重要事項

3　組　織

■地方精神保健福祉審議会（法第9条）

　都道府県又は指定都市における精神保健福祉行政に関し，必要な事項を調査審議するため各都道府県及び各指定都市に条例で，置くことができることと規定しており，知事又は市長の諮問に答えるほか精神保健福祉に関する事項に関して意見を具申する機関である。

■精神医療審査会（法第12条，第13条）

　措置入院者及び医療保護入院者の定期の病状報告，医療保護入院者の入院届並びに退院及び処遇改善請求等の審査を行う。

　委員構成は，精神障害者の医療に関し学識経験を有する者，精神障害者の保健又は福祉に関し学識経験を有する者，法律に関し学識経験を有する者のうちから，都道府県知事又は指定都市市長が任命し，審査は合議体により行う。

■精神保健福祉センター（法第6条）

　都道府県等における精神保健福祉の向上及び精神障害者の福祉の増進を図るための機関で，精神保健福祉に関する次の業務を行う。

1．知識の普及及び調査研究

2．相談及び指導のうち複雑又は困難なもの

3．精神医療審査会の事務

4．自立支援医療（精神通院医療）の支給認定申請及び精神障害者保健福祉手帳の申請に

対する決定に関する事務のうち専門的な知識及び技術を必要とするもの

5．障害者総合支援法に基づき，支給決定に際し，意見を述べること及び技術的事項についての協力その他必要な援助

■**保健所**

地域における精神保健福祉行政の中心的な機関として次の業務を行う。

1．関係の事務（申請，通報，公費負担関係等）に関すること。

2．精神保健福祉に関する相談，指導，衛生教育に関すること。

3．精神障害の発生予防から医療保護，社会復帰，国民の精神的健康の保持向上に関すること。

■**精神保健指定医**（法第18条，第19条の4）

精神保健指定医は，患者本人の意思によらない入院や入院患者に対する行動の制限の要否の判定の職務を行う医師であり，一定の経験を有する医師の申請に基づき，上記職務を行うのに必要な知識及び技能を有すると認められる者を厚生労働大臣が医道審議会の意見を聴いて指定する。

■**精神保健福祉相談員**（法第48条）

精神保健福祉センター及び保健所に置かれ精神保健福祉に関する相談，指導を行う。

■**精神障害者社会復帰促進センター**（法第51条の2，第51条の3）

精神障害者の社会復帰の促進を図るための訓練及び指導等に関する研究開発を行うこと等により精神障害者の社会復帰を促進することを目的とする機関で，次の業務を行う。

1．社会復帰の促進に資するための啓発及び広報活動

2．社会復帰の促進を図るための訓練及び指導等に関する研究開発

3．社会復帰の促進に関する研究・研究成果の提供

4．社会復帰促進事業に従事する者等に対する研修

5．その他，社会復帰を促進するために必要な業務

4　相談指導等（法第47条）

精神障害者に係る相談指導等として，次のようなものが行われている。

1．都道府県・保健所設置市・特別区が行う，精神保健福祉相談員や医師などによる精神障害者及びその家族等その他関係者への精神保健及び精神障害者福祉に関する相談指導

2．都道府県・保健所設置市・特別区が行う，医療を必要とする精神障害者に対する適切

　な医療施設の紹介
3．精神保健福祉センターや保健所が相談指導を行うに当たっての福祉事務所その他の関係行政機関との連携
4．市町村の都道府県への協力及び市町村における精神障害者福祉に関する相談指導
5．市町村における精神保健に関する相談指導

5　医療保護

精神障害者に対して必要な医療及び保護を図る。

■**任意入院**（法第20条）

　精神障害者本人の同意に基づき入院する制度である。

■**措置入院**（法第29条）

　2人以上の精神保健指定医の診察の結果，その者が精神障害者であり，かつ，医療及び保護のため入院させなければその精神障害のため自身を傷つけ又は他人に害を及ぼすおそれがあると診察の結果が一致した場合，都道府県知事等は，その者を国若しくは都道府県の設置した精神科病院又は指定病院に入院させることができる制度である。

1．措置権者
　　都道府県知事等（指定都市市長，事務委任をしている場合は保健所長）
2．入院措置の解除
　　措置入院となった者が精神障害のため自傷他害のおそれがないと認められるに至ったとき直ちに退院させる。

【参　考】措置入院の流れ

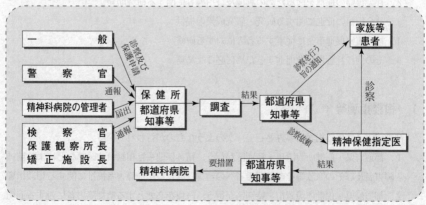

3．仮退院（法第 40 条）

　　国等の設置した精神科病院又は指定病院の管理者は，精神保健指定医の診察の結果，措置入院者の症状に照らしその者を一時退院させて経過を見るのが適当であると認めるときは，都道府県知事等の許可を得て，6 か月を超えない期間仮退院させることができる。

■緊急措置入院（法第 29 条の 2）

　　都道府県知事は，精神障害者であって精神保健指定医の診察の結果，直ちに入院させなければ自身を傷つけ又は他人を害するおそれが著しいと認めた者を国もしくは都道府県の設置した精神科病院又は指定病院に入院させることができる制度であるが，急速を要するため法第 29 条に定める手続による措置入院をさせることができない場合に限られる。

1．措置権者

　　都道府県知事等（指定都市の市長，事務委任をしている場合は保健所長）

2．期　限

　　72 時間以内

■医療保護入院（法第 33 条）

1．対　象

　　精神保健指定医（特定医師）の診察の結果，精神障害者であり，医療及び保護のため入院が必要である者であって任意入院が行われる状態にないと判定され，入院について家族等（配偶者，親権を行う者，扶養義務者及び後見人又は保佐人をいう。）のうちいずれかの者（家族等がいない場合又はその家族等の全員がその意思を表示することができない場合は市町村長）の同意があった者。

2．期　間

　　特定医師の診察による場合は 12 時間以内

3．退院による地域生活への移行促進のための措置（法第 33 条の 4 等）

　　精神科病院の管理者は，①医療保護入院者の退院後の生活環境に関する相談及び指導を行う退院後生活環境相談員（精神保健福祉士等）の設置，②地域援助事業者（入院者本人や家族からの相談に応じ必要な情報提供等を行う相談支援事業者等）との連携，③退院促進のための体制整備が義務付けられている。

■応急入院（法第 33 条の 7）

1．対　象

　　医療及び保護の依頼のあった者について，急速を要し，その家族等の同意を得ることができない場合において，精神保健指定医（特定医師）の診察の結果その者が精神障害

者であり，かつ，ただちに入院させなければその者の医療及び保護を図る上で著しく支障がある者であって任意入院が行われる状態にないと判定された者。

2．期　限

72時間以内（特定医師の診察による場合は12時間以内）

6　医療費の負担（法第30条〜第31条）

措置入院に係る医療費について，全額公費負担（医療保険各法により給付させる部分を除く。）。ただし，所得税額に応じて，その費用の全部又は一部を徴収することができる（「精神保健及び精神障害者福祉に関する法律による措置入院患者の費用徴収額，麻薬及び向精神薬取締法による措置入院者の費用徴収額及び感染症の予防及び感染症の患者に対する医療に関する法律による入院患者の自己負担額の認定基準について」（平成7年厚生省発健医第189号））。

都道府県知事は，費用の徴収に関し必要があると認めるときは，精神障害者又はその扶養義務者の収入の状況について，報告を求め，又は官公署に対し必要な書類の閲覧もしくは資料の提供を求めることができる。

7　人権の確保

■**入院時の告知**（法第21条等）

措置入院者，緊急措置入院者に対しては措置権者，その他の入院形態の者に対しては病院管理者が，入院する者に書面で，当該措置を採る旨及び都道府県知事等に対し退院等の請求ができる旨を告知しなければならない。

■**定期病状報告書の提出**（法第38条の2）

病院管理者は，措置入院者については6か月ごと（ただし，入院年月日から起算して6か月を経過するまでは3か月ごと），医療保護入院者については12か月ごとに，定期病状報告書を提出しなければならない。

■**退院，処遇改善の請求**（法第38条の4）

入院患者又はその家族等（家族等がいない場合又はその家族等の全員がその意思を表示することができない場合は市町村長）は，都道府県知事等に対し，退院の請求及び処遇改善の請求をすることができる。

■**行動の制限**（法第 36 条，第 37 条）

1．次のものについては，制限することができない。

⑴ 信書の発受の制限

⑵ 都道府県及び地方法務局その他の人権擁護に関する行政機関の職員並びに患者の代理人である弁護士との電話の制限

⑶ 都道府県及び地方法務局その他の人権擁護に関する行政機関の職員並びに患者の代理人である弁護士及び患者又はその家族等その他の関係者の依頼により患者の代理人になろうとする弁護士との面会の制限

2．次のものについては，精神保健指定医が必要と認める場合でなければ行うことができない。

⑴ 患者の隔離（12 時間を超えるもの）

⑵ 身体的拘束

3．入院患者の行動制限を行うに当たっては，厚生労働大臣が定めた基準（昭和 63 年厚生省告示第 130 号）を遵守しなければならない。

8　精神障害者保健福祉手帳制度（法第 45 条，第 45 条の 2）

精神障害者の社会復帰を促進し，自立と社会参加の促進を図るためには，精神障害者の保健福祉の枠組みをつくり，各種の施策を講じやすくすることが必要なことから，平成 7 年 5 月の「精神保健及び精神障害者福祉に関する法律」の制定において創設したものである。

■**実施主体**

都道府県・指定都市

■**事業内容**

1．対　象

精神疾患を有する者（知的障害者を除く。）のうち，精神障害のため長期にわたり日常生活又は社会生活への制約がある者

2．障害等級

精神疾患の状態と生活能力障害の状態の両面から総合的に判断し，それぞれ 1 級，2 級，3 級の 3 等級とする。

3．主な支援策

自立支援医療の支給認定申請に係る事務手続きの一部省略化

所得税や住民税の障害者控除等の税制の優遇措置

生活保護の障害者加算（手帳 2 級以上）

4．交付状況（精神障害者保健福祉手帳交付台帳登載数）

1,345,468 件（令和 4 年度末現在）

【参　考】交付の流れ

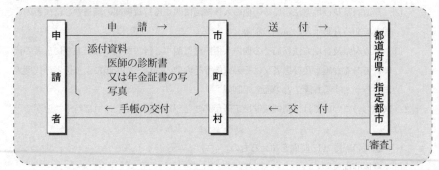

9　精神障害にも対応した地域包括ケアシステムの構築推進事業

[根拠]▶地域生活支援事業等の実施について（別紙 2 地域生活支援促進事業実施要綱）
（平 18.8.1 障発第 0801002 号）

精神障害者が地域の一員として安心して自分らしい暮らしをすることができるよう，精神障害にも対応した地域包括ケアシステム（以下「地域包括ケアシステム」という。）の構築を進める。このため，本事業を実施する圏域ごとの保健・医療・福祉関係者による協議の場を通じて，都道府県等と精神科医療機関，その他医療機関，地域援助事業者，市町村などとの重層的な連携による支援体制を構築し，地域の課題を共有化した上で，地域包括ケアシステムの構築に資する取組を推進する。

■実施主体

都道府県，指定都市，保健所設置市，特別区

■事業内容

1．精神保健医療福祉体制の整備に係る事業

事業を実施する精神保健福祉圏域ごとに「保健・医療・福祉関係者による協議の場」を設置する。また，精神保健医療福祉体制の整備に向けた構築推進サポーターの活用，地域包括ケアシステムの構築状況の実態把握及び事業評価を行う。

2．普及啓発に係る事業

各地域でのシンポジウムの開催等の普及啓発事業の実施により，精神障害に対する地

域住民の理解を深める。

3．精神障害者の住まいの確保支援に係る事業

居住支援協議会の積極的な活用及び連携等により，精神障害者の住まいの確保支援の体制整備を行う。

4．当事者，家族等の活動支援及びピアサポートの活用に係る事業

精神障害者の家族が安心して当事者に対する支援ができるよう，家族支援の実施や，当事者が自らの疾患や病状について正しく理解することを促すため，ピアサポートの活用を推進するための体制整備を行う。

5．精神医療相談・医療連携体制の構築に係る事業

休日，夜間における精神障害者及び家族等からの相談に対応するため地域の実情に合わせて，精神保健福祉センター，精神科救急情報センター，医療機関等に精神医療相談窓口を設置する。精神科医療機関と他科とのネットワークの構築等，地域での支援体制の構築を図る。

6．精神障害を有する方等の地域生活支援に係る事業

長期在院者の地域移行に向けた包括的な相談・支援の実施や多職種によるアウトリーチ支援等，地域生活の支援に係る取組の整備を行う。

7．地域生活支援関係者等に対する研修に係る事業

地域で安心して暮らすための支援体制構築に向けた地域生活支援に関わる支援者等に対する研修や措置入院者等の退院後支援を担う者に対する研修を実施する。

8．その他

1～7のほか，地域包括ケアシステムの構築に資する事業を実施する。

10 公認心理師法の概要

〔根拠▶公認心理師法（平27.9.16法律第68号）〕

■法律制定の背景

今日，心の健康の問題は，国民の生活に関わる重要な問題となっており，学校，医療機関，その他企業をはじめとする様々な職場における心理職の活用の促進は，喫緊の課題となっている。

しかしながら，我が国においては，心理職の国家資格がないことから，国民が安心して心理に関する支援を受けられるようにするため，国家資格によって裏付けられた一定の資質を備えた心理職が必要とされてきた。

このような現状を踏まえ，公認心理師の国家資格を定めて，心理学に関する専門的知識及び技術をもって，国民の心の健康の保持増進に寄与することを目的として制定された。

■**法の目的**（法第1条）

　　公認心理師の資格を定めて，その業務の適性を図り，もって国民の心の健康の保持増進に寄与することを目的とする。

■**法律の内容**

1．業務（法第2条）

　　公認心理師は，公認心理師となる資格を有する者が公認心理師登録簿に，氏名，生年月日，その他文部科学省令・厚生労働省令で定める事項の登録を受け（法第28条），公認心理師の名称を用いて，保健医療，福祉，教育その他の分野において，心理学に関する専門的知識及び技術をもって，次に掲げる行為を行うことを業とする者をいう。

① 　心理に関する支援を要する者の心理状態を観察し，その結果を分析すること。

② 　心理に関する支援を要する者に対し，その心理に関する相談に応じ，助言，指導その他の援助を行うこと。

③ 　心理に関する支援を要する者の関係者に対し，その相談に応じ，助言，指導その他の援助を行うこと。

④ 　心の健康に関する知識の普及を図るための教育及び情報の提供を行うこと。

【参　考】公認心理師試験の受験資格

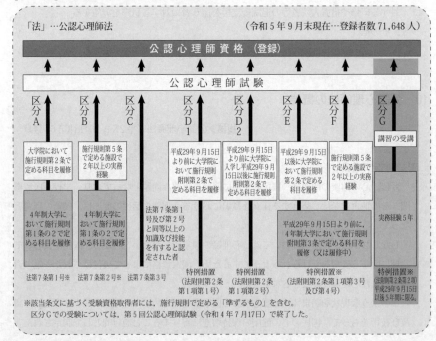

2．資格要件（法第4条～第7条）

　大学等において，心理学その他の公認心理師となるために必要な科目として文部科学省令・厚生労働省令で定めるものを修めて卒業・課程を修了した者などで公認心理師試験に合格した者は，登録を受けて公認心理師になることができる。

　試験は毎年1回以上，文部科学大臣及び厚生労働大臣が行うこととなっている。

14　特別児童扶養手当等

根拠▶特別児童扶養手当等の支給に関する法律
（昭39.7.2法律第134号）

1　特別児童扶養手当

　精神又は身体に障害を有する児童を監護，養育している者に，特別児童扶養手当を支給することにより福祉の増進を図る。

■**実施機関（窓口）**（法第5条，第38条）

　手当の認定等の事務は，都道府県知事又は指定都市の市長が行うことになっているが，申請，届出の書類等は市町村長を経由して提出することになっている。

■**対象児童・支給要件**（法第2条，第3条）

1．この手当の支給対象となる障害児とは，20歳未満で別表に定める程度の障害の状態にある者をいう。
2．手当は，支給の対象となる障害児を監護する父若しくは母，又は父母に代わって児童を養育（児童と同居し，これを監護し，その生計を維持することをいう。）している者に支給する。

別表

	①　次に掲げる視覚障害
1級	イ　両目の視力がそれぞれ0.03以下のもの ロ　一眼の視力が0.04，他眼の視力が手動弁以下のもの ハ　ゴールドマン型視野計による測定の結果，両眼のⅠ/4視標による周辺視野角度の和がそれぞれ80度以下かつⅠ/2視標による両眼中心視野角度が28度以下のもの ニ　自動視野計による測定の結果，両眼開放視認点数が70点以下かつ両眼中心視野視認点数が20点以下のもの ②　両耳の聴力レベルが100デシベル以上のもの ③　両上肢の機能に著しい障害を有するもの

	④　両上肢の全ての指を欠くもの
	⑤　両上肢の全ての指の機能に著しい障害を有するもの
	⑥　両下肢の機能に著しい障害を有するもの
	⑦　両下肢を足関節以上で欠くもの
	⑧　体幹の機能に座っていることができない程度又は立ち上がることができない程度の障害を有するもの
	⑨　前各号に掲げるもののほか，身体の機能の障害又は長期にわたる安静を必要とする病状が前各号と同程度以上と認められる状態であって，日常生活の用を弁ずることを不能ならしめる程度のもの
	⑩　精神の障害であって，前各号と同程度以上と認められる程度のもの
	⑪　身体の機能の障害若しくは病状又は精神の障害が重複する場合であって，その状態が前各号と同程度以上と認められる程度のもの
2級	①　次に掲げる視覚障害 　イ　両目の視力がそれぞれ0.07以下のもの 　ロ　一眼の視力が0.08，他眼の視力が手動弁以下のもの 　ハ　ゴールドマン型視野計による測定の結果，両眼のⅠ/4視標による周辺視野角度の和がそれぞれ80度以下かつⅠ/2視標による両眼中心視野角度が56度以下のもの 　ニ　自動視野計による測定の結果，両眼開放視認点数が70点以下かつ両眼中心視野視認点数が40点以下のもの ②　両耳の聴力レベルが90デシベル以上のもの ③　平衡機能に著しい障害を有するもの ④　そしゃくの機能を欠くもの ⑤　音声又は言語機能に著しい障害を有するもの ⑥　両上肢のおや指及びひとさし指又は中指を欠くもの ⑦　両上肢のおや指及びひとさし指又は中指の機能に著しい障害を有するもの ⑧　1上肢の機能に著しい障害を有するもの ⑨　1上肢の全ての指を欠くもの ⑩　1上肢の全ての指の機能に著しい障害を有するもの ⑪　両下肢の全ての指を欠くもの ⑫　1下肢の機能に著しい障害を有するもの ⑬　1下肢を足関節以上で欠くもの ⑭　体幹の機能に歩くことができない程度の障害を有するもの ⑮　前各号に掲げるもののほか，身体の機能の障害又は長期にわたる安静を必要とする病状が前各号と同程度以上と認められる状態であって，日常生活が著しい制限を受けるか，又は日常生活に著しい制限を加えることを必要とする程度のもの ⑯　精神の障害であって，前各号と同程度以上と認められる程度のもの ⑰　身体の機能の障害若しくは病状又は精神の障害が重複する場合であって，その状態が前各号と同程度以上と認められる程度のもの

備考　視力の測定は，万国式試視力表によるものとし，屈折異常があるものについては，矯正視力によって測定する。

■適用除外（法第3条）

1．児童が次のいずれかに該当するときは支給しない。

(1) 日本国内に住所を有しないとき

(2) 障害を支給事由とする次の給付を受けることができるとき（その全額が支給停止されているときを除く。）

① 国民年金法に基づく障害基礎年金

② 厚生年金保険法に基づく障害厚生年金（旧法による障害年金を含む。）

③ 船員保険法に基づく障害年金（旧法による場合を含む。）

④ 旧国家公務員共済組合法に基づく障害共済年金（職域加算額）等

⑤ 旧地方公務員等共済組合法に基づく障害共済年金（職域加算額）等

⑥ 旧私立学校教職員共済法に基づく障害共済年金（職域加算額）等

⑦ 移行農林共済年金のうち障害共済年金及び移行農林年金のうち障害年金並びに特例年金給付のうち障害を支給事由とするもの

⑧ 労働者災害補償保険法に基づく障害補償年金及び障害年金

⑨ 国家公務員災害補償法（他の法律において準用する場合を含む。）に基づく障害補償年金

⑩ 地方公務員災害補償法に基づく障害補償年金及び同法に基づく条例の規定に基づく年金たる補償で障害を支給事由とするもの

(3) 児童福祉施設等（保育所，通園施設，肢体不自由児施設の母子入園は除く。）に入所しているとき

2．受給者（父母又は養育者）が日本国内に住所を有しないときは支給しない。

■支給制限（法第6条～第9条）

受給資格者若しくはその配偶者又はその扶養義務者（民法第877条第1項の者）の前年の所得が次の表（所得制限限度額表）に示す額以上であるときは，その年の8月から翌年7月まで支給しない。

特別児童扶養手当所得制限限度額表（令和3年8月から適用）

扶養親族等の数	本　人		配偶者及び扶養義務者	
	収　入　額	所　得　額	収　入　額	所　得　額
0人	6,420,000円	4,596,000円	8,319,000円	6,287,000円
1	6,862,000	4,976,000	8,586,000	6,536,000
2	7,284,000	5,356,000	8,799,000	6,749,000
3	7,707,000	5,736,000	9,012,000	6,962,000
4	8,129,000	6,116,000	9,225,000	7,175,000
5	8,546,000	6,496,000	9,438,000	7,388,000

（注）所得額は，収入額から給与所得控除を適用したものである。

なお，震災，風水害，火災等の災害により本人又は扶養親族等の住宅，家財等の財産について，被害金額がその財産の価格のおおむね 2 分の 1 以上の損害を受けた場合は，その損害を受けた月から翌年の 7 月までは，手当の支給対象とする特例がある。

■支給額（法第 4 条）

支給される手当の月額は，令和 5 年度は，別表（**p. 207 参照**）の 1 級に該当する障害児 1 人につき 53,700 円，同じく 2 級に該当する障害児 1 人につき 35,760 円である。

■手当の支給（法第 5 条の 2）

1. 手当は毎年 4 月，8 月，12 月（請求があったときは，11 月に支払う。）の 3 期にそれぞれ前月までの分を支払う。
2. 手当は，厚生労働省から直接支給される。

2　特別障害者手当等

在宅の重度障害者に対し，その重度の障害ゆえに生ずる特別の負担の一助として手当を支給することにより重度障害者の福祉の向上を図ることを目的とする。

■実施主体（法第 17 条，第 26 条の 2）

都道府県・市及び福祉事務所を設置する町村

ア　特別障害者手当

■対象者・支給要件（法第 2 条，第 26 条の 2）

20 歳以上であって，政令で定める程度の障害の状態にあるため，日常生活において常時特別の介護を必要とするような在宅の重度の障害者で都道府県知事・市長及び福祉事務所を管理する町村長の認定を受けた者

■障害の程度

次の 1. から 4. までの 1 つに該当するもの（政令の表現はこのとおりではない。）

1. 次表①から⑦までに規定する身体の機能の障害若しくは病状又は精神の障害が 2 つ以上存する者
2. 次表①から⑦までに規定する身体の機能の障害若しくは病状又は精神の障害が 1 つ存し，かつ，それ以外の国民年金の 2 級程度の障害が重複する場合であって，その状態が

①から⑦までと同程度以上と認められる程度の者

3．次表③から⑤までに規定する身体の機能の障害が1つ存し，それが特に重度であるため，③から⑤までの他の障害が併せて存することにより，2．と同程度以上と認められる程度の者

4．次表⑥又は⑦に規定する身体の機能の障害，病状又は精神の障害が1つ存し，それが2．と同程度以上と認められる者

---

① 　次に掲げる視覚障害
イ 　両目の視力がそれぞれ0.03以下のもの
ロ 　一眼の視力が0.04，他眼の視力が手動弁以下のもの
ハ 　ゴールドマン型視野計による測定の結果，両眼のⅠ/4視標による周辺視野角度の和がそれぞれ80度以下かつⅠ/2視標による両眼中心視野角度が28度以下のもの
ニ 　自動視野計による測定の結果，両眼開放視認点数が70点以下かつ両眼中心視野視認点数が20点以下のもの
② 　両耳の聴力レベルが100デシベル以上のもの
③ 　両上肢の機能に著しい障害を有するもの又は両上肢の全ての指を欠くもの若しくは両上肢の全ての指の機能に著しい障害を有するもの
④ 　両下肢の機能に著しい障害を有するもの又は両下肢を足関節以上で欠くもの
⑤ 　体幹の機能に座っていることができない程度又は立ち上がることができない程度の障害を有するもの
⑥ 　①から⑤までに掲げるもののほか，身体機能の障害又は長期にわたる安静を要する病状が①から⑤までと同程度以上と認められる状態であって，日常生活の用を弁ずることを不能ならしめる程度のもの
⑦ 　精神の障害であって，①から⑥までと同程度以上と認められる程度のもの

■**適用除外**（法第26条の2）

次のいずれかに該当する場合は支給されない。

1．障害者総合支援法（平成17年法律第123号）に規定する障害者支援施設に入所しているとき（同法に規定する生活介護を受けている場合に限る。）。

2．次の施設に入所している場合

(1) 障害者総合支援法に規定する療養介護を行う病院（療養介護を行う病床に限る。）又は障害者支援施設

(2) 独立行政法人国立重度知的障害者総合施設のぞみの園法の規定により独立行政法人国立重度知的障害者総合施設のぞみの園が設置する施設

(3) 独立行政法人国立病院機構の設置する医療機関又は社会福祉法第2条第3項第9号に規定する事業を行う施設であって，進行性筋萎縮症者を収容し，必要な治療，訓練及び生活指導を行うもの

(4) 厚生労働省組織規則に基づく国立保養所

⑸　生活保護法（中国残留邦人等の円滑な帰国の促進並びに永住帰国した中国残留邦人等及び特定配偶者の自立の支援に関する法律第 14 条第 4 項（中国残留邦人等の円滑な帰国の促進及び永住帰国後の自立の支援に関する法律の一部を改正する法律（平成 19 年法律第 127 号）附則第 4 条第 2 項において準用する場合を含む。）においてその例による場合を含む。）に規定する救護施設又は更生施設

⑹　老人福祉法に規定する養護老人ホーム又は特別養護老人ホーム

3．病院又は診療所に継続して 3 か月を超えて入院するに至った場合

■支給の調整（法第 26 条の 4）

原子爆弾被爆者に対する援護に関する法律（平成 6 年法律第 117 号）に基づく介護手当を受けることができる場合は，支給額の調整が行われる。

■支給制限（法第 20 条〜第 23 条，第 26 条の 5）

本人，配偶者及び扶養義務者の前年所得（1 月から 6 月までは前々年の所得）が制限基準額を超えるときは，その年の 8 月から翌年の 7 月まで支給しない。

なお，震災，風水害，火災等の災害により本人又は扶養親族等の住宅，家財等の財産について，被害金額がその財産の価格のおおむね 2 分の 1 以上の損害を受けた場合は，その損害を受けた月から翌年の 7 月までは，手当の支給対象とする特例がある。

特別障害者手当等所得制限基準額表（令和 3 年 8 月 1 日から適用）

扶養親族等の数	本人所得制限		扶養義務者等所得制限	
	収　入　額	所　得　額	収　入　額	所　得　額
0 人	5,180,000 円	3,604,000 円	8,319,000 円	6,287,000 円
1	5,656,000	3,984,000	8,586,000	6,536,000
2	6,132,000	4,364,000	8,799,000	6,749,000
3	6,604,000	4,744,000	9,012,000	6,962,000
4	7,027,000	5,124,000	9,225,000	7,175,000
5	7,449,000	5,504,000	9,438,000	7,388,000

■支給額

1 人につき月額 27,980 円（令和 5 年度）

■手当の支給月等

1．手当は，毎年 2 月，5 月，8 月及び 11 月に，それぞれ前月分まで支給する。

2．手当は，実情に応じて福祉事務所又は指定金融機関等で支給される。

イ　障害児福祉手当

■対象児童・支給要件（法第2条，第17条）

　20歳未満であって，政令で定める程度の重度の障害の状態にあるため，日常生活において常時の介護を必要とする程度の状態にある在宅の障害者で都道府県知事・市長及び福祉事務所を管理する町村長の認定を受けた者

■障害の程度

　次のいずれかに該当するもの

1. 両眼の視力がそれぞれ0.02以下のもの
2. 両耳の聴力が補聴器を用いても音声を識別することができない程度のもの
3. 両上肢の機能に著しい障害を有するもの
4. 両上肢の全ての指を欠くもの
5. 両下肢の用を全く廃したもの
6. 両大腿を2分の1以上失ったもの
7. 体幹の機能に座っていることができない程度の障害を有するもの
8. 1.から7.に掲げるもののほか，身体の機能の障害又は長期にわたる安静を必要とする病状が1.から7.と同程度以上と認められる状態であって，日常生活の用を弁ずることを不能ならしめる程度のもの
9. 精神の障害であって，1.から8.と同程度以上と認められる程度のもの
10. 身体の機能の障害若しくは病状又は精神の障害が重複する場合であって，その状態が1.から9.と同程度以上と認められる程度のもの

■適用除外（法第17条，令第1条の2，令第6条）

　次のいずれかに該当する場合は支給されない。

1. 障害を支給事由とする次の給付を受けることができるとき（その全額が支給停止されているときを除く。）
   (1) 国民年金法に基づく障害基礎年金
   (2) 厚生年金保険法に基づく障害厚生年金（旧法による障害年金を含む。）
   (3) 船員保険法に基づく障害年金（旧法による場合を含む。）
   (4) 旧国家公務員共済組合法に基づく障害共済年金（職域加算額）等
   (5) 地方公務員等共済組合法に基づく障害共済年金（職域加算額）等
   (6) 私立学校教職員共済法に基づく障害共済年金（職域加算額）等
   (7) 移行農林共済年金のうち障害共済年金及び移行農林年金のうち障害年金並びに特例

　　　　年金給付のうち障害を支給事由とするもの

　　(8)　労働者災害補償保険法に基づく障害補償年金及び障害年金

　　(9)　国家公務員災害補償法（他の法律において準用する場合を含む。）に基づく障害補償
　　　　年金

　　(10)　地方公務員災害補償法に基づく障害補償年金及び同法に基づく条例の規定に基づく
　　　　年金たる補償で障害を支給事由とするもの

　2．児童福祉法にいう障害児入所施設その他これに類する施設で次に定めるものに収容さ
　　れているとき。

　　(1)　児童福祉法に基づく乳児院，児童養護施設

　　(2)　児童福祉法に基づく医療型障害児入所施設におけると同様な治療等を行う同法に規
　　　　定する指定発達支援医療機関

　　(3)　障害者総合支援法に規定する療養介護を行う病院（療養介護を行う病床に限る。）又
　　　　は障害者支援施設

　　(4)　独立行政法人国立重度知的障害者総合施設のぞみの園法の規定により独立行政法人
　　　　国立重度知的障害者総合施設のぞみの園が設置する施設

　　(5)　独立行政法人国立病院機構の設置する医療機関又は社会福祉法第 2 条第 3 項第 9 号
　　　　に規定する事業を行う施設であって，進行性筋萎縮症者を収容し，必要な治療，訓練
　　　　及び生活指導を行うもの

　　(6)　厚生労働省組織規則に基づく国立保養所

　　(7)　生活保護法（中国残留邦人等の円滑な帰国の促進並びに永住帰国した中国残留邦人
　　　　等及び特定配偶者の自立の支援に関する法律第 14 条第 4 項（中国残留邦人等の円滑
　　　　な帰国の促進及び永住帰国後の自立の支援に関する法律の一部を改正する法律（平成
　　　　19 年法律第 127 号）附則第 4 条第 2 項において準用する場合を含む。）においてその
　　　　例による場合を含む。）に規定する救護施設又は更生施設

　　(8)　医療法に基づく病院又は診療所であって，法令の規定に基づく命令（命令に準ずる
　　　　措置を含む。）により入院し，又は入所した者について治療等を行うもの

■支給額

　　1 人につき月額 15,220 円（令和 5 年度）

　　※所得制限，手当の支給月等については，特別障害者手当と同様である。

ウ　福祉手当（経過措置）

　昭和 61 年の改正法施行の際，20 歳以上の従来の福祉手当受給資格者であって，特別障害
者手当等又は障害基礎年金の支給を受けることができないものについては，引き続き支給要

件に該当する間に限って従来どおり福祉手当を支給する。

　1人につき月額15,220円（令和5年度）

【参　考】福祉手当と特別障害者手当との関係

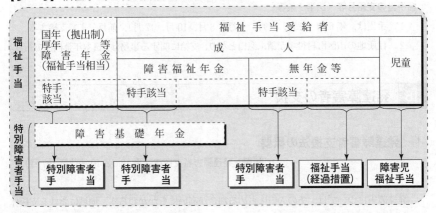

15　特別障害給付金

根拠▶特定障害者に対する特別障害給付金の支給に関する法律
（平16.12.10法律第166号）

■対　象（法第2条）

　国民年金法による障害基礎年金等を受ける権利を有していない者で，次に該当する特定の障害者であって，当時，任意加入していなかった期間内に初診日（障害の原因となる傷病について初めて医師又は歯科医師の診療を受けた日）があり，現在，障害基礎年金1級又は2級相当の障害に該当するもの。ただし，65歳に達する日の前日までに当該障害の状態に該当するに至った者に限る。また，障害基礎年金や障害厚生年金等を受給することができる者は対象とならない。

1．昭和61年3月以前に国民年金任意加入対象であった被用者（厚生年金の加入者）の配偶者

2．平成3年3月以前に国民年金任意加入対象であった学生

■支給額（法第4条）

　障害基礎年金1級に該当する者　月額53,650円

　障害基礎年金2級に該当する者　月額42,920円

■支給の制限等（法第9条，第16条）

　本人の所得が政令で定める額以上であるとき又は国民年金法による老齢基礎年金等を受けることができるときは，支給が制限される。

■手当の支給月等（法第7条等）

1. 手当は，年6回（2月，4月，6月，8月，10月，12月），前月分まで支給する。
2. 住所地の市区町村役場が請求窓口となり，支給に関する事務は，日本年金機構で行う。

16　発達障害者の支援

1　発達障害者支援法の概要

〔根拠▶発達障害者支援法（平16.12.10法律第167号）〕

　発達障害については，その人口に占める割合が高いにもかかわらず，地域における支援体制が不十分であり，家族が大きな不安を抱える状況にある。このため，発達障害の定義と法的な位置づけを確立し，乳幼児期から成人期までの地域における一貫した支援の促進，専門家の確保と関係者の緊密な連携の確保，子育てに対する国民の不安の軽減を図るため，平成17年4月より，「発達障害者支援法（平成16年法律第167号）」が施行されている。

　その後，約10年が経過し発達障害者に対する支援は着実に進展し発達障害に対する国民の理解も広がってきた。一方で，発達障害者を支える現場からは様々な要望が寄せられ，乳幼児期から高齢期まで切れ目のない，よりきめ細やかな支援が求められてきたことや共生社会の実現に向けた新たな取組が進んできた。こうした状況を鑑み，発達障害者の支援の一層の充実を図るため，平成28年8月より，「発達障害者支援法の一部を改正する法律（平成28年法律第64号）」が施行されている。

■法の趣旨

　発達障害者の心理機能の適正な発達及び円滑な社会生活の促進のために発達障害の症状の発現後できるだけ早期に発達支援を行うとともに，切れ目なく発達障害者の支援を行うことが特に重要であることに鑑み，障害者基本法（昭和45年法律第84号）の基本的な理念にのっとり，発達障害者が基本的人権を享有する個人としての尊厳にふさわしい日常生活又は社会生活を営むことができるよう，発達障害を早期に発見し，発達支援を行うことに関する国及び地方公共団体の責務を明らかにするとともに，学校教育における発達障害者への支援，発達障害者の就労の支援，発達障害者支援センターの指定等について定めることにより，発達障害者の自立及び社会参加のためのその生活全般にわたる支援を図り，

もって全ての国民が，障害の有無によって分け隔てられることなく，相互に人格と個性を尊重し合いながら共生する社会の実現に資することを目的とする。

■発達障害の定義（法第2条）

1. 「発達障害」の定義については，「自閉症，アスペルガー症候群その他の広汎性発達障害，学習障害，注意欠陥多動性障害その他これに類する脳機能の障害であってその症状が通常低年齢において発現するものとして政令で定めるものをいう」と規定している。

2. 前記1.の政令で定めるものとは，「脳機能の障害であってその症状が通常低年齢において発現するもののうち，言語の障害，協調運動の障害その他内閣府令・厚生労働省令で定める障害」である。

3. 前記2.の内閣府令・厚生労働省令で定める障害とは，「心理的発達の障害並びに行動及び情緒の障害（自閉症，アスペルガー症候群その他の広汎性発達障害，学習障害，注意欠陥多動性障害，言語の障害及び協調運動の障害を除く。）」である。

4. 前記1.から3.の規定により想定されている対象は，脳機能の障害であってその症状が通常低年齢において発現するもののうち，ICD-10（疾病及び関連保健問題の国際統計分類）における「心理的発達の障害（F80-F89）」及び「小児〈児童〉期及び青年期に通常発症する行動及び情緒の障害（F90-F98）」に含まれる障害である。また，てんかんなどの中枢神経系の疾患，脳外傷や脳血管障害の後遺症が，前記の障害を伴うものである場合においても，法の対象となる。

5. 「発達障害者」とは，発達障害がある者であって発達障害及び社会的障壁により日常生活又は社会生活に制限を受けるものをいい，「発達障害児」とは発達障害者のうち18歳未満のものをいう。

6. 5.の「社会的障壁」とは，発達障害がある者にとって日常生活又は社会生活を営む上で障壁となるような社会における事物，制度，慣行，観念その他一切のものをいう。

■基本理念（法第2条の2）

1. 発達障害者の支援は，全ての発達障害者が社会参加の機会が確保されること及びどこで誰と生活するかについての選択の機会が確保され，地域社会において他の人々と共生することを妨げられないことを旨として行われなければならない。

2. 発達障害者の支援は，社会的障壁の除去に資することを旨として行われなければならない。

3. 発達障害者の支援は，個々の発達障害者の性別，年齢，障害の状態及び生活の実態に応じて，かつ，医療，保健，福祉，教育，労働等に関する業務を行う関係機関及び民間団体相互の緊密な連携の下に，その意思決定の支援に配慮しつつ，切れ目なく行われなければならない。

■国及び地方公共団体の責務（法第3条）

1. 国，都道府県及び市町村は，発達障害者に対しては，発達障害の症状の発現後できるだけ早期に発達支援を行うことが重要であることから，基本理念にのっとり発達障害の早期発見のため必要な措置を講じることとされている。

2. 発達障害児に対しその者の状況に応じて適切に，就学前の発達支援，学校における発達支援その他の発達支援，発達障害者に対する就労，地域における生活等に関する支援及び発達障害者の家族その他の関係者に対する支援が行われるよう，必要な措置を講じることとされている。

3. 発達障害者及びその家族その他の関係者からの各種の相談に対し，個々の発達障害者の特性に配慮しつつ総合的に応ずることができるようにするため，医療，保健，福祉，教育，労働等に関する業務を行う関係機関及び民間団体相互の有機的連携の下に必要な相談体制の整備を行う。

4. 発達障害者の支援等の施策が講じられるに当たっては，発達障害者及び発達障害児の保護者（親権を行う者，未成年後見人その他の者で児童を現に監護するもの。）の意思ができる限り尊重されなければならない。

5. 発達障害者の支援等の施策を講じるに当たっては，医療，保健，福祉，教育，労働等に関する業務を担当する部局の相互の緊密な連携を確保するとともに，発達障害者が被害を受けること等を防止するため，これらの部局と消費生活，警察等に関する業務を担当する部局その他の関係機関との必要な協力体制の整備を行う。

■支援等の内容

1. 児童の発達障害の早期発見及び早期の発達支援
2. 保育，放課後児童健全育成事業の利用及び地域での生活支援
3. 教育の支援
4. 就労の支援
5. 情報の共有の促進
6. 権利利益の擁護
7. 司法手続における配慮
8. 発達障害者の家族に対する支援
9. 発達障害者支援センターにおける専門的な発達支援等
10. 発達障害者支援地域協議会
11. 病院や診療所など専門的な医療機関の確保
12. 民間団体の活動の活性化への配慮
13. 国民に対する普及及び啓発
14. 医療又は保健の業務に従事する者に対する知識の普及及び啓発

15. 専門的知識を有する人材の確保等

16. 調査研究 等

2 発達障害者支援センター

[根拠▶発達障害者支援センター運営事業の実施について
(平17.7.8 障発第0708004号) ほか]

自閉症等の特有な発達障害を有する障害児（者）（以下「発達障害児（者）」という。）に対する支援を総合的に行う地域の拠点として，発達障害に関する各般の問題について発達障害児（者）及びその家族からの相談に応じ，適切な指導又は助言を行うとともに，関係施設との連携強化等により，発達障害児（者）に対する地域における総合的な支援体制の整備を推進するものとして置かれている。

なお，発達障害者支援センターの業務を行うに当たっては地域の実情を踏まえつつ，発達障害者及びその家族その他の関係者が可能な限りその身近な場所において必要な支援を受けられるよう適切な配慮をすることとされている。

■実施主体

都道府県又は指定都市（センターの行う事業の全部又は一部について，発達障害者支援法第14条第1項に基づく指定を受けた社会福祉法人及び発達障害者の福祉の増進を目的として設立された一般社団法人，一般財団法人，医療法人，特定非営利活動法人又は地方独立行政法人に委託することができる。）。

■障害児入所施設等への附置

原則として，障害児入所施設，障害者支援施設その他都道府県等が適当と認める施設（以下「障害児入所施設等」という）に附置される。なお，特定非営利活動法人へ委託する等，障害児入所施設等に附置しない場合でも連携を図ることとする。

■利用対象者

自閉症，アスペルガー症候群その他の広汎性発達障害，学習障害，注意欠陥多動性障害その他これに類する脳機能の障害であってその症状が通常低年齢で発現するもののうち，言語の障害，協調運動の障害その他心理的発達の障害並びに行動及び情緒の障害を有する障害児（者）及びその家族

■事業の内容

地域の発達障害児（者）を支援するため，次に定める事業を実施する。

1．発達障害児（者）及びその家族等に対する相談支援

　　発達障害児（者）及びその家族等からの相談に応じ，適切な指導又は助言をするとともに情報提供を行う。なお，来所又は訪問による面談のほか，電話又はインターネット等の情報通信機器を用いた相談などを実施する。

2．発達障害児（者）及びその家族等に対する発達支援

　⑴　発達障害児（者）及びその家族等に対し発達支援に関する相談を実施し，家庭での発達障害児（者）の発達に関する指導又は助言，並びに情報提供（必要に応じて，発達障害児（者）の医学的な診断及び心理的な判定）を行う。

　⑵　障害児入所施設，障害者支援施設及び保育所等を利用している発達障害児（者）に対する発達支援方法に関する指導又は助言

　⑶　夜間等の緊急時や行動障害により，一時的な保護が必要となった場合には，センターを付置した障害児入所施設等において一時的な保護を行う。

3．発達障害児（者）に対する就労支援

　　就労を希望する発達障害児（者）に対する就労に向けた必要な相談等

4．関係施設及び関係機関等に対する普及啓発及び研修

　⑴　発達障害の特性及び対処方法等に関するパンフレット，チラシ等を作成し，児童相談所，知的障害者更生相談所，福祉事務所，保健所（市町村保健センターを含む。以下同じ。），児童発達支援センター及び障害児入所施設（以下「児童発達支援センター等」という。）において活用を促すとともに，学校，幼稚園，保育所，医療機関，企業等に配布する。

　⑵　児童相談所，知的障害者更生相談所，福祉事務所，保健所，児童発達支援センター等の専門機関等の職員の育成や学校，幼稚園，保育所，医療機関等の関係機関の職員，並びに都道府県及び市町村の障害福祉を担当する職員を対象に研修を実施する。

　　なお，平成26年度より地域生活支援事業の「発達障害者支援体制整備事業」において，市町村支援，事業所支援，医療機関との連携や困難ケースへの対応等を総合的に実施する「発達障害者地域支援マネジャー」の配置を推進し，発達障害者支援センター等における地域支援機能の強化を図っている。

■職員の配置

1．相談支援を担当する職員

　　社会福祉士であって，発達障害児（者）の相談支援について，相当の経験及び知識を有する者，又は，それと同等と都道府県等が認める者

2．発達支援を担当する職員

　　発達障害児（者）の心理的判定及び発達支援について，相当の経験及び知識を有する者，又は，それと同等と都道府県等が認める者

3．就労支援を担当する職員

　　発達障害児（者）の就労について，相当の経験及び知識を有する者，又は，それと同等と都道府県等が認める者

■センターの設備

1．相談室等

2．事務室

3．便所

4．その他必要な設備

17　その他

1　障害者の雇用の促進

根拠▶障害者の雇用の促進等に関する法律
（昭35.7.25 法律第 123 号）ほか

　障害者の雇用の促進と職業の安定を図るために，障害者の雇用義務等に基づく雇用の促進等のための措置，雇用の分野における障害者と障害者でない者との均等な機会及び待遇の確保，障害者がその有する能力を有効に発揮することができるようにするための措置，職業リハビリテーションの措置その他障害者がその能力に適合する職業に就くこと等を通じてその職業生活において自立することを促進するための措置が総合的に講じられている。なお，平成 25 年の改正において，対象となる障害の範囲が「身体障害，知的障害，精神障害（発達障害を含む。）その他の心身の機能の障害（難病に起因する障害等）」と規定された。

ア　職業リハビリテーションの推進

■職業リハビリテーション機関

　職業リハビリテーションの推進を図るための機関として次のものがあり，福祉，教育，医療の関係機関と連携しながら，障害者各人の状況に応じて，職業生活における自立を支援している。

1．ハローワーク（公共職業安定所）

　　就職を希望する障害者の求職登録を行い，専門職員等が，地域の関係機関と連携しながら，障害の種類・程度に応じた職業指導，職業紹介，職場定着支援，事業主支援等を行う。

2．障害者職業センター（法第19条〜第26条）

　障害者の職業生活における自立を促進するために，障害者職業総合センター，広域障害者職業センター及び地域障害者職業センターが設置されている。

(1)　障害者職業総合センター

　職業リハビリテーション関係施設の中核的な機関として，職業リハビリテーションに関する調査・研究，情報の収集・提供，専門職の養成・研修などを行うとともに，広域障害者職業センター及び地域障害者職業センターに対する指導・助言等を総合的に行う。現在は千葉県に設置されている。

(2)　広域障害者職業センター

　障害者職業カウンセラー，職業指導員が配置され，医療リハビリテーションとの連携を図りながら，職業評価，職業指導，職業訓練などの職業リハビリテーションサービスを行う。現在は，埼玉県と岡山県に1か所ずつ設置されている。

(3)　地域障害者職業センター

　都道府県における職業リハビリテーションの中核として，ハローワークなどの関係機関と連携を図り，障害者に対する専門的な職業リハビリテーションサービス，事業主に対する雇用管理についての相談・援助，地域の関係機関に対する職業リハビリテーションについての助言・援助を行う。

3．障害者就業・生活支援センター（法第27条〜第33条。**p. 228 参照**）

　就職を希望する障害者や在職中の障害者を対象に，就業面における支援とあわせて，保健・福祉サービスの利用調整や余暇支援等の生活面における支援を行う。

4．障害者職業能力開発校

　職業能力開発促進法に基づき，ハローワーク，障害者職業センター等の関係機関との密接な連携の下に，訓練科目・訓練方法等に特別の配慮を加えつつ，障害の態様等に応じた公共職業訓練を行う。現在は，国立13校，府県立6校が設置されている。

■職業紹介・職業指導等（法第9条〜第12条）

　障害者の雇用を促進するために，ハローワークでは次のような措置をとっている。

1．障害者の求職に関する情報を収集し，事業主に対して情報提供や雇用の勧奨などを行うとともに，障害者の能力に適合する求人の開拓を行う。

2．障害者に適職を紹介するため，求人者に対し身体的又は精神的な条件その他の求人条件の指導を行う。また，求人者からの求めがあるときは，その有する障害者の職業能力に関する資料を提供する。

3．障害者がその能力に適合する職業に就くことができるようにするために，適性検査を実施し，雇用情報を提供し，障害者に適応した職業指導を行う。

■職場適応訓練（法第 13 条～第 16 条）

1. 都道府県は，職場環境への適応を容易にするために，障害者の能力に適した作業についての実地訓練を，事業主に委託して行う。訓練期間は 6 か月以内（中小企業及び重度障害者の場合は 1 年以内）である。訓練期間中，委託した事業主に対して訓練生 1 人につき 24,000 円（重度障害者の場合は 25,000 円）の訓練費が支給され，訓練生に対しては訓練手当が支給される。なお，短期の職場適応訓練については， 2 週間（重度障害者の場合は 4 週間）以内であり，事業主に支給される訓練費は日額 960 円（重度障害者の場合は 1,000 円）である。

2. ハローワークは，雇用の促進のために必要があると認めるときは，障害者に適応訓練を受けることをあっせんする。

イ　障害者に対する差別の禁止

■障害者に対する差別の禁止（法第 34 条～第 36 条の 6 ）

1. 事業主は，労働者の募集及び採用について，障害者に対して，障害者でない者と均等な機会を与えなければならない。

2. 事業主は，賃金の決定，教育訓練の実施，福利厚生施設の利用その他の待遇について，労働者が障害者であることを理由として，障害者でない者と不当な差別的取扱いをしてはならない。

3. 厚生労働大臣は， 1 .及び 2 .に定める事項に関し，事業主が適切に対処するために必要な指針（平成 27 年厚生労働省告示第 116 号）を定めるものとする。

■合理的配慮の提供義務（法第 36 条の 2 ～第 36 条の 4 ）

1. 事業主は，労働者の募集及び採用について，障害者と障害者でない者との均等な機会確保の支障となっている事情を改善するため，障害者からの申出により当該障害者の障害の特性に配慮した必要な措置を講じなければならない（事業主に対して過重な負担を及ぼすこととなる場合を除く）。

2. 事業主は，障害者である労働者について，障害者でない労働者との均等な待遇の確保又は障害者である労働者の有する能力の発揮の支障となっている事情を改善するため，その障害者である労働者の障害の特性に配慮した職務の遂行に必要な施設の整備，援助を行う者の配置その他の必要な措置を講じなければならない（事業主に対して過重な負担を及ぼすこととなる場合を除く）。

3. 事業主は， 1 .及び 2 .の措置を講ずるにあたっては，障害者の意向を十分に尊重しなければならない。また，障害者である労働者からの相談に応じ，適切に対応するための必要な体制の整備その他の雇用管理上必要な措置を講じなければならない。

■雇用の分野における障害者と障害者でない者との均等な機会の確保等に関する指針（法第36条の5・第36条の6）

　1．厚生労働大臣は，雇用の分野における障害者と障害者でない者との均等な機会の確保等を図るための措置に関して，その適切かつ有効な実施のために必要な指針を定める。

　2．厚生労働大臣は，障害者に対する差別の禁止の規定の施行に関し必要があると認めるときは，事業主に対して，助言，指導又は勧告をすることができる。

ウ　苦情処理・紛争解決援助・調停

■苦情処理・紛争解決援助（法第74条の4～第74条の6）

　1．事業主は，障害者に対する差別や合理的配慮の提供に係る事項について，障害者である労働者から苦情の申出を受けたときは，その自主的解決を図るよう努めなければならない。

　2．当該事項に係る紛争は，個別労働関係の解決の促進に関する法律（平成13年法律第112号）の特例を設け，都道府県労働局長が必要な助言，指導又は勧告をすることができるものとする。

　3．事業主は，障害者である労働者が紛争解決の援助を求めたことを理由として，解雇その他不利益な取扱いをしてはならない。

■調停（法第74条の7・第74条の8）

　1．都道府県労働局長は，紛争について当事者の双方又は一方から調停の申請があった場合，必要があると認めるときは，個別労働関係の解決の促進に関する法律に規定する紛争調整委員会に調停を行わせる。

　2．事業主は，障害者である労働者が調停を申請したことを理由として，解雇その他不利益な取扱いをしてはならない。

エ　障害者の雇用義務等

■障害者の雇用義務等（法第37条～第48条）

　1．障害者の職場を確保するために，事業主は法定雇用障害者数（労働者数×障害者雇用率）以上の対象障害者（身体障害者，知的障害者又は精神障害者）を雇用しなければならない。障害者雇用率は以下の通りである。なお，労働者数の算定にあたっては，短時間労働者（1週間の所定労働時間が20時間以上30時間未満の労働者）1人を0.5人としてカウントする。また，一定の業種については一定割合の労働者数を控除することができる。労働者を43.5人以上（特殊法人及び独立行政法人にあっては38.5人以上）雇

用している事業主は障害者を雇用しなければならない。また，労働者を43.5人以上（特殊法人及び独立行政法人にあっては38.5人以上）雇用している事業主は障害者の雇用状況の報告義務がある。

区　　分		障害者雇用率
民間企業	一般の民間企業	2.3%
	特殊法人及び独立行政法人	2.6%
国及び地方公共団体等	国，地方公共団体	2.6%
	都道府県等の教育委員会	2.5%

2．雇用障害者数の算定において，重度身体障害者又は重度知的障害者については，1人の雇用を2人の雇用としてカウントする。

3．対象障害者である短時間労働者について，1人を0.5人としてカウントする。重度身体障害者又は重度知的障害者である短時間労働者については，1人を1人としてカウントする。また，精神障害者である短時間労働者については，雇入れから3年以内の者又は精神障害者保健福祉手帳の取得から3年以内の者は，1人を1人としてカウントする（ただし，令和5年3月31日までに雇い入れられ，精神障害者保健福祉手帳を取得した者に限る。）。

【参　考】障害者雇用率等の改正

　障害者の雇用の促進等に関する法律施行令及び身体障害者補助犬法施行令の一部を改正する政令（令和5年政令第44号）及び障害者の雇用の促進等に関する法律施行規則の一部を改正する省令（令和5年厚生労働省令第16号）により，令和6年4月から以下のような障害者雇用率等の引上げが行われる。

　障害者雇用率等（　）は令和8年7月からの率

　　一般の民間企業　　　　　2.5％（2.7％）

　　特殊法人及び独立行政法人　2.8％（3.0％）

　　国，地方公共団体　　　　2.8％（3.0％）

　　都道府県等の教育委員会　　2.7％（2.9％）

　障害者の雇用状況の報告義務の対象となる一般事業主の範囲を，雇用する労働者の数が常時40人以上（特殊法人及び独立行政法人にあっては36人以上）である事業主とする。令和8年7月からは，37.5人以上（特殊法人及び独立行政法人にあっては33.5人以上）である事業主とする。

オ　障害者雇用納付金制度

■制度の概要

　　障害者の雇用に伴う事業主の経済的負担の調整を図るとともに，全体としての障害者の雇用水準を引き上げることを目的として，雇用率未達成企業から納付金を徴収し，雇用率達成企業に対して調整金，報奨金を支給するとともに，障害者の雇用の促進等を図るための各種の助成金を支給している。

■実施機関（法第49条）

　　独立行政法人　高齢・障害・求職者雇用支援機構（以下「機構」という。）

■障害者雇用納付金（法第53条～第68条）

　　機構は，常用雇用労働者数が100人超の雇用率未達成事業主から障害者雇用納付金を徴収する。金額は，法定雇用障害者数に対する不足分1人につき月額50,000円である。

■障害者雇用調整金（法第50条）

　　機構は，常用雇用労働者数が100人超の雇用率達成事業主に対し障害者雇用調整金を支給する。金額は，法定雇用障害者数を超える分1人につき月額29,000円である。

■在宅就業障害者特例調整金（法第74条の2）

　　障害者雇用納付申告又は障害者雇用調整金申告事業主であって，前年度に在宅就業障害者又は在宅就業支援団体に対し仕事を発注し，業務の対価を支払った事業主に支給される。その額は，21,000円に「事業主が当該年度に支払った在宅就業障害者への支払総額を35万円で除して得た額」を乗じた額である。

■報奨金（法附則第4条）

　　機構は，常用雇用労働者数が100人以下で，各月の障害者数の年度合計が各月の常時雇用している労働者数の4％の年度合計又は72人のいずれか多い数を超えて雇用する事業主に対し報奨金を支給する。金額は，超える分1人につき月額21,000円である。

■在宅就業者特例報奨金（法附則第4条）

　　報奨金申請対象事業主であって，前年度に在宅就業障害者又は在宅就業支援団体に仕事を発注し，業務の対価を支払った事業主に支給される。その額は17,000円に「事業主が当該年度に支払った在宅就業障害者への支払い総額を35万円で除して得た額」を乗じた額

である。

■特例給付金（法第51条）

　週所定労働時間が10時間以上20時間未満の障害者（特定短時間労働者）を雇用する事業主に対して支給される。その額は，常用雇用労働者数が100人以下の事業主については特定短時間労働者1人当たり5,000円，常用雇用労働者数が100人超の事業主については特定短時間労働者1人当たり7,000円である。

■助成金（法第51条）

　障害者を雇用する事業主が，障害者の雇用にあたって施設・設備の整備等や特別な措置を行う場合に，その経済的負担を軽減するために，機構は事業主に対して以下の助成金を支給する。

1．障害者作業施設設置等助成金

　　雇用される障害者が作業を容易にできるよう配慮された作業施設や作業設備等の整備等について，その費用の一部に対して助成するもの。

2．障害者福祉施設設置等助成金

　　雇用される障害者が利用できるように配慮された保健施設，給食施設，教養文化施設などの福利厚生施設の整備等について，その費用の一部に対して助成するもの。

3．障害者介助等助成金

　　障害の種類や程度に応じた適切な雇用管理のために必要な介助等の措置を行う場合に，その費用の一部に対して助成するもの。

4．重度障害者等通勤対策助成金

　　重度身体障害者，知的障害者，精神障害者又は通勤が特に困難と認められる身体障害者を常用労働者として雇い入れるか継続して雇用している事業主が，これらの者の通勤を容易にするための措置を行う場合に，その費用の一部を助成するもの。

5．重度障害者多数雇用事業所施設設置等助成金

　　重度身体障害者，知的障害者又は精神障害者を多数継続して雇用し，かつ安定した雇用を継続することができると認められる事業主で，これら障害者のために事業所施設等の設置又は整備を行う場合に，その費用の一部を助成するもの。

6．職場適応援助者助成金

　　職場適応に課題を抱える障害者に対して，職場適応援助者による支援を行う場合に，その費用の一部を助成するもの。

■障害者雇用に関する優良な中小事業主に対する認定制度（もにす認定制度）（法第77条）

　中小事業主については，法定雇用義務が課されているにもかかわらず障害者を全く雇用

していない企業が多い等，障害者雇用の取組が停滞している状況にあるため，従来の制度に加え，個々の中小事業主における障害者雇用の進展に対する社会的関心を喚起し，障害者雇用に対する理解促進とともに，先進的取組を進めている事業主が社会的なメリットを受けることができるよう，障害者雇用に関する優良中小事業主に対する認定制度が令和2年度より創設された。

2　障害者就業・生活支援センター

[**根拠** ▶ 障害者就業・生活支援センターの指定と運営等について
（平14.5.7職高発第0507004号・障発第0507003号）]

職業生活における自立を図るために就業及びこれに伴う日常生活，又は社会生活上の支援を必要とする障害者に対し，雇用，保健，福祉，教育等の関係機関との連携を図りつつ，身近な地域において必要な指導，助言その他の支援を行うことにより，その雇用の促進及び職業の安定を図ることを目的とする。

■支援対象障害者の範囲

職業生活における自立を図るために就業及びこれに伴う日常生活又は社会生活上の支援を必要とする障害者であって，次に該当する者をいう。

1．就職するため，また，継続的に雇用されるため，就業に係る支援と同時に日常生活において相当程度の支援が必要な者
2．一旦就職したものの，職場不適応を起こし離職，若しくは休職するおそれがある者，又は職場不適応により離職した，若しくは休職している者など，職場定着のために継続的な支援が必要な者

■運営主体

支援対象障害者の職業の安定を図ることを目的として設立された一般社団法人若しくは一般財団法人，社会福祉法人，特定非営利活動法人又は医療法人であって，都道府県知事が指定した者

■業務の内容

1．支援対象障害者からの相談に応じ，必要な指導及び助言を行うとともに，公共職業安定所，地域障害者職業センター，社会福祉施設，医療施設，特別支援学校その他の関係機関との連絡調整，支援対象障害者に係る状況の把握，支援対象障害者を雇用する事業主に対する雇用管理に関する助言，関係機関に係る情報の提供その他の支援対象障害者がその職業生活における自立を図るために必要な援助を総合的に行う。

2．支援対象障害者が障害者職業総合センター，地域障害者職業センター，職業準備訓練を適切に行うことができると認められる事業主により行われる職業準備訓練を受けることについてあっせんする。

3．前記1.及び2.のほか，支援対象障害者がその職業生活における自立を図るために必要な業務を行う。

3　公共的施設内での売店設置の優先措置

〔根拠▶身体障害者福祉法第22条〕

身体障害者の職業的自立を図るため，公共的施設内での売店設置の促進を図る。

■売店の種類

新聞，書籍，たばこ，事務用品，食料品その他の物品を販売するための売店

■措置の内容

国，地方公共団体の設置した事務所その他の公共的施設の管理者は，身体障害者から申請があったときは，その公共的施設内での売店の設置を許すように努めなければならない。

■その他

1．売店を設置した公共的施設の管理者は，その売店の運営について規則を定めて監督することができる。

2．売店の設置を許された身体障害者は，病気その他の正当な理由がある場合のほか自らその業務に従事しなければならない。

4　専売品販売の許可

〔根拠▶身体障害者福祉法第24条〕

身体障害者の職業的自立を図るため，たばこ小売人の指定を受けやすくする。

■措置の内容

財務大臣は，身体障害者からたばこ小売人指定の申請があったときは，当該身体障害者がたばこ事業法第23条各号（欠格事項）に該当する場合を除きその指定に努めなければならない。

■**指定申請手続**（たばこ事業法第22条・たばこ事業法施行規則第18条）
1. 営業所の位置を定め，営業所ごとに指定を受けなければならない。
2. 所轄営業所長を通じて所轄財務局長に提出する。

5　公営住宅の優先入居

[**根拠**▶心身障害者世帯向公営住宅の建設等について
　　　（昭46.4.1建設省住総発第51号）]

　心身障害者は，その障害からくる種々の悪条件により著しく住宅に困窮しているので，公営住宅に優先的に入居させる。

■**対　象**

　入居者若しくは同居し又は同居しようとする親族が次のいずれかに該当する者の世帯
1. 戦 傷 病 者：恩給法による第1款症以上の障害があり，かつ，戦傷病者手帳の交付を受けている者
2. 身 体 障 害 者：身体障害者福祉法施行規則による4級以上の障害があり，かつ，身体障害者手帳の交付を受けている者
3. 知 的 障 害 者：中度又は重度知的障害者，又はこれと同程度の知的障害を有する者

■**住宅の種類**

　心身障害者世帯を優先的に入居させる公営住宅は，特定目的公営住宅である。

■**措置の内容**

　入居者の選考の際，公営住宅の入居資格を有し，かつ，入居者の選考基準に該当する心身障害者世帯については，住宅困窮度が高いものとして優先的に扱う。

　この場合，当該心身障害者の障害程度，家庭の状況等を参酌して選考するものとする。

■**障害者の証明**

　入居申請の際，身体障害者手帳又は戦傷病者手帳を所持していることを証する福祉事務所長，福祉事務所を設置しない町村長，児童相談所長，身体障害者相談員，民生委員又は戦傷病者相談員の作成した書面を添付することが必要である。

6　JR 等運賃の割引

> **根拠**▶身体障害者旅客運賃割引規則（昭 62.4.1　6 旅客鉄道株式会社公告）
> 　　　知的障害者旅客運賃割引規則（平 3.11.21　6 旅客鉄道株式会社公告）
> **参考**▶身体障害者に対する旅客鉄道株式会社等の旅客運賃の割引について
> 　　　（昭 57.1.6　社更第 4 号）
> 　　　知的障害者に対する旅客鉄道株式会社等の旅客運賃の割引について
> 　　　（平 3.9.24　児発第 811 号）ほか

■対　象

1. 視覚障害，聴覚又は平衡機能障害，音声機能，言語機能又はそしゃく機能障害，肢体不自由又は内部障害により身体障害者手帳の交付を受けている者（18 歳未満の者を含む。）。これらの障害者は，障害程度等級 **(p. 169 の表参照)** にしたがって，第 1 種身体障害者及び第 2 種身体障害者に区分される。

(1) 第 1 種身体障害者

障　害　種　別	等級及び割引種別		第 1 種障害者 （本人及び介護者）
視　　覚　　障　　害			1 級から 3 級及び 4 級の 1
聴覚又は平衡機能の障害	聴　覚　障　害		2 級及び 3 級
	平　衡　機　能　障　害		——
音声機能，言語機能又はそしゃく機能の障害			——
肢体不自由	上　　　　肢		1 級，2 級の 1 及び 2 級の 2
	下　　　　肢		1 級，2 級及び 3 級の 1
	体　　　　幹		1 級から 3 級
	乳幼児期以前の非進行性の脳病変による運動機能の障害	上肢機能	1 級及び 2 級
		移動機能	1 級から 3 級
内部障害	心臓，じん臓，呼吸器，ぼうこう，直腸，小腸の機能の障害	心臓，じん臓，呼吸器，若しくは小腸の機能の障害	1 級，3 級及び 4 級
		ぼうこう又は直腸の機能障害	1 級及び 3 級
	ヒト免疫不全ウイルスによる免疫機能の障害		1 級から 4 級
	肝臓の機能の障害		1 級から 4 級

（注 1）障害種別及び等級は，身体障害者福祉法施行規則別表第 5 号によるものである。
（注 2）上記左欄に掲げる障害を 2 つ以上有し，その障害の程度が上記第 1 種身体障害者欄に準ずる者も第 1 種身体障害者とする。

　(2)　第2種身体障害者

　　　　第1種以外の身体障害者

2．療育手帳の交付を受けている知的障害者。第1種知的障害者は「重度」に該当する者
　　で，第2種知的障害者はそれ以外の者

3．介護者

　　　以下の者については，障害者1人に対して1人の介護人をつけることができる。

　(1)　第1種身体障害者及び第1種知的障害者（以下，「第1種身体障害者等」という。）

　(2)　定期券を使用する12歳未満の第2種身体障害者及び第2種知的障害者（以下「第2
　　　種身体障害者等」という。）

■適用範囲

　　身体障害者又は知的障害者（以下「身体障害者等」という。）が，単独で又は介護者ととも
に，旅客鉄道会社の経営する鉄道及び連絡運輸の取扱いをする社線を乗車船する場合に
適用する。

■割引乗車券の種類

1．普通乗車券

　　　第1種身体障害者等が単独又は介護者とともに乗車船する場合及び第2種身体障害者
　等が単独で乗車船する場合に発売する。

2．定期乗車券

　　　第1種身体障害者等及び12歳未満の第2種身体障害者等が介護者とともに乗車船す
　る場合に発売する。

3．普通回数乗車券

　　　第1種身体障害者等が介護者とともに乗車船する場合に発売する。

4．急行券（特別急行券を除く。）

　　　第1種身体障害者等が介護者とともに，旅客鉄道会社の普通急行列車に乗車する場合
　に発売する。

■割引率

　　身体障害者等及び介護者に対する割引率は5割とする。ただし，小児定期乗車券に対し
ては旅客運賃の割引をしない。

■取扱区間

1．乗車券については旅客鉄道会社線及び連絡会社線の各駅相互間とする。ただし，身体
　障害者等が単独で普通乗車券によって乗車船する場合は，片道100kmを越える場合に限

る。

2．急行券については旅客鉄道会社線の急行列車の停車駅相互間とする。

■手　続

1．割引乗車券類は，身体障害者手帳又は療育手帳を発売箇所に呈示し，口頭又は適宜の申込書をもって購入する。

2．大人の第1種身体障害者等は，自動券売機により購入した小児乗車券をもって割引乗車券にかえることができる。

3．割引乗車船券等の購入の際及び乗車船中は，身体障害者手帳又は療育手帳を携帯して，鉄道係員から請求があったときは，いつでも呈示しなければならない。

7　NHK 放送受信料の減免

根拠▶日本放送協会放送受信料免除基準
（昭 43.4.1 公告）

■全額免除

1．社会福祉施設において，入所者又は利用者の専用に供するもの

2．小中学校，特別支援学校等において，児童等の専用に供するもの

3．生活保護等の公的扶助を受けている者

4．障害者（身体障害者・知的障害者・精神障害者）のいる世帯で，世帯員のいずれもが市町村民税非課税の場合

5．社会福祉事業を行う施設に入所している者が施設内の住居で受信する場合

6．学校教育法に規定する学校，専修学校または各種学校（修業年限が1年以上あるものに限る。）に在学する奨学金受給対象等の学生が生計をともにする者の住居とは別の住居で受信する場合。なお，生計をともにする者がいない場合は，当該学生が住居で受信する場合も含む。

7．災害救助法による救助が行われた区域内において，当該救助に係る災害により半壊，半焼又は床上浸水以上の程度の被害を受けた場合

8．7によるもののほか，非常災害があった場合において，免除すべき放送受信契約の範囲及び免除の期間につき，あらかじめ総務大臣の承認を受けたもの

■半額免除

1．住民基本台帳法による世帯主が，身体障害者手帳を所持する視覚障害者又は聴覚障害者である場合

2．住民基本台帳法による世帯主が，重度の障害者（身体障害者手帳を所持する者のうち，

障害等級が1級又は2級である重度の身体障害者（1.に該当する者を除く。），重度の知的障害者，精神障害者保健福祉手帳を所持する者のうち，障害等級が1級である重度の精神障害者）である場合

3．住民基本台帳法による世帯主が，戦傷病者手帳を所持する者で障害程度が特別項症から第1款症に相当する場合

8　航空運賃の割引

参考▶障害者に対する航空旅客運賃の割引について
（平30.9.21 障発 0921 第8号）

■割引の適用区間

身体障害者，知的障害者及び精神障害者

　　日本航空㈱，日本トランスオーシャン航空㈱，日本エアコミューター㈱，琉球エアコミューター㈱，㈱ジェイエア，㈱北海道エアシステム，全日空㈱，ANA ウイングス㈱，スカイマーク㈱，㈱AIRDO，㈱ソラシドエア，㈱スターフライヤー，㈱フジドリームエアラインズ，新中央航空㈱，アイベックスエアラインズ㈱，東邦航空㈱，オリエンタルエアブリッジ㈱及び天草エアライン㈱の定期航空路線の国内線全区間。

■割引の適用範囲

1．身体障害者

　　身体障害者手帳の交付を受けている満12歳以上の身体障害者が介護者（事業者が介護能力があると認める満12歳以上で，割引の対象となる障害者と同一区間を利用するもの。）と共に，又は単独で利用する場合に，当該身体障害者及び介護者1名に適用する。

2．知的障害者

　　療育手帳の交付を受けている満12歳以上の知的障害者が介護者と共に，又は単独で利用する場合に，当該知的障害者及び介護者1名に適用する。

3．精神障害者

　　精神障害者保健福祉手帳の交付を受けている満12歳以上の精神障害者が介護者と共に，又は単独で利用する場合，当該精神障害者及び介護者1名に適用する。

■割引運賃額

　　割引運賃及び購入手続等は，上記に掲げる各航空運送事業者がそれぞれ設定するものであり，事業者又は路線によって異なることがある。

9　点字郵便物等の郵便料の減免

〔[根拠]▶郵便法第 27 条ほか〕

■対　象

1．次の郵便物で開封のものは，郵便料が無料となる。

　⑴　盲人用点字のみを掲げたものを内容とするもの

　⑵　盲人用の録音物又は点字用紙を内容とする郵便物で，内国郵便約款の定めるところにより，点字図書館，点字出版施設等盲人の福祉を増進することを目的とする施設（日本郵便株式会社が指定するものに限る。）から差し出し，又はこれらの施設にあてて差し出されるもの

2．1.の⑵の条件を満たさない，又は郵便物の重量，大きさの最大限を超える盲人用点字のみ掲げたものを内容とするものは，低廉な料金で発送できる。

3．次の⑴～⑶の条件を満たす荷物で開封のものは，低廉な料金で発送できる。

　⑴　聴覚障害者のために画像に字幕又は，手話を挿入したビデオテープその他の録画物を内容とするもの

　⑵　聴覚障害者と聴覚障害者の福祉の増進を目的とする施設との間に発受するもの

　⑶　日本郵便株式会社が別に定める重量等に関する条件を満たすものであること

4．心身障害者団体が心身障害者の福祉を図ることを目的として発行する定期刊行物については，第三種郵便物の承認を受け，所定の条件を満たすことにより，低廉な料金で郵送できる。

■様　式

　前記「対象」の1.については，郵便物の表面左上部（横長の場合は右上部）に「点字用郵便」と記載すること。また，⑵にあって，施設から差し出す場合は所定の表示をすること。

　また，前記「対象」の2.については，表面の見やすいところに「点字ゆうパック」と，前記「対象」の3.については，表面の見やすいところに「聴覚障害者用ゆうパック」と記載すること。また，施設から差し出す場合は所定の表示をすること。

■施設の指定

　指定を受けようとする者は，所定の様式により，日本郵便株式会社に請求する。

10　心身障害者扶養共済制度

[**根拠**▶独立行政法人福祉医療機構法第 12 条]
（平 14. 12. 13 法律第 166 号）

　心身障害者を扶養するものが，その生存中毎月一定の掛金を拠出し，万一のことがあった場合，後に残された心身障害者に終身一定の年金を支給し，保護者亡き後の心身障害者の生活の安定と福祉の増進を図る。

■制度の仕組み

1．地方公共団体（都道府県，指定都市が実施している。）が，心身障害者扶養共済制度を制定し，その加入者に負う共済責任を福祉医療機構が再保険する。
2．福祉医療機構は，生命保険会社と加入者を被保険者とする生命保険契約を締結し，その保険金をもって年金財源とする制度である。
3．したがって，制度の基本的な事項は全国統一されているが，細部については各地方公共団体の条例で規定することになる。

■心身障害者の範囲

　この制度の対象となる心身障害者は，次のいずれかに該当する者で，将来独立自活することが困難であると認められる者である。

1．知的障害者
2．身体障害者手帳を所持し，その障害が 1 級から 3 級までのいずれかに該当する障害のある者
3．精神又は身体に永続的な障害を有する者で，その障害の程度が 1．又は 2．に掲げる者と同程度と認められる者

■加入資格

　心身障害者の保護者（配偶者（内縁を含む。），父母，兄弟姉妹，祖父母その他の親族等で現に心身障害者を扶養している者をいう。）であって加入時において次の要件を満たす者であること。

1．当該地方公共団体の区域内に住所を有すること。
2．65 歳未満であること。
3．生命保険契約の被保険者となれないような特別の疾病又は障害を有しないこと。
4．障害者 1 人に対して，加入できる保護者は 1 人であること。

■掛金（保険料）

1．掛金（保険料）は，加入時年齢等に応じて次表のとおりになっている。

加入時における年齢区分 （加入時年齢で固定）	掛金月額	
	平成20年3月31日以前加入者	平成20年4月1日以降加入者
35歳未満	5,600　円	9,300　円
35歳以上40歳未満	6,900	11,400
40歳以上45歳未満	8,700	14,300
45歳以上50歳未満	10,600	17,300
50歳以上55歳未満	11,600	18,800
55歳以上60歳未満	12,800	20,700
60歳以上65歳未満	14,500	23,300

（注）昭和61年3月以前に1口加入した者（加入時年齢45歳未満）については，昭和61年4月1日現在における年齢区分による掛金額（35歳未満5,600円，35歳以上40歳未満6,900円，40歳以上45歳未満8,700円，45歳以上10,600円）となる。

2．20年以上（昭和61年3月31日以前の既加入者については25年以上）この制度に加入し，かつ，年齢が65歳以上の者は，掛金の納付を免除される。

■年金の支給

1．加入者（心身障害者の保護者）が死亡し，又は加入後の疾病又は災害により重度障害の状態となったときは，月額2万円又は4万円（2口加入の場合）の年金を心身障害者の生存中支給する。

2．年金は，心身障害者に支給するのを原則とするが，心身障害者が年金を受領し，管理することが困難であると認められる場合には，あらかじめ年金管理者を決めておくことになっている。

3．年金の支給事由たる障害の状態とは，次のいずれかに該当する状態をいう。

(1) 両眼の視力を全く永久に失ったもの

(2) そしゃく又は言語の機能を全く永久に失ったもの

(3) 両上肢を手関節以上で失ったもの

(4) 両下肢を足関節以上で失ったもの

(5) 1上肢を手関節以上で失い，かつ，1下肢を足関節以上で失ったもの

(6) 両上肢の用を全く永久に失ったもの

(7) 両下肢の用を全く永久に失ったもの

(8) 10手指を失ったか又はその用を全く永久に失ったもの

(9) 両耳の聴力を全く永久に失ったもの

■**弔慰金の支給**

心身障害者が加入者の生存中又は加入者と同時に死亡した場合，加入期間に応じ弔慰金を支給する（2口加入者は同額を加算）。

加入期間	弔慰金額	
	平成20年3月31日以前加入者	平成20年4月1日以降加入者
1年以上〜 5年未満	30,000円	50,000円
5年以上〜 20年未満	75,000円	125,000円
20年以上	150,000円	250,000円

■**脱退一時金の支給**

加入者が脱退を申し出たとき又は口数の減少を申し出たときには，加入期間に応じ脱退一時金を支給する（2口加入者は2口加入期間に応じて同額を加算）。

加入期間	脱退一時金額	
	平成20年3月31日以前加入者	平成20年4月1日以降加入者
5年以上〜 10年未満	45,000円	75,000円
10年以上〜 20年未満	75,000円	125,000円
20年以上	150,000円	250,000円

■**実施機関（窓口）**

実施主体は，当該地方公共団体であるが，申請書等の経由機関，窓口等は，条例で定められる（市町村を窓口とするものが多い。）。

■**住所移転の場合の継続**

1．加入者が，この制度を実施していない地方公共団体に移住した場合，従前の地方公共団体の制度に継続して加入することができる。

2．加入者が，この制度を実施している地方公共団体に移住した場合，移住先の地方公共団体の制度に継続して加入することができる。

■**加入等の申請手続**

手続様式等は，条例の定めるところによる。

11 障害者虐待の防止，障害者の養護者に対する支援等に関する法律の概要

[根拠 ▶障害者虐待の防止，障害者の養護者に対する支援等に関する法律
（平 23.6.24 法律第 79 号）]

障害者に対する虐待の禁止，障害者虐待の予防及び早期発見その他の障害者虐待の防止等に関する国等の責務，障害者虐待を受けた障害者に対する保護及び自立の支援のための措置，養護者の負担の軽減を図ること等の養護者に対する養護者による障害者虐待の防止に資する支援のための措置等を定めることにより，障害者虐待の防止，養護者に対する支援等に関する施策を促進し，もって障害者の権利利益の擁護に資することを目的とする。

■**定 義**（法第 2 条）

1．障害者の定義

「障害者」とは，身体障害，知的障害，精神障害（発達障害を含む。）その他の心身の機能の障害（以下「障害」と総称する。）がある者であって，障害及び社会的障壁により継続的に日常生活又は社会生活に相当な制限を受ける状態にあるものをいう。

2．障害者虐待の定義

「障害者虐待」とは，養護者による障害者虐待，障害者福祉施設従事者等による障害者虐待及び使用者による障害者虐待をいう。

3．「養護者」とは，障害者を現に養護する者であって障害者福祉施設従事者等及び使用者以外の者をいう。

4．「障害者福祉施設従事者等」とは，障害者支援施設，のぞみの園，障害福祉サービス事業，一般相談支援事業，特定相談支援事業，移動支援事業，地域活動支援センターを経営する事業，福祉ホームを経営する事業，障害児通所支援事業，障害児相談支援事業の業務に従事する者をいう。

5．「使用者」とは，障害者（派遣労働者を含む。）を雇用する事業主又は経営担当者等をいう。

6．養護者による障害者虐待の定義

①身体的虐待（暴行，拘束），②性的虐待，③心理的虐待（著しい心理的外傷を与える行動），④養護を著しく怠ること（ネグレクト），⑤経済的虐待（財産の不当処分，不当に財産上の利益を得ること）のいずれかに該当する行為をいう。

7．障害者福祉施設従事者等による障害者虐待の定義

①身体的虐待（暴行，拘束），②性的虐待，③心理的虐待（著しい心理的外傷を与える行動），④養護を著しく怠ること（ネグレクト），他の障害者からの虐待行為の放置，⑤経済的虐待（財産の不当処分，不当に財産上の利益を得ること）のいずれかに該当する行為をいう。

8．使用者による障害者虐待の定義

①身体的虐待（暴行，拘束），②性的虐待，③心理的虐待（著しい心理的外傷を与える行動），④養護を著しく怠ること（ネグレクト），他の労働者からの虐待行為の放置，⑤経済的虐待（財産の不当処分，不当に財産上の利益を得ること）のいずれかに該当する行為をいう。

■国及び地方公共団体の責務等（法第4条）

1．障害者虐待の予防・早期発見のための関係省庁・関係機関・民間団体間の連携強化，民間団体の支援等に努める。

2．障害者虐待防止等に携わる専門的知識等を有する人材等の確保，関係機関職員の研修等の必要な措置を講ずるよう努める。

■国民の責務（法第5条）

障害者虐待防止の重要性に理解を深めるとともに，地方公共団体が講ずる施策に協力するよう努めなければならない。

■障害者虐待の早期発見等（法第6条）

国及び地方公共団体の障害者福祉に関する事務を所掌する部局等，障害者福祉に業務上関係のある団体，職務上関係のある者・使用者は，障害者虐待の早期発見等に努めなければならない。

■具体的な障害者虐待防止対策

1．養護者による障害者虐待防止対策として，通報等，通報等を受けた場合の措置，居室の確保，立入調査，警察署長に対する援助要請等，面会の制限，養護者の支援（法第7条〜第14条）が定められている。

2．障害者福祉施設従事者等による障害者虐待防止対策として，虐待の防止の措置，通報等，通報等を受けた場合の措置（法第15条〜第19条）が定められている。

3．使用者による障害者虐待防止対策として，虐待の防止の措置，通報等，通報等を受けた場合の措置（法第21条〜第26条）が定められている。

■**市町村障害者虐待防止センター**（法第 32 条）

　市町村は，障害者福祉に関する事務を所掌する部局又は施設において市町村障害者虐待防止センターとしての機能を果たすようにする。市町村障害者虐待防止センターは，①虐待の通報・届出を受理，②障害者・養護者に対する相談・指導・助言，③広報・啓発などを行う。

■**都道府県障害者権利擁護センター**（法第 36 条）

　都道府県は，障害者福祉に関する事務を所掌する部局又は施設において都道府県障害者権利擁護センターとしての機能を果たすようにする。都道府県障害者権利擁護センターは，①使用者による虐待に係る通報又は届出の受理，②障害者及び養護者への支援に関する相談対応や相談機関の紹介，③情報の提供，助言，関係機関との連絡調整，④広報，その他の啓発活動などを行う。

【参　考】障害者差別解消法

　平成 18 年の国連総会において障害者権利条約が採択され，平成 20 年に発効された。その後わが国では，条約の署名，国会承認などを経て，平成 26 年に効力が生じるところとなった。

　政府は，障害者の権利に関する条約の締結のための国内法の整備に向けた検討を行い，平成 23 年障害者基本法の一部改正法を施行した。この改正では，障害の有無にかかわらず人格と個性を尊重する共生社会の実現が掲げられたほか，いわゆる社会的障壁の定義が規定された。また基本原則として，障害を理由とした差別その他の権利権益の侵害行為を禁止するとともに，社会的障壁の排除にあたり，必要かつ合理的配慮を求めることが規定された。

　平成 25 年，この改正法に則り，「障害を理由とする差別の解消の推進に関する法律（障害者差別解消法）」が成立した（平成 28 年 4 月施行）。この法律は，障害者権利条約の批准に向けた国内法の整備の一環として議論が進められ，障害者基本法の差別禁止の基本原則具体化のための規定が盛り込まれている。

第4編

児童の福祉

1 子ども・子育て支援制度の概要

〔根拠〕▶子ども・子育て支援法（平24.8.22法律第65号）ほか

　税・社会保障の一体改革の一環として，消費税率の引き上げによる増収財源を活用した「子ども・子育て支援制度」が，平成27年4月から実施されている。新たな制度の枠組みでは，児童福祉法に基づく保育やその他の子育て支援事業が，「子ども・子育て支援法」に基づく制度として，他法に基づく制度と相まって一体的に実施される仕組みとなっている。なお，「児童手当法」に基づく児童手当制度についても，「子どものための現金給付」として，子ども・子育て支援法に基づく給付の一つとして位置づけられている。

　具体的な施策の内容は，平成24年8月に成立した「子ども・子育て関連3法」に基づき制度化されており，①子どものための教育・保育給付（認定こども園，幼稚園，保育所を通じた共通の給付（施設型給付）及び小規模保育，家庭的保育等に係る給付（地域型保育給付））の創設，②認定こども園制度の改善（幼保連携型認定こども園の改善等），③地域の実情に応じた子ども・子育て支援（地域子ども・子育て支援事業）の充実等を柱とするさまざまな取り組みが展開されている。

■子ども・子育て支援給付（法第8条等）

　「子どものための現金給付」，「子どものための教育・保育給付」及び「子育てのための施設等利用給付」の3種類からなる。

1．「子どものための現金給付」

　　児童手当の支給をいい，詳細については「児童手当法」に規定するところによる（p. 285参照）。

2．「子どものための教育・保育給付」

　　教育・保育施設（認定こども園，幼稚園及び保育所）の利用に係る「施設型給付」と地域型保育事業（小規模保育事業，家庭的保育事業等）の利用に係る「地域型保育給付」がある。

　　教育・保育サービスの利用を希望する子どもの保護者が，市町村に申請を行い，支給認定を受けてサービス利用を行った際に，これに係る費用についての給付が現物給付（代

児童福祉

理受額）により支給される仕組みとなっている（一定の支給要件を満たさない場合に，償還払い方式による特例給付の仕組みも講じられているが，本書においては，特例給付の説明は割愛する）。

　　＜認定の区分＞　　　＜原則的な対象者＞

　　第1号認定子ども　……　3歳以上（「教育」の対象者）

　　第2号認定子ども　……　3歳以上（「保育」の対象者）

　　第3号認定子ども　……　0歳〜2歳（「地域型保育」，「保育」の対象者）

3．「子育てのための施設等利用給付」

　(1)の対象施設等を(2)の支給要件を満たした子どもが利用した際に要する費用を支給する。

　(1)　子どものための教育・保育給付の対象外である幼稚園，特別支援学校の幼稚部，認可外保育施設，預かり保育事業，一時預かり事業，病児保育事業，子育て援助活動支援事業であって，市町村の確認を受けたもの

　(2)　以下のいずれかに該当し，市町村の認定を受けた子どもを対象とする。

　　①　3歳から5歳まで（小学校就学前まで）の子ども

　　②　0歳から2歳までの住民税非課税世帯に属し，保育の必要性がある子ども

■施設型給付費の額（法第27条等）

　一月につき，下記1．に掲げる額から2．に掲げる額を控除して得た額（当該額が零を下回る場合には，零とする。）とする。

1．小学校就学前子どもの区分，保育必要量，当該特定教育・保育施設の所在する地域等を勘案して算定される特定教育・保育に通常要する費用の額を勘案して内閣総理大臣が定める基準により算定した費用の額（その額が現に当該支給認定教育・保育に要した費用の額を超えるときは，当該現に支給認定教育・保育に要した費用の額）

2．政令で定める額（※）を限度として当該教育・保育給付認定保護者の属する世帯の所得の状況その他の事情を勘案して市町村が定める額

※1　政令で定める額（教育標準時間認定を受けた子どもの場合）　利用者負担0円

※2　政令で定める額（保育認定を受けた子ども（満3歳未満）の場合）

世帯の階層区分	利用者負担	
	標準時間	短時間
①生活保護等	0円	0円
②市町村民税非課税	0円	0円
③市町村民税所得割課税額48,600円未満	19,500円	19,300円
④市町村民税所得割課税額97,000円未満	30,000円	29,600円

⑤市町村民税所得割課税額 169,000 円未満	44,500 円	43,900 円
⑥市町村民税所得割課税額 301,000 円未満	61,000 円	60,100 円
⑦市町村民税所得割課税額 397,000 円未満	80,000 円	78,800 円
⑧市町村民税所得割課税額 397,000 円以上	104,000 円	102,400 円

注)　母子・父子・寡婦(夫)世帯，在宅障害児(者)のいる世帯等については，別途軽減措置あり

■地域型保育事業（法第 7 条等）

　　下記の保育を行う事業をいう（各事業の内容については，p.254 以降参照）。また，当該事業の利用に係る費用について，地域型保育給付が支給される。

1．家庭的保育

　　児童福祉法第 6 条の 3 第 9 項に規定する家庭的保育事業として行われる保育

2．小規模保育

　　児童福祉法第 6 条の 3 第 10 項に規定する小規模保育事業として行われる保育

3．居宅訪問型保育

　　児童福祉法第 6 条の 3 第 11 項に規定する居宅訪問型保育事業として行われる保育

4．事業所内保育

　　児童福祉法第 6 条の 3 第 12 項に規定する事業所内保育事業として行われる保育

■地域型保育給付費の額（法第 29 条等）

　　一月につき，下記 1．に掲げる額から 2．に掲げる額を控除して得た額（当該額が零を下回る場合には，零とする。）とする。

1．地域型保育の種類ごとに，保育必要量，当該地域型保育の種類に係る特定地域型保育事業所の所在する地域等を勘案して算定される当該特定地域型保育に通常要する費用の額を勘案して内閣総理大臣が定める基準により算定した費用の額（その額が現に要した費用の額を超えるときは，当該現に要した費用の額）

2．政令で定める額（※）を限度として当該教育・保育給付認定保護者の属する世帯の所得の状況その他の事情を勘案して市町村が定める額

　　※　政令で定める額　「施設型給付費の額」の※ 2 と同額

■施設等利用費の支給（法第 30 条の 11）

　　一月につき，下記 1．〜 3．に掲げる小学校就学前子どもの区分ごとに，子どものための教育・保育給付との均衡，子ども・子育て支援施設等の利用に要する標準的な費用の状況その他の事情を勘案して算定した額とする。

1．満 3 歳以上の小学校就学前子ども（ 2．及び 3．に該当するものを除く。）

2．満 3 歳に達する日以後の最初の 3 月 31 日を経過した小学校就学前子どもであって，保護者の労働又は疾病その他の内閣府令で定める事由により家庭において必要な保育を受けることが困難であるもの

3．満 3 歳に達する日以後の最初の 3 月 31 日までの間にある小学校就学前の子どもであって，保護者の労働又は疾病その他の内閣府令で定める事由により家庭において必要な保育を受けることが困難であるもののうち，子ども・子育て支援施設等から教育・保育その他の子ども・子育て支援を受けた市町村民税世帯非課税者であるもの

※施設等利用給付の額

施設類型 ＼ 利用者		0 ～ 2 歳児	満 3 歳児		3 ～ 5 歳児
		住民税非課税世帯	住民税非課税世帯	住民税課税世帯	全世帯
認可保育所 認定こども園（保育部分） 小規模保育施設		負担なし	負担なし	—	負担なし
新制度幼稚園 認定こども園 （教育部分）	教育	—	負担なし	負担なし	負担なし
	預かり保育等	—	月額上限 16,300 円＊	—	月額上限 11,300 円＊
従来型幼稚園 国立大学付属幼稚園	教育	—	月額上限 25,700 円 ＊＊	月額上限 25,700 円 ＊＊	月額上限 25,700 円 ＊＊
国立特別支援学校幼稚部	預かり保育等	—	月額上限 16,300 円＊		月額上限 11,300 円＊
認可外保育施設 一時預かり事業 病児保育事業 ファミリー・サポート・センター事業		月額上限 42,000 円＊	月額上限 42,000 円＊	—	月額上限 37,000 円＊

満 3 歳：3 歳になって最初の 3 月 31 日までの間

＊：保育の必要性の認定が必要

＊＊：国立大学附属幼稚園は 8,700 円，国立特別支援学校幼稚部は 400 円

—：対象外

■地域子ども・子育て支援事業（法第 59 条等）

1．利用者支援事業 (**p. 259 参照**)

2．延長保育事業 (**p. 260 参照**)

3．実費徴収に係る補足給付を行う事業 (**p. 261 参照**)

4．多様な事業者の参入促進・能力活用事業

5．児童福祉法に基づく放課後児童健全育成事業（p. 263 参照）

6．児童福祉法に基づく子育て短期支援事業（p. 264 参照）

7．児童福祉法に基づく乳児家庭全戸訪問事業（p. 266 参照）

8．児童福祉法に基づく養育支援訪問事業（p. 267 参照），要保護児童対策地域協議会その他の者による要保護児童等に対する支援に資する事業

9．児童福祉法に基づく地域子育て支援拠点事業（p. 270 参照）

10．児童福祉法に基づく一時預かり事業（p. 273 参照）

11．児童福祉法に基づく病児保育事業（p. 275 参照）

12．児童福祉法に基づく子育て援助活動支援事業（p. 277 参照）

13．母子保健法に基づき妊婦に対して健康診査を実施する事業（p. 335 参照）

■**仕事・子育て両立支援事業**（法第 59 条の 2）

　政府は，仕事と子育てとの両立に資する子ども・子育て支援の提供体制の充実を図るため，仕事・子育て両立支援事業として，事業所内保育事業その他事業主と連携して当該事業主が雇用する労働者の監護する乳児又は幼児の保育を行う業務に係るものの設置者に対し，助成及び援助を行う事業を行うことができる。

2　児童の定義等

〔**根拠**▶児童福祉法（昭 22.12.12 法律第 164 号）ほか〕

■**児童福祉法における児童の定義**（法第 4 条）

　児童福祉法において，児童とは，満 18 歳未満の者をいい，これを次のように区分している。

乳　児　　満 1 歳に満たない者

幼　児　　満 1 歳から，小学校就学の始期に達するまでの者

少　年　　小学校就学の始期から，満 18 歳に達するまでの者

　　（注）　児童福祉施設に入所した児童については，当該児童の状態により，前記の年齢を延長して在所させることができることとなっている。

　また，障害児とは，身体に障害のある児童，知的障害のある児童，精神に障害のある児童（発達障害者支援法第 2 条第 2 項に規定する発達障害児を含む。）又は治療方法が確立していない疾病その他の特殊な疾病であって，障害者の日常生活及び社会生活を総合的に支援するための法律（平成 17 年法律第 123 号）第 4 条第 1 項の政令で定めるものによる障害の程度が同項の主務大臣が定める程度である児童をいう（p. 118，291 参照）。

■**他の法令における「児童」の定義等**

1．児童手当法における「児童」

　　18 歳に達する日以後の最初の 3 月 31 日までの間にある者であって，日本国内に住所を有するもの又は留学その他の内閣府令で定める理由により日本国内に住所を有しないもの（同法第 3 条）。

2．児童扶養手当法における「児童」

　　18 歳に達する日以後の最初の 3 月 31 日までの間にある者又は 20 歳未満で政令で定める程度の障害の状態にある者（同法第 3 条）。

3．母子及び父子並びに寡婦福祉法における「児童」

　　20 歳に満たない者（同法第 6 条）。

※　子ども・子育て支援法における「子ども」の定義

　　18 歳に達する日以後の最初の 3 月 31 日までの間にある者（同法第 6 条）。

3　援護の実施機関等

〔**根拠**▶児童福祉法（昭 22. 12. 12 法律第 164 号）〕

1　児童相談所

■**設置主体**（法第 12 条，第 59 条の 4 ）

　都道府県，指定都市及び中核市並びに児童相談所を設置する市（特別区を含む。）として政令で定める市

■**主要業務**（法第 11 条第 1 項各号，第 26 条，第 27 条等）

1．児童に関する家庭その他からの相談のうち，専門的な知識及び技術を必要とするものに応ずること。

2．児童及びその家庭につき，必要な調査並びに医学的，心理学的，教育学的，社会学的及び精神保健上の判定を行うこと。

3．児童及びその保護者につき，2．の調査又は判定に基づいて心理又は児童の健康及び心身の発達に関する専門的な知識及び技術を必要とする指導その他必要な指導を行うこと。

4．児童及び妊産婦の福祉に関し，広域的な対応が必要な業務並びに家庭その他につき専門的な知識及び技術を必要とする支援を行うこと。

5．児童の一時保護を行うこと。

6．一時保護解除後の家庭その他の環境の調整，児童の状況把握その他の措置により安全

を確保する。

7．必要に応じ，巡回して1.～4.等の業務を行うこと。

8．里親に関する普及啓発を行い，里親の相談に応じ，必要な情報の提供，助言，研修その他の援助を行うこと。

9．養子縁組により養子となる児童，父母，養親その他の児童を養子とする養子縁組に関する者につき，その相談に応じ，情報提供，助言その他の援助を行うこと。

10．市町村による児童家庭相談への対応について市町村相互間の連絡調整，市町村に対する情報の提供その他必要な援助を行うこと。

11．要保護児童を小規模住居型児童養育事業を行う者，里親に委託し，又は施設に入所させること。ただし，助産施設，母子生活支援施設への入所措置及び保育の実施を除く。

12．3歳児精密健康診査，1歳6か月児精密健康診査及び事後指導を行うこと。

■留意事項

　児童相談所は，相談，判定等の業務のほか，施設入所に関する業務も行っており，この点，身体障害者更生相談所や知的障害者更生相談所と性格が異なる。

ア　児童福祉司（法第13条）

■業　務

　児童相談所長の命を受けて，児童の保護その他児童の福祉に関する事項について相談に応じ，専門的技術に基づいて必要な指導等を行う（児童相談所に必置）。

■資　格

　次のいずれかに該当する者

1．都道府県知事の指定する児童福祉司若しくは児童福祉施設の職員を養成する学校その他の施設を卒業し，又は都道府県知事の指定する講習会の課程を修了した者

2．大学等において，心理学，教育学若しくは社会学を専修する学科又はこれらに相当する課程を修めて卒業した者であって，内閣府令で定める施設において1年以上相談援助業務（児童その他の者の福祉に関する相談に応じ，助言，指導その他の援助を行う業務をいう。）に従事したもの

3．医師

4．社会福祉士

5．精神保健福祉士

6．公認心理師

7．社会福祉主事として，2年以上相談援助業務に従事した者であって，内閣総理大臣が

定める講習会の課程を修了したもの

8．1.から7.に準ずる者であって，児童福祉司として必要な学識経験を有する者等

■指導教育担当児童福祉司

　他の児童福祉司が職務を行うため必要な専門的技術に関する指導及び教育を行う児童福祉司（指導教育担当児童福祉司）を配置し，その要件は，児童福祉司としておおむね5年以上勤務した者であって，内閣総理大臣が定める基準に適合する研修の課程を修了したものとする（法第13条第5項・第6項）。

令和6年4月から，児童福祉司の任用要件等に以下の項目が加わる。

1．児童福祉司に係る要件として，虐待を受けた児童の保護その他児童福祉に関する専門的対応を要する事項につき，児童及び保護者に対する相談及び必要な指導等を通じ，的確な支援を実施できる十分な知識・技術を有する者として内閣府令で定める者

2．指導教育担当児童福祉司に係る要件として，1の者のうち，内閣府令で定める施設において2年以上相談援助業務に従事した者その他の内閣府令で定めるものは，児童福祉司としておおむね3年以上勤務した者で，内閣総理大臣が定める研修課程を修了した者

イ　その他

■専門職員の配置等

1．心理に関する専門的知識等を必要とする指導をつかさどる所員として児童心理司を配置し，その要件は，医師であり精神保健に関し学識経験を有する者，大学において心理学等の課程を修めて卒業した者又は公認心理師とする（法第12条の3第6項）。

2．児童の健康及び心身の発達に関する専門的知識等を必要とする指導をつかさどる所員として医師及び保健師が，それぞれ1人以上含まれなければならない（法第12条の3第8項）。

3．都道府県は，常時弁護士による助言又は指導の下で適切かつ円滑に行うため，児童相談所における弁護士の配置又はこれに準ずる措置を行う（法第12条第4項）。

2　市町村（児童家庭相談機関）

■主要業務（法第10条第1項各号，第25条の7等）

1．児童及び妊産婦の福祉に関し，必要な実情の把握に努めること。

2．児童及び妊産婦の福祉に関し，必要な情報の提供を行うこと。

3．児童及び妊産婦の福祉に関し，家庭その他からの相談に応ずること並びに必要な調査

及び指導を行うこと並びにこれらに付随する業務を行うこと。

4．1．～3．に掲げるほか，児童及び妊産婦の福祉に関し，家庭その他につき，必要な支援を行うこと。

5．児童又はその保護者を知的障害者福祉司又は社会福祉主事に指導させること。

6．児童相談所における判定又は施設入所等の措置を要すると認める者を児童相談所に送致すること。

3 保健所 （法第12条の6等）

■主要業務

1．児童の保健について，正しい衛生知識の普及を図ること。

2．児童の健康相談に応じ，又は健康診査を行い，必要に応じ，保健指導を行うこと。

3．身体に障害のある児童及び疾病により長期にわたり療養を必要とする児童の療育について，指導を行うこと。

4．児童福祉施設に対し，栄養の改善その他衛生に関し，必要な助言を与えること。

■留意事項 （地域保健法第14条）

保健所の施設の利用又は保健所で行う業務については，政令で定める場合を除いては，使用料，手数料又は治療料を徴収してはならない。

4 児童委員 （法第16条，第17条）

根拠▶民生委員・児童委員の選任について（昭37.8.23発社第285号）
主任児童委員の選任について（平13.11.30厚生労働省発雇児第414号）

■選任

民生委員法による民生委員は，児童委員に充てられたものとするとされている。

なお，厚生労働大臣は，児童委員のうちから都道府県知事（指定都市及び中核市の市長を含む。）及び民生委員推薦会の推薦を受けて，児童福祉に関する事項を専門的に担当する児童委員として「主任児童委員」を指名する。

■職務

児童委員は，児童及び妊産婦につき，その生活及び取り巻く環境の状況を適切に把握し，その保護，保健その他福祉に関し，サービスを適切に利用するために必要な情報の提供その他の援助及び指導を行うとともに，児童福祉司又は社会福祉主事の行う職務に協力する。

主任児童委員は，児童の福祉に関する機関と児童委員との連絡調整及び児童委員の活動

に対する必要な援助・協力，地域の児童健全育成活動に対する支援等を行う。

4 保育等

1 保育所（法第24条，第39条）

> **根拠**▶児童福祉施設の設備及び運営に関する基準第32条〜第36条の2
> （昭23.12.29厚生省令第63号）

保育所は，日中就労等している保護者に代わって児童を保育することを目的とする施設であり，通所する児童の心身の健全な発達を図る役割を有するものでもある。多様な保育需要に応え，延長保育，休日保育，障害児保育，一時預かり，病児保育等を行っている。なお，平成27年4月からは，子ども・子育て支援法に基づく，施設型給付の対象施設として位置づけられている。

■設備・運営

1．乳児又は満2歳未満の幼児のための乳児室又はほふく室，医務室，調理室等，満2歳以上の幼児のための保育室又は遊戯室，屋外遊戯場等のほか，調理室等の設備を設けることとされている。

2．保育所には職員として，保育士，嘱託医及び調理員を置かなければならない。ただし，調理業務の全部を委託する施設にあっては，調理員を置かないことができる。保育士の数は，乳児おおむね3人につき1人以上，満1歳以上3歳未満の幼児おおむね6人につき1人以上，満3歳以上4歳未満の幼児おおむね20人につき1人以上，満4歳以上の幼児おおむね30人につき1人以上置くこととしているが，一保育所につき，2人を下回ることはできない。

3．保育所は，基準上は1日8時間の保育時間によって運営することを原則としており，その地域における乳幼児の保護者の労働時間その他の状況等を考慮して，保育所の長が保育時間を定めることになっている。

4．保育所における保育は，養護及び教育を一体的に行うことをその特性とし，その内容については保育所保育指針（平成29年厚生労働省告示第117号）に基づき行われている。

■保育の必要性の事由（子ども・子育て支援法施行規則第1条の5）

1．一月において，48時間から64時間までの範囲内で月を単位に市町村が定める時間以上労働することを常態とすること。

2．妊娠中であるか又は出産後間がないこと。

３．疾病にかかり，もしくは負傷し，又は精神もしくは身体に障害を有していること。

４．同居の親族（長期間入院等をしている親族を含む。）を常時介護又は看護していること。

５．震災，風水害，火災その他の災害の復旧にあたっていること。

６．求職活動（起業の準備を含む。）を継続的に行っていること。

７．次のいずれかに該当すること。

　⑴　学校，専修学校，各種学校その他教育施設に在学していること。

　⑵　公共職業能力開発施設において行う職業訓練もしくは職業能力開発総合大学校において行う指導員訓練もしくは職業訓練又は職業訓練の実施等による特定求職者の就職の支援に関する法律に規定する認定職業訓練その他の職業訓練を受けていること。

８．次のいずれかに該当すること。

　⑴　児童虐待を行っている，又は再び行われるおそれがあると認められること。

　⑵　配偶者からの暴力により，小学校就学前子どもの保育を行うことが困難であると認められること

９．育児休業をする場合であって，当該保護者の当該育児休業に係る子ども以外の小学校就学前子どもが特定教育・保育施設，特定地域型保育事業又は特定子ども・子育て支援施設等を利用しており，当該育児休業の間に当該特定教育・保育施設等を引き続き利用することが必要であると認められること。

10．上記１．から９．に類するものとして市町村が認める事由に該当すること。

2　認定こども園

> **根拠**▶就学前の子どもに関する教育，保育等の総合的な提供の推進に関する法律
> 　　　（平18.6.15法律第77号）
> 　　　就学前の子どもに関する教育，保育等の総合的な提供の推進に関する法律第3条第2項及び第4項の規定に基づき内閣総理大臣及び文部科学大臣が定める施設の設備及び運営に関する基準
> 　　　（平26.7.31内閣府・文部科学・厚生労働省告示第2号）
> 　　　幼保連携型認定こども園の学級の編制，職員，設備及び運営に関する基準
> 　　　（平26.4.30内閣府・文部科学・厚生労働省令第1号）

　認定こども園は，幼稚園と保育所の良いところを活かしながら，その両方の役割を果たすことができる新しい仕組みとして，平成18年10月から運用が始まった。平成27年4月からは，子ども・子育て支援新制度の新たな枠組みのもと，保育所，幼稚園と共通の施設型給付の対象として位置付けられている。同制度では，認定こども園のうち，特に幼保連携型認定こども園について，「学校」及び「児童福祉施設」の両方の性質を併せ持つ単一の施設として位置付けるとともに，新たに税制上，補助制度上の優遇措置を講じるなど，整備の促進が

図られている。

■認定こども園の類型

認定こども園には，地域の実情に応じて次のような多様なタイプが認められている。

1．幼保連携型

幼稚園と認可保育所の両方の性質を備えている。

2．幼稚園型

幼稚園が，保育を必要とする子どものための保育時間を確保するなど，保育所的な機能を備えている。

3．保育所型

認可保育所が，保育を必要とする子ども以外の子どもも受け入れるなど，幼稚園的な機能を備えている。

4．地方裁量型

認可保育所以外の保育機能施設等が幼稚園的な機能を備えることで，認定こども園として機能を果たす。

■保育の必要性の事由

1の保育の必要性の事由（p.252）参照。

3　地域型保育事業 （法第6条の3第9項〜第12項）

保護者の労働又は疾病その他の事由により，家庭において必要な保育を受けることが困難である乳児又は満3歳未満の幼児を対象に，家庭的保育者の居宅や小規模保育施設等において保育を行う事業をいう（満3歳以上の幼児についても，保育の体制の整備の状況その他の地域の事情を勘案して，保育が必要と認められる場合には利用可能）。

■地域型保育の種類

1．家庭的保育

家庭的保育者（一定の研修を修了した保育士その他の内閣府令で定める者）により，家庭的保育者の居宅等において行われる保育（利用定員5人以下）

2．小規模保育

定員20人未満の事業所において行われる保育（利用定員6人以上19人以下）

3．居宅訪問型保育

家庭的保育者が，乳児・幼児の居宅を訪問して行う保育

4．事業所内保育

事業主が，その雇用する労働者が監護する乳児・幼児等の保育を行うことを目的とし

て設置又は委託する施設において行われる保育（被雇用者以外の監護する乳児・幼児も利用可能）。

■**保育の必要性の事由**

1の保育の必要性の事由（**p. 252**）参照。

5　療育の給付等

1　療育の給付（法第20条）

> **根拠**▶結核にかかっている児童に対する療育の給付について
> （令5.6.16こ成母第79号）
> 未熟児養育医療費等の国庫負担について
> （令5.6.16こ成母第77号）

結核にかかっている児童に対し，療養にあわせて学習の援助を行うため，病院に入院させて療育の給付を行う。

■**実施主体**

都道府県（指定都市・中核市）

■**対象児童**

結核児童であって，その治療に特に長期間を要するもので医師が入院を必要と認めるもの

■**給付の内容**

1．医療

2．学習及び療養生活に必要な物品の支給

令和5年度単価（月額）

学習品費 ┌ 小学生　　2,190円
　　　　 └ 中学生　　2,810円

日用品費　　　18,510円

■**受給手続**（規則第10条）

申請書は，都道府県知事（指定都市市長・中核市市長）に提出し，療育券の交付を受け，

指定療育機関で療育の給付を受ける。

■**費用の一部負担等**（法第56条第2項）

本人又は扶養義務者から，費用の一部又は全部を実施主体において徴収することができる。

■**留意事項**

1．原則として結核の治療に限るが，結核に起因する疾病又は結核の治療に支障をきたす併発病の治療についても給付の対象とすることができる。

2．通院治療は対象としない。

2　小児慢性特定疾病医療支援（法第6条の2）

小児慢性特定疾病医療支援とは，都道府県知事（指定都市市長，中核市市長及び児童相談所設置市市長を含む。以下同じ。）が指定する医療機関（指定小児慢性特定疾病医療機関）に通院又は入院する小児慢性特定疾病児童等であって，当該疾病の状態が厚生労働大臣が社会保障審議会の意見を聴いて定める程度であるものに対し行われる医療をいう。

■**対象疾病**

児童又は児童以外の満20歳に満たない者が当該疾病にかかっていることにより，長期にわたり療養を必要とし，及びその生命に危険が及ぶおそれがあるものであって，療養のために多額の費用を要するものとして厚生労働大臣が社会保障審議会の意見を聴いて定める疾病をいう（788疾病）。

■**小児慢性特定疾病医療費の支給**（法第19条の2）

都道府県（指定都市，中核市及び児童相談所設置市を含む。以下同じ。）は，医療費支給認定に係る小児慢性特定疾病児童等が，指定小児慢性特定疾病医療機関に通院又は入院して小児慢性特定疾病医療支援を受けたときは，要した費用について保護者に対し小児慢性特定疾病医療費を支給する。

■**支給認定**（法第19条の3）

1．小児慢性特定疾病医療費の支給を受けようとする児童の保護者又は成長患者は，指定医の診断書を添えて都道府県に申請を行う。

2．申請を受けた都道府県は，児童等が小児慢性特定疾病にかかっており，かつ，疾病の状態が厚生労働大臣の定める程度であると認められる場合，支給認定を行う。支給認定をしないとするときは，あらかじめ小児慢性特定疾病審査会の審査を求めなければなら

ない。

3. 医療費支給認定を受けた児童の保護者又は成長患者は指定小児慢性特定疾病医療機関に医療受給者証を提示して小児慢性特定疾病医療支援を受ける。

■利用者負担

1. 同一の月に受けた指定小児慢性特定疾病医療支援に要する費用の額から，保護者の家計の負担能力等の事情をしん酌して政令で定める額（当該額がかかった医療費の2割相当額より高い場合は2割相当額）を負担する。

2. 利用者負担については，所得等の状況に応じた月額の負担上限が設定されている（**下表参照**）。

   (1) 症状が変動し入退院を繰り返す等の小児慢性特定疾病の特性に配慮し，外来・入院の区別を設定しない。

   (2) 受診した複数の医療機関等の自己負担をすべて合算した上で自己負担限度額を適用する。

3. 入院時の標準的な食事療養に係る負担については，1／2を自己負担，残りの1／2を公費負担とする。

自己負担上限額

階層区分	階層区分の基準 【医療保険上の世帯で算定】		自己負担上限額（患者負担割合：2割，外来＋入院）		
			原則		
			一般	重症 （※1）	人工呼吸器 等装着者
I	生活保護等		0円		0円
II	市町村民税非課税（世帯）	低所得I（～80万円）（※2）	1,250円	1,250円	500円
III		低所得II（80万円超～）（※2）	2,500円	2,500円	
IV	一般所得I 市町村民税課税以上7.1万円未満		5,000円	2,500円	
V	一般所得II 市町村民税7.1万円以上25.1万円未満		10,000円	5,000円	
VI	上位所得 市町村民税25.1万円以上		15,000円	10,000円	
入院時の食事療養費			1/2自己負担		

平成30年1月1日から適用。
※1 ①高額な医療が長期的に継続する者（医療費総額が5万円／月（例えば医療保険の2割負担の場合，医療費の自己負担が1万円／月）を超える月が年間6回以上ある場合）
　　②重症患者基準に適合する者，のいずれかに該当。
　2 医療費支給認定保護者の年収

4. 所得を把握する単位は，医療保険における単位とし，市町村民税（所得割）の課税額を基準とする。

5．同一世帯内に複数の対象患者がいる場合，対象患者の人数で負担上限額を按分する。
6．未婚のひとり親家庭については，寡婦（夫）と区分に差が生じないよう負担上限を設定する。

■小児慢性特定疾病審査会（法第19条の4）

都道府県に小児慢性特定疾病審査会を置く。審査会の委員は，小児慢性特定疾病に関し知見を有する医師，その他の関係者のうちから都道府県知事が任命する（任期2年）。

■小児慢性特定疾病児童等自立支援事業（法第19条の22）

都道府県は，小児慢性特定疾病児童等とその家族について，適切な療養の確保，必要な情報の提供等の便宜を供与することで，小児慢性特定疾病児童等の健康の保持増進及び自立の促進を図る。

1．必須事業

相談支援事業

2．努力義務事業

(1) 実態把握事業

(2) 療養生活支援事業

(3) 相互交流支援事業

(4) 就職支援事業

(5) 介護者支援事業

(6) その他の自立支援事業

■小児慢性特定疾病対策地域協議会（法第19条の23）

都道府県は，関係機関，関係団体並びに小児慢性特定疾病児童等及びその家族並びに小児慢性特定疾病児童等に対する医療又は小児慢性特定疾病児童等の福祉，教育若しくは雇用に関連する職務に従事する者その他の関係者により構成される小児慢性特定疾病対策地域協議会を置くよう努める。

協議会が置かれた都道府県の区域について難病対策地域協議会が置かれている場合には，両協議会は，相互に連携を図るよう努める。

6　地域子ども・子育て支援事業

1　利用者支援事業

根拠▶利用者支援事業の実施について
（平 27.5.21 府子本発第 83 号・27 文科初第 270 号・雇児発 0521 第 1 号）

　一人ひとりの子どもが健やかに成長することができる地域社会の実現に寄与するため，子ども及びその保護者等，又は妊娠している方がその選択に基づき，教育・保育・保健その他の子育て支援を円滑に利用できるよう，必要な支援を行う。

■実施主体

　市町村（特別区及び一部事務組合を含む。）

　※　市町村が認めた者へ委託等も可能

■事業の内容

1．基本型

　　子ども及びその保護者等が，教育・保育施設や地域の子育て支援事業等を円滑に利用できるよう，身近な場所において，当事者目線の寄り添い型の支援を実施する。主な業務内容は次のとおり。

(1)　利用者の個別ニーズを把握し，それに基づいて情報の集約・提供，相談，利用支援等を行うことにより，教育・保育施設や地域の子育て支援事業等を円滑に利用できるよう実施することとする。

(2)　教育・保育施設や地域の子育て支援事業等を提供している関係機関との連絡・調整，連携，協働の体制づくりを行うとともに，地域の子育て資源の育成，地域課題の発見・共有，地域で必要な社会資源の開発等に努める。

(3)　利用者支援事業の実施に当たり，教育・保育施設や地域の子育て支援事業等に関する情報についてリーフレットその他の広告媒体を活用し，積極的な広報・啓発活動を実施し，広くサービス対象者に周知を図るものとする。

(4)　その他利用者支援事業を円滑にするための必要な諸業務を行うものとする。

(5)　夜間・休日の時間外相談

(6)　出張相談支援

(7)　機能強化のための取組

(8)　多言語対応

(9)　配慮が必要な子育て家庭等への支援

(10)　多機能型地域子育て支援の強化

(11)　一体的相談支援機関連携

2．特定型

　　待機児童の解消等を図るため，行政が地域連携の機能を果たすことを前提に，主として保育に関する施設や事業を円滑に利用できるよう支援を実施する。主な業務内容については基本型に準じることとする。ただし，(1)(5)(6)(7)(8)(9)については主として地域における保育所等の保育の利用に向けた相談支援について実施し，(2)については必ずしも実施を要しない。

3．母子保健型

　　妊娠期から子育て期にわたるまでの母子保健や育児に関する様々な悩み等に円滑に対応するため，主として市町村保健センター等母子保健に関する相談機能を有する施設において，保健師等が専門的な見地から相談支援等を実施し，妊娠期から子育て期にわたるまで切れ目ない支援体制を構築する。併せて，特定妊婦，産後うつ，障害がある方への対応など，多様なニーズに対応できる体制整備を行う。

2　延長保育事業

| 根拠 ▶延長保育事業の実施について |
| （平 27.7.17 雇児発 0717 第 10 号） |

　　保育認定を受けた児童について，通常の利用日及び利用時間帯以外の日及び時間において，保育所，認定こども園等で引き続き保育を実施することで，安心して子育てができる環境を整備し，もって児童の福祉の向上を図ることを目的とする。

■実施主体

　　市町村（特別区及び一部事務組合を含む。）

　　※　市町村が認めた者へ委託等も可能

■事業の内容

　　第2号認定子ども又は第3号認定こどもが，やむを得ない理由により通常の利用日及び利用時間帯以外の日及び時間において保育所や認定こども園等で保育を受けた際に，保護者が支払うべき時間外保育の費用の全部又は一部を助成する。

■事業類型

1．一般型

　　都道府県及び市町村以外の者が設置する保育所又は認定こども園（以下，本項におい

て「民間保育所等」という。），小規模保育事業所，事業所内保育事業所，家庭的保育事業所を利用する児童を対象に，民間保育所等，小規模保育事業所，事業所内保育事業所，家庭的保育事業所のほか，駅前等利便性の高い場所，公共的施設の空き部屋等適切に事業が実施できる施設等において実施される。

なお，延長時間については，30分間延長，1時間延長，2時間延長，3時間以上の延長の各区分があり，利用者の数が区分ごとに定められた一定数を満たすことが，実施の要件となる。

2．訪問型

民間保育所等，小規模保育事業所，事業所内保育事業所，家庭的保育事業所，居宅訪問型保育事業所を利用する児童であって，以下のいずれかに該当するものについて，その者の居宅において実施する。なお，訪問型の利用にあたっては，利用者と市町村が協議の上，利用の決定が行われる。

(1) 居宅訪問型保育事業を利用する児童で利用時間を超える場合

(2) 民間保育所等における延長保育の利用児童数が1名となった場合

■食事の提供

一般型については，対象児童に対し，適宜，間食又は給食等が提供される。

■保護者負担

本事業の実施に必要な経費の一部を保護者負担とすることができる。また，訪問型については，利用児童の居宅までの交通費を実費徴収できる。

3 実費徴収に係る補足給付を行う事業

根拠 ▶実費徴収に係る補足給付を行う事業の実施について
（平27.7.17府子本第81号・27文科初第240号・雇児発0717第5号）

特定教育・保育等又は特定子ども・子育て支援の円滑な利用を図るため，教育・保育給付認定保護者及び施設等利用給付認定保護者のうち，低所得で生計が困難である者等の子どもが，特定教育・保育等又は特定子ども・子育て支援を受けた場合において，当該保護者が支払うべき実費徴収額に係る費用の一部の補助を行い，すべての子どもの健やかな成長を支援する。

教育・保育給付認定保護者に対する日用品・文房具等に要する費用及び施設等利用給付認定保護者に対する副食材料費に要する費用の補助を行う。

■実施主体

市町村（特別区及び一部事務組合を含む。）

ア　教育・保育給付認定保護者に対する日用品・文房具等に要する費用の補助

■事業の内容

低所得で生計が困難である教育・保育給付認定保護者の子どもが，特定教育・保育，特別利用保育，特別利用教育，特定地域型保育又は特例保育の提供を受けた場合に，日用品，文房具その他の特定教育・保育等に必要な物品の購入に要する費用又は特定教育・保育等に係る行事への参加に要する費用その他これらに類する費用として市町村が定めるものにかかる実費徴収額に対して，市町村がその一部を補助する。

■実施要件

1．対象者

生活保護法による被保護世帯（単給世帯を含む）及び中国残留邦人等の円滑な帰国の促進並びに永住帰国した中国残留邦人等及び特定配偶者の自立の支援に関する法律による支援給付受給世帯である教育・保育給付認定保護者又は収入その他状況を勘案し，これらに準ずる者として市町村が認める教育・保育給付認定保護者。

2．対象となる実費徴収額の範囲

1．の保護者の教育・保育認定子どもが特定教育・保育，特別利用保育，特別利用教育，特定地域型保育又は特例保育を受けた場合における食材料費以外の実費徴収額。

イ　施設等利用給付認定保護者に対する副食材料費に要する費用の補助

■事業の内容

世帯の所得の状況その他の事情を勘案して市町村が定める基準に該当する施設等利用給付認定保護者に係る施設等利用給付認定子ども（満3歳以上に限る。）が，特定子ども・子育て支援を受けた場合に，当該保護者が支払うべき食事の提供（副食の提供に限る。）にかかる実費徴収額に対し，市町村がその一部を補助する。

■実施要件

1．対象者

特定子ども・子育て支援の提供を受ける施設等利用給付認定子どもに係る施設等利用給付認定保護者であって，次の①③に該当するか②に掲げる施設等利用給付認定子どもがいる者。

①　施設等利用給付認定保護者及び当該保護者と同一の世帯に属する者に係る市町村民税所得割合算額が7万7101円未満である者。

②　負担額算定基準子ども又は小学校第3学年修了前子ども（小学校，義務教育学校の前期課程又は特別支援学校の小学部の第1〜第3学年までに在籍する子ども）が同一世帯に3人以上いる場合（そのうち最年長者及び2番目年長者を除く。）である者。

③　市町村民税を課されない者に準ずる者。

2．対象となる実費徴収額の範囲

施設等利用給付認定保護者が支払うべき食事の提供にかかる実費徴収額。

4　放課後児童健全育成事業（法第6条の3）

[根拠▶「放課後児童健全育成事業」の実施について
（令5.4.12こ成環第5号）]

保護者が労働等により昼間家庭にいない小学校に就学している児童に対し，授業の終了後等に小学校の余裕教室，児童館等を利用して適切な遊び及び生活の場を与えて，家庭，地域等との連携の下，発達段階に応じた主体的な遊びや生活が可能となるよう，当該児童の自主性，社会性及び創造性の向上，基本的な生活習慣の確立等を図り，その健全な育成を図る。

■実施主体

市町村（特別区及び一部事務組合を含む。以下同じ。）

※　ただし，市町村が認めた者に委託等を行うことができる。なお，本事業の対象となるために，国，都道府県及び市町村以外の者が放課後児童健全育成事業を行う場合は，あらかじめ省令で定める事項を市町村に届け出る必要がある。

■対象児童

保護者が労働等（保護者の疾病や介護・看護・障害等による事由を含む。）により昼間家庭にいない小学校に就学している児童とし，その他に特別支援学校の小学部の児童も対象とすることができる。

■規模

一の支援の単位を構成する児童の数は，おおむね40人以下とする。

■職員体制

放課後児童支援員の数は，一の支援の単位ごとに2人以上とする。ただし，その1人を除き，補助員（放課後児童支援員が行う支援について放課後児童支援員を補助する者をい

う。）をもってこれに代えることができる。

　なお，上記によらない場合でも，児童の支援に支障がなく，市町村の条例等により，利用児童の安全確保方策について定め，それによる対策を講じている場合については，本事業の対象とする。

■開所日数

　年間 250 日以上

　※　ただし，利用者に対するニーズ調査を行った結果，実態として 250 日開所する必要がない場合には，特例として 200 日以上の開所でも本事業の対象とする。

■開所時間

　開所する時間は，次の各号に掲げる区分に応じ，それぞれ当該各号に定める時間以上を原則とし，その地方における児童の保護者の労働時間，小学校の授業の終了の時刻その他の状況等を考慮して定める。

1．小学校の授業の休業日（長期休暇期間等）に行う放課後児童健全育成事業　　1日につき 8 時間

2．小学校の授業の休業日以外の日（平日）に行う放課後児童健全育成事業　　1日につき 3 時間

5　子育て短期支援事業（法第 6 条の 3）

> 根拠▶子育て短期支援事業の実施について
> （平 26. 5. 29 雇児発 0529 第 14 号）

　保護者の疾病その他の理由により家庭において児童を養育することが一時的に困難となった場合及び経済的な理由により緊急一時的に母子を保護することが必要な場合等に，児童養護施設その他の保護を適切に行うことのできる施設又は里親，保護を適切に行うことができる者として市町村長が適当と認めた者その他の保護を適切に行うことができる者（以下，「実施施設等」という。）において一定期間，養育・保護を行うことにより，これらの児童及びその家庭の福祉の向上を図ることを目的とする。

■実施主体

　市町村（特別区及び一部事務組合を含む。）

　※　市町村が認めた者へ委託等も可能

■**事業内容**

1．短期入所生活援助（ショートステイ）事業

　　保護者が疾病，疲労その他の身体上若しくは精神上又は環境上の理由により家庭において児童を養育することが一時的に困難となった場合又は経済的な理由により緊急一時的に母子を保護することが必要な場合等に，実施施設等において短期間（原則7日以内）養育・保護を行う。

対象事由	・保護者の疾病 ・家庭養育上の事由（出産，看護，事故，災害，失踪等） ・社会的な事由（出張，転勤，冠婚葬祭，公的行事への参加等） ・身体上又は精神上の事由（育児不安や育児疲れ，慢性疾患児の看病疲れ等） ・経済的問題等により緊急一時的に母子保護を必要とする場合

2．夜間養護等（トワイライトステイ）事業

　　保護者が仕事その他の理由により平日の夜間又は休日に不在となり，家庭において児童を養育することが困難となった場合その他緊急の場合において，児童を実施施設等において保護し，生活指導，食事の提供等を行う。

■**実施方法**

1．本事業の実施施設等は以下のとおりとする。

　⑴　児童養護施設，母子生活支援施設，乳児院，保育所，ファミリーホーム等住民に身近で適切に保護することができる施設

　⑵　里親，保護を適切に行うことができる者として市町村長が適当と認めた者その他の保護を適切に行うことができる者

　　　なお，「保護を適切に行うことができる者として市町村長が適当であると認めた者」について，市町村長が，研修を受講する等して，保護を適切に行うことができると考えられる者を認めることが望ましい。また，「その他の保護を適切に行うことができる者」には，保育士及び子育て支援員を含む。

2．実施施設は，必要に応じて，あらかじめ登録している里親等に委託することができる。

3．市町村又は施設より，里親等へ本事業を委託する場合は，以下の点に留意する。

　⑴　事業の実施にあたっては，委託された者の居宅において又は当該児童の居宅に派遣して養育・保護を行う。

　⑵　市町村又は施設は，あらかじめ本事業の委託先となり得る者の名簿を作成する。

　⑶　市町村又は施設は，本事業の委託を受ける里親等に対し，電話等により養育状況等を把握するとともに，必要に応じて助言及び相談支援を行う。

4．市町村より里親へ本事業を委託する場合は，「子育て短期支援事業における里親の活

用について」（令和3年厚生労働省子ども家庭局家庭福祉課長通知）に留意し，里親が本事業による子どもの養育を行うことにより，本来の里親委託や一時保護委託に支障をきたすことのないよう，都道府県と綿密に連携し対応する。

5．市町村又は実施施設等は，児童の安全性確保や利用者の負担軽減のため，保護者が児童に付き添うことが困難な場合等に，居宅から実施施設，保育所，学校等の間について，職員による付き添いの実施に努める。

6 乳児家庭全戸訪問事業（こんにちは赤ちゃん事業）（法第6条の3）

根拠▶乳児家庭全戸訪問事業の実施について
（平29.4.3 雇児発0403 第3号）

すべての乳児のいる家庭を訪問し，子育てに関する情報の提供並びに乳児及びその保護者の心身の状況及び養育環境の把握を行うほか，養育についての相談に応じ，助言その他の援助を行うことを目的とする。

■実施主体

市町村（特別区及び一部事務組合を含む。）

※ 市町村が認めた者へ委託等も可能

■対象者

原則として生後4か月を迎えるまでの，乳児のいるすべての家庭（里親家庭及び小規模住居型児童養育事業を含む。）

■訪問時期等

対象乳児が生後4か月を迎えるまでの間に1回訪問することを原則とする（ただし，生後4か月を迎えるまでの間に，健康診査等により乳児及びその保護者の状況が確認できており，対象家庭の都合等により生後4か月を経過して訪問せざるを得ない場合は，少なくとも経過後1か月以内に訪問することが望ましい。）。

■訪問者

保健師，助産師，看護師の他，保育士，母子保健推進員，愛育班員，民生・児童委員（主任児童委員），母親クラブ，子育て経験者等

※ 訪問の目的や内容，留意事項等について事前に研修を実施

■事業内容

　1．育児に関する不安や悩みの傾聴，相談

　2．子育て支援に関する情報提供

　3．乳児及びその保護者の心身の様子及び養育環境の把握

　4．支援が必要な家庭に対する提供サービスの検討，関係機関との連絡調整

7　養育支援訪問事業（法第6条の3）

[根拠 ▶養育支援訪問事業の実施について
（平29.4.3雇児発0403第4号）]

　乳児家庭全戸訪問事業等により把握した保護者の養育を支援することが特に必要と認められる児童，若しくは保護者に監護させることが不適当であると認められる児童及びその保護者又は出産後の養育について出産前において支援を行うことが特に必要と認められる妊婦に対し，その養育が適切に行われるよう，当該居宅において，養育に関する相談，指導，助言その他必要な支援を行うことを目的とする。

■実施主体

　市町村（特別区及び一部事務組合を含む。）

　※　市町村が認めた者へ委託等も可能

■対象者

　乳児家庭全戸訪問事業の実施その他により市町村長が訪問による養育支援が必要であると認めた，次に掲げるような状態にある家庭（里親家庭及び小規模住居型児童養育事業を含む。）を対象とする。

　1．妊娠や子育てに不安を持ち，支援を希望する家庭。

　2．若年の妊婦，妊婦健康診査未受診及び望まない妊娠等，妊娠期からの継続的な支援を特に必要とする家庭。

　3．出産後間もない時期（概ね1年程度）の養育者が，育児ストレス，産後うつ状態，育児ノイローゼ等の問題によって，子育てに対して強い不安や孤立感等を抱える家庭。

　4．食事，衣服，生活環境等について，不適切な養育状態にある家庭等，虐待のおそれやそのリスクを抱え，特に支援が必要と認められる家庭。

　5．公的な支援につながっていない児童（乳幼児健康診査等の谷間にある児童，3歳〜5歳児で保育所，幼稚園等に通っていない児童）のいる支援を必要とする家庭。

　6．児童養護施設等の退所又は里親委託の終了により，児童が復帰した後の家庭。

■訪問支援者

専門的相談支援：保健師，助産師，看護師，保育士，児童指導員等

育児・家事援助：子育て経験者，ヘルパー等

※　訪問支援の目的や内容，支援の方法等について事前に研修を実施

※　中核機関（要保護児童対策地域協議会（子どもを守る地域ネットワーク）の調整機関等）において立案された支援内容，方法，スケジュール等に基づき訪問支援を実施

■事業内容

対象家庭を訪問し，以下の内容を実施する。

1．妊娠期からの継続的な支援を特に必要とする家庭等に対する安定した妊娠出産・育児を迎えるための相談・支援。

2．出産後間もない時期（概ね1年程度）の養育者に対する育児不安の解消や養育技術の提供等のための相談・支援。

3．不適切な養育状態にある家庭など，虐待のおそれやそのリスクを抱える家庭に対する養育環境の維持・改善や児童の発達保障等のための相談・支援。

4．児童養護施設等の退所又は里親委託の終了により児童が復帰した後の家庭に対して家庭復帰が適切に行われるための相談・支援。

8　子どもを守る地域ネットワーク機能強化事業

> 根拠▶子どもを守る地域ネットワーク機能強化事業の実施について
> （平27.5.21雇児発0521第12号）

　市町村において，子どもを守る地域ネットワーク（要保護児童対策地域協議会）の要保護児童対策調整機関の職員や地域ネットワークを構成する関係機関等の専門性強化及び地域ネットワーク構成員の連携強化を図るとともに，地域ネットワークと訪問事業が連携を図り，児童虐待の発生予防，早期発見・早期対応に資することを目的とする。

■実施主体

市町村（特別区及び一部事務組合を含む。）

■事業内容

調整機関に職員（非常勤職員等を含む。以下「調整機関職員」という。）を配置する。調整機関職員は，調整機関が行う業務に影響のない範囲内において兼務職員であっても差し支えないが，母子，保育，障害児等を含む児童福祉分野の業務に従事する者とする。

1．調整機関職員の専門性強化

次のいずれか又は両方の取組を行う。

(1)　調整機関職員が児童福祉司の任用資格を満たしていない場合

次の「児童福祉司任用資格取得のための研修（講習会）」を受講させる。

ア　児童福祉法第13条第3項第1号の厚生労働大臣が指定する講習会（社会福祉法人全国社会福祉協議会中央福祉学院が実施する「児童福祉司資格認定通信課程」）

イ　児童福祉法施行規則第6条第6号から第10号及び同条第13号に規定する厚生労働大臣が定める講習会（都道府県が実施する「児童福祉司任用資格取得のための研修（講習会）」）

(2)　調整機関職員が児童福祉司の任用資格を満たしている場合

さらに児童虐待への専門性を向上させるため，次の研修を受講させる。

ア　虐待・思春期問題情報研修センター（子どもの虹情報研修センター又は西日本こども研修センターあかし）が実施する研修

イ　都道府県や研修機関等が実施する児童虐待対応研修

2．地域ネットワーク構成員の連携強化

次のいずれか又は両方の取組を行う。

(1)　インターネット会議システムの導入等により，地域ネットワーク構成員による緊急受理会議や個別ケース検討会議等を適時適切に行い，その時々の子ども等の状況に応じた支援内容等について，迅速・適切に協議，判断するための取組。

(2)　ケース記録や進行管理台帳の電子化等により，要保護児童等について，地域ネットワーク構成員における情報共有，事実確認，情報収集等を迅速・適切に行うための取組。

3．地域ネットワーク構成員の専門性向上を図る取組

学識経験者等の専門家を招へいし，児童虐待対応についての共有認識と運営手法についての研修会・講習会等を開催する取組や個別ケースについての具体的な支援方法及び進行管理等についての助言・指導を受ける取組。

4．地域ネットワークと訪問事業等との連携を図る取組

次の(1)又は(1)及び(2)の取組を行う。

(1)　地域ネットワーク調整機関が養育支援訪問事業の中核機関となり，必要に応じて行う地域ネットワークによる支援内容の協議結果に基づき，養育支援訪問事業の実施のための進行管理やその他の支援に係る連絡調整を行う取組や，乳児家庭全戸訪問事業又は母子保健法に基づく訪問事業等により把握された支援対象者の中で，特に地域ネットワークによるケース対応が必要な家庭に対し，地域ネットワークが訪問者と協力して支援を行う取組。

(2)　地域ネットワーク調整機関として子どもや家庭の状況等を把握し，支援機関を選定する際の判断をより円滑に行うための家庭等への訪問による情報収集や，利用者支援

事業や妊娠・出産包括支援事業等との連携により，要支援事例についての役割分担や，支援対象者が地域ネットワークによるケース管理に移行する場合に必要な調整等の取組。

5．地域住民への周知を図る取組

地域の子育て支援関係者や関係機関等を対象として，講演会やシンポジウムを開催し，地域ネットワーク活動や訪問事業活動についての情報発信を行う取組やマニュアル，援助事例集又は地域で連携して行う子育て支援や児童虐待防止に関する情報を掲載した資料等を作成・配布し，地域住民への周知を図る取組。

9　地域子育て支援拠点事業（法第6条の3）

根拠▶ 地域子育て支援拠点事業の実施について
（平 26. 5. 29 雇児発 0529 第 18 号）

乳幼児及びその保護者が相互の交流を行う場所を開設し，子育てについての相談，情報の提供，助言その他の援助を行う。

■実施主体

市町村（特別区及び一部事務組合を含む。）

※　市町村が認めた者へ委託等も可能

■事業類型

1．基本事業

(1)～(4)の取組を基本事業としてすべて実施する。ただし，小規模型指定施設を除く。

(1)　子育て親子の交流の場の提供と交流の促進

(2)　子育て等に関する相談，援助の実施

(3)　地域の子育て関連情報の提供

(4)　子育て及び子育て支援に関する講習等の実施（月1回以上）

2．一般型

(1)　事業内容

常設の地域子育て支援拠点を開設し，子育て家庭の親子を対象に1.に定める事業を実施する。

(2)　実施場所

①　公共施設，空き店舗，公民館，保育所等の児童福祉施設，小児科医院等の医療施設などの子育て親子が集う場として適した場所。

②　複数の場所で実施するものではなく，拠点となる場所を定めて実施する。

③ 概ね10組の子育て親子が一度に利用しても差し支えない程度の広さを確保する。

(3) 実施方法

① 原則として週3日以上，かつ1日5時間以上開設する。

② 子育て親子の支援に関して意欲のある者であって，子育ての知識と経験を有する専任の者を2名以上配置する。

③ 授乳コーナー，流し台，ベビーベッド，遊具その他乳幼児を連れて利用しても差し支えないような設備を有する。

(4) 地域の子育て拠点として地域の子育て支援活動の展開を図るための取組

市町村以外の者が1．に定める基本事業に加えて，子育て支援活動の展開を図ることを目的として，次の①〜④に掲げる取組のいずれかを実施するとともに，多様な子育て支援活動を通じて，関係機関や子育て支援活動を行っているグループ等とネットワーク化を図り，連携しながら，地域の子育て家庭に対し，よりきめ細かな支援を実施する場合について，拠点施設の業務を円滑に実施するため，当事業の別途加算の対象とする。

なお，1．に定める基本事業の運営主体が市町村であって，①〜④の運営を市町村以外の者への委託等によって行っている場合も当該加算の対象とする。

① 拠点施設の開設場所（近接施設を含む。）を活用した一時預かり事業またはこれに準じた事業の実施

② 拠点施設の開設場所（近接施設を含む。）を活用した放課後児童健全育成事業またはこれに準じた事業の実施

③ 拠点施設を拠点とした乳児家庭全戸訪問事業または養育支援訪問事業の実施

④ その他，拠点施設を拠点とした市町村独自の子育て支援事業の実施

(5) 出張ひろば

地域の実情や利用者のニーズにより，親子が集う場を常設することが困難な地域にあっては，次の①〜③に掲げる実施方法により，公共施設等を活用した出張ひろばを実施することができるものとし，この場合について別途加算の対象とする。

① 開設日数は，週1〜2日，かつ1日5時間以上とする。

② 一般型の職員が，必ず1名以上，出張ひろばの職員を兼務する。

③ 実施場所は，年間を通して同じ場所で実施することが望ましい。ただし，地域の実情に応じて，複数の場所において実施することも差し支えないが，その場合には，子育て親子のニーズや利便性に十分配慮する。

(6) 地域支援

地域全体で，子どもの育ち・親の育ちを支援するため，地域の実情に応じ，地域に開かれた運営を行い，関係機関や子育て支援活動を実施する団体等と連携の構築を図るための以下に掲げるいずれかの取組を実施する場合に別途加算の対象とする。

ただし，利用者支援事業を同一の事業所で併せて実施する場合には，同事業において措置することとし，加算の対象としない。

① 高齢者・地域学生等地域の多様な世代との連携を継続的に実施する取組

② 地域の団体と協働して伝統文化や習慣・行事を実施し，親子の育ちを継続的に支援する取組

③ 地域ボランティアの育成，町内会，子育てサークルとの協働による地域団体の活性化等地域の子育て資源の発掘・育成を継続的に行う取組

④ 本事業を利用したくても利用できない家庭に対して訪問支援等を行うことで地域とのつながりを継続的に持たせる取組

(7) 配慮が必要な子育て家庭等への支援

障害児，多胎児の家庭など，配慮が必要な子育て家庭等の状況に対応した交流の場の提供や相談・援助，講習の実施等ができるよう，①②の方法により，支援を実施することができる。

① 開設日数は，週2日程度以上とすること。

② 専門的な知識・経験を有する職員を配置等すること。

(8) 休日における育児参加促進のための講習会の実施への支援

(9) 経過措置（小規模型指定施設）

① 内容

従来の地域子育て支援センター（小規模型指定施設）については，原則として週5日以上かつ1日5時間以上，開設時間は，子育て親子が利用しやすい時間帯とするよう配慮し，育児，保育に関する相談指導等に知識・経験を有する専任の者を1名以上配置し，次のうち2つ以上実施する。

(a) 育児不安等についての相談指導

(b) 子育てサークルや子育てボランティアの育成・支援

(c) 地域の保育資源の情報提供，地域の保育資源との連携・協力体制の構築

② 保健相談

①の(a)の取組に加えて，子育て親子の疾病の予防，健康の増進を図るため，看護師又は保健師等による保健相談を実施することとし，この場合において，週3回程度実施する場合については，別途加算の対象とする。

3．連携型

(1) 事業内容

効率的かつ効果的に地域の子育て支援のニーズに対応できるよう児童福祉施設・児童福祉事業を実施する施設において，1．に掲げる基本事業を実施する。

(2) 実施場所

① 児童館・児童センターにおける既設の遊戯室，相談室等であって子育て親子が交

流し，集う場として適した場所

② 概ね10組の子育て親子が一度に利用しても差し支えない程度の広さを確保すること。

(3) 実施方法

① 原則として週3日以上，かつ1日3時間以上開設する。

② 子育て親子の支援に意欲のある者で，子育ての知識と経験を有する専任の者を1名以上配置する。ただし，連携施設に勤務している職員等のバックアップを受けることができる体制を整える。

③ 授乳コーナー，流し台，ベビーベッド，遊具その他乳幼児を連れて利用しても支障が生じないような設備を有する。

(4) 地域の子育て力を高める取組

1．に定める基本事業に加えて，地域の子育て力を高めることを目的として，中・高校生や大学生等ボランティアの日常的な受入・養成を行う取組を実施する場合について，別途加算の対象とする。

ただし，利用者支援事業を併せて実施する場合には，加算の対象としない。

(5) 2．の(7)と同じ。

(6) 2．の(8)と同じ。

■費 用

事業を実施するために必要な経費の一部を保護者から徴収することができる。

10 一時預かり事業 (法第6条の3)

> **根拠**▶一時預り事業の実施について
> （平27.7.17 27文科初第238号・雇児発0717第11号）

家庭において保育を受けることが一時的に困難となった乳児又は幼児について，主として昼間において，保育所，幼稚園，認定こども園その他の場所において，一時的に預かり，必要な保護を行う。

■実施主体

市町村（特別区及び一部事務組合を含む。）

※ 市町村が認めた者へ委託等も可能

■対象児童

家庭において一時的に保育を受けることが困難となった乳幼児

■事業類型

1．一般型

　　保育所，幼稚園，認定こども園，地域子育て支援拠点又は駅周辺等利便性の高い場所など，一定の利用児童が見込まれる場所において，主として，保育所，幼稚園，認定こども園等に通っていない，又は在籍していない乳幼児を対象に実施する。当分の間，待機児童解消に向けた緊急的施策を実施する市町村に限り，子ども・子育て支援法の保育認定子どもであって，保育所等を利用していない児童の保育所等への入所が決まるまでの間，定期的に預かること（緊急一時預かり）も対象とする。

2．幼稚園型Ⅰ（3．を除く。）

　　幼稚園又は認定こども園において，主として，幼稚園等に在籍する満3歳以上の幼児で，教育時間の前後又は長期休業日等に当該幼稚園等において一時的に保護を受ける者を対象に実施する。

3．幼稚園型Ⅱ（当分の間，保育を必要とする0～2歳児の受け皿として定期的な預かりを行う。）

(1)　2歳児の受入れについて

　　幼稚園で実施する。満3歳未満の小学校就学前子どもで，子ども・子育て支援法施行規則で定める事由により家庭において必要な保育を受けることが困難であるとして市町村に認定を受けた2歳児を対象とする。児童福祉施設の設備及び運営に関する基準の規定に準じ，保育時間は1日につき8時間を原則とする。開所時間・開所日数については，対象児童に対する保育を適切に提供できるよう，保護者の就労の状況等の地域の実情に応じて定めなければならない。

(2)　0・1歳児の受入れについて

　　満3歳未満の小学校就学前子どもであって，子ども・子育て支援法施行規則で定める事由により家庭において必要な保育を受けることが困難であるとして市町村に認定を受けた0・1歳児を対象とする。

4．余裕活用型

　　下記の施設等のうち，当該施設等に係る利用児童数が利用定員総数に満たない施設等を活用して実施する。対象児童については1．と同様とする。

(1)　保育所

(2)　認定こども園

(3)　家庭的保育事業所

(4)　小規模保育事業所

(5)　事業所内保育事業所

5．居宅訪問型

　　利用児童の居宅において実施する。対象児童は，家庭において保育を受けることが一

時的に困難となった乳幼児で，以下のいずれかの要件に該当すること。

⑴　障害，疾病等の程度を勘案して集団保育が著しく困難であると認められる場合

⑵　ひとり親家庭等で，保護者が一時的に夜間及び深夜の就労等を行う場合

⑶　離島その他の地域において，保護者が一時的に就労等を行う場合。また，当分の間，緊急一時預かりも対象とする。

6．地域密着Ⅱ型

主として，保育所，幼稚園，認定こども園等に通っていない，又は在籍していない乳幼児を対象に地域子育て支援拠点や駅周辺等利便性の高い場所などで実施する。また，当分の間，緊急一時預かりも対象とする。

■留意事項

事故が生じた場合には指導監督権限をもつ自治体に速やかに報告する。安全計画，業務継続計画の策定に努め，自動車を運行する場合の児童の乗降時の確認を行う。緊急一時預かりを実施する場合は，地域の余裕スペース等の活用を検討し，本来の一時預かり事業利用者のニーズにも対応できるよう，供給拡大を図る。

■保護者負担

本事業の実施に必要な経費の一部を保護者負担とすることができる。

11　病児保育事業（法第6条の3）

根拠▶病児保育事業の実施について
（平 27.7.17 雇児発 0717 第 12 号）

保護者が就労している場合等において，子どもが病気の際に自宅での保育が困難な場合等の保育需要に対応するため，病院・保育所等において病気の児童を一時的に保育するほか，保育中に体調不良となった児童への緊急対応並びに病気の児童の自宅を訪問し，児童の福祉の向上を図ることを目的とする。

■実施主体

市町村(特別区及び一部事務組合を含む。以下同じ。)

※　市町村が認めた者へ委託等も可能

■事業類型

1．病児対応型

児童が病気の「回復期に至らない場合」であり，かつ，当面の症状の急変が認められ

ない場合において，当該児童を病院・診療所，保育所等に付設された専用スペース又は本事業のための専用施設で一時的に保育する事業。保護者の勤務等の都合により家庭で保育を行うことが困難な児童であって，市町村が必要と認めた乳児・幼児又は小学校に就学している児童を対象とする。

2．病後児対応型

児童が病気の「回復期」であり，かつ，集団保育が困難な期間において，当該児童を病院・診療所，保育所等に付設された専用スペース又は本事業のための専用施設で一時的に保育する事業。保護者の勤務等の都合により家庭で保育を行うことが困難な児童であって，市町村が必要と認めた乳児・幼児又は小学校に就学している児童を対象とする。

3．体調不良児対応型

児童が保育中に微熱を出すなど「体調不良」となった場合において，安心かつ安全な体制を確保することで，保育所等における緊急的な対応を図る事業及び保育所等に通所する児童に対して保健的な対応等を図る事業。事業実施保育所等に通所しており，保育中に微熱を出すなど体調不良となった児童であって，保護者が迎えに来るまでの間，緊急的な対応を必要とする児童を対象とする。

4．非施設型（訪問型）

児童が「回復期に至らない場合」，又は「回復期」であり，かつ，集団保育が困難な期間において，当該児童の自宅において一時的に保育する事業。

5．送迎対応

1．～3．において，看護師等又は保育士を配置し，保育所等において体調不良になった児童を送迎し，病院・診療所，保育所等に付設された専用スペース，専用施設で一時的に保育する。

6．当日キャンセル対応（試行実施）

1．及び2．において，利用当日のキャンセルにより職員配置に余剰が生じた場合に，当日キャンセルした家庭への連絡等を行うことで，受入体制を維持していることを評価する。本取組は，令和5年4月1日から令和6年3月31日までのキャンセルについて，試行的に運用する。

■保護者負担

本事業の実施に必要な経費の一部を保護者負担とすることができる。

12　子育て援助活動支援事業（ファミリー・サポート・センター事業）

（法第6条の3）

> **根拠**▶子育て援助活動支援事業（ファミリー・サポート・センター事業）の実施について
> 　　　（平26.5.29雇児発0529第17号）

　乳幼児や小学生等の児童を有する子育て中の労働者や主婦等を会員として，児童の預かり等の援助を受けたい者と当該援助を行いたい者との相互援助活動に関する連絡・調整等，病児・病後児の預かり，早朝・夜間等の緊急時の預かりやひとり親家庭等の支援等を行う。

■実施主体

　市町村（特別区及び一部事務組合を含む。）

　※　市町村が適切と認めた者へ委託等も可能

■事業類型

1．基本事業

(1)　事業内容

　　ファミリー・サポート・センター（地域において子どもの預かり等の援助を受けたい者と援助を行いたい者からなる会員組織）を設立して行う事業。ただし，①～③については全ての事業の実施を必須とし，会員数20人以上とする。

①　会員の募集，登録その他の会員組織業務

②　相互援助活動の調整・把握等

③　会員に対して相互援助活動に必要な知識を付与する講習会の開催

④　会員の交流を深め，情報交換の場を提供するための交流会の開催

⑤　子育て支援関連施設・事業（保育所，児童館等）との連絡調整

(2)　相互援助活動の内容

　　相互援助活動の内容は，①～⑥等の子どもの預かりの活動とする。

①　保育施設の保育開始前や保育終了後の子どもの預かり

②　保育施設等までの送迎

③　放課後児童クラブ終了後の子どもの預かり

④　学校の放課後の子どもの預かり

⑤　冠婚葬祭や他の子どもの学校行事の際の子どもの預かり

⑥　買い物等外出の際の子どもの預かり

(3)　ファミリー・サポート・センターの設置について

　　本部は各市町村に1か所設置。支部は，政令指定都市については区ごとに1か所，

その他の市町村については地域の実情に応じて支部を設置できる。

(4) 実施方法

① アドバイザー（相互援助活動の調整等の事務を行う。）を配置する。事業規模に応じてサブ・リーダーを配置してもよい。

② 市町村は相互援助活動等の必要事項を規定した会則を制定する。

③ 会員の登録は年度ごとに更新・整理する。

④ 会員間で行う相互援助活動は，援助を受けたい者と行いたい者との請負又は準委任契約に基づくこと。

⑤ 相互援助活動中の子どもの事故に備え，補償保険に加入する。

⑥ 子どもを預かる場所は，会員の自宅，児童館や地域子育て支援拠点等，子どもの安全が確保できる場所とし，会員間の合意により決定する。

⑦ 一度に預かることのできる子どもは会員1人につき，原則1人とする。やむをえず複数の子どもを預かる場合には，援助を行う会員の経験や子どもの年齢を考慮し，安全面に配慮する。

⑧ 援助活動に対する報酬は，原則として会員間で決定する。報酬の目安として制度の趣旨等を反映した適正と認められる額を会則等で定めることができる。

⑨ AED（自動体外式除細動器）の使用方法や心肺蘇生等の実習を含んだ緊急救命講習及び事故防止に関する講習について，援助を行う会員全員に対して必ず実施する。加えて預かり中の子どもの安全対策等のため，講習を実施し，これを修了した会員が活動を行うよう努める。

⑩ 緊急救命講習及び事故防止に関する講習について，援助を行う会員全員に対して，少なくとも5年に1回必ず実施し，その他のフォローアップ講習等の実施も含め，相互援助活動の質の維持・向上に努める。

⑪ 市町村単独では，事業実施要件が満たせない場合は，近隣の市町村と合同で事業の全部を実施することにより，事業実施要件を満たすこととしても差し支えない。

2. 病児・緊急対応強化事業

(1) 事業内容

病児・病後児，早朝・夜間等の緊急時，宿泊を伴う預かり等に関して以下の事業を行う（①〜④は必須事業。会員数は問わない。）。

（病児：当面症状の急変は認められないが回復期に至っていないことから集団保育が困難で，保護者が勤務等により保育を行うことが困難な児童

病後児：病気の回復期にあり集団保育が困難で，保護者が勤務等の都合により保育を行うことが困難な児童）

① 会員の募集，登録その他の会員組織業務

② 相互援助活動の調整・把握等

③　会員に対し病児・病後児の預かり等の相互援助活動に必要な知識を付与する講習
　会の開催

④　医療機関との連携体制の整備

⑤　会員同士の交流会の開催

⑥　子育て関連施設・事業との連絡調整

(2)　相互援助活動の内容

①　病児及び病後児の預かり

②　宿泊を伴う子どもの預かり

③　早朝・夜間等の緊急時の子どもの預かり

④　上記に伴う保育施設，自宅間等の送迎等

(3)　実施方法

①　病児・病後児の預かり等に対応できるよう講習を実施し，これを修了した会員が
　活動すること。また，フォローアップ講習等の実施により質の維持・向上に努める。

②　市町村長は，医師会等に対し本事業への協力を要請し，医療機関との連携体制を
　十分に整備する。また，保健医療面での助言が受けられるよう医療アドバイザーと
　なる医師及び緊急時に子どもを受け入れてもらう協力医療機関をあらかじめ選定す
　る。

③　病児・病後児の預かり等に円滑に対応するため，センターの開所時間の延長，携
　帯電話・転送電話による受付など，1日8時間を超える受付体制をとる。

④　預かりは1人までとし，預かる前後にかかりつけ医に受診させ，保護者と協議の
　上で預かりの可否を判断する。アドバイザー等は相互援助活動中に常に連絡のとれ
　る体制をとる。

⑤　利用者の利便性を考慮し，事業実施市町村以外の住民が会員登録・利用できるよ
　う会則等に定め，周知する。

⑥　市町村単独では，事業実施要件が満たせない場合は，近隣の市町村と合同で事業
　の全部を実施することにより，事業実施要件を満たすこととしても差し支えない。

3．ファミリー・サポート・センターにおけるひとり親家庭，低所得者，ダブルケア負担
の世帯（育児と親等の介護を同時にしている世帯）及び障害児，多胎児のいる家庭など，
配慮が必要な家庭等（以下「ひとり親家庭等」という。）の利用支援

(1)　事業内容

　　ひとり親家庭等に対して利用支援を実施することにより，ファミリー・サポート・
　センターの利用促進を図る（1．(1)①〜③又は2．(1)①〜④に加え，ひとり親家庭等
　の全てに対し，以下のいずれかの事業を実施すること。会員数は問わない。なお，事
　業内容は対象によって異なるものとしても構わない。）。

(2)　利用支援の内容

① ひとり親家庭等がセンターを利用する場合，子どもの預かりの援助を行いたい会員を優先して調整

② ひとり親家庭等がセンターを利用する場合，子どもの預かりの援助を行いたい会員の活動時間の制限をなくし，早朝・夜間等の受入など柔軟に対応

③ ひとり親家庭等がセンターを利用する場合，子どもの預かりの援助を行いたい会員への助成

④ ひとり親家庭等がファミリー・サポート・センターを利用する場合，活動前の事前顔合わせ等について，外出することが困難なひとり親家庭等に対し自宅等への訪問実施

4．預かり手増加のための取組

里親や地域ボランティアが集う場等に出向き，事業説明を行い，登録を勧める。新規会員募集とは別に現在在籍している援助を受ける会員について，援助を受ける会員となりうる者の掘り起こしを行い，個別に登録を勧める。

5．地域子育て支援拠点等との連携

提供会員の確保の促進，安心して子どもの預かり等を実施するため，地域子育て支援拠点や児童館等の拠点等における子どもの預かりの実施等について拠点等との調整を行い，以下の取組を行った場合に加算の対象とする。

① 提供会員による拠点等での子どもの預かりの促進，及び拠点等で子どもの預かりを実施している場合の巡回等による見守り支援

② 拠点等の利用者との日常的な対話を通じた提供会員増加のための働きかけ

③ 拠点等と連携した緊急救命講習や事故防止に関する講習等の実施

7　社会的養護

〔根拠▶児童福祉法（昭 22.12.12 法律第 164 号）〕

1　里親委託（法第 6 条の 4，第 27 条）

根拠▶里親制度の運営について
（平 14.9.5 雇児発第 0905002 号）
児童福祉法による児童入所施設措置費等国庫負担金について
（令 5.5.10 こ支家第 47 号）

保護者のない児童又は保護者に監護させることが不適当であると認められる児童を個人の家庭（里親）に委託して養育する。

■運営主体

　都道府県知事（指定都市市長・児童相談所設置市市長），児童相談所長等

■対象児童

　保護者のない児童又は保護者に監護させることが不適当であると認められる児童（要保護児童）

■里　親

1. 里親には，養育里親，専門里親，養子縁組里親，親族里親の4種類がある。
2. 養育里親は，要保護児童の養育を希望し，かつ内閣府令で定められた要件を満たす者のうち，養育里親名簿に登録された者をいう。
3. 一定の要件を満たした養育里親のうち，特に支援が必要である児童（虐待により心身に有害な影響を受けた児童，非行のある児童，障害児等）の養育を行うものとして名簿登録されているものを専門里親という。
4. 要保護児童を養育すること及び養子縁組によって養親となることを希望し，かつ省令で定めるところにより行う研修を修了した者のうち，養子縁組里親名簿に登録された者を養子縁組里親という。
5. 親族里親は，要保護児童の扶養義務者及びその配偶者である親族であって，要保護児童の両親その他要保護児童を現に監護する者が死亡，行方不明，拘禁，疾病による入院等の状態となったことにより，これらの者による養育が期待できない要保護児童の養育を希望する者をいう。

■里親登録

1. 里親希望者は，申請書を児童相談所を経由して都道府県知事等に提出する。
2. 都道府県知事等は，児童相談所の行った調査を基に，都道府県児童福祉審議会又は地方社会福祉審議会の意見を聴いたうえで適否を決定する。
3. 都道府県知事等は，里親（親族里親を除く。）から登録の申請があったときは，里親名簿に登録しなければならない。

■費　用

　里親委託に伴う費用として，養育里親に対し，里親手当月額90,000円のほか，児童の日常生活に必要な一般生活費，教育費等が支給される。専門里親については，里親手当月額141,000円のほか児童の日常生活に必要な一般生活費，教育費等が支給される。養子縁組里親及び親族里親については里親手当は支給されず，児童の日常生活に必要な一般生活費，教育費等のみが支給される。

■留意事項

1．里親に委託された児童（里子）については，所得税法上里親の扶養親族として所得控除の対象とされる。

2．児童相談所は，委託にあたっては，児童に最も適した里親を選ぶようにし，指導担当者を指名し児童の養育を援助すること。

2　児童自立生活援助事業（自立援助ホーム）（法第6条の3）

[根拠 ▶児童自立生活援助事業の実施について
（平10.4.22 児発第344号）]

児童の自立支援を図る観点から，義務教育終了後，里親やファミリーホームへの委託又は児童養護施設や児童自立支援施設等への入所措置が解除された児童に対し，これらの者が共同生活を営むべき住居（以下「自立援助ホーム」という。）において，相談その他の日常生活上の援助及び生活指導並びに就業の支援を行い，あわせて児童自立生活援助の実施を解除された者への相談その他の援助を行うことにより，社会的自立の促進に寄与することを目的とする。

※令和6年度より，対象者等の年齢要件について都道府県知事が認めた時点まで児童自立生活支援の実施を可能とするとともに，教育機関に在学をしていなければならない等の要件を緩和することとしている。

■設置及び運営主体

地方公共団体及び社会福祉法人等であって都道府県知事（指定都市市長・児童相談所設置市市長）が適当と認めた者

■対象者

以下のいずれかに該当する者で，都道府県知事（指定都市市長・児童相談所設置市市長）により児童自立生活援助の実施が必要とされた者（以下「入居者」という。）。

1．義務教育を終了した満20歳未満の児童等であって，措置解除者等（小規模住居型児童養育事業を行う者若しくは里親に委託する措置又は児童養護施設，児童心理治療施設若しくは児童自立支援施設に入所させる措置を解除された者）である者，あるいは都道府県知事が当該児童等のために援助及び生活指導等が必要と認めた者。

2．学校教育法に規定する高等学校，中等教育学校，特別支援学校（高等部に限る。），大学（大学院を含む。），短期大学，高等専門学校，専修学校，これらに準ずる教育施設に在学する生徒又は学生であって，満20歳に達する日の前日において児童自立生活援助が行われていた者のうち，満22歳に達する日の属する年度の末日までの間にある者。

■**対象人員**

　自立援助ホームの入居定員は，5人以上20人以下とする。

■**事業内容**

　入居者が自立した生活を営むことができるよう，当該入居者の身体及び精神の状況並びにその置かれている環境に応じて適切な援助及び生活指導等を行うものであり，その内容は次のとおりである。

1. 就業への取り組み姿勢及び職場の対人関係についての援助・指導
2. 対人関係，健康管理，金銭管理，余暇活用，食事等日常生活に関することその他自立した日常生活及び社会生活を営むために必要な相談・援助・指導
3. 職場を開拓するとともに，安定した職業に就かせるための援助・指導及び就業先との調整
4. 入居者の家庭の状況に応じた家庭環境の調整
5. 児童相談所及び必要に応じて市町村，児童家庭支援センター，警察，児童委員，公共職業安定所等関係機関との連携
6. 自立援助ホームを退居した者に対する生活相談等

■**入居者の費用負担**

　食事の提供及び居住に要する費用その他の日常生活で通常必要になるもので入居者に負担させることが適当と認められる費用については，入居者に負担させることができる。

3　小規模住居型児童養育事業（ファミリーホーム）（法第6条の3）

根拠▶ 小規模住居型児童養育事業（ファミリーホーム）の運営について
　　　　（平21.3.31雇児発第0331011号）

　養育者の家庭に児童を迎え入れ，家庭における養育環境と同様の養育環境において養育を行う家庭養護の一環として，保護者のない児童又は保護者に監護させることが不適当であると認められる児童（以下「要保護児童」という。）に対し，この事業を行う住居（以下「ファミリーホーム」という。）において養育を行い，児童間の相互作用を活かしつつ，児童の自主性を尊重し，基本的な生活習慣を確立するとともに，豊かな人間性及び社会性を養い，児童の自立を支援する。

■**ファミリーホーム事業者**

1. 小規模住居型児童養育事業者（以下「ファミリーホーム事業者」という。）は，都道府県知事（指定都市市長・児童相談所設置市市長）が適当と認めた者とする。

2．ファミリーホーム事業者については，主に次の場合が対象となる。

① 養育里親（専門里親を含む。）として委託児童の養育の経験を有する者が，養育者となり，自らの住居をファミリーホームとし，自ら事業者となるもの

② 児童養護施設，乳児院，児童心理治療施設又は児童自立支援施設（以下「児童養護施設等」という。）の職員の経験を有する者が，養育者となり，自らの住居をファミリーホームとし，自ら事業者となるもの（児童養護施設等を設置する法人が支援を行うものを含む。）

③ 児童養護施設等を設置する法人が，その雇用する職員を養育者とし，当該法人が当該職員に提供する住居をファミリーホームとし，当該法人が事業者となるもの

■対象児童

要保護児童のうち，家庭における養育環境と同様の養育環境の下で児童間の相互作用を活かしつつ養育を行うことが必要とされたものであって，児童福祉法（以下「法」という。）第27条第1項第3号の規定に基づき委託された者

■対象人員

1．ファミリーホームの委託児童の定員…5人又は6人

2．ファミリーホームにおいて同時に養育する委託児童の人数は，委託児童の定員を超えることができない。ただし，災害その他やむを得ない事情がある場合は，この限りでない。

■事業内容

法第27条第1項第3号の規定による委託を受け，養育者の住居を利用し，次の観点を踏まえつつ，児童の養育を行う。

1．要保護児童を養育者の家庭に迎え入れて，要保護児童の養育に関し相当の経験を有する養育者（養育里親経験者等）により，きめ細かな養育を行う。

2．児童間の相互作用を活かしつつ，児童の自主性を尊重した養育を行う。

3．児童の権利を擁護するための体制や，関係機関との連携その他による支援体制を確保しつつ，養育を行う。

8 児童手当

〔**根拠**▶児童手当法（昭46.5.27法律第73号）〕

■実施機関（法第7条，第8条，第17条）

　住所地の市町村長（特別区の区長を含む。公務員については所属官公署の長）が受給資格及び児童手当額を認定，支給する。

■支給要件（法第4条）

1．次のいずれかに該当する者に支給される。

(1)　次の①又は②に掲げる児童（以下「支給要件児童」という。）を保護・監督し，かつ，児童と生計を同じくする父又は母（支給要件児童に未成年後見人があるときは，その未成年後見人）であって，日本国内に居住している者

　①　15歳に達する日以後の最初の3月31日までの間にある児童（施設入所等児童を除く。以下「中学校修了前の児童」という。）

　②　中学校修了前の児童を含む2人以上の児童（施設入所等児童を除く。）

(2)　日本国内に居住しない父母等がその生計を維持している支給要件児童と同居し，これを保護・監督し，かつ，これと生計を同じくする者（支給要件児童と同居することが困難であると認められる場合には，支給要件児童を保護・監督し，かつ，これと生計を同じくする者）のうち，支給要件児童の生計を維持している父母等が指定する者であって，日本国内に居住している者（支給要件児童の父母を除く。以下「父母指定者」という。）

(3)　父母又は父母指定者のいずれにも保護・監督されず又はこれらと生計を同じくしない支給要件児童を保護・監督し，かつ，その生計を維持する者であって，日本国内に居住している者

(4)　15歳に達する日以後の最初の3月31日までの間にある施設入所等児童（以下「中学校修了前の施設入所等児童」という。）が委託されている小規模住居型児童養育事業を行う者もしくは里親又は中学校修了前の施設入所等児童が入所又は入院をしている障害児入所施設，指定発達支援医療機関，乳児院等，障害者支援施設，のぞみの園，救護施設，更生施設，日常生活支援住居施設もしくは婦人保護施設（令和6年4月から，女性自立支援施設）（以下「障害児入所施設等」という。）の設置者

2．1．(1)の場合において，児童を保護・監督し，かつ，児童と生計を同じくするその未成年後見人が数人あるときは，児童は，未成年後見人のうちいずれか児童の生計を維持する程度の高い者によって保護・監督され，これと生計を同じくする者とみなす。

3．1．(1)又は(2)の場合において，父及び母，未成年後見人並びに父母指定者のうちいず

れか2人以上の者が父及び母の子である児童を保護・監督し，かつ，生計を同じくする
ときは，児童は，母，未成年後見人又は父母指定者のうちいずれか児童の生計を維持す
る程度の高い者によって保護・監督され，かつ，これと生計を同じくする者とみなす。

4．2．及び3．にかかわらず，児童を保護・監督し，かつ，これと生計を同じくするそ
の父もしくは母，未成年後見人又は父母指定者のうちいずれか1人が児童と同居してい
る場合（いずれか1人の者が児童を保護・監督し，かつ，これと生計を同じくするその
他の父もしくは母，未成年後見人又は父母指定者と生計を同じくしない場合に限る。）は，
当該児童は，当該同居している父もしくは母，未成年後見人又は父母指定者によって保
護・監督され，かつ，これと生計を同じくする者とみなす。

「児童」「施設入所等児童」の定義	
児童	18歳に達する日以後の最初の3月31日までの間にある者であって，日本国内に居住している者。又は留学その他の内閣府令で定める理由により日本国内に居住していない者
施設入所等児童	①児童福祉法の規定により小規模住居型児童養育事業を行う者又は里親に委託されている児童 ②児童福祉法の規定により障害児入所給付費の支給を受けている児童，同法の規定により入所措置がとられて障害児入所施設に入所している児童又は指定発達支援医療機関に入院している児童，同法の規定により入所措置がとられて乳児院等に入所している児童 ③障害者の日常生活及び社会生活を総合的に支援するための法律（障害者総合支援法）の規定により介護給付費等の支給を受けている者，身体障害者福祉法もしくは知的障害者福祉法の規定により入所措置がとられて障害者支援施設又はのぞみの園に入所している児童 ④生活保護法の規定により救護施設，更生施設若しくは日常生活支援住居施設に入所，又は売春防止法に規定する婦人保護施設に入所している児童

■**支給額**（法第6条・附則第2条）

次の額が月を単位として支給される。

1．所得制限額未満である者

3歳未満	月額15,000円
3歳以上小学校修了前（第1子・第2子）	月額10,000円
3歳以上小学校修了前（第3子以降）	月額15,000円
中学生	月額10,000円

2．所得制限額以上である者

当分の間の特例給付（附則に規定）	月額5,000円

■所得制限（法第5条）

　前年の所得（1月から5月までの月分の児童手当については前々年の所得）が次の額以上である場合は支給されない。

1. 扶養親族等及び児童がいないとき　622万円
2. 扶養親族等及び児童があるとき　622万円に扶養親族等及び児童1人につき38万円
　（同一生計配偶者（70歳以上の者に限る。）又は老人扶養親族の場合は44万円）を加算した額

> 　令和4年10月支給分（6月分〜）から，特例給付に所得上限が設けられた（附則に規定）。限度額は，扶養親族等及び児童がいない場合は858万円で，1人につき加算額は児童手当と同じ（38万円又は44万円）。

■支給期日（法第8条）

　毎年2月，6月及び10月の3期に，それぞれの前月分までが支給される。

■費用負担（法第18条）

　国と地方（都道府県・市町村）の負担割合を，2：1とし，被用者の3歳未満（所得制限額未満）については7/15を事業主の負担とする（公務員分については所属庁の負担とする。）。

9　児童虐待の防止等に関する法律の概要

根拠▶児童虐待の防止等に関する法律
（平12.5.24法律第82号）

　児童に対する虐待の禁止，児童虐待の予防及び早期発見その他の児童虐待の防止に関する国及び地方公共団体の責務，児童虐待を受けた児童の保護及び自立の支援のための措置等を定めることにより，児童虐待の防止等に関する施策を促進し，もって児童の権利利益の擁護に資することを目的とする。

■児童虐待の定義（法第2条）

　「児童虐待」とは，保護者（親権を行う者，未成年後見人その他の者で，児童を現に監護するものをいう。）が，その監護する児童（18歳に満たない者をいう。）について行う次に掲げる行為をいう。

1. 児童の身体に外傷が生じ，又は生じるおそれのある暴行を加えること（身体的虐待）

2．児童にわいせつな行為をすること等（性的虐待）

3．保護者としての監護を著しく怠ること（同居人による虐待の放置も含む。）（ネグレクト）

4．児童に著しい心理的外傷を与える言動を行うこと（面前 DV を含む。）（心理的虐待）

■国及び地方公共団体の責務等（法第 4 条）

国及び地方公共団体について，児童虐待を受けた児童がその心身に著しく重大な被害を受けた事例の分析を行う責務等を定めている。

■児童虐待に係る通告（法第 6 条）

児童虐待を受けたと思われる児童を発見した者は，速やかに，市町村，児童相談所等に通告しなければならない。

■通告又は送致を受けた場合の措置（法第 8 条）

市町村，福祉事務所の長及び児童相談所長は，児童虐待を受けたと思われる児童に係る通告等を受けたときは，当該児童の安全確認を行うための必要な措置等を講じなければならない。

■出頭要求等（法第 8 条の 2）

都道府県知事は，児童虐待が行われているおそれがあると認めるときは，保護者に対し，児童を同伴して出頭することを求め，児童相談所の職員等に必要な調査又は質問をさせることができる。

■再出頭要求等（法第 9 条の 2）

都道府県知事は，保護者が正当な理由なく立入調査を拒否した場合において，児童虐待が行われているおそれがあると認めるときは，保護者に対し，児童を同伴して出頭することを求め，児童相談所の職員等に必要な調査又は質問をさせることができる。

■臨検，捜索等（法第 9 条の 3 ～第 9 条の 9，第 10 条の 2 ～第 10 条の 6）

都道府県知事は，保護者が正当な理由なく立入調査を拒否した場合において，児童虐待が行われている疑いがあるときは，児童の安全の確認を行い又はその安全を確保するため，地方裁判所，家庭裁判所又は簡易裁判所の裁判官があらかじめ発する許可状により，児童相談所の職員等に児童の住所若しくは居所に臨検させ，又は児童を捜索させることができる。

■警察署長に対する援助要請等（法第10条）

　都道府県知事又は児童相談所長が安全確認，一時保護，立入調査，又は臨検等を行おうとする場合において，必要があると認められるときは，警察署長に対し援助を求めることができる。

■児童虐待を行った保護者に対する指導等（法第11条）

1．都道府県知事等は，児童虐待を行った保護者について児童福祉法の規定により指導を行う場合は，児童虐待の再発を防止するため，医学的又は心理学的知見に基づく指導を行うよう努める。

2．児童虐待を行った保護者について，児童福祉法第27条第1項第2号の指導措置が採られた場合は，当該保護者は，同号の指導を受けなければならない。

3．指導措置が採られた保護者が，当該指導を受けないときは，都道府県知事は，当該保護者に対し，指導を受けるよう勧告することができる。

4．都道府県知事は，勧告を受けた保護者が当該勧告に従わない場合において必要があると認めるときは，一時保護，施設入所等の措置等の必要な措置を講ずるものとする。

5．児童相談所長は，勧告を受けた保護者が当該勧告に従わず，児童に対し親権を行わせることが著しく当該児童の福祉を害する場合は，必要に応じて適切に，親権喪失，親権停止若しくは管理権喪失の審判の請求を行うものとする。

6．都道府県は，保護者への指導を効果的に行うため，指導教育担当児童福祉司に指導及び教育のほか保護者への指導を行う者に対する専門的技術に関する指導及び教育を行わせるとともに，調査若しくは質問，臨検若しくは捜索又は児童の福祉に関する事務に従事する職員並びに一時保護を行った児童福祉司以外の者に保護者への指導を行わせること等の必要な措置を講じなければならない。

■面会・通信の制限等（法第12条～第12条の3）

　一時保護又は施設入所等の措置が採られ，児童の保護のため必要があると認める場合には，児童相談所長等は，児童虐待を行った保護者について当該児童との面会又は通信を制限することができる。

■接近禁止命令（法第12条の4）

　都道府県知事又は児童相談所長は，一時保護又は施設入所等の措置が採られ，その保護者について面会及び通信の全部が制限されており，児童の保護のため特に必要があると認めるときは，児童虐待を行った保護者に対し，当該児童の身辺へのつきまとい又はその住居等の付近でのはいかいを禁止することを命ずることができる（当該命令違反については，1年以下の懲役又は100万円以下の罰金に処せられる（法第18条）。）。

■施設入所等の措置の解除等（法第 13 条）

1．都道府県知事は，施設入所等の措置を解除するに当たっては，児童虐待を行った保護者の指導に当たった児童福祉司等の意見を聴くとともに，当該保護者に対し採られた指導の効果，再び児童虐待が行われることを予防するために採られる措置について見込まれる効果，当該児童の家庭環境等を勘案しなければならない。

2．都道府県知事は，虐待を受けた児童について，施設入所等の措置又は一時保護を解除するときは，当該児童の保護者に対し，親子の再統合の促進その他の児童虐待を受けた児童が家庭で生活することを支援するために必要な助言を行うことができる。

3．都道府県知事は，2．の助言に係る事務の全部又は一部を内閣府令で定める者（委託事務を適正・円滑に遂行する能力を有する人員を十分に有している者で，職員又は職員であった者が正当な理由なく，その業務上知り得た秘密を漏らすことがないよう必要な措置を講じているもの）に委託することができる。

4．3．の規定により行われる助言に係る事務に従事する者又は従事していた者は，正当な理由なくその事務に関して知り得た秘密を漏らしてはならない（当該違反については，1 年以下の懲役又は 50 万円以下の罰金に処せられる（法第 18 条）。）。

■施設入所等の措置解除時の安全確認等（法第 13 条の 2）

都道府県は，児童虐待を受けた児童について，施設入所等の措置若しくは一時保護を解除するとき又は当該児童が一時的に帰宅するときは，必要と認める期間，市町村，児童福祉施設その他の関係機関との緊密な連携を図りつつ，継続的に家庭訪問を実施することにより当該児童の安全確認を行うとともに，当該児童の保護者からの相談に応じ，養育に関する指導，助言その他の必要な支援を行うものとする。

■資料又は情報の提供（法第 13 条の 4）

地方公共団体の機関及び病院，診療所，児童福祉施設，学校その他児童の医療，福祉又は教育に関係する機関（地方公共団体の機関を除く。）並びに医師，歯科医師，保健師，助産師，看護師，児童福祉施設の職員，学校の教職員その他児童の医療，福祉又は教育に関連する職務に従事する者は，市町村長，児童相談所長等から児童虐待に係る児童又はその保護者の心身の状況，これらの者の置かれている環境その他児童虐待の防止等に係る当該児童，保護者その他の関係者に関する資料又は情報の提供を求められたときは，当該市町村長，児童相談所長等が児童虐待の防止等に関する業務等の遂行に必要な限度で利用し，かつ，利用することに相当の理由があるときは，提供することができる。ただし，当該資料又は情報の提供により，児童，保護者その他の関係者又は第三者の権利利益を不当に侵害するおそれがあると認められるときは，この限りではない。

■**児童の人格の尊重等**（法第 14 条）

　　児童の親権を行う者は，児童のしつけに際して，児童の人格を尊重するとともに，年齢及び発達の程度に配慮しなければならず，かつ体罰その他の児童の心身の健全な発達に有害な影響を及ぼす言動をしてはならない。

10　障害児の保健福祉

〔**根拠**▶児童福祉法（昭 22.12.12 法律第 164 号）〕

1　障害児の定義（法第 4 条第 2 項）

1．身体に障害のある児童，知的障害のある児童，精神に障害のある児童（発達障害者支援法に規定する発達障害児を含む。

2．障害者総合支援法で定める特殊の疾病（治療方法が確立しておらず，その診断に関し客観的指標による一定の基準が定まっており，かつ，当該疾病にかかることにより長期療養を必要とするものであって，患者の置かれている状況からみて日常生活又は社会生活を営むための支援を行うことが特に必要なもの（366 疾患））による障害により継続的に日常生活又は社会生活に相当な制限を受ける状態にある児童

（「児童」の定義については，「第 4 編　2　児童の定義等」（**p. 247 参照**））

2　障害児施設（法第 7 条第 1 項，第 42 条，第 43 条）

　　平成 24 年 4 月より，これまで知的障害児施設，知的障害児通園施設，盲ろうあ児施設，肢体不自由児施設及び重症心身障害児施設として，障害種別等に分かれていた障害児施設について，重複障害に対応するとともに，身近な地域で支援を受けられるよう，入所による支援を行う施設は障害児入所施設に，通所による支援を行う施設は児童発達支援センターにそれぞれ一元化された。障害児施設は，次のように区分される。

(1)　障害児入所施設

　　障害児を入所させて，次の支援を行うことを目的とする施設

　①　福祉型障害児入所施設

　　　保護，日常生活の指導及び独立自活に必要な知識技能の付与

　②　医療型障害児入所施設

　　　保護，日常生活の指導，独立自活に必要な知識技能の付与及び治療

(2)　児童発達支援センター

　　障害児を日々保護者の下から通わせて，次の支援を提供することを目的とする施設

① 福祉型児童発達支援センター

日常生活における基本的動作の指導，独立自活に必要な知識技能の付与又は集団生活への適応のための訓練

② 医療型児童発達支援センター

日常生活における基本的動作の指導，独立自活に必要な知識技能の付与又は集団生活への適応のための訓練及び治療

3　障害児入所支援（法第7条第2項）

障害児入所支援とは，①障害児入所施設に入所又は指定発達支援医療機関に入院する障害児に対して行われる保護，日常生活の指導及び知識技能の付与並びに②障害児入所施設に入所又は指定発達支援医療機関に入院する障害児のうち知的障害児，肢体不自由児又は重症心身障害児に対し行われる治療をいう。

■障害児入所給付費の支給（法第24条の2）

都道府県は，指定障害児入所施設又は指定発達支援医療機関（以下「指定障害児入所施設等」という。）に入所又は入院（以下「入所等」という。）して指定入所支援を受けた障害児の保護者に対し，要した費用（食費，居住費・滞在費その他日常生活に要する費用及び治療に要する費用を除く。）について，障害児入所給付費を支給する。

■障害児入所給付費の受給手続き（法第24条の3）

1．障害児入所給付費の支給を受けようとする障害児の保護者は，都道府県に申請を行う。

2．申請を受けた都道府県は，障害児の心身の状態，介護者の状況，保護者の障害児入所給付費の受給状況等を勘案して，支給の要否を決定する。なお，決定に当たっては，児童相談所長の意見を聴かなければならない。

また，障害児入所給付費を支給する旨の決定（以下「入所給付決定」という。）を行うときは，入所給付決定を受けた障害児の保護者（以下「入所給付決定保護者」という。）に，給付決定期間を記載した「入所受給者証」を交付する。

3．入所給付決定保護者は，指定障害児入所施設等に入所受給者証を提示して指定入所支援を受ける。ただし，緊急その他やむを得ない場合は，この限りでない。

■高額障害児入所給付費の支給（法第24条の6）

都道府県は，指定入所支援に要した費用の合計額から，支給された障害児入所給付費の合計額を控除した額が著しく高額であるときは，入所給付決定保護者に対し，高額障害児入所給付費を支給する。

■**特定入所障害児食費等給付費の支給**（法第24条の7）

　都道府県は，入所給付決定保護者が低所得である障害児が指定入所支援を受けたとき，入所給付決定保護者に対し，食費・居住費について，特定入所障害児食費等給付費を支給する。

■**障害児入所医療費の支給**（法第24条の20）

　都道府県は，障害児が指定障害児入所施設等（病院等に限る。）から障害児入所支援のうち治療に係るもの（「障害児入所医療」という。）を受けたとき，入所給付決定保護者に対し，要した費用について，障害児入所医療費を支給する。

■**満20歳に達するまでの障害児入所支援の利用**（法第24条の24）

　指定障害児入所施設等に入所等をした障害児が，引き続き指定入所支援を受けなければその福祉を損なうおそれがあるときは，満18歳に達した後でも，当該入所者の申請により，満20歳に達するまで，引き続き障害児入所給付費を受給することができる。

4　障害児通所支援 （法第6条の2の2第1項～第5項）

　障害児通所支援とは，児童発達支援，医療型児童発達支援，放課後等デイサービス，居宅訪問型児童発達支援及び保育所等訪問支援をいう。

(1)　児童発達支援

　障害児につき，児童発達支援センター等に通わせ，日常生活における基本的な動作の指導，知識技能の付与，集団生活への適応訓練その他の便宜を供与する。

(2)　医療型児童発達支援

　上肢，下肢又は体幹の機能の障害（「肢体不自由」という。）のある児童につき，医療型児童発達支援センター等に通わせ，児童発達支援及び治療を行う。

(3)　放課後等デイサービス

　就学している障害児につき，授業の終了後又は休業日に児童発達支援センター等に通わせ，生活能力の向上のために必要な訓練，社会との交流の促進その他の便宜を供与する。

(4)　居宅訪問型児童発達支援

　重度の障害の状態にある障害児等であって，児童発達支援等を受けるために外出することが著しく困難なものにつき，居宅を訪問し，日常生活における基本的な動作の指導等の便宜を供与する。

(5)　保育所等訪問支援

　保育所等に通う障害児又は乳児院等に入所する障害児につき，当該施設を訪問し，当該施設における障害児以外の児童との集団生活への適応のための専門的な支援その他の便宜

を供与する。

■障害児通所給付費の支給（法第 21 条の 5 の 3）

　　市町村は，指定障害児通所支援事業者又は指定発達支援医療機関（以下「指定障害児通所支援事業者等」という。）から指定通所支援を受けた障害児の保護者に対し，要した費用（食費その他日常生活に要する費用を除く。）について，障害児通所給付費を支給する。

■特例障害児通所給付費の支給（法第 21 条の 5 の 4）

　　市町村は，通所給付決定に係る障害児の保護者（以下「通所給付決定保護者」という。）が通所給付決定日前に緊急その他やむを得ない理由で指定通所支援を受けた場合，指定通所支援以外の障害児通所支援（「基準該当通所支援」に限る。）を受けた場合等に，必要があると認めるとき，要した費用について，特例障害児通所給付費を支給することができる。

■障害児通所給付費の受給手続き（法第 21 条の 5 の 5 ～第 21 条の 5 の 7）

1．障害児通所給付費又は特例障害児通所給付費を支給する旨の決定（以下「通所給付決定」という。）を受けようとする障害児の保護者は，市町村に申請を行う。

2．申請を受けた市町村は，障害児又は障害児の保護者に面接を行い，その心身の状況，その置かれている環境等について調査を行う。市町村は，当該調査を指定障害児相談支援事業者等に委託することができる。

3．市町村は，障害児の心身の状態，介護者の状況，障害児・保護者の障害児通所支援の利用に関する意向等を勘案して，支給の要否を決定する。決定に当たっては，児童相談所等の意見を聴くことができる。また，決定に当たっては，必要と認められる場合，障害児の保護者に対し，障害児支援利用計画案の提出を求め，当該案を勘案して決定する。

　　また，通所給付決定を行うときは，障害児通所支援の種類ごとに支給量を定め，通所給付決定保護者に，支給量，通所給付決定の有効期間等を記載した「通所受給者証」を交付する。

4．通所給付決定保護者は，指定障害児通所支援事業者等に通所受給者証を提示して指定通所支援を受ける。ただし，緊急その他やむを得ない場合は，この限りでない。

■高額障害児通所給付費の支給（法第 21 条の 5 の 12）

　　市町村は，障害児通所支援に要した費用の合計額から，支給された障害児通所給付費・特例障害児通所給付費の合計額を控除した額が著しく高額であるときは，通所給付決定保護者に対し，高額障害児通所給付費を支給する。

■放課後等デイサービス障害児通所給付費等の支給（法第 21 条の 5 の 13）

　　市町村は，放課後等デイサービスを受けている障害児について，引き続き放課後等デイサービスを受けなければその福祉を損なうおそれがあるときは，満 18 歳に達した後でも，当該通所者の申請により，満 20 歳に達するまで，引き続き放課後等デイサービスに係る障害児通所給付費，特例障害児通所給付費又は高額障害児通所給付費（「放課後等デイサービス障害児通所給付費等」という。）を支給することができる。

■肢体不自由児通所医療費の支給（法第 21 条の 5 の 29）

　　市町村は，障害児が指定障害児通所支援事業者等（病院・診療所に限る。）から医療型児童発達支援のうち治療に係るもの（「肢体不自由児通所医療」という。）を受けたとき，通所給付決定保護者に対し，要した費用について，肢体不自由児通所医療費を支給する。

5　障害児相談支援（法第 6 条の 2 の 2 第 7 項～第 9 項）

　　障害児相談支援とは，障害児支援利用援助及び継続障害児支援利用援助をいう。

(1)　障害児支援利用援助

　　障害児通所給付費の支給申請に係る障害児の心身の状況，その置かれている環境，障害児・保護者の障害児通所支援の利用に関する意向等を勘案し，利用する障害児通所支援の種類・内容等を定めた障害児支援利用計画案を作成し，給付決定が行われた後に，その給付決定に係る障害児通所支援の種類，内容等を記載した障害児支援利用計画の作成等を行う。

(2)　継続障害児支援利用援助

　　継続して障害児通所支援を適切に利用できるよう，障害児支援利用計画が適切であるかどうかを一定の期間ごとに検証し，その結果等を勘案して障害児支援利用計画の見直しを行い，障害児支援利用計画の変更等を行う。

■障害児相談支援給付費の支給（法第 24 条の 26）

　　市町村は，指定障害児相談支援事業者から障害児支援利用援助・継続障害児支援利用援助を受けた障害児の保護者（以下「障害児相談支援対象保護者」という。）に対し，要した費用について，障害児相談支援給付費を支給する。

11　医療的ケア児及びその家族に対する支援

根拠▶医療的ケア児及びその家族に対する支援に関する法律
（令 3.6.18 法律第 81 号）

　医療技術の進歩に伴い医療的ケア児の増加とともにその実態が多様化し，医療的ケア児及びその家族が個々の心身の状況等に応じた適切な支援を受けられるようにすることが重要となっていることに鑑み，医療的ケア児及びその家族に対する支援に関し基本理念を定め，国等の責務を明らかにし，保育及び教育の拡充に係る施策その他必要な施策並びに医療的ケア児支援センターの指定等について定め，医療的ケア児の健やかな成長を図るとともに，その家族の離職の防止に資し，安心して子どもを生み育てることができる社会の実現に寄与することを目的として，「医療的ケア児及びその家族に対する支援に関する法律」が令和 3 年 9 月施行された。

■定　義（法第 2 条）

1．医療的ケア：人工呼吸器による呼吸管理，喀痰吸引その他の医療行為
2．医療的ケア児：日常生活及び社会生活を営むために恒常的に医療的ケアを受けることが不可欠である児童（18 歳未満及び 18 歳以上であって高等学校等（学校教育法に規定する高等学校，中等教育学校の後期課程及び特別支援学校の高等部。以下同じ。）に在籍する者

■基本理念（法第 3 条）

1．医療的ケア児及びその家族に対する支援（以下「支援」という。）は，医療的ケア児の日常生活及び社会生活を社会全体で支えることを旨として行われなければならない。
2．支援は，医療的ケア児が医療的ケア児でない児童と共に教育を受けられるよう最大限に配慮しつつ適切に教育に係る支援が行われる等，個々の年齢，必要とする医療的ケアの種類及び生活の実態に応じて，かつ，医療，保健，福祉，教育，労働等に関する業務を行う関係機関，民間団体相互の緊密な連携の下に切れ目なく行われなければならない。
3．支援は，医療的ケア児が 18 歳に達し，又は高等学校等を卒業した後も適切な保健医療サービス及び福祉サービスを受けながら日常生活及び社会生活を営むことができるようにすることにも配慮して行われなければならない。
4．支援に係る施策を講ずるに当たって，医療的ケア児及びその保護者（親権者，未成年後見人その他の者で，医療的ケア児を現に監護するもの。）の意思を最大限に尊重しなければならない。
5．支援に係る施策を講ずるに当たって，医療的ケア児及びその家族がその居住する地域にかかわらず等しく適切な支援を受けられるようにしなければならない。

■国及び地方公共団体の責務（法第4条・第5条）

1．国は，基本理念にのっとり，医療的ケア児及びその家族に対する支援に係る施策を総合的に実施する責務を有する。

2．地方公共団体は，基本理念にのっとり，国との連携を図りつつ，自主的かつ主体的に，医療的ケア児及びその家族に対する支援に係る施策を実施する責務を有する。

■保育所，学校設置者等の責務（法第6条・第7条）

1．保育所，認定こども園の設置者，家庭的保育事業等（家庭的保育事業，小規模保育事業及び事業所内保育事業）を営む者，放課後児童健全育成事業を行う者は，基本理念にのっとり，その保育所若しくは認定こども園に在籍し，又は家庭的保育事業等，放課後児童健全育成事業を利用している医療的ケア児に対し，適切な支援を行う責務を有する。

2．学校（幼稚園，小学校，中学校，義務教育学校，高等学校，中等教育学校及び特別支援学校。以下同じ。）の設置者は，基本理念にのっとり，その設置する学校に在籍する医療的ケア児に対し，適切な支援を行う責務を有する。

■医療的ケア児及びその家族に対する支援に係る施策（法第9条〜第13条）

1．保育を行う体制の拡充等

(1)　国及び地方公共団体は，医療的ケア児に対して保育を行う体制の拡充が図られるよう，子ども・子育て支援法の仕事・子育て両立支援事業における医療的ケア児に対する支援についての検討，医療的ケア児が在籍する保育所，認定こども園等に対する支援その他の必要な措置を講ずる。

(2)　保育所，認定こども園の設置者及び家庭的保育事業等を営む者は，保育所若しくは認定こども園に在籍し，又は当該家庭的保育事業等を利用している医療的ケア児が適切な医療的ケアその他の支援を受けられるようにするため，保健師，助産師，看護師若しくは准看護師（以下「看護師等」という。）又は喀痰吸引等（社会福祉士及び介護福祉士法に規定する喀痰吸引等をいう。）を行うことができる保育士若しくは保育教諭の配置その他の必要な措置を講ずる。

(3)　放課後児童健全育成事業を行う者は，当該事業を利用している医療的ケア児が適切な医療的ケアその他の支援を受けられるようにするため，看護師等の配置その他の必要な措置を講ずる。

2．教育を行う体制の拡充等

(1)　国及び地方公共団体は，医療的ケア児に対して教育を行う体制の拡充が図られるよう，在籍する学校に対する支援その他の必要な措置を講ずる。

(2)　学校の設置者は，その学校に在籍する医療的ケア児が保護者の付添いがなくても適切な医療的ケアその他の支援を受けられるようにするため，看護師等の配置その他の

　　　必要な措置を講ずる。

　⑶　国及び地方公共団体は，看護師等のほかに学校において医療的ケアを行う人材の確
　　　保を図るため，介護福祉士その他の喀痰吸引等を行うことができる者を学校に配置す
　　　るための環境の整備等を講ずる。

３．日常生活における支援

　　国及び地方公共団体は，医療的ケア児及びその家族が，個々の医療的ケア児の年齢，
　必要とする医療的ケアの種類及び生活の実態に応じ，医療的ケアの実施その他の日常生
　活において必要な支援を受けられるよう，必要な措置を講ずる。

４．相談体制の整備

　　国及び地方公共団体は，医療的ケア児及びその家族その他の関係者からの各種相談に
　対し，個々の医療的ケア児の特性に配慮しつつ総合的に応ずることができるようにする
　ため，医療，保健，福祉，教育，労働等に関する業務を行う関係機関及び民間団体相互
　の緊密な連携の下に必要な相談体制の整備を行う。

５．情報の共有の促進

　　国及び地方公共団体は，個人情報の保護に配慮しつつ，医療，保健，福祉，教育，労
　働等に関する業務を行う関係機関及び民間団体が行う医療的ケア児に対する支援に資す
　る情報共有促進のため必要な措置を講ずる。

■医療的ケア児支援センター等（法第14条～第18条）

１．医療的ケア児支援センター等

　⑴　都道府県知事は，次に掲げる業務を，社会福祉法人その他の法人であって当該業務
　　　を適正かつ確実に行うことができると認めて指定した者（以下「医療的ケア児支援セ
　　　ンター」という。）に行わせ，又は自ら行うことができる。

　　①　医療的ケア児及びその家族その他の関係者に対し，専門的にその相談に応じ，又
　　　　は情報の提供若しくは助言その他の支援を行う。

　　②　医療等に関する業務を行う関係機関，民間団体及び従事する者に対し医療的ケア
　　　　についての情報提供及び研修，連絡調整を行う。

　⑵　⑴による指定は，当該指定を受けようとする者の申請により行う。

　⑶　都道府県知事は，⑴の業務を医療的ケア児支援センターに行わせ，又は自ら行うに
　　　当たっては，地域の実情を踏まえつつ，医療的ケア児及びその家族その他の関係者が
　　　その身近な場所において必要な支援を受けられるよう適切な配慮をする。

２．秘密保持義務

　　医療的ケア児支援センターの役員，職員又はこれらの職にあった者は，職務上知るこ
　とのできた個人の秘密を漏らしてはならない。

【参　考】こども基本法（令和4年6月22日法律第77号）の制定

　児童の権利に関する条約が1989年の第44回国連総会において採択された。しかし，日本が1994年に批准した当時，子どもの包括的な権利や国の基本方針を定めた法律がなく，子どもをめぐる問題を抜本的に解決し，養育，教育，保健，医療，福祉等の子どもの権利施策を幅広く整合性をもって実施するには，子どもの権利に関する国の基本方針，理念，権利保障のための原理原則が定められる必要があり，そのために憲法及び国際法上認められる子どもの権利を包括的に保障する「基本法」の制定が求められていた。

　そして，条約批准から28年の令和4年，こども基本法が制定された。第1条の目的規定を以下に示す。

（目的）

第1条　この法律は，日本国憲法及び児童の権利に関する条約の精神にのっとり，次代の社会を担う全てのこどもが，生涯にわたる人格形成の基礎を築き，自立した個人としてひとしく健やかに成長することができ，心身の状況，置かれている環境等にかかわらず，その権利の擁護が図られ，将来にわたって幸福な生活を送ることができる社会の実現を目指して，社会全体としてこども施策に取り組むことができるよう，こども施策に関し，基本理念を定め，国の責務等を明らかにし，及びこども施策の基本となる事項を定めるとともに，こども政策推進会議を設置すること等により，こども施策を総合的に推進することを目的とする。

　以下，基本理念，国等の責務，政府によるこども施策に関する大綱の策定，地方自治体によるこども計画の策定，施策に対するこども等の意見の反映，こども施策支援の体制整備，関係者相互の連携確保，こども政策推進会議の設置（こども家庭庁に設置）などが規定されている。

　令和5年4月1日施行。

【参　考】こども家庭庁の創設

1．こども家庭庁設置に至る背景

　従来，我が国の子どもに関する政策については，文部科学省が幼児教育や義務教育等を，厚生労働省が保育所・保育園，待機児童対策，母子保健，ひとり親家庭支援，障害児支援，児童虐待防止等を，内閣府が認定こども園，少子化対策，子どもの貧困対策，児童手当等を行うなど，各省庁の所掌に照らして行われてきた（縦割り行政）。

　子どもの最善の利益を第一に考え，子どもに関する取組・政策を我が国社会の真ん中に据えて（こどもまんなか社会），子どもの視点で，子どもを取り巻くあらゆる環境を視野に入れ，子どもの権利を保障し，子どもを誰一人取り残さず，健やかな成長を社会全体で後押しする。そうしたこどもまんなか社会を目指すための新たな司令塔として，こども家庭庁

を創設することとなった。

2．こども家庭庁設置法（令和4年6月22日法律第75号）の概要

(1)　子ども施策を一元的に推進するため，内閣総理大臣直属の機関とし，子どもに関連する内閣の重要施策に関する事務を助け恒常的な事務を実施するべく，内閣府の外局として，こども家庭庁長官を長とするこども家庭庁を設置する。

(2)　所掌事務

・小学校就学前の子どもの健やかな成長のための環境の確保及び小学校就学前の家庭における子育て支援に関する基本的な政策の企画及び立案並びに推進

・子ども・子育て支援給付その他の子ども及び子どもを養育している者に必要な支援

・子どもの保育及び養護

・子どものある家庭における子育ての支援体制の整備

・地域における子どもの適切な遊び及び生活の場の確保

・子ども，子どものある家庭及び妊産婦その他母性の福祉の増進

・子どもの安全で安心な生活環境の整備に関する基本的な政策の企画及び立案並びに推進

・子どもの保健の向上

・子どもの虐待の防止

・いじめの防止等に関する相談の体制など地域における体制の整備

・子どもの権利利益の擁護（他省の所掌に属するものを除く。）

・子ども大綱の策定及び推進　等

(3)　こども家庭庁長官は，必要があると認めるときは，関係行政機関の長に対し，資料の提出，説明その他の必要な協力を求めることができる。

(4)　審議会等及び特別の機関

　　子ども政策に関する重要事項等を審議するこども家庭審議会等を設置し，内閣府及び厚生労働省から関係審議会等の機能を移管し，こども基本法の規定によりこども家庭庁に置かれる特別の機関は，内閣総理大臣を長とするこども政策推進会議とする。

(5)　令和5年4月1日施行。

第5編

母子及び父子並びに寡婦の福祉

〔根拠▶母子及び父子並びに寡婦福祉法（昭 39.7.1 法律第 129 号）〕

1 母子及び父子の定義

■**母子又は母子家庭，父子又は父子家庭**（法第 13 条ほか）

母子又は母子家庭，父子又は父子家庭については，母子及び父子並びに寡婦福祉法でも直接定義づけてはいないが，諸措置の適用にあたっては，通常「配偶者のない女子又は男子と現にその扶養を受けている児童で構成されている家庭」とされている。

■**配偶者のない女子又は男子**（法第 6 条）

配偶者のない女子又は男子とは，配偶者（事実上婚姻関係と同様の事情にある者を含む。以下同じ。）と死別した女子又は男子であって，現に婚姻（事実上婚姻関係と同様の事情を含む。以下同じ。）をしていないもの及びこれに準ずる次の女子又は男子をいう。

1．離婚した女子又は男子であって現に婚姻をしていないもの
2．配偶者の生死が明らかでない女子又は男子
3．配偶者から遺棄されている女子又は男子
4．配偶者が海外にあるためその扶養を受けることができない女子又は男子
5．配偶者が精神又は身体の障害により長期にわたって労働能力を失っている女子又は男子
6．配偶者が法令により長期にわたって拘禁されているためその扶養を受けることができない女子又は男子
7．婚姻によらないで母又は父となった女子又は男子であって，現に婚姻をしていないもの

■**児　童**（法第 6 条）

児童とは，20 歳未満の者をいう。

2　寡婦の定義 (法第6条)

　配偶者のない女子であって，かつて配偶者のない女子として民法 (明治29年法律第89号) 第877条の規定により児童を扶養していたことのあるものをいう。

3　福祉事務所 (法第9条)

　福祉事務所は，母子及び父子並びに寡婦福祉法の施行に関し，次の業務を行う。

1．母子家庭等及び寡婦の福祉に関し，母子家庭等及び寡婦並びに母子・父子福祉団体の実情その他必要な実情の把握に努めること。

2．母子家庭等及び寡婦の福祉に関する相談に応じ，必要な調査及び指導を行うこと，並びにこれらに附随する業務を行うこと。

4　母子・父子自立支援員 (法第8条)

　根拠▶母子及び父子並びに寡婦福祉法による母子・父子自立支援員の設置について (平26.9.30雇児発0930第14号)

　母子家庭及び父子家庭並びに寡婦を対象に，離死別直後の精神的安定を図り，その自立に必要な情報提供，相談指導等の支援を行うとともに，職業能力の向上及び求職活動に関する支援を行うことを職務として設置する。

■職務の範囲

　母子・父子自立支援員は，福祉事務所に置かれ，又は駐在する職員とし，専門的知識を必要とする事項の相談指導等に協力する。

■相談指導等

　母子・父子自立支援員の取り扱う相談指導等の種類は，次の事項とする。

1．母子及び父子並びに寡婦福祉法及び生活一般についての相談指導等

(1) 家庭紛争，結婚その他の諸問題に関する相談支援

(2) 住宅，子育て，就業など生活基盤上の諸問題に関する相談支援

(3) 離婚直後など，地域で安定した生活を営むための精神的支援

(4) 親子関係，児童の養育に関する諸問題に関する相談支援

(5) 環境的な原因又は親子の性格に起因するもの等精神的，身体的な問題を抱える者への相談支援

(6)　自助グループの養成や集団指導

2．職業能力の向上及び求職活動等就業についての相談指導等

(1)　職業能力開発や向上のための訓練等に関する情報提供

(2)　各種制度についての情報提供，就職活動に関する助言・指導

(3)　こどもの年齢や生活状況に応じた働き方に関する適切な助言・指導

3．その他ひとり親家庭等の自立に必要な支援

(1)　児童扶養手当の受給，生活費，養育費，教育費，医療費等経済上の諸問題や借金等による経済的困窮に関する相談支援等

(2)　福祉，労働，住宅，保健，医療，教育等の関係機関との連携・調整

5　母子福祉資金 (法第13条)

　配偶者のない女子で現に児童を扶養しているもの又はその扶養している児童（配偶者のない女子で現に児童を扶養しているものが同時に民法の規定により20歳以上である子その他これに準ずる者を扶養している場合における，その20歳以上である子その他これに準ずる者を含む。）に対し，配偶者のない女子の経済的自立の助成と生活意欲の助長を図り，あわせてその扶養している児童の福祉を増進するため，資金を貸し付ける。

■貸付対象

1．母子家庭

2．父母のない児童（法第13条第3項，附則第3条）

3．母子福祉団体（法第14条）

■資金の種類等

　資金の種類，貸付限度額等は，表 (**p.306〜309参照**) のとおりである。

■償還金の支払免除

　借受人が死亡したとき，又は精神若しくは身体に著しい障害を受けたため，貸付金を償還することができなくなったと認められるときは，償還未済額の全部又は一部を免除される。また，特例児童扶養資金及び母子臨時児童扶養等資金の貸付を受けた者については，所得の状況等により償還ができなくなったと認められるときは，条例で定めるところにより，償還未済額の一部を免除される（法第15条）。

■借受手続等

　貸付主体は都道府県（指定都市及び中核市）である（借受け，増額，減額及び支払猶予

等の申請又は住所変更等の届出は，その居住地を管轄する福祉事務所を経由して都道府県知事等に提出する。）。

6　父子福祉資金 （法第 31 条の 6）

配偶者のない男子で現に児童を扶養しているもの又はその扶養している児童（配偶者のない男子で現に児童を扶養しているものが同時に民法の規定により 20 歳以上である子その他これに準ずる者を扶養している場合における，その 20 歳以上である子その他これに準ずる者を含む。）に対し，配偶者のない男子の経済的自立の助成と生活意欲の助長を図り，あわせてその扶養している児童の福祉を増進するため，資金を貸し付ける。

■貸付対象
1．父子家庭
2．父母のない児童（法第 31 条の 6 第 3 項，附則第 3 条）
3．父子福祉団体（法第 31 条の 6 第 4 項）

■資金の種類等
資金の種類，貸付限度額等は，表（p. 306〜309 参照）のとおりである。

■償還金の支払免除
借受人が死亡したとき，又は精神若しくは身体に著しい障害を受けたため，貸付金を償還することができなくなったと認められるときは，償還未済額の全部又は一部を免除される。また，特例児童扶養資金及び父子臨時児童扶養資金の貸付を受けた者については，所得の状況等により償還ができなくなったと認められるときは，条例で定めるところにより，償還未済額の一部を免除される（法第 31 条の 6 第 5 項）。

■借受手続等
貸付主体は都道府県（指定都市及び中核市）である（借受け，増額，減額及び支払猶予等の申請又は住所変更等の届出は，その居住地を管轄する福祉事務所を経由して都道府県知事等に提出する。）。

7　寡婦福祉資金 （法第 32 条）

寡婦又は寡婦が民法の規定により扶養している 20 歳以上である子その他これに準ずる者の経済的自立の助成と生活意欲の助長を図るため，資金を貸し付ける。

■貸付対象

寡婦等

1．寡婦（配偶者のない女子であって，かつて母子家庭の母であったもの）（法第6条第4項）

2．40歳以上の配偶者のない女子であって母子家庭の母及び寡婦以外のもの（法附則第6条）

3．母子・父子福祉団体

■母子福祉資金貸付けとの関係

寡婦等が母子福祉資金の貸付けを受けることができる場合は，寡婦福祉資金から同一の理由による同種の資金の貸付けを受けられない。

■所得制限

扶養する子等のない寡婦，40歳以上の配偶者のない女子については，所得制限が設けられている（法第32条第3項）（令和5年度においては，203万6000円）。

■資金の種類等

資金の種類，貸付限度額等は，表（p.306～309参照）のとおりである。

■償還金の支払免除

借受人が死亡したとき，又は精神若しくは身体に著しい障害を受けたため，貸付金を償還することができなくなったと認められるときは，償還未済額の全部又は一部を免除される（法第32条第5項）。

■借受手続等

貸付主体は都道府県（指定都市及び中核市）である（借受け，増額，減額及び支払猶予等の申請又は住所変更等の届出は，その居住地を管轄する福祉事務所を経由して都道府県知事等に提出する。）。

母子父子寡婦福祉貸付金の概要（令和5年4月1日以降適用）

資金の種類	貸 付 対 象 等		貸 付 限 度 額	貸付を受ける期間	据置期間	償還期限	利 率
事業開始資金	母子家庭の母 父子家庭の父 母子・父子福祉団体 寡婦	事業（例えば洋裁，軽飲食，文具販売，菓子小売業等，母子・父子福祉団体については政令で定める事業）を開始するのに必要な設備，什器，機械等の購入資金	3,260,000円 団体 4,890,000円	1 年	7年以内	（保証人有）無利子 （保証人無）年1.0％
事業継続資金	母子家庭の母 父子家庭の父 母子・父子福祉団体 寡婦	現在営んでいる事業（母子・父子福祉団体については政令で定める事業）を継続するために必要な商品，材料等を購入する運転資金	1,630,000円 団体 1,630,000円	6か月	7年以内	（保証人有）無利子 （保証人無）年1.0％
修 学 資 金	母子家庭の母が扶養する児童 父子家庭の父が扶養する児童 父母のない児童 寡婦が扶養する子	高等学校，高等専門学校，短期大学，大学，大学院又は専修学校に就学させるための授業料，書籍代，交通費等（大学等に就学させる場合には，課外活動費，自宅外通学において係る経費，保健衛生費等を含む。）に必要な資金	※私立の自宅外通学の場合の限度額を例示 高校，専修学校（高等課程） 　　　　　月額52,500円 高等専門学校 月額[1～3年] 52,500円 　　[4～5年] 115,000円 短期大学　月額131,000円 専修学校（専門課程） 　　　　　月額126,500円 大学 　　　　　月額146,000円 大学院（修士課程） 　　　　　月額132,000円 大学院（博士課程） 　　　　　月額183,000円 専修学校（一般課程） 　　　　　月額52,500円 （注1）高等学校，高等専門学校又は専修学校に就学する児童が18歳に達した日以後の最初の3月31日が終了したことにより児童扶養手当等の給付を受けることができなくなった場合，上記の額に児童扶養手当の額を加算した額	就学期間中	当該学校卒業後6か月	20年以内 専修学校（一般課程）5年以内	無利子 ※親に貸付ける場合，児童を連帯借受人とする。 （連帯保証人は不要） ※児童に貸付ける場合親等を連帯保証人とする。

資金の種類	貸付対象等	貸付限度額	貸付を受ける期間	据置期間	償還期限	利率
修学資金		(注2)大学等修学支援法に規定する大学等における修学の支援を受けることができる場合の限度額については，所定の額から当該支援の額に相当する額を控除した額 (注3)大学等修学支援法に規定する大学等における修学の支援を受けた場合，その相当額について当該支援を受けた日から6ヶ月以内の償還義務あり				
技能習得資金	母子家庭の母 父子家庭の父 寡婦	自ら事業を開始し又は会社等に就職するために必要な知識技能を習得するために必要な資金（例：訪問介護員（ホームヘルパー），ワープロ，パソコン，栄養士等） 【一般】　月額　68,000円 【特別】　一括　816,000円 　　　　　（12か月相当） 運転免許　460,000円	知識技能を習得する期間中5年を超えない範囲内	知識技能習得後1年	20年以内	（保証人有）無利子（保証人無）年1.0%
修業資金	母子家庭の母が扶養する児童 父子家庭の父が扶養する児童 父母のない児童 寡婦が扶養する子	事業を開始し又は就職するために必要な知識技能を習得するために必要な資金 月額　68,000円 特別　460,000円 (注)修業施設で知識，技能習得中の児童が18歳に達した日以後の最初の3月31日が終了したことにより児童扶養手当等の給付を受けることができなくなった場合，上記の額に児童扶養手当の額を加算した額	知識技能を習得する期間中5年を超えない範囲内	知識技能習得後1年	20年以内	※修学資金と同様
就職支度資金	母子家庭の母又は児童 父子家庭の父又は児童 父母のない児童 寡婦	就職するために直接必要な被服，履物等及び通勤用自動車等を購入する資金 一般　105,000円 特別　340,000円		1年	6年以内	※親に係る貸付けの場合（保証人有）無利子（保証人無）年1.0% ※児童に係る貸付けの場合修学資金と同じ
医療介護資金	母子家庭の母又は児童（介護の場合は児童を除く） 父子家庭の父又は児童（介護の場合は児童を除く） 寡婦	医療又は介護（当該医療又は介護を受ける期間が1年以内の場合に限る）を受けるために必要な資金 【医療】　340,000円 　特別　480,000円 【介護】　500,000円		医療又は介護終了後6か月	5年以内	（保証人有）無利子（保証人無）年1.0%

資金の種類		貸付対象等	貸付限度額	貸付を受ける期間	据置期間	償還期限	利率
生活資金	母子家庭の母 父子家庭の父 寡婦	知識技能を習得している間、医療若しくは介護を受けている間、母子家庭又は父子家庭になって間もない（7年未満）者の生活を安定・継続する間（生活安定貸付期間）又は失業中の生活を安定・継続するのに必要な生活補給資金	【一般】　月額　108,000円 【技能】　月額　141,000円 母子家庭の母又は父子家庭の父が生計中心者でない場合並びに現に扶養する子のない寡婦及び現に扶養する子の生計を維持していない寡婦に係る貸付は、月額72,000円 （注1）生活安定貸付期間の貸付は、配偶者のない女子又は男子となった事由の生じたときから7年を経過するまでの期間中、月額108,000円, 合計259.2万円を限度とする。 （注2）また, 生活安定期間中の養育費の取得のための裁判費用については, 1,236,000円（一般分の12か月相当）を限度として貸付けることができる。 （注3）3月相当額の一括貸付を行うことができる。 （注4）児童扶養手当受給相当に収入減少した者の生活の安定・継続に必要な生活補給資金（児童扶養手当受給者除く。）児童扶養手当の支給額を限度とする。	・知識技能を習得する期間中5年以内 ・医療又は介護を受けている期間中1年以内・離職した日の翌日から1年以内	知識技能習得後, 医療若しくは介護終了後又は生活安定期間の貸付若しくは失業中の貸付期間満了後6か月	技能習得20年以内医療又は介護5年以内生活安定貸付8年以内失業5年以内	（保証人有）無利子（保証人無）年1.0%
	母子家庭の母 父子家庭の父	児童扶養手当受給相当までに収入が減少した者の生活を安定・継続に必要な生活補給資金（児童扶養手当受給者を除く。）	児童扶養手当の支給額（令和5年度は月額44,140円）	原則3か月以内（都道府県等が適当と認める場合は1年まで延長可）	貸付期間満了後6か月	10年以内	（保証人有）無利子（保証人無）年1.0%
住宅資金	母子家庭の母 父子家庭の父 寡婦	住宅を建設し, 購入し, 補修し, 保全し, 改築し, 又は増築するのに必要な資金	1,500,000円 （特別　2,000,000円）		6か月	6年以内特別7年以内	（保証人有）無利子（保証人無）年1.0%
転宅資金	母子家庭の母 父子家庭の父 寡婦	住居を移転するため住宅の賃借に際し必要な資金	260,000円		6か月	3年以内	（保証人有）無利子（保証人無）年1.0%
就学支度資金	母子家庭の母が扶養する児童 父子家庭の父が扶養する児童 父母のない	就学, 修業するために必要な被服等の購入に必要な資金及び受験料	高校以上は自宅外通学の場合の限度額を例示 小学校　　　64,300円 中学校　　　81,000円 国公立高校　160,000円 修業施設　　282,000円 私立高校等　420,000円		6か月	就学20年以内修業5年以内	※修学資金と同様

資金の種類	貸付対象等		貸付限度額	貸付を受ける期間	据置期間	償還期限	利率
就学支度資金		児童 寡婦が扶養する子	国公立大学・大学院・短大等　420,000円 私立大学・大学院・短大等　590,000円 （注1）大学等修学支援法の規定による入学金の減免を受けることができる場合の限度額については，所定の額から当該減免の額に相当する額を控除した額 （注2）大学等修学支援法に規定する大学等における修学の支援を受けた場合，その相当額について当該支援を受けた日から6か月以内の償還義務あり				
結婚資金	母子家庭の母 父子家庭の父 寡婦		母子家庭の母又は父子家庭の父が扶養する児童，寡婦が扶養する20歳以上の子の婚姻に際し必要な資金	310,000円		6か月	5年以内	（保証人有）無利子 （保証人無）年1.0%

（注）　償　還：年賦，半年賦，月賦いずれも可能で繰上償還もいつでもできる。

　　　　違約金：年賦，半年賦，月賦いずれの場合でも，その指定日に償還しなかったときは，その翌日から納人した当日までの日数を計算し，元利金につき年3%の違約金が徴収される。

8　公共的施設内での売店の設置 （法第25条及び第34条において準用する法第25条）

　　国又は地方公共団体の設置した事務所，その他の公共的施設の管理者は，母子家庭の母・寡婦又は母子・父子福祉団体から施設内に，売店等の設置の申請があったとき，これを許可するよう努める。

9　製造たばこの小売販売業の許可 （法第26条及び第34条において準用する法第26条）

　　財務大臣は母子家庭の母又は寡婦が，小売販売業の許可を申請したときは，優先的に許可するよう努める。

10　公営住宅の優先入居 （法第27条）

　　母子家庭又は父子家庭が，公営住宅法による公営住宅に入居する場合には，住宅困窮者に対する優先入居及び生活困窮者に対する家賃の減免等特別措置がある。

11　保育所の優先入所 （法第 28 条）

　保育所に入所等する児童を選考する場合，母子家庭等（母子家庭と父子家庭）を保育所入所の必要性が高いものとして優先的に取り扱う。

　特に都市部等の待機児童の多い地域にあっては，母子家庭等が優先されるよう配慮する。

12　放課後児童クラブ等の利用に係る特別の配慮 （法第 28 条）

　ひとり親家庭を放課後児童クラブの利用の必要性が高いものとして優先的に取り扱う。また，ひとり親家庭を子育て短期支援事業や一時預かり事業の利用の必要性が高いものとして優先的に取り扱うなど特別の配慮をする。

13　母子家庭等就業・自立支援事業 （法第 30 条，第 31 条の 9 ）

　　　　　　　　　　　　　　[根拠▶母子家庭等就業・自立支援事業の実施について]
　　　　　　　　　　　　　　　　　　（平 20.7.22 雇児発第 0722003 号）

　母子家庭の母及び父子家庭の父（配偶者の暴力により親と子で避難をしている事例等で，婚姻の実態は失われているが，止むを得ない事情により離婚の届出を行っていない者等を含む。以下同じ。）並びに寡婦（以下「母子家庭の母等」という。）の自立のため，就業機会の確保は重要であるが，母子家庭の母等の就業情報や経験の不足，雇用する側の理解不足など母子家庭の母等を取り巻く就業環境は厳しい状況にある。

　こうしたことから，母子家庭の母等の家庭の状況，職業適性，就業経験等に応じ，適切な助言を行う就業相談の実施，就業に必要な知識や技能の習得を図るための就業支援講習，公共職業安定所等職業紹介機関と連携した就業情報の提供など一貫した就業支援サービスの提供等を実施するとともに，生活の安定と児童の福祉の増進を図るため，養育費の取り決めなどに関する専門知識を有する相談員等による相談体制の整備や，継続的生活指導を必要としている母子家庭の母等への支援を総合的に行うことを目的とする。

■事業の種類

　事業の種類は次のとおりとする。

　1 ．母子家庭等就業・自立支援センター事業（以下「センター事業」という。）

　2 ．一般市等就業・自立支援事業（以下「一般市等事業」という。）

■実施主体

　センター事業の実施主体は，都道府県（指定都市及び中核市を含む。）とし，一般市等事業の実施主体は，市及び福祉事務所設置町村（特別区を含み，指定都市及び中核市を除く。）とするが，実施に当たっては，都道府県及び一般市等との共同実施も差し支えない。この事業の全部又は一部を母子・父子福祉団体，社会福祉協議会，公益社団法人家庭問題情報センター，社会福祉法人，NPO法人，職業紹介等を行う企業等に委託することができる。なお，事業の内容に応じて委託先が複数になることも差し支えない。また，1．(4)～(6)の事業の全部又は一部を適切な者に再委託することができる。

■対象者

　対象者は，母子家庭の母等とする。また，母子家庭及び父子家庭の児童も対象とすることができる。ただし，1．(6)の事業については，1．(6)に定める対象者とする。

■事業の内容等

1．センター事業
(1)　就業支援事業
　①　就業相談
　　　個々の母子家庭の母等の就業相談に応じ，家庭の状況，職業の適性，職業訓練の必要性，就業への意欲形成，求人等の情報提供，事業を経営する上での問題等に対し，適切な助言や支援を行うとともに，管内の市町村に赴き，就業に係る巡回相談を行う。
　②　就業促進活動
　　　地域の企業等に対し，母子家庭の母等に対する理解と協力を求める活動を行うとともに，求人開拓を行うなど効果的な就業促進活動を行う。
(2)　就業支援講習会等事業
　　母子家庭の母等には，就業経験がない者，専業主婦であった期間が長く再就職に不安がある者，転職希望はあるが仕事と家庭の両立に不安を抱えている者，就業に際して必要な技能の習得やより良い就業に就くためのキャリアアップを望む者，起業するためのノウハウの習得を望む者などの様々なニーズがあると考えられる。そこで，就職準備や離転職，起業家支援に関するセミナーや，地域の実情に応じ，就業に結びつく可能性の高い技能，資格を習得するための就業支援講習会を開催する。
　①　セミナーの実施
　②　講習会の実施
　③　託児サービスの実施
(3)　就業情報提供事業

　　講習会修了者等の求職活動を支援するため，就業支援バンクを開設し，母子家庭の母等の希望する雇用条件等を登録するとともに，希望に応じた求人情報を登録された母子家庭の母等に適宜提供するなど，インターネット等を活用した情報提供，電子メール相談，企業等への雇用を促進するための啓発活動などを行う。

(4)　在宅就業推進事業

　　在宅での就業を希望する者，在宅就業において必要とされるスキルアップを希望する者等を対象としたセミナーの開催，在宅で就業する者同士の情報共有について資するためのサロン事業などを行い，在宅就業希望者等に必要な支援を行う。また，在宅就業希望者等に対して在宅就業コーディネーターを通じて自営型の在宅就業や企業での雇用（雇用型テレワーク）への移行を支援することができる。

(5)　養育費等支援事業

　　母子家庭の母等の養育費の確保のため，弁護士による離婚前後の養育費取得のための取り決めや支払いの履行・強制執行に関する法律相談を実施する。また，養育費に関する専門知識を有する相談員を配置し，養育費取得のための取り決めや支払いの履行・強制執行の手続に関する相談や情報提供，母子家庭の母等が養育費の取り決め等のために家庭裁判所等へ訪れる際の同行支援のほか，講習会などを実施する。また，母子家庭の母等の中には人間関係の形成が不得手で，生活習慣等に問題を抱え，就業継続できないなど，安定した就業生活が困難な者があり，生活支援を必要としている。また，子どもをひとりで養育していることから，就業支援活動に加え生活面での支援体制を強化する必要がある。このため，地域の母子生活支援施設等の相談・指導機能を活用して，そのノウハウを活かした相談指導等の生活支援を継続的に行うものとする。

(6)　親子交流支援事業

　　別居親又は同居親からの申請に応じ，親子交流に係る事前相談や親子交流援助等の支援を行うことにより，親子交流の円滑な実施を図り，子どもの健やかな成長を図るため等の支援を行う。支援の対象者は以下の要件の全てを満たす者とする。

①　おおむね15歳未満の子と親子交流を希望する別居親又は子どもと別居親との親子交流を希望する同居親

②　同居親が児童扶養手当の支給を受けており，かつ別居親が児童扶養手当の支給を受けている者と同様の所得水準にあること。又は，同居親及び別居親とも児童扶養手当の支給を受けている者と同様の所得水準にあること。ただし，都道府県等において，上記の者に対する支援の提供に支障が生じないと認める場合は，同居親又は別居親のいずれか一方が児童扶養手当の支給を受けている者と同様の所得水準にない者であるときであっても，対象者とすることができる。

③　親子交流の取り決めを行っている者で，本事業の支援を受けることについて父母

間に同意があること。

④ 過去に本事業の対象となっていない者

(7) 相談関係職員研修支援事業

都道府県等において，主に管内の自治体や福祉事務所の母子・父子自立支援員や就業支援専門員等の相談関係職員を対象として，自ら研修会等を開催するほか，他の各種研修会等への参加を支援することにより，研修機会を確保する。また，本事業においては，困難ケースへの対応方策を関係者が合同で検討する「合同検討会議」を行うことができる。

(8) 広報啓発・広聴，ニーズ把握活動等事業

都道府県等において，支援施策の積極的・計画的な実施を図るため，支援施策に係る要望・意見の聴取やニーズ調査等を行うとともに，各種の広報手段を活用し，地域の特性を踏まえた広報啓発活動を行う。

(9) 心理担当者による相談支援事業

母子家庭の母等の就業支援にあたって，就職に有利になる資格取得や職業訓練等だけではなく，エンパワメント（潜在能力を引き出し自身の生活や環境をコントロールしていく力）を育むため，母子家庭等就業・自立支援センターに心理担当者を配置し母子家庭の母等に対し心理面のアプローチも考慮した就業相談を行う。

(10) 就業環境整備事業

母子家庭の母等について，自宅に PC やインターネット環境が整備されていないことを理由として在宅就業や各種オンライン訓練の受講が妨げられることのないよう，必要な PC やモバイル Wi-Fi ルーター等の貸し出しを行う。

2．一般市等事業

より身近な地域においても母子家庭の母等が自立支援を受けられるよう，1．と同様の事業を一般市等においても実施することとする。

(1) 事業の種類は，1．の(1)〜(10)とし，その中から地域の実情に応じ必要な事業を選択して実施することも差し支えない。

(2) 都道府県等や近隣の市等と連携を図る，共同実施をする等，効果的・効率的支援に配慮する。

14　ひとり親家庭等日常生活支援事業 (法第17条, 第31条の7, 第33条)

[**根拠**▶ひとり親家庭等日常生活支援事業の実施について
（平26.9.30雇児発0930第13号）]

　母子家庭，父子家庭及び寡婦が，修学等の自立を促進するために必要な事由や疾病などの事由により，生活援助，保育サービスが必要な場合又は生活環境等の激変により，日常生活を営むのに支障が生じている場合に，その生活を支援する者（以下「家庭生活支援員」という。）を派遣するなど，母子家庭，父子家庭及び寡婦の生活の安定を図ることを目的とする。

■実施主体

　都道府県（指定都市及び中核市を含む。以下同じ。）又は市町村（特別区を含み，指定都市及び中核市を除く。以下同じ。）とし，この事業の一部を母子・父子福祉団体，NPO法人や介護事業者等に委託することができる。

■対象者

　対象者は，次に掲げるひとり親家庭等とする。

1. ひとり親家庭等であって，技能習得のための通学，就職活動等自立促進に必要な事由，又は，疾病，出産，看護，事故，災害，冠婚葬祭，失踪，残業，転勤，出張，学校等の公的行事の参加等社会通念上必要と認められる事由により，一時的に生活援助，保育サービスが必要な家庭等及び生活環境等が激変し，日常生活を営むのに，特に大きな支障が生じている家庭等

2. 乳幼児又は小学校に就学する児童を養育しているひとり親家庭であって，就業上の理由により帰宅時間が遅くなる場合等（所定内労働時間の就業を除く。）に定期的に生活援助，保育サービスが必要な家庭

■便宜の種類及び内容

　便宜の種類は，生活援助と子育て支援とし，次の援助又は支援を行うものとする。

1. 生活援助の内容は，家事，介護その他の日常生活の便宜とする。
2. 子育て支援の内容は，保育サービス及びこれに附帯する便宜とする。

■定義

1. この通知において，「ひとり親家庭等日常生活支援事業」とは，母子及び父子並びに寡婦福祉法に規定する母子家庭日常生活支援事業及び同法に規定する父子家庭日常生活支援事業並びに同法に規定する寡婦日常生活支援事業をいう。

2．この通知において，「ひとり親家庭等」とは，母子家庭及び父子家庭並びに寡婦をいう。

■**実施場所**

1．生活援助は，被生活援助者の居宅とする。

2．子育て支援は，家庭生活支援員の居宅，講習会等職業訓練を受講している場所，児童館，母子生活支援施設等ひとり親家庭等の利用しやすい場所（子育て支援を受ける者の居宅を含む。）とする。

■**家庭生活支援員の選定等**

実施主体は，次の要件を備えている者のうちから家庭生活支援員を選定すること。

1．生活援助は，生活援助の実施に必要な資格として実施主体が認めた資格を有する者，又は，生活援助の実施に必要な研修として実施主体が認めた研修を修了した者

2．子育て支援は，別に定める子育て支援に関する一定の研修を修了した者又はこれと同等の研修を修了した者として実施主体が認めた者

■**家庭生活支援員の登録**

1　実施主体は，家庭生活支援員の氏名，連絡先，提供可能な便宜の種類等事業の実施に必要な情報を記載した登録簿を作成すること。

2．実施主体は，家庭生活支援員を選定した場合又は登録されている内容に変更があった場合は，すみやかに登録又は登録内容の変更を行うこと。

3．家庭生活支援員は，登録簿に登録されている内容に変更があった場合は，その変更内容について，すみやかに実施主体に報告を行うこと。

■**家庭生活支援員の派遣等の決定等**

1．事業の実施に当たり，家庭生活支援員の派遣の調整等を行うコーディネーターを配置し，家庭生活支援員の派遣等を必要とするひとり親家庭等からの要請又は当該世帯の近隣に在住する者等の要請に基づいて行うものとする。

2．家庭生活支援員の派遣等の要請があった場合には，その必要性を判断し，できる限り速やかに家庭生活支援員の派遣等の要否を決定するものとする。

なお，本人以外からの要請の場合は，家庭生活支援員の派遣等の要否について本人の意向を確認するとともに，必要に応じ関係機関と連携を図ること。

15　ひとり親家庭等生活向上事業 （法第 31 条の 5，第 31 条の 11，第 35 条の 2）

根拠▶ひとり親家庭等生活向上事業の実施について
（平 28.4.1 雇児発 0401 第 31 号）

　母子家庭及び父子家庭並びに寡婦は，家計管理，育児や自身の健康面の不安など生活の中に多くの問題を抱えている。また，こうした家庭のこどもは，日頃から親と過ごす時間も限られ，家庭内でのしつけや教育等が十分に行き届きにくい。

　このため，親自身が生活の中で直面する諸問題の解決やこどもの生活・学習支援を図り，母子家庭及び父子家庭並びに寡婦の地域での生活を総合的に支援することを目的とする。

■定　義

1．「ひとり親家庭等生活向上事業」とは，母子及び父子並びに寡婦福祉法に規定する母子家庭生活向上事業及び父子家庭生活向上事業並びに寡婦生活向上事業をいう。

2．「ひとり親家庭」とは，母子家庭及び父子家庭をいう。

3．「ひとり親家庭等」とは，母子家庭及び父子家庭並びに寡婦をいう。

4．「養育者家庭」とは，父母のいない児童が養育者（祖父母等）により養育されている家庭をいう。

■実施主体

　都道府県（指定都市，中核市を含む。）又は市町村（特別区を含み指定都市と中核市を除く。）とし，事業の全部又は一部を母子・父子福祉団体，NPO 法人等に委託することができる。

■事業種別及び内容

　次の 1．及び 2．の事業について，地域の実情に応じて選択実施できるものとする。

1．ひとり親家庭等生活支援事業

(1)　目的

　　ひとり親家庭等は，就業や家事等日々の生活に追われ，家計管理，こどものしつけ・育児又は自身やこどもの健康管理など様々な面において困難に直面することとなる。また，ひとり親家庭の親の中には，高等学校を卒業していないことから希望する就業ができないことや安定した就業が難しいなどの支障が生じている。このため，生活に関する悩み相談，家計管理・育児等に関する専門家による講習会の実施，高等学校卒業程度認定試験合格のための学習支援等を実施することにより，ひとり親家庭等の生活の向上を図る。

(2)　対象者

　　ひとり親家庭等を対象とする。

(3)　事業内容

　　事業内容は，次の①～⑤とし，地域の実情に応じて選択実施することができる。

①　育児や家事，健康管理等の生活一般に係る相談に応じ，必要な助言・指導や各種支援策の情報提供等を実施する事業（以下「相談支援事業」という。）

②　家計管理，こどものしつけ・育児や養育費の取得手続等に関する講習会の開催や個別相談を実施する事業（以下「家計管理・生活支援講習会等事業」という。）

③　高等学校卒業程度認定試験の合格等のためにひとり親家庭の親へ学習支援を実施する事業（以下「学習支援事業」という。）

④　ひとり親家庭が互いの悩みを打ち明けたり相談し合う場を設け，ひとり親家庭の交流や情報交換を実施する事業（以下「情報交換事業」という。）

⑤　母子生活支援施設を活用し，短期間の施設利用による子育てや生活一般等に関する相談や助言の実施，ひとり親家庭の状況に応じた各種支援の情報提供，必要に応じて施設入所に関する福祉事務所関係機関との連絡・調整を行う事業

2．こどもの生活・学習支援事業

(1)　目的

　　ひとり親家庭や貧困家庭等のこどもが抱える特有の課題に対応し，貧困の連鎖を防止する観点から，ひとり親家庭や貧困家庭等のこどもに対し，放課後児童クラブ等の終了後に，児童館・公民館・民家やこども食堂等において，悩み相談を行いつつ，基本的な生活習慣の習得支援，学習支援や食事の提供等を行うことにより，ひとり親家庭や貧困家庭等のこどもの生活の向上を図る。

(2)　対象者

　　ひとり親家庭や養育者家庭，貧困家庭等のこどもを対象とする。なお，対象とする家庭の範囲については，地域の実情に応じ，各自治体において定めるものとする。

(3)　事業内容

　　次の①から③の支援を地域の実情に応じて実施する。なお，①から③の支援を組み合わせて実施することができる。

①　生活指導・学習支援

②　食事の提供

③　連携体制整備

16　自立支援教育訓練給付金事業 （法第31条，第31条の10）

[根拠 ▶ 母子家庭自立支援給付金及び父子家庭自立支援給付金事業の実施について
　　　（平26.9.30雇児発0930第3号）]

　母子家庭の母は，母子家庭となる直前において，職に就いていた者ばかりでなく，結婚，出産により離職し，専業主婦等であったために，職業経験が乏しく技能も十分でない者も多く，就職に際し充分な準備がないまま，生活のために職に就かなければならない状況にある。また，父子家庭においても，所得の状況や就業の状況などから母子家庭と同様の困難を抱える家庭がある。そこで，個々の母子家庭の母又は父子家庭の父の主体的な能力開発の取組みを支援し，もって，母子家庭及び父子家庭の自立の促進を図ることを目的とする。

■定　義

　自立支援教育訓練給付金とは，母子及び父子並びに寡婦福祉法に規定する母子家庭自立支援教育訓練給付金及び父子家庭自立支援教育訓練給付金をいう。

■実施主体

　都道府県，市（特別区を含む。）及び福祉事務所設置町村（以下「都道府県等」という。）

■対象者

　母子家庭の母又は父子家庭の父であって，次の受給要件の全てを満たす者とする。なお，「児童」とは，20歳に満たない者をいう。

1．児童扶養手当の支給を受けている者と同等の所得水準にあること。
2．支給を受けようとする者の就業経験，技能，資格の取得状況や労働市場の状況などから判断して，当該教育訓練を受けることが適職に就くために必要であると認められるものであること。

■対象講座

1．雇用保険法及び雇用保険法施行規則の規定による一般教育訓練給付金の指定教育訓練講座及びこれに準じ都道府県等の長が地域の実情に応じて対象とする講座
2．雇用保険法及び雇用保険法施行規則の規定による特定一般教育訓練給付金の指定教育訓練講座及びこれに準じ都道府県等の長が地域の実情に応じて対象とする講座（専門資格取得を目的とする講座に限る。）
3．雇用保険法及び雇用保険法施行規則の規定による専門実践教育訓練給付金の指定教育訓練講座及びこれに準じ都道府県等の長が地域の実情に応じて対象とする講座（専門資

格取得を目的とする講座に限る。）

■支給額等

1．受講開始日現在において一般教育訓練給付金又は特定一般教育訓練給付金の支給を受けることができない受給資格者（対象講座の1.及び2.の講座を受講する者）

　　受給資格者が対象教育訓練の受講のために支払った費用（入学料及び授業料に限る。）の額の60％に相当する額（その額が20万円を超えるときは20万円とし，1万2000円を超えない場合は訓練給付金の支給は行わない。）

2．受講開始日現在において専門実践教育訓練給付金の支給を受けることができない受給資格者（対象講座の3.の講座を受講する者）

　　受給対象者が対象教育訓練の受講のために支払った費用（入学料及び授業料に限る。）の額の60％に相当する額（その額が修学年数に40万円を乗じて得た額を超えるときは修学年数に40万円を乗じて得た額（160万円を限度とする。）とし，1万2000円を超えない場合は訓練給付金の支給は行わない。）

3．受講開始日現在において1.及び2.以外の受給資格者

　　1.及び2.に定める額から当該受給資格者が支給を受けた一般教育訓練給付金又は特定一般教育訓練給付金もしくは専門実践教育訓練給付金の額を差し引いた額（その額が1万2000円を超えない場合は支給は行わない。）

17　高等職業訓練促進給付金等事業 （法第31条，第31条の10）

［根拠▶母子家庭自立支援給付金及び父子家庭自立支援給付金事業の実施について（平26.9.30 雇児発0930 第3号）］

　就業に結びつきやすい資格の取得を目的とする養成機関は，一定期間のカリキュラム受講を必要とするため，その期間中の生活の不安を解消し，安定した修業環境を提供することが必要である。そこで，母子家庭の母又は父子家庭の父の就職の際に有利であり，かつ生活の安定に資する資格の取得を促進するため，当該資格に係る養成訓練の受講期間について高等職業訓練促進給付金を支給するとともに，養成機関への入学時における負担を考慮し高等職業訓練修了支援給付金を修了後に支給することにより，生活の負担の軽減を図り，資格取得を容易にすることを目的とする。

■実施主体

　都道府県，市（特別区を含む。）及び福祉事務所設置町村（以下「都道府県等」という。）

■給付金の種類

1. 高等職業訓練促進給付金（母子及び父子並びに寡婦福祉法に規定する母子家庭高等職業訓練促進給付金及び父子家庭高等職業訓練促進給付金をいう。以下「訓練促進給付金」という。）

2. 高等職業訓練修了支援給付金（母子及び父子並びに寡婦福祉法に規定する母子家庭高等職業訓練修了支援給付金及び父子家庭高等職業訓練修了支援給付金をいう。以下「修了支援給付金」という。）

■対象者

　　訓練促進給付金の対象者は，養成機関において修業を開始した日以後において，また，修了支援給付金の支給対象者は，養成機関における修業を開始した日（修業開始日）及び当該養成機関におけるカリキュラムを修了した日（修了日）において，次の要件を満たす母子家庭の母又は父子家庭の父とする。父子家庭の父については，平成25年4月1日以降に修業を開始したものをいう。なお，「児童」とは，20歳に満たない者をいう。

1. 児童扶養手当の支給を受けている者と同等の所得水準にあること。

2. 就職を容易にするために必要な資格として都道府県等の長が定める資格（対象資格）を取得するため，養成機関において1年以上（令和3年4月1日から令和6年3月31日までに修業を開始する場合，6か月以上）のカリキュラムを修業し，対象資格の取得が見込まれる者等であること。

3. 就業又は育児と修業の両立が困難であると認められる者であること。

■対象資格

1. 対象資格は，就職の際に有利となるものであって，かつ養成機関において1年以上のカリキュラムの修業が予定されているものについて，都道府県等の長が地域の実情に応じて定めることとする。

　　なお，令和3年4月1日から令和6年3月31日までに修業を開始する場合には，6か月以上のカリキュラムの修業が予定されるもの（雇用保険制度の一般教育訓練給付の指定講座を受講する場合には，情報関係の資格や講座）から定めることとする。

2. 対象資格の例

　　看護師，准看護師，保育士，介護福祉士，理学療法士，作業療法士，歯科衛生士，美容師，社会福祉士，製菓衛生師，調理師，シスコシステムズ認定資格，LPI認定資格等

■支給期間等

1. 訓練促進給付金

⑴　修業する期間に相当する期間（その期間が48月を超えるときは，48月）を超えない

期間とする（平成 21 年 6 月 5 日の時点で修業していた，又は平成 21 年 6 月 5 日から平成 24 年 3 月 31 日までに修業を開始した母子家庭の母については，修業する期間の全期間とする。また，平成 30 年度以前に修業を開始し（平成 21 年 6 月 5 日から平成 24 年 3 月 31 日までに修業を開始した者は除く。），平成 31 年 4 月 1 日時点で修業中の者についても，支給期間を修業する期間に相当する期間（その期間が 48 月を超えるときは 48 月）を超えない期間としても差し支えない。）。

(2)　訓練促進給付金の支給を受け，准看護師養成機関を修了する者が，引き続き看護師の資格を取得するために，養成機関で修業する場合には，通算 48 月を越えない範囲で支給するものとする（令和 2 年度以前に修業を開始し，令和 3 年 4 月 1 日時点で修業中の者についても通算 48 月を超えない範囲で支給して差し支えない。）。

(3)　月を単位として支給するものとし，申請のあった日の属する月から始め，支給すべき事由が消滅した日の属する月で終わる。

2．修了支援給付金

　　修了日を経過した日以後に支給する。なお，訓練促進給付金の支給を受け，准看護師養成機関を修了する者が，引き続き看護師の資格を取得するために養成機関で修業する場合には，原則として看護師養成機関の修了日を経過した日以降に支給するものとする。

■ **支給額等**

1．訓練促進給付金

(1)　次に掲げる対象者の区分に応じ，それぞれに定める額

　①　対象者及び当該対象者と同一の世帯に属する者（当該対象者の民法第 877 条第 1 項に定める扶養義務者で当該対象者と生計を同じくするものを含む。以下同じ。）が訓練促進給付金の支給を請求する月の属する年度（4 月から 7 月までに当該訓練促進給付金の支給の請求をする場合にあっては，前年度）分の地方税法の規定による市町村民税（同法の規定による特別区民税を含むものとし，同法第 328 条の規定によって課する退職手当等に係る所得割を除く。以下同じ。）が課されない者（市町村（特別区を含む。）の条例で定めるところにより当該市町村民税を免除された者及び母子家庭自立支援給付金及び父子家庭自立支援給付金に係る所得がないものとした場合に当該市町村民税が課されないこととなる者を含むものとし，当該市町村民税の賦課期日において同法の施行地に住所を有しない者を除く。以下同じ。）　月額 10 万円（養成機関における課程の修了までの期間の最後の 12 か月（令和 3 年 4 月 1 日から令和 6 年 3 月 31 日までに修業を開始する場合において，その期間が 12 月未満であるときは当該期間）については月額 14 万円，平成 24 年 3 月 31 日までに修業を開始した者は月額 14 万 1000 円）

　②　前記①に掲げる者以外の者　月額 7 万 500 円（養成機関における課程の修了まで

の期間の最後の 12 か月（令和 3 年 4 月 1 日から令和 6 年 3 月 31 日までに修業を開始する場合において，その期間が 12 か月未満であるときは，当該期間）については月額 11 万 500 円）

(2)　訓練促進給付金は，原則として，同一の者には支給しない。

2．修了支援給付金

(1)　次に掲げる対象者の区分に応じ，それぞれに定める額

①　対象者及び当該対象者と同一の世帯に属する者が修了日の属する月の属する年度（修了日の属する月が 4 月から 7 月までの場合にあっては，前年度）分の地方税法の規定による市町村民税が課されない者　5 万円

②　前記①に掲げる者以外の者　2 万 5000 円

(2)　修了支援給付金は，原則として，同一の者には支給しない。

18　ひとり親家庭高等学校卒業程度認定試験合格支援事業

根拠▶ひとり親家庭高等学校卒業程度認定試験合格支援事業の実施について
（平 27.4.10 雇児発 0410 第 5 号）

　高等学校を卒業していないひとり親家庭の親が，高等学校を卒業した者と同等以上の学力を有すると認められる高等学校卒業程度認定試験の合格を目指す場合において，対象講座を受講した場合に，講座開始時，講座修了時及び試験合格時に受講料の一部を支給する。また，ひとり親家庭の児童についても，一般世帯に比べ進学率が低い等の課題があることから，本事業による支援を行うこととする。

■実施主体

　都道府県，市（特別区を含む。）及び福祉事務所設置町村（以下「都道府県等」という。）

■給付金の種類

1．受講開始時給付金

支給対象者が対象講座の受講を開始した際に支給する。

2．受講修了時給付金

支給対象者が対象講座の受講を修了した際に支給する。

3．合格時給付金

受講修了時給付金を受けた者が，受講修了日から起算して 2 年以内に高卒認定試験の全科目に合格した場合に支給する。

■対象者

　次のいずれにも該当するひとり親家庭の親及びひとり親家庭の児童（配偶者のない女子及び男子に扶養されている20歳未満の児童）。ただし，高等学校卒業者及び大学入学資格検定・高卒認定試験合格者など既に大学入学資格を取得している者は対象としない。

1．ひとり親家庭の親が児童扶養手当の支給を受けている者と同等の所得水準にあること。
2．支給を受けようとする者の就学経験，就業経験，技能，資格の取得状況や労働市場の状況から判断して，高卒認定試験に合格することが適職に就くために必要であると認められる者であること。

■対象講座

　高卒認定試験の合格を目指す講座（通信制講座を含む。）とし，実施主体が適当と認めたものとする。ただし，高卒認定試験の試験科目の免除を受けるため高等学校に在籍して単位を修得する講座を受け，高等学校等就学支援金制度の対象となる場合は，本事業の対象としない。

■給付額

1．受講開始時給付金
(1)　通信制の場合

　　　支給対象者が対象講座の受講開始のために支払った費用の40％に相当する額を支給する。ただし，その40％に相当する額が10万円を超える場合の支給額は10万円とし，4,000円を超えない場合は支給は行わない。

(2)　通学又は通学及び通信制併用の場合

　　　支給対象者が対象講座受講開始のために支払った費用の40％に相当する額を支給する。ただし，その40％に相当する額が20万円を超える場合の支給額は20万円とし，4,000円を超えない場合は支給は行わない。

2．受講修了時給付金
(1)　通信制の場合

　　　支給対象者が対象講座の受講のために支払った費用の50％に相当する額から1.として支給した額を差し引いた額とする。ただし，受講開始時給付金と受講修了時給付金の合計が12万5000円を超える場合，受講開始時給付金と受講修了時給付金の支給額の合計は12万5000円とし，4,000円を超えない場合は支給は行わない。

(2)　通学又は通学及び通信制併用の場合

　　　支給対象者が対象講座受講開始のために支払った費用の50％に相当する額から1.として支給した額を差し引いた額を支給する。ただし，受講開始時給付金と受講修了

時給付金の合計が 25 万円を超える場合，支給額の合計は 25 万円とし，4,000 円を超えない場合は支給は行わない。

3．合格時給付金

(1)　通信制の場合

受講修了時給付金の支給を受けた者が受講修了日から起算して 2 年以内に高卒認定試験に全科目合格した場合に支給する。支給額は支給対象者が対象講座の受講のために支払った費用の 10 ％に相当する額とする。ただし，受講開始時給付金，受講修了時給付金及び合格時給付金の合計が 15 万円を超える場合，支給額の合計額は 15 万円とする。

(2)　通学又は通学及び通信制併用の場合

受講修了時給付金の支給を受けた者が受講修了日から起算して 2 年以内に高卒認定試験に全科目合格した場合に支給する。支給額は支給対象者が対象講座の受講のために支払った費用の 10 ％に相当する額とする。ただし，受講開始時給付金，受講修了時給付金及び合格時給付金の合計が 30 万円を超える場合，支給額の合計は 30 万円とする。

19　児童扶養手当

〔根拠▶児童扶養手当法（昭 36.11.29 法律第 238 号）〕

この手当制度は，父母の離婚などで，父又は母と生計を同じくしていない児童が育成される家庭の生活の安定と自立の促進に寄与し，児童の福祉の増進を図ることを目的としている。

■実施主体

手当の認定等の事務は都道府県，市及び福祉事務所を設置する町村，申請等の窓口は市町村である。

■支給要件（法第 4 条，令第 1 条，令第 1 条の 2）

次のいずれかに該当する児童（18 歳に達する日以後の最初の 3 月 31 日までの間にある者又は 20 歳未満で一定の障害状態にある者）を監護している母又は監護し生計を同じくしている父，又は父又は母に代わって児童を養育している者に対して，手当を支給する。

1．父母が婚姻を解消した児童

2．父又は母が死亡した児童

3．父又は母が次に定める程度の障害の状態にある児童

①　次に掲げる視覚障害

イ 両眼の視力がそれぞれ 0.03 以下のもの

ロ 一眼の視力が 0.04，他眼の視力が手動弁以下のもの

ハ ゴールドマン型視野計による測定の結果，両眼のⅠ／4視標による周辺視野角度の和がそれぞれ 80 度以下かつⅠ／2視標による両眼中心視野角度が 28 度以下のもの

ニ 自動視野計による測定の結果，両眼開放視認点数が 70 点以下かつ両眼中心視野視認点数が 20 点以下のもの

② 両耳の聴力レベルが 100 デシベル以上のもの

③ 両上肢の機能に著しい障害を有するもの

④ 両上肢の全ての指を欠くもの

⑤ 両上肢の全ての指の機能に著しい障害を有するもの

⑥ 両下肢の機能に著しい障害を有するもの

⑦ 両下肢を足関節以上で欠くもの

⑧ 体幹の機能に座っていることができない程度又は立ち上がることができない程度の障害を有するもの

⑨ ①から⑧に掲げるもののほか，身体の機能に，労働することを不能ならしめ，かつ，常時の介護を必要とする程度の障害を有するもの

⑩ 精神に，労働することを不能ならしめ，かつ，常時の監視又は介護を必要とする程度の障害を有するもの

⑪ 傷病が治らないで，身体の機能又は精神に，労働することを不能ならしめ，かつ，長期にわたる高度の安静と常時の監視又は介護とを必要とする程度の障害を有するものであって，内閣総理大臣が定めるもの

4．父又は母の生死が明らかでない児童

5．父又は母が，配偶者からの暴力の防止及び被害者の保護等に関する法律の規定による（父又は母の）身辺へのつきまといの禁止等に係る命令を受けた児童

6．父又は母に引き続き1年以上遺棄されている児童

7．父又は母が法令により引き続き1年以上拘禁されている児童

8．母が婚姻によらないで懐胎した児童

9．8．に該当するかどうかが明らかでない児童

　ただし，手当は，母又は養育者に対する手当にあっては，児童が次の1．の⑴～⑷及び2．のいずれかに該当するとき，父に対する手当にあっては，児童が次の1．の⑴⑵⑸⑹及び2．のいずれかに該当するときは支給されない。

1．児童が次のいずれかに該当するとき（法第4条第2項）

⑴ 日本国内に住所を有しないとき

⑵ 児童福祉法第6条の4第1項に規定する里親に委託されているとき

(3)　父と生計を同じくしているとき（ただし，その父が「支給要件」の3．に掲げる程度の障害の状態にあるときは，支給される。）

(4)　母の配偶者（「支給要件」の3．に掲げる程度の障害の状態にある父は除く。）に養育されているとき

(5)　母と生計を同じくしているとき（ただし，その母が「支給要件」の3．に掲げる程度の障害の状態にあるときは支給される。）

(6)　父の配偶者（「支給要件」の3．に掲げる程度の障害の状態にある母を除く。）に養育されているとき

2．　受給資格者（父，母又は養育者）が日本国内に住所を有しないとき（法第4条第3項）

■支給制限

受給資格者，配偶者又は扶養義務者の前年の所得が別表（所得制限限度額表）に示す額以上であるときは，その年の11月分から翌年10月分まで手当の全部又は一部を支給しない（法第9条，第9条の2，第10条，第11条）。また，母又は養育者に対する手当にあっては，児童が次の1．の(1)(2)(4)に該当するとき，父に対する手当にあっては，児童が次の1．(1)(3)(4)に該当するときは手当の全部又は一部が支給されない。

1．児童が次のいずれかに該当するとき（法第13条の2第1項）

(1)　父又は母の死亡について支給される公的年金給付を受けることができるとき（全額につき支給停止されているときは，除かれる。）

(2)　父に支給される公的年金給付の額の加算の対象になっているとき

(3)　母に支給される公的年金給付の額の加算の対象になっているとき

(4)　父又は母の死亡について労働基準法による遺族補償その他政令で定める法令によるこれに相当する給付を受けることができる場合で当該給付事由発生の日から6年を経過していないとき

2．受給資格者（父，母又は養育者）が次のいずれかに該当するときは手当の全部又は一部は支給されない（法第13条の2第2項）

(1)　国民年金法に基づく障害基礎年金その他障害を事由とする政令で定める給付（以下「障害基礎年金等」という。）及び老齢福祉年金以外の公的年金給付を受けることができるとき（全額につき支給停止となっているときは除かれる。）

(2)　遺族補償等（父又は母の死亡について支給されるものに限る。）を受けることができる場合であって，当該遺族補償等の給付事由が発生した日から6年を経過していないとき

3．受給資格者（父，母又は養育者）が障害基礎年金等の給付（子を有する者に係る加算に係る部分に限る。）の額に相当する額は支給されない（法第13条の2第3項，障害基礎年金等の金額につきその支給が停止されている場合を除く。）。

4．支給開始から5年を経過した場合等に，疾病等の就業困難な事由がないにもかかわらず就業していない者等については，手当額の2分の1を支給しない（法第13条の3，令第7条）。

■手当額

　全部支給される場合の手当の月額は，児童1人の場合4万4140円，児童2人目の加算額1万420円，3子以降1人当たり加算額は，6,250円である。

　ただし，前年の所得が別表第1の(1)，(2)に示す額以上である場合は，その全部又は一部を支給しない。なお，一部支給の場合は，所得に応じて，児童1人の場合4万4130円から1万410円，児童2人目の加算額1万410円から5,210円，児童3子以降の加算額6,240円から3,130円まで10円きざみできめ細かく設定される。

　具体的には次の算式により計算される（10円未満四捨五入）。

〈第1子〉

一部支給手当額＝4万4140円－（受給者の所得額[※1]－所得制限限度額[※2]）×0.0235804＋10円

〈第2子加算額〉

一部支給手当額＝1万420円－（受給者の所得額[※1]－所得制限限度額[※2]（全部支給所得額ベース））×0.0036364＋10円

〈第3子以降加算額〉

一部支給手当額＝6,250円－（受給者の所得額[※1]－所得制限限度額[※2]（全部支給所得額ベース））×0.0021748＋10円

※1　収入から給与所得控除等の控除を行い，養育費の8割相当額を加算した額である。

※2　所得制限限度額は，別表に定めるとおり，扶養親族等の数に応じて額が変わる。

■手当の支給

　手当は毎年1月，3月，5月，7月，9月，11月の6期に，それぞれ前月までの分が指定金融機関等で支給される。

別表第 1　⑴　手当の全部を支給する所得の限度額

（法第 9 条及び政令第 2 条の 4 第 1 項関係）　　　　　　　　　　（平成 30 年 8 月から適用）

扶 養 親 族 等 の 数	所 得 額	収 入 額
0　　　　人	490,000 円	1,220,000 円
1	870,000	1,600,000
2	1,250,000	2,157,000
3	1,630,000	2,700,000
4	2,010,000	3,243,000

1　所得税法に規定する同一生計配偶者（70 歳以上の者に限る。）又は老人扶養親族がある者について所得の限度額は，上記の金額に当該同一生計配偶者（70 歳以上の者に限る。）又は老人扶養親族 1 人につき 10 万円を，同法に規定する特定扶養親族又は 19 歳未満の控除対象扶養親族があるときは，当該特定扶養親族又は 19 歳未満の控除対象扶養親族 1 人につき 15 万円を加算した額とする。

2　扶養親族等が 5 人以上の場合の所得の限度額は，1 人につき 38 万円（扶養親族等が 2 の場合にはそれぞれ加算）を加算した額とする。

別表第 1　⑵　手当の一部を支給する所得の限度額

（法第 9 条及び政令第 2 条の 4 第 2 項関係）　　　　　　　　　　（平成 30 年 1 月から適用）

扶 養 親 族 等 の 数	所 得 額	収 入 額
0　　　　人	1,920,000 円	3,114,000 円
1	2,300,000	3,650,000
2	2,680,000	4,125,000
3	3,060,000	4,600,000
4	3,440,000	5,075,000

1　所得税法に規定する同一生計配偶者（70 歳以上の者に限る。）又は老人扶養親族がある者について所得の限度額は，上記の金額に当該同一生計配偶者（70 歳以上の者に限る。）又は老人扶養親族 1 人につき 10 万円を，同法に規定する特定扶養親族又は 19 歳未満の控除対象扶養親族があるときは，当該特定扶養親族又は 19 歳未満の控除対象扶養親族 1 人につき 15 万円を加算した額とする。

2　扶養親族等が 5 人以上の場合の所得の限度額は，1 人につき 38 万円（扶養親族等が 1 の場合にはそれぞれ加算）を加算した額とする。

別表第 2　孤児等の養育者及び配偶者・扶養義務者の所得制限限度額

（法第 9 条の 2 及び政令第 2 条の 4 第 4 項並びに法第 10 条及び第 11 条並びに政令第 2 条の 4
第 5 項関係）　　　　　　　　　　　　　　　　　　　　　　　（平成 14 年 8 月から適用）

扶 養 親 族 等 の 数	所 得 額	収 入 額
0　　　　人	2,360,000 円	3,725,000 円
1	2,740,000	4,200,000
2	3,120,000	4,675,000
3	3,500,000	5,150,000
4	3,880,000	5,625,000

1　扶養親族等の数が 2 人以上の世帯については，所得税法に規定する老人扶養親族がある者について所得の限度額は，上記の金額に当該老人扶養親族 1 人につき（当該老人扶養親族のほかに扶養親族等がないときは，当該老人扶養親族のうち 1 人を除いた老人扶養親族 1 人につき）6 万円を加算した額とする。

2　扶養親族等が 5 人以上の場合の所得の限度額は，1 人につき 38 万円（扶養親族等が 1 の場合にはそれぞれ加算）を加算した額とする。

第6編

母子保健

〔根拠▶母子保健法（昭 40.8.18 法律第 141 号）〕

〔根拠▶母子健康手帳の作成及び取扱い要領について
（平 3.10.31 児発第 922 号）〕

　母子健康手帳は，妊娠，出産及び育児に関する一貫した健康記録であり，また，保健指導の基礎ともなり，保健所，市町村等に整備する母子健康管理指導事項連絡カード等との関係を密にするとともに，保護者が記入する欄と，指導にあたった者が記入する欄があり，保護者自身が発育経過を随時記録できるようになっている。

■**実施主体**

　市町村

■**手帳の交付**

　交付は以下の場合に行う。

1．妊娠の届出をしたとき。

2．分べん後，その交付を請求した場合は，その者が妊娠中に母子健康手帳の交付を受けていなかったことを確認できたとき。

3．棄児で出生届が出ていない場合は，戸籍の手続きを終了したとき。

4．新たに乳児又は幼児を監護することになった者が，その母子健康手帳を譲り受けることができない場合は前記 2．に準ずる。

5．出生する子が 2 人以上の場合は，その子の数に応じて母子健康手帳を追加交付する。

母
子
保
健

2　保健指導 (法第10条)

根拠▶母子保健相談指導事業の実施について
（平8.5.10児発第482号）

　妊産婦とその配偶者及び乳幼児の保護者に対し，妊娠，出産又は育児に関し，必要な保健指導を行う。

■保健指導の実施要件

　市町村が必要と認めた場合に行う。

■実施主体及び機関

　市町村

■対象者

　妊産婦及び乳幼児の保護者

3　訪問指導 (法第11条, 第17条, 第19条)

1　新生児の訪問指導 (法第11条)

　本事業は平成10年度より地方交付税措置となっており，地域の実情に応じて実施されている。

■対象者

　生後28日を経過していない乳児（新生児）。
　必要な場合は生後28日を経過しても継続して行うことがある。

■実施主体

　市町村

■指導者

　助産師，保健師等

■指導の内容

　新生児の育児について，発育，栄養，衣服，生活環境，疾病予防等に関すること（保護者に対する問診，新生児の視診などによる観察を行い異常又は疾病の発見並びに早期治療を受けることの指導，助言を含む）。

2　妊産婦の訪問指導（法第17条）

　健康診査の結果，訪問による指導が必要と認めた妊産婦に対して行う。

　なお，本事業は平成10年度より地方交付税措置となっており，地域の実情に応じて実施されている。

■対象者

　妊産婦

■実施主体

　市町村

■指導者

　助産師，保健師又は他の職員

■指導の内容

　家庭環境，生活環境からみて，妊産婦の健康の保持，増進に関する限りでの日常生活の万般にわたる指導

3　産後ケア事業（法第17条の2）

　市町村は，産後ケアを必要とする出産後1年以内の母子に対して，心身のケアや育児のサポート等（産後ケア），以下のいずれかの事業を行い，産後も安心して子育てができる支援体制を確保する。予算事業として実施している市町村の「産後ケア事業」を母子保健法上に位置づけ，各市町村に事業の実施を努力義務と規定している。

■対象者

　出産後1年以内の母子であって，産後ケアを必要とする者。なお，出産後1年を経過しない母親の配偶者（事実婚含む。），乳児の兄弟姉妹及び養親又は里親も，必要と認められる範囲で保健指導等の対象者とする。

■実施主体

　市町村。ただし，当該事業の全部又は一部について，病院，診療所又は助産所等その他適切と認められる団体等に対し，その実施を委託することができる。

■実施方法

　1．病院，診療所，助産所その他内閣府令で定める施設（産後ケアセンター）に短期間入所させて行う（短期入所（ショートステイ）型）。
　2．産後ケアセンター，母子健康包括支援センター（令和6年4月からは「こども家庭センター」）その他内閣府令で定める施設に通わせて行う（通所（デイサービス）型）。
　3．利用者の居宅を訪問して行う（居宅訪問（アウトリーチ）型）。
　市町村は，妊娠期から出産後に至る支援を切れ目なく行う観点から，母子健康包括支援センターその他の関係機関と必要な連絡調整，母子保健法に基づく他の事業，児童福祉法その他法令に基づく母性及び乳児の保健及び福祉に関する事業との連携を図り，妊産婦及び乳児に対する支援の一体的な実施その他の措置を講ずるよう努めなければならない。

4　未熟児の訪問指導（法第19条）

　未熟児は，身体の発育が未熟のまま出生しているため，疾病にかかりやすいので，出生後すみやかに適切な措置をとるよう指導する。
　なお，本事業は平成10年度より地方交付税措置となっており，地域の実情に応じて実施されている。

■対象者

　未熟児の体重，病状，家庭環境等を考慮して，必要に応じて訪問指導を行う。

■実施主体

　市町村

■指導その他

　1．開業医師の行う養育指導
　2．開業助産師，市町村の保健師又は助産師の行う養育指導

4　1歳6か月児健康診査（法第12条）

根拠▶乳幼児に対する健康診査の実施について
（平10.4.8児発第285号）

　幼児初期の身体発育，精神発達の面で歩行や言語等発達の状態が容易に把握できる1歳6か月の時点で健康診査を行い，軽度～中等度の発育の遅れあるいは障害をもったケースを早期に発見して，適切な指導を行い，障害の進行を未然に防止するとともに，生活習慣の自立，むし歯の予防，その他育児に関する指導を行う。

　なお，本事業は平成17年度より地方交付税措置となっている。

■対象者

1．一般健康診査，歯科健康診査：満1歳6か月を超え満2歳に達しない幼児
2．精密健康診査：一般健康診査の結果，より一層精密に健康診査を行う必要のある幼児

■実施主体

　　市町村（実施が義務づけられている）

■診査の種類

　　一般健康診査，歯科健康診査及び精密健康診査

■診査項目

　　一般健康診査及び歯科健康診査の項目は次のとおり。

1．身体発育状況
2．栄養状態
3．脊柱及び胸郭の疾病及び異常の有無
4．皮膚の疾病の有無
5．歯及び口腔の疾病及び異常の有無
6．四肢運動障害の有無
7．精神発達の状況
8．言語障害の有無
9．予防接種の実施状況
10．育児上問題となる事項（生活習慣の自立，社会性の発達，しつけ，食事，事故等）
11．その他の疾病及び異常の有無

■診査費用

　　無料又は一部費用徴収

■事後指導等

1.　受診者等に対し，健康診査の結果を口頭で伝え，又は通知するとともに，必要に応じ
　　適切な指導を行う。

　　　引き続き指導の必要がある場合は，市町村保健センター，母子健康包括支援センター
　　及び保健所等において事後指導を受けるように勧奨するとともに，必要に応じ訪問指導
　　等を行う。

2.　事後指導においては，事後指導票を作成し，事後指導及び措置の内容について記載す
　　る。

3.　健康診査の結果，経過観察，精密健康診査，処置又は医療等が必要とされた者に対し
　　ては，適切な事後指導を行う。医療機関において医療を行うことが必要な場合には，対
　　象者のかかりつけ医との緊密な連携のもとに，本人の健康状況に応じた的確な対応が図
　　られるよう留意する。

　　　なお，育成医療の給付，療育の給付等医療の給付が適用される場合には，手続等を指
　　導する。

5　3歳児健康診査 (法第12条)

　　　[根拠]▶乳幼児に対する健康診査の実施について
　　　　　　　（平10.4.8児発第285号）

　　3歳児期は，身体発育及び精神発達の面から早急に処置を要する心身障害の発見に適した
時期であることから，医師，歯科医師及び心理判定員などによる総合的な健康診査を実施し，
その結果に基づいた適切な指導を行う。

　　なお，本事業は平成17年度より地方交付税措置となっている。

■対象者

1.　一般健康診査，歯科健康診査：実施時期において満3歳を超え満4歳に達しない幼児

2.　精密健康診査：一般健康診査の結果，より一層精密に健康診査を行う必要のある幼児

■実施主体

　　市町村（実施が義務づけられている）

■診査の種類

　一般健康診査，歯科健康診査及び精密健康診査

■診査項目

　一般健康診査及び歯科健康診査の項目は次のとおり。

1.　身体発育状況
2.　栄養状態
3.　脊柱及び胸郭の疾病及び異常の有無
4.　皮膚の疾病の有無
5.　眼の疾病及び異常の有無
6.　耳，鼻及び咽頭の疾病及び異常の有無
7.　歯及び口腔の疾病及び異常の有無
8.　四肢運動障害の有無
9.　精神発達の状況
10.　言語障害の有無
11.　予防接種の実施状況
12.　育児上問題となる事項（生活習慣の自立，社会性の発達，しつけ，食事，事故等）
13.　その他の疾病及び異常の有無

■診査費用

　無料又は一部費用徴収

■事後指導等

　「4　1歳6か月児健康診査」に同じ。

6　妊産婦及び乳幼児健康診査 （法第13条）

　妊産婦及び乳幼児に大きな影響を及ぼす疾病の予防と早期発見のために市町村において健康診査を行い，また健康診査を受けるよう指導するほか，医療機関に委託して健康診査を受けさせる。なお，妊産婦に係る健康診査については，平成10年度より，乳幼児に係る健康診査については，平成12年度より地方交付税措置となっており，地域の実情に応じて実施されている。

■実施主体

　市町村

■**対象者**

　妊産婦，乳幼児

■**実　施**

　市町村は，必要に応じて健康診査を行うこととなっている。

7　未熟児の養育医療 （法第20条）

根拠▶未熟児養育事業の実施について
　　　（令5.6.16こ成母第78号）

　養育のため病院又は診療所に入院することを必要とする未熟児に対し，その養育に必要な医療の給付を行う。

■**実施主体**

　市町村（特別区を含む。）

■**対象者**

　保護者の申請により，次のような症状等を有している未熟児で，医師が入院養育を必要と認めたもの

1．出生時体重2,000グラム以下のもの

2．生活力が特に薄弱であって次に掲げるいずれかの症状を示すもの

　(1)　一般状態

　　①　運動不安，痙攣があるもの

　　②　運動が異常に少ないもの

　(2)　体温が摂氏34度以下のもの

　(3)　呼吸器，循環器系

　　①　強度のチアノーゼが持続するもの，チアノーゼ発作を繰り返すもの

　　②　呼吸数が毎分50を超えて増加の傾向にあるか，又は毎分30以下のもの

　　③　出血傾向の強いもの

　(4)　消化器系

　　①　生後24時間以上排便のないもの

　　②　生後48時間以上嘔吐が持続しているもの

　　③　血性吐物，血性便のあるもの

　(5)　黄疸

生後数時間以内に現れるか，異常に強い黄疸のあるもの

■給付の内容

1．診察
2．薬剤又は治療材料の支給
3．医学的処置，手術及びその他の治療
4．病院又は診療所への入院及びその療養に伴う世話その他の看護
5．移送

■費用徴収（法第 21 条の 4）

扶養義務者から，費用の一部又は全部を実施主体において徴収することができる。

■医療保険各法との関連事項

未熟児が医療保険各法の被扶養者等である場合は，医療保険各法による医療の給付が優先すること。したがって，養育医療の給付は，いわゆる自己負担分を対象とする。

8　B型肝炎母子感染防止事業

根拠▶母性，乳幼児に対する健康診査及び保健指導の実施について
（平 8.11.20 児発第 934 号）

B型肝炎の撲滅を図るためB型肝炎ウイルスの保有者である妊婦を発見し，適切な指導を行う。なお，本事業は，平成 10 年度より地方交付税措置となっており，地域の実情に応じて実施されている。

■実施主体

市町村

■対象者

妊婦

■実施方法

血液検査によりB型肝炎ウイルスの保有者（妊婦）を発見する。

9 母子保健相談指導事業

〔根拠〕▶母子保健相談指導事業の実施について（平 8.5.10 児発第 482 号）〕

本事業は平成 8 年度より地方交付税措置となっており，地域の実情に応じて実施されている。

■実施主体
市町村（特別区を含む。）

■事業内容
講習会等の方法により婚前学級，新婚学級，両（母）親学級，育児学級等を開催したり，妊産婦や乳幼児の保護者等に対し，個々のケースに応じた相談指導を市町村の実情に応じて実施する。

10 先天性代謝異常等検査事業

〔根拠〕▶先天性代謝異常等検査の実施について
（平 30.3.30 子母発 0330 第 2 号）

フェニルケトン尿症等の先天性代謝異常症，先天性副腎過形成症及び先天性甲状腺機能低下症を早期に発見し早期に治療することにより知的障害等の心身障害を予防するため，新生児について血液によるマス・スクリーニング検査を行う。なお，本事業は平成 13 年度より地方交付税措置となっており，都道府県，指定都市の実情に応じて実施されている。

■検査対象者
新生児

■実施主体
都道府県・指定都市

■実施方法
医療機関等において生後 4 ～ 6 日の間に採血した検体を都道府県又は指定都市の衛生研究所等の検査機関において検査する。

■検査対象疾病

- ・先天性甲状腺機能低下症〔免疫化学的測定法〕
- ・先天性副腎過形成症〔免疫化学的測定法又はタンデムマス法〕
- ・ガラクトース血症〔酵素化学的測定法，ボイトラー法〕
- ・フェニルケトン尿症，メープルシロップ尿症（楓糖尿症），ホモシスチン尿症，シトルリン血症 1 型，アルギニノコハク酸尿症，メチルマロン酸血症，プロピオン酸血症，イソ吉草酸血症，メチルクロトニルグリシン尿症，ヒドロキシメチルグルタル酸血症（HMG血症），複合カルボキシラーゼ欠損症，グルタル酸血症 1 型，中鎖アシル CoA 脱水素酵素欠損症（MCAD 欠損症），極長鎖アシル CoA 脱水素酵素欠損症（VLCAD 欠損症），三頭酵素/長鎖 3-ヒドロキシアシル CoA 脱水素酵素欠損症（TFP/LCHAD 欠損症），カルニチンパルミトイルトランスフェラーゼ-1 欠損症（CPT-1 欠損症），カルニチンパルミトイルトランスフェラーゼ-2 欠損症（CPT-2 欠損症）〔タンデムマス法〕

11　新生児聴覚検査事業

> **根拠**▶新生児聴覚検査の実施について
> （平 19.1.29 雇児母発第 0129002 号）

　聴覚障害を早期に発見し，できるだけ早い段階で適切な措置を講じられるようにするため，新生児に対して聴覚検査を実施する。

　本事業は平成 19 年度より地方交付税措置となっている。

■検査対象者

　新生児

■実施主体

　市町村

■実施について

1．市町村は，聴覚検査方法の開発の進展や新生児期に聴覚能力を判定できる検査機器の普及等により，大半の医療機関において聴覚能力をスクリーニングできる体制が整備されている状況を踏まえ，管内全ての新生児に対し新生児聴覚検査が実施されるよう，取り組む。

(1) 新生児訪問指導や乳幼児全戸訪問等の際に，母子健康手帳を活用し，以下を行う。

　① 新生児聴覚検査の受診状況を確認し，保護者等に対し検査の受診勧奨を行う。そ

の際，受診できる機関も併せて案内する。なお，都道府県主催の協議会などを活用するなどし，情報収集を行う。

② 新生児聴覚検査の受診結果を確認し，確認検査で要再検となった児や要支援児とその保護者に対する適切な指導援助を行う。

なお，検査の結果，支援が必要と判断された児に対する療育は，遅くとも生後6か月頃までに開始されることが望ましいこととされていることから，その時期までに管内の新生児を含むすべての乳児に対し受診状況の確認を行うよう努めること。

また，確認した受診状況等については，市町村においてとりまとめ，継続的な検査実施状況等（受診者数，未受診者数，受診率，検査結果，要支援児数等）の把握に活用すること。

(2) 検査費用については公費負担を行い，受診者の経済的負担の軽減を積極的に図る。

2．市町村は1．の取組に当たって，検査により把握された要支援児に対する療育が遅滞なく実施されるよう，新生児聴覚検査の流れ（略）を参考とする。

12 性と健康の相談センター事業

根拠▶母子保健医療対策総合支援事業の実施について
（令5.6.30こ成母第36号）

従来「生涯を通じた女性の健康支援事業」として，思春期の健康相談，生涯を通じた女性の健康の保持増進，不妊症や不育症，若年妊娠等，妊娠・出産をとりまく様々な悩み等へのサポート等を実施してきたが，プレコンセプションケア（男女を問わず，性や妊娠に関する正しい知識の普及を図り健康管理を促す取組）を含め，男女問わず性や生殖に関する健康支援を総合的に推進し，ライフステージに応じた切れ目のない健康支援を実施することを目的とする。

■実施主体

都道府県，指定都市及び中核市とし，下記9．の取組については都道府県とする。なお，事業の全部又は一部を民間事業者等に委託できる。

■事業内容

原則として，次の1．〜5．の取組を基本事業として行う。なお，6．〜11．の取組については，地域の実情に応じて行う。

1．思春期，妊娠・出産，不妊・不育等に関する専門的な相談支援

2．生殖や妊娠・出産に係る正しい知識等に関する講演会の開催

　3．相談対応を行う相談員の研修養成

　4．男女の性や生殖，妊娠・出産，不妊治療等に関する普及啓発

　5．児童・生徒向けの性に関する教育等を行う専門家等に対する研修

　6．特定妊婦や若年妊婦等に対する産科婦人科受診等支援

　7．若年妊婦等に対するSNSやアウトリーチによる相談支援，緊急一時的な居場所の確保

　8．出生前遺伝学的検査（NIPT）に関する専門的な相談支援

　9．HTLV-1母子感染対策協議会の設置等

　10．不妊症・不育症患者等の支援のためのネットワーク整備

　11．その他都道府県内の母子保健の推進のために必要な健康支援

■実施方法

　1．前記1.～5.による基本事業

　　(1)　対象者

　　　　思春期，妊娠，出産等の各ライフステージに応じた相談希望者（避妊や性感染症等の性行為に関する相談，予期せぬ妊娠，メンタルヘルスケア，不妊症相談等）

　　(2)　原則として，次に掲げる全ての取組を行う。

　　　①　生殖や妊娠・出産に係る正しい知識等に関する講演会の開催

　　　②　相談指導を行う相談員の研修養成

　　　③　性や生殖，妊娠・出産，不妊治療等に関する医学的・科学的知見の普及啓発

　　　④　学校で，児童・生徒向けに性に関する教育等を実施する医師や助産師等への研修会等

　　　⑤　不妊症・不育症，予期せぬ妊娠を含む妊娠・出産，思春期や性の悩み等を有する男女への専門的相談支援

　　　⑥　不妊治療と仕事の両立に関する相談対応

　2．上記6.による産科婦人科受診等支援

　　(1)　対象者

　　　　児童福祉法に規定する出産後の養育について，出産前に支援を行うことが特に必要と認められる妊婦（特定妊婦）と疑われる者及び妊娠や性に関する疾病等で悩んでいる若者等

　　(2)　面談・訪問による相談等により状況を確認し，必要に応じ，産科婦人科等医療機関への同行支援，初回産科受診料支援を行うとともに，行政機関等関係機関に確実につなぐため，子育て世代包括支援センターや要保護児童対策地域協議会等の関係機関と情報共有等を行う。

　3．上記7.による若年妊婦等に対する相談支援等

　　(1)　対象者

10代等若年で性や妊娠に関する問題で悩んでいる者，若年に限らず特定妊婦と疑われる者等

(2) 次の①に掲げる取組を行うとともに，地域の実情に応じて②の取組を行う。

① 相談支援等

窓口相談，アウトリーチによる相談支援，コーディネート業務，SNS 等を活用した相談

② 緊急一時的な居場所の確保

相談支援等の過程において，若年妊婦等の居場所が不安定な場合，1週間程度の一時的な居場所として宿泊施設等を確保する。

4．前記8.による出生前遺伝学的検査に関する専門的な相談支援

(1) 対象者

出生前検査を受けた者，受検を検討している者又はその家族

(2) 相談支援，相談支援員への研修等を行う。

5．前記9.による HTLV-1 母子感染対策協議会の設置等

(1) 協議会の設置

都道府県は，HTLV-1 母子感染対策の体制整備のため，関係行政機関，医療関係団体，有識者等で構成する HTLV-1 母子感染対策協議会を設置する。協議会においては，HTLV-1 抗体検査の適切な実施，相談窓口，普及啓発等に関し，検討及び協議を行う。

(2) HTLV-1 母子感染対策関係者研修事業

都道府県は，医療機関において HTLV-1 母子感染対策に携わる医師，助産師，看護師，市区町村の職員等に対し，必要な基本的・専門的知識等を習得させるための研修を行う。

(3) HTLV-1 母子感染普及啓発事業

リーフレットやポスター等の作成等により，HTLV-1 母子感染について妊婦等へ普及啓発を行う。

6．前記10.による不妊症・不育症患者等の支援のためのネットワーク整備

(1) 不妊症・不育症の診療を行う医療機関や相談支援等を行う自治体，当事者団体等の関係者等で構成される協議会等の開催

(2) 不妊症・不育症の心理社会的支援に係るカウンセラーを配置し，相談支援を実施

(3) 不妊症・不育症患者への里親・特別養子縁組制度の紹介の実施

(4) 当事者団体等によるピア・サポート活動等への支援の実施

13　妊娠・出産包括支援事業

根拠▶母子保健医療対策総合支援事業の実施について（令5.6.30こ成母第36号）

1　産前・産後サポート事業

　妊産婦等が抱える妊娠・出産や子育てに関する悩み等について，子育て経験者やシニア世代等の相談しやすい話し相手又は助産師等の専門家等による相談支援等を行い，家庭や地域での妊産婦等の孤立感の解消を図る。

■実施主体

　市町村（特別区を含む。）とする。ただし，下記多胎妊産婦等支援については，市町村内の支援対象である多胎妊産婦が少人数である場合などに，当該市町村に代わって都道府県が実施主体となることができる。なお，事業の趣旨を理解し，適切な実施が期待できる団体等に事業の全部又は一部を委託できる。

■対象者

　身近に相談できる者がいないなど，支援を受けることが適当と判断される妊産婦及びその家族（以下「利用者」という。）。また，下記多胎妊産婦等サポーター等事業について，2歳程度までの多胎児を育児する者を目安とし，個別の事情を踏まえて適切に判断する。

■実施方法

1．相談支援等

(1)　実施方法

①　アウトリーチ（パートナー）型

　　担当者が利用者の自宅に赴く等により，個別に対応する。

②　デイサービス（参加）型

　　公共施設等を活用の上，集団形式で同じ悩み等を有する利用者からの相談に対応する。

(2)　内容

①　利用者の悩み相談対応やサポート

②　産前・産後の心身の不調に関する相談支援

③　妊産婦等をサポートする者の募集

④　子育て経験者やシニア世代の者等に対し産前・産後サポートに必要な知識を付与する講習会の開催

　　⑤　母子保健関係機関，関係事業との連絡調整

２．多胎妊産婦等支援

　⑴　多胎ピアサポート事業

　　　多胎児育児経験者家族との交流会等の実施や，多胎妊婦が入院している場合など，必要に応じてアウトリーチでの相談支援を実施する。

　⑵　多胎妊産婦等サポーター等事業

　　　多胎妊産婦等のもとへサポーターを派遣し，外出時の補助や日常の育児に関する介助を行う。また，サポーター派遣の前に，支援に際して必要な知識等修得のための研修を実施する。

３．妊産婦等への育児用品等による支援

　　妊産婦等の状況確認や医療提供体制・相談支援体制に関する情報提供について，直接面談により行う機会を設けるため，市区町村の創意工夫を活かした取組を実施する。

４．出産や子育てに悩む父親に対する支援

　⑴　ピアサポート支援等

　　　父親の交流会の実施などにより，子育てに関する悩みの共有や情報交換や，子どもや父親のライフステージに応じた子育ての方法を学ぶ場として，継続的な支援を行う。

　⑵　父親相談支援

　　　相談の実施により，妻の妊娠・出産や子どもの誕生・成長によって生じる，父親自身における仕事のスタイルや生活環境の急激な変化に関する悩みやうつ状態への支援を行う。

■**実施担当者**

　　以下に掲げる者を必要に応じて配置する。上記「産前・産後の心身の不調に関する相談支援」は，1.に掲げる専門職を担当者とすることが望ましい。利用者に直接支援を行う者に対して講習会の実施等，適切な支援が行えるよう配慮する。

１．助産師，保健師又は看護師

２．子育て経験者，シニア世代の者等

３．その他支援，援助活動の調整等の事務を行う者

４．「多胎妊産婦等サポーター等事業」については，多胎妊産婦等への支援に関する研修を受けている等必要な知識・経験を有する者

2　産後ケア事業

　　出産後1年以内の母子に対して心身のケアや育児のサポート等を行い，安心して子育てができる支援体制の確保を図る。

■実施主体

　市町村（特別区を含む。）とし，事業の趣旨を理解し，適切な実施が期待できる団体等に事業の全部又は一部を委託できる。

■対象者

　出産後1年以内の母子であって，産後ケア（■事　業の2.内容(1)〜(5)）を必要とする者

■事　業

　地域におけるニーズや社会資源等の状況を踏まえ，1.(1)〜(3)の方法により，原則として2.(1)(2)の事業を実施し，必要に応じて(3)〜(5)の事業を実施する。

1．実施方法

(1)　短期入所（ショートステイ）型

　　病院等の空きベッドの活用により利用者を短期入所させ，休養の機会の提供とともに，心身のケアや育児サポート等のきめ細かい支援を実施する。利用期間は原則として7日間以内とし，市町村が必要と認めた場合には延長することができる。利用者の家族は，市町村が認めた場合に宿泊させることができる。

(2)　通所（デイサービス）型

　　日中，実施施設において，利用者に対し，個別又は集団で心身のケアや育児のサポート等のきめ細かい支援を実施する。

(3)　居宅訪問（アウトリーチ）型

　　担当者が利用者の自宅に赴き，個別に心身のケアや育児のサポート等のきめ細かい支援を実施する。

2．内容

(1)　褥婦及び新生児に対する保健指導及び授乳指導（乳房マッサージを含む。）

(2)　褥婦に対する療養上の世話

(3)　産婦及び乳児に対する保健指導

(4)　褥婦及び産婦に対する心理的ケアやカウンセリング

(5)　育児に関する指導や育児サポート等

■実施担当者

　事業の内容に応じて1.を配置のうえ，2.及び3.を配置する。短期入所型の場合には，24時間体制で1名以上の助産師，保健師又は看護師を配置する。

1．助産師，保健師又は看護師

2．心理に関して知識を有する者

3．育児に関する指導や育児サポート等の実施に当たり必要な者

■実施場所

1．短期入所（ショートステイ）型

利用者の宿泊施設は，原則として次の(1)〜(3)の設備を有する施設で，かつ，適当な換気，採光，照明，防湿及び排水の設備を有すること。ただし，近隣の他の施設において，共同で使用することができる設備がある場合は，この限りでない。

(1)　居室

(2)　カウンセリングを行う部屋

(3)　乳児の保育を部屋

(4)　(1)〜(3)の他，事業の実施に必要な設備

2．通所（デイサービス）型

個別又は集団で支援を行うことができる設備その他の事業の実施に必要な設備を有する施設とする。ただし，近隣の他の施設において，共同で使用することができる設備がある場合は，この限りでない。

3．居宅訪問（アウトリーチ）型

利用者の自宅に赴いて支援を行う。その際，安全面・衛生面に十分配慮する。

■医療機関との連携体制

都道府県医師会等の協力を得て，医療機関との連携体制を整備し，相談できる医師，緊急時の協力医療機関をあらかじめ選定する。

■利用料

利用料を徴収することができる。ただし，全ての利用者を対象に，利用者が属する世帯の所得の状況に応じた減免措置を講じるよう努める。

3　妊娠・出産包括支援緊急整備事業

産前・産後サポート事業，産後ケア事業の実施場所の修繕を行うことにより，より身近な場で妊産婦等を支える仕組みに必要な体制を緊急に整備する。

■実施主体

市町村（特別区を含む。）とし，事業の趣旨を理解し，適切な実施が期待できる団体等に事業の全部又は一部を委託できる。

■対象施設

産前・産後サポート事業，産後ケア事業を実施し，又は実施予定の施設（当該市町村も

しくは受託事業者が所有又は賃借しているものに限る。）

■**事業内容**

　産前・産後サポート事業，産後ケア事業の実施場所の修繕（パソコン，冷暖房器具，幼児用トイレ・シンク・沐浴槽，調乳ユニット，玄関スロープ等の設置，畳替えその他事業に必要な修繕）。

4　子育て世代包括支援センター開設準備事業

　子育て世代包括支援センターに係る開設準備のため，職員の雇い上げや協議会の開催等により，当該センターを円滑に開設することを目的とする。

■**実施主体**

　市町村（特別区を含む。）とし，事業の趣旨を理解し，適切な実施が期待できる団体等に事業の全部又は一部を委託できる。

■**事業内容**

　子育て世代包括支援センターを開設までの準備のため，職員の雇上げや協議会の開催等を行う。

5　妊娠・出産包括支援推進事業

　連絡調整会議，保健師等の専門職への研修，産後ケア事業等のニーズ把握調査等を行い，市町村が妊娠・出産包括支援事業を実施するための体制整備を推進する。

■**実施主体**

　都道府県とし，事業の趣旨を理解し，適切な実施が期待できる団体等に事業の一部を委託できる。

■**事業内容**

　1．連絡調整会議

　　都道府県と市町村や市町村間で情報共有のため，連絡調整会議を開催する。

　2．保健師等の専門職への研修

　　市町村が事業を実施するに当たり，保健師等の専門職等が産前・産後サポート事業や産後ケア事業，子育て世代包括支援センター，利用者支援事業（母子保健型）を実施す

るために必要な専門的知識を身につけるための研修を行う。

3．ニーズ把握調査

　産後ケア事業等の実施に当たり，基礎データの把握，ニーズ把握のための調査を行う。

4．市町村共同実施の推進

　都道府県が主導し，市町村での共同実施を推進するための検討会や連絡調整等を行う。

5．その他

　市町村が事業を実施する体制整備のための支援を行う。なお，必要に応じて，市町村による利用者支援事業（母子保健型）の実施に資するような支援を行う。

14　不育症検査費用助成事業

根拠▶母子保健医療対策総合支援事業の実施について
（令5.6.30こ成母第36号）

　不育症検査に要する費用の一部助成により，その経済的な負担軽減を図り，研究段階にある不育症検査のうち，先進医療として実施されるものを対象に，補助を行うことで検査の保険適用を推進する。

■実施主体

　都道府県，指定都市及び中核市とし，事業の一部を適切な実施が期待できる団体等に委託できる。

■対象者

　2回以上の流産，死産既往者

■対象となる検査及び助成額

　先進医療として告示されている不育症検査（流死産検体を用いた遺伝子検査）とし，実施機関として承認されている保険医療機関で実施するもの。助成額は1回の検査に係る費用の7割相当額（上限6万円）とする。

15　産婦健康診査事業

根拠▶母子保健医療対策総合支援事業の実施について
（令5.6.30こ成母第36号）

産後うつの予防や新生児への虐待予防等を図るため，産後2週間，産後1か月など出産後間もない時期の産婦に対する健康診査（母体の身体的機能の回復，授乳状況及び精神状態の把握等）に係る費用を助成する。

■実施主体

市町村（特別区を含む。）とする（本事業の実施に当たり，以下の要件を満たすこととする。）。

1．産婦健康診査において，母体の身体的機能の回復，授乳状況・精神状態の把握等を行う。

2．産婦健康診査の結果が病院等実施機関から市町村へ速やかに報告される体制の整備。

3．産婦健康診査の結果，支援が必要と認められる産婦に対し産後ケア事業による支援を行う。

■対象者

出産後間もない時期の産婦

■対象となる産婦健康診査

健康状態・育児環境の把握（生活環境，授乳状況等），体重・血圧測定，尿検査，精神状況に応じてツールを用いたアセスメント。

■助成回数

対象者1人につき2回以内（産婦健康診査1回当たり5,000円を上限）

16　新生児聴覚検査体制整備事業

根拠▶母子保健医療対策総合支援事業の実施について
（令5.6.30こ成母第36号）

　聴覚障害の早期発見・早期療育が図られるよう，新生児聴覚検査に係る協議会の設置を行うとともに研修会の実施，普及啓発等により，都道府県における推進体制を整備する。また，都道府県における新生児聴覚検査の結果の集約や医療機関・市町村への情報共有・指導等の実施等で，新生児聴覚検査の体制を整備し，受検率の向上を図る。

■実施主体

　都道府県とし，下記5.については，事業の全部又は一部を都道府県が指定する医療機関等へ委託できる。

■事業内容

　地域の実情に応じて次に掲げる事業の一部（1.は必須）又は全部を実施する。

1．行政機関，医療機関，教育機関，医師会・患者会等の関係機関（団体）等による協会の設置・開催

2．医療機関従事者等に対する研修会の実施

3．新生児聴覚検査のパンフレットの作成等による普及啓発

4．都道府県内における新生児聴覚検査事業実施のための手引書の作成

5．新生児聴覚検査管理等事業

　都道府県もしくは都道府県が委託する中核的な医療機関において，以下の(1)～(4)の事業を実施する。

(1)　新生児聴覚検査の結果の情報集約及び共有

　　医療機関等が実施する新生児聴覚検査の結果において，要再検査と判断された子が生じた場合，都道府県等で情報を集約し，精密検査機関及び市町村と情報共有を行い，漏れなく精密検査を受検できるようにする。また，精密検査受検後，難聴と診断された場合は，速やかに療育機関につながるよう体制を整備し，その状況を把握する。

(2)　市町村への指導等

　　管内市町村において，新生児聴覚検査の受検状況等の把握や集計を行っているか確認する。

(3)　相談対応等

　①　難聴と診断された子の親等への相談対応や精密検査機関及び療育機関の紹介

　②　産科医療機関等や市町村からの新生児聴覚検査に関する相談対応

⑷　検査状況・精度管理業務

　　新生児聴覚検査を実施している産科医療機関等に対し，定期的に検査実施状況の把握・確認や精度管理を行う。

6．聴覚検査機器購入支援事業

　　聴覚検査機器を所有していない小規模の産科医療機関等が，検査機器（自動 ABR）購入の場合に，購入費を支援する。

7．その他新生児聴覚検査事業の体制整備に必要な事項

17　多胎妊娠の妊婦健康診査支援事業

根拠▶母子保健医療対策総合支援事業の実施について
（令 5.6.30 こ成母第 36 号）

　多胎児妊娠の妊婦は，単胎の場合よりも頻回の健康診査受診が推奨され，受診に伴う経済的負担が大きいことから，追加で受診する健康診査に係る費用を補助することで，多胎妊婦の負担軽減を図る。

■実施主体

　市区町村とし，事業の全部又は一部を医療機関等へ委託できる。

■事業の内容

　多胎妊娠の妊婦 1 人当たり，1 回 5,000 円分の健診費用を 5 回を限度として支援する。

18　母子保健対策強化事業

根拠▶母子保健医療対策総合支援事業の実施について
（令 5.6.30 こ成母第 36 号）

　両親学級のオンライン実施や SNS を活用したオンライン相談など，ニーズに応じたアクセスしやすい多様な相談支援を行うとともに，母子保健に関する記録を電子化及び各種健診に必要な備品整備など，妊産婦等に必要な支援が行われるよう市町村の体制強化を図る。

　また，都道府県において，管内市町村における成育医療等の提供に関する施策の状況把握，事業の均てん化や精度管理等の広域的調整のため，管内市町村，成育過程にある者に対する医療，保健，福祉等に係る関係団体による協議会設置や，広域支援の推進等を実施する。

■実施主体

　1.の事業は市町村とし，2.の事業は都道府県とし，事業の全部又は一部を民間事業者等及び都道府県指定の医療機関等に委託できる。

■事業内容

1．母子保健に関するデジタル化・オンライン化等体制強化事業

　　妊産婦等への支援体制の強化等のため，地域の実情に応じて，次の取組を行う（複数実施可）。

(1)　両親学級等のオンライン実施に必要な体制整備

(2)　SNSを活用したオンライン相談に必要な体制整備

(3)　母子保健に関する記録の電子化

(4)　各種健診に必要な備品（屈折検査機器等）の整備

(5)　その他母子保健対策強化に資する取組

2．母子保健に関する都道府県広域支援強化事業

(1)　母子保健事業等推進体制整備事業

　　都道府県において管内市町村や成育医療等に係る関係団体との連携のため，地域の実情に応じて，次の取組を実施する（ただし，①は必須）。

　　①　成育医療等の提供に関する施策に係る状況把握や広域的調整のため，主に以下の事項に関する協議会の設置・開催

　　　ア　都道府県及び市町村の成育医療等に関する計画の策定

　　　イ　母子保健事業（各種健診や産後ケア事業など）の実施状況等に関するデータ収集・分析，課題の把握等

　　　ウ　母子保健事業に関する実施体制の整備や委託先の確保

　　　エ　母子保健に関する住民のニーズ調査

　　　オ　その他協議会において協議することが適当と認められる内容に関すること

　　②　医療機関従事者等に対する研修会の実施

　　③　事業のポスターやパンフレットの作成等による普及啓発

　　④　事業の実施のための手引書の作成

(2)　各種健診等管理等事業

　　都道府県において管内市町村の各種健診等の均てん化や精度管理等の支援のため，地域の実情に応じて，次の取組を実施する。併せて，取組により把握した管内市町村や医療機関等の状況，必要なデータ等について，必要に応じて協議会に報告・提供を行うことで，分析や方針決定につなげ，PDCAサイクルによる取組を実践していく。

　　①　各種健診等の検査結果の情報集約及び共有

　　　　検査結果において，要再検査・要精密検査と判断された児が生じた場合，都道府

県等で情報を集約し，精密検査機関及び市町村と情報共有し，当該児が漏れなく精密検査を受検できるようにする。また，精密検査受検後，速やかに療育機関につながるよう体制を整備し，その状況を把握する。

② 市町村への支援・指導等

管内市町村において，各種健診等の受検状況等の把握や集計が行われているか確認し，要再検査・要精密検査や疾患が指摘された者の割合等を集計したデータを市町村にフィードバックするなど，市町村に対し適切な支援・指導等を実施する。

③ 相談対応等

ア　保護者等からの相談への対応や，精密検査機関及び療育機関の紹介

イ　医療機関等・市町村からの各種健診等の検査に関する相談対応

④ 検査状況・精度管理業務

各種健診等検査を実施している医療機関等に対し，定期的に実施状況の把握・確認や精度管理を行う。

⑤ その他各種健診等の体制整備に必要な事項

19　低所得の妊婦に対する初回産科受診料支援事業

根拠 ▶ 母子保健医療対策総合支援事業の実施について
（令 5.6.30 こ成母第 36 号）

低所得の妊婦について経済的負担の軽減を図り，状況を継続的に把握し，必要な支援につなげるため，初回の産科受診料を助成する。また，出産・子育て応援交付金による伴走型相談支援事業と一体的に実施することにより，両事業を効果的に推進する。

■実施主体

市町村（特別区を含む。）。ただし，出産・子育て応援交付金による伴走型相談支援事業を実施する市町村に限る。なお，本事業の趣旨を理解し，適切な実施が期待できる団体等に事業の一部を委託することができる。

■対象者

市販の妊娠検査薬で陽性確認した者で，住民税非課税世帯に属する者又はこれと同等の所得水準と認められる者。ただし，当該者の状況を継続的に把握し，必要な支援につなげるため，以下の事項に同意する者に限る。

1. 所得状況確認のため，市町村が世帯の課税状況を確認すること。

2. 妊婦健康診査を受託する産婦人科医療機関等の関係機関と市町村が，必要に応じて支

援に必要な情報（妊婦健康診査の未受診の状況や家庭の状況等）を共有すること。

■**事業内容**

1．初回の産科受診料の費用の助成

　初回の産科受診料の費用（産科医療機関において実施する妊娠の判定に要する費用をいう。）の一部又は全部を助成する。

2．関係機関との連絡調整

　本事業において把握した支援が必要な妊婦について，必要な支援が提供されるよう，関係機関との連絡調整を行うこと等により，適切な連携を図る。

■**留意事項**

　本事業は，市町村における妊婦支援に係る体制を整備するものであるため，次のとおり実施する。

1．子育て世代包括支援センターの窓口業務として実施する。

2．支援対象者に対して，伴走型相談支援による妊娠届出時の面談等を実施する。また，面談等において，住民税非課税世帯等に対する支援制度（各種子育て支援事業の利用料減免制度など）を案内することで，必要な支援に効果的につなげる。

3．支援対象者に対して，必要に応じて支援計画を作成し支援を実施する。

4．初回の産科受診料の助成については，産科医療機関受診の前に子育て世代包括支援センターの窓口に相談に訪れた対象者に対して，あらかじめ当該受診に係る受診券等の交付方法や産科医療機関の受診後，妊娠の届出時において助成の申請を受け付け，償還払いにより当該費用を助成する方法など，対象者の利便性に配慮した方法により行う。

20　マタニティマークをとおした「妊産婦にやさしい環境づくり」の推進

根拠▶マタニティマークをとおした「妊産婦にやさしい環境づくり」の推進について（平18.3.16 雇児発第0316001号）

　妊産婦が交通機関等を利用する際に身につけ，周囲が妊産婦への配慮を示しやすくするものであり，さらに，交通機関，職場，飲食店，その他の公共機関等が，その取組や呼びかけ文を付してポスターなどとして掲示し，妊産婦にやさしい環境づくりを推進するもの。マークはこども家庭庁や健やか親子21のホームページからダウンロードし，自由に利用できる。

マタニティマークのデザイン

21 産科医療補償制度

〔**根拠**▶産科医療補償制度標準補償約款〕

　分娩に関連して発症した脳性麻痺児及びその家族の経済的負担を速やかに補償するとともに，脳性麻痺発症の原因分析を行い，将来の脳性麻痺の予防に資する情報を提供することにより，紛争の防止・早期解決及び産科医療の質の向上を図る。

■補償の仕組み

1．分娩機関と妊産婦との契約に基づいて，通常の妊娠・分娩にもかかわらず脳性麻痺となった者に補償金を支払う。
2．分娩機関は，補償金の支払いによる損害を担保するため，運営組織（公益財団法人日本医療機能評価機構）が契約者となる損害保険に加入する。

■補償対象

　分娩により次の基準を満たす状態で出生した児

1．在胎週数 28 週以上
2．先天性や新生児期の要因によらない脳性麻痺であること
3．身体障害者等級 1・2 級相当の脳性麻痺

■補償金額

　3,000 万円（一時金 600 万円＋分割金 2,400 万円（20 年間））

■保険料（掛金）

　1 分娩当たり 1 万 2000 円（産科医療補償制度専用 web システムを利用しない場合は 1 万 2500 円。本来必要な掛金は 1 分娩当たり 2 万 2000 円だが，剰余金から 1 万円を充当する。）

第7編

生活保護

〔根拠▶生活保護法（昭 25.5.4 法律第 144 号）〕

　日本国憲法第 25 条に規定する理念に基づき，国が生活に困窮するすべての国民に対し，その困窮の程度に応じ必要な保護を行い，その最低限度の生活を保障するとともに，その自立を助長する。

1　生活保護制度の基本原理・原則

1．生活保護制度の基本原理

(1)　国家責任による最低生活保障の原理（法第 1 条）

　　国が生活に困窮するすべての国民に対し，その困窮の程度に応じ必要な保護を行い，最低限度の生活を保障するとともに，その自立助長を目的とするもので，この制度の実施に対する究極的責任は国がもつ。

(2)　無差別平等の原理（法第 2 条）

　　国民はすべてこの法律の定める要件を満たす限り，保護請求権を無差別平等に与えられる。

(3)　最低生活保障の原理（法第 3 条）

　　この法律により保障される最低限度の生活は，健康で文化的な生活水準を維持することのできるものでなければならない。

(4)　補足性の原理（法第 4 条）

　　保護は，生活に困窮する者がその利用し得る資産，能力，その他あらゆるものを，その最低限度の生活の維持のために活用することを要件として行われ，民法上の扶養や他の法律による扶助は，保護に優先して行われなければならない。

2．生活保護実施上の原則

(1)　申請保護の原則（法第 7 条）

　　保護は，要保護者等の申請に基づいて開始する。なお，急迫の場合には，職権により必要な保護を行う。

(2)　基準及び程度の原則（法第 8 条）

　　　保護の程度は，厚生労働大臣の定める基準によって測定した需要を基とし，要保護者の金銭等で満たし得ない不足分を補う程度とする。この基準は，要保護者の年齢，性別，世帯構成その他必要な事情を考慮した最低限度の生活の需要を十分満たすとともに，これを超えないものでなければならない。

(3)　必要即応の原則（法第9条）

　　　保護は，要保護者の年齢，健康状態等その個人又は世帯の実際の必要の相違を考慮して適切に行うものとする。

(4)　世帯単位の原則（法第10条）

　　　保護の要否及び程度は，世帯単位によって定める。ただし，これによりがたいときは，個人を単位とすることができる。

2　保護の実施機関等

1．実施機関

　　要保護者の居住地（又は現在地）を管轄する福祉事務所を管理する都道府県知事，市町村長

2．補助機関等

(1)　福祉事務所を設置しない町村の長

　　　申請書の受理，保護金品の交付等保護の実施機関又は福祉事務所長の業務を適切ならしめるための事項を行う。

(2)　社会福祉主事

　　　都道府県知事又は市町村長の事務の補助

(3)　民生委員

　　　市町村長，福祉事務所長等の事務への協力

3　保護の対象

　　生活に困窮する日本国民で，その者が利用し得る現金を含む資産，稼働能力その他あらゆるものを生活費に充当しても，なお厚生労働大臣の定める保護の基準で測定される最低限度の生活が維持できない者。

（注）　生活に困窮する在日外国人に対しても人道上，国際道義上の観点から，戦前から日本に居住していて永住資格を得たなど，永住・定住やその配偶者の資格で在留する場合には，行政措置により生活保護法に準じた保護を行っている。

4　申請による保護の開始及び変更

1．保護の開始を申請する者は，氏名，住所，理由，資産及び収入の状況等を記載した申請書に，必要な書類を添付して（特別な事情がある場合を除く。）実施機関に提出しなければ

ならない。

2．保護の実施機関は，申請から 14 日（特別の理由がある場合は 30 日）以内に保護の要否，方法等を決定し，その理由を付した上で，書面をもって通知しなければならない。期間内に通知をしなかったときは，その理由を書面に明示しなければならない。

3．保護の実施機関は，扶養義務者が民法の規定による扶養義務を履行していない場合において，保護開始を決定しようとするときは，あらかじめ扶養義務者に書面をもって通知しなければならない。

4．町村長を経由して保護の開始・変更を申請する場合，町村長は申請を受けて 5 日以内に，資産・収入の状況等，保護決定に参考となるべき事項を記載した書面を添えて保護の実施機関に送付しなければならない。

【参　考】実施体制の概要

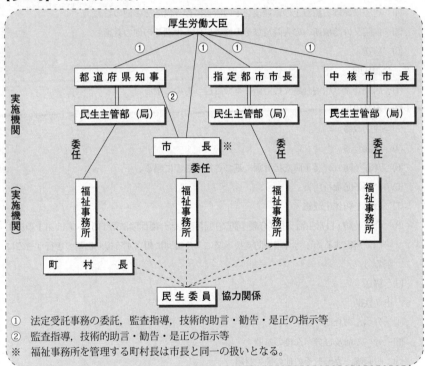

① 法定受託事務の委託，監査指導，技術的助言・勧告・是正の指示等
② 監査指導，技術的助言・勧告・是正の指示等
※ 福祉事務所を管理する町村長は市長と同一の扱いとなる。

5　保護の種類及び範囲

1．生活扶助

(1) 衣食その他日常生活の需要を満たすために必要なもの

(2) 移送

2．教育扶助

(1)　義務教育に伴って必要な教科書その他の学用品

(2)　義務教育に伴って必要な通学用品

(3)　学校給食その他義務教育に伴って必要なもの

3．住宅扶助

(1)　住居

(2)　補修その他住宅の維持のために必要なもの

4．医療扶助

(1)　診察

(2)　薬剤又は治療材料

(3)　医学的処置，手術及びその他の治療並びに施術

(4)　居宅における療養上の管理及びその療養に伴う世話その他の看護

(5)　病院又は診療所への入院及びその療養に伴う世話その他の看護

(6)　移送

5．介護扶助

(1)　居宅介護（居宅介護支援計画に基づき行うものに限る。）

(2)　福祉用具

(3)　住宅改修

(4)　施設介護

(5)　介護予防（介護予防支援計画に基づき行うものに限る。）

(6)　介護予防福祉用具

(7)　介護予防住宅改修

(8)　介護予防・日常生活支援（介護予防支援計画又は介護保険法第 115 条の 45 第 1 項第 1 号ニに規定する第 1 号介護予防支援事業による援助に相当する援助に基づき行うものに限る。）

(9)　移送

6．出産扶助

(1)　分べんの介助

(2)　分べん前及び分べん後の処置

(3)　脱脂綿，ガーゼその他の衛生材料

7．生業扶助

(1)　生業に必要な資金，器具又は資料

(2)　生業に必要な技能の修得

(3)　就労のために必要なもの

8．葬祭扶助

(1) 検案

(2) 死体の運搬

(3) 火葬又は埋葬

(4) 納骨その他葬祭のために必要なもの

6 最低生活費の体系

〔根拠▶生活保護法による保護の基準（昭38.4.1厚生省告示第158号）〕

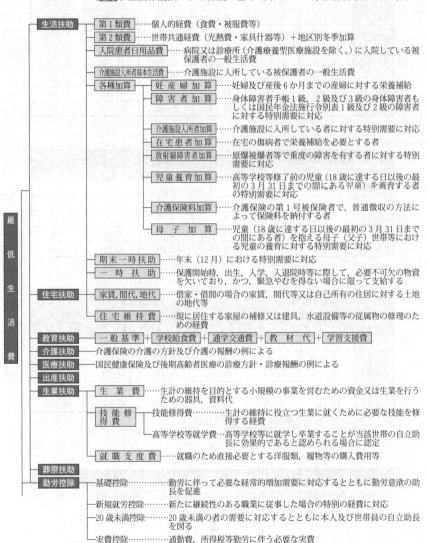

最低生活費

生活扶助
- 第1類費 ……個人的経費（食費・被服費等）
- 第2類費 ……世帯共通経費（光熱費・家具什器等）＋地区別冬季加算
- 入院患者日用品費 ……病院又は診療所（介護療養型医療施設を除く。）に入院している被保護者の一般生活費
- 介護施設入所者基本生活費 ……介護施設に入所している被保護者の一般生活費
- 各種加算
  - 妊産婦加算 ……妊婦及び産後6か月までの産婦に対する栄養補給
  - 障害者加算 ……身体障害者手帳1級，2級及び3級の身体障害者もしくは国民年金法施行令別表1級及び2級の障害者に対する特別需要に対応
  - 介護施設入所者加算 ……介護施設に入所している者に対する特別需要に対応
  - 在宅患者加算 ……在宅の傷病者で栄養補給を必要とする者
  - 放射線障害者加算 ……原爆被爆者等で重度の障害を有する者に対する特別需要に対応
  - 児童養育加算 ……高等学校等修了前の児童（18歳に達する日以後の最初の3月31日までの間にある児童）を養育する者の特別需要に対応
  - 介護保険料加算 ……介護保険の第1号被保険者で，普通徴収の方法によって保険料を納付する者
  - 母子加算 ……児童（18歳に達する日以後の最初の3月31日までの間にある者）を抱える母子（父子）世帯等における児童の養育に対する特別需要に対応
- 期末一時扶助 ……年末（12月）における特別需要に対応
- 一時扶助 ……保護開始時，出生，入学，入退院時等に際して，必要不可欠の物資を欠いており，かつ，緊急やむを得ない場合に限って支給する

住宅扶助
- 家賃，間代，地代 ……借家・借間の場合の家賃，間代等又は自己所有の住居に対する土地の地代等
- 住宅維持費 ……現に居住する家屋の補修又は建具，水道設備等の従属物の修理のための経費

教育扶助 | 一般基準 ＋ 学校給食費 ＋ 通学交通費 ＋ 教材代 ＋ 学習支援費

介護扶助 ── 介護保険の介護の方針及び介護の報酬の例による

医療扶助 ── 国民健康保険及び後期高齢者医療の診療方針・診療報酬の例による

出産扶助

生業扶助
- 生業費 ……生計の維持を目的とする小規模の事業を営むための資金又は生業を行うための器具，資料代
- 技能修得費
  - 技能修得費 ………生計の維持に役立つ生業に就くために必要な技能を修得する経費
  - 高等学校等就学費 ……高等学校等に就学し卒業することが当該世帯の自立助長に効果的であると認められる場合に認定
- 就職支度費 ……就職のため直接必要とする洋服類，履物等の購入費用等

葬祭扶助

勤労控除
- 基礎控除 ………勤労に伴って必要な経常的増加需要に対応するとともに勤労意欲の助長を促進
- 新規就労控除 ………新たに継続性のある職業に従事した場合の特別の経費に対応
- 20歳未満控除 ………20歳未満の者の需要に対応するとともに本人及び世帯員の自立助長を図る
- 実費控除 …………通勤費，所得税等勤労に伴う必要な実費

【参　考】令和5年10月からの最低生活費の計算（A＋B＋C＋D＋E＋F）

生活扶助基準（第1類）						
年齢	基準額					
	1級地-1	1級地-2	2級地-1	2級地-2	3級地-1	3級地-2
0～2	44,580	43,240	41,460	39,680	39,230	37,000
3～5	44,580	43,240	41,460	39,680	39,230	37,000
6～11	46,460	45,060	43,200	41,350	40,880	38,560
12～17	49,270	47,790	45,820	43,850	43,360	40,900
18～19	46,930	45,520	43,640	41,760	41,290	38,950
20～40	46,930	45,520	43,640	41,760	41,290	38,950
41～59	46,930	45,520	43,640	41,760	41,290	38,950
60～64	46,930	45,520	43,640	41,760	41,290	38,950
65～69	46,460	45,060	43,200	41,350	40,880	38,560
70～74	46,460	45,060	43,200	41,350	40,880	38,560
75～	39,890	38,690	37,100	35,500	35,100	33,110

生活扶助基準（第1類）						
人員	逓減率					
	1級地-1	1級地-2	2級地-1	2級地-2	3級地-1	3級地-2
1人	1.00	1.00	1.00	1.00	1.00	1.00
2人	0.87	0.87	0.87	0.87	0.87	0.87
3人	0.75	0.75	0.75	0.75	0.75	0.75
4人	0.66	0.66	0.66	0.66	0.66	0.66
5人	0.59	0.59	0.59	0.59	0.59	0.59

生活扶助基準（第2類）						
人員	基準額					
	1級地-1	1級地-2	2級地-1	2級地-2	3級地-1	3級地-2
1人	27,790	27,790	27,790	27,790	27,790	27,790
2人	38,060	38,060	38,060	38,060	38,060	38,060
3人	44,730	44,730	44,730	44,730	44,730	44,730
4人	48,900	48,900	48,900	48,900	48,900	48,900
5人	49,180	49,180	49,180	49,180	49,180	49,180

※　冬季には地区別に冬季加算が別途計上される。
　　札幌市の例：4人世帯の場合は月額 22,270 円（10月～翌4月）

生活扶助基準（第1類＋第2類）

※　各居宅世帯員の第1類基準額を合計し，世帯人員に応じた逓減率を乗じ，世帯人員に
　応じた第2類基準額を加える。

生活扶助基準額（第1類＋第2類）＋特例加算（1人当たり月額1,000円）＋生活扶助本体における経過的加算（別表 略）【A】

※ 特例加算は入院患者や施設入所者等にも加算される。

加算額 【B】			
	1級地	2級地	3級地
障害者			
身体障害者障害程度等級表1・2級に該当する者等	26,810	24,940	23,060
身体障害者障害程度等級表3級に該当する者等	17,870	16,620	15,380
母子世帯等			
児童1人の場合	18,800	17,400	16,100
児童2人の場合	23,600	21,800	20,200
3人以上の児童1人につき加える額	2,900	2,700	2,500
児童を養育する場合			
高等学校等修了前の児童	10,190（児童1人につき）		

①該当者がいるときだけ，その分を加える。
②入院患者，施設入所者は金額が異なる場合がある。
③このほか，「妊産婦」などがいる場合は，別途妊産婦加算等がある。
④児童とは，18歳になる日以後の最初の3月31日までの者。
⑤障害者加算と母子加算は併給できない。
※ 一定の要件を満たす「母子世帯等」及び「児童を養育する場合」には，別途経過的加算（別表（略））がある。

住宅扶助基準 【C】			
	1級地	2級地	3級地
実際に支払っている家賃・地代	53,700	45,000	40,900

※ 東京都の例（単身の場合）。基準額の範囲内で実費相当が支給される。

教育扶助基準，高等学校等就学費　【D】			
	小学生	中学生	高校生
基準額	2,600	5,100	5,300

※　このほか必要に応じ，教材費・クラブ活動費・入学金（高校生の場合）などの実費が計上される。

介護扶助基準　【E】
居宅介護等にかかった介護費の平均月額

医療扶助基準　【F】
診療等にかかった医療費の平均月額

最低生活費認定額

※　このほか，出産，葬祭などがある場合は，それらの経費の一定額がさらに加えられる。

7　収入の認定

　出産，就職，葬祭等に際して贈与される金銭等で社会通念上収入として認定することが適当でないものを除いて，全ての収入が認定される。

　ただし，就労に伴う必要経費として基礎控除などが収入から控除される。

【参　考】収入認定額の計算（①－②－③）

① 収入	勤 労 収 入 過去3か月の平均額	事 業 収 入 過去3か月の平均額	農 業 収 入 将来1か年の予想額（平均月額）	その他の収入 恩給、年金等は平均月割額
② 実費控除	社会保険料 所得税 通勤費等	原材料費 仕入代 機械器具の修理費等	肥料代 種苗代 農機具の修理費 少額農具の購入費等	・収入を得るための必要経費 ・受給資格の証明に要する経費 ・財産収入にあっては家屋補修費

	収入金額	1 人 目	2 人目以降
③ 勤 労 控 除	0円 〜 26,999	0円 〜 16,000	0円 〜 15,000
	27,000 〜 46,999	16,400 〜 18,000	15,000 〜 15,300
	47,000 〜 66,999	18,400 〜 20,000	15,640 〜 17,000
	67,000 〜 86,999	20,400 〜 22,000	17,340 〜 18,700
	87,000 〜 106,999	22,400 〜 24,000	19,040 〜 20,400
	107,000 〜 126,999	24,400 〜 26,000	20,740 〜 22,100
	127,000 〜 146,999	26,400 〜 28,000	22,440 〜 23,800
	147,000 〜 166,999	28,400 〜 30,000	24,140 〜 25,500
	167,000 〜 186,999	30,400 〜 32,000	25,840 〜 27,200
	187,000 〜 206,999	32,400 〜 34,000	27,540 〜 28,900
	207,000 〜 226,999	34,400 〜 36,000	29,240 〜 30,600
	227,000 〜 230,999	36,400	30,940
	231,000〜	（※）	（※）

(注)　実際には収入額4,000円きざみでより細かい控除額が決められている。

(※)　収入金額が231,000円以上の場合は、収入金額が4,000円増加するごとに、1人目については400円、2人目以降については340円を控除額に加算する。

収入認定額

8　保護の要否判定

1．保護開始時の要否判定に用いる扶助の内容

事　　　項	判定に用いるもの	判定に用いないもの
生　活　扶　助	基準生活費 加算 移送費（一部） 入院患者日用品費 介護施設入所者基本生活費 被服費（一部）	期末一時扶助費 被服費（一部） 家具什器費 移送費（一部） 入学準備金 配電水道等設備費 家財保管・処分料 妊婦定期検診料 不動産鑑定費用等
教　育　扶　助	教育扶助基準 教材費 給食費，交通費 学級費	災害時等学用品費 校外活動参加費 学習支援費
住　宅　扶　助	家賃，間代，地代	敷金，契約更新料 住宅維持費,雪おろし費用
医　療　扶　助	医療費 短期医療費（特例） 移送費	
介　護　扶　助	介護費（住宅改修費を除く） 移送費	住宅改修費
出　産　扶　助	出産費	
生　業　扶　助		生業費 技能修得費 就職支度費
葬　祭　扶　助	葬祭費	
各種勤労控除及び必要経費控除等	必要経費として別に定める額 必要経費の実費（社会保険料，所得税，労働組合費，通勤費等） 出稼ぎ等の実費 託児費 公租公課	新規就労控除 20歳未満控除 不安定収入控除 現物500円控除 貸付金の償還金

2．要否判定の方法

　　世帯の最低生活費の合計と収入充当額を比較し，最低生活費＞収入充当額の場合は，保護要，最低生活費＜収入充当額の場合は保護否となる。

(1) 最低生活費の計算

$$\frac{生活扶助}{生\ 活\ 費} + \frac{住宅扶助}{家\ 賃\ 等} + \frac{教育扶助}{義務教育費} + \frac{介護扶助}{介\ 護\ 費} + \frac{医療扶助}{医\ 療\ 費} = 最低生活費$$

(2) 収入充当額の計算

平均月額収入−（必要経費の実費＋基礎控除）＝収入充当額

(3) 扶助額の計算

最低生活費−収入充当額＝扶助額

【参　考】最低生活保障水準の具体的事例（1級地―1）　　令和5年10月時点

	3人世帯	母子3人世帯	高齢者単身世帯
	33歳男，29歳女，4歳子	30歳女（就労），4歳子，2歳子	68歳女
	円	円	円
生活扶助	152,900	150,470	76,880
母子加算	－	23,600	－
障害者加算	－	－	－
児童養育加算	10,190	20,380	－
小計	163,090	194,450	76,880
教育扶助	－	－	－
住宅扶助	13,000	13,000	13,000
合計	176,090	207,450	89,880

(注)1　冬季には，地区別に冬季加算が別途計上される。

2　住宅扶助は，住宅費が上記の額を超える場合，地域別に定められた上限額の範囲内でその実費が支給される。東京都区部の場合，単身世帯では53,700円，複数世帯では64,000円が上限額となっている。

3　上記の額に加えて，医療費等の実費相当が必要に応じて給付される。

4　勤労収入のある場合には，収入に応じた額が勤労控除として控除されるため，現実に消費しうる水準としては，生活保護の基準額に控除額を加えた水準となる（就労収入が10万円の場合：23,600円）。

5　教育扶助は上記の額に加えて，必要に応じ教材代などの実費が支給される。

9　被保護者の義務

被保護者は，常に能力に応じて勤労に励み，自ら健康の保持増進に努め，収入，支出その他生計の状況を適切に把握するとともに節約を図り，その他生活の維持，向上に努めなければならない。

10　就労自立給付金

　安定した職業に就いたことその他厚生労働省令で定める事由により保護を必要としなくなったと認めた者に対して，就労自立給付金を支給する。

　1．目的

　　生活保護から脱却することにより新たに税・社会保険料等の負担が生じるため，脱却直後の不安定な生活を支え，再度保護に至ることを防止する。

　2．支給機関

　　都道府県知事，市長，福祉事務所を管理する町村長。ただし，支給に関する事務の全部又は一部を他の支給機関に委託することができる。

11　進学準備給付金

　生活保護受給世帯の子どもが大学等に進学した際に，新生活の立ち上げ費用として進学準備給付金を給付する。

　1．対象者

　　生活保護受給世帯の子どものうち，当該年度の前年度3月に高等学校等を卒業し，原則当該年度の4月に大学等に進学するため生活保護受給世帯から脱却することとなる者。

　　なお，出身元の生活保護受給世帯から転居せず，引き続き同居して進学する者も含む。生活保護世帯の子どもが同居しつつ大学等に進学する場合に，子どもが世帯員から外れることに伴う出身世帯の住宅扶助費の減額はしないこととしている。

　2．支給額

　　・自宅通学　10万円

　　・自宅外通学　30万円

12　被保護者就労支援事業

　現に生活保護を受けている者（被保護者）の自立の助長をより一層図る観点から，就労支援を強化するため，保護の実施機関は就労支援に関する問題について，被保護者からの相談に応じ，必要な情報の提供及び助言を行う被保護者就労支援事業を実施する。保護の実施機関は，被保護者就労支援事業の事務の全部又は一部を当該保護の実施機関以外の者に委託できるものとし，委託を受けた者等は，その事務に関して知り得た秘密を漏らしてはならないものとする。

13　被保護者健康管理支援事業

　生活保護受給者には健康上の課題を抱える者が多いにもかかわらず，健康に向けた活動が低調であること，被保護世帯の子どもについては医療保険よりも受診率が低い場合もあり，

さらに経済的なゆとりがない家庭の子どもは，適切な食習慣や生活習慣が確立されず，肥満や虫歯など健康への影響があることなどが指摘されていた。

　こうした被保護者の特性を踏まえ，医療と生活の両面から健康管理に対する支援を行うことが必要となった。具体的には，保護の実施機関による被保護者に対する情報提供，保健指導，受診の勧奨その他の被保護者の健康の保持及び増進を図るための事業を実施し，厚生労働大臣は，年齢別・地域別疾病の動向その他の情報について調査分析を行い，結果を実施機関に提供するとしている。

14　不正・不適正受給対策

　適正な保護の実施や，生活保護制度への国民の信頼を確保するため，不正・不適正な受給に対しては厳正に対処する。

1．福祉事務所の調査

　保護の実施機関及び福祉事務所長は，要保護者等の資産及び収入，就労や求職活動の状況，健康状態，扶養の状況等の事項につき，官公署に対しては必要な資料の提供を，銀行等，要保護者等関係人に対しては報告を求めることができる。官公署等は，情報提供の求めに対しては，速やかに回答，資料の提供等を行わなければならない。

2．罰金等

　不正受給の罰則については，3年以下の懲役又は100万円以下の罰金とし，不正受給に係る徴収金について100分の40を乗じた金額を上乗せすることができる。

3．不正受給に係る返還金の保護費との相殺

　確実な徴収を図る観点から，被保護者が保護費又は就労自立給付金の支給を受ける前に，当該保護費等の一部を返還金に充てる旨を申し出た場合，被保護者の最低限度の生活の維持に支障がないと認めたときは，保護費と相殺することができる。

4．扶養義務者に対する報告の求め

　福祉事務所が必要と認めた場合には，その必要な限度で，扶養義務者に対して報告を求めることができる。

【参　考】医療扶助におけるオンライン資格確認の導入

　令和3年6月11日法律第66号「全世代対応型の社会保障制度を構築するための健康保険法等の一部を改正する法律」で生活保護法の改正が行われ，医療扶助にオンライン資格確認が導入されることとなった（公布日から起算して3年を超えない範囲内の政令で定める日から施行）。その概要を以下に示す。

1．オンライン資格確認の導入

　保険医療機関等で療養の給付等を受ける場合の被保険者資格の確認について，すでに

医療保険で導入されている個人番号カードによるオンライン資格確認を導入する。国，保険者，保険医療機関等の関係者は，個人番号カードによるオンライン資格確認等の手続きの電子化により，医療保険事務が円滑に実施されるよう，協力するものとする。

2．被保険者記号・番号の個人単位化，告知要求制限

被保険者記号・番号について，世帯単位にかえて個人単位（被保険者又は被扶養者ごと）に定める。これにより，保険者を異動しても個々人として資格管理が可能となる。

プライバシー保護の観点から，健康保険事業とこれに関連する事務以外に，被保険者記号・番号の告知を要求することを制限する。これらに違反した場合の勧告・命令，立入検査，罰則を設ける。

第8編

生活困窮者等の支援

1 生活困窮者自立支援法の概要

〔根拠▶生活困窮者自立支援法（平 25.12.13 法律第 105 号）〕

　生活保護に至る前の段階の自立支援策の強化を図るため，生活困窮者に対し，自立相談支援事業の実施，住居確保給付金の支給その他の支援を行うための所要の措置を講ずる。

■基本理念（法第 2 条）
1．生活困窮者に対する自立の支援は，生活困窮者の尊厳の保持を図りつつ，生活困窮者の就労の状況，心身の状況，地域社会からの孤立の状況その他の状況に応じて，包括的かつ早期に行われなければならない。
2．生活困窮者に対する自立の支援は，地域における福祉，就労，教育，住宅その他の生活困窮者に対する支援に関する業務を行う関係機関及び民間団体との緊密な連携その他必要な支援体制の整備に配慮して行われなければならない。

■生活困窮者の定義（法第 3 条）
　「生活困窮者」とは，就労の状況，心身の状況，地域社会との関係性その他の事情により，現に経済的に困窮し，最低限度の生活を維持することができなくなるおそれのある者をいう。

■都道府県等による就労準備支援事業等の実施の努力義務化及びその実施に係る指針の公表（法第 7 条）
1．都道府県等は，自立相談支援事業及び住居確保給付金の支給のほか，就労準備支援事業（p. 378 参照）及び家計改善支援事業（p. 384 参照）を行うよう努める。
2．厚生労働大臣は，就労準備支援事業及び家計改善支援事業の適切な実施を図るために必要な指針を公表する。

■利用勧奨（法第 8 条）
　都道府県等は，福祉，就労，教育，税務，住宅その他のその所掌事務に関する業務の遂

行に当たって，生活困窮者を把握したときは，当該生活困窮者に対し，この法律に基づく事業の利用及び給付金の受給の勧奨その他適切な措置を講ずるように努める。

■支援会議（法第 9 条）

　都道府県等は，関係機関，事業の委託を受けた者，支援に関係する団体，支援に関係する職務に従事する者その他関係者により構成される会議を組織することができる。

■都道府県の市等の職員に対する研修等事業（法第 10 条）

　都道府県は次に掲げる事業を行うよう努める。

1．生活困窮者自立支援法の実施に関する事務に従事する市等の職員の資質を向上させるための研修事業

2．生活困窮者自立支援法に基づく事業又は給付金の支給を効果的かつ効率的に行うための体制の整備，支援手法に関する市等に対する情報提供，助言その他の事業

■福祉事務所を設置していない町村による相談等（法第 11 条）

　生活困窮者に対する自立の支援につき，生活困窮者及び生活困窮者の家族その他の関係者からの相談に応じ，必要な情報の提供及び助言，都道府県との連絡調整，生活困窮者自立相談支援事業の利用の勧奨その他必要な援助を行う事業を行うことができる。

■国の補助（法第 15 条）

　国は，次に掲げる事業に要する費用の負担又は補助を行う。

1．生活困窮者自立相談支援事業及び生活困窮者住居確保給付金の支給に要する費用の 4 分の 3 を負担する。

2．生活困窮者就労準備支援事業及び生活困窮者一時生活支援事業に要する費用（一定の要件を満たした場合には生活困窮者家計改善支援事業に要する費用）の 3 分の 2 以内を補助することができる。

3．生活困窮者家計改善支援事業及び子どもの学習・生活支援事業その他生活困窮者の自立促進に必要な事業に要する費用の 2 分の 1 以内を補助することができる。

4．福祉事務所未設置市町村が行う生活困窮者に対する自立支援に必要な援助を行う事業に要する費用の 4 分の 3 以内を補助することができる。

■情報提供（法第 23 条）

　都道府県等は，生活困窮者自立支援法に基づく事業及び給付金の支給を行うにあたって，生活保護法に規定する要保護者となるおそれが高い者を把握したときは，当該者に対し，同法に基づく保護又は給付金若しくは事業についての情報の提供，助言その他適切な措置

を講ずる。

■自立相談支援事業の実施及び住居確保給付金の支給（必須事業）

1. 福祉事務所設置自治体は,「自立相談支援事業」（就労その他の自立に関する相談支援, 事業利用のためのプラン作成等）を実施する。

   ※自治体直営のほか, 社会福祉協議会や社会福祉法人, 特定非営利活動法人等への委託 も可能（他の事業も同様）。

2. 福祉事務所設置自治体は, 離職等により住宅を失った又は失うおそれのある生活困窮 者等に対し所要の求職活動などを条件に家賃相当の「住居確保給付金」（有期）を支給す る（p. 376 参照）。

■一時生活支援事業等の実施（任意事業）

福祉事務所設置自治体は, 以下の事業を行うことができる。

1. 住居のない生活困窮者に対して一定期間宿泊場所や衣食の提供等を行う「一時生活支 援事業」（p. 381 参照）

2. 「生活困窮世帯の子どもに対する学習・生活支援事業」（p. 386 参照）その他生活困窮者 の自立の促進に必要な事業

■都道府県知事等による就労訓練事業（いわゆる「中間的就労」）の認定

都道府県知事, 政令市市長, 中核市市長は, 事業者が, 生活困窮者に対し, 就労の機会 の提供を行うとともに, 就労に必要な知識及び能力の向上のために必要な訓練等を行う事 業を実施する場合, その申請に基づき一定の基準に該当する事業であることを認定する。

2　自立相談支援事業

根拠▶生活困窮者自立相談支援事業等の実施について
（平 27. 7. 27 社援発 0727 第 2 号）

生活困窮者が抱える多様で複合的な問題につき, 生活困窮者及び生活困窮者の家族その他 の関係者からの相談に応じ, 必要な情報提供及び助言をし, 並びに関係機関との連絡調整を 行うとともに, 生活困窮者に対する支援の種類及び内容等を記載した計画の作成, 認定生活 困窮者就労訓練事業の利用のあっせん等, さまざまな支援を包括的かつ計画的に行うことに より, 生活困窮者の自立の促進を図ることを目的とする。

■実施主体

都道府県，市（特別区を含む。）及び福祉事務所を設置する町村

※　社会福祉法人，一般社団法人，一般財団法人又は特定非営利活動法人その他の都道府県等が適当と認める民間団体に，事業の全部又は一部を委託することができる（都道府県等が直接行うこととされている事務を除く。）。

■事業内容

生活困窮者の自立と尊厳の確保と，生活困窮者支援を通じた地域づくりを目標として，以下の取組を実施する。

1．包括的かつ継続的な相談支援

生活困窮者が抱える多様で複合的な課題を包括的に受け止め，その者の置かれている状況や本人の意思を十分に確認した上で，自立支援計画（プラン）を策定する。また，プラン策定後も，定期的に評価・確認しながら本人の自立までを包括的・継続的に支えていく。

2．生活困窮者支援を通じた地域づくり

関係機関・関係者のネットワークを構築し，包括的な支援策を用意するとともに，生活困窮者の社会参加や就労の場を広げ，生活困窮者の早期把握や見守りを行う。なお，活用できる社会資源が不足している場合は，新たに開発する。

■配置職員

自立相談支援機関には，主任相談支援員，相談支援員及び就労支援員の3職種が配置される（兼務可）。なお，これらの職員には，原則として厚生労働省が実施する養成研修を受講し，修了証を受けていることが求められる（当分の間の経過措置あり。）。

1．主任相談支援員

自立相談支援機関における相談業務全般のマネジメント，他の支援員の指導・育成，支援困難ケースへの対応など高度な相談支援を行うとともに，社会資源の開拓・連携等を行う。

2．相談支援員

生活困窮者へのアセスメント，プランの作成を行い，様々な社会資源を活用しながらプランに基づく包括的な相談支援を実施するとともに，相談記録の管理や訪問支援などのアウトリーチ等を行う。

3．就労支援員

生活困窮者へのアセスメント結果を踏まえ，公共職業安定所や協力企業を始め，就労支援に関する様々な社会資源と連携を図りつつ，その状況に応じた能力開発，職業訓練，就職支援等の就労支援を行う。

■アセスメント・プラン策定

　プランには，自立相談支援機関が自ら実施する支援に加えて，次の1.から7.までに掲げる法に基づく支援，8.から10.までに掲げる他の公的事業又はインフォーマルな支援など，本人の自立を促進するために必要と考えられる支援が盛り込まれる。

1．住居確保給付金の支給

2．就労準備支援事業

3．一時生活支援事業

4．家計改善支援事業

5．認定就労訓練事業

6．子どもの学習・生活支援事業

7．上記1.から6.までのほか，生活困窮者の自立の促進を図るために必要な事業

8．公共職業安定所が実施する生活保護受給者等就労自立促進事業

9．生活福祉資金貸付事業

10．上記のほか，様々な公的事業による支援及び民生委員による見守り活動等のインフォーマルによる支援

■支援調整会議

　プランの策定等にあたり，以下の4点を主な目的として支援調整会議が開催される。

1．プランの適切性の協議

2．各支援機関によるプランの共有

3．プラン終結時等の評価

4．社会資源の充足状況の把握と開発に向けた検討

■支援決定

　プランに盛り込まれた就労準備支援事業等の支援については，その利用の可否について，自治体による決定手続きを踏まえたうえで行われる。なお，この支援決定の手続きは，以下の手順により行われ，可否の決定に併せて，当該プランの内容が適切であるか否かについての確認も行われる。

1．自立相談支援機関が，支援調整会議で了承されたプランを自治体に提出

2．自治体が，プランに盛り込まれた就労準備支援事業等の支援方針，支援内容等，並びに事業の利用要件に該当しているか否かを確認

3．

(1) プランに盛り込まれた就労準備支援事業等について，利用要件に該当していることが確認された場合

　　自治体内部において決裁し，決裁後，速やかに利用者へ支援決定を通知

(2) 事業の利用要件に該当しないなど，支援決定ができない理由がある場合

　　　自治体はその理由を速やかに自立相談支援機関に報告し，報告を受けた自立相談支援機関は，本人と関係機関・関係者と再度プラン内容について確認・調整を行い，見直したプランを改めて自治体に提出

3 住居確保給付金の支給

〔根拠〕▶生活困窮者自立支援法（平 25. 12. 13 法律第 105 号）〕

　生活困窮者のうち離職又はこれに準ずる事由により経済的に困窮し，居住する住宅の所有権もしくは使用及び収益を目的とする権利を失い，又は現に賃借して居住する住宅の家賃を支払うことが困難となったものであって，就職を容易にするため住居を確保する必要があると認められるものに対し給付金を支給する。

■対象者

　都道府県，市（特別区を含む。）及び福祉事務所を設置する町村（以下，「都道府県等」という。）が設置する福祉事務所の所管区域内に居住地を有する生活困窮者のうち，次の各号のいずれにも該当する者とする。

1．生活困窮者住居確保給付金の支給を申請した日（以下「申請日」という。）において，離職した日又は事業を廃止した日（以下「離職等の日」という。）から起算して 2 年を経過していないもの，もしくは就業している個人の給与その他の業務上の収入を得る機会が当該個人の責めに帰すべき理由又は当該個人の都合によらないで減少し，当該個人の就労の状況が離職又は事業を廃止した場合と同等程度の状況にあるものであること。

2．離職等の日においてその属する世帯の生計を主として維持していた又は，1．の場合において申請日の属する月においてその属する世帯の生計を主として維持していること。

3．申請日の属する月における当該生活困窮者及び当該生活困窮者と同一の世帯に属する者の収入の額を合算した額が，基準額（市町村民税均等割が非課税となる者の収入額の 1/12 の額）及び当該生活困窮者が賃借する住宅の 1 か月当たりの家賃の額（当該家賃の額が住宅扶助基準に基づく額を超える場合は，当該額）を合算した額以下であること。

4．申請日における当該生活困窮者及び当該生活困窮者と同一の世帯に属する者の所有する金融資産の合計額が，基準額に 6 を乗じて得た額（当該額が 100 万円を超える場合は 100 万円とする。）以下であること。

5．公共職業安定所に求職の申込みをし，誠実かつ熱心に期間の定めのない労働契約又は期間の定めが 6 月以上の労働契約による就職を目指した求職活動を行うこと。

■給付金の額等

1．支給額

　　生活困窮者住居確保給付金は1か月ごとに支給し，その月額は，次に掲げる額（当該額が住宅扶助基準に基づく額を超える場合は，当該住宅扶助基準に基づく額）とする。

(1)　申請日の属する月における生活困窮者及び当該生活困窮者と同一世帯に属する者の収入の額を合算した額（世帯収入額）が基準額以下の場合は，生活困窮者が賃借する住宅の1月当たりの家賃の額

(2)　申請日の属する月における世帯収入額が基準額を超える場合は，基準額と生活困窮者が賃借する住宅の1月当たりの家賃の額を合算した額から世帯収入額を減じた額

2．支給期間

　　生活困窮者住居確保給付金の支給期間は3か月とする。

　　ただし，支給期間中において給付金の支給を受ける者が，「対象者」の2．から5．のいずれにも該当する場合であって，引き続き生活困窮者住居確保給付金を支給することが当該者の就職の促進に必要であると認められるときは，3か月ごとに9か月までの範囲内で都道府県等が定める期間とすることができる。

　　また，支給を受ける者が疾病又は負傷により，■**対象者**5．の要件に該当しなくなった場合は，本人の申請により支給を中断するが，その後2年以内に2．－5．の要件に該当することにより，引き続き給付金を支給することが当該者の就職の促進に必要と認められる場合は支給する。この場合において，支給期間は合算して9月を超えない範囲内で都道府県等が定める期間とする。

■支給手続

　　「生活困窮者住居確保給付金支給申請書」に厚生労働省社会・援護局長が定める書類を添えて，都道府県等に提出する。

■支給を受ける者に対する就労支援

　　都道府県等は生活困窮者住居確保給付金の支給を受ける者に対し，当該生活困窮者の就職を促進するために必要な支援（以下「就労支援」という。）を行うものとする。また，生活困窮者自立相談支援事業において就労支援を受けることその他当該生活困窮者の就職を促進するために必要な事項を指示することができる。

■給付金の不支給等

1．生活困窮者住居確保給付金は，当該生活困窮者が正当な理由がなく，就労支援に関する都道府県等の指示に従わない場合には支給しない。

2．支給制限

生活困窮者住居確保給付金の支給を受ける者が，期間の定めのない労働契約又は期間の定めが 6 か月以上の労働契約により就職した場合であって，当該者の収入額が基準額及び当該者が賃借する住宅の 1 か月当たりの家賃の額（当該家賃の額が住宅扶助基準に基づく額を超える場合は，当該額）を合算した額を超えたときは給付金は支給されない。

3．生活困窮者住居確保給付金の支給を受けた者には，その支給が終了した後に，解雇（自己の責めに帰すべき理由によるものを除く。）その他事業主の都合による離職により経済的に困窮した場合を除き，生活困窮者住居確保給付金を支給しない。

■代理受領等

給付金の支給を受ける者が居住する住宅の賃貸人は，原則として当該受給者に代わって生活困窮者住居確保給付金を受領し，その有する当該受給者の賃料に係る債権の弁済に充てるものとする。ただし，受給者がクレジットカードを使用する方法により当該受給者が居住する住宅の賃料を支払うこととなっている場合であって，都道府県等が特に必要と認める場合はこの限りではない。

■他制度との調整

1．職業訓練の実施等による特定求職者の就職の支援に関する法律（平成 23 年法律第 47 号）第 7 条第 1 項に規定する職業訓練受講給付金を受けることができる者に対しては，これを受けることができる期間は，生活困窮者住居確保給付金は支給されない。

2．給付金の支給を受けることができる者が，同一の事由により，法令又は条例の規定による生活困窮者住居確保給付金に相当する給付の支給を受けている場合には，当該支給事由によっては，生活困窮者住居確保給付金は支給されない。

4　就労準備支援事業

根拠▶生活困窮者自立相談支援事業等の実施について
（平 27.7.27 社援発 0727 第 2 号）

就労に必要な実践的な知識・技能等が不足しているだけではなく，複合的な課題があり，生活リズムが崩れている，社会との関わりに不安を抱えている，就労意欲が低下している等の理由で就労に向けた準備が整っていない生活困窮者に対して，一般就労に向けた準備としての基礎能力の形成からの支援を，計画的かつ一貫して実施することを目的とする。

■実施主体

都道府県，市（特別区を含む。）及び福祉事務所を設置する町村

※　社会福祉法人，一般社団法人，一般財団法人又は特定非営利活動法人その他の都道府県等が適当と認める民間団体に，事業の全部又は一部を委託することができる。

■**対象者**

以下のいずれかの要件に該当する者とする。

1．次のいずれにも該当する者であること。

(1)　申請日の属する月における生活困窮者及び生活困窮者と同一の世帯に属する者の収入の額を合算した額が，申請日の属する年度（申請日の属する月が4月から6月までの場合にあっては，前年度）分の地方税法第295条第3項の条例で定める金額を12で除して得た額（以下「基準額」という。）及び昭和38年厚生省告示第158号「生活保護法による保護の基準」による住宅扶助基準に基づく額を合算した額以下であること。

(2)　申請日における生活困窮者及び生活困窮者と同一の世帯に属する者の所有する金融資産の合計額が，基準額に6を乗じて得た額以下であること。

2．上記1．に該当する者に準ずる者として，次のいずれかに該当する者であること。

(1)　1．の(1)又は(2)に該当する額のうち把握することが困難なものがあること。

(2)　1．に該当しない者であって，1．の(1)又は(2)に該当するものとなるおそれがあること。

(3)　都道府県等が就労準備支援事業による支援が必要と認める者であること。

■**事業内容**

1．支援内容

　就労準備支援プログラムに基づき，日常生活自立に関する支援，社会自立に関する支援，就労自立に関する支援を利用者の状況に応じて行う。なお，事業を実施する中で把握した生活困窮者を自立相談支援機関につなぐ体制を確保するとともに，支援に当たっては，自立相談支援機関によるアセスメントやそれに基づく支援方針を十分に踏まえ，支援の実施状況等，適宜，自立相談支援機関と情報共有し，連携して支援を行うことが求められる。

(1)　就労準備支援プログラムの作成・見直し

　支援を効果的・効率的に実施するため，利用者が抱える課題や支援の目標・具体的内容を記載した就労準備支援プログラムを作成する。就労準備支援プログラムは，支援の実施状況を踏まえ，適宜見直しを行う。

(2)　日常生活自立に関する支援

　適正な生活習慣の形成を促すため，うがい・手洗いや規則正しい起床・就寝，バランスのとれた食事の摂取，適切な身だしなみに関する助言・指導等を行う。

(3)　社会自立に関する支援

　　　　社会的能力の形成を促すため，あいさつの励行等，基本的なコミュニケーション能力の形成に向けた支援や地域の事業所での職場見学，ボランティア活動等を行う。
⑷　就労自立に関する支援
　　　一般就労に向けた技法や知識の習得等を促すため，実際の職場での就労体験の機会の提供やビジネスマナー講習，キャリア・コンサルティング，模擬面接，履歴書の作成指導等を行う。
　さらに，上記⑴～⑷に定める支援を踏まえ，以下の実施が可能である。
・農業に関する基本的知識を身につけるための研修と農業を含めた就労支援等を行う就農訓練事業
・就労意欲が低い者，社会との関わりに不安を抱える者などを対象として，障害者等の支援により蓄積されたノウハウを活用した就労支援を行う福祉専門職との連携支援事業
・ひきこもりや中高年齢者等のうち，家族，友人，地域住民等との関係が希薄な者の支援のため，訪問支援による早期からの支援を実施し，地域において対象者が馴染みやすい就労体験先を開拓・マッチングする取組を行う地域におけるアウトリーチ支援等推進事業
2．支援の実施期間
　　1年を超えない期間。なお，一般就労につながらなかったケース等で，アセスメントにおいて改めて本事業を利用することが適当と判断されたときは，再利用が可能である。
3．配置職員
　　就労準備支援を行う担当者（就労準備支援担当者）は，キャリアコンサルタント，産業カウンセラー等の資格を有する者や就労支援事業に従事している（していた）者など，就労支援を適切に行うことができる人材であって，厚生労働省が実施する養成研修を受講している者が望ましい。
　　福祉専門職との連携支援事業を実施する場合は，福祉専門職を直接雇い上げる方法，社会福祉法人等へ委託して事業を実施する方法等により，社会福祉士等の福祉専門職を配置する。
　　地域におけるアウトリーチ支援等推進事業を実施する場合は，ひきこもり支援や障害者に対する就労支援を担う実施団体等への委託が考えられる。

5　一時生活支援事業

根拠▶生活困窮者自立相談支援事業等の実施について
（平 27.7.27 社援発 0727 第 2 号）

　一定の住居を持たない生活困窮者に対し，一定の期間内に限り，宿泊場所の供与，食事の提供及び衣類その他日常生活を営むのに必要となる物資の貸与又は提供により，安定した生活を営めるよう支援することを目的とする。

■実施主体

　都道府県，市（特別区を含む。）及び福祉事務所を設置する町村（以下，「都道府県等」という。）

※　社会福祉法人，一般社団法人，一般財団法人又は特定非営利活動法人その他の都道府県等が適当と認める民間団体に，事業の全部又は一部を委託することができる。

■対象者

　一定の住居を持たない生活困窮者で，次のいずれかに該当する者を対象とする。

1．次のいずれにも該当する者

　(1)　本事業の利用を申請した日の属する月における収入の額（同一の世帯に属する者の収入の額を含む。）が，申請日の属する年度（申請日の属する月が 4 月から 6 月までの場合にあっては，前年度）分の地方税法第 295 条第 3 項の条例で定める金額を 12 で除して得た額（以下「基準額」という。）及び住宅扶助基準に基づく額を合算した額以下であること。

　(2)　申請日における金融資産の額（同一の世帯に属する者の所有する金融資産を含む。）が，基準額に 6 を乗じて得た額（当該額が 100 万円を超える場合は 100 万円とする。）以下であること。

2．都道府県，市（特別区を含む。）又は福祉事務所を設置する町村が，緊急性等を勘案し支援が必要と認める者

■事業内容

1．支援内容

　本事業の支援内容は，次に掲げるものとする。

　(1)　利用者に対し宿泊場所や食事の提供を行うとともに，衣類等の日用品を支給又は貸与，及び定期的な入浴等の日常生活上必要なサービスを提供する。

　(2)　利用開始時及び利用期間中において定期的に健康診断及び健康医療相談を行うとと

もに，医療等が必要な場合は，福祉事務所又は保健所等と十分な連携の下で必要な医療等を確保する。

(3)　実施主体の判断により，保健師，看護師，精神保健福祉士その他これらと同等に業務を行うことができる者が路上等又は宿泊場所において，巡回相談や必要な支援を実施する。

２．利用期間

原則として３か月以内。ただし，本人に対するアセスメントの状況を踏まえ，都道府県等が必要と認める場合は，６月を超えない範囲内で都道府県等が定める期間とすることができる。

6　地域居住支援事業

根拠▶生活困窮者自立相談支援事業の実施について
（平 27.7.27 社援発 0727 第 2 号）

現在の住居を失うおそれのある者であって，地域社会から孤立している者等に対し，一定の期間にわたり，訪問による必要な情報の提供及び助言，地域社会との交流の促進，住居の確保に関する援助，生活困窮者自立相談支援事業を行う者やその他の関係者との連絡調整など日常生活を営むのに必要な支援を行う。

■実施主体

実施主体は，都道府県，市（特別区を含む。）及び福祉事務所を設置する町村（以下，「都道府県等」という。）

社会福祉法人，一般社団法人，一般財団法人，特定非営利活動法人，居住支援法人，その他の都道府県等が適当と認める民間団体に，事業の全部又は一部を委託することができる。

■対象者

次の１．又は２．のいずれかに該当する者とする。

１．生活困窮者一時生活支援事業の退所者

２．自立相談支援機関，NPO，ボランティア団体等の民間団体をはじめ，民生委員，社会福祉協議会，社会福祉士又は地域住民等からの情報提供により把握した，現在の住居を失うおそれのある又は失った生活困窮者（終夜営業店舗や知人宅等に滞在する者も含む。）であって，地域社会から孤立した状態にある者のうち，都道府県等が必要と認める者。

■事業内容

1．支援内容

　以下の(1)～(5)の取組とし，このうち(1)及び(2)の実施を必須とする。また，実施にあたっては，必ず自立相談支援機関と連携することとする。

(1)　入居にあたっての支援

　地域における居住支援・生活支援に係るサービスの内容等をあらかじめ把握した上で，住まいに関する相談支援，不動産媒介業者等への同行等に係る支援を行う。また，病院の医療ソーシャルワーカー（MSW）等と連携し，退院・退所後の居住支援を必要とする者を把握し，不動産媒介業者，家主等と連携し，自立相談支援事業等における継続的な支援を実施する。

(2)　居住を安定して継続するための支援

　居住支援を行う職員（居住支援員）等の戸別訪問による見守りや生活支援を行う。その際，具体的相談内容に応じ，福祉事務所や公共職業安定所等の関係機関やインフォーマルサービス等への相談につなげる。

(3)　互助の関係づくり

　サロンやリビング，空き家を活用し，要支援者同士が集まることができる地域社会との交流の場をつくり，相互に支え合う関係や，地域住民とのつながりの構築支援を行う。

(4)　地域づくり関連業務（地域への働きかけ）

　生活困窮者が地域の中で支え合いながら生活できる「場」をつくり，その中で本人が持つ様々な可能性を十分に発揮できるよう，地域への働きかけを行う。地域に様々な社会資源（公営住宅等）がある場合は，それらをいつでも活用し，支援の担い手や社会資源が不足する場合，自治体や関係機関と連携し，開拓に努める。また，日頃から地域の中でこれらの関係機関・関係者とのネットワークを築いておく。

(5)　その他

　地域における居住支援ニーズの把握，住宅部局・福祉部局等関係機関における共通アセスメントシートの作成，関係機関・関係者に対する広報など，(1)～(4)の取組に資する業務を行う。

2．利用期間

　入居後1年を超えない範囲とし，利用期間終了後も日常生活を円滑に営めるよう，自立相談支援機関との連携により，関係機関による見守りや生活支援など日常生活に必要な支援体制の構築を図る。

7　家計改善支援事業

根拠▶生活困窮者自立相談支援事業等の実施について
（平 27.7.27 社援発 0727 第 2 号）

　家計収支の均衡がとれていないなど，家計に課題を抱える生活困窮者からの相談に応じ，相談者とともに家計の状況を明らかにして家計の改善の意欲を引き出した上で，家計の視点から必要な情報提供や専門的な助言・指導等を行うことにより，相談者自身の家計を管理する力を高め，早期に生活が再生されることを目的とする。

■実施主体

　都道府県，市（特別区を含む。）及び福祉事務所を設置する町村

※　社会福祉法人，一般社団法人，一般財団法人又は特定非営利活動法人その他の都道府県等が適当と認める民間団体に，事業の全部又は一部を委託することができる。

■事業内容

　家計表やキャッシュフロー表等を活用して相談者とともに家計に関する課題を「見える化」し，問題の背景にある根源的な課題を整理して家計管理の力を高め，家計再生プランを作成し，早期の生活再生を目指していくため，以下の取組を実施する。

1．支援内容

(1)　家計管理に関する支援

　　相談者とともに，家計表やキャッシュフロー表を活用して，家計の見える化を図るとともに，家計収支の均衡を図るなどの出納管理の支援を行い，家計を相談者自らが管理できるよう支援を行う。

(2)　滞納（家賃，税金，公共料金など）の解消や各種給付制度等の利用に向けた支援

　　アセスメント段階で聴き取った相談者の状況や家計の状況，滞納状況などを勘案して徴収免除や徴収猶予，分割納付等の可能性を検討し，自治体の担当部署や事業所などとの調整や申請等の支援を行う。

(3)　債務整理に関する支援（多重債務者相談窓口との連携等）

　　多重・過剰債務等により債務整理が必要な者などに対しては，多重債務者相談窓口等と連携し，必要に応じて法律専門家へ同行して債務整理に向けた支援を行う。

(4)　貸付のあっせん

　　相談者の家計の状況を把握し，一時的な資金貸付が必要な場合，貸付金の額や使途，家計再生の見通しなどを記載した「貸付あっせん書」を作成し，本人の家計の状況や家計再生プランなどを貸付機関と共有し，貸付の円滑・迅速な審査につなげる。

２．支援の流れ

　　家計改善支援事業と自立相談支援事業は，アセスメントの結果や相談者の状況変化等の必要な情報を常に共有し，適切に連携を図りながら支援を行う。また，事業を実施する中で把握した生活困窮者を自立相談支援事業につなぐ体制を確保する。

(1)　生活困窮者の把握，アウトリーチ

　　　自立相談支援機関との連携体制を構築するとともに，多重・過剰債務の相談窓口や貸付機関，自治体の関係部署等との連携を図り，早期発見のためのネットワークを構築する。また，必要に応じ積極的に家計管理に関する講習会や出張相談等を実施するなど，対象者の早期把握に向けた取組を行う。

(2)　アセスメント

　　　相談者の生活の状況と家計を見える形で示すため，家計改善支援員は，家計表の作成を通じて家計収支の状況を具体的に把握した上で，支援の方向性を検討する。あわせて，就労状況，家族の課題等の必要な情報を把握する。

(3)　家計再生プラン策定

　　　アセスメントの結果を踏まえて，相談者の意向と真に解決すべき課題を整理し，生活を早期に再生させるための家計再生プランを作成する。この際には，生活再生の目標を具体的に捉えるため，家計表やキャッシュフロー表を活用する。なお，家計再生プランによる支援期間は原則１年とするが，相談者の状況により柔軟に対応するものとする。

(4)　支援調整会議への参加

　　　家計改善支援事業の実施にあたっては，自立相談支援機関がプランを作成することとされており，その際には，家計改善支援員も原則として自立相談支援機関が開催する支援調整会議に参加し，家計の視点から協議することが望ましい。

(5)　支援サービスの提供

　　　相談者の状況に応じて，上記１．による支援サービスを提供する。

(6)　モニタリング

　　　定期的な面談により家計の改善状況や家計管理に対する認識や意欲の向上などを確認し，自立相談支援機関との情報共有を図る。

(7)　家計再生プランの評価

　　　家計再生プラン策定時に定めた期間が終了した場合，もしくはそれ以前に本人の状況に大きな変化があった場合に，設定した目標の達成度や，支援の実施状況，支援の成果，新たな生活課題はないかなどの確認を行う。これにより，支援を終結させるか，又は新たに家計再生プランを作成して支援を継続するかを判断する。

■配置職員

　　家計改善支援員は，原則として厚生労働省が実施する養成研修を受講し，修了証を受けていること（ただし，当分の間の経過措置あり。），かつ，次のいずれかに該当する者など，生活困窮者への家計に関する相談支援を適切に行うことができる人材であること。

　1．消費生活専門相談員，消費生活アドバイザー又は消費生活コンサルタントの資格を有する者

　2．社会福祉士の資格を有する者

　3．社会保険労務士の資格を有する者

　4．ファイナンシャルプランナーの資格を有する者

　5．その他1．から4．に掲げる者と同等の能力又は実務経験を有する者

8　生活困窮世帯の子どもに対する学習・生活支援事業

根拠▶生活困窮者自立相談支援事業等の実施について
（平27.7.27 社援発 0727 第2号）

　本事業は，貧困の連鎖を防止するため，生活困窮世帯の子どもに対する学習支援及び保護者も含めた生活習慣・育成環境の改善に関する支援を推進することを目的とする。

■実施主体

　　都道府県，市（特別区を含む。）及び福祉事務所を設置する町村

※　ただし，事業を適切，公正，中立かつ効率的に実施することができる者であって，社会福祉法人，一般社団法人，一般財団法人又は特定非営利活動法人その他の都道府県等が適当と認める民間団体に，事業の全部又は一部を委託することができる。

■事業内容

　　生活保護受給世帯を含む生活困窮世帯の子どもを対象として，次に掲げる取り組み等を実施する。

　1．学習支援

　　　高校等受験のための進学支援や，学校の勉強の復習，宿題の習慣づけ，学び直し

　2．生活習慣・育成環境の改善

　(1)　子どもに対する支援

　　①　居場所での相談支援

　　　　学習・生活支援事業の実施スペース等を活用した支援員による相談支援，子ども同士の交流場所の提供

② 日常生活習慣の形成

　居場所づくりや家庭訪問時における後片付けや手洗い，うがい等の健康管理の習慣づけ，日用品の使い方の助言等

③ 社会性の育成

　日常生活におけるあいさつや言葉遣いに関する助言等

④ 体験活動等

　調理実習，農業体験，年中行事の体験や企業訪問，大学見学等

⑤ 高校生世代への支援

　進学者や中退者等に対する居場所の提供や個別相談，職場体験，自立した社会生活を行うための助言等

(2) 保護者に対する支援

① 子どもの養育に必要な知識の情報提供等

② 巡回支援等を通じた世帯全体への支援

3．進路選択等に関する支援等

(1) 進路相談等

　子ども及び保護者に対する進路選択に関する相談，進学に必要な奨学金などの公的支援の情報提供，子どもの将来の就職に向けた相談指導等

(2) 関係機関との連絡調整

　他の事業の実施者との連絡調整，教育機関をはじめとした各種支援者との情報交換や会議の開催，必要に応じた各事業の実施主体との連絡調整等

4．その他貧困の連鎖の防止に資すると認められる支援

※ 実施方法としては，拠点形式に限らず家庭訪問等による実施も可能。

9　ひきこもり支援推進事業

根拠▶生活困窮者自立相談支援事業等の実施について
（平 27.7.27 社援発 0727 第 2 号）

　ひきこもり支援を推進するための体制を構築し，ひきこもりの状態にある本人や家族等を支援することにより，ひきこもり状態にある本人の社会参加を促進し，本人及び家族等の福祉の増進を図ることを目的とする。

1　ひきこもり地域支援センター等設置運営事業

　都道府県及び市区町村において，以下の①～⑬の取組の全部又は一部を実施することによ

り，ひきこもり状態にある本人や家族からの電話，来所等による相談に応じて適切な助言を行い，居場所づくりや地域における関係機関とのネットワーク構築等の役割を担うことを通じ，社会参加を促進し，福祉の増進を図る。

① 相談支援事業

② 居場所づくり事業

③ 連絡協議会・ネットワークづくり事業

④ 当事者会・家族会開催事業

⑤ 住民向け講演会・研修会開催事業

⑥ サポーター派遣・養成事業

⑦ 民間団体との連携事業

⑧ 実態把握調査事業

⑨ 専門職の配置

⑩ 多職種専門チームの設置

⑪ 関係機関の職員養成研修事業

⑫ 管内市区町村・行政区への後方支援事業（都道府県・指定都市のみ）

⑬ ひきこもり地域支援センターのサテライト設置事業（都道府県のみ）

■事業区分

　事業を実施する自治体は，①〜⑬の取組のうち，実施する取組に応じて，「A ひきこもり地域支援センター事業」「B ひきこもり支援ステーション事業」「C ひきこもりサポート事業」の中から，適した事業区分を選択する。なお，都道府県及び指定都市においては，Aは必ず実施する。

A　ひきこもり地域支援センター事業

(1) 実施主体：都道府県・指定都市・市区町村。ただし，事業の全部又は一部を民間団体へ委託できる。

(2) 対象事業：都道府県・指定都市が実施する場合，①〜⑤，⑪及び⑫の取組を必須，⑥〜⑩の取組を任意で実施する。なお，都道府県においては⑬の取組も任意で実施する。市区町村（指定都市を除く。）が実施する場合は，①〜⑤の取組を必須，⑥〜⑪の取組を任意で実施する。

(3) 人員配置基準：原則，ひきこもり支援コーディネーターを2人以上配置し，うち専門職（社会福祉士，精神保健福祉士，保健師等の資格を有する者，又はこれらの有資格者と同等の相談業務等を行うことができる者）を1人以上配置する。

B　ひきこもり支援ステーション事業

(1) 実施主体：市区町村（指定都市を除く。）。ただし，事業の全部又は一部を民間団体へ委託できる。

(2) 対象事業：①〜③の取組を必須，④〜⑨の取組を任意で実施できる。

(3) 人員配置基準：原則，コーディネーターを1人以上配置する。

C ひきこもりサポート事業

(1) 実施主体：市区町村（指定都市を除く。）。ただし，事業の全部又は一部を民間団体へ委託できる。

(2) 対象事業：①〜⑧の取組を1つ以上実施する。

(3) 人員配置基準：なし。

■事業内容

1．相談支援事業

　　対象者からの電話・来所等による相談に応じ，助言を行い関係機関につなぎ，その後も継続的に支援する。

2．居場所づくり事業

　　社会参加をするための居場所づくりを，空き家や公共施設の借り上げ等により行う。

3．連絡協議会・ネットワークづくり事業

　　対象者の抱える背景や事情に応じ，多様な支援を用意できるよう連絡協議会の設置，地域の実情に応じたネットワークづくりに努める。

4．当事者会・家族会開催事業

　　当事者同士，家族同士が集まって経験や悩みを共有し，不安を解消できる場を設ける。

5．住民向け講演会・研修会開催事業

　　地域において，ひきこもりへの理解が深まるよう，住民向け講演会・研修会を開催する。リーフレットやホームページも活用する。

6．サポーター派遣・養成事業

　　ひきこもり支援に関心のある者が，基本的情報を習得のうえ，ひきこもりサポーターとして活動できるよう派遣し，また養成する。

7．民間団体との連携事業

　　地域において有意なひきこもり支援に取り組む民間団体に対し，要綱を策定のうえ，補助を行う。

8．実態把握調査事業

　　対象者の実態やニーズを明らかにするための調査研究を行う。

9．専門職の配置（A ひきこもり地域支援センター事業及びB ひきこもり支援ステーション事業のみ）

　　対象者が抱える様々な事情に対して，専門的観点から対応できるよう専門職（社会福祉士，保健師等）を配置する。

10．多職種専門チームの設置（A ひきこもり地域支援センター事業のみ）

多様かつ専門的観点から支援できる体制整備のため，医療，法律等の多職種から構成されるチームを設置し，事例検討や必要に応じ直接支援等を実施する。

11. 関係機関の職員養成研修事業（Ａ　ひきこもり地域支援センター事業のみ）

管内でひきこもり支援を行う機関の担当職員を対象として，支援に必要な知識・技術等を習得させる「ひきこもり支援従事者養成研修」を行う。

12. 管内市区町村・行政区への後方支援事業（都道府県・指定都市が実施するＡ　ひきこもり地域支援センター事業のみ）

管内の市区町村・行政区において支援が効果的に実施できるよう助言・相談対応をするとともに関係機関のネットワーク構築の促進等を行い，支援の充実・強化を図る。

13. ひきこもり地域支援センターのサテライト設置事業（都道府県が実施するＡ　ひきこもり地域支援センター事業のみ）

ひきこもり支援が進んでいない管内地域にひきこもり地域支援センターのサテライトを設置できる。

■留意事項

1. 秘密の保持（個人情報の取扱い）

事業の実施に携わる職員は，利用者のプライバシー保持に十分配慮するとともに，業務上知り得た個人情報は業務目的以外で他に漏らしてはならない。支援のために関係機関へ個人情報の提供がありうる旨を説明し，利用者の了承を得ておく。

2. 相談支援事業の実施体制

原則，週5日以上1日8時間を目安として相談対応できる体制を整える。また，閉所日や夜間においても相談受付ができるよう，メールやSNSの活用を検討する。

3. 複数市区町村での連携実施

ひきこもり地域支援センター事業等を複数の市区町村で連携して実施することも可能とする。支出経費については市区町村間で按分するなど，適切な費用負担に努める。

2　都道府県による市町村の立ち上げ支援事業

都道府県において，市区町村（指定都市を除く。）における事業の立ち上げ支援のため，「1 ひきこもり地域支援センター等設置運営事業」を新たに実施する管内市区町村（指定都市を除く。）に対して，市区町村が事業に要する費用について補助を行う。

■実施主体

都道府県

■事業内容

　「1　ひきこもり地域支援センター等設置運営事業」を新たに実施する管内市区町村（指定都市を除く。）に対して，当該市区町村が事業に要する費用について補助を行う。

■留意事項

　同一市区町村に対する補助は原則2年を上限とし，2年経過後は，「1　ひきこもり地域支援センター等設置運営事業」の「A　ひきこもり地域支援センター事業」又は「B　ひきこもり支援ステーション事業」を実施する。

10　地域生活定着促進事業

根拠▶生活困窮者自立相談支援事業等の実施について
（平 27.7.27 社援発 0727 第 2 号）

　高齢又は障害により，福祉的な支援を必要とする犯罪をした者等に対し，各都道府県の設置する「地域生活定着支援センター」が，刑務所，少年刑務所，拘置所，少年院（以下「矯正施設」という。），保護観察所，留置施設，検察庁及び弁護士会（以下，「刑事司法関係機関」という。），地域の福祉関係機関等と連携・協働しつつ，刑事上の手続又は保護処分による身体の拘束中から釈放後まで一貫した相談支援を実施することにより，その社会復帰及び地域生活への定着を支援し，地域共生社会の実現を図るとともに，再犯防止対策に資することを目的とする。

■実施主体

　都道府県

※　本事業を適切，公正，中立かつ効果的に実施することができる者であって，社会福祉法人，特定非営利活動法人その他の都道府県が適当と認める民間団体に，事業の全部又は一部を委託することができる。

■事業内容

1．地域生活定着支援センターの設置・運営

（1）設置か所数

　　原則として都道府県に各1か所

（2）事業内容

　　刑事司法関係機関，福祉関係機関等と連携・協働し，以下の業務を行う。

　①　矯正施設退所予定者の帰住地調整支援を行うコーディネート業務

② 矯正施設退所者を受け入れた施設等への助言等を行うフォローアップ業務

③ 被疑者，被告人の福祉サービス等の利用調整や釈放後の継続的な援助等を行う被疑者等支援業務

④ 犯罪をした者，非行少年（非行のある少年をいう。）等への福祉サービス等についての相談支援業務

⑤ 上記の業務を円滑かつ効果的に実施するための業務（関係機関等との連携及び地域における支援ネットワークの構築等）

(3) 職員の配置

社会福祉士，精神保健福祉士等の資格を有する者又はこれらと同等に業務を行うことが可能であると認められる職員を1名以上配置する。

(4) 開所日

原則，週5日以上，1日8時間，週40時間の開所を目安とする。

2．支援の対象者

次に掲げる者で高齢であり，又は障害を有するために，福祉的な支援を必要とする者

(1) 矯正施設退所予定者及び退所者

(2) 身体を拘束された被疑者又は被告人及び起訴猶予の処分を受けた者，罰金若しくは科料の言渡しを受けた者又は刑の全部の執行猶予の言渡しを受けた者

(3) その他，センターが必要と認める者

11　生活福祉資金

|根拠|▶生活福祉資金の貸付けについて
（平21.7.28厚生労働省発社援0728第9号）

低所得者，障害者（身体障害者，知的障害者，精神障害者）又は高齢者に対し，その経済的自立及び生活意欲の助長促進並びに在宅福祉及び社会参加の促進を図り，安定した生活を送れるようにするため，資金の貸付けと必要な相談支援を行う。

■実施主体

都道府県社会福祉協議会（業務の一部を市町村社会福祉協議会に委託できることになっており，資金の貸付等に関する書類の交付や受付などの業務は市町村社会福祉協議会を経由して行われる。）。また，特に必要と認められるときは，厚生労働大臣が定める者に委託できる。

■資金の種類等

　資金の種類，貸付限度額等は，次の表のとおりである。なお，総合支援資金と緊急小口資金の貸付けについては，既に就職が決定している者や病気等により一時的に生活費が不足する場合などを除き，生活困窮者自立支援制度における自立相談支援事業の利用が貸付けの要件とされている。

生活福祉資金貸付条件等一覧

資　金　の　種　類		貸　付　条　件				
		貸付限度額	据置期間	償還期限	貸付利子	保証人
総合支援資金	生活支援費	・生活再建までの間に必要な生活費用	（２人以上）月20万円以内（単身）月15万円以内・貸付期間：原則３月（最長12月以内）	最終貸付日から６月以内	据置期間経過後10年以内	保証人あり無利子保証人なし年1.5%	原則必要ただし，保証人なしでも貸付可
	住宅入居費	・敷金，礼金等住宅の賃貸契約を結ぶために必要な費用	40万円以内	貸付けの日（生活支援費とあわせて貸付けている場合は，生活支援費の最終貸付日）から６月以内			
	一時生活再建費	・生活を再建するために一時的に必要かつ日常生活費で賄うことが困難である費用　就職・転職を前提とした技能習得に要する経費　滞納している公共料金等の立て替え費用　債務整理をするために必要な経費　等	60万円以内				
福祉資金	福祉費	・生業を営むために必要な経費・技能習得に必要な経費及びその期間中の生計を維持するために必要な経費・住宅の増改築，補修等及び公営住宅の譲り受けに必要な経費・福祉用具等の購入に必要な経費・障害者用の自動車の購入に必要な経費・中国残留邦人等に係る国民年金保険料の追納に必要な経費・負傷又は疾病の療養に必要な経費及びその療養期間中の生計を維持するために必要な経費・介護サービス，障害者サービス等を受けるのに必要な経費及びその期間中の生計を維持するために必要な経費	580万円以内※資金の用途に応じて目安額を設定（p. 395参照）	貸付けの日（分割による交付の場合には最終貸付日）から６月以内	据置期間経過後20年以内	保証人あり無利子保証人なし年1.5%	原則必要ただし，保証人なしでも貸付可

資 金 の 種 類		貸 付 条 件				
		貸付限度額	据置期間	償還期限	貸付利子	保証人
福祉資金	福祉費 ・災害を受けたことにより臨時に必要となる経費 ・冠婚葬祭に必要な経費 ・住居の移転等，給排水設備等の設置に必要な経費 ・就職，技能習得等の支度に必要な経費 ・その他日常生活上一時的に必要な経費					
	緊急小口資金 ・緊急かつ一時的に生計の維持が困難となった場合に貸し付ける少額の費用	10万円以内	貸付けの日から2月以内	据置期間経過後12月以内	無利子	不要
教育支援資金	教育支援費 ・低所得世帯に属する者が高等学校，大学又は高等専門学校に修学するのに必要な経費	<高校> 月3.5万円以内 <高専> 月6万円以内 <短大> 月6万円以内 <大学> 月6.5万円以内 ※特に必要と認める場合，限度額の1.5倍まで貸付可能	卒業後6月以内	据置期間経過後20年以内	無利子	不要 ※世帯内で連帯借受人が必要
	就学支度費 ・低所得世帯に属する者が高等学校，大学又は高等専門学校への入学に際し必要な経費	50万円以内				
不動産担保型生活資金	不動産担保型生活資金 ・低所得の高齢者世帯に対し，一定の居住用不動産を担保として生活費を貸し付ける資金	・土地の評価額の70%程度 ・月30万円以内 ・貸付期間：借受人の死亡時までの期間又は貸付元利金が貸付限度額に達するまでの期間	契約終了後3月以内	据置期間終了時	年3%，又は長期プライムレートのいずれか低い利率	要 ※推定相続人の中から選任
	要保護世帯向け不動産担保型生活資金 ・要保護の高齢者世帯に対し，一定の居住用不動産を担保として生活費を貸し付ける資金	・土地及び建物の評価額の70%程度（集合住宅の場合は50%） ・生活扶助額の1.5倍以内 ・貸付期間：借受人の死亡時までの期間又は貸付元利金が貸付限度額に達するまでの期間				不要

福祉費対象経費の上限目安額等

資金の目的	貸付上限額の目安	据置期間	償還期限
生業を営むために必要な経費	460万円	6月	20年
技能習得に必要な経費及びその期間中の生計を維持するために必要な経費	技能を修得する期間が 6月程度　130万円 1年程度　220万円 2年程度　400万円 3年以内　580万円	同上	8年
住宅の増改築，補修等及び公営住宅の譲り受けに必要な経費	250万円	同上	7年
福祉用具等の購入に必要な経費	170万円	同上	8年
障害者用自動車の購入に必要な経費	250万円	同上	8年
中国残留邦人等にかかる国民年金保険料の追納に必要な経費	513.6万円	同上	10年
負傷又は疾病の療養に必要な経費及びその療養期間中の生計を維持するために必要な経費	療養期間が 1年を超えないときは170万円 1年を超え1年6月以内であって，世帯の自立に必要なときは230万円	同上	5年
介護サービス，障害者サービス等を受けるのに必要な経費及びその期間中の生計を維持するために必要な経費	介護サービスを受ける期間が 1年を超えないときは170万円 1年を超え1年6月以内であって，世帯の自立に必要なときは230万円	同上	5年
災害を受けたことにより臨時に必要となる経費	150万円	同上	7年
冠婚葬祭に必要な経費	50万円	同上	3年
住居の移転等，給排水設備等の設置に必要な経費	50万円	同上	3年
就職，技能習得等の支度に必要な経費	50万円	同上	3年
その他日常生活上一時的に必要な経費	50万円	同上	3年

(注)　表中の貸付条件は目安であり，個別の状況により，p.393表中の福祉費に規定する範囲内（上限額580万円以内，据置期間6月以内，償還期限20年以内）で貸付可能。

■貸付利子

　　連帯保証人を立てる場合は無利子，連帯保証人を立てない場合は年1.5％。ただし，不動産担保型生活資金及び要保護世帯向け不動産担保型生活資金の場合は年3％又は長期プライムレートのいずれか低い利率。また，緊急小口資金，教育支援資金については無利子。

■償還方法，償還金の支払猶予等

　　償還は，あらかじめ定められた償還計画（年賦，半年賦，月賦で原則として元金均等償

還）により行うこととなるが，償還期限までに支払わなかった場合には延滞元金につき，年3％の延滞利子を徴収する。

　また，災害等やむを得ない事情により償還が著しく困難となった場合及び教育支援資金の貸付けを受けて入学又は就学した者が高校，大学等に就学中の場合等には，借受人の申請により償還金の支払いを猶予することができる。なお，この期間の利子は徴収しない。

■償還金の支払免除

　借受人の死亡その他やむを得ない事情があると認められるときは，償還未済額の全部又は一部の償還を免除することができる。

■借入申込及び決定手続

1．居住地又は居住予定の地域の民生委員又は市町村社会福祉協議会に借入申込を行い，都道府県社会福祉協議会において貸付けの決定がされる。

　（注）1　総合支援資金と緊急小口資金の貸付けについては，既に就職が決定している者や病気等により一時的に生活費が不足する場合などを除き，生活困窮者自立支援制度における自立相談支援事業の利用が貸付けの要件とされている。

　　　　2　借入申込者は，原則として連帯保証人を立てる。ただし，連帯保証人を立てない場合でも，資金の貸付けを受けることができる（緊急小口資金，要保護世帯向け不動産担保型生活資金については，連帯保証人は不要。不動産担保型生活資金は推定相続人の中から選任する）。

　　　　3　借入れを希望する世帯に属する者が就職，転職，就学又は技能を習得するために，福祉費又は教育支援資金の借入申込を行う場合，就学等を行おうとしている者が借受人となった場合は，生計中心者が連帯借受人として加わらなければならない。ただし，生計中心者が借受人となった場合は，就学等を行おうとしている者が連帯借受人として加わらなければならない。

2．貸付決定通知書を受けた者は，連帯保証人等の連署した借用書を都道府県社会福祉協議会に提出し，貸付金の交付を受ける。

■他制度による貸付金との重複

　母子父子寡婦福祉資金，その他の公的資金の貸付けを受けている者は，原則として貸付けの対象としない。ただし，これらの資金により必要な費用を賄えないと認められるときは，この限りでない。

■災害援護資金の貸付対象

　災害弔慰金の支給等に関する法律に基づく災害援護資金の貸付対象となる世帯は，特に当該世帯の自立更生を促進するため必要があると認められるときは，福祉資金及び教育支

援資金の貸付対象とすることができる。

■重複貸付

同一世帯に対して，資金（資金ごとに細分された経費の種類を含む。）を同時に貸し付ける場合には，資金の性格から判断して貸し付けられるものとする。

■再貸付

同種の資金の再度にわたる貸付けは，借受世帯の償還能力を勘案し，次の場合に限り行う。

1．災害その他やむを得ない事情にあると認められるとき。
2．借受人の自立更生を促進するために特に必要があると認められるとき。

12　ホームレスの自立の支援等

根拠▶ホームレスの自立の支援等に関する特別措置法
（平14.8.7法律第105号）

ホームレスに関する問題の解決に資するため，平成14年8月7日に「ホームレスの自立の支援等に関する特別措置法」が公布され，同日から施行されている（当初は，施行後10年間の時限立法として成立したが，その後の改正により，25年の期間延長が行われている。）。

この法律では，自立の意思がありながらホームレスとなることを余儀なくされた者が多数存在し，健康で文化的な生活を送ることができないでいると共に，地域社会とのあつれきが生じつつある現状にかんがみ，ホームレスの自立の支援，ホームレスとなることを防止するための生活上の支援等に関し，国等の果たすべき責務を明らかにすると共に，ホームレスの人権に配慮し，かつ，地域社会の理解と協力を得つつ必要な施策を講ずることとしている。

■ホームレスの定義

この法律において「ホームレス」とは，都市公園，河川，道路，駅舎その他の施設を故なく起居の場所とし，日常生活を営んでいる者をいう。

■ホームレスの自立の支援等に関する施策の目標等

次に掲げる事項とする。

1．自立の意思があるホームレスに対し，生活困窮者自立支援法に基づく自立支援施策をはじめとした安定した雇用の場の確保，職業能力の開発等による就業の機会の確保，住宅への入居の支援等による安定した居住の場所の確保並びに健康診断，医療の提供等による保健及び医療の確保に関する施策並びに生活に関する相談及び指導を実施すること

により，これらの者を自立させること。

2．ホームレスとなることを余儀なくされるおそれのある者が多数存在する地域を中心として行われる，これらの者に対する就業の機会の確保，生活に関する相談及び指導の実施その他の生活上の支援により，これらの者がホームレスとなることを防止すること。

3．上記1．及び2．に掲げるもののほか，宿泊場所の一時的な提供，日常生活の需要を満たすために必要な物品の支給その他の緊急に行うべき援助，生活保護法による保護の実施，国民への啓発活動等によるホームレスの人権の擁護，地域における生活環境の改善及び安全の確保等により，ホームレスに関する問題の解決を図ること。

■基本方針の策定

厚生労働大臣及び国土交通大臣は，次に掲げる事項について，「ホームレスの実態に関する全国調査」(p. 400 参照) を踏まえ，ホームレスの自立の支援等に関する基本方針を策定しなければならないこととされている。

1．ホームレスの就業の機会の確保，安定した居住の場所の確保，保健及び医療の確保並びに生活に関する相談及び指導に関する事項

2．ホームレス自立支援事業（ホームレスに対し，生活困窮者自立支援法に基づき行われる自立相談支援事業や生活困窮者一時生活支援事業等により行われる一定期間宿泊場所を提供した上，健康診断，身元の確認並びに生活に関する相談及び指導を行うとともに，就業の相談及びあっせん等を行うことにより，その自立を支援する事業をいう。），その他のホームレスの個々の事情に対応したその自立を総合的に支援する事業の実施に関する事項

3．ホームレスとなることを余儀なくされるおそれのある者が多数存在する地域を中心として行われる，これらの者に対する生活上の支援に関する事項

4．ホームレスに対し緊急に行うべき援助に関する事項，生活保護法による保護の実施に関する事項，ホームレスの人権の擁護に関する事項並びに地域における生活環境の改善及び安全の確保に関する事項

5．ホームレスの自立の支援等を行う民間団体との連携に関する事項

6．上記1.から5.に掲げるもののほか，ホームレスの自立の支援等に関する基本的な事項

東京都23区及び政令指定都市のホームレスの数

都 市 名	令和5年調査				令和4年調査
	男	女	不明	計	
東京都23区	576	28	0	604	703
札 幌 市	23	0	7	30	30
仙 台 市	61	7	16	84	88
さいたま市	27	3	0	30	31
千 葉 市	27	3	0	30	30
横 浜 市	232	15	0	247	285
川 崎 市	127	5	0	132	161
相 模 原 市	6	2	0	8	11
新 潟 市	0	0	0	0	0
静 岡 市	5	0	1	6	6
浜 松 市	13	3	1	17	17
名 古 屋 市	51	3	24	78	84
京 都 市	34	5	16	55	54
大 阪 市	807	32	2	841	923
堺 市	9	0	0	9	8
神 戸 市	19	1	1	21	36
岡 山 市	4	0	0	4	8
広 島 市	13	1	0	14	19
北 九 州 市	52	5	0	57	56
福 岡 市	135	9	0	144	182
熊 本 市	5	0	0	5	5
合 計	2,226	122	68	2,416	2,737

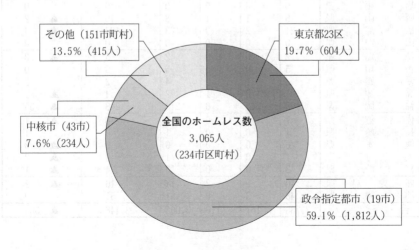

その他（151市町村）
13.5%（415人）

東京都23区
19.7%（604人）

中核市（43市）
7.6%（234人）

全国のホームレス数
3,065人
（234市区町村）

政令指定都市（19市）
59.1%（1,812人）

都道府県別のホームレス数

都道府県名			令和5年調査				令和4年調査	令5－令4 増▲減
			男	女	不明	計		
北	海	道	27	1	7	35	35	0
青	森	県	0	1	0	1	0	1
岩	手	県	0	0	1	1	0	1
宮	城	県	64	8	16	88	89	▲ 1
秋	田	県	0	0	0	0	0	0
山	形	県	0	0	0	0	0	0
福	島	県	8	0	1	9	6	3
茨	城	県	11	0	2	13	13	0
栃	木	県	13	0	3	16	19	▲ 3
群	馬	県	8	2	0	10	11	▲ 1
埼	玉	県	102	4	3	109	130	▲ 21
千	葉	県	103	10	13	126	130	▲ 4
東	京	都	629	32	0	661	770	▲ 109
神	奈 川	県	429	25	0	454	536	▲ 82
新	潟	県	0	0	0	0	1	▲ 1
富	山	県	1	0	3	4	5	▲ 1
石	川	県	2	0	0	2	3	▲ 1
福	井	県	0	0	0	0	0	0
山	梨	県	1	0	0	1	2	▲ 1
長	野	県	0	0	0	0	0	0
岐	阜	県	3	0	0	3	4	▲ 1
静	岡	県	41	3	3	47	49	▲ 2
愛	知	県	95	10	31	136	136	0
三	重	県	1	1	0	2	6	▲ 4
滋	賀	県	0	0	0	0	0	0
京	都	府	37	5	16	58	59	▲ 1
大	阪	府	851	35	2	888	966	▲ 78
兵	庫	県	42	6	4	52	75	▲ 23
奈	良	県	0	0	0	0	0	0
和	歌 山	県	8	0	1	9	11	▲ 2
鳥	取	県	0	0	0	0	0	0
島	根	県	0	0	0	0	0	0
岡	山	県	6	1	1	8	10	▲ 2
広	島	県	21	2	0	23	27	▲ 4
山	口	県	0	0	0	0	0	0
徳	島	県	2	0	0	2	5	▲ 3
香	川	県	5	0	0	5	5	0
愛	媛	県	3	1	0	4	2	2
高	知	県	1	0	1	2	4	▲ 2
福	岡	県	198	15	0	213	248	▲ 35
佐	賀	県	7	0	0	7	8	▲ 1
長	崎	県	1	0	0	1	0	1
熊	本	県	6	0	0	6	9	▲ 3
大	分	県	1	0	0	1	3	▲ 2
宮	崎	県	3	0	0	3	4	▲ 1
鹿	児 島	県	10	2	2	14	16	▲ 2
沖	縄	県	48	3	0	51	51	0
合		計	2,788	167	110	3,065	3,448	▲ 383

　婦人保護事業

> **根拠**▶売春防止法（昭31.5.24法律第118号）
> 　　　配偶者からの暴力の防止及び被害者の保護等に関する法律
> 　　　（平13.4.13法律第31号）

　婦人保護事業は，売春防止法（昭和31年法律第118号）に基づき，要保護女子（性行又は環境に照して売春を行うおそれのある女子）についてその転落未然防止と保護更生を図ることを目的として，社会環境の浄化等に関する啓発活動を行うとともに，要保護女子の早期発見に努め，必要な相談，調査，判定，指導及び収容保護を行うなど，幅広い女性の問題に対応してきている。

　また，平成13年4月6日に「配偶者からの暴力の防止及び被害者の保護等に関する法律」（以下「配偶者暴力防止法」という。）が成立したことから，配偶者からの暴力被害者である女性（以下「暴力被害女性」という。）の保護等についても婦人保護事業の目的として含め，配偶者からの暴力の防止等に関する啓発活動を行うとともに，要保護女子，暴力被害女性及び家庭関係の破綻，生活の困窮等正常な生活を営む上で困難な問題を有しており，現に保護・援助を必要とする状態にあると認められる者（以下「要保護女子等」という。）の早期発見，相談，調査，判定，指導・援助，一時保護及び収容保護を行うこととした。

※　令和6年4月より「困難な問題を抱える女性への支援に関する法律（女性支援新法）」の施行に伴い，「売春防止法等に基づく婦人保護事業」から「女性支援新法に基づく女性支援事業」となる。

1　婦人相談所（売春防止法第34条）

婦人保護事業実施の中心となる行政機関である。

■設置主体

　都道府県，指定都市

■業　務

1．相談，調査，判定及び指導

　　婦人相談所は要保護女子の転落防止と保護更生及び暴力被害女性の保護のため必要な各種相談，本人及び家庭，職場環境等についての調査，措置決定の基礎資料として必要な医学的，心理学的及び職能的判定を行い，その結果に基づき就労，援護措置，医療機関のあっせん，社会福祉施設の活用，保護命令制度の利用援助，帰宅又は帰省等の指導を行う。また，一時保護の適切な実施及び市町村への研修や助言等の支援を行う。

2．婦人相談所長は，要保護女子であって配偶者がない又はこれに準ずる女子及びその者の監護すべき児童について，児童福祉法に規定する母子保護が適当であると認めたときは，都道府県知事又は市町村（特別区を含む。）長に報告又は通知する。

3．一時保護

一時保護（配偶者暴力防止法第 3 条第 4 項に基づき，厚生労働大臣が定める基準を満たす者に委託して行う場合を含む。）は，緊急に保護すること等が必要と認められる要保護女子等について，最も適当な援助の施策を決定し，婦人保護施設への収容保護又は関係諸機関への移送等の措置がとられるまでの間や短期間の更生指導を必要とする場合，要保護女子等に対して，衣食その他日常生活に必要なものを給付するとともに性行，生活態度，心身の健康状態等の観察を通じて必要な指導等を行う。

4．婦人保護施設への収容保護等の措置

(1)　収容保護の決定は，婦人保護施設において就労及び生活に関する指導・援助を行うことが要保護女子の転落の未然防止と保護更生又は暴力被害女性の保護のため必要であると認める場合について行う。

(2)　婦人保護施設は，入所者に対し，健全な環境のもとで，社会福祉事業に関する熱意及び能力を有する職員により，社会において自立した生活を送るための支援を含め，適切な処遇を行う。

(3)　施設を退所しても自立することが可能であると認められる者等については，原則として当該婦人保護施設長からの協議に基づき収容保護の廃止の決定を行う。

5．一時保護を委託する施設

配偶者暴力防止法第 3 条第 4 項に基づき一時保護を委託する施設における食事の提供，保健衛生，防災及び被服等の支給については，一時保護所と実質的に同等の水準のものとなるようにするとともに，婦人相談所は入所者の処遇等について当該施設と緊密な連携を図る。

6．移送

要保護女子等を帰郷もしくは帰宅させ，社会福祉施設，就職先等へ送致し，又は病院へ入院させる等のため必要がある場合に行う。

移送は，原則として乗車券等の現物支給により行う。

7．医療

医療は，要保護女子等に対する軽易な疾病治療又は医療機関において治療を受けるまでの間の応急処置程度のものを行う。

8．啓発活動

社会環境の浄化に関する啓発活動，配偶者からの暴力の防止に関する啓発活動及び婦人相談所等の行う婦人保護事業とその活動状況に関する啓発活動を関係機関等と連携して実施し，地域住民に対して要保護女子の転落未然防止と保護更生及び暴力被害女性の

保護について的確な理解と密接な協力が得られるように行う。

9．関係機関との連携

　　婦人保護事業の業務について関連ある社会福祉，法務，警察，司法，教育，労働等の関係諸機関との常時密接な連携を保つとともに，社会福祉協議会，民間団体等の積極的な協力が得られるよう努める。

2　婦人相談員（売春防止法第35条）

■設　置

　　都道府県知事又は市長において，社会的信望があり，職務を行うのに必要な熱意と識見を持つ者から委嘱するもの。婦人相談所や福祉事務所等に駐在して業務を行う。

■業　務

　　担当区域における社会環境の実態把握に努めるとともに，関係機関等と緊密な連携を保ち，要保護女子等の早期発見に努め，その相談等を行うとともに，必要に応じて指導・援助を行う。

【参　考】困難な問題を抱える女性への支援に関する法律（令和4年5月25日法律第52号，令和6年4月施行）の概要

1．目的・定義

　　困難な問題を抱える女性の福祉の増進のため，困難な問題を抱える女性への支援に関し必要な事項を定め，必要な施策を推進することにより女性の人権が尊重されるとともに，女性が安心し，かつ自立して暮らせる社会の実現に寄与する。

※困難な問題を抱える女性とは，性的な被害，家庭の状況，地域社会との関係性，その他の様々な事情により日常生活又は社会生活を円滑に営む上で困難な問題を抱える女性（そのおそれのある女性を含む。）をいう。

2．基本理念

(1)　困難な問題を抱える女性の意思が尊重され，抱えている問題・背景，心身の状況等に応じた最適な支援が受けられるようにすることにより，その福祉が増進されるよう多様な支援を包括的に提供する体制を整備する。

(2)　支援が，関係機関及び民間団体の協働により，早期から切れ目なく実施されるようにする。

(3)　人権の擁護を図るとともに，男女平等の実現に資する。

3．基本方針・基本計画

　　厚生労働大臣は基本方針を，都道府県は基本計画を策定（義務）し，市町村は基本計画の策定に努める。

4．施策

・女性相談支援センター（現行「婦人相談所」から名称変更）

・女性相談支援員（現行「婦人相談員」から名称変更）

・女性自立支援施設（現行「婦人保護施設」から名称変更）

・民間団体との協働による支援：都道府県，市町村は民間企業と協働で，訪問，巡回，居場所の提供等の方法により，発見，相談の支援を行う。

・支援調整会議：地方公共団体は関係機関，民間団体等の関係者より構成される会議を組織（努力義務）し，情報交換，支援に関する協議を行う。

14　災害救助

〔[根拠]▶災害救助法（昭 22.10.18 法律第 118 号）〕

災害にかかった者の保護と社会の秩序の保全を図るため，災害に際して国が地方公共団体，日本赤十字社その他の団体及び国民の協力の下に応急的に必要な救助を行う。

■**実施主体**

　都道府県知事

■**災害救助法の適用基準**（法第 2 条，令第 1 条）

　災害救助法は，市町村の区域（特別区を含む。指定都市については，区若しくは総合区の区域又は市全域とする。）を単位とし，同一の災害により，次のいずれかに該当する災害について都道府県知事が当該市町村について適用する。

1．当該市町村の被災世帯数が人口に応じ「災害救助法適用基準」（以下「基準表」という。）の基準 1 欄に掲げる数以上であること（令第 1 条第 1 項第 1 号）。

2．当該市町村及びこれを包括する都道府県の被災世帯数が人口に応じ，それぞれ基準表の基準 2 欄に掲げる数以上であること（令第 1 条第 1 項第 2 号）。

3．当該市町村を包括する都道府県の被災世帯数が基準表の基準 3 欄に掲げる数以上である場合で，当該市町村の被災世帯数が多数であること（令第 1 条第 1 項第 3 号前段）。

4．災害が隔絶した地域で発生したものである等，被災者の救護を著しく困難とする特別の事情がある場合であって，被災世帯数が多数であること（令第 1 条第 1 項第 3 号後段）。

5．多数の者が生命又は身体に危害を受け，又は受けるおそれが生じたこと（令第 1 条第 1 項第 4 号）。

災害救助法適用基準表

人 口 階 級		被災世帯（住宅滅失）数等				
		基準1	基準2	基準3	基準4	基準5
市（区）町村	5,000 人未満	世帯 30	世帯 15	世帯	多数（隔絶地域等）	多数の生命・身体の危害
	5,000 人以上　15,000 人未満	40	20			
	15,000 人以上　30,000 人未満	50	25	多数		
	30,000 人以上　50,000 人未満	60	30			
	50,000 人以上 100,000 人未満	80	40			
	100,000 人以上 300,000 人未満	100	50			
	300,000 人以上	150	75			
都道府県	100 万人未満		1,000	5,000		
	100 万人以上 200 万人未満		1,500	7,000		
	200 万人以上 300 万人未満		2,000	9,000		
	300 万人以上		2,500	12,000		

（注）　被災世帯（住宅滅失）数には，全壊，流失等の数を計上するほか，半壊を 1/2，床上浸水を 1/3 に換算した数を加える。

■災害救助基準（令和 5 年度）

救助の種類	対　　　象	費用の限度額	期　　　間	備　　　考
避難所の設置	災害により現に被害を受け，又は受けるおそれのある者に供与する。	（基本額）避難所設置費　1 人 1 日当たり 340 円以内　高齢者等の要援護者等を収容する「福祉避難所」を設置した場合，当該地域における通常の実費を支出でき，上記を超える額を加算できる。	災害発生の日から 7 日以内	1　費用は，避難所の設置，維持及び管理のための賃金職員等雇上費，消耗器材費，建物等の使用謝金，借上費又は購入費，光熱水費並びに仮設便所等の設置費を含む。 2　避難に当たっての輸送費は別途計上 3　避難所での避難生活が長期にわたる場合等においては，避難所で避難生活し

救助の種類	対　象	費用の限度額	期　間	備　考
				ている者の健康上の配慮等により，ホテル・旅館など宿泊施設を借上げて実施することが可能。
応急仮設住宅の供与	住家が全壊，全焼又は流失し，居住する住家がない者であって，自らの資力では住宅を得ることができない者	○建設型応急住宅 1　規模 　応急救助の趣旨を踏まえ，実施主体が地域の実情，世帯構成等に応じて設定 2　基本額1戸当たり6,775,000円以内 3　建設型仮設住宅の供与終了に伴う解体撤去及び土地の原状回復のために支出できる費用は，当該地域における実費。	災害発生の日から20日以内着工	1　費用は設置にかかる原材料費，労務費，付帯設備工事費，輸送費及び建築事務費等の一切の経費として6,775,000円以内であればよい。 2　同一敷地内等に概ね50戸以上設置した場合は，集会等に利用するための施設を設置できる。（50戸未満であっても小規模な施設を設置できる） 3　高齢者等の要援護者等を数人以上収容する「建設型応急住宅」を設置できる。 4　供与期間は2年以内
		○賃貸型応急住宅 1　規模　建設型仮設住宅に準じる 2　基本額 　地域の実情に応じた額	災害発生の日から速やかに借上げ，提供	1　費用は，家賃，共益費，敷金，礼金，仲介手数料，火災保険等，民間賃貸住宅の貸主，仲介業者との契約に不可欠なものとして，地域の実情

救助の種類	対象	費用の限度額	期間	備考
				に応じた額とすること。 2　供与期間は建設型応急住宅と同様
炊き出しその他による食品の給与	1　避難所に避難している者 2　住家に被害を受け，若しくは災害により現に炊事のできない者	1人1日当たり 　1,230円以内	災害発生の日から7日以内	食品給与のための総経費を延給食日数で除した金額が限度額以内であればよい。 （1食は　1/3日）
飲料水の供給	現に飲料水を得ることができない者（飲料水及び炊事のための水であること。）	当該地域における通常の実費	災害発生の日から7日以内	輸送費，人件費は別途計上
被服，寝具その他生活必需品の給与又は貸与	全半壊㈱，流失，床上浸水等により，生活上必要な被服，寝具，その他生活必需品を喪失，又は毀損し，直ちに日常生活を営むことが困難な者	1　夏季（4月～9月）冬季（10月～3月）の季別は災害発生の日をもって決定する。 2　下記金額の範囲内	災害発生の日から10日以内	1　備蓄物資の価格は年度当初の評価額 2　現物給付に限ること

区　分		1人世帯	2人世帯	3人世帯	4人世帯	5人世帯	6人以上1人増すごとに加算
全壊全焼流失	夏	19,200	24,600	36,500	43,600	55,200	8,000
	冬	31,800	41,100	57,200	66,900	84,300	11,600
半壊半焼床上浸水	夏	6,300	8,400	12,600	15,400	19,400	2,700
	冬	10,100	13,200	18,800	22,300	28,100	3,700

救助の種類	対象	費用の限度額	期間	備考
医療	医療の途を失った者（応急的処置）	1　救護班…使用した薬剤，治療材料，医療器具破損等の実費 2　病院又は診療所…国民健康保険診療報酬の額以内 3　施術者 　協定料金の額以内	災害発生の日から14日以内	患者等の移送費は，別途計上
助産	災害発生の日以前又は以後7日以内に分べんした者であって災害のため助産の途を失った	1　救護班等による場合は，使用した衛生材料等の実費 2　助産師による場合は，慣行料金の100	分べんした日から7日以内	妊婦等の移送費は，別途計上

救助の種類	対　　象	費用の限度額	期　　間	備　　考
	者（出産のみならず，死産及び流産を含み現に助産を要する状態にある者）	分の 80 以内の額		
被災者の救出	1　現に生命，身体が危険な状態にある者 2　生死不明な状態にある者	当該地域における通常の実費	災害発生の日から 3 日以内	1　期間内に生死が明らかにならない場合は，以後「死体の捜索」として取り扱う。 2　輸送費，人件費は，別途計上
被災した住宅の応急修理	1　住家が半壊，半焼又はこれらに準ずる程度の損傷を受け，雨水の浸入等を放置すれば被害が拡大するおそれがある場合 2　住家が半壊，半焼若しくはこれらに準ずる程度の損傷を受け，自らの資力では応急修理できない又は大規模な補修を行わなければ居住が困難である程度に半壊した者	1　被害の拡大防止のため緊急の修理が必要な部分に対し，合成樹脂シート，ロープ，土のう等を用いて行う場合　1 世帯当たり 5 万円以内 2　居室，炊事場，便所等日常生活に必要最小限度の部分に対し現物をもって行う 1 世帯当たり次に掲げる額以内 ①　半壊又は半焼に準ずる程度の損傷により被害を受けた世帯 343,000 円 ②　①に掲げる世帯以外の世帯 706,000 円	住家の被害の拡大を防止するための緊急の修理は，災害発生の日から 10 日以内に完了 災害発生の日から 3 か月以内 特定災害対策本部，非常災害対策本部，緊急災害対策本部が設置された災害にあっては 6 か月以内	
学用品の給与	住家の全壊㈲，流失半壊㈲又は床上浸水により学用品を喪失又は毀損し，就学上支障のある小学校児童，中学校生徒，義務教育学校生徒及び高等学校等生徒	1　教科書及び教科書以外の教材で教育委員会に届出又はその承認を受けて使用している教材，又は正規の授業で使用している教材実費 2　文房具及び通学用品は，1 人当たり次の金額以内	災害発生の日から （教科書） 1 か月以内 （文房具及び通学用品） 15 日以内	1　備蓄物資は評価額 2　入進学時の場合は個々の実情に応じて支給する。

救助の種類	対象	費用の限度額	期間	備考
		小学校児童 4,800 円 中学校生徒 5,100 円 高等学校等生徒 5,600 円		
埋葬	災害の際死亡した者を対象にして実際に埋葬を実施する者に支給	1 体当たり 大人（12 歳以上） 　219,100 円以内 小人（12 歳未満） 　175,200 円以内	災害発生の日から 10 日以内	災害発生の日以前に死亡した者であっても対象となる。
死体の捜索	行方不明の状態にあり，かつ，四囲の事情によりすでに死亡していると推定される者	当該地域における通常の実費	災害発生の日から 10 日以内	1　輸送費，人件費は，別途計上 2　災害発生後 3 日を経過したものは一応死亡した者と推定している。
死体の処理	災害の際死亡した者について，死体に関する処理（埋葬を除く。）をする。	（洗浄，消毒等） 1 体当たり 3,500 円以内 一時保存［既存建物借上費 　　通常の実費 　既存建物以外 　　1 体当り 　　5,400 円以内 検案　救護班以外は慣行料金	災害発生の日から 10 日以内	1　検案は原則として救護班 2　輸送費，人件費は，別途計上 3　死体の一時保存にドライアイスの購入費等が必要な場合は当該地域における通常の実費を加算できる。
障害物の除去	居室，炊事場，玄関等に障害物が運びこまれているため生活に支障をきたしている場合で自力では除去することのできない者	市町村内において障害物の除去を行った 1 世帯当たりの平均 　138,700 円以内	災害発生の日から 10 日以内	
輸送費及び賃金職員等雇上費	1　被災者の避難に係る支援 2　医療及び助産 3　被災者の救出 4　飲料水の供給 5　死体の捜索 6　死体の処理 7　救済用物資の整理配分	当該地域における通常の実費	救助の実施が認められる期間以内	

救助の 種　類	対　　　象	費用の限度額	期　　　間	備　　　考
実費弁償	災害救助法施行令第4条第1号から第4号までに規定する者	災害救助法第7条第1項の規定により救助に関する業務に従事させた都道府県知事等（都道府県知事又は救助実施市の長）の統括する都道府県等の常勤の職員で当該業務に従事した者に相当するものの給与を考慮して定める	救助の実施が認められる期間以内	時間外勤務手当及び旅費は別途に定める額
救助の事務を行うのに必要な費用	1　時間外勤務手当 2　賃金職員等雇上費 3　旅費 4　需用費（消耗品費，燃料費，食糧費，印刷製本費，光熱水費，修繕料） 5　使用料及び賃借料 6　通信運搬費 7　委託費	救助事務費は，地方自治法施行令に規定する歳出の会計年度所属区分により区分した当該年度の災害ごとにおいて，第1条から第15条までに掲げる経費と法第5条第3項に要した額及び法第19条に要した額並びに令第8条に定めるところにより算定した額の合算額を合算し，各合計を合算した額から次に掲げる割合を乗じて得た額の合算額以内とすること。 1　3,000万円以下の部分の金額については100分の10 2　3,000万円を超え6,000万円以下の部分の金額については100分の9 3　6,000万円を超え1億円以下の部分の金額については100分の8 4　1億円を超え2億円以下の部分の金額については100分の7 5　2億円を超え3億	救助の実施が認められる期間及び災害救助費の精算する事務を行う期間以内	災害救助費の精算事務を行うのに要した経費も含む。

救助の種類	対　　象	費用の限度額	期　　間	備　　考
		円以下の部分の金額については100分の6 6　3億円を超え5億円以下の部分の金額については100分の5 7　5億円を超える部分の金額については100分の4		

※　この基準によっては救助の適切な実施が困難な場合には，都道府県知事は，内閣総理大臣に協議し，その同意を得た上で，救助の程度，方法及び期間を定めることができる。

■強制権

　災害で混乱した時期に迅速に救助業務ができるよう都道府県知事等に次のような強制権が与えられている。

　1．一定の業種の者を救助に関する業務に従事させる権限（従事命令　法第7条）

　2．被災者その他近隣の者を救助に関する業務に協力させる権限（協力命令　法第8条）

　3．特定の施設を管理し，土地，家屋，物資を使用し，特定の業者に対して物資の保管を命じ，又は物資を収用する権限（都道府県知事の収用等　法第9条）

■協力機関等

　1．日本赤十字社（法第15条，第16条）

　(1)　災害救助に協力しなければならない。

　(2)　国の指揮監督の下に救助に協力する地方公共団体以外の団体又は個人の連絡調整を行わせることができる。

　(3)　都道府県知事等の委託を受けて救助の実施又は応援にあたる。

　2．事務処理の特例（法第13条）

　　都道府県知事は，救助を迅速に行うため必要があると認めるときは，救助の実施に関する権限の一部を災害発生市町村等の長が行うこととすることができる。

15　災害弔慰金・災害障害見舞金・災害援護資金

〔根拠▶災害弔慰金の支給等に関する法律（昭48.9.18法律第82号）〕

　自然災害により死亡した者の遺族及び自然災害により精神又は身体に著しい障害を受けた者に対し，災害弔慰金・災害障害見舞金を支給するとともに，被災世帯の世帯主に対して生活の立て直しに資するため，災害援護資金の貸付けを行う。

　（災害とは，暴風，豪雨，豪雪，洪水，高潮，地震，津波，その他の異常な自然現象により被害が生ずることをいう。）

■実施主体

　市町村（特別区を含む。）

1　災害弔慰金の支給（法第3条）

■支給対象者

　次のいずれかに該当する災害により死亡した住民の遺族（配偶者，子，父，母，孫，祖父母並びに死亡した者の死亡当時同居し，又は生計を同じくしていた兄弟姉妹（ただし，配偶者，子，父，母，孫，祖父母がいない場合に限る。））に対して支給する。

1．一の市町村内において5世帯以上の住居が滅失した程度以上の災害
2．都道府県内において5世帯以上の住居が滅失した市町村が3以上存在する災害
3．都道府県内において災害救助法による救助が行われた市町村がある場合の災害
4．災害救助法による救助が行われた市町村をその区域に含む都道府県が2以上ある場合の災害

■支給額

　死亡者1人当たり　死亡者が遺族の生計を主として維持していた場合500万円以内，その他の場合250万円以内

2　災害障害見舞金の支給（法第8条）

■支給対象者

　災害（定義は災害弔慰金に同じ。）により，次に掲げる程度の障害を受けた者に対して支給する。

1．両眼が失明したもの

2．咀嚼及び言語の機能を廃したもの

3．神経系統の機能又は精神に著しい障害を残し，常に介護を要するもの

4．胸腹部臓器の機能に著しい障害を残し，常に介護を要するもの

5．両上肢をひじ関節以上で失ったもの

6．両上肢の用を全廃したもの

7．両下肢をひざ関節以上で失ったもの

8．両下肢の用を全廃したもの

9．精神又は身体の障害が重複する場合における当該重複する障害の程度が1.から8.までと同程度以上と認められるもの

■支給額

障害を受けた者が，その世帯の生計を主として維持していた場合250万円以内，その他の場合125万円以内

3 災害援護資金の貸付（法第10条）

■貸付け対象者

自然災害であって都道府県内において災害救助法が適用された市町村が1以上ある場合の災害で，次に掲げる被害を受けた世帯（ただし，所得制限あり。）。

1．療養に要する期間がおおむね1か月以上である世帯主の負傷

2．被害金額が当該住居又は家財の価額のおおむね3分の1以上である程度の住居又は家財の損害

所得制限

	世帯人員	市町村民税における前年の総所得金額
所得制限	1 人	220万円
	2 人	430万円
	3 人	620万円
	4 人	730万円
	5人以上	1人増すごとに730万円に30万円を加えた額
	ただし，その世帯の住居が滅失した場合にあっては，1,270万円とする。	

■貸付金の償還期間及び利率

償還期間：10年（3年（5年の特例あり。）の据置期間を含む。）

利率：年3％以内で条例で定める率（据置期間中は無利子）

■**貸付金額**

　貸付金の限度額は一世帯一災害当たり350万円以内で，被害の種類，程度に応じ定められる（世帯主の1か月以上の負傷150万円，家財の3分の1以上の損害150万円，住居の全壊250万円等）。

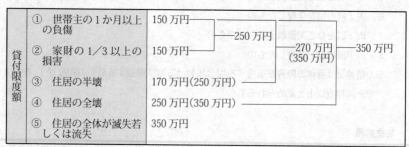

（注）　被災した住居を建て直す際にその住居の残存部分を取り壊さざるをえない場合等特別の事情がある場合は（　　）内の金額

第9編

社会福祉施設

1 社会福祉施設の概要

　社会福祉施設とは，老人，児童，心身障害者，生活困窮者等を援護，育成し，又は更生のための各種の治療，訓練等を行い，これらの者の福祉の増進を図ることを目的として設置された施設の総称である。援護，育成又は更生の措置を要する者に対する措置すなわち社会福祉サービスの方法としては，ホームヘルパーの派遣，金銭給付等居宅において行う方法と社会福祉施設という特定の設備，機能を備えた場において行う方法とがある。社会福祉施設におけるサービスが必要とされるのは，精神上，身体上，環境上，処遇技術上若しくは経済的理由等により，居宅におけるサービスでは需要が満たされない場合，あるいは治療・訓練等居宅よりも施設を活用した方がより効果を期待できる場合等である。

■社会福祉施設の種類

　社会福祉施設には，老人福祉施設，障害者支援施設，身体障害者社会参加支援施設，保護施設，児童福祉施設，母子福祉施設等，婦人保護施設，母子健康包括支援センターなどの施設がある（p. 418 別表(A)欄参照）。

　これらの施設のうち，主として入所施設は設置運営面でかなり規制の厳しい第一種社会福祉事業に，利用施設等第一種社会福祉事業以外の社会福祉事業に該当する施設は，法律上の規制もかなり弱い第二種社会福祉事業に，社会福祉事業に該当しないものはその他の公益事業に分類されている（p. 418 別表(B)欄参照）。

■設置主体

　設置主体は，養護老人ホーム，特別養護老人ホーム及び保護施設のように法律上その設置主体を，地方公共団体，地方独立行政法人，社会福祉法人（日本赤十字社を含む。）に限定しているものや，障害者支援施設，児童福祉施設のように必ずしも限定していないものに大別される（p. 418 別表(C)欄参照）。

■入所（利用）対象者

　入所（利用）者については，それぞれの施設の目的に応じて法令又は通知で，状態の程度，種類，年齢等により区分し，その対象を定めている（p. 418 別表(D)欄参照）。

■入所の際の窓口

　社会福祉法に定める第一種社会福祉事業を経営する施設（以下，本編においては単に「入所施設」という。）は介護保険制度をはじめとする利用契約制度へ移行している施設を除いて施設に入所する場合，都道府県（指定都市を含む。以下同じ。），市町村が入所の措置をとることになっているが，この場合，保護施設等は福祉事務所が，老人福祉施設は市町村が，また児童福祉施設は児童相談所が事務の窓口となっている。

　第二種社会福祉事業を経営する施設（以下，本編においては単に「利用施設」という。）の場合には，おおむね施設に直接申し込み入所（利用）することとなっている（**p. 418 別表(E)欄参照**）。

　なお，介護保険制度等の利用契約により入所（利用）する施設の場合，指定施設との契約や，地方公共団体への申込みにより入所（利用）することとなっている。

■費　用

　入所施設の場合，入所した者の福祉を図るための費用を通常「保護措置費」（又は単に「措置費」）と呼んでいる。この経費は，事務費（職員の人件費，旅費，庁費等）と事業費（入所者の飲食物費，日常生活諸費等）に大別される。なお，施設に配置すべき職員数については，この一般事務費基準限度額の算定の基礎となった職員数を各施設とも原則として下回ることのないよう指導している。

　措置費は，その入所の措置をとった都道府県又は市町村が支弁の義務を負い，一部の社会福祉施設を除きその2分の1については国が負担するものである。

　利用施設については，必要に応じ運営費の助成を行っているものと，現在のところ公費の助成は行っていないものとがある。

■費用の徴収

　入所施設の場合，このように国又は措置した都道府県若しくは市町村で施設運営のための費用（措置費）を負担することになっているが，この場合，入所者又はその扶養義務者に負担能力のある場合には，その能力に応じて費用の全部又は一部を負担することとなっている。

　なお，介護保険の対象となる指定介護老人福祉施設における施設サービスを利用した場合は，原則，その費用の1割又は2割を負担することとなっている。

■施設の設備・運営

　社会福祉施設の入所（利用）者は，程度の差こそあれ，何らかの援護等を必要とする者である。このような者を対象とする社会福祉施設が，その設備及び運営において適正を欠く場合には，入所（利用）者の健全な生活が阻害されることとなるので，社会福祉の観点

に立った適切な設備と運営が確保されるよう一定の基準を定める必要がある。

　このため各施設とも，①整備すべき設備，②処遇上の留意事項等各施設の遵守すべき事項を省令及び条例で定めているが，その具体的内容については省略する。

■施設の整備

　社会福祉施設等の整備は，一部の利用施設を除き，公費及び民間の補助制度並びに自己負担金部分についての貸付金制度等があるが，その主なものは次のとおりである（各県単独の整備費補助金及び貸付金制度を除く。）。民間補助金制度の概要については，第16編（p.773）参照。

1．補助金

　　民間立施設の施設整備等について，次のようなものがある。

(1) 社会福祉施設等施設整備費の国庫補助金

(2) 地域医療介護総合確保基金

(3) 地域介護・福祉空間整備等施設整備交付金

(4) 保育所等整備交付金

(5) 次世代育成支援対策施設整備交付金

(6) JKA よりの補助金

(7) 日本財団よりの助成金

(8) 中央競馬馬主社会福祉財団の助成金

(9) 年賀寄附金による助成金

(10) 共同募金の配分金

(11) 清水基金の助成金

(12) 三菱財団の助成金

(13) その他

2．自己負担金部分の貸付金制度

　　民間立施設の場合

　　　独立行政法人福祉医療機構の施設整備資金の貸付

別表　社会福祉施設等の概要

施設の種類(A)		事業種別(B)	利用形態	設置主体(C)	目的・対象者(D)	窓口(E)
老人福祉施設等	養護老人ホーム （老人福祉法第20条の4）	第一種	入所	都道府県 市町村、地方独立行政法人　届出 社会福祉法人、日本赤十字社　認可	環境上の理由及び経済的理由により居宅養護の困難な者を入所させ養護する。	市町村 （福祉事務所）
	特別養護老人ホーム （老人福祉法第20条の5）	第一種	入所	都道府県 市町村、地方独立行政法人　届出 社会福祉法人、日本赤十字社、厚生農業協同組合連合会（厚生連）　認可	身体上又は精神上著しい障害があり，常時介護を必要とするが，家庭ではこれを受けることが困難な者を入所させ，養護する。	施設
	軽費老人ホーム （ケアハウス） （経過的旧A型） （経過的旧B型） （都市型） （老人福祉法第20条の6）	第一種	入所	都道府県 市町村、社会福祉法人、日本赤十字社　届出 その他の者　許可	無料又は低額な料金で老人を入所させ，食事の提供その他日常生活上必要な便宜を供与する。	施設
	有料老人ホーム （老人福祉法第29条）	公益事業	入所	事前届出	老人を入居させ，入浴，排せつ若しくは食事の介護，食事の提供又は洗濯・掃除等の家事，健康管理のいずれかのサービスを供与する。	施設
	老人福祉センター （特A型） （老人福祉法第20条の7）	第二種	利用	都道府県 市町村、社会福祉法人、その他の者　届出	下記A型センターの機能に保健関係部門を強化した大型の老人福祉センター	施設
	老人福祉センター （A型） （老人福祉法第20条の7）	第二種	利用	都道府県 市町村、社会福祉法人、その他の者　届出	無料又は低額の料金で各種の相談に応じ健康の増進，教養の向上及びレクリエーションのための便宜を供与する。	施設
	老人福祉センター （B型） （老人福祉法第20条の7）	第二種	利用	都道府県 市町村、社会福祉法人、その他の者　届出	上記A型センターの機能を補完する小型の老人福祉センター	施設

施設の種類(A)	事業種別(B)	利用形態	設置主体(C)	目的・対象者(D)	窓口(E)
老人介護支援センター（在宅介護支援センター）（老人福祉法　第20条の7の2）	第二種	利用	都道府県　市町村　社会福祉法人　その他の者｝届出	在宅介護に関する各種の相談，助言，必要なサービス等が受けられるよう市町村等との連絡調整等，福祉用具の展示及び使用法の指導等を行う。	施設
老人福祉施設付設作業所（「老人福祉施設付設作業所設置運営要綱」昭52.8.1社老第48号）	第二種	利用	都道府県　市町村　社会福祉法人　その他の者｝届出	老人の多年にわたる経験と知識を生かし，その希望と能力に応じた作業等を通じ老人の心身の健康と生きがいの増進を図るための社会活動を行う場所を提供する。	施設
老人デイサービスセンター（老人福祉法　第20条の2の2）	第二種	通所	都道府県　市町村　社会福祉法人　その他の者｝届出	要支援又は要介護の高齢者に対し通所により，入浴等各種のサービスを提供することによって当該高齢者の自立生活の助長，社会的孤立感の解消，心身機能の維持向上等を図るとともにその家族の身体的な労苦の軽減を図る。	施設
老人短期入所施設（老人福祉法　第20条の3）	第二種	入所	都道府県　市町村　社会福祉法人　その他の者｝届出	養護者の疾病その他の理由により，居宅において介護を受けることが一時的に困難になったものを短期間入所させ養護する。	施設
老人休養ホーム（「老人休養ホームの設置運営について」昭40.4.5社老第87号）	公益事業	利用	都道府県　市町村	老人に対し低廉で健全な保健休養のための便宜を供与する。	施設
老人憩の家（「老人憩の家の設置運営について」昭40.4.5社老第88号）	公益事業	利用	市町村	老人に対して，教養の向上，レクリエーション等のための便宜を供与する。	施設

（左端縦書き）老人福祉施設等

施設の種類 (A)	事業種別 (B)	利用形態	設置主体 (C)	目的・対象者 (D)	窓口 (E)
老人福祉施設等　認知症高齢者グループホーム（老人福祉法第5条の2第6項・認知症対応型老人共同生活援助事業）	第二種	利用	市　町　村 社会福祉法人｝届出 そ の 他 の 者	認知症高齢者に小規模な生活の場において，食事の支度，掃除，洗濯等を含めた共同生活の場を提供し，家庭的な環境の中で介護職員等による生活上の指導，援助を行う。	施　設
生活支援ハウス（高齢者生活福祉センター）（「生活支援ハウス（高齢者生活福祉センター）運営事業実施要綱」平12．9．27老発第655号）	－	利用	市　町　村 社会福祉法人	小規模複合施設で介護支援機能，居住機能及び地域交流機能を総合的に有し，心身の虚弱化がある程度進んでも，地域の中で生活が続けられるように福祉サービスを提供する。	市町村
養 護 受 託 者（老人福祉法第11条第1項第3号）	－	－	個　　　　人	養護者がないか又は養護者があってもこれに養護させることが不適当であると認められる者を福祉事務所からの委託を受けて養護する。	福祉事務　所
障害者支援施設等　障害者支援施設（障害者総合支援法第5条第11項）	第一種	入所等	国，都道府県 市　町　村 社会福祉法人｝届出 そ の 他 の 者　許可	障害者につき，施設入所支援を行うとともに施設入所支援以外の施設障害福祉サービスを行う。	施　設
生活介護事業所（障害者総合支援法第5条第7項）	第二種	通所	都 道 府 県 市　町　村 社会福祉法人｝届出 そ の 他 の 者	常時介護を要する障害者につき，主として昼間において，障害者支援施設等において行われる入浴，排せつ又は食事の介護，創作的活動又は生産活動の機会の提供等を行う。	施　設
自立訓練（機能訓練）事業所（障害者総合支援法第5条第12項）	第二種	通所	都 道 府 県 市　町　村 社会福祉法人｝届出 そ の 他 の 者	障害者につき，自立した日常生活又は社会生活を営むことができるよう，一定期間，身体機能の向上のために必要な訓練等を行う。	施　設

施設の種類(A)	事業 種別(B)	利用 形態	設置主体(C)	目的・対象者(D)	窓口(E)
障害者支援施設等	自立訓練（生活訓練）事業所 （障害者総合支援法 　　第5条第12項）	第二種	通所	都道府県 市町村 社会福祉法人 その他の者〕届出	障害者につき，自立した日常生活又は社会生活を営むことができるよう，一定期間，生活能力の向上のために必要な訓練等を行う。	施設
	就労移行支援事業所 （障害者総合支援法 　　第5条第13項）	第二種	通所	都道府県 市町村 社会福祉法人 その他の者〕届出	就労を希望する障害者につき，一定期間生産活動その他の活動の機会の提供を通じて，就労に必要な知識及び能力の向上のために必要な訓練等を行う。	施設
	就労継続支援A型事業所 （障害者総合支援法 　　第5条第14項）	第二種	通所	都道府県 市町村 社会福祉法人 その他の者〕届出	通常の事業所に雇用されることが困難な障害者につき，雇用契約に基づく就労が可能である者に対して，雇用契約の締結等による就労の機会を提供するとともに，生産活動その他の活動の機会の提供を通じて，その知識及び能力の向上のために必要な訓練等を行う。	施設
	就労継続支援B型事業所 （障害者総合支援法 　　第5条第14項）	第二種	通所	都道府県 市町村 社会福祉法人 その他の者〕届出	通常の事業所に雇用されることが困難な障害者につき，雇用契約に基づく就労が困難である者に対して就労の機会を提供するとともに，生産活動その他の活動の機会の提供を通じて，その知識及び能力の向上のために必要な訓練等を行う。	施設
	地域活動支援センター （障害者総合支援法 　　第5条第27項）	第二種	利用	都道府県 市町村 社会福祉法人 その他の者〕届出	障害者等を通わせ，創作的活動又は生産活動の機会の提供，社会との交流の促進等の便宜を供与する。	施設

施 設 の 種 類 (A)	事 業 種別(B)	利 用 形 態	設 置 主 体 (C)	目 的・対 象 者 (D)	窓口(E)
障害者支援施設等 福 祉 ホ ー ム（障害者総合支援法　第5条第28項）	第二種	利用	都道府県市 町 村社会福祉法人その他の者　　}届出	現に住居を求めている障害者につき，低額な料金で，居室その他の設備を利用させるとともに，日常生活に必要な便宜を供与する。	施 設
身体障害者社会参加支援施設等 身体障害者福祉センター（A型）（身体障害者福祉法　第31条）	第二種	利 用	都 道 府 県市 町 村　届出	身体障害者に対する更生相談，機能訓練，スポーツ，レクリエーションの指導，ボランティアの養成，研修，宿泊のための施設の運営等を行う。	施 設
身体障害者福祉センター（B型）（身体障害者福祉法　第31条）	第二種	利 用	都 道 府 県市 町 村　届出	身体障害者デイサービス事業を行うとともに，ボランティア養成等を行う。	施 設
障害者更生センター（身体障害者福祉法　第31条）	第二種	利 用	都 道 府 県市 町 村　届出	障害者，家族，ボランティア等が気軽に宿泊，休養するための場を提供する。	施 設
盲導犬訓練施設（身体障害者福祉法　第33条）	第二種	利 用	都 道 府 県市 町 村社会福祉法人その他の者　　}届出	無料又は低額な料金で，盲導犬の訓練を行うとともに，視覚障害者に対し，盲導犬の利用に必要な訓練を行う。	施 設
点 字 図 書 館（身体障害者福祉法　第34条）	第二種	利 用	都 道 府 県市 町 村社会福祉法人その他の者　　}届出	無料又は低額な料金で，点字刊行物，視覚障害者用の録音物等視覚障害者が利用するものを製作し，若しくはこれらを視覚障害者の利用に供する。	施 設
点 字 出 版 施 設（身体障害者福祉法　第34条）	第二種	利 用	都 道 府 県市 町 村社会福祉法人その他の者　　}届出	無料又は低額な料金で，点字刊行物を出版する。	施 設

施設の種類 (A)		事業 種別(B)	利 用 形 態	設 置 主 体 (C)	目的・対象者 (D)	窓口(E)
身体障害者社会参加支援施設等	聴覚障害者情報提供施設 （身体障害者福祉法 第34条）	第二種	利 用	都道府県 市　町　村 社会福祉法人 ┐届出 その他の者 ┘	無料又は低額な料金で，聴覚障害者用の録画物等聴覚障害者が利用するものを製作し，若しくはこれらを聴覚障害者の利用に供する。	施　設
	補装具製作施設 （身体障害者福祉法 第32条）	第二種	利 用	都道府県 市　町　村 社会福祉法人 ┐届出 その他の者 ┘	補装具の製作又は修理を行う。	施　設 市町村 福祉 事務所
	盲　人　ホ　ー　ム （「盲人ホームの運営について」昭37. 2.27社発第109号）	第二種	利 用	都道府県 市 社会福祉法人 ┐届出	あんま・マッサージ指圧師，はり師，きゅう師の免許を持つ視覚障害者の職業生活の便宜をはかるため施設を利用させるとともに，技術の指導を行う。	施　設
保護施設	救　護　施　設 （生活保護法第38条）	第一種	入　所	都道府県 市　町　村 地方独立行政法人 ┐届出 社会福祉法人 日本赤十字社 ┐認可	身体上又は精神上の著しい障害のため日常生活を営むことが困難な者を入所させて生活の扶助を行う。	福祉事務所
	更　生　施　設 （生活保護法第38条）	第一種	入　所	都道府県 市　町　村 地方独立行政法人 ┐届出 社会福祉法人 日本赤十字社 ┐認可	身体上又は精神上の理由により養護指導を要する者を入所させて生活の扶助を行う。	福祉事務所
	授　産　施　設 （生活保護法第38条）	第一種	通　所	都道府県 市　町　村 地方独立行政法人 ┐届出 社会福祉法人 日本赤十字社 ┐認可	身体上若しくは精神上の理由又は世帯の事情により就業能力の限られた者に就労又は技能修得の機会を与えて自立助長をさせる。	福祉事務所
	宿所提供施設 （生活保護法第38条）	第一種	利 用	都道府県 市　町　村 地方独立行政法人 ┐届出 社会福祉法人 日本赤十字社 ┐認可	住居のない世帯に住宅の扶助を行う。	福祉事務所

施設の種類(A)		事業種別(B)	利用形態	設置主体(C)	目的・対象者(D)	窓口(E)
保護施設	医療保護施設 (生活保護法第38条)	第二種	利用	都道府県 市町村 地方独立行政法人 } 届出 社会福祉法人 日本赤十字社 } 認可	医療の給付を行う。	福祉事務所
児童福祉施設	助産施設 (児童福祉法第36条)	第二種	入所	都道府県 市町村 届出 社会福祉法人 その他の者 } 認可	保健上必要があるにもかかわらず経済的理由により入院助産を受けられない妊産婦を入所させ助産を受けさせる。	福祉事務所
	乳児院 (児童福祉法第37条)	第一種	入所	都道府県 市町村 届出 社会福祉法人 その他の者 } 認可	乳児（保健上，安定した生活環境の確保その他の理由により特に必要のある場合には，幼児を含む。）を入院させて，これを養育し，あわせて退院した者について相談その他の援助を行う。	児童相談所
	児童養護施設 (児童福祉法第41条)	第一種	入所	都道府県 市町村 届出 社会福祉法人 その他の者 } 認可	保護者のない児童（乳児を除く。ただし，安定した生活環境の確保その他の理由により特に必要のある場合には，乳児を含む。），虐待されている児童その他環境上養護を要する児童を入所させて，これを養護し，あわせて退所した者に対する相談その他の自立のための援助を行う。	児童相談所
	福祉型障害児入所施設 (児童福祉法第42条)	第一種	入所	都道府県 市町村 届出 社会福祉法人 その他の者 } 認可	障害児を入所させて，保護，日常生活の指導及び独立自活に必要な知識技能の付与を行う。	児童相談所
	医療型障害児入所施設 (児童福祉法第42条)	第一種	入所	都道府県 市町村 届出 社会福祉法人 その他の者 } 認可	障害児を入所させて，保護，日常生活の指導，独立自活に必要な知識技能の付与及び治療を行う。	児童相談所

施 設 の 種 類 (A)	事 業 種別(B)	利 用 形 態	設 置 主 体 (C)	目 的・対 象 者 (D)	窓口(E)
福祉型児童発達支援センター（児童福祉法第43条）	第二種	通 所	都 道 府 県 市 町 村 届出 社会福祉法人 その他の者 ⎫認可	障害児を日々保護者の下から通わせて，日常生活における基本的動作の指導，独立自活に必要な知識技能の付与又は集団生活への適応のための訓練を提供する。	市町村
医療型児童発達支援センター（児童福祉法第43条）	第二種	通 所	都 道 府 県 市 町 村 届出 社会福祉法人 その他の者 ⎫認可	障害児を日々保護者の下から通わせて，日常生活における基本的動作の指導，独立自活に必要な知識技能の付与又は集団生活への適応のための訓練及び治療を提供する。	市町村
児童心理治療施設（児童福祉法 第43条の2）	第一種	入 所 通 所	都 道 府 県 市 町 村 届出 社会福祉法人 その他の者 ⎫認可	生活環境，交友関係等環境上の理由により社会生活が困難となった児童を短期間入所又は保護者の下から通わせて社会生活に必要な心理に関する治療及び生活指導を行い，あわせて退所した者について相談その他の援助を行う。	児童相談所
児童自立支援施設（児童福祉法第44条）	第一種	入 所	国，都道府県 市 町 村 届出 社会福祉法人 その他の者 ⎫認可	不良行為をなし，又はなすおそれのある児童及び家庭環境その他の環境上の理由により生活指導等を要する児童を入所させ，又は保護者の下から通わせて，個々の児童の状況に応じて必要な指導を行い，その自立を支援し，あわせて退所した者について相談その他の援助を行う。	児童相談所

（児童福祉施設の欄外：児／童／福／祉／施／設）

施設の種類(A)		事業種別(B)	利用形態	設置主体(C)	目的・対象者(D)	窓口(E)
児童福祉施設	母子生活支援施設 (児童福祉法第38条)	第一種	入所	都道府県 市町村　届出 社会福祉法人 その他の者 }認可	配偶者のない女子又はこれに準ずる事情にある女子及びその者の監護すべき児童を入所させこれらの者を保護するとともに，これらの者の自立の促進のためにその生活を支援し，あわせて退所した者について相談その他の援助を行う。	福祉事務所
	保育所 (児童福祉法第39条)	第二種	通所	都道府県 市町村　届出 社会福祉法人 その他の者 }認可	日々保護者の委託を受けて保育に欠ける乳児又は幼児を保育する。	市町村 (福祉事務所)
	児童家庭支援センター (児童福祉法 第44条の２)	第二種	利用	都道府県 市町村　届出 社会福祉法人 その他の者 }認可	地域の児童の福祉に関する各般の問題につき，児童に関する家庭等からの相談のうち，専門的知識・技術を必要とするものに応じ，必要な助言を行うとともに，市町村の求めに応じ技術的助言等を行うほか，保護を要する児童又はその保護者に対する指導及び児童相談所，児童福祉施設等との連絡調整等を総合的に行い，地域の児童，家庭の福祉の向上を図る。	施設
	里親支援センター (児童福祉法 第44条の３等)	第二種	利用	都道府県 市町村　届出 社会福祉法人 その他の者 }認可	里親支援事業を行うほか，里親及び里親に養育される児童並びに里親になろうとする者について相談その他の援助を行う。	施設
	児童館 (児童福祉法第40条)	第二種	利用	都道府県 市町村　届出 社会福祉法人 その他の者 }認可	児童に健全な遊びを与えて，その健康を増進し，又は情操をゆたかにする。	施設

施設の種類 (A)		事業種別(B)	利用形態	設置主体 (C)	目的・対象者 (D)	窓口(E)
児童福祉施設	児童遊園 （児童福祉法第40条）	第二種	利用	都道府県 市町村 }届出 社会福祉法人 その他の者 }認可	児童に健全な遊びを与えて，その健康を増進し，又は情操をゆたかにする。	施設
	幼保連携型認定こども園 （認定こども園法第2条）	第二種	通所	国，都道府県 指定都市，中核市，市町村 }届出 学校法人 社会福祉法人 その他の者 }認可	幼稚園的機能と保育所的機能をあわせ持つ施設	施設
母子福祉施設等	母子・父子福祉センター （母子及び父子並びに寡婦福祉法第39条）	第二種	利用	都道府県 市町村 社会福祉法人 その他の者 }届出	無料又は低額な料金で母子・父子家庭に対して各種の相談に応じるとともに，生活指導及び生業の指導を行う等母子・父子家庭の福祉のための便宜を総合的に供与する。	施設
	母子・父子休養ホーム （母子及び父子並びに寡婦福祉法第39条）	第二種	利用	都道府県 市町村 社会福祉法人 その他の者 }届出	無料又は低額な料金で母子家庭及び父子家庭に対してレクリエーションその他休養のための便宜を供与する。	施設
	母子健康包括支援センター （母子保健法第22条）	公益事業	利用	市町村	母子保健に関する各種相談，母性，乳児，幼児の保健指導とこれらの事業にあわせて母性，乳児，幼児の健康の保持・増進に関する包括的な支援を行う。	施設
婦人保護施設 （売春防止法第36条，配偶者からの暴力の防止及び被害者の保護等に関する法律第5条）		第一種	入所	都道府県 市町村 社会福祉法人 }届出 その他の者　許可	要保護女子の入所保護及び配偶者等からの暴力を受けた者の保護を行う。	婦人相談所
その他の社会福祉施設	社会事業授産施設 （社会福祉法第2条）	第一種	通所	都道府県 市町村 社会福祉法人 }届出 その他の者　許可	身体上若しくは精神上の理由又は世帯の事情により就労能力の限られている者に対して，就労又は技能修得のために必要な機会及び便宜を与えて，その自立を助長する。	福祉事務所 （施設）

施設の種類 (A)	事業種別 (B)	利用形態	設置主体 (C)	目的・対象者 (D)	窓口 (E)
宿　泊　所　等 （社会福祉法第2条）	第二種	利用	都道府県 市町村 社会福祉法人 ┐届出 その他の者 ┘	生計困難者のために無料又は低額な料金で簡易住宅を貸し付け，又は宿泊所その他の施設を利用させる。	施設
隣　保　館 （社会福祉法第2条）	第二種	利用	都道府県 市町村 社会福祉法人 ┐届出 その他の者 ┘	地域社会全体の中で福祉の向上や人権啓発の住民交流の拠点となる開かれたコミュニティーセンターとして，生活上の各種相談事業や人権課題の解決のための各種事業を総合的に行う。	施設
無料低額診療施設 （社会福祉法第2条）	第二種	利用	都道府県 市町村 社会福祉法人 ┐届出 その他の者 ┘	生計困難者のために無料又は低額な料金で診療を行う。	施設
地域福祉センター （「地域福祉センターの設置運営について」平6.6.23社援地第74号）	－	利用	市町村 社会福祉法人	地域住民の福祉ニーズに応じて，各種相談，入浴，給食等の福祉サービス，機能回復訓練，創作，軽作業，ボランティアの養成及び各種福祉情報の提供等を総合的に行う。	市町村
介護老人保健施設 （介護保険法 　　第8条第28項）	公益事業	入所	地方公共団体 医療法人 社会福祉法人 国　　　　　┐許可 日　　　　赤 厚生連等　　┘	要介護者に対し看護，医学的管理の下における介護及び機能訓練その他必要な医療並びに日常生活上の世話を行う施設。	施設
介護医療院 （介護保険法 　　第8条第29項）	公益事業	入所	地方公共団体 医療法人 社会福祉法人 国　　　　　┐許可 日　　　　赤 厚生連等　　┘	要介護者に対し，長期療養のための医療と日常生活上の世話（介護）を一体的に提供する。	施設

縦書き左側見出し：その他の社会福祉施設

	施設の種類(A)	事業種別(B)	利用形態	設置主体(C)	目的・対象者(D)	窓口(E)
その他の社会福祉施設	訪問看護ステーション（介護保険法第8条第4項・健康保険法第88条等）	公益事業	利用	地方公共団体 医療法人 社会福祉法人 医師会 看護協会 厚生連等 }指定	寝たきり高齢者等で主治医が訪問看護の必要があると認めた者に在宅における療養上の世話又は必要な診療の補助である看護サービスの提供を行う。	かかりつけの医師ステーション
	福祉センター（「福祉センター設置管理要綱」昭41.4.21厚生省社第113号）	公益事業	利用	市町村	市町村地域において地域住民に対し，社会福祉その他住民の生活の維持向上のための各種相談，教養，レクリエーション，会議，結婚式等の場を提供する。	施設

（注）１．事業種別欄について

⑴「第一種」又は「第二種」とは，社会福祉法による第一種社会福祉事業又は第二種社会福祉事業をいうものである。

⑵「公益事業」とは，社会福祉法にいう社会福祉事業に該当しないものである。

２．設置主体欄について

⑴「許可」，「認可」又は「届出」とあるのは，施設開設の際都道府県知事の許可，認可を受け又は届出を必要とするものである。

⑵　第一種社会福祉事業は，国，地方公共団体又は社会福祉法人（日本赤十字社，厚生連を含む）が経営するのが原則とされており，「その他の者」が設置するものは極く希である。

３．根拠規定の記載について

⑷欄の（　）内の記載は，各施設の設置根拠等を記載したものである。

2　措置施設職員配置基準・基本利用料等

1　老人福祉施設

ア　養護老人ホーム，養護委託費用徴収基準額表

■養護老人ホーム被措置者・養護委託による被措置者費用徴収基準（平成18年4月以降適用）

（別表1）

対象収入による階層区分		費用徴収基準月額
1	0円～　270,000円	0円
2	270,001　～　280,000	1,000
3	280,001　～　300,000	1,800
4	300,001　～　320,000	3,400
5	320,001　～　340,000	4,700

6	340,001	～	360,000	5,800
7	360,001	～	380,000	7,500
8	380,001	～	400,000	9,100
9	400,001	～	420,000	10,800
10	420,001	～	440,000	12,500
11	440,001	～	460,000	14,100
12	460,001	～	480,000	15,800
13	480,001	～	500,000	17,500
14	500,001	～	520,000	19,100
15	520,001	～	540,000	20,800
16	540,001	～	560,000	22,500
17	560,001	～	580,000	24,100
18	580,001	～	600,000	25,800
19	600,001	～	640,000	27,500
20	640,001	～	680,000	30,800
21	680,001	～	720,000	34,100
22	720,001	～	760,000	37,500
23	760,001	～	800,000	39,800
24	800,001	～	840,000	41,800
25	840,001	～	880,000	43,800
26	880,001	～	920,000	45,800
27	920,001	～	960,000	47,800
28	960,001	～	1,000,000	49,800
29	1,000,001	～	1,040,000	51,800
30	1,040,001	～	1,080,000	54,400
31	1,080,001	～	1,120,000	57,100
32	1,120,001	～	1,160,000	59,800
33	1,160,001	～	1,200,000	62,400
34	1,200,001	～	1,260,000	65,100
35	1,260,001	～	1,320,000	69,100
36	1,320,001	～	1,380,000	73,100
37	1,380,001	～	1,440,000	77,100
38	1,440,001	～	1,500,000	81,100
39	1,500,001 円以上			150万円超過額×0.9÷12月 ＋81,100円（100円未満切捨て）

備考：上表にかかわらず，市町村長が必要と認める場合には，当該費用徴収基準月額に別途
　　　上限を設けることができる。

（注1）　この表における「対象収入」とは前年の収入（社会通念上収入として認定することが
　　　　適当でないものを除く。）から，租税，社会保険料，医療費等の必要経費を控除した後の
　　　　収入をいう。

（注2）　2人部屋を超える多床室入居者については，費用徴収基準月額から，市町村長が必要
　　　　と認める額を減じることができる。

（注3）　費用徴収基準月額が，その月におけるその被措置者に係る措置費の支弁額（一般事務
　　　　費及び一般生活費（地区別冬期加算及び入院患者日用品費を除く。）の合算額をいう。別
　　　　表2において同じ。）を超える場合には，この表にかかわらず，当該支弁額とする。

■扶養義務者費用徴収基準

(別表2)

税　額　等　に　よ　る　階　層　区　分			費用徴収基準月額
A	生活保護法による被保護者（単給を含む）		0円
B	A階層を除き当該年度分の市町村民税非課税の者		0
C 1	A階層及びB階層を除き前年分の所得税非課税の者	当該年度分の市町村民税所得割非課税（均等割のみ課税）	4,500
C 2		当該年度分の市町村民税所得割課税	6,600
D 1	A階層及びB階層を除き前年分の所得税課税の者であって，その税額の年額区分が次の額である者	30,000 円以下	9,000
D 2		30,001 ～ 80,000	13,500
D 3		80,001 ～ 140,000	18,700
D 4		140,001 ～ 280,000	29,000
D 5		280,001 ～ 500,000	41,200
D 6		500,001 ～ 800,000	54,200
D 7		800,001 ～1,160,000	68,700
D 8		1,160,001 ～1,650,000	85,000
D 9		1,650,001 ～2,260,000	102,900
D 10		2,260,001 ～3,000,000	122,500
D 11		3,000,001 ～3,960,000	143,800
D 12		3,960,001 ～5,030,000	166,600
D 13		5,030,001 ～6,270,000	191,200
D 14		6,270,001 円以上	その月におけるその被措置者にかかる措置費の支弁額

（注1）　この表のC 1階層における「均等割の額」とは，地方税法（昭和25年法律第226号）第292条第1項第1号に規定する均等割の額をいい，C 2階層における「所得割の額」とは，同項第2号に規定する所得割（この所得割を計算する場合には，同法第314条の7及び同法附則第5条第3項の規定は適用しないものとする。）の額をいう。
　　　なお，同法第323条に規定する市町村民税の減免があった場合には，その額を所得割の額又は均等割の額から順次控除して得た額を所得割の額又は均等割の額とする。
（注2）　D 1～D 14階層における「所得税の額」とは，所得税法（昭和40年法律第33号），経済社会の変化等に対応して早急に講ずべき所得税及び法人税の負担軽減措置に関する法律（平成11年法律第8号），租税特別措置法（昭和32年法律第26号）及び災害被害者に対する租税の減免,徴収猶予等に関する法律（昭和22年法律第175号）の規定によって計算された所得税の額をいう。
　　　ただし，所得税額を計算する場合には，次の規定は適用しないものとする。
　　(1)　所得税法第92条第1項，第95条第1項，第2項及び第3項
　　(2)　租税特別措置法第41条第1項，第2項並びに第41条の2
　　(3)　租税特別措置法等の一部を改正する法律（平成10年法律第23号）附則第12条
（注3）　同一の者が2人以上の被措置者の主たる扶養義務者となる場合においても，上表に示す費用徴収基準月額のみで算定するものであること。
（注4）　費用徴収基準月額が，その月におけるその被措置者に係る措置費の支弁額（その被措置者が別表1により徴収を受ける場合には，当該被措置者に係る費用徴収基準月額を控除した残額）を超える場合には，この表にかかわらず，当該支弁額とする。
（注5）　主たる扶養義務者が，他の社会福祉施設の被措置者の扶養義務者として費用徴収される場合には，この表による徴収額の一部又は全部を免除することができる。

イ　軽費老人ホーム基本利用料

■サービスの提供に要する費用（サービスの提供に要する基本額＋各種加算額等）

1. サービスの提供に要する基本額（1人当たり月額）

特定施設入居者生活介護の指定を受けた施設については、以下のとおりとなる。

	サービスの提供に要する基本額（月額）	備　考
特定施設入居者生活介護の利用者	(3)①～④のいずれか	(3)②＋(3)⑥、(3)④＋(3)⑥の組み合わせについ
上記以外の一般入所者	上記に(3)⑤又は⑥を加えた額	ては、一般入所者が30人以下の場合を除く。

(1) 単独設置

ケアハウス単独設置（介護職員あり）

平成 20 年 6 月 以 降 適 用

入所者数	16/100	13/100	12/100	10/100	9/100	8/100	7/100	6/100	4/100	3/100	左記以外
人	円	円	円	円	円	円	円	円	円	円	円
20	143,100	140,500	139,600	137,800	136,900	136,000	135,100	134,200	132,400	131,600	128,900
21- 30	95,900	94,100	93,500	92,300	91,700	91,100	90,500	89,900	88,700	88,100	86,400
31- 40	84,200	82,600	82,100	81,000	80,500	79,900	79,400	78,900	77,800	77,200	75,600
41- 50	75,200	73,700	73,200	72,300	71,800	71,300	70,800	70,300	69,300	68,800	67,300
51- 60	63,600	62,400	62,000	61,100	60,700	60,300	59,900	59,400	58,600	58,200	56,900
61- 70	60,300	59,100	58,700	57,800	57,400	57,000	56,600	56,200	55,400	55,000	53,800
71- 80	52,900	51,900	51,500	50,800	50,400	50,100	49,700	49,400	48,700	48,300	47,200
81- 90	52,400	51,400	51,000	50,300	49,900	49,600	49,200	48,800	48,100	47,800	46,700
91-100	47,300	46,300	46,000	45,400	45,000	44,700	44,400	44,100	43,400	43,100	42,100
101-110	45,700	44,700	44,400	43,700	43,400	43,100	42,800	42,400	41,800	41,500	40,500
111-120	42,000	41,100	40,800	40,200	39,900	39,600	39,300	39,000	38,400	38,100	37,300
121-130	42,700	41,800	41,500	40,900	40,600	40,300	40,000	39,600	39,000	38,700	37,800

131-140	39,700	38,900	38,600	38,000	37,700	37,400	37,200	36,900	36,300	36,000	35,200
141-150	38,100	37,300	37,100	36,500	36,300	36,000	35,700	35,500	35,000	34,700	33,900

(注) 地域区分は、次によること。

1　16/100は、人事院規則9－49附則別表第2の支給割合が16/100とされている地域とする。

2　13/100は、人事院規則9－49附則別表第2の支給割合が13/100とされている地域とする。

3　12/100は、人事院規則9－49附則別表第2の支給割合が12/100とされている地域とする。

4　10/100は、人事院規則9－49附則別表第2の支給割合が10/100とされている地域及び小金井市、逗子市、摂津市とする。

5　9/100は、人事院規則9－49附則別表第2の支給割合が9/100とされている地域とする。

6　8/100は、人事院規則9－49附則別表第2の支給割合が8/100とされている地域及び習志野市、八千代市、東久留米市とする。

7　7/100は、人事院規則9－49附則別表第2の支給割合が7/100とされている地域及び綾瀬市、座間市、大東市、松原市とする。

8　6/100は、人事院規則9－49附則別表第2の支給割合が6/100とされている地域及び狭山市、新座市、鳩ヶ谷市、富士見市、ふじみ野市、埼玉県三芳町、蕨市、大阪狭山市、大阪府忠岡町、川西市とする。

9　4/100は、人事院規則9－49附則別表第2の支給割合が4/100とされている地域及び伊勢原市、神奈川県寒川町とする。

10　3/100は、人事院規則9－49附則別表第2の支給割合が3/100とされている地域及び長岡京市、広島県府中町とする。

介護職員1名を配置しない場合

入所者数	平成20年6月以降適用										
人	16/100	13/100	12/100	10/100	9/100	8/100	7/100	6/100	4/100	3/100	左記以外
20	円 119,200	円 117,100	円 116,400	円 115,000	円 114,200	円 113,500	円 112,800	円 112,100	円 110,700	円 110,000	円 107,900
21-30	79,900	78,500	78,000	77,100	76,600	76,100	75,700	75,200	74,300	73,800	72,400
31-40	72,200	70,900	70,400	69,500	69,100	68,700	68,200	67,800	66,900	66,400	65,100
41-50	65,600	64,400	64,000	63,100	62,700	62,300	61,900	61,400	60,600	60,200	58,900
51-60	55,600	54,600	54,200	53,500	53,100	52,800	52,400	52,100	51,400	51,000	49,900
61-70	53,500	52,400	52,100	51,300	51,000	50,600	50,300	49,900	49,200	48,900	47,800

入所者数	46,900	46,000	45,700	45,100	44,800	44,500	44,100	43,800	43,200	42,900	42,000
71- 80	46,900	46,000	45,700	45,100	44,800	44,500	44,100	43,800	43,200	42,900	42,000
81- 90	47,100	46,200	45,900	45,200	44,900	44,600	44,300	44,000	43,300	43,000	42,100
91-100	42,600	41,800	41,500	40,900	40,600	40,300	40,100	39,800	39,200	38,900	38,100
101-110	41,400	40,500	40,200	39,700	39,400	39,100	38,800	38,500	37,900	37,600	36,800
111-120	38,000	37,300	37,000	36,500	36,200	35,900	35,700	35,400	34,900	34,600	33,800
121-130	39,000	38,200	37,900	37,400	37,100	36,800	36,600	36,300	35,700	35,500	34,600
131-140	36,300	35,500	35,300	34,800	34,500	34,300	34,000	33,700	33,200	33,000	32,200
141-150	34,900	34,200	34,000	33,500	33,300	33,000	32,800	32,500	32,100	31,800	31,100

（注）　地域区分は、(1) 単独設置に同じ。

(2)　併設設置

入所者数	平成 20 年 6 月 以 降 適 用										
人	16／100	13／100	12／100	10／100	9／100	8／100	7／100	6／100	4／100	3／100	左記以外
	円	円	円	円	円	円	円	円	円	円	円
10- 14	145,600	143,300	142,500	141,000	140,200	139,400	138,700	137,900	136,400	135,600	133,300
15- 19	97,500	96,000	95,500	94,400	93,900	93,400	92,900	92,400	91,400	90,800	89,300
20- 29	93,300	91,700	91,100	90,000	89,400	88,900	88,300	87,800	86,700	86,100	84,500
30	67,300	66,200	65,800	65,100	64,700	64,300	64,000	63,600	62,900	62,500	61,400
31- 40	62,700	61,600	61,200	60,500	60,100	59,800	59,400	59,000	58,300	57,900	56,800
41- 50	50,500	49,600	49,300	48,700	48,400	48,100	47,800	47,500	46,900	46,600	45,700
51- 60	42,300	41,500	41,300	40,800	40,600	40,300	40,100	39,800	39,300	39,100	38,300
61- 70	36,400	35,700	35,500	35,100	34,900	34,700	34,500	34,300	33,800	33,600	33,000
71- 80	32,000	31,500	31,300	30,900	30,700	30,500	30,400	30,200	29,800	29,600	29,100
81- 90	33,900	33,300	33,100	32,700	32,500	32,300	32,100	31,900	31,500	31,300	30,700
91-100	30,600	30,100	29,900	29,500	29,300	29,100	29,000	28,800	28,400	28,200	27,700
101-110	29,900	29,300	29,100	28,700	28,500	28,300	28,100	27,900	27,500	27,400	26,800
111-120	27,500	26,900	26,800	26,400	26,200	26,000	25,900	25,700	25,300	25,200	24,600

（介護職員 1 名を配置する場合・承前）

入所者数（人）	16/100	13/100	12/100	10/100	9/100	8/100	7/100	6/100	4/100	3/100	左記以外
121-130	29,300	28,800	28,600	28,200	28,000	27,800	27,600	27,400	27,000	26,800	26,200
131-140	27,400	26,800	26,700	26,300	26,100	25,900	25,800	25,600	25,200	25,000	24,500
141-150	26,500	26,000	25,800	25,500	25,300	25,100	25,000	24,800	24,500	24,300	23,800

（注）　地域区分は，(1) 単独設置に同じ。

介護職員 1 名を配置しない場合

平成 20 年 6 月以降適用

入所者数（人）	16/100	13/100	12/100	10/100	9/100	8/100	7/100	6/100	4/100	3/100	左記以外
	円	円	円	円	円	円	円	円	円	円	円
10- 14	97,600	96,400	96,000	95,200	94,800	94,400	94,000	93,600	92,900	92,500	91,300
15- 19	65,500	64,700	64,400	63,900	63,600	63,400	63,100	62,800	62,300	62,000	61,300
20- 29	69,500	68,400	68,000	67,300	66,900	66,600	66,200	65,900	65,100	64,800	63,700
30	51,200	50,500	50,200	49,800	49,500	49,300	49,000	48,800	48,300	48,100	47,300
31- 40	50,800	50,000	49,700	49,100	48,900	48,600	48,300	48,000	47,500	47,200	46,400
41- 50	40,900	40,200	40,000	39,600	39,300	39,100	38,900	38,700	38,200	38,000	37,300
51- 60	34,200	33,600	33,500	33,100	32,900	32,700	32,500	32,400	32,000	31,800	31,300
61- 70	29,600	29,100	28,900	28,600	28,500	28,300	28,100	28,000	27,700	27,500	27,000
71- 80	26,000	25,600	25,400	25,200	25,000	24,900	24,800	24,600	24,300	24,200	23,800
81- 90	28,600	28,100	27,900	27,600	27,400	27,200	27,100	26,900	26,600	26,400	25,900
91-100	25,800	25,400	25,200	24,900	24,800	24,700	24,500	24,400	24,100	23,900	23,500
101-110	25,600	25,100	25,000	24,600	24,500	24,300	24,200	24,000	23,700	23,500	23,000
111-120	23,500	23,100	22,900	22,600	22,500	22,400	22,200	22,100	21,800	21,600	21,200
121-130	25,700	25,200	25,000	24,700	24,500	24,400	24,200	24,000	23,700	23,500	23,000
131-140	24,000	23,500	23,400	23,100	22,900	22,700	22,600	22,400	22,100	22,000	21,500
141-150	23,300	22,900	22,700	22,400	22,300	22,200	22,000	21,900	21,600	21,400	21,000

（注）　地域区分は，(1) 単独設置に同じ。

(3) 特定施設入居者生活介護の指定を受けた場合

① 共通職員（単独設置）

入所者数		平成20年6月以降適用										
人		16／100	13／100	12／100	10／100	9／100	8／100	7／100	6／100	4／100	3／100	左記以外
		円	円	円	円	円	円	円	円	円	円	円
20		108,400	106,300	105,600	104,200	103,500	102,800	102,100	101,400	100,000	99,300	97,200
21- 30		72,700	71,300	70,800	69,900	69,400	68,900	68,400	68,000	67,000	66,600	65,200
31- 40		54,900	53,800	53,500	52,800	52,400	52,100	51,700	51,400	50,700	50,300	49,300
41- 50		51,700	50,600	50,300	49,600	49,200	48,900	48,600	48,200	47,500	47,200	46,100
51- 60		44,000	43,200	42,900	42,300	42,000	41,700	41,400	41,100	40,500	40,200	39,300
61- 70		43,500	42,600	42,300	41,700	41,400	41,100	40,800	40,500	39,900	39,600	38,700
71- 80		38,300	37,500	37,200	36,700	36,400	36,200	35,900	35,600	35,100	34,800	34,100
81- 90		34,100	33,400	33,100	32,700	32,400	32,200	32,000	31,700	31,300	31,000	30,300
91-100		30,800	30,200	29,900	29,500	29,300	29,100	28,900	28,700	28,300	28,100	27,400
101-110		30,700	30,000	29,800	29,300	29,100	28,900	28,700	28,500	28,000	27,800	27,100
111-120		28,200	27,600	27,300	26,900	26,700	26,500	26,300	26,100	25,700	25,500	24,900
121-130		29,900	29,300	29,100	28,600	28,400	28,200	28,000	27,800	27,300	27,100	26,500
131-140		27,900	27,300	27,100	26,700	26,500	26,300	26,100	25,900	25,500	25,300	24,700
141-150		27,000	26,500	26,300	25,900	25,700	25,500	25,300	25,200	24,800	24,600	24,000

(注)　地域区分は、(1) 単独設置に同じ。

② 共通職員（生活相談員を1名置かない場合）（単独設置）

入所者数		平成20年6月以降適用										
人		16／100	13／100	12／100	10／100	9／100	8／100	7／100	6／100	4／100	3／100	左記以外
		円	円	円	円	円	円	円	円	円	円	円
20		83,200	81,700	81,200	80,200	79,700	79,200	78,600	78,100	77,100	76,600	75,100
21- 30		55,900	54,900	54,600	53,900	53,500	53,200	52,900	52,500	51,900	51,500	50,500

（上表・前ページからの続き）

入所者数	16/100	13/100	12/100	10/100	9/100	8/100	7/100	6/100	4/100	3/100	左記以外
31- 40	42,300	41,500	41,200	40,700	40,500	40,200	40,000	39,700	39,200	39,000	38,200
41- 50	41,600	40,800	40,500	40,000	39,700	39,500	39,200	38,900	38,400	38,100	37,300
51- 60	35,700	35,000	34,800	34,300	34,100	33,800	33,600	33,400	32,900	32,700	32,000
61- 70	36,300	35,500	35,300	34,800	34,600	34,300	34,100	33,800	33,400	33,100	32,400
71- 80	31,900	31,300	31,100	30,700	30,500	30,200	30,000	29,800	29,400	29,200	28,500
81- 90	28,400	27,900	27,700	27,300	27,100	26,900	26,700	26,500	26,200	26,000	25,400
91-100	25,800	25,200	25,100	24,700	24,600	24,400	24,200	24,100	23,700	23,500	23,000
101-110	26,100	25,500	25,300	25,000	24,800	24,600	24,400	24,200	23,800	23,700	23,100
111-120	24,000	23,500	23,300	23,000	22,800	22,700	22,500	22,300	22,000	21,800	21,300
121-130	26,100	25,500	25,400	25,000	24,800	24,600	24,400	24,200	23,900	23,700	23,100
131-140	24,300	23,800	23,600	23,300	23,100	23,000	22,800	22,600	22,300	22,100	21,600
141-150	23,700	23,200	23,100	22,700	22,600	22,400	22,200	22,100	21,800	21,600	21,100

（注） 地域区分は、(1) 単独設置に同じ。

③ 共通職員 （併設設置）

入所者数	平成 20 年 6 月 以降 適 用										
	16/100	13/100	12/100	10/100	9/100	8/100	7/100	6/100	4/100	3/100	左記以外
人	円	円	円	円	円	円	円	円	円	円	円
10- 14	76,100	74,900	74,500	73,800	73,400	73,000	72,600	72,200	71,400	71,000	69,800
15- 19	51,100	50,300	50,100	49,500	49,300	49,000	48,800	48,500	48,000	47,700	46,900
20- 29	58,500	57,400	57,100	56,300	56,000	55,600	55,200	54,900	54,100	53,800	52,700
30	44,100	43,400	43,100	42,600	42,400	42,100	41,900	41,700	41,200	40,900	40,200
31- 40	33,300	32,800	32,600	32,300	32,100	31,900	31,700	31,500	31,200	31,000	30,400
41- 50	26,900	26,500	26,300	26,000	25,900	25,700	25,600	25,400	25,200	25,000	24,600
51- 60	22,700	22,300	22,200	22,000	21,900	21,700	21,600	21,500	21,200	21,100	20,800
61- 70	19,600	19,300	19,200	19,000	18,900	18,800	18,700	18,600	18,400	18,300	18,000
71- 80	17,300	17,100	17,000	16,800	16,700	16,600	16,500	16,400	16,200	16,100	15,900

入所者数	16/100	13/100	12/100	10/100	9/100	8/100	7/100	6/100	4/100	3/100	左記以外
81- 90	15,500	15,300	15,200	15,000	14,900	14,900	14,800	14,700	14,500	14,500	14,200
91-100	14,100	13,900	13,800	13,700	13,600	13,500	13,500	13,400	13,200	13,200	12,900
101-110	14,900	14,600	14,500	14,300	14,200	14,100	14,000	13,900	13,800	13,700	13,400
111-120	13,700	13,500	13,400	13,200	13,100	13,100	13,000	12,900	12,700	12,600	12,400
121-130	16,600	16,300	16,200	16,000	15,800	15,700	15,600	15,500	15,300	15,200	14,900
131-140	15,500	15,200	15,100	14,900	14,800	14,700	14,600	14,500	14,300	14,200	13,900
141-150	15,500	15,200	15,100	14,900	14,800	14,700	14,600	14,500	14,300	14,200	14,000

（注）　地域区分は、(1) 単独設置に同じ。

④　共通職員（生活相談員を1名置かない場合）（併設設置）

平成20年6月以降適用（単位：円）

入所者数	16/100	13/100	12/100	10/100	9/100	8/100	7/100	6/100	4/100	3/100	左記以外
10- 14	25,700	25,700	25,700	25,700	25,700	25,700	25,700	25,700	25,700	25,700	25,700
15- 19	17,600	17,600	17,600	17,600	17,600	17,600	17,600	17,600	17,600	17,600	17,600
20- 29	33,400	32,900	32,700	32,400	32,200	32,000	31,900	31,700	31,400	31,200	30,700
30	27,300	27,000	26,900	26,700	26,600	26,400	26,300	26,200	26,000	25,900	25,500
31- 40	20,700	20,500	20,400	20,200	20,100	20,100	20,000	19,900	19,700	19,600	19,400
41- 50	16,800	16,600	16,600	16,400	16,400	16,300	16,200	16,200	16,000	16,000	15,800
51- 60	14,200	14,100	14,000	13,900	13,900	13,800	13,700	13,700	13,600	13,500	13,300
61- 70	12,400	12,200	12,200	12,100	12,000	12,000	11,900	11,900	11,800	11,700	11,600
71- 80	11,000	10,900	10,900	10,800	10,700	10,700	10,600	10,600	10,500	10,500	10,400
81- 90	10,000	9,800	9,800	9,700	9,700	9,700	9,600	9,600	9,500	9,500	9,400
91-100	9,100	9,000	8,900	8,900	8,800	8,800	8,800	8,700	8,700	8,600	8,500
101-110	14,900	14,600	14,500	14,300	14,200	14,200	14,100	14,000	13,800	13,700	13,400
111-120	13,700	13,500	13,400	13,200	13,100	13,100	13,000	12,900	12,700	12,600	12,400
121-130	12,800	12,500	12,500	12,300	12,200	12,200	12,100	12,000	11,800	11,800	11,500

	16/100	13/100	12/100	10/100	9/100	8/100	7/100	6/100	4/100	3/100	左記以外
131-140	11,900	11,700	11,600	11,500	11,300	11,300	11,300	11,200	11,100	11,000	10,800
141-150	12,100	11,900	11,800	11,700	11,600	11,600	11,500	11,400	11,300	11,200	11,000

(注) 地域区分は、(1) 単独設置に同じ。

⑤ 一般入所者に対する介護職員（単独・併設共通）

一般 入所者数	平成 20 年 6 月 以 降 適 用										
人	16/100 円	13/100 円	12/100 円	10/100 円	9/100 円	8/100 円	7/100 円	6/100 円	4/100 円	3/100 円	左記以外 円
20	35,300	34,800	34,600	34,200	34,000	33,800	33,700	33,500	33,100	32,900	32,300
21- 30	23,100	22,800	22,600	22,400	22,300	22,100	22,000	21,900	21,600	21,500	21,100
31- 40	29,300	28,800	28,600	28,200	28,000	27,800	27,600	27,400	27,100	26,900	26,300
41- 50	23,400	23,000	22,800	22,500	22,400	22,200	22,100	21,900	21,600	21,500	21,000
51- 60	19,500	19,200	19,000	18,800	18,700	18,500	18,400	18,300	18,000	17,900	17,500
61- 70	16,700	16,400	16,300	16,100	16,000	15,800	15,700	15,600	15,400	15,300	15,000
71- 80	14,600	14,400	14,300	14,100	14,000	13,900	13,800	13,700	13,500	13,400	13,100
81- 90	18,300	17,900	17,800	17,500	17,400	17,300	17,200	17,000	16,800	16,700	16,300
91-100	16,500	16,100	16,000	15,800	15,700	15,600	15,500	15,300	15,100	15,000	14,700
101-110	15,000	14,700	14,600	14,300	14,200	14,100	14,000	13,900	13,700	13,600	13,300
111-120	13,700	13,400	13,300	13,100	13,000	12,900	12,800	12,700	12,600	12,500	12,200
121-130	12,700	12,400	12,300	12,200	12,100	12,000	11,900	11,800	11,700	11,600	11,300
131-140	11,700	11,500	11,400	11,300	11,200	11,100	11,000	10,900	10,800	10,700	10,500
141-150	11,000	10,800	10,700	10,500	10,500	10,400	10,300	10,200	10,100	10,000	9,800

(注) 地域区分は、(1) 単独設置に同じ。

⑥ 一般入所者に対する介護職員を1名置かなかった場合（単独・併設共通）

一般 入所者数	平成20年6月以降適用										
人	16／100	13／100	12／100	10／100	9／100	8／100	7／100	6／100	4／100	3／100	左記以外
	円	円	円	円	円	円	円	円	円	円	円
20	11,600	11,600	11,600	11,600	11,600	11,600	11,600	11,600	11,600	11,600	11,600
21- 30	7,200	7,200	7,200	7,200	7,200	7,200	7,200	7,200	7,200	7,200	7,200
31- 40	17,300	17,000	16,900	16,700	16,600	16,500	16,500	16,400	16,200	16,100	15,800
41- 50	13,800	13,600	13,500	13,400	13,300	13,200	13,200	13,100	12,900	12,900	12,600
51- 60	11,500	11,400	11,300	11,200	11,100	11,000	11,000	10,900	10,800	10,700	10,500
61- 70	9,900	9,700	9,700	9,600	9,500	9,500	9,400	9,400	9,200	9,200	9,000
71- 80	8,600	8,500	8,400	8,300	8,300	8,200	8,200	8,200	8,100	8,000	7,900
81- 90	13,000	12,800	12,700	12,500	12,400	12,300	12,300	12,200	12,000	11,900	11,700
91-100	11,700	11,500	11,400	11,200	11,200	11,100	11,000	10,900	10,800	10,700	10,500
101-110	10,600	10,400	10,300	10,200	10,100	10,000	10,000	9,900	9,800	9,700	9,500
111-120	9,700	9,600	9,500	9,400	9,300	9,200	9,200	9,100	9,000	8,900	8,700
121-130	8,900	8,800	8,700	8,600	8,500	8,500	8,400	8,400	8,200	8,200	8,000
131-140	8,300	8,200	8,100	8,000	8,000	7,900	7,800	7,800	7,700	7,600	7,500
141-150	7,700	7,600	7,500	7,400	7,400	7,300	7,300	7,200	7,100	7,100	6,900

(注) 地域区分は、(1) 単独設置に同じ。

2．各種加算額等

　一定の要件に該当する場合に次のものが加算される。

　ア　寒冷地加算　イ　ボイラー技士雇上費　ウ　事務用冬期採暖費　エ　入所者処遇特別加算　オ　単身赴任手当加算　カ　施設機能強化推進費　キ　民間施設給与等改善費　ク　降灰除去費　ケ　除雪費

■**生活費**（利用者1人当たり月額）

地　　域	1人当たりの額	地区別冬期加算額（11月から3月まで）					
		Ⅰ　区	Ⅱ　区	Ⅲ　区	Ⅳ　区	Ⅴ　区	Ⅵ　区
	円	円	円	円	円	円	円
甲　　地	44,810	8,810	6,630	5,180	4,040	2,590	2,070
乙　　地	42,490	7,880	5,800	4,660	3,830	2,180	1,880

（注）1．「地域」の欄における甲地とは「生活保護法による保護の基準（昭和38年4月1日厚生省告示第158号）」により「1級地―1及び1級地―2」又は「2級地―1及び2級地―2」に指定された市町村を，乙地とは「3級地―1及び3級地―2」に指定された市町村をそれぞれいうものである。
　　　2．「地区別冬期加算」の欄における地区別は上記保護基準の別表1の区分による。

■**居住に要する費用**（月額）

　居住に要する費用の設定及び支払い方式

1．居住に要する費用については，次に定めるところによる一括支払い方式，分割支払い方式，併用支払い方式のうち，入所者本人の意向に十分に配慮しつつ，原則として分割支払い方式をとるように努めるものとする。

　①　一括支払い方式

　　　一括支払い方式とは，施設の建設年次の施設整備費（土地取得費を除く。）から，国庫補助額，都道府県補助額，民間施設給与等改善費の管理費加算等のうち借入金返還予定額，都道府県等の借入金返還助成額等公的補助額を差し引いた設置者負担額の範囲内の額を定員又は入所者数に応じて配分した額（以下「居住費基礎額」という。）を基礎とし，一括納入する方式である。

　②　分割支払い方式

　　　分割支払い方式とは，居住費基礎額に一定の期間の月数（20年を標準とする。）の利息を加えた額を当該月数で除して得た額を定期的に納入する方式である。

　③　併用支払い方式

　　　併用支払い方式とは，居住費基礎額のうち，一定額を一括納入させるとともに，残余の額に一定の期間の月数（20年を標準とする。）の利息を加えた額を当該月数で除して得た数を定期的に納入する方式である。

■**本人からの費用徴収額**（月額）

	対象収入による階層区分	費用徴収額（月額）
1	1,500,000 円以下	10,000 円
2	1,500,001 円～1,600,000 円	13,000
3	1,600,001 円～1,700,000 円	16,000
4	1,700,001 円～1,800,000 円	19,000

5	1,800,001 円～1,900,000 円	22,000
6	1,900,001 円～2,000,000 円	25,000
7	2,000,001 円～2,100,000 円	30,000
8	2,100,001 円～2,200,000 円	35,000
9	2,200,001 円～2,300,000 円	40,000
10	2,300,001 円～2,400,000 円	45,000
11	2,400,001 円～2,500,000 円	50,000
12	2,500,001 円～2,600,000 円	57,000
13	2,600,001 円～2,700,000 円	64,000
14	2,700,001 円～2,800,000 円	71,000
15	2,800,001 円～2,900,000 円	78,000
16	2,900,001 円～3,000,000 円	85,000
17	3,000,001 円～3,100,000 円	92,000
18	3,100,001 円以上	全　　額

(注) 1．この表における「対象収入」とは前年の収入（社会通念上収入として認定することが適当でないものを除く。）から，租税，社会保険料，医療費，当該施設における特定施設入居者生活介護の利用者負担分等の必要経費を控除した後の収入をいう。

2．対象収入及び必要経費については，「老人保護措置費の費用徴収基準の取扱いについて」（平成18年1月24日老発第0124004号）の「1「対象収入」について」の取扱いによるほか，「老人保護措置費の費用徴収基準の取扱い細則について」（平成18年1月24日老計発第0124001号）の第2の1の(1)「「前年」の対象収入の取扱い」，(3)「収入として認定するものの取扱い」，(4)「必要経費の取扱い」に準じ取扱うこと。

3．本人からの費用徴収額（月額）は上表により求めた額とする。
　　ただし，その額が当該施設におけるサービスの提供に要する費用を超えるときは，当該施設のサービスの提供に要する費用を本人からの費用徴収額（月額）とする。

4．夫婦で入居する場合については，夫婦の収入及び必要経費を合算し，合計額の2分の1をそれぞれ個々の対象収入とし，その額が150万円以下に該当する場合の夫婦のそれぞれの費用徴収額については，上記表の額から30％減額した額を本人からの費用徴収額（月額）とする。この場合，100円未満の端数は切り捨てとする。

5．利用料の負担が困難な状況である者については，必要に応じて生活保護担当部局と連携し，生活保護の申請手続等の援助等を行うこと。

ウ 軽費老人ホーム（A型）基本利用料

■サービスの提供に要する費用（サービスの提供に要する基本額＋各種加算額等）

1. サービスの提供に要する基本額（1人当たり月額）

(1) 単独設置

入所者数	平成 20 年 6 月 以降 適用										
人	16／100 円	13／100 円	12／100 円	10／100 円	9／100 円	8／100 円	7／100 円	6／100 円	4／100 円	3／100 円	左記以外 円
50	122,400	119,900	119,100	117,400	116,500	115,700	114,800	114,000	112,300	111,400	108,900
51- 60	103,200	101,000	100,300	98,900	98,200	97,500	96,800	96,000	94,600	93,900	91,800
61- 70	88,600	86,800	86,200	85,000	84,400	83,700	83,100	82,500	81,300	80,700	78,900
71- 80	77,700	76,100	75,600	74,500	74,000	73,500	72,900	72,400	71,300	70,800	69,200
81- 90	74,700	73,200	72,700	71,600	71,100	70,600	70,100	69,600	68,500	68,000	66,500
91-100	67,400	66,000	65,500	64,600	64,100	63,700	63,200	62,700	61,800	61,300	60,000
101-110	66,400	65,000	64,500	63,600	63,200	62,700	62,200	61,800	60,900	60,400	59,000
111-120	65,200	63,700	63,300	62,300	61,800	61,400	60,900	60,400	59,500	59,000	57,600
121-130	64,000	62,600	62,200	61,200	60,800	60,300	59,800	59,400	58,400	58,000	56,600
131-140	63,000	61,600	61,100	60,200	59,700	59,300	58,800	58,400	57,400	57,000	55,600
141-150	64,500	63,100	62,600	61,700	61,200	60,800	60,300	59,800	58,900	58,400	57,000
151-160	61,100	59,700	59,300	58,400	57,900	57,500	57,000	56,600	55,700	55,200	53,900
161-170	60,500	59,200	58,700	57,800	57,400	57,000	56,500	56,100	55,200	54,700	53,400
171-180	59,900	58,600	58,200	57,300	56,800	56,400	55,900	55,500	54,600	54,200	52,900
181-190	59,500	58,100	57,700	56,800	56,400	56,000	55,500	55,100	54,200	53,800	52,500
191-200	56,600	55,400	54,900	54,100	53,700	53,300	52,900	52,500	51,600	51,200	50,000
201-210	56,900	55,700	55,300	54,400	54,000	53,600	53,200	52,800	51,900	51,500	50,300

（注）地域区分は、イ 1. (1) 軽費老人ホーム基本利用料（単独設置）に同じ。

(2) 併設設置

入所者数	平成 20 年 6 月 以 降 適 用										
人	16／100	13／100	12／100	10／100	9／100	8／100	7／100	6／100	4／100	3／100	左記以外
	円	円	円	円	円	円	円	円	円	円	円
50	88,100	86,200	85,600	84,400	83,800	83,200	82,600	81,900	80,700	80,100	78,300
51- 60	74,300	72,800	72,200	71,200	70,700	70,200	69,700	69,100	68,100	67,600	66,000
61- 70	63,800	62,500	62,000	61,200	60,700	60,300	59,800	59,400	58,500	58,100	56,700
71- 80	56,100	54,900	54,500	53,700	53,400	53,000	52,600	52,200	51,400	51,000	49,900
81- 90	59,500	58,300	57,800	57,000	56,600	56,200	55,700	55,300	54,500	54,100	52,800
91-100	53,600	52,500	52,100	51,400	51,000	50,600	50,300	49,900	49,100	48,800	47,600
101-110	53,800	52,700	52,300	51,600	51,200	50,800	50,400	50,000	49,300	48,900	47,800
111-120	52,500	51,400	51,300	50,300	49,900	49,500	49,200	48,800	48,100	47,700	46,600

(注)　地域区分は、イ1．(1) 軽費老人ホーム基本利用料（単独設置）に同じ。

(3) 特定施設入居者生活介護の指定を受けた場合
① 共通職員

入所者数	平成 20 年 6 月 以 降 適 用										
人	16／100	13／100	12／100	10／100	9／100	8／100	7／100	6／100	4／100	3／100	左記以外
	円	円	円	円	円	円	円	円	円	円	円
50	55,800	54,600	54,300	53,500	53,100	52,700	52,300	51,900	51,100	50,700	49,600
51- 60	47,400	46,400	46,100	45,500	45,100	44,800	44,500	44,100	43,500	43,100	42,100
61- 70	40,900	40,000	39,800	39,200	38,900	38,600	38,300	38,100	37,500	37,200	36,400
71- 80	35,900	35,200	34,900	34,400	34,200	33,900	33,700	33,400	32,900	32,700	31,900
81- 90	32,000	31,300	31,100	30,600	30,400	30,200	30,000	29,800	29,300	29,100	28,400
91-100	28,900	28,400	28,200	27,800	27,600	27,400	27,200	27,000	26,600	26,400	25,800
101-110	26,900	26,300	26,100	25,800	25,600	25,400	25,200	25,000	24,700	24,500	23,900
111-120 ・	28,900	28,300	28,000	27,600	27,400	27,200	26,900	26,700	26,300	26,100	25,400

121-130	23,500	24,200	24,400	24,800	25,000	25,200	25,400	25,600	26,000	26,200	26,800
131-140	21,800	22,400	22,600	23,000	23,200	23,400	23,500	23,700	24,100	24,300	24,900
141-150	22,600	23,200	23,400	23,800	24,000	24,200	24,300	24,500	24,900	25,100	25,700
151-160	21,600	22,200	22,400	22,800	22,900	23,100	23,300	23,500	23,900	24,100	24,600
161-170	20,400	20,900	21,100	21,500	21,600	21,800	22,000	22,200	22,500	22,700	23,200
171-180	19,300	19,800	20,000	20,300	20,500	20,600	20,800	21,000	21,300	21,500	22,000
181-190	18,400	18,900	19,000	19,300	19,500	19,600	19,800	20,000	20,300	20,400	20,900
191-200	17,500	17,900	18,100	18,400	18,500	18,700	18,800	19,000	19,300	19,400	19,900
201-210	17,400	17,800	18,000	18,300	18,400	18,500	18,700	18,800	19,100	19,300	19,700

(注) 地域区分は、イ1.⑴ 軽費老人ホーム基本利用料（単独設置）に同じ。

② 一般入所者に対する介護職員等

一般入所者数	平成 20 年 6 月 以 降 適 用										
人	16/100	13/100	12/100	10/100	9/100	8/100	7/100	6/100	4/100	3/100	左記以外
	円	円	円	円	円	円	円	円	円	円	円
20	42,400	41,900	41,700	41,300	41,100	40,900	40,700	40,600	40,200	40,000	39,400
21- 30	44,900	44,200	43,900	43,400	43,200	42,900	42,700	42,400	41,900	41,700	40,900
31- 40	46,100	45,300	45,000	44,400	44,200	43,900	43,600	43,300	42,700	42,500	41,600
41- 50	47,000	46,100	45,800	45,200	44,900	44,600	44,300	44,000	43,400	43,100	42,200
51- 60	39,100	38,400	38,100	37,600	37,400	37,100	36,900	36,600	36,100	35,900	35,100
61- 70	33,600	32,900	32,700	32,300	32,100	31,800	31,600	31,400	31,000	30,800	30,100
71- 80	29,400	28,800	28,600	28,300	28,100	27,900	27,700	27,500	27,100	27,000	26,400
81- 90	31,600	31,000	30,800	30,400	30,200	29,900	29,700	29,500	29,100	28,900	28,300
91-100	28,400	27,900	27,700	27,300	27,100	26,900	26,700	26,600	26,200	26,000	25,400
101-110	30,400	29,800	29,600	29,200	29,000	28,800	28,600	28,400	28,000	27,800	27,200
111-120	27,900	27,300	27,100	26,700	26,500	26,400	26,200	26,000	25,600	25,400	24,900
121-130	29,500	28,900	28,700	28,300	28,100	27,900	27,700	27,500	27,100	26,900	26,300

131–140	30,900	30,300	30,000	29,600	29,400	29,200	29,000	28,700	28,300	28,100	27,500
141–150	32,200	31,500	31,300	30,800	30,600	30,400	30,100	29,900	29,500	29,200	28,600
151–160	30,200	29,500	29,300	28,900	28,700	28,500	28,300	28,100	27,600	27,400	26,800
161–170	31,400	30,700	30,500	30,000	29,800	29,600	29,400	29,200	28,700	28,500	27,800
171–180	32,400	31,700	31,400	31,000	30,700	30,500	30,300	30,000	29,600	29,400	28,700
181–190	33,300	32,600	32,400	31,900	31,600	31,400	31,200	30,900	30,500	30,200	29,500
191–200	31,600	31,000	30,700	30,300	30,100	29,800	29,600	29,400	28,900	28,700	28,000
201–210	32,500	31,800	31,500	31,100	30,800	30,600	30,400	30,100	31,000	30,800	30,100

(注) 1.　地域区分は、イ1.（1）軽費老人ホーム基本利用料（単独設置）に同じ。

2.　前記単価のうち、特定施設入居者生活介護対象の入所者については、①の「共通職員単価」によるものを、また、それ以外の一般入所者については、「共通職員単価」に②の「一般入所者に対する介護職員等単価」を加えたものを、サービスに要する費用の基本額（月額）とする。

2.　各種加算額等

イ　軽費老人ホーム基本利用料2.に同じ。

■**生活費**（利用者1人当たり月額）

地　　　域	1人当たりの額	地区別冬期加算額（11月から3月まで）					
		Ⅰ　区	Ⅱ　区	Ⅲ　区	Ⅳ　区	Ⅴ　区	Ⅵ　区
	円	円	円	円	円	円	円
甲　　地	52,780	8,810	6,630	5,180	4,040	2,590	2,070
乙　　地	50,210	7,880	5,800	4,660	3,830	2,180	1,880

(注)1.「地域」の欄における甲地とは「生活保護法による保護の基準（昭和38年4月1日厚生省告示第158号)」により「1級地―1及び1級地―2」又は「2級地―1及び2級地―2」に指定された市町村を，乙地とは「3級地―1及び3級地―2」に指定された市町村をそれぞれいうものである。

2.「地区別冬期加算」の欄における地区別は上記保護基準の別表1の区分による。

■**本人からの費用徴収額**（月額）

（平成3年7月1日以降の入所者から適用）

	対象収入による階層区分	費用徴収額（月額）
1	1,500,000円以下	10,000円
2	1,500,001円～1,600,000円	13,000
3	1,600,001円～1,700,000円	16,000
4	1,700,001円～1,800,000円	19,000
5	1,800,001円～1,900,000円	22,000
6	1,900,001円～2,000,000円	25,000
7	2,000,001円～2,100,000円	30,000
8	2,100,001円～2,200,000円	35,000
9	2,200,001円～2,300,000円	40,000
10	2,300,001円～2,400,000円	45,000
11	2,400,001円～2,500,000円	50,000
12	2,500,001円～2,600,000円	57,000
13	2,600,001円～2,700,000円	64,000
14	2,700,001円～2,800,000円	71,000
15	2,800,001円～2,900,000円	78,000
16	2,900,001円～3,000,000円	85,000
17	3,000,001円～3,100,000円	93,000
18	3,100,001円～3,200,000円	101,000
19	3,200,001円～3,300,000円	109,000
20	3,300,001円～3,400,000円	117,000
21	3,400,001円以上	全　　額

(注)1.この表における「対象収入」とは前年の収入（社会通念上収入として認定することが適当でないものを除く。）から，租税，社会保険料，医療費，当該施設における特定施設入居者生活介護の利用者負担分等の必要経費を控除した後の収入をいう。

2.対象収入及び必要経費については，「老人保護措置費の費用徴収基準の取扱いについて」（平成18年1月24日老発第0124004号）の「対象収入について」の取扱いによるほか，「老人保護措置費の費用徴収基準の取扱い細則について」（平成18年1月24日老計

発第 0124001 号）の第 2 の 1 の(1)「前年の対象収入の取扱い」，(3)「収入として認定するものの取扱い」，(4)「必要経費の取扱い」に準じ取扱うこと。

3．本人からの費用徴収額（月額）は上表により求めた額とする。

　ただし，その額が当該施設におけるサービスの提供に要する費用を超えるときは，当該施設のサービスの提供に要する費用を本人からの費用徴収額（月額）とする。

4．夫婦で入居する場合については，夫婦の収入及び必要経費を合算し，合計額の 2 分の 1 をそれぞれ個々の対象収入とし，その額が 150 万円以下に該当する場合の夫婦のそれぞれの費用徴収額については，上記表の額から 30 ％減額した額を本人からの費用徴収額（月額）とする。この場合，100 円未満の端数は切り捨てとする。

5．利用料の負担が困難な状況である者については，必要に応じて生活保護担当部局と連携し，生活保護の申請手続等の援助等を行うこと。

（平成 3 年 6 月 30 日以前から入所している者についての徴収額）

階　層　区　分			費用徴収額（月額）
A	非課税所得税者	市町村民税の非課税者	10,000　円
B		〃　均等割のみの納税者	15,000
C_1		〃　所得割課税者	20,000
C_2	所得税課税者	所得税 7,300 円以下	25,000
C_3		〃　　7,301～14,900 円	30,000
C_4		〃　14,901～22,200 円	35,000
C_5		〃　22,201～29,700 円	40,000
C_6		〃　29,701～37,200 円	45,000
C_7		〃　37,201～44,600 円	50,000
C_8		〃　44,601～52,200 円	55,000
C_9		〃　52,201～59,800 円	60,000
C_10		〃　59,801 円以上	全　額

2　児童福祉施設

児童入所施設徴収金基準額表（令和元年7月1日から）

各月初日の措置児童等の属する世帯の階層区分		入　所　施　設	母子生活支援施設 児童自立支援施設通所部 児童心理治療施設通所部 自立援助ホーム
階層 区分	定　　　　　　　　　義	徴 収 金 基 準 額 （月　　　　　　額）	徴 収 金 基 準 額 （月　　　　　　額）
A	生活保護法による被保護世帯（単給世帯含む）及び中国残留邦人等の円滑な帰国の促進並びに永住帰国した中国残留邦人等及び特定配偶者の自立の支援に関する法律による支援給付受給世帯	0 円	0 円
B	A階層を除き当該年度分の市町村民税非課税世帯	2,200 円	1,100 円
C	A階層を除き当該年度分の市町村民税の課税世帯であって，その市町村民税の額が均等割の額のみの世帯（所得割の額のない世帯）	4,500 円	2,200 円
D1	A階層及びC階層を除き当該年度分の市町村民税の課税世帯であって，その市町村民税所得割の額の区分が次の区分に該当する世帯 — 9,000 円以下	6,600 円	3,300 円
D2	9,001 円から 27,000 円まで	9,000 円	4,500 円
D3	27,001 円から 57,000 円まで	13,500 円	6,700 円
D4	57,001 円から 93,000 円まで	18,700 円	9,300 円
D5	93,001 円から 177,300 円まで	29,000 円	14,500 円
D6	177,301 円から 258,100 円まで	その月のその措置児童等にかかる措置費等の支弁額（全額徴収。ただし，その額が 41,200 円を超えるときは 41,200 円とする。）	20,600 円
D7	258,101 円から 348,100 円まで	その月のその措置児童等にかかる措置費等の支弁額（全額徴収。ただし，その額が 54,200 円を超えるときは 54,200 円とする。）	その月のその入所世帯にかかる措置費等の支弁額（全額徴収。ただし，その額が 27,100 円を超えるときは 27,100 円とする。）

各月初日の措置児童等の属する世帯の階層区分			入　所　施　設	母子生活支援施設 児童自立支援施設通所部 児童心理治療施設通所部 自立援助ホーム
D 8		348,101 円から 456,100 円まで	その月のその措置児童等にかかる措置費等の支弁額（全額徴収。ただし，その額が 68,700 円を超えるときは 68,700 円とする。）	その月のその入所世帯にかかる措置費等の支弁額（全額徴収。ただし，その額が 34,300 円を超えるときは 34,300 円とする。）
D 9		456,101 円から 583,200 円まで	その月のその措置児童等にかかる措置費等の支弁額（全額徴収。ただし，その額が 85,000 円を超えるときは 85,000 円とする。）	その月のその入所世帯にかかる措置費等の支弁額（全額徴収。ただし，その額が 42,500 円を超えるときは 42,500 円とする。）
D 10		583,201 円から 704,000 円まで	その月のその措置児童等にかかる措置費等の支弁額（全額徴収。ただし，その額が 102,900 円を超えるときは 102,900 円とする。）	その月のその入所世帯にかかる措置費等の支弁額（全額徴収。ただし，その額が 51,400 円を超えるときは 51,400 円とする。）
D 11		704,001 円から 852,000 円まで	その月のその措置児童等にかかる措置費等の支弁額（全額徴収。ただし，その額が 122,500 円を超えるときは 122,500 円とする。）	その月のその入所世帯にかかる措置費等の支弁額（全額徴収。ただし，その額が 61,200 円を超えるときは 61,200 円とする。）
D 12		852,001 円から 1,044,000 円まで	その月のその措置児童等にかかる措置費等の支弁額（全額徴収。ただし，その額が 143,800 円を超えるときは 143,800 円とする。）	その月のその入所世帯にかかる措置費等の支弁額（全額徴収。ただし，その額が 71,900 円を超えるときは 71,900 円とする。）
D 13		1,044,001 円から 1,225,500 円まで	その月のその措置児童等にかかる措置費等の支弁額（全額徴収。ただし，その額が 166,600 円を超えるときは 166,600 円とする。）	その月のその入所世帯にかかる措置費等の支弁額（全額徴収。ただし，その額が 83,300 円を超えるときは 83,300 円とする。）
D 14		1,225,501 円から 1,426,500 円まで	その月のその措置児童等にかかる措置費等の支弁額（全額徴収。ただし，その額が 191,200 円を超えるときは 191,200 円とする。）	その月のその入所世帯にかかる措置費等の支弁額（全額徴収。ただし，その額が 95,600 円を超えるときは 95,600 円とする。）
D 15		1,426,501 円以上	全額徴収	全額徴収
備 考	1　この表のC階層における「均等割の額」とは，地方税法第 292 条第 1 項第 1 号に規定する均等割の額をいい，D1〜D15 階層における「所得割の額」とは，同項第 2 号に規定する所得割（この所得割を計算する場合には，同法第 314 条の 7，第 314 条の 8，同法附則第 5 条第 3 項，附則第 5 条の 4 第 6 項及び附則第 5 条の 4 の 2 第 6 項の規定は適用しないものとする。）の額をいう。			

　　なお，同法第 323 条に規定する市町村民税の減免があった場合には，その額を所得割の額又は均等割の額から順次控除して得た額を所得割の額又は均等割の額とする。

2　階層区分の認定について，「控除廃止の影響を受ける費用徴収制度等（厚生労働省雇用均等・児童家庭局所管の制度に限る。）に係る取扱いについて」の規定によって再計算しない取扱いを原則とする。

　　ただし，令和元年 6 月 30 日から引き続き施設を利用する児童が属する世帯については，それまでに判定された階層区分から不利益な変更が生じることがないよう，都道府県等の判断により，「控除廃止の影響を受ける費用徴収制度等（厚生労働省雇用均等・児童家庭局所管の制度に限る。）に係る取扱いについて」の規定による調整方法を行うことにより経過措置を講じることも可能とする。

3　所得割の額を算定する場合には，措置児童等及びその措置児童等の属する世帯の扶養義務者が指定都市の区域内に住所を有する者であるときは，これらの者を指定都市以外の市町村の区域内に住所を有する者とみなして，所得割の額を算定するものとする。

4　この表の「入所施設」とは，児童養護施設，児童自立支援施設，児童心理治療施設，乳児院，助産施設，ファミリーホーム及び里親をいう。

5　児童の属する世帯の階層が B 階層と認定された世帯であっても，次に掲げる世帯である場合には，上表の規定にかかわらず，当該階層の徴収金基準額は 0 円とする。
(1)　「単身世帯」………扶養義務者のいない世帯（自立援助ホームの入所児童は単身世帯とみなす。）
(2)　「母子世帯等」……母子及び父子並びに寡婦福祉法，第 6 条第 1 項に規定する「配偶者のない女子」及び同条第 2 項に規定する「配偶者のない男子」であって，民法第 877 条に基づき現に児童を扶養しているものの世帯。
(3)　「在宅障害児（者）（社会福祉施設に措置された児童（者），児童福祉法第 24 条の 2 により障害児入所施設を利用する児童，第 6 条の自立支援給付の受給者（障害者総合支援法第 5 条第 6 項，第 7 項，第 12 項，第 13 項及び第 14 項のサービスに限る。）又は障害者総合支援法附則第 22 条の特定旧法受給者を除く。）のいる世帯」…次に掲げる児（者）を有する世帯をいう。
　ア　身体障害者福祉法第 15 条に定める身体障害者手帳の交付を受けた者。
　イ　療育手帳制度要綱に定める療育手帳の交付を受けた者。
　ウ　特別児童扶養手当等の支給に関する法律に定める特別児童扶養手当の支給対象児，国民年金法に定める国民年金の障害基礎年金手当等の受給者。
　エ　精神保健及び精神障害者福祉に関する法律第 45 条に定める精神障害者保健福祉手帳の交付を受けた者。
(4)　「その他の世帯」…保護者の申請に基づき，生活保護法に定める要保護者等特に困窮していると法第 56 条の規定による都道府県又は市町村の長が認めた世帯。

6　同一世帯から 2 人以上の児童等が入所している場合においては，その月の徴収金基準額の最も多額な児童等以外の児童等については，その施設のこの表の基準額に 0.1 を乗じた額をもってその児童等の基準額とする。

　　ただし，措置児童等の属する世帯の扶養義務者が，法第 21 条の 5 の 2 の障害児通所給付費又は第 24 条の 2 の障害児入所給付費を支給されている場合，当該措置児童等の世帯に係る徴収金基準額については，「児童入所施設に係る徴収金基準額＋児童入所施設に係る徴収金基準額× 0.1 ×（当該世帯における施設入所児童の人数－ 1）」を当該世帯に係る上限（当該世帯における施設入所児童のうち，徴収金基準額が全額徴収又は日割りであること若しくは児童自立支援施設通所部，児童心理治

備	療施設通所部の徴収金基準額である場合は，当該世帯における施設入所児童の徴収金基準額の合算額を当該世帯の上限額とする。なお，法第21条の5の2の障害児通所給付費又は第24条の2の障害児入所給付費を支給されている児童等に係る徴収金基準額は，「障害児入所給付費等国庫負担金及び障害児入所医療費等国庫負担金について（平成19年12月18日厚生労働省発障第1218002号厚生労働事務次官通知）」等の徴収金基準額とする。）とし，その額がその月の利用者負担額（法第24条の7に規定する食事の提供に要した費用及び居住に要した費用並びに法第21条の5の28に規定する肢体不自由児通所医療又は第24条の20に規定する障害児入所医療に係る利用者負担を含む利用者負担の上限額（実際に利用者負担として支払った額が上限額を下回る場合は当該支払った額とする。）をいう。以下同じ。）を上回る場合は，その額と障害児施設の利用者負担額との差額を児童入所施設に係る徴収金基準額とし，障害児施設の利用者負担額が当該世帯の上限額を上回る場合は，児童入所施設に係る徴収金基準額は0円とする。
考	7　里親又はファミリーホームに委託されている児童及び児童養護施設又は母子生活支援施設に入所している児童が，児童自立支援施設又は児童心理治療施設へ通所する場合の通所に係る徴収金基準額は0円とする。 8　助産施設における助産の実施については次のとおりである。 ⑴　法第22条に規定する助産の実施は，その妊産婦が次のいずれかに該当するときは行わないものとする。 　ア　その妊産婦の属する世帯の階層区分がD階層であるとき。ただし，真にやむを得ない特別の理由があるときはD階層のうち市町村民税所得割の額が19,000円までの場合であっても差し支えない。 　イ　その妊産婦の属する世帯の階層区分がA階層及びB階層である場合を除いて，が，408,000円以上であるとき。 ⑵　入所妊産婦に係るこの表の適用については，その出産一時金の額にB階層にあっては，20％，C階層にあっては，30％，D階層のうち市町村民税所得割の額が19,000円までの場合にあっては50％をそれぞれ乗じて得た額をこの表の徴収金基準額に加えるものとする。 　なお，この表の徴収金基準額は，その入所した日から退所した日までの期間に係る基準額とみなす。

3　障害児入所施設

障害児施設徴収金基準額表

■扶養義務者用（令和元年 10 月 1 日以降適用）

各月初日の措置児童等の属する世帯の階層区分			入　所　施　設
階層区分	定　　　　　　　　　　義		徴 収 金 基 準 額 （月　　　　　額）
A	生活保護法（昭和 25 年法律第 144 号）による被保護世帯（単給世帯を含む）及び中国残留邦人等の円滑な帰国の促進並びに永住帰国した中国残留邦人及び特定配偶者の自立の支援に関する法律（平成 6 年法律第 30 号）による支援給付受給世帯		0 円
B	A 階層を除き当該年度分の市町村民税非課税世帯		2,200 円
C	A 階層を除き当該年度分の市町村民税の課税世帯であって，その市町村民税の額が均等割の額のみの世帯（所得割の額のない世帯）		4,500 円
D 1	A 階層及び C 階層を除き当該年度分の市町村民税の課税世帯であって，その市町村民税所得割の額の区分が次の区分に該当する世帯	1 円から 　　12,000 円まで	6,600 円
D 2		12,001 円から 　　30,000 円まで	9,000 円
D 3		30,001 円から 　　60,000 円まで	13,500 円
D 4		60,001 円から 　　96,000 円まで	18,700 円
D 5		96,001 円から 　　189,000 円まで	29,000 円
D 6		189,001 円から 　　277,000 円まで	その月のその措置児童等にかかる措置費の支弁額（治療に要する費用を含む。以下同じ。）（全額徴収。ただし，その額が 41,200 円を超えるときは 41,200 円とする。）
D 7		277,001 円から 　　348,000 円まで	その月のその措置児童等にかかる措置費の支弁額（全額徴収。ただし，その額が 54,200 円を超えるときは 54,200 円とする。）
D 8		348,001 円から 　　465,000 円まで	その月のその措置児童等にかかる措置費の支弁額（全額徴収。ただし，その額が 68,700 円を超えるときは 68,700 円とする。）

各月初日の措置児童等の属する世帯の階層区分			入　所　施　設
D 9		465,001 円から 594,000 円まで	その月のその措置児童等にかかる措置費の支弁額（全額徴収。ただし，その額が 85,000 円を超えるときは 85,000 円とする。）
D 10		594,001 円から 716,000 円まで	その月のその措置児童等にかかる措置費の支弁額（全額徴収。ただし，その額が 102,900 円を超えるときは 102,900 円とする。）
D 11		716,001 円から 864,000 円まで	その月のその措置児童等にかかる措置費の支弁額（全額徴収。ただし，その額が 122,500 円を超えるときは 122,500 円とする。）
D 12		864,001 円から 1,056,000 円まで	その月のその措置児童等にかかる措置費の支弁額（全額徴収。ただし，その額が 143,800 円を超えるときは 143,800 円とする。）
D 13		1,056,001 円から 1,238,000 円まで	その月のその措置児童等にかかる措置費の支弁額（全額徴収。ただし，その額が 166,600 円を超えるときは 166,600 円とする。）
D 14		1,238,001 円から 1,439,000 円まで	その月のその措置児童等にかかる措置費の支弁額（全額徴収。ただし，その額が 191,200 円を超えるときは 191,200 円とする。）
D 15		1,439,001 円以上	全　額　徴　収
備 考	1　この表のＣ階層における「均等割の額」とは，地方税法（昭和 25 年法律第 226 号）第 292 条第 1 項第 1 号に規定する均等割の額をいい，同階層及びＤ 1 〜Ｄ 15 階層における「所得割の額」とは，同項第 2 号に規定する所得割の額をいう。 　なお，同法第 323 条に規定する市町村民税の減免があった場合には，その額を所得割の額又は均等割の額から順次控除して得た額を所得割の額又は均等割の額とする。 2　所得割の額の算定方法は，地方税法に定めるところによるほか，次に定めるところによること。 ⑴　地方税法第 314 条の 7，第 314 条の 8，同法附則第 5 条第 3 項，附則第 5 条の 4 第 6 項及び附則第 5 条の 4 の 2 第 5 項の規定は適用しないものとする。 ⑵　地方税法等の一部を改正する法律（平成 22 年法律第 4 号）第 1 条の規定による改正前の地方税法第 292 条第 1 項第 8 号に規定する扶養親族（16 歳未満の者に限る。以下「扶養親族」という。）及び同法第 314 条の 2 第 1 項第 11 号に規定する特定扶養親族（19 歳未満の者に限る。以下「特定扶養親族」という。）があるときは，同号に規定する額（扶養親族に係るもの及び特定扶養親族に係るもの（扶養親族に係る額に相当するものを除く。）に限る。）に同法第 314 条の 3 第 1 項に規定する所得割の税率を乗じて得た額を控除するものとする。 ⑶　当該扶養義務者が指定都市（地方自治法（昭和 22 年法律第 67 号）第 252 条の 19 第 1 項の指定都市をいう。以下同じ。）の区域内に住所を有する者であるときは，これらの者を指定都市以外の市町村の区域内に住所を有する者とみなして，所得割の額を算定するものとする。 ⑷　地方税法第 292 条第 1 項第 11 号イ中「夫と死別し，若しくは夫と離婚した後婚姻をしていない者又は夫の生死の明らかでない者で政令で定めるもの」とあるのを「婚姻によらないで母となつた女子であつて，現に婚姻をしていないもの」と読み替えた場合において同号イに該当する者又は同法第 292 条第 1 項第 12 号中「妻と死別し，若しくは妻と離婚した後婚姻をしていない者又は妻の生死の明らかでない者で政令で定めるもの」とあるのを「婚姻によらないで父となつた男子

であつて，現に婚姻をしていないもの」と読み替えた場合において同号に該当する者であるときは，次のア又はイに定めるとおりとする。

　ア　同法第295条第1項（第2号の規定に係る部分に限る。）の規定により市町村民税が課されないこととなる者である場合は，所得割の額は零とする。

　イ　アに該当しない者である場合は，同法第314条の2第1項第8号に規定する額（同条第3項に該当する者であるときは，同項に規定する額）に同法第314条の3第1項に規定する率を乗じて得た額を控除するものとする。

3　この表の「入所施設」とは，障害児入所施設及び指定発達支援医療機関（入所に限る。）をいう。

4　措置児童等の属する世帯の階層がB階層と認定された世帯であっても，次に掲げる世帯である場合には，上表の規定にかかわらず，当該階層の徴収金基準額は0円とする。

① 「単身世帯」………扶養義務者のいない世帯

② 「母子世帯等」………母子及び父子並びに寡婦福祉法（昭和39年法律第129号）第6条第1項に規定する「配偶者のない女子」及び同条第2項に規定する「配偶者のない男子」であって，民法（明治29年法律第89号）第877条の規定に基づき現に児童を扶養しているものの世帯

③ 「在宅障害児（者）（社会福祉施設に措置された児童（者），法第24条の2により入所施設を利用する児童，障害者の日常生活及び社会生活を総合的に支援するための法律（平成17年法律第123号）（以下「障害者総合支援法」という。）第6条の自立支援給付の受給者（障害者総合支援法第5条第6項，第7項，第12項，第13項及び第14項のサービスに限る。）又は障害者総合支援法附則第22条の特定旧法受給者を除く。）のいる世帯」…次に掲げる児（者）を有する世帯をいう。

　ア　身体障害者福祉法（昭和24年法律第283号）第15条に定める身体障害者手帳の交付を受けた者。

　イ　療育手帳制度要綱（昭和48年9月27日厚生省発児第156号）に定める療育手帳の交付を受けた者。

　ウ　特別児童扶養手当等の支給に関する法律（昭和39年法律第134号）に定める特別児童扶養手当の支給対象児，国民年金法（昭和34年法律第141号）に定める国民年金の障害基礎年金手当等の受給者。

　エ　精神保健及び精神障害者福祉に関する法律（昭和25年法律第123号）第45条に定める精神障害者保健福祉手帳の交付を受けた者。

④ 「その他の世帯」………保護者の申請に基づき，生活保護法に定める要保護者等特に困窮していると法第56条の規定による都道府県又は市町村の長が認めた世帯。

5　同一世帯から2人以上の児童等が措置されている場合においては，その月の徴収金基準額の最も多額の児童等以外の児童等については，この表の基準額に0.1を乗じた額をもってその児童等の基準額とする。

6　措置児童等が，3歳に達する日以後の最初の3月31日を経過した障害児であって小学校就学の始期に達するまでの間にあるものである場合は，法第56条第2項の規定にかかわらず，当該措置児童等にかかる措置費のうち実費負担に相当する部分を除いた部分については徴収しないこととする。

　ただし，当該措置児童等にかかる措置費のうち実費負担に相当する部分については，この表の基準額を上限として徴収することができる。

7　6の規定は，B階層と認定された世帯に属する措置児童等が，3歳に達する日以後の最初の3月31日を経過する前の障害児である場合についても同様である。

3　独立行政法人福祉医療機構の施設整備費等貸付制度の概要

■**貸付事業の概要**（令和 5 年度）

　1．貸付対象施設等と貸付けの相手方

貸　付　対　象　施　設	貸付けの相手方
ア　生活保護法（昭和 25 年法律第 144 号）に規定する保護施設 イ　売春防止法（昭和 31 年法律第 118 号）に規定する婦人保護施設	ア　社会福祉法人 イ　日本赤十字社
ウ　児童福祉法（昭和 22 年法律第 164 号）に規定する児童福祉施設（保育所，幼保連携型認定こども園及び児童厚生施設のうち児童遊園を除く。）	ア　社会福祉法人 イ　日本赤十字社 ウ　一般社団法人又は一般財団法人 エ　宗教法人
エ　老人福祉法（昭和 38 年法律第 133 号）に規定する老人福祉施設（老人福祉センターを除く。） オ　身体障害者福祉法（昭和 24 年法律第 283 号）に規定する身体障害者社会参加支援施設 カ　母子及び父子並びに寡婦福祉法（昭和 39 年法律第 129 号）に規定する母子・父子福祉施設	ア　社会福祉法人 イ　日本赤十字社 ウ　一般社団法人又は一般財団法人 エ　独立行政法人福祉医療機構法施行令（平成 15 年政令第 393 号。以下「施行令」という。）第 2 条第 1 号に規定する医療法人（当分の間に限る。）
キ　障害者の日常生活及び社会生活を総合的に支援するための法律（平成 17 年法律第 123 号）に規定する障害者支援施設	ア　社会福祉法人 イ　日本赤十字社 ウ　施行令第 2 条第 6 号に規定する一般社団法人又は一般財団法人
ク　アからキまでに掲げるもののほか，社会福祉法（昭和 26 年法律第 45 号）第 2 条第 2 項及び第 3 項に規定する社会福祉事業に係る施設（児童厚生施設のうち児童遊園及び老人福祉センターを除く。）	ア　社会福祉法人 イ　日本赤十字社 ウ　施行令第 2 条第 2 号に規定する医療法人 エ　施行令第 2 条第 3 号に規定する学校法人 オ　施行令第 2 条第 5 号，第 12 号及び第 13 号に規定する法人 カ　施行令第 2 条第 7 号に規定する一般社団法人又は一般財団法人 キ　施行令第 2 条第 8 号に規定する医療法人，一般社団法人，一般財団法人，特定非営利活動法人又は労働者協同組合 ク　施行令第 2 条第 11 号に規定する法人（一般社団法人又は一般財団法人に限る。）

貸　付　対　象　施　設	貸付けの相手方
ケ　更生保護事業法（平成7年法律第86号）に規定する更生保護事業に係る施設	ア　更生保護法人 イ　一般社団法人又は一般財団法人
コ　施行令第1条第2号に規定する有料老人ホーム（以下「有料老人ホーム」という。）であって，厚生労働大臣の定める基準（平成17年厚生労働省告示第209号）第1号に該当するもの（以下「特定有料老人ホーム」という。）	ア　社会福祉法人 イ　日本赤十字社 ウ　医療法人 エ　一般社団法人又は一般財団法人
サ　有料老人ホームであって，厚生労働大臣の定める基準（平成17年厚生労働省告示第209号）第2号に該当するもの	ア　社会福祉法人 イ　一般社団法人又は一般財団法人 ウ　労働者協同組合 エ　営利を目的とする法人（入居時からねたきり等により常時介護を必要とする者を，開設時より入居定員の20パーセント以上受け入れることを予定し，かつ，入居後介護状態となった者が一時的に介護を受けるための居室であって，特別養護老人ホームの設備及び運営に関する基準（平成11年厚生省令第46号）第11条第3項第1号（同号イ，ロ，ニ及びリを除く。）に定める居室の設備基準を満たしたもの（介護状態にある者が常時介護を受けるための居室を含む。以下「一時介護室等」という。）の定員が25パーセント以上の有料老人ホームを設置し，又は経営する者に限る。） オ　施行令第2条第9号の規定に基づき厚生労働大臣の定める次の者 ㋐　健康保険組合，健康保険組合連合会，国民健康保険組合，国民健康保険団体連合会，厚生年金基金，企業年金連合会，国民年金基金及び国民年金基金連合会 ㋑　農業協同組合，農業協同組合連合会，消費生活協同組合，消費生活協同組合連合会，水産業協同組合，労働組合，中小企業等協同組合（火災共済協同組合及び信用協同組合を除く。），中小企業団体中央会，酒造組合，

貸 付 対 象 施 設	貸付けの相手方
	酒造組合連合会，酒造組合中央会，酒販組合，酒販組合連合会，酒販組合中央会，商工会議所，生活衛生同業組合，生活衛生同業組合連合会，商工組合，商工組合連合会，内航海運組合，内航海運組合連合会，商工会，商店街振興組合，商店街振興組合連合会，森林組合及び森林組合連合会 (ウ)　宗教法人
シ　施行令第1条第3号に規定する施設であって，地域における医療及び介護の総合的な確保の促進に関する法律（平成元年法律第64号。以下「医療介護総合確保法」という。）第19条に規定する認定事業者が同条に規定する認定計画（当該認定計画に従って整備される医療介護総合確保法第2条第4項第4号の有料老人ホームの延床面積が当該認定計画に従って整備される同項の特定民間施設全体の延床面積の2分の1以上であるものに限る。）に従って整備するもの	ア　社会福祉法人 イ　営利を目的とする法人（左欄に掲げる有料老人ホームについて，入居時からねたきり等により常時介護を必要とする者を，開設時より入居定員の20パーセント以上受け入れることを予定し，かつ，一時介護室等の定員が25パーセント以上の有料老人ホームを設置し，又は経営する者に限る。）
ス　施行令第1条第4号に規定する施設であって，医療介護総合確保法第19条に規定する認定事業者が同条に規定する認定計画（当該認定計画に従って整備される医療介護総合確保法第2条第4項第4号の有料老人ホームの延床面積が当該認定計画に従って整備される同項の特定民間施設全体の延床面積の2分の1以上であるものに限る。）に従って整備するもの	ウ　一般社団法人又は一般財団法人
セ　有料老人ホームであって，厚生労働大臣の定める基準（平成17年厚生労働省告示第209号）第4号に該当するもの	法人
ソ　有料老人ホームであって，厚生労働大臣の定める基準（平成17年厚生労働省告示第209号）第5号に該当するもの	ア　社会福祉法人 イ　日本赤十字社 ウ　医療法人 エ　一般社団法人又は一般財団法人
タ　施行令第1条第5号に規定する施設であって，厚生労働大臣の定める基準（平成26年厚生労働省告示第129号）に該当するもの（安心こども基金管理運営要領（平成21年3月5日20文科初第1279号・雇児発第0305005号），保育対策総合支援事業費補	施行令第2条第14号に規定する法人

貸　付　対　象　施　設	貸付けの相手方
助金交付要綱（平成 30 年 10 月 17 日厚生労働省発子 1017 第 5 号）又は子どものための教育・保育給付費補助金交付要綱（平成 28 年 8 月 9 日府子本第 506 号）により整備するものに限る。）（以下「認可外保育施設（認可を得る見込みがあるもの）」という。）	
チ　老人福祉法第 5 条の 2 第 3 項に規定する老人デイサービス事業，同条第 4 項に規定する老人短期入所事業，同条第 5 項に規定する小規模多機能型居宅介護事業，同条第 6 項に規定する認知症対応型老人共同生活援助事業又は同条第 7 項に規定する複合型サービス福祉事業に係る施設	法人（社会福祉法人，日本赤十字社，一般社団法人，一般財団法人及び医療法人を除く。）
ツ　老人福祉法第 20 条の 2 の 2 に規定する老人デイサービスセンター又は同法第 20 条の 3 に規定する老人短期入所施設	
テ　本表中のアからツ並びに第 22 条第 1 項の表中の「貸付対象施設」及び同条第 2 項に掲げる各施設において，雇用する労働者のために企業主導型保育事業費補助金実施要綱（平成 30 年 6 月 14 日府子本第 655 号子発 0614 第 2 号）に基づき設置される事業所内保育所（以下「事業所内保育所」という。）	ア　社会福祉法人 イ　日本赤十字社 ウ　一般社団法人又は一般財団法人 エ　宗教法人 オ　医療法人 カ　学校法人 キ　更生保護法人 ク　特定非営利活動法人 ケ　労働者協同組合

2．貸付金の種類及び貸付対象事業

貸 付 金 の 種 類		貸　付　対　象　事　業
設置・整備資金	建　築　資　金	1 新築……施設を新築するために必要な建築事業 2 改築……既存施設の改築を行うために必要な建築事業 3 拡張……既存施設の拡張（床面積の増加を伴うもの）を行うために必要な建築事業 4 改造・修理……既存施設の改造，修理を行うために必要な修繕事業 5 購入……機構が必要と認めた建物購入事業 6 貸借…… 1．の表に掲げる施設及び在宅サービス事業等を行うために必要な建物貸借事業
	設備備品整備資金	機械器具，備品の整備事業
	土　地　取　得　資　金	施設又は事業の用に供するために土地を取得する事業
経　　営　　資　　金		施設又は事業の経営に必要な資金

3．貸付金の限度額

(1)　1．の表のアからコまで，タ及びテに掲げる施設並びに社会福祉振興事業については，次のいずれか低い額

①　所要資金の100分の75。ただし，次の(ア)から(カ)までに掲げるものについては，それぞれ(ア)から(カ)までに掲げる額

(ア)　別表1に掲げる施設及び事業並びに特定有料老人ホーム　所要資金の100分の70

(イ)　別表2に掲げる施設及び事業　所要資金の100分の80

(ウ)　児童福祉法に規定する乳児院及び児童養護施設（老朽整備事業等に対する貸付けであって，次世代育成支援対策施設整備交付金交付要綱により，家庭的養護のための貸付けに限る。）　所要資金の100分の85

(エ)　児童福祉法に規定する乳児院及び児童養護施設（小規模かつ地域分散化を図るための貸付けに限る。）　所要資金の100分の90

(オ)　老人福祉法に規定する養護老人ホーム，特別養護老人ホーム（入所定員が30名以上であるものに限る。）及び軽費老人ホーム（入所定員が30名以上であるものに限る。）であって改築のための貸付け　所要資金の100分の90

(カ)　独立行政法人国立病院機構法施行令の規定により，独立行政法人国立病院機構から国立病院等（独立行政法人国立病院機構法の規定による改正前の厚生労働省設置法に規定する国立病院又は国立療養所をいう。）の用に供されている資産を減額した価額で譲渡を受ける場合の資産の貸付け　所要資金の100分の100

②　担保による貸付けについては，その担保評価額の100分の70

(2)　1．の表のサからセまで，チ及びツに掲げる施設並びに在宅サービス事業については，所要資金の100分の70

別表1

区分	施設及び事業の種類
1　身体障害者福祉法	身体障害者福祉センター 補装具製作施設 盲導犬訓練施設 点字出版施設
2　母子及び父子並びに寡婦福祉法	母子・父子福祉センター 母子・父子休養ホーム
3　児童福祉法	乳児家庭全戸訪問事業
4　老人福祉法	老人介護支援センター

別表 2

区分	施設及び事業の種類
1　生活保護法	救護施設（老朽整備事業等に限る。）
2　児童福祉法	障害児入所施設 障害児通所支援事業 障害児相談支援事業 児童心理治療施設 児童自立生活援助事業 保育所 乳児院（老朽整備事業等に係る貸付け又は次世代育成支援対策施設整備交付金交付要綱（平成 20 年 6 月 12 日厚生労働省発雇児第 0612001 号）により，家庭的養護のための貸付けに限る。） 母子生活支援施設（老朽整備事業等に係る貸付け又は配偶者からの暴力の防止及び被害者の保護に関する法律（平成 13 年法律第 31 号）第 1 条第 2 項に規定する被害者の一時保護委託のための居室を整備するものに限る。） 児童養護施設（老朽整備事業等に係る貸付け又は次世代育成支援対策施設整備交付金交付要綱（平成 20 年 6 月 12 日厚生労働省発雇児第 0612001 号）により，家庭的養護のための貸付けに限る。） 小規模住居型児童養育事業（次世代育成支援対策施設整備交付金交付要綱（平成 20 年 6 月 12 日厚生労働省発雇児第 0612001 号）により，家庭的養護のための貸付けに限る。） 小規模保育事業 幼保連携型認定こども園 認可外保育施設（認可を得る見込みがあるもの） 事業所内保育所
3　老人福祉法	養護老人ホーム
4　障害者の日常生活及び社会生活を総合的に支援するための法律	障害福祉サービス事業 障害者支援施設 相談支援事業 移動支援事業 地域活動支援センター

4．貸付の条件

(1)　償還期間

①　設置・整備資金

ア　耐火構造による建築資金（附帯施設等の整備資金を含む。）　30 年以内

イ　耐火構造以外による建築資金（附帯施設等の整備資金を含む。）　15 年以内

ウ　設備備品整備資金　15 年以内

エ　施設の用に供するための土地取得資金　30 年以内

② 経営資金

施設の経営に必要な資金　1年以上5年以内（ただし，社会福祉法人の経営の高度化に必要な場合又は災害若しくは感染症等当該施設の責に帰することができない事由により機能を停止した場合等にあっては，機構の理事長が別に定める。）

（令和5年11月1日現在）

施設・事業の種類	利率
社会福祉事業施設	10年以内：0.800% 10年超30年以内：0.900〜1.700% （10年超30年以内：0.900〜1.000%）
介護関連施設	10年以内：0.900% 10年超30年以内：1.000〜1.800% （10年超30年以内：1.000〜1.100%）
養成施設	10年以内：1.000% 10年超20年以内：1.100〜1.600% （10年超20年以内：1.100〜1.200%）
有料老人ホーム サービス付き高齢者向け住宅 在宅サービス事業 営利法人等が行う ・老人デイサービスセンター ・老人短期入所施設 ・認知症対応型老人共同生活援助事業 ・小規模多機能型居宅介護事業 ・複合型サービス福祉事業	10年以内：1.300% 10年超20年以内：1.400〜1.900% （10年超20年以内：1.400〜1.500%）
認可を目指す認可外保育施設 企業主導型保育事業	10年以内：0.800% 10年超20年以内：0.900〜1.400% （10年超20年以内：0.900〜1.000%）

（注）1　（　）については，10年経過毎金利見直し貸付における当初10年間の適用金利

2　介護関連施設に含まれる施設
特別養護老人ホーム，軽費老人ホーム（ケアハウス），老人デイサービスセンター，老人短期入所施設，複合型サービス福祉事業，認知症対応型老人共同生活援助事業，小規模多機能型居宅介護事業，老人介護支援センター（償還期間20年超30年以内を選択したものは，下線の施設）

3　社会福祉事業施設で償還期間20年超30年以内を選択できるのは養護老人ホーム

(2)　貸付利率

①　貸付利率

②　利子を徴しない貸付

国庫補助等による老朽民間社会福祉施設整備事業，地震対策緊急整備事業，地す

べり防止危険か所等危険区域に所在する施設の移転改築整備事業，災害復旧事業又は高台移転整備事業等に係る貸付金等は，利子を徴しない。

⑶ 償還の方法

① 元金の償還方法

原則として，元金均等の月賦償還

② 利息の支払方法

毎月の後払い

⑷ 担　保

① 貸付にあたっては，原則として貸付対象となる土地及び建物を担保とする。

② 担保物件の評価書は，不動産鑑定士又は不動産鑑定士補のものとする。ただし，地方公共団体の長の発行した固定資産評価証明書又は不動産の評価機能をもつ銀行等の機関が不動産鑑定士又は不動産鑑定士補の評価方法に準じて評価証明したものでもよい。

③ 担保物件に設定する抵当権の順位は，原則として第1順位とする。

④ 建物を担保にするときは，その物件に火災保険契約を結んで，その保険金請求権の上に質権を設定する。

⑸ 保証人

一定の利率を上乗せすることで保証人を免除することができる。

5．資金の借入申込み手続

⑴ 所定の福祉貸付資金借入申込書に所要の事項を記載し，関係書類を添付のうえ，受託金融機関（代理店）を通じ，又は借入申込者から直接提出させるものとする。

⑵ 資金借入申込みは，原則として工事請負契約締結前に限る。

第 10 編

戦傷病者，戦没者遺族等の援護

1 戦没者遺族相談員

根拠 ▶ 戦没者遺族相談員の設置について
（昭 45.7.13 厚生省発援第 73 号）

■業　務

1. 戦没者遺族に係る各種年金，給付金等の受給に関する相談に応じ，必要な指導を行うこと。
2. 戦没者遺族の生活上の問題に関する相談に応じ，必要な指導を行うこと。
3. 戦没者遺族が利用することのできる社会福祉施設等に関する相談に応じ，必要な指導を行うこと。
4. その他 1. から 3. までに附帯する業務を行うこと。

■設　置

都道府県に設置し，その数は分担地区の設定により適当数とする。

■性　格

厚生労働大臣の委託を受けて相談，指導等の業務を行う民間篤志家である。

厚生労働大臣は，都道府県知事から推薦のあった者のうち，適当と認められる者に委託する。

■関係機関との連携

相談員は，その業務を行うにあたって，都道府県知事，民生委員，戦傷病者相談員，福祉事務所等の関係機関と緊密な連携を保たなければならない。

戦傷病者戦没者遺族

2　戦傷病者戦没者遺族等の援護

〔**根拠**▶戦傷病者戦没者遺族等援護法（昭 27.4.30 法律第 127 号）〕

　軍人軍属等の公務上の負傷若しくは疾病又は死亡に関し，国家補償の精神に基づき，軍人軍属等であった者又はこれらの遺族を援護する。

（注）　軍人恩給の復活に先立って実施されていたが，昭和 28 年の軍人恩給の復活により，軍人及びその遺族に対する年金は，おおむね恩給法の増加恩給等に引き継がれた。

■対象・軍人軍属等の範囲（法第 2 条）

　軍人軍属等の範囲は，おおよそ次のとおりである。

1．軍　人

　　いわゆる軍人のほか，元の陸海軍の学校の生徒等の準軍人及び元の陸海軍部内の文官等を含む。

2．軍　属

　　戦地又は事変地勤務の元の陸海軍の有給の嘱託員，雇員，傭人，工員又は鉱員，船舶運営会の乗組船員，特殊勤務についていた満鉄職員等

3．準軍属

　　内地勤務の元の陸海軍の有給の嘱託員，雇員，傭人，工員又は鉱員，旧国家総動員法による被徴用者，動員学徒，軍の要請による戦闘参加者，国民義勇隊員，満洲開拓青年義勇隊員，義勇隊開拓団員，特別未帰還者，防空監視隊員等

■実施主体（窓口）

　年金等を受ける権利の裁定は，厚生労働大臣が行うが，諸請求書は，居住地の市町村長，都道府県知事等を経由して提出する。

■援護の種類及び内容

1．障害年金

(1)　要　件

　　軍人軍属又は準軍属であった者が公務上又は勤務に関連して負傷し，又は疾病にかかり，恩給法別表に定める特別項症から第 6 項症まで又は第 1 款症から第 5 款症まで（12 区分）に該当する程度の障害の状態にあること。

(2)　年金額（恩給法の増加恩給若しくは傷病年金又は特例傷病恩給と同額）

①　公務傷病

ア　障害の程度により，9,729,100 円〜961,000 円まで（基本額）

　　イ　配偶者がいる場合 193,200 円を加給する（夫については，障害の状態にあって
　　　生活資料を得ることができないことが条件）。

　　ウ　配偶者以外の扶養親族（子，父母，孫，祖父母，加給要件は遺族年金を受ける
　　　べき遺族の範囲とほぼ同一）がいる場合扶養親族 2 人までは 1 人につき 72,000
　　　円（うち配偶者がないときは 1 人に限り 132,000 円），その他 1 人につき 36,000
　　　円を加給する。ただし，障害の程度が特別項症から第 6 項症まで又は第 1 款症で
　　　ある場合に限る。

　　エ　障害の程度が特別項症に該当する場合は 270,000 円を，第 1 項症又は第 2 項症
　　　に該当する場合は 210,000 円を加給する（特別加給）。

　（注）　恩給法の増加恩給には，普通恩給が併給されている。

　②　勤務関連傷病

　　　障害の程度により 7,417,100 円〜743,000 円まで（基本額）

　　　ただし，扶養加給及び特別加給の額は公務傷病の場合と同額である。

(3)　併給調整等

　　　同一の障害について，他法令により障害年金に相当する年金，恩給等が給付される
　　場合は，本法の給付は停止する（本法の給付の方が多い場合は多い部分のみ支給）。

(4)　支給時期

　　　1 月，4 月，7 月，10 月の年 4 回前月分まで支給される（1 月支払い分は，12 月に
　　繰り上げ支給）。

2．障害一時金

(1)　要　件

　　　障害年金の受給資格を有する者で，障害の程度が軽度のもの（第 1 〜第 5 款症の者）
　　は，障害年金に代えて障害一時金の受給を選択できる。

(2)　金　額

　①　公務傷病（恩給法の傷病賜金と同額）

　　　障害の程度により 6,088,000 円〜2,855,000 円

　②　勤務関連傷病

　　　障害の程度により 4,640,900 円〜2,177,100 円

3．遺族年金（恩給法の公務扶助料等の最低保障額に，遺族加算を加えた額又は傷病者遺
　族特別年金の額に遺族加算を加えた額と同額）

(1)　要　件

　　　軍人軍属が公務上の傷病又は勤務に関連した傷病により在職中又は在職期間経過後
　　に死亡した場合等に，その遺族に支給する。

　　（注）1　公務上の傷病又は勤務に関連した傷病により，障害年金，増加恩給，傷病
　　　　　　年金又は特例傷病恩給を受けていた者が当該公務上の傷病又は勤務に関連し

　　　た傷病以外の事由により死亡した場合も対象となる。

　　　2　公務上の傷病又は勤務に関連した傷病を負い在職期間経過後一定期間内に
　　　これに併発した傷病により死亡した者の遺族も対象となる。

(2)　遺族の範囲

　遺族の範囲及び優先順位は，死亡当時における配偶者，子，父母，孫，祖父母，入
夫婚姻による妻の父母（いずれも，死亡当時その者と生計を同じくしていた者に限る。）
及び事実上の父母である。

　妻以外の遺族については，次の要件を満たしていること（満たしたときから支給）。

①　夫

　60 歳以上であること，障害の状態にあって生活資料を得ることができないこと，
又は死亡した者の死亡当時から障害の状態にあること。

②　子

　18 歳に達する日以後の，最初の 3 月 31 日までの間にあって，配偶者がないこと，
又は障害の状態にあって生活資料を得ることができないこと。

③　父母

　60 歳以上であること，障害の状態にあって生活資料を得ることができないこと，
又は配偶者がなく，かつ，その者を扶養できる直系血族がないこと。

④　孫

　18 歳に達する日以後の，最初の 3 月 31 日までの間にあって，配偶者がなく，か
つ，その者を扶養できる直系血族がないこと，又は障害の状態にあって生活資料を
得ることができず，かつ，その者を扶養できる直系血族がないこと。

⑤　祖父母，入夫婚姻による妻の父母及び事実上の父母

　60 歳以上であること，又は障害の状態にあって生活資料を得ることができないこ
と。

(3)　年金額（法第 26 条，第 27 条）

①　公務死亡者に係るもの

ア　先順位者 1,966,800 円

イ　後順位者　72,000 円

②　勤務関連死亡者に係るもの

ア　先順位者 1,573,500 円

イ　後順位者　56,400 円

③　公務傷病で第 1 款症以上の戦傷病者の平病死に係るもの

　②と同額

④　公務傷病で第 2 ～第 5 款症の戦傷病者の平病死又は勤務関連傷病で第 1 款症以上
の戦傷病者の平病死に係るもの

　　　　先順位者 557,600 円

⑤　勤務関連傷病で第 2～第 5 款症の戦傷病者の平病死した者に係るもの

　　　　先順位者 456,400 円

⑥　公務傷病を負って併発死した者に係るもの

　　　　⑤と同額

⑦　勤務関連傷病を負って併発死した者に係るもの

　　　　先順位者 335,000 円

(4)　併給調整

　　同一の事由（軍人等の死亡）につき他法令により同様の給付（恩給法の扶助料等）が支給される場合は，本法の給付は停止する（本法の給付の方が多い場合は多い部分のみ支給）。

(5)　支給時期

　　1 月，4 月，7 月，10 月の年 4 回前月分まで支給される（1 月支払い分は，12 月に繰り上げ支給）。

4．遺族給与金

(1)　準軍属の遺族に対して支給される。

(2)　要件及び遺族の範囲は遺族年金と同様である。

(3)　年額は，遺族年金と同額である。

(4)　支給時期は，遺族年金と同様である。

5．弔慰金

(1)　要　件

　　軍人軍属等が公務上の傷病又は勤務に関連した傷病により死亡したこと。

　　(注)　恩給，遺族年金等を併せて受給できる。

(2)　遺族の範囲

　ア　遺族の範囲は，死亡当時の配偶者，子，父母，孫，祖父母，兄弟姉妹，これら以外の三親等内の親族（死亡当時その者と生計を同じくしていた者に限る。）及び事実上の父母

　イ　優先順位は，アの順によるが，遺族以外の者の養子となった子，孫，兄弟姉妹及び再婚により改姓した配偶者は，この順でアの兄弟姉妹の次順位となる。

(3)　金　額

　　5 万円

(4)　10 年償還年利 6 分の記名国債により交付する。

■時　効

年金，弔慰金等を受ける権利は，7 年間行使しないときは時効により消滅する。

3　戦没者等の妻に対する特別給付金

根拠▶戦没者等の妻に対する特別給付金支給法
（昭 38.3.31 法律第 61 号）

　先の大戦において一心同体ともいうべき夫を失い，心に大きな痛手を受けたという精神的痛苦を慰藉するため，特別給付金を支給する。

■請求手続

　請求手続の窓口は，市区町村であり，国債の償還は，受給者が指定する日本銀行の本店，支店，代理店又は国債代理店で取扱う。

■対象者

　戦傷病者戦没者遺族等援護法（昭和 27 年法律第 127 号。以下「援護法」という。）に規定する軍人軍属又は準軍属が昭和 6 年 9 月 18 日以後公務上又は勤務に関連して死亡したことにより，一定の基準日において，公務扶助料等の受給権を有する妻（婚姻の届出はしていないが，事実上婚姻関係にある場合を含む。）である。

■基準日と受給要件

　1．基準日は「令和 5 年 4 月 1 日」であり，基準日における条件は次のとおりである。

　⑴　基準日の前日までに戦没者等が死亡していること。

　⑵　基準日において当該戦没者等の妻が，公務扶助料等を受ける権利を有していること。

　　ただし，戦没者等の妻に対する特別給付金支給法等の一部を改正する法律（令和 5 年法律第 9 号）による改正前の戦没者等の妻に対する特別給付金支給法（以下「戦没者妻特給法」という。）第 3 条第 2 項から第 6 項までの規定により，平成 26 年 10 月 2 日から平成 30 年 10 月 1 日までの間に改正前の戦没者妻特給法によって 10 年国債の権利を取得した者については，基準日及び国債発行日をそれぞれ，権利を取得した日から 10 年を経過した日の属する年の 4 月 1 日及び 11 月 1 日とする（2．参照）。

　2．支給される特別給付金

基準日	令和 5 年 4 月 1 日（改正前の戦没者妻特給法の規定により，平成 26 年 10 月 2 日から平成 30 年 10 月 1 日までの間に改正前の戦没者妻特給法によって 10 年国債の権利を取得した者については権利を取得した日から 10 年を経過した日の属する年の 4 月 1 日）
国債の名称	第 30 回特別給付金国庫債券「い」〜「ほ」号

国債発行日	令和 5 年 11 月 1 日（「い」号） 令和 6 年 11 月 1 日（「ろ」号） 令和 7 年 11 月 1 日（「は」号） 令和 8 年 11 月 1 日（「に」号） 令和 9 年 11 月 1 日（「ほ」号）
額面	5 年均等償還・額面 110 万円

■留意事項

1．国債は，次の場合を除き譲渡又は担保が禁止されている。

(1)　国への譲渡

(2)　地方公共団体への担保権の設定

(3)　財務省令で定める者への担保権の設定（株式会社日本政策金融公庫又は沖縄振興開発金融公庫）

　　（注）　国債の買上げ及び担保貸付については，本編13，14（**p. 490～493**）参照

2．特別給付金を受ける権利は，3 年間行使しないときは時効により消滅する。

3．国債は 5 年均等償還で，毎年 4 月 30 日及び 10 月 31 日に支払われる。

4　戦没者等の遺族に対する特別弔慰金

[根拠 ▶戦没者等の遺族に対する特別弔慰金支給法]
[（昭 40.6.1 法律第 100 号）]

　先の大戦において，公務等のため国に殉じた軍人，軍属及び準軍属の方々に思いをいたし，戦後 20 周年，30 周年といった節目の機会に国として弔慰の意を表すため，その遺族に特別弔慰金を支給する。

■請求手続

　請求手続の窓口は，市区町村であり，国債の償還は，受給者が指定する日本銀行の本店，支店，代理店又は国債代理店で取扱う。

■対象者

以下の要件を満たすものが対象者となる。

1．一定の基準日において，恩給法（大正 11 年法律第 48 号）による公務扶助料・特例扶助料，援護法による遺族年金・遺族給与金の受給権を有する遺族がいない。

　　実際に年金給付の裁定を受けていない場合であっても，基準日において年金給付の受

給権者がいる場合は，特別弔慰金は支給されない。

2．特別弔慰金の対象となる戦没者等とは，軍人軍属又は準軍属としての公務上の傷病，又は勤務に関連した傷病が原因で死亡した者をいう。

■支給される特別弔慰金

戦後の節目を基準日とする特別弔慰金

基準日	記名国債の名称及び額面	備　考
昭40.4.1	特別弔慰金い号　3万円	戦後20周年 10年均等償還で毎年6月15日に支払われる
〃	特別弔慰金ろ号　3万円	〃
〃	特別弔慰金は号　3万円	〃
昭50.4.1	第2回特別弔慰金い号　20万円	戦後30周年 10年均等償還で毎年6月15日に支払われる
〃	第2回特別弔慰金ろ号　20万円	〃
昭60.4.1	第4回特別弔慰金い号　30万円	戦後40周年 10年均等償還で毎年6月15日に支払われる
平7.4.1	第6回特別弔慰金い号　40万円	戦後50周年 10年均等償還で毎年6月15日に支払われる
平17.4.1	第8回特別弔慰金い号　40万円	戦後60周年 10年均等償還で毎年6月15日に支払われる
平27.4.1	第10回特別弔慰金い号　25万円	戦後70周年 5年均等償還で毎年4月15日に支払われる
令2.4.1	第11回特別弔慰金い号　25万円	5年均等償還で毎年4月15日に支払われる

特例的な基準日による特別弔慰金

基準日	国債の名称及び額面	備　考
昭47.4.1	特別弔慰金に号　3万円	10年均等償還で毎年6月15日に支払われる
昭54.4.1	第3回特別弔慰金い号　12万円	6年均等償還で毎年6月15日に支払われる
平元.4.1	第5回特別弔慰金い号　18万円	〃
平11.4.1	第7回特別弔慰金い号　24万円	〃
平21.4.1	第9回特別弔慰金い号　24万円	6年均等償還で毎年4月15日に支払われる

■留意事項

1．国債は，次の場合を除き譲渡又は担保が禁止されている。

(1) 国への譲渡

(2) 地方公共団体への担保権の設定

(3) 財務省令で定める者への担保権の設定（株式会社日本政策金融公庫又は沖縄振興開発金融公庫）

(注) 国債の買上げ及び担保貸付については，本編 13, 14 (p. 490〜493) 参照

2．特別弔慰金を受ける権利は，3 年間行使しないときは時効により消滅する。

3．国債は，5 年均等償還で毎年 4 月 15 日に支払われる。

---

5 戦没者の父母等に対する特別給付金

[根拠 ▶ 戦没者の父母等に対する特別給付金支給法]
(昭 42.7.14 法律第 57 号)

先の大戦において最後の子又は孫を失った父母又は祖父母に対し，寂寥感や孤独感と闘って生きてきた精神的痛苦を慰藉するため特別給付金を支給する。

■請求手続

請求手続の窓口は，市区町村であり，国債の償還は，受給者が指定する日本銀行の本店，支店，代理店又は国債代理店で取扱う。

■対象者

戦傷病者戦没者遺族等援護法に規定する軍人軍属又は準軍属が昭和 12 年 7 月 7 日以後公務上又は勤務に関連して死亡したことにより，一定の基準日において，公務扶助料等の受給権又は受給資格を有する戦没者の父母等であって，戦没者死亡当時，戦没者以外に子も孫もおらず，その後法適用日までの間に自然血族の子又は孫を有するに至らなかった戦没者の父母等である。

■基準日と受給要件

1．制定当初の戦没者の父母等に対する特別給付金支給法（昭和 42 年法律第 57 号。以下「戦没者父母特給法」という。）による特別給付金の支給対象者は，軍人軍属又は準軍属が昭和 12 年 7 月 7 日以後公務上又は勤務に関連して死亡したことにより，昭和 42 年 4 月 1 日において，恩給法による公務扶助料や援護法による遺族年金又は遺族給与金等の受給権又は受給資格を有する戦没者の父母又は祖父母であって，かつ，戦没者死亡当時，戦没者以外に子も孫もなく，その後昭和 42 年 3 月 31 日までの間に自然血族の子又は孫を有するに至らなかった方である。

(注) 戦没者父母特給法による「戦没者の父母等」とは

ア　戦没者死亡当時，「子も孫もいない父母又は祖父母」であること。

　　戦没者死亡当時において戦没者以外に子又は孫（自然血族の子又は孫のほか法定血族である養子，旧民法当時の継子及び庶子並びにこれらの子である孫も含む。）がいなかった父母又は祖父母をいう。

イ　「自然血族の子又は孫を有するに至らなかった父母又は祖父母」であること。

　　戦没者死亡の日から法適用日までの間に，自然血族である子又は孫（法定血族である養子，旧民法当時の継子及び庶子は含む。）を有するに至っていない父母又は祖父母をいう。

> 　昭和 44 年から，戦没者死亡当時戦没者以外に子又は孫はいたが，そのすべてが戦没者死亡当時父母等と氏を異にしている場合（婚姻しているとき，養子にいっているときなど）は，「戦没者死亡当時，父母等と氏を同じくする子も孫もいない父母等」として，戦没者父母特給が支給される。
>
> 　昭和 55 年から，戦没者死亡当時戦没者以外に氏を同じくする子又は孫はいたが，戦没者が除籍された当時には，戦没者以外に氏を同じくする子又は孫がいない場合は，「戦没者除籍時において父母等と氏を同じくする子も孫もいない父母等」として，戦没者父母特給が支給される。
>
> （注）　戦没者父母特給が受けられる戦没者の父母等の順序は，次のとおり。
>
> ①　戦没者死亡当時子又は孫を有しない父母等
>
> ②　戦没者死亡当時氏を同じくする子又は孫を有しない父母等
>
> ③　除籍時に子又は孫を有しない父母等
>
> ④　除籍時に氏を同じくする子又は孫を有しない父母等

ウ　「公務扶助料等の受給権又は受給資格を有する父母又は祖父母」であること。

　　基準日において，次に掲げる年金給付を受ける権利又は資格を有する戦没者の父母又は祖父母であること。

・恩給法による公務扶助料

・旧軍人等の遺族に対する恩給等の特例に関する法律によるいわゆる特例扶助料

・援護法による公務上又は勤務関連による負傷あるいは疾病による死亡を支給事由とする遺族年金・遺族給与金

・もとの陸海軍部内の有給の嘱託員，雇員，傭人もしくは工員等であった者が公務上の負傷あるいは疾病により死亡した場合に旧令による共済組合等からの年金受給者のための特別措置法により国家公務員共済組合連合会から支給されるいわゆる旧令共済殉職年金

・もとの逓信省，鉄道省等の有給の嘱託員，雇員，傭人等がそれらの身分を保有したまま，もとの陸海軍に配属され，戦地・事変地における勤務に従事し，公務上の負傷あるいは疾病により死亡した場合に支給される各省庁共済殉職年金

※基準日に年金給付を受ける権利は有していないが，他に公務扶助料を受ける権
利を有する者（戦没者の妻等）がいるため，当該権利を取得できない（資格を
有する）父母等も戦没者父母特給の受給権を有する。

事実上の父母及び入夫婚姻による妻の父母として年金給付を受ける権利を取
得した父母等は，戦没者父母特給の対象とはならない。

平病死亡又は併発死亡を支給事由とする年金給付（恩給法の増加非公死扶助
料，傷病者遺族特別年金及び援護法の平病死遺族年金など）は，戦没者父母特
給の対象とはならない。

2．「昭和 42 年 4 月 1 日」を「基準日」といい，基準日における条件は次のとおり。

(1) 基準日の前日までに戦没者等が死亡していること。

(2) 基準日において当該戦没者の父母等が，公務扶助料等を受ける権利又は資格を有し
ていること。

基準日後の援護法等の法改正により，新たに遺族年金等を受ける権利を取得し
た戦没者の父母等は，基準日において当該遺族年金等を受ける権利を取得したも
のとみなして，特別給付金が支給される。

満洲事変間（昭和 6 年 9 月 18 日から昭和 12 年 7 月 6 日までの間）に公務傷病
を受けた軍人が，昭和 48 年 3 月 31 日までに当該傷病により死亡した場合におい
ては，昭和 49 年 10 月 1 日に公務扶助料等の受給権又は受給資格を有する当該軍
人の父母等に特別給付金が支給される。

3．戦没者父母特給法において基準日としては，これまで昭和 42 年 4 月 1 日のほか，次の
日がある。

(1) 昭和 48 年 4 月 1 日

前回の基準日（昭和 42 年 4 月 1 日）以後に軍人軍属又は準軍属の方が死亡したこと
により，当該戦没者の父母等が今回の基準日（昭和 48 年 4 月 1 日）において公務扶助
料等の受給権又は受給資格を有する戦没者の父母等に対し特別給付金が支給される。

(2) 昭和 58 年 4 月 1 日

前回の基準日（昭和 48 年 4 月 1 日）以後に軍人軍属又は準軍属の方が死亡したこと
により，当該戦没者の父母等が今回の基準日（昭和 58 年 4 月 1 日）において公務扶助
料等の受給権又は受給資格を有する戦没者の父母等に対し特別給付金が支給される。

(3) 平成 5 年 4 月 1 日

前回の基準日（昭和 58 年 4 月 1 日）以後に軍人軍属又は準軍属の方が死亡したこと
により，当該戦没者の父母等が今回の基準日（平成 5 年 4 月 1 日）において公務扶助
料等の受給権又は受給資格を有する戦没者の父母等に対し特別給付金が支給される。

(4) 平成 15 年 4 月 1 日

前回の基準日（平成 5 年 4 月 1 日）以後に軍人軍属又は準軍属の方が死亡したこと

により，当該戦没者の父母等が今回の基準日（平成15年4月1日）において公務扶助料等の受給権又は受給資格を有する戦没者の父母等に対し特別給付金が支給される。

(5)　平成25年4月1日

前回の基準日（平成15年4月1日）以後に軍人軍属又は準軍属の方が死亡したことにより，当該戦没者の父母等が今回の基準日（平成25年4月1日）において公務扶助料等の受給権又は受給資格を有する戦没者の父母等に対し特別給付金が支給される。

> 満洲事変間（昭和6年9月18日から昭和12年7月6日まで）に公務上の傷病にかかり，これにより上記(1)から(5)のそれぞれの基準日の前日までに死亡した軍人の父母等にも特別給付金が支給される。

4．支給される特別給付金

基準日	昭和42年4月1日	昭和48年4月1日	昭和58年4月1日	平成5年4月1日	平成15年4月1日	平成25年4月1日
国債の名称	第3回特別給付金国庫債券「い」～「ほ」号	第3回特別給付金国庫債券「へ」～「を」号	第3回特別給付金国庫債券「わ」号	第3回特別給付金国庫債券「か」号	第3回特別給付金国庫債券「よ」号	第3回特別給付金国庫債券「た」号
国債発行日	昭42.5.16～昭47.10.1	昭48.10.1～昭57.10.1	昭58.10.1	平5.10.1	平15.10.1	平25.10.1
額面	10万円（5年均等償還）					

■特別給付金の継続支給

1．継続支給

当初分の戦没者父母特給（昭和42年4月1日，昭和48年4月1日，昭和58年4月1日，平成5年4月1日，平成15年4月1日及び平成25年4月1日を基準日とする特別給付金）を受ける権利を取得した日から5年を経過した日において，引き続き公務扶助料等の受給権又は受給資格を有する戦没者の父母等であって，かつ，5年を経過した日の前日までの日において，父母等と氏を同じくする自然血族の子又は孫を有するに至らなかった戦没者の父母等に継続分の特別給付金が支給される。

2．2回目継続支給

継続分の戦没者父母特給を受ける権利を取得した日から5年を経過した日において，引き続き公務扶助料等の受給権又は受給資格を有する戦没者の父母等であって，かつ，5年を経過した日の前日までの日において，氏を同じくする自然血族の子又は孫を有するに至らなかった戦没者の父母等に2回目継続分の特別給付金が支給される。

3．3回目継続支給

2回目継続分の戦没者父母特給を受ける権利を取得した日から5年を経過した日にお

いて，引き続き公務扶助料等の受給権又は受給資格を有する戦没者の父母等であって，かつ，5年を経過した日の前日までの日において，父母等と氏を同じくする自然血族の子又は孫を有するに至らなかった戦没者の父母等に3回目継続分の特別給付金が支給される。

4．4回目，5回目，6回目，7回目，8回目，9回目継続支給

　　上記1．〜3．と同様に前回分の戦没者父母特給を受ける権利を取得した日から5年を経過した日において，引き続き公務扶助料等の受給権又は受給資格を有する戦没者の父母等であって，かつ，5年を経過した日の前日までの日において，父母等と氏を同じくする自然血族の子又は孫を有するに至らなかった戦没者の父母等にこれまで4回，5回，6回，7回，8回及び9回目継続分の特別給付金が支給される。

5．国債の名称及び額面

	継続支給分	2回目継続支給分	3回目継続支給分	4回目継続支給分	5回目継続支給分
国債の名称	第5回特別給付金国庫債券	第7回特別給付金国庫債券	第9回特別給付金国庫債券	第14回特別給付金国庫債券	第16回特別給付金国庫債券
額面	30万円	60万円	60万円	75万円	90万円

	6回目継続支給分	7回目継続支給分	8回目継続支給分	9回目継続支給分
国債の名称	第19回特別給付金国庫債券	第21回特別給付金国庫債券	第24回特別給付金国庫債券	第26回特別給付金国庫債券
額面	100万円	100万円	100万円	100万円

■留意事項

1．国債は，次の場合を除き譲渡，担保が禁止されている。

　(1)　国への譲渡

　(2)　地方公共団体への担保権の設定

　(3)　財務省令で定める者への担保権の設定（株式会社日本政策金融公庫又は沖縄振興開発金融公庫）

　　(注)　国債の買上げ及び担保貸付については，本編13，14（**p. 490〜493**）参照

2．特別給付金を受ける権利は，3年間行使しないときは時効により消滅する。

3．国債は，5年均等償還で毎年5月15日（継続支給分は9月14日）に支払われる。

6　戦傷病者等の妻に対する特別給付金

根拠▶戦傷病者等の妻に対する特別給付金支給法
（昭 41.7.1 法律第 109 号）

　戦傷病者等の妻に対し，夫が戦傷病者等であることによる特別な精神的痛苦を慰藉するために特別給付金を支給する。

■**請求手続**

　請求手続の窓口は市区町村であり，国債の償還は，受給者が指定する日本銀行の本店，支店，代理店又は国債代理店で取扱う。

■**対象者**

　一定の基準日において，恩給法に定める第 5 款症以上の障害の程度を有し，恩給法による増加恩給や傷病年金，戦傷病者戦没者遺族等援護法（昭和 27 年法律第 127 号。以下「援護法」という。）による障害年金等の年金給付等（以下「増加恩給等」という。）を受けている戦傷病者と婚姻（婚姻の届出をしていないが，事実上婚姻関係と同様の事情にあったと認められる方を含み，離婚の届出をしていないが，事実上離婚したと同様の事情にあったと認められる方を除く。）している妻が支給対象となる。

■**基準日，国債の額**

	（基準日）	（国債の額）
・昭和 41 年制定	昭和 38 年 4 月 1 日	10 万円（10 年償還）※軽症者は額面が半額
・昭和 51 年改正	昭和 48 年 4 月 1 日	10 万円（10 年償還）　〃
・昭和 54 年改正	昭和 54 年 4 月 1 日	5 万円（5 年償還）　〃
・昭和 61 年改正	昭和 58 年 4 月 1 日	30 万円（10 年償還）　〃
・平成 3 年改正	平成 3 年 4 月 1 日	15 万円（5 年償還）　〃
・平成 8 年改正	平成 5 年 4 月 1 日	30 万円（10 年償還）　〃
・平成 13 年改正	平成 13 年 4 月 1 日	15 万円（5 年償還）　〃
・平成 18 年改正	平成 15 年 4 月 1 日	30 万円（10 年償還）　〃
・平成 23 年改正	平成 23 年 4 月 1 日	15 万円（5 年償還）　〃
・平成 28 年改正	平成 28 年 4 月 1 日	15 万円（5 年償還）　〃
・　〃	令和 3 年 4 月 1 日	15 万円（5 年償還）　〃

■継続支給

当初分の国債の償還が終了後，これまでに1回目継続分，2回目継続分，3回目継続分，4回目継続分，5回目継続分の特別給付金を支給している。ただし，それぞれの継続日において，戦傷病者が第5款症以上の障害の程度を有し，増加恩給等を受けており，かつ，戦傷病者とその妻が婚姻関係にあることが必要である。

■平病死による特別給付金

戦傷病者等の妻に対する特別給付金の受給権を取得した後，平成28年3月31日までの間に，当該戦傷病者が公務又は勤務に関連する傷病以外の事由により死亡（平病死亡）している場合，その妻に対し額面5万円（1万円×5年償還）の特別給付金を支給する。

■留意事項

1．国債は，次の場合を除き譲渡，担保が禁止されている。

　(1)　国への譲渡

　(2)　地方公共団体への担保権の設定

　(3)　財務省令で定める者への担保権の設定（株式会社日本政策金融公庫又は沖縄振興開発金融公庫）

　　(注)　国債の買上げ及び担保貸付については，本編13，14（**p. 490〜493**）参照

2．特別給付金を受ける権利は，3年間行使しないときは時効により消滅する。

3．国債は，5年均等償還で毎年4月15日に支払われる。

7　戦傷病者の援護

〔**根拠**▶戦傷病者特別援護法（昭38.8.3法律第168号）〕

軍人軍属等であった者の公務上の傷病に関し，国家補償の精神に基づき，特に療養の給付等の援護を行う。

■戦傷病者手帳（法第4条）

1．軍人軍属等であって次のいずれかに該当する者の申請により交付する。

　(1)　公務上の傷病により恩給法別表等に定める程度の障害のある者

　(2)　公務上の傷病について厚生労働大臣が療養の必要があると認定した者

　　(注)　本法でいう公務上の傷病には，勤務に関連した傷病を含む。

2．手帳の交付は，都道府県知事が行う。

3．手帳には，前記1．の(1)，(2)等についての判断が記載されており，これによって諸給付

又は他の法令による援護の対象者とされる。

■戦傷病者相談員（法第8条の2）

1．設置目的

戦傷病者の更生等の相談に応じ，戦傷病者の援護のために必要な指導を行い，戦傷病者の福祉の増進を図る。

2．性　格

厚生労働大臣の委託を受けて戦傷病者の相談，指導等の業務を行う民間篤志家である。

3．業　務

(1) 本法の援護の受給に関すること（手帳の交付，療養の給付，補装具の支給修理，旅客会社無賃乗車船等）。

(2) 恩給法等による各種給付等の受給に関すること。

(3) 身体障害者福祉法その他社会福祉諸施策の活用に関すること。

(4) 職業のあっせん等に関すること。

■援護の種類

1．援護の種類

(1) 療養の給付

(2) 療養手当の支給

(3) 葬祭費の支給

(4) 更生医療の給付

(5) 補装具の支給及び修理

(6) 国立保養所への収容

(7) 旅客会社等の乗車船の無賃取扱い

2．実施主体（窓口）

都道府県

3．療養の給付

(1) 要件（対象）

軍人軍属等の公務上の傷病で厚生労働大臣が療養の必要があると認めた者（手帳で確認）の当該傷病について療養の給付を行う。

(2) 給付期間

当分の間……制限なし

(3) 給付の方法

指定医療機関による現物給付を原則とし，療養費払の方法もある。

4．療養手当の支給

　　引き続き 1 年以上入院して療養の給付を受けている者（傷病恩給等の年金給付を受け
　ている者を除く。）に月額 30,700 円を支給する。

5．葬祭費の支給

　　療養の給付受給中に死亡した場合，その者の葬祭を行う遺族に対し 212,000 円を支給
　する。

6．更生医療の給付

　　公務上の傷病により，視覚障害，聴覚障害，平衡機能障害，音声機能障害，言語機能
　障害，そしゃく機能障害，肢体不自由，中枢神経機能障害，心臓，じん臓，呼吸器，ぼ
　うこう若しくは直腸，小腸又は肝臓の機能障害の状態にある戦傷病者に対し，更生のた
　めに必要な医療の給付を行う。

7．補装具の支給及び修理

　　公務上の傷病により，視覚障害，聴覚障害，平衡機能障害，音声機能障害，言語機能
　障害，そしゃく機能障害，肢体不自由，中枢神経機能障害，心臓，じん臓，呼吸器，ぼ
　うこう若しくは直腸，小腸又は肝臓の機能障害の状態にある戦傷病者に対し，盲人安全
　つえ，補聴器，義肢，装具，車いす等の補装具を支給し，又は修理する。

8．国立保養所への収容

　　重度の障害のある戦傷病者で必要があると認めるときは，本人の申請により国立保養
　所（別府重度障害者センター）に収容する。

9．旅客会社等の乗車船の無賃取扱い

(1)　公務上の傷病により恩給法別表等に該当する障害のある戦傷病者及びその介護人
　　（1 人）は，その戦傷病者の障害の程度ごとに一定回数の旅客会社等の鉄道又は連絡
　　船に無料で乗車又は乗船できる。

(2)　都道府県知事から「戦傷病者乗車券類引換証」の交付を受け，旅客会社等の各駅等
　　において，これと引換に乗車船券の交付を受ける。

8　未帰還者留守家族等の援護

〔根拠▶未帰還者留守家族等援護法（昭 28.8.1 法律第 161 号）〕

　　未帰還者が置かれている特別の事情にかんがみ，国の責任において，その留守家族及び未
帰還者が帰国した場合に援護を行う。

■実施主体（窓口）

　　都道府県

■留守家族手当

未帰還者の留守家族に対し留守家族手当を支給する。

1．留守家族の範囲

留守家族の範囲及び受給順位は，次のとおりである。ただし，未帰還者が帰還したとすれば，主としてその者の収入によって生計を維持していると認められる者に限る。

(1)　配偶者　　　夫については，障害の状態にある場合に限る。

(2)　子　　　　　18歳未満又は障害の状態にあること。

(3)　父母　　　　60歳以上，障害の状態にあるか又は配偶者がなく，かつ，扶養する直系血族がないとき。

(4)　孫　　　　　18歳未満又は障害の状態にあること。

(5)　祖父母　　　60歳以上又は障害の状態にあること。

2．金　額

(1)　月額117,910円を毎月支給する。

(2)　留守家族が2人ある場合には122,410円とする。

(3)　留守家族が3人ある場合には126,910円とする。

(4)　留守家族が4人以上ある場合には126,910円にこれらの留守家族のうち3人を除いた者1人につき1,000円を加えた額とする。

3．併給調整

未帰還者に関し，普通恩給，共済組合等の長期給付がある場合には，その支給額の限度において留守家族手当は支給しない。

4．手　続

所定の申請書を，居住地を管轄する都道府県知事に提出する。

■帰郷旅費

未帰還者が帰還したときは，上陸地から帰郷地までの距離により1,000円〜3,000円を支給する（18歳未満の者は1/2）。

■葬祭料

未帰還者の死亡の事実が判明したとき，遺族（遺族がないときは葬祭を行う者）に対し，212,000円を支給する（本邦に住所又は居所を有する者に限る。）。

■遺骨引取経費

未帰還者の死亡の事実が判明したとき，遺族（遺族がないときは，葬祭を行う者）に対し5,000円を支給する（本邦に住所又は居所を有する者に限る。）。

■障害一時金

　未帰還者が，帰還前の傷病（自己の責に帰し得ない事由によるものに限る。）により障害者となった場合，障害の程度により1,600円～38,000円（14段階）を支給する。

(注)1　戦傷病者特別援護法による療養の給付を受けている間は支給しない。

　　2　支給事由発生の日から2年以内に請求しないと時効にかかる。

9　未帰還者に関する特別措置

〔根拠▶未帰還者に関する特別措置法（昭34.3.3法律第7号）〕

　未帰還者のうち，国がその状況につき調査究明した結果，なおこれを明らかにすることができない者について，特別の措置を講ずる。

■実施主体（窓口）

　都道府県

■戦時死亡宣告

　都道府県知事は，未帰還者について民法第30条の失踪宣告（戦時死亡宣言）を請求できる。

■弔慰料

　1．要　件

　　未帰還者が戦時死亡宣告を受けたとき，その遺族に対して支給する。

　2．金　額

　　3万円。ただし，同時に恩給法，戦傷病者戦没者遺族等援護法の給付を受けることができるときには，2万円とする。

10　引揚者給付金等

〔根拠▶引揚者給付金等支給法（昭32.5.17法律第109号）〕

　終戦により外地における生活基盤を喪失して引き揚げた者及び終戦に関連する外地における特別の事情の下において死亡した者の遺族に対し給付金の支給等特別の措置を講ずる。

■請求手続

　請求手続の窓口は市区町村であり，国債の償還は，受給者が指定する日本銀行の本店，支店，代理店又は国債代理店で取り扱う。

■引揚者給付金

1．対　象

　引揚者で昭和 32 年 4 月 1 日（同日以後に引き揚げた者については，その引き揚げた日）において日本国籍を有するもの

(注)　引揚者とは終戦前の日まで引き続き 6 か月以上外地に生活の本拠を有していた者でその後外国官憲の命令，生活手段の喪失等のやむをえない理由により，本邦に引き揚げた者，又は本邦に滞在中終戦によって当該外地に戻ることができなくなった者等をいう。

2．金　額

　昭和 20 年 8 月 15 日現在の年齢により次の額を記名国債（10 年償還年利 6 分）をもって交付する。

18 歳未満	7,000 円
30 歳 〃	15,000 円
50 歳 〃	20,000 円
50 歳以上	28,000 円

　ただし，裁判により拘禁されていた者等については 28,000 円とする。

3．所得制限

　昭和 31 年分の所得税額（配偶者の分を含む。）が 88,200 円を超えた者及びその配偶者には支給しない。

■遺族給付金

1．対　象

(1)　終戦により引き揚げることを余儀なくされながら引き揚げる前に死亡した者の遺族

(2)　引き揚げてから昭和 32 年 3 月 31 日までに死亡した者（死亡の当時 20 歳以上の者に限る。）の遺族

2．金　額

　10 年償還の記名国債（年利 6 分）を次の区分により支給する。

(1)　外地死亡	18 歳未満	15,000 円
	18 歳以上	28,000 円
(2)　内地死亡	18 歳未満	7,000 円
	30 歳 〃	15,000 円

|50 歳 〃|20,000 円|
|50 歳以上|28,000 円|

■時　効

　引揚者給付金又は遺族給付金を受ける権利は，6 年間行わないときは時効により消滅する。

11　引揚者等に対する特別交付金

根拠▶引揚者等に対する特別交付金の支給に関する法律
（昭 42.8.1 法律第 114 号）

引揚者及びその遺族並びに引揚前死亡者の遺族に対して特別交付金の支給措置を講ずる。

■特別交付金の対象

　次に掲げる者で昭和 42 年 8 月 1 日（引揚又は引揚前死亡の日が，8 月 2 日以後である場合はその日）に日本国籍を有するもの。

(1)　引揚者

(2)　昭和 42 年 7 月 31 日以前に死亡した引揚者の遺族

(3)　引揚前死亡者の遺族

■金　額

次の表に掲げる額を 10 年償還の記名国債（無利子）により交付する。

	引揚者に対する給付	遺族に対する給付
20 歳未満	20,000 円	14,000 円
20 歳以上 25 歳未満	30,000 円	21,000 円
25 歳以上 35 歳未満	50,000 円	35,000 円
35 歳以上 50 歳未満	100,000 円	70,000 円
50 歳以上	160,000 円	112,000 円
外地に 8 年以上生活の本拠を有していた者に対する加算額	10,000 円	7,000 円

（注）　年齢は，終戦の日（マレイ半島，フィリピン等については，昭和 16 年 8 月 1 日又は 12 月 8 日，南洋群島においては昭和 18 年 10 月 1 日）現在の満年齢である。

■**実施主体（窓口）**

都道府県

■**その他**

1. この国債は，国への譲渡，地方公共団体，株式会社日本政策金融公庫，独立行政法人北方領土問題対策協会及び沖縄振興開発金融公庫への担保権の設定以外の譲渡担保は禁止されている。

2. 特別交付金の請求は，昭和47年3月31日までに行わなければならない。ただし，引揚げの日又は死亡の事実が判明した日が昭和43年4月2日以後であるときは，当該判明した日から4年以内に請求すればよい。

3. 国債の償還は，10年間の均等償還により，毎年8月15日に日本銀行の本店，支店，代理店又は国債代理店等において支払われる。

12 軍人恩給

〔**根拠**▶恩給法（大12.4.14法律第48号）〕

恩給は，公務員（旧軍人や一般文官）とその遺族を対象とした年金制度である。

戦後の昭和21年には，連合国最高司令官の指令により軍人恩給は一部の傷病者の恩給を除いて廃止されることとなり，しばらく軍人恩給の空白期間が続いたが，昭和28年に新しい姿で再出発した。その後，昭和30年代から，公務員を対象とする共済組合制度が発足したため，それ以降の在職者に対しては，恩給制度は適用されないこととなった。

以下，このうち旧軍人に対する恩給について説明する。

■**普通恩給**

旧軍人が一定年数以上在職して退職したときに支給される。この一定年数を「最短恩給年限」という。

1. 最短恩給年限

軍人	准士官以上	13年以上在職
	下士官及び兵	12年以上在職

（注）　戦地勤務等については，在職期間が割増になる。

2. 金　額（年額）

原則は，在職12年又は13年で仮定俸給年額の50/150とし，これを超える1年につき，仮定俸給年額の1/150を加えた額。階級別に一定の仮定を置いた年額を示すと参考の表（p.490参照）のようになる。

なお，仮定俸給年額等は，毎年度，国民年金の改定率（引上率）に基づき改定される。

3．支給方法

　受給者が指定する金融機関で，1月，4月，7月，10月の年4回支給される（1月支払い分は，12月に繰り上げ支給）。

■増加恩給

1．要　件

　公務上の傷病により重度障害の状態（特別項症～第7項症）となった場合に普通恩給（最短恩給年限未満でも仮定俸給年額の50/150相当額が支給，最低保障額も適用）と併せて支給される。

2．金　額（年額）

　(1)　基本額

障害の程度	増加恩給年額	障害の程度	増加恩給年額
特別項症	第1項症の額にその7/10以内の額を加えた額	第4項症	3,108,000円
第1項症	5,723,000円	第5項症	2,514,000円
第2項症	4,769,000円	第6項症	2,033,000円
第3項症	3,927,000円	第7項症	1,853,000円

　(2)　加給額

　①　扶養家族がある場合次の額を加給する。

　　ア　妻　193,200円

　　イ　妻以外の扶養家族のうち2人目までは1人につき72,000円（ただし妻がない場合にはそのうち1人は132,000円），3人目からは1人につき36,000円。

　②　特別加給

　　障害の程度が特別項症のものは270,000円，第1項症又は第2項症については210,000円を加給する。

■傷病年金又は傷病賜金

1．要　件

　公務の傷病により一定程度の障害を残した場合，その者の選択により傷病年金又は傷病賜金が支給される。

2．金　額

傷病年金

障害の程度	傷病年金年額
第 1 款症	1,686,000 円
第 2 款症	1,352,000 円
第 3 款症	1,089,000 円
第 4 款症	961,000 円

傷病賜金

障害の程度	傷病賜金額（一時金）
第 7 項症	6,088,000 円
第 1 款症	5,050,000 円
第 2 款症	4,332,000 円
第 3 款症	3,559,000 円
第 4 款症	2,855,000 円
第 1 目症	48,000 円
第 2 目症	32,000 円

3．加給額

　　傷病年金受給者に妻がある場合は，193,200 円が加給される。

■特例傷病恩給

　　昭和 16 年 12 月 8 日以後の内地等における職務に関連する傷病により増加恩給又は傷病年金程度の障害の状態にある者に対しては，増加恩給又は傷病年金の年額の約 7 割 5 分に相当する額が支給される。

■一時恩給

1．要　件

　　旧軍人等の引き続く実在職年が 3 年以上の普通恩給最短恩給年限未満の者に支給する。

2．金　額

　　俸給月額×実在職年数

■一時金

1．要　件

　　引き続かない実在職年が合わせて 3 年以上の旧軍人に対して支給する。

2．金　額

　　一律 15,000 円

■扶助料

1．要　件

　　公務傷病等により死亡した場合にその遺族に対し支給する。

2．金　額（年額）

(1)　普通扶助料（公務に起因しない死亡）　普通恩給年額の 1/2

(2)　公務扶助料（公務傷病による死亡）　旧軍人の階級により(1)の額に 46.1 割～23.0 割を乗じた額

(3)　増加非公死扶助料（増加恩給を受けていた者又は受けるべきであった者が当該傷病によらず死亡した場合）　旧軍人の階級により(1)の額に 34.6 割～17.3 割を乗じた額

(4)　特例扶助料（昭和 16 年 12 月 8 日以降の内地等における職務関連傷病による死亡）　旧軍人の階級により(1)の額に 34.6 割～13.6 割を乗じた額

(5)　傷病者遺族特別年金（傷病年金，特例傷病恩給を受けていた者が当該傷病によらず死亡した場合）　年額 404,800 円又は 303,600 円

※ただし，各扶助料にも以下の最低保障額がある。

(1)　普通扶助料

①　実在職年が最短恩給年限以上の者の遺族　792,000 円

②　実在職年が最短恩給年限未満の者の遺族

ア　実在職年 9 年以上　　　　　594,000 円

イ　　〃　　6 年以上 9 年未満　475,200 円

ウ　　〃　　6 年未満　　　　　404,800 円

(2)　公務扶助料　　　　1,814,000 円

(3)　増加非公死扶助料　1,420,700 円

(4)　特例扶助料　　　　1,420,700 円

3．加算額

(1)　普通扶助料を受ける者が妻の場合，次の額を加算する。

①　扶養遺族である子が 2 人以上ある場合　　267,500 円

②　扶養遺族である子が 1 人ある場合及び扶養遺族である子を有しない 60 歳以上の場合　152,800 円

(2)　公務扶助料，増加非公死扶助料及び特例扶助料（公務関係扶助料）を受ける者に扶養遺族がある場合，扶養遺族のうち 2 人までは 1 人につき 72,000 円，3 人目からは 1 人につき 36,000 円を加給する。

(3)　公務扶助料，増加非公死扶助料及び特例扶助料（公務関係扶助料）を受ける者については，152,800 円を加算する。

(4)　傷病者遺族特別年金を受ける者については，152,800 円を加算する。

■一時扶助料

　　旧軍人等の引き続く実在職年が 3 年以上で普通恩給最短恩給年限に達していない者が公務傷病によらないで死亡した場合，その遺族に対して支給する。

　　金額は，一時恩給と同額（俸給月額×実在職年数）

■**実施主体（窓口）**

　　恩給を受ける権利の裁定は，総務大臣が行うが，諸請求書は，都道府県知事及び厚生労働大臣を経由して提出する。

【参　考】軍人の階級別，恩給，扶助料の標準額

階　　　級	実在職年数	普　通　恩　給		公　務　扶　助　料	
大　　　将	20 年		3,556,100 円		4,242,300 円
中　　　将	16		2,775,600		3,344,700
少　　　将	13		2,097,100		2,564,500
大　　　佐	13		1,834,400		2,445,800
中　　　佐	13		1,723,400		2,307,000
少　　　佐	13		1,375,600	※	1,966,800
大　　　尉	13		1,144,200	※	1,966,800
中　　　尉	13	※	1,132,700	※	1,966,800
少　　　尉	13	※	1,132,700	※	1,966,800
	9 以上	※	849,500		
准　士　官	13	※	1,132,700	※	1,966,800
	9 以上	※	849,500		
曹　　　長	12	※	1,132,700		
上 等 兵 曹	9 以上	※	849,500	※	1,966,800
〜	6 以上	※	679,600		
兵	6 未満	※	568,400		

（注）1　※印の金額は最低保障額（普通恩給にあっては，65歳以上のものに給する最低保障額）である。

　　　2　中将以上は老齢加給を含んだ額である。

　　　3　公務扶助料年額は，遺族加算152,800円を含んだ額である。

　　　4　実在職年額は仮定である。

13　特別給付金国債等の買上げ

　〔**根拠**▶戦没者等の妻に対する特別給付金支給法（昭38.3.31法律第61号）ほか〕

　特別給付金等として交付を受けた記名国債については，法律により政令で定める場合を除くほか，譲渡，担保権の設定等の処分はできないことと規定されている。政令においては，以下の場合には譲渡等の処分を認めている。

　(1)　国に譲渡する場合

　(2)　地方公共団体に対し担保権を設定する場合

(3)　財務省令で定める者に対し担保権の設定をする場合

このうち，「(1)　国に譲渡する場合」を特別買上償還といい，特別給付金等の受給者が経済的困窮者等である場合に限り，本来一定の期間（例：10年）をかけて償還金を受け取るところを，償還期限前に残存賦札を特定の買上価格で一括して買い上げる方法により償還するもの。

■対象者

国債の記名者が次の1．2．又は3．に該当し，かつ，都道府県知事により国債の買上げを必要とする旨の証明を受けたもの

1．生活保護法（昭和25年法律第144号）第6条第1項に規定する被保護者
2．現に保護を受けていないが経済的に困窮している者であることを，福祉事務所長（東京都特別区の場合は特別区長）が認めたもの
3．国債の記名者の破産管財人又は国債の記名者が死亡した場合におけるその相続人若しくは相続財産の管理人の申出により，当該国債の記名者の債務を弁済するために当該国債の記名者の財産又は相続財産の処分を必要とすると認められるもの

■対象国債・買上価格

買上償還の対象となる国債及び買上価格については，毎年度，財務省と厚生労働省の協議により決定している。

令和4年度については，第27回特別給付金国債「い号」「ろ号」「は号」「に号」「ほ号」「へ号」及び「と号」並びに第11回特別弔慰金「い号」，第29回特別給付金「い号」が対象。

第27回特別給付金国債実施期間
（令和5年5月1日〜令和5年10月30日）

記号	買上賦札 枚数	買上賦札 金額	買上価格
い号	1	100,000円	97,100円
ろ号	3	300,000円	282,900円
は号	7	700,000円	623,100円
に号	9	900,000円	778,700円
ほ号	13	1,300,000円	1,063,500円
へ号	15	1,500,000円	1,193,800円
と号	17	1,700,000円	1,316,700円
ち号	19	1,900,000円	1,432,400円

（令和 5 年 10 月 31 日～令和 6 年 4 月 26 日）

買上賦札			買上価格
記号	枚数	金額	
ろ号	2	200,000 円	191,400 円
は号	6	600,000 円	541,800 円
に号	8	800,000 円	702,000 円
ほ号	12	1,200,000 円	995,400 円
へ号	14	1,400,000 円	1,129,600 円
と号	16	1,600,000 円	1,256,200 円
ち号	18	1,800,000 円	1,375,400 円

第 11 回特別弔慰金国債実施期間
（令和 5 年 4 月 17 日～令和 6 年 4 月 12 日）

買上賦札			買上価格
記号	枚数	金額	
い号	2	100,000 円	95,700 円

第 29 回特別給付金国債実施期間
（令和 5 年 4 月 17 日～令和 6 年 4 月 12 日）

買上賦札			買上価格
額面	枚数	金額	
50 万円	3	300,000 円	282,900 円
45 万円	3	270,000 円	254,600 円
30 万円	3	180,000 円	169,800 円
25 万円	3	150,000 円	141,500 円
22万5千円	3	135,000 円	127,300 円

■買上償還の事務の流れ

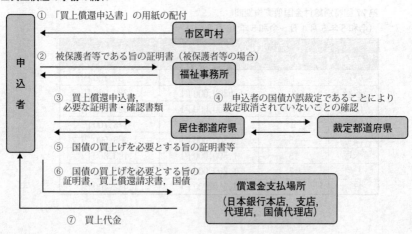

14　特別給付金国債等の担保貸付

〔根拠▶第8回特別弔慰金国庫債券の担保貸付について　等〕

戦没者遺族等に対する各種国庫債券の所有者（記名者）に対し，国庫債券を担保として事業資金を貸し付ける。対象の券面種類については，毎年見直しを行っている。

■実施主体

株式会社日本政策金融公庫又は沖縄振興開発金融公庫（ただし，申込みの窓口は，市区町村で，都道府県知事が実質的な審査を行い適格者を内定し，公庫の支店へ内申することになっている。）

■対象となる国庫債券

1. 戦没者等の妻に対する特別給付金国庫債券
2. 戦没者等の遺族に対する特別弔慰金国庫債券
3. 戦傷病者等の妻に対する特別給付金国庫債券
4. 戦没者の父母等に対する特別給付金国庫債券
5. 引揚者等に対する特別交付金国庫債券

■借受手続等

1. 借入申込書は，居住地を管轄する市区町村に提出する。
2. 都道府県は，申込書を取りまとめ貸付適格者を内定し，株式会社日本政策金融公庫支店，沖縄振興開発金融公庫支店へ内申し，同公庫で貸付を決定する。

15　中国残留邦人等の援護

1　帰国の援護及び自立の支援

〔根拠▶「海外邦人の引揚げに関する件」（昭27.3.18閣議決定）
「中国残留邦人等の円滑な帰国の促進並びに永住帰国した中国残留邦人等及び特定配偶者の自立の支援に関する法律」（平6.4.1法律第30号）ほか〕

先の大戦に起因して生じた混乱等により本邦に引き揚げることができず引き続き本邦以外の地域に居住することを余儀なくされた中国残留邦人等及びそのような境遇にあった中国残留邦人等と長年にわたり労苦を共にしてきた特定配偶者の置かれている事情に鑑み，中国残

留邦人等の円滑な帰国を促進するとともに，永住帰国した中国残留邦人等及び特定配偶者の自立の支援を行う。

■対象・中国残留邦人等及び特定配偶者の範囲

1．中国残留邦人等の範囲

⑴　中国地域における昭和20年8月9日以後の混乱等の状況の下で本邦に引き揚げることなく同年9月2日以前から引き続き中国の地域に居住している者であって同日において日本国民として本邦に本籍を有していたもの

⑵　前記⑴の者を両親として同月3日以後中国の地域で出生し，引き続き中国の地域に居住している者

⑶　前記⑴及び⑵の者に準ずる事情にあるものとして厚生労働省令で定める者

2．特定配偶者の範囲

特定中国残留邦人等（後記「援護の種類及び内容」の4．⑸④（p.498）参照）が永住帰国する前から継続して配偶者（婚姻の届出をしていないが，事実上婚姻関係と同様の事情にある者を含む。）である者

■実施主体（窓口）

厚生労働省，都道府県，市区町村

■援護の種類及び内容

1．永住帰国旅費の支給

⑴　要　件

永住帰国のための旅行に要する費用（以下「永住帰国旅費」という。）は，中国残留邦人等が昭和20年9月2日以後初めて永住帰国する場合に支給する。

⑵　支給対象者

中国残留邦人等及び当該中国残留邦人等の親族等（当該中国残留邦人等と本邦で生活を共にするために本邦に入国するものであって当該中国残留邦人等に同行するものに限る。）のうち次に掲げるもの。

①　配偶者

②　18歳未満の実子（配偶者のないものに限る。）

③　日常生活又は社会生活に相当程度の障害がある実子（配偶者のないものに限る。）であって当該中国残留邦人等又はその配偶者の扶養を受けているもの

④　実子であって当該中国残留邦人等（55歳以上であるもの又は日常生活若しくは社会生活に相当程度の障害があるものに限る。）の永住帰国後の早期の自立の促進及び生活安定に必要な扶養を行うため本邦で生活を共にすることが最も適当である者

として当該中国残留邦人等から申出のあったもの

⑤　④に規定する者の配偶者（④に規定する者に同行して本邦に入国するものに限る。）

⑥　①～⑤に規定する者に準ずるものとして厚生労働大臣が認める者

(3)　支給の申請

支給を受けようとする者が厚生労働大臣に行う。

2．自立支度金の支給

(1)　要　件

中国残留邦人等及びその親族等の生活基盤の確立に資するために必要な資金（以下「自立支度金」という。）は，中国残留邦人等が昭和 20 年 9 月 2 日以後初めて永住帰国した場合に支給する。

(2)　自立支度金の額

自立支度金の額は，次の①，②に掲げる額の合計額

①　中国残留邦人等及びその親族等 1 人につき次の額

大人（18 歳以上）　168,600 円（小人半額）

②　少人数世帯加算額

換算世帯人員（大人 1.0　小人 0.5 で換算）　加算額

1.0～2.0　167,700 円

2.5～3.5　83,850 円

(3)　支給の申請

①　本邦に上陸した日から 1 年以内に，自立支度金支給申請書を厚生労働大臣に提出

②　永住帰国旅費の支給申請があったときは，自立支度金支給の申請があったものとみなす。

3．一時帰国旅費等の支給

(1)　援護内容

次の目的で本邦に一時帰国のための旅行に要する費用及び滞在費

①　親族の訪問

②　墓参り

③　中国残留邦人等を養育した者であって本邦に居住しているものの訪問

④　前記の目的に準ずるものとして厚生労働大臣が認める目的

(2)　要　件

①　中国残留邦人等が昭和 20 年 9 月 2 日以後初めて一時帰国する場合

②　中国残留邦人等が最後に本邦に上陸した日から 1 年経過した後に再一時帰国する場合

③　①，②のほか厚生労働大臣が特別の事情があると認める場合

(3)　支給対象者

①　中国残留邦人等

②　中国残留邦人等の 18 歳未満の実子であって当該中国残留邦人等に同行するもの

③　一時帰国のため介護人が必要な場合には，当該介護人

(4)　支給の申請

支給を受けようとする者が厚生労働大臣に行う。

4．自立援護

(1)　支援・相談員の配置

支援給付の実施機関に，中国残留邦人等に理解が深く，中国語又はロシア語ができる支援・相談員を配置し，中国残留邦人等のニーズに応じた助言等を行うことにより安心した生活が送れるよう支援する。

（業務内容）

①　支援・相談員は，支援給付及び配偶者支援金に関する事務を行う職員（以下「職員」という。）の補助業務を行う。

・実施機関窓口において，支援給付及び配偶者支援金に係る申請書の受付，認定に関する書類の確認及び相談業務を適宜職員と連携して行う。

・支援給付及び配偶者支援金支給要件の審査及び認定の調査等に際して，職員の指示により必要事項の聴き取りを行う。

②　支援・相談員は，単独又は必要に応じて職員に同行し，家庭訪問を行い，家庭訪問を通じて中国残留邦人等が日常生活上抱えている問題点を踏まえ，「中国帰国者等への地域生活支援プログラム実施要領」による，中国残留邦人等に最も適した支援メニューを助言する。

③　その他，中国残留邦人等の日常生活上の相談等に応じる。

(2)　自立指導員の派遣

永住帰国した中国残留邦人等及び同行入国した親族等（以下「永住帰国者等」という。）は，長期にわたり海外にあったため，言葉や生活習慣等の相違から，落着先の地域社会で定着し自立していく上で様々な困難に遭遇している現況にかんがみ，永住帰国者等の定着自立に必要な助言や指導等を行う。

（業務内容）

①　日常生活等の諸問題に関する相談に応じ，必要な援助を行う。

②　支援・相談員，自立支援通訳及び福祉事務所等の公的機関と緊密な連絡を保ち，必要に応じて福祉事務所等の窓口に同行して仲介するとともに必要な意見を述べる。

③　日本語の指導，日本語教室等日本語補講についての相談及び手続きの介助を行う。

④　職業訓練施設で受講している際に係る諸問題の相談に応じ，必要な援助を行うと

ともに，円滑かつ効果的な職業訓練が行われるよう援護措置を講じ，技能習得後の
雇用安定が図れるように配慮する。

(3) 自立支援通訳の派遣

　永住帰国者等が定着先の医療機関で受診する場合など正確な会話が必要とされる場
合に通訳を行う自立支援通訳を派遣している。

（派遣要件）

① 巡回健康相談を受ける場合。

② 医療機関で受診する場合。

③ 支援給付実施機関等の関係行政機関から援助を受ける場合。

④ 学校生活上生じた問題や進路について相談する場合。

⑤ 一時帰国旅費の支給を受け一時帰国した場合。

⑥ 介護保険制度による介護認定及び介護サービスを利用する場合。

⑦ 自らの業務に必要な技能・技術及び知識の向上を図るため，公共職業能力開発施
　設認定職業訓練を実施する施設及び都道府県知事から職場適応訓練の実施を委託さ
　れた事業所で実施する短期間の訓練課程を受講する場合。

(4) その他の援護

・各種行政機関の窓口の紹介，生活習慣の相違等のオリエンテーションの実施

・首都圏中国帰国者支援・交流センターの定着促進事業の実施

・身元引受人のあっせん

・中国帰国者支援・交流センター（北海道，宮城，東京，愛知，大阪，広島，福岡）
　による日本語習得支援，生活相談，交流支援，普及啓発事業等

・永住帰国者等の世帯を健康相談員が巡回して保健・衛生面での指導に当たる巡回健
　康相談事業の実施

・就労安定化事業の実施

・就籍手続に要する経費の援助

・就職促進

　（就職促進）

　　　公共職業能力開発施設への入校

　　　公共職業安定所への引率

　　　首都圏中国帰国者支援・交流センターでの定着促進事業における就職相談・指
　　　導

　　　労働施策の総合的な推進並びに労働者の雇用の安定及び職業生活の充実等に関
　　　する法律による職業転換給付金制度を中国残留邦人等永住帰国者に適用（訓練
　　　手当等支給，中国残留邦人等永住帰国者を雇い入れる事業主に対し，特定求職
　　　者雇用開発助成金の支給）

(5)　国民年金の特例措置と一時金の支給

①　特例措置の趣旨

　　中国，樺太における戦後の混乱により，日本に帰国できなくなってしまった中国残留邦人等については，帰国時に高齢となっており，帰国後国民年金に加入しても加入期間が短いため，年金が受給できなかったり，年金額が低額になってしまう問題が生じていた。

　　中国残留邦人等については，本人の意思に反して中国等に残留せざるをえなかったため，国民年金に加入できなかったという事情にかんがみ，特例措置を講ずることとされたものである。

②　対象者の範囲（以下のすべてに該当する者）

ア　永住帰国した中国残留邦人等本人

イ　明治44年4月2日以降出生した者

ウ　永住帰国した日から引き続き1年以上本邦に住所を有する者

エ　昭和36年4月1日以後に初めて永住帰国した者

③　特例措置の内容

ア　国民年金が創設された昭和36年4月1日から初めて永住帰国した日の前日までの期間（以下「国民年金対象残留期間」という。）は，永住帰国した日から起算して1年を経過した日以後，保険料免除期間とみなす。

イ　国民年金対象残留期間については，国民年金の強制加入期間である20歳から60歳までの期間に限るものとし，昭和56年12月以前の期間は，日本国籍を有している期間に限るものとする。

ウ　保険料免除期間とみなされた期間について追納を行うことができ，追納が行われた期間は，追納を行った日以後，保険料納付済期間に算入する。

エ　老齢給付の受給権者が保険料免除期間とみなされた期間について追納を行ったときは，追納を行った日以後，年金額の改定の請求ができるものとし，請求を行った日の属する月の翌月から年金額を改定する。

④　一時金の支給

　　特例措置対象者のうち，昭和21年12月31日以前に生まれた者（これに準ずる事情のある者として厚生労働大臣が認める者を含む。以下「特定中国残留邦人等」という。）に係る国民年金対象残留期間であって政令で定めるものについては，被保険者期間とみなし，特定中国残留邦人等に対し，被保険者期間に応じて，政令で定める額の一時金を支給する。なお，支給にあたっては，満額の老齢基礎年金等の支給を受けるために納付する保険料を控除して，国が日本年金機構に納付する（保険料の額は，厚生労働省が告示する。）。この一時金の支給を受けるためには，申請が必要であり，申請期間は特定中国残留邦人等が永住帰国し1年経過後から5年間であ

る。
　⑤　手続
　　　ア　永住帰国した中国残留邦人等であることの証明申出【厚生労働省】
　　　イ　特例措置該当申出【日本年金機構】
　　　ウ　一時金申請（特定中国残留邦人等に限る。）【厚生労働省】
5．支援給付の実施
　　特定中国残留邦人等であって，その者の属する世帯の収入の額がその者（当該者の特定配偶者を含む。）について生活保護法の保護の基準により算出した額に比して不足するものに対して，その不足する範囲内において行う。
　　支援給付の種類は，以下のとおりとする。
　⑴　生活支援給付
　⑵　住宅支援給付
　⑶　医療支援給付
　⑷　介護支援給付
　⑸　その他政令で定める給付
6．配偶者支援金の支給
　　配偶者支援金は，特定中国残留邦人等が死亡した場合において，支援給付を受ける権利を有する特定配偶者に対して支給する。配偶者支援金の支給は，月を単位とし，満額の老齢基礎年金の月額相当額に2／3を乗じた額とする。
7．関係各省の援護施策
　（住宅の援護）
　　　公営住宅への優先入居の措置　　　　　　　　　　　　　　　（国土交通省）
　（日本語教育）
　　　帰国・外国人児童生徒受入促進事業　　　　　　　　　　　　（文部科学省）
　　　「生活者としての外国人」のための日本語教育事業　　　　　（文　化　庁）
　（就籍手続）
　　　首都圏中国帰国者支援・交流センターにおける就籍手続の指導　（最高裁判所）

2　中国残留孤児の身元調査

根拠▶「未帰還者等に関する調査及び処理実施要項について」
（昭53.10.6 援発第 883 号）
「中国残留孤児の肉親捜しのための訪日援護について」
（昭56.2.9 援発第 112 号）ほか

　中国の東北地区（旧満州）等において，終戦前後の混乱期に保護者と離別し，中国人の養父母等によって今日まで育てられた，いわゆる中国残留孤児からの依頼を受けて，日本の肉親を捜すための調査を行う。

■実施主体（窓口）

　厚生労働省，都道府県

■調査方法

1．厚生労働省及び都道府県の保管資料等の照合による調査
2．中国現地における日中両国政府の共同調査
3．共同調査の結果日本人孤児と認められた者について日本で手掛り資料を公表し，肉親情報を収集する情報公開調査
4．情報公開調査後に日本に招き肉親情報がある者については肉親と思われる者との対面を行う訪日対面調査
5．都道府県に元開拓団関係者等当時の事情に精通した調査員を配置して行う身元未判明孤児の肉親調査

■孤児に係る情報の提供

　中国残留孤児に関する国内資料の充実を図るため戸籍上死亡とされている者についてもその者が死亡したという確証が得られていないものについて，離別当時の状況を承知している肉親等から改めて届出を求めている。

【参　考】公益財団法人中国残留孤児援護基金

　「公益財団法人中国残留孤児援護基金」では，帰国孤児等が抱えている日本社会への早期適応，中国に残る養父母等の扶養などの問題について，全国民的課題として解決に取り組むこととし，広く一般からの寄付金を募って，政府の施策等との密接な連携の下に援護事業を行うこととしている。

■事業の内容

1．中国残留日本人孤児の養父母及び中国等に残留する日本人孤児等に対する支援事業

　(1)　中国残留日本人孤児の養父母等に対する扶養費の支払事業

　(2)　中国残留邦人等に対する生活状況調査及び援助事業

　(3)　中国に残る中国残留邦人等の集団一時帰国事業

2．日本に永住帰国した中国残留邦人等に対する定着・自立支援事業

　(1)　養父母お見舞い訪中援助事業

　(2)　中国残留邦人等に対する就学資金貸与事業

　(3)　中国帰国者支援・交流センター等就学教材費援助事業

　(4)　介護関連資格取得援助事業

　(5)　中国残留邦人等支援団体が実施する事業に対する助成事業

　(6)　意思疎通生活相談・援助事業

　(7)　中国帰国者の老後支援事業

　(8)　中国・サハリン残留日本人国籍取得支援事業

　(9)　普及啓発及び広報事業

　(10)　中国帰国者支援・交流センター運営事業（首都圏センター）

　(11)　中国残留邦人等永住帰国者に対する就職援助事業

　(12)　中国残留邦人等とその家族のための日本語教材等の開発及び出版事業

第11編

特殊疾病対策

1 感染症の予防

根拠▶感染症の予防及び感染症の患者に対する医療に関する法律
(平 10.10.2 法律第 114 号)

　感染症の発生・拡大に備えた事前対応型行政の構築，感染症患者に対する良質かつ適切な医療の提供体制の整備，患者等の人権を尊重した入院手続きの整備等を図り，総合的な感染症予防対策の推進を図る。

■感染症の種類

1．一類感染症（7 疾病）

　　エボラ出血熱，クリミア・コンゴ出血熱，痘そう，南米出血熱，ペスト，マールブルグ病，ラッサ熱

2．二類感染症（6 疾病）

　　急性灰白髄炎，結核，ジフテリア，重症急性呼吸器症候群（病原体がベータコロナウイルス属 SARS コロナウイルスであるものに限る。），中東呼吸器症候群（病原体がベータコロナウイルス属 MERS コロナウイルスであるものに限る。），鳥インフルエンザ（H5N1，H7N9）

3．三類感染症（5 疾病）

　　コレラ，細菌性赤痢，腸管出血性大腸菌感染症，腸チフス，パラチフス

4．四類感染症（45 疾病）

　　E 型肝炎，A 型肝炎，黄熱，Q 熱，狂犬病，炭疽，鳥インフルエンザ（鳥インフルエンザ（H5N1，H7N9）を除く。），ボツリヌス症，マラリア，野兎病，その他の既に知られている感染性の疾病であって，動物又はその死体，飲食物，衣類，寝具その他の物件を介して人に感染し，国民の健康に影響を与えるおそれがあるものとして政令（令第 1 条の 2）で定めるもの。

5．五類感染症（48 疾病）

　　インフルエンザ（鳥インフルエンザ及び新型インフルエンザ等感染症を除く。），ウイルス性肝炎（E 型肝炎及び A 型肝炎を除く。），クリプトスポリジウム症，後天性免疫不

全症候群，性器クラミジア感染症，梅毒，麻しん，メチシリン耐性黄色ブドウ球菌感染症，その他の既に知られている感染性の疾病（四類感染症を除く。）であって，国民の健康に影響を与えるおそれがあるものとして厚生労働省令（規則第 1 条）で定めるもの。

6．新型インフルエンザ等感染症

　　新型インフルエンザ及び新型コロナウイルス感染症（新たに人から人に伝染する能力を有することとなったウイルスを病原体とするインフルエンザ（新型コロナウイルス感染症においては，コロナウイルスを病原体とする感染症）であって，一般に国民が当該感染症に対する免疫を獲得していないことから，当該感染症の全国的かつ急速なまん延により国民の生命及び健康に重大な影響を与えるおそれがあると認められるもの。），再興型インフルエンザ及び再興型コロナウイルス感染症（かつて世界的規模で流行したインフルエンザ（再興型コロナウイルス感染症においては，コロナウイルスを病原体とする感染症）であってその後流行することなく長期間が経過しているものとして厚生労働大臣が定めるものが再興したものであって，一般に現在の国民の大部分が当該感染症に対する免疫を獲得していないことから，当該感染症の全国的かつ急速なまん延により国民の生命及び健康に重大な影響を与えるおそれがあると認められるもの。）

7．新感染症

　　人から人に伝染すると認められる疾病であって，既に知られている感染性の疾病とその病状等が明らかに異なるもので，当該疾病にかかった場合の病状の程度が重篤であり，かつ，当該疾病のまん延により国民の生命及び健康に重大な影響を与えるおそれがあると認められるもの。

8．指定感染症

　　既に知られている感染性の疾病（一類感染症，二類感染症，三類感染症及び新型インフルエンザ等感染症を除く。）であって，感染症法の規定を準用しなければ国民の生命及び健康に重大な影響を与えるおそれがあるものとして政令で定めるもの。

■予防対策

1．感染症の発生状況及び動向の把握（法第 14 条の 2，規則第 7 条の 2）

(1)　都道府県知事は，開設者の同意を得て，五類感染症（インフルエンザ（鳥インフルエンザ，新型インフルエンザ等感染症を除く。））患者の検体又は病原体の提出を担当させる病院，診療所，衛生検査所を指定する。

(2)　(1)の指定提出機関の管理者は，医師が五類感染症の患者を診断したとき，又は職員が検体もしくは病原体の検査をしたときは，検体又は病原体の一部を都道府県知事（保健所を設置する市においては市長，特別区においては区長。以下同じ）に提出しなければならない。

(3)　都道府県知事は，提出された検体又は病原体を検査し，結果を厚生労働大臣に電磁

的方法により報告しなければならない。

(4)　厚生労働大臣は，自ら検査する必要があるときは，都道府県知事に対し(2)の検体又は病原体の提出を求めることができる。

2．感染症の発生状況，動向及び原因調査（法第15条）

(1)　都道府県知事は，感染症の発生を予防し，発生状況，動向，原因を明らかにするための調査として，患者等に対して，職員に検体又は病原体を提出し，もしくは職員による検体の採取に応じることを求めることができる。都道府県知事は提出を受けた検体もしくは病原体又は採取した検体を検査しなければならない。

(2)　厚生労働大臣は，自ら検査する必要があるときは，都道府県知事に対し(1)の検体もしくは病原体の提出を求めることができる。

(3)　都道府県知事又は厚生労働大臣は，一類・二類・新型インフルエンザ等感染症の患者（所見がある者も含む。）が，必要な調査に対し正当な理由なく協力しない場合，感染症予防・まん延防止のため必要があると認めるとき，その患者に対し必要な調査に応ずるよう命ずることができる。

この命令は必要最小限のものとし，命令の理由は書面により通知しなければならない（緊急の場合を除く。）。

(4)　都道府県知事及び保健所設置市長は，積極的疫学調査の結果を電磁的方法により厚生労働大臣（保健所設置市長は都道府県知事）に報告しなければならない。

(5)　都道府県知事は，他の知事等の管轄区域の感染症まん延防止のため必要と認められる場合，積極的疫学調査の結果を電磁的方法により当該他の知事等に通報しなければならない。

3．検体の採取（法第16条の3，第44条の11）

(1)　都道府県知事は，一類感染症，二類感染症，新型インフルエンザ等感染症又は新感染症（以下「一類感染症等」）のまん延防止のため必要があると認めるときは，一類感染症等の患者，疑似症患者，無症状病原体保有者，感染が疑われる者（以下「一類感染症等の患者等」）又はその保護者に対し，検体の提出又は職員による採取に応じるよう勧告することができる。勧告に従わないときは，職員に検査に必要な最小限度の検体を採取させることができる。

(2)　厚生労働大臣は，一類感染症等のまん延防止のため，緊急の必要があると認めるときは，一類感染症等の患者等又はその保護者に対し，検体の提出又は職員による採取に応じるよう勧告することができる。勧告に従わないときは，職員に検査に必要な最小限度の検体を採取させることができる。

4．検体の収去等（法第26条の3，第26条の4，第50条）

(1)　都道府県知事は，一類感染症等の発生の予防又はまん延防止のため必要があると認めるときは，一類感染症等の患者等又は一類感染症等を人に感染させるおそれがある

動物もしくはその死体の検体又は病原体を所持している者（以下「一類感染症等検体等所持者」）に対し，検体又は病原体の提出を命ずることができる。命令に従わないときは，職員に検査に必要な最小限度の検体又は病原体を収去させることができる。

(2)　厚生労働大臣は，一類感染症等の発生の予防又はまん延防止のため緊急の必要があると認めるときは，一類感染症等検体等所持者に対し，検体又は病原体の提出を命ずることができる。命令に従わないときは，職員に検査に必要な最小限度の検体又は病原体を収去させることができる。

(3)　都道府県知事は，一類感染症等の発生の予防又はまん延防止のため必要があると認めるときは，一類感染症等を人に感染させるおそれがある動物又はその死体の所有者又は管理者（以下「動物等所有者等」）に対し，当該動物等の検体の提出又は職員による採取に応ずるよう命ずることができる。命令に従わないときは，職員に検査に必要な最小限度の検体を採取させることができる。

(4)　厚生労働大臣は，一類感染症等の発生の予防又はまん延防止のため緊急の必要があると認めるときは，動物等所有者等に対し，動物又はその死体の検体の提出又は職員による採取に応ずるよう命ずることができる。命令に従わないときは，職員に検査に必要な最小限度の検体を採取させることができる。

5．新型インフルエンザ等感染症等に係る検体の提出要請等（法第44条の3，第50条）

厚生労働大臣は，感染症発生・まん延時において，感染症の性質及び病状の程度に係る情報その他必要な情報の収集のため必要があると認めるときは，感染症指定医療機関の管理者その他厚生労働省令で定める者に対し，新型インフルエンザ等感染症の患者又は新感染症の所見がある者の検体又は当該感染症の病原体の全部又は一部の提出を要請することができる。

厚生労働大臣は前記の要請をしたときは，都道府県知事にその旨を通知し，要請を受けた者は検体を直ちに管轄する都道府県知事に提出する。都道府県知事は検体又は病原体について直ちに検査を実施し，その結果を電磁的方法により厚生労働大臣に報告しなければならない。

6．感染症患者の就業制限（法第18条）

都道府県知事は，一類感染症の患者及び二類感染症，三類感染症又は新型インフルエンザ等感染症の患者又は無症状病原体保有者について，感染症を公衆にまん延させるおそれがある業務として感染症ごとに厚生労働省令（規則第11条）で定める業務に，そのおそれがなくなるまでの期間として感染症ごとに厚生労働省令（規則第11条）で定める期間従事しないよう通知することができる。

7．感染症患者の入院（法第19条，第26条，第46条）

都道府県知事は，一類感染症，二類感染症，新型インフルエンザ等感染症及び新感染症のまん延を防止するため必要があると認めるときは，当該患者又は保護者に対して，

感染症指定医療機関等に入院することを勧告することができる。前記勧告に従わないときは，都道府県知事は当該患者を感染症指定医療機関等に入院させることができる。

8．新型インフルエンザ等感染症・新感染症のうち厚生労働省令で定めるもの（新型コロナウイルス感染症）について，病状が重篤化するおそれを勘案して65歳以上の者等厚生労働省令で定める者，宿泊療養・自宅療養の協力の求めに応じない者に対する入院勧告（法第26条）。

9．指定感染症について実施する措置等に関する情報の公表（法第44条の7）

　厚生労働大臣は，指定感染症にかかった場合の病状の程度が重篤で，かつ，全国的・急速なまん延のおそれがあると認めたときは，速やかにその旨を公表し，個人情報保護に留意の上，当該指定感染症の発生の予防又はそのまん延の防止に必要な情報を公表しなければならないとし，国民の大部分が当該指定感染症に対する免疫獲得等により全国的・急速なまん延のおそれがなくなったと認めたときは，その旨を公表しなければならない。

10．新型インフルエンザ等感染症等の患者の退院等の届出（法第44条の3の3，第50条の4）

　感染症指定医療機関の医師は，入院している新型インフルエンザ等感染症の患者又は新感染症の所見がある者が退院，又は死亡したときは，厚生労働省令で定めるところにより，当該者について厚生労働省令で定める事項を，電磁的方法により感染症指定医療機関の所在地を管轄する都道府県知事及び厚生労働大臣（その所在地が保健所設置市区の区域内にある場合にあっては，管轄する保健所設置市区の長，都道府県知事及び厚生労働大臣）に届け出なければならない。

11．物件に係る措置（法第29条，第50条）

　都道府県知事は，一類感染症，二類感染症，三類感染症，四類感染症，新型インフルエンザ等感染症，又は新感染症の発生を予防し，又はそのまん延を防止するため必要があると認めるときは，厚生労働省令（規則第16条）で定めるところにより，当該感染症の病原体に汚染され，又は汚染された疑いがある飲食物，衣類，寝具その他の物件について，その所持者に対し，当該物件の移動を制限し，若しくは禁止し，消毒，廃棄その他当該感染症の発生を予防し，又はそのまん延を防止するために必要な措置をとるべきことを命ずることができる。

　前記の命令によっては一類感染症，二類感染症，三類感染症，四類感染症，新型インフルエンザ等感染症又は新感染症の発生を予防し，又はそのまん延を防止することが困難であると認めるときは，厚生労働省令（規則第16条）で定めるところにより，当該感染症の病原体に汚染され，又は汚染された疑いがある飲食物，衣類，寝具その他の物件について，市町村に消毒するよう指示し，又は当該都道府県の職員に消毒，廃棄その他当該感染症の発生を予防し，若しくはそのまん延を防止するために必要な措置をとらせ

ることができる。

12. 建物に係る措置（法第32条，第50条）

都道府県知事は，一類感染症又は新感染症の病原体に汚染され，又は汚染された疑いがある建物について，当該感染症のまん延を防止するため必要があると認める場合であって，消毒により難いときは，厚生労働省令（規則第17条）で定めるところにより，期間を定めて，当該建物への立入りを制限し，又は禁止することができる。

前記の措置によっても一類感染症又は新感染症のまん延を防止できない場合であって，緊急の必要があると認められるときに限り，政令（令第8条）で定める基準に従い，当該感染症の病原体に汚染され，又は汚染された疑いがある建物について封鎖その他当該感染症のまん延の防止のために必要な措置を講ずることができる。

13. 交通の制限又は遮断（法第33条，第50条）

都道府県知事は，一類感染症又は新感染症のまん延を防止するため緊急の必要があると認める場合であって，消毒により難いときは，政令（令第9条）で定める基準に従い，72時間以内の期間を定めて，当該感染症の患者がいる場所その他当該感染症の病原体に汚染され，又は汚染された疑いがある場所の交通を制限し，又は遮断することができる。

14. その他，都道府県知事が行う感染症予防対策

(1) 健康診断（法第17条，第45条）

(2) 感染症患者の移送（法第21条，第47条）

(3) 感染症の病原体に汚染された場所の消毒（法第27条，第50条）

(4) ねずみ族，昆虫等の駆除（法第28条，第50条）

(5) 死体の移動制限等（法第30条，第50条）

(6) 生活の用に供される水の使用制限等（法第31条，第50条）

■都道府県連携協議会（法第10条の2）

1. 都道府県に管内の保健所設置市区，感染症指定医療機関，学識経験者の団体，消防機関その他関係機関（高齢者施設等の関係団体等）からなる都道府県連携協議会を組織し，構成員相互の連絡を図り，予防計画の実施状況及び有用な情報を共有し，構成員の連携の緊密化を図る。

2. 感染症発生・まん延時には連携協議会を開催し，必要な対策について協議するよう努める。

■感染症の患者の人権の尊重

1. 就業制限の必要性について，原則として事前に感染症の診査に関する感染症診査協議会に意見聴取（法第18条）

2. 説明と同意に基づいた入院勧告制度（法第19条，第26条，第46条）

3．72時間を限度とする応急入院（法第19条，第26条）

4．入院勧告時の適切な説明の努力義務（法第19条，第26条）

5．応急入院勧告後の感染症診査協議会への報告（法第19条，第26条）

6．感染症診査協議会の意見を聴いたうえでの10日間ごとの入院の延長（法第20条，第26条）

7．新感染症の所見がある者への10日以内の入院勧告措置及び10日間ごとの入院の延長（法第46条）

8．入院の延長時における患者又はその保護者からの意見聴取（法第20条，第26条，第46条）

9．30日を超える長期入院患者からの行政不服審査請求に対し5日以内の裁決をだす特例を設定（法第25条）

10．入院している患者からの苦情の申出制度（法第24条の2）

11．対人及び対物の措置に関する必要最小限度の原則（法第22条の2，第34条，第48条の2，第50条）

■感染症の医療

1．感染症指定医療機関（法第6条，第38条）

(1) 特定感染症指定医療機関

　　新感染症の所見がある者並びに一類感染症，二類感染症及び新型インフルエンザ等感染症の患者の入院を担当させる医療機関として厚生労働大臣が指定した病院

(2) 第一種感染症指定医療機関

　　一類感染症，二類感染症及び新型インフルエンザ等感染症の患者の入院を担当させる医療機関として都道府県知事が指定した病院

(3) 第二種感染症指定医療機関

　　二類感染症及び新型インフルエンザ等感染症の患者の入院を担当させる医療機関として都道府県知事が指定した病院

(4) 結核指定医療機関

　　結核患者に対する適正な医療を担当させる医療機関として都道府県知事が指定した病院若しくは診療所又は薬局

2．医療費の負担（法第37条，第39条，第42条）

　　公費負担の範囲：都道府県知事が入院の勧告又は入院の措置を実施した患者又はその保護者から申請があった場合において，当該患者が感染症指定医療機関等において受ける医療に要する費用から，他の法律により給付を受けることができる額を控除して得た額（国が3/4，都道府県が1/4を負担）。ただし，新感染症の所見のある者が感染症指定医療機関等において受ける医療に要する費用については全額（国が

　　　　3／4，都道府県が1／4を負担）。

　なお，患者等の所得割の額に応じて，次の表に掲げる自己負担額がある。

市町村民税所得割の額の合算額（年額）	費用徴収額又は自己負担額（月額）
56 万 4000 円以下	0 円
56 万 4000 円超	2 万円。ただし，入院に要した医療費の額から，他の法律により給付を受けることができる額（法第 39 条）を控除して得た額が，2 万円に満たない場合はその額

（注）　感染症患者には一類感染症の無症状病原体保有者，疑似症患者，二類感染症のうち政令で定めのある疑似症患者及び新型インフルエンザ等感染症の疑似疾患者であって当該感染症にかかっていると疑うに足りる正当な理由のあるもの，無症状病原体保有者，新感染症の所見のある者を含む。

2　結核独自の対策

> 根拠▶感染症の予防及び感染症の患者に対する医療に関する法律
> （平 10.10.2 法律第 114 号）
> ※予防接種のみ，予防接種法（昭 23.6.30 法律第 68 号）

　結核の早期発見及び早期治療を行うとともに患者の医療費の負担を軽減し，結核の予防と結核患者に対する適正医療の普及を図る。

■定期の健康診断（法第 53 条の 2）

　結核患者の早期発見を目的として行う。

1．対象者及び実施主体

　全国民を対象として，次の区分により実施する。

実　施　主　体	対　象　者
(1)　労働安全衛生法第 2 条第 3 号に規定する事業者	当該事業者の従業員であって政令で定めるもの
(2)　学校の長（専修学校及び各種学校を含み，修業年限が 1 年未満のものを除く。）	当該学校の学生，生徒又は児童であって政令で定めるもの（小学校就学の始期に達しない者を除く。）
(3)　次に掲げる矯正施設等の長　ア．刑事施設　イ．社会福祉法第 2 条第 2 項第 1	当該施設収容者又は入所者であって政令で定めるもの

号及び第3号から第6号までに規定する施設（以下,「社会福祉施設」という。）	（小学校就学の始期に達しない者を除く。）
(4)　市町村長	当該管轄区域内に居住する者であって政令で定めるもの（上欄の各欄に掲げる者及び小学校就学の始期に達しない者を除く。）

(注)　政令で定めるものの範囲（令第12条）

1　学校（幼稚園を除く。）, 病院, 診療所, 助産所, 介護老人保健施設, 介護医療院, 社会福祉施設の従事者

2　大学, 高等学校, 高等専門学校, 専修学校, 各種学校の学生・生徒

3　刑事施設, 社会福祉施設の収容者及び入所者

4　65歳以上の者及び結核の発生状況等の事情を勘案して特に必要があると認める者

2．受診義務（法第53条の3）

対象者は指定された期日又は期間内に健康診断を受けなければならない。

3．健康診断の方法（規則第27条の2）

喀痰検査, 胸部エックス線検査, 聴診, 打診その他必要な検査

4．定期の健康診断の定期及び回数（令第12条）

(1)　前記1.の(1)の定期の健康診断にあっては, 毎年度1回

(2)　前記1.の(2)の定期の健康診断にあっては, 入学した年度において1回

(3)　前記1.の(3)の定期の健康診断にあっては, 刑事施設において20歳以上は毎年度1回, 社会福祉施設において65歳以上は毎年度1回

(4)　前記1.の(4)の定期の健康診断にあっては, 毎年度1回（結核の発生の状況等の事情を勘案して特に必要と認める者は, 市町村の定める定期）

■**予防接種**（予防接種法第5条）

結核の発病を未然に防止するために結核未感染者が抵抗力を生ずるようBCGを接種する。

1．市町村長が行う予防接種（予防接種法第5条）

実施主体及び対象者は次表のとおりである。

	実　施　主　体	対　象　者
定期の予防接種	市　町　村　長	生後1歳に至るまでの間にある者（予防接種法施行令第1条の3）

2．予防接種を受ける努力義務（予防接種法第9条）

予防接種法第9条第1項に規定する予防接種の対象者は, 予防接種を受けるよう努め

なければならない。

■結核登録票（法第 53 条の 12）

結核登録票は保健所管轄内に居住する結核患者及び結核回復者の台帳ともいうべきもので，患者等の病状等，受療状況及び生活環境の状態等を記載して保健所に保管している。結核登録票の備付け，記録，移管，保存等について保健所長は義務としてこれを行う。

■精密検査（法第 53 条の 13）

精密検査は保健所長が結核登録票に登録されている者に対して，公衆衛生上，結核の予防又は医療上必要があると認める者に対して行う。

結核菌検査，聴診，打診，その他必要な検査（規則第 27 条の 9）

■家庭訪問指導等（法第 53 条の 14，規則第 27 条の 10）

1．保健所長は，結核登録票に登録されている者について，結核の予防又は医療を効果的に実施するため必要があると認めるときは，保健師等にその家庭を訪問させ，処方された薬剤を確実に服用することなど必要な指導を行わせる。

2．保健所長は，結核登録票に登録されている者について，結核の予防又は医療上必要があると認めるときは，病院，診療所，薬局その他厚生労働省令で定めるものに対し，処方された薬剤を確実に服用することなど必要な指導の実施を依頼することができる。

■医療費の負担（法第 37 条の 2，規則第 20 条の 2）

都道府県は，結核の適正な医療を普及するため，その区域内に居住する結核患者又はその保護者の申請により，次の医療を受けるために必要な費用についてその 100 分の 95 に相当する額を負担することができる。

(1) 化学療法

(2) 外科的療法及びこれに必要な処置，その他の治療並びに病院，診療所への収容（食事の給与及び寝具設備を除く。）

(3) 骨関節結核の装具療法及びこれに必要な処置，その他の治療並びに病院，診療所への収容（食事の給与及び寝具設備を除く。）

(4) (1)から(3)に掲げる医療に必要なエックス線検査及び結核菌検査

　（注）　厚生労働大臣の定める基準（結核医療の基準）によって行う医療に限る。

3　予防接種健康被害救済制度

〔根拠▶予防接種法（昭 23.6.30 法律第 68 号）〕

　予防接種法による予防接種は，伝染性疾患に対して社会防衛及び個人予防上行われる重要な予防的措置であり，関係者がいかに注意を払っても極めてまれではあるが，不可避的に健康被害が起こり得るという医学上の特殊性があることにかんがみ，予防接種により健康被害を受けた者に対して特別な配慮が必要であるので法的救済措置を設けたものである。

■**実施主体**（法第 15 条）
　予防接種健康被害者が，予防接種を受けた当時居住していた区域を管轄する市町村長

■**給付の対象となる予防接種**
　予防接種法に基づいて行われた予防接種である。予防接種法の改正（昭和 51 年 6 月 19 日法律第 69 号改正）前に国の行政指導により勧奨の予防接種としてインフルエンザと日本脳炎が実施されていたので，これらの予防接種も給付の対象に含まれる。

■**救済措置の対象となる健康被害**
　救済措置の対象となる健康被害は，疾病，障害又は死亡が予防接種を受けたことによるものであると厚生労働大臣が認定したものであり，この認定を行うに当たっては，厚生労働大臣は疾病・障害認定審査会の意見を聴かなければならない。

■**給付の種類と内容**
1．昭和 52 年 2 月 25 日以後に予防接種法又は結核予防法の規定により行われた予防接種による健康被害に関する給付
　(1)　予防接種法第 2 条第 2 項に定める A 類疾病に係る予防接種及び同条第 3 項に定める B 類疾病に係る臨時の予防接種による健康被害に対する給付
　　①　医療費
　　　医療費は，予防接種を受けたことによる疾病について次に掲げる医療を受けた場合に，これに要する費用を支給するものである。
　　ア　診察
　　イ　薬剤又は治療材料の支給
　　ウ　医学的処置，手術及びその他の治療並びに施術
　　エ　居宅における療養上の管理及びその療養に伴う世話その他の看護
　　オ　病院又は診療所への入院及びその療養に伴う世話その他の看護

　　　カ　移送

　　　　医療に要した費用の額は，厚生労働大臣の定める算定方法により算定した額とする。医療費が他法によって支給されるときは，その額を控除して支給する。

　　② 医療手当

　　　　医療手当は，予防接種を受けたことによる疾病について医療を受けた場合に支給されるものである。

　　③ 障害児養育年金

　　　　障害児養育年金は，予防接種による健康被害を受け，一定の程度以上の障害の状態にある18歳未満の者を養育する者に支給されるものである。また，1，2級の者を在宅で養育する者については，介護加算額が年金に加算される。特別児童扶養手当又は障害児福祉手当と供給調整を行う。

　　④ 障害年金

　　　　障害年金は，予防接種による健康被害を受け，一定の程度以上の障害の状態にある18歳以上の者に支給される。また，1，2級の者のうち在宅の者については，介護加算額が年金に加算される。特別児童扶養手当，障害児福祉手当，特別障害者手当，福祉手当又は障害基礎年金と併給調整を行う。

　　⑤ 死亡一時金

　　　　死亡一時金は，予防接種を受けたことにより死亡した者の遺族に対して支給されるものである。ただし，死亡した者が障害年金を受けていた場合は，その年数に応じて減額される。

　　⑥ 葬祭料

　　　　葬祭料は，予防接種を受けたことにより死亡した者の葬祭を行う者に対して支給されるものである。

　(2) 予防接種法第6条第3項に定める臨時の予防接種（「第3項臨時予防接種」）による健康被害に対する給付

　　　(1)に準ずる。

　(3) 予防接種法第2条第3項に定めるB類疾病に係る定期の予防接種による健康被害に対する給付

　　① 医療費

　　　　(1)に準ずる。ただし，予防接種を受けたことによる疾病が病院又は診療所への入院治療を要すると認められる場合に支給される。

　　② 医療手当

　　　　(1)に準ずる。ただし，予防接種を受けたことによる疾病が病院又は診療所への入院治療を要すると認められる場合に支給される。

　　③ 障害年金

　　障害年金は，予防接種による健康被害を受け，一定の程度以上の障害の状態にある者に支給される。予防接種による障害に関し，福祉手当又は国民年金法の規定による障害基礎年金が支給されているときであっても予防接種法で規定する額から，支給される福祉手当又は障害基礎年金の額を控除しないこと。

④　遺族年金

　　遺族年金は，生計維持者が予防接種を受けたことにより死亡した場合に，遺族の生活の立て直し等の目的に支給されるものである。

⑤　遺族一時金

　　遺族一時金は，生計維持者以外の者が予防接種を受けたことにより死亡した場合に，その遺族に対する見舞金等を目的として支給されるものである。

⑥　葬祭料

　　葬祭料は，予防接種を受けたことにより死亡した者の葬祭を行う者に対して支給されるものである。

2．昭和52年2月25日前に行われた予防接種による健康被害に関する給付

　　予防接種法及び結核予防法の一部を改正する法律（昭和51年法律第69号）附則第3条第1項の規定に基づき，前記1．の(1)の①から⑥までの給付と同様の給付を行うものであること。ただし，昭和45年9月28日厚生省発衛第145号厚生事務次官通知「予防接種事故に対する措置について」に基づく後遺症一時金を受けた者にあっては障害年金及び死亡一時金について一定の減額を行う。

給付の種類及び額　　　　　　　　　（令和5年4月現在）

区　分		給付の内容	
A類疾病	1．医療費 2．医療手当	自己負担額 (1)　入　　院 　　　1か月のうち8日以上 　　　1か月のうち8日未満 (2)　通　　院 　　　1か月のうち3日以上 　　　1か月のうち3日未満 (3)　同一月に入院と通院があるとき	 37,800 円 35,800 円 37,800 円 35,800 円 37,800 円
	3．障害児養育年金	1級（年　額） 2級（年　額） 在宅の場合，介護加算を行う 在宅1級（年　額） 在宅2級（年　額）	1,617,600 円 1,293,600 円 846,200 円 564,200 円
	4．障害年金	1級（年　額） 2級（年　額）	5,175,600 円 4,138,800 円

A類疾病		3級（年額）	3,104,400 円
		在宅の場合，介護加算を行う	
		在宅1級（年額）	846,200 円
		在宅2級（年額）	564,200 円
	5．死亡一時金		4,530 万円
		（ただし，障害年金を受けた場合は減額）	
	6．葬祭料		212,000 円
臨時の予防接種（第3項臨時予防接種）	1．医療費	A類疾病と同	
	2．医療手当	A類疾病と同	
	3．障害児養育年金	1級（年額）	1,258,800 円
		2級（年額）	1,006,800 円
		在宅の場合の介護加算はA類疾病と同	
	4．障害年金	1級（年額）	4,024,800 円
		2級（年額）	3,218,400 円
		3級（年額）	2,414,400 円
		在宅の場合の介護加算はA類疾病と同	
	5．死亡一時金	被害者が生計維持者	3,520 万円
		被害者が生計維持者以外	2,640 万円
		（ただし，障害年金を受けた場合は減額）	
	6．葬祭料	A類疾病と同	
B類疾病	1．医療費及び医療手当	A類疾病に係る医療費及び医療手当の額に準ずる。ただし，疾病が病院又は診療所への入院を要すると認められる場合に支給される。	
	2．障害年金	1級（年額）	2,875,200 円
		2級（年額）	2,299,200 円
	3．遺族年金	予防接種を受けたことにより死亡した者が生計維持者の場合，その遺族に対して支給する（支給は，10 年間を限度とする）。	
		（年額）	2,514,000 円
	4．遺族一時金	予防接種を受けたことにより死亡した者が生計維持者でない場合，その遺族に対して支給する。	
			7,542,000 円
	5．葬祭料	A類疾病に係る葬祭料の額に準ずる。	

（注）　B類疾病による健康被害の請求の期限（平成 20 年 5 月 1 日より）

1　医療費の請求の期限は，対象となる費用の支払いが行われた時から 5 年とする。

2　医療手当の請求の期限は，請求に係る医療が行われた日の属する月の翌月の初日から 5 年とする。

3　遺族年金及び遺族一時金の請求の期限は，予防接種を受けたことにより死亡した者が当該予防接種を受けたことによる疾病又は障害について，医療費，医療手当又は障害年金の支給があった場合には，その死亡の時から 2 年，それ以外の場合には，その死亡の時から 5 年とする。

4　公害健康被害補償予防制度

根拠▶公害健康被害の補償等に関する法律
（昭 48.10.5 法律第 111 号）

　事業活動その他の人の活動に伴って生ずる相当範囲にわたる著しい大気の汚染又は水質の汚濁の影響による健康被害に係る損害をてん補するための補償並びに被害者の福祉に必要な事業及び大気の汚染の影響による健康被害を予防するために必要な事業を行うことにより，健康被害に係る被害者等の迅速かつ公正な保護及び健康の確保を図る。

■実施主体

　指定地域を含む都道府県及び政令で定める市（特別区を含む。以下同じ。）

■指定地域及び疾病（法第 2 条）

　第一種地域と第二種地域とがあり，相当範囲にわたる著しい大気の汚染又は水質の汚濁の影響により疾病が多発している地域として政令で定められる。大気の汚染に関する第一種地域は昭和 63 年 3 月 1 日付けで指定がすべて解除された。

　旧第一種地域に係る指定疾病は，慢性気管支炎，気管支ぜん息，ぜん息性気管支炎及び肺気しゅ並びにこれらの続発症であり，第二種地域に係る指定疾病は，水俣病，イタイイタイ病及び慢性砒素中毒症である。

■公害健康被害認定審査会（法第 44 条，第 45 条）

　この法律によりその権限に属する事項（疾病の認定，障害等級の決定，認定の更新等）に関する審査，意見表明等を行うため，旧第一種・第二種地域の全部又は一部を含む都道府県又は政令で定める市に設置される。

　公害健康被害認定審査会の委員は都道府県知事又は政令で定める市の長（以下「都道府県知事等」という。）が任命する。

■補償給付の種類（法第 3 条，第 11 条）

　健康被害に対する補償給付は，次のとおりであり，2.，3.，5.については，原則として，2，4，6，8，10，12 月にそれぞれの前月及び前々月分が支払われる。

1．療養の給付及び療養費

2．障害補償費

3．遺族補償費

4．遺族補償一時金

— 517 —

5．児童補償手当

6．療養手当

7．葬祭料

■他の給付等との調整（法第 14 条，令第 7 条）

　補償給付が支給された場合には，次の法令の規定により同一の事由について補償給付に相当する給付等を支給すべき者は，支給された補償給付の価額の限度で，当該給付等を支給する義務を免れる。

　また，次の法令の規定により同一の事由について補償給付に相当する給付等が支給された場合は，都道府県知事等は，その価額の限度で補償給付を支給する義務を免れる。この場合には，当該給付等を支給した者は，当該都道府県知事等が補償給付を支給する義務を免れた価額の限度で，当該都道府県知事等に対して当該給付等の価額に相当する金額を求償できる。

1．健康保険法

2．船員保険法

3．労働基準法

4．労働者災害補償保険法

5．雇用保険法

6．児童福祉法

7．身体障害者福祉法

8．生活保護法

9．国家公務員災害補償法（他の法律において準用し，又はその例によるものとする場合を含む。）

10．警察官の職務に協力援助した者の災害給付に関する法律

11．海上保安官に協力援助した者等の災害給付に関する法律

12．厚生年金保険法

13．原子爆弾被爆者に対する援護に関する法律

14．公立学校の学校医，学校歯科医及び学校薬剤師の公務災害補償に関する法律

15．旧農林共済法（厚生年金保険制度及び農林漁業団体職員共済組合制度の統合を図るための農林漁業団体職員共済組合法等を廃止する等の法律（平成 13 年法律第 101 号）附則第 2 条第 1 項第 2 号に規定する旧農林共済法をいう。）及び旧制度農林共済法（同項第 5 号に規定する旧制度農林共済法をいう。）

16．国家公務員共済組合法（他の法律において準用し，又はその例によるものとする場合を含む。）

17．国民健康保険法

18. 国民年金法

19. 独立行政法人日本スポーツ振興センター法

20. 地方公務員等共済組合法

21. 高齢者の医療の確保に関する法律

22. 特別児童扶養手当等の支給に関する法律

23. 労働施策の総合的な推進並びに労働者の雇用の安定及び職業生活の充実等に関する法律

24. 地方公務員災害補償法

25. 犯罪被害者等給付金の支給等による犯罪被害者等の支援に関する法律

26. 中国残留邦人等の円滑な帰国の促進並びに永住帰国した中国残留邦人等及び特定配偶者の自立の支援に関する法律及び中国残留邦人等の円滑な帰国の促進及び永住帰国後の自立の支援に関する法律の一部を改正する法律

27. 介護保険法

28. 障害者の日常生活及び社会生活を総合的に支援するための法律

29. 難病の患者に対する医療等に関する法律

■不正利得の徴収（法第15条）

　偽りその他不正手段により補償給付の支給を受けた者がある場合は，都道府県知事等は，国税徴収の例により，その者から補償給付の支給に要した費用に相当する金額の全部又は一部を徴収することができる。

■公課の禁止（法第17条）

　租税その他の公課は，補償給付として支給を受けた金品を標準として，課することができない。

■補償給付の概略

1. 療養の給付（法第19条）

　(1) 診察

　(2) 薬剤又は治療材料の支給

　(3) 医学的処置，手術及びその他の治療

　(4) 居宅における療養上の管理及びその療養に伴う世話その他の看護

　(5) 病院又は診療所への入院及びその療養に伴う世話その他の看護

　(6) 移送

　前記のうち，(1)〜(5)までは，公害医療機関（法第20条）に，公害医療手帳（法第4条第4項）を提示して受療するものとする。

2．療養費（法第 24 条）

　都道府県知事等は，被認定者が緊急その他やむを得ない理由により公害医療機関以外の医療機関において受療した場合や，同様の理由により公害医療手帳を提示しないで公害医療機関で受療した場合等においてその必要があると認めるときは，本人の請求に基づき，療養費を支給する。

（注）　公害医療機関の診療方針及び診療報酬は，環境大臣が中央環境審議会の意見を聴いて定めるところによる（法第 22 条）ものとされている。

3．障害補償費（法第 25 条～第 28 条）

　都道府県知事等は，被認定者の指定疾病による障害の程度が政令で定める障害の程度（特級及び 1 ～ 3 級）に該当する場合，本人の請求に基づき，公害健康被害認定審査会の意見を聴き，被認定者の障害補償標準給付基礎月額（環境大臣が，性別，年齢階層別に毎年度定める。）に障害の程度に応じた率を乗じて得た額を支給する（障害の程度が特級の者については介護加算額 46,200 円が加算される。）。

4．遺族補償費（法第 29 条～第 34 条，第 37 条，第 38 条）

　都道府県知事等は，被認定者がその認定にかかる指定疾病に起因して死亡した場合，法で定める一定の範囲の遺族の請求に基づき，公害健康被害認定審査会の意見を聴き，被認定者の遺族補償標準給付基礎月額（環境大臣が，性別，年齢階層別に毎年度定める。）に相当する額を，10 年を限度として支給する。

5．遺族補償一時金（法第 35 条～第 38 条）

　都道府県知事等は，被認定者がその認定にかかる指定疾病に起因して死亡した場合において，死亡時に遺族補償費を受けることのできる遺族がないときは，法で定める一定の範囲の遺族の請求に基づき，公害健康被害認定審査会の意見を聴き，遺族補償標準給付基礎月額（前記 4．に相当する額）に，36 月を乗じて得た額に相当する額を支給する。

6．児童補償手当（法第 39 条）

　都道府県知事等は，被認定者で 15 歳に達しない者が政令で定める障害の程度に該当する場合，その者を養育している者の請求に基づき，公害健康被害認定審査会の意見を聴き，障害の程度に応じ，政令で定める額を支給する（現在，政令からは児童補償手当に係るこれらの規定は削除されている。）。

7．療養手当（法第 40 条）

　都道府県知事等は，被認定者が前記 1．の療養を受けていて，かつ，その病状の程度が政令（令第 22 条，第 23 条）で定めるところに該当する場合は，本人の請求に基づき，その病状の程度に応じ 1 か月につき，24,200 円～37,800 円を支給する。

8．葬祭料（法第 41 条）

　都道府県知事等は，被認定者がその認定にかかる指定疾病に起因して死亡した場合，葬祭を行う者の請求に基づき，683,000 円を支給する。

■補償給付制限（法第 42 条）

　被認定者又は 15 歳に達しない被認定者を養育する者が，正当な理由なく療養に関する指示に従わなかった場合，補償給付の全部又は一部が支給されないことがある。

■公害保健福祉事業（法第 46 条，令第 25 条）

　都道府県知事又は政令で定める市の長は，被認定者の健康の回復，回復した健康の保持及び増進等その福祉の増進を図るとともに，第一種地域又は第二種地域の指定疾病による被害を予防するために必要な次の事業を行う。

1．リハビリテーションに関する事業

2．転地療養に関する事業

3．家庭における療養に必要な用具の支給に関する事業

4．家庭における療養の指導に関する事業

5．その他環境大臣が定める事業（インフルエンザ予防接種費用助成事業）

■費用等（法第 47 条ほか）

1．補償給付の支給（求償に対する支払を含む），公害保健福祉事業及び事務処理に要する費用は，都道府県又は政令で定める市が支弁する。

2．補償給付の支給に要する費用の全額及び公害保健福祉事業に要する費用の 4 分の 3 は，環境再生保全機構（独立行政法人環境再生保全機構法）が政令で定めるところにより，当該都道府県又は政令で定める市に対して納付する納付金をもって充てる。

3．補償給付の支給に要する費用の全額及び公害保健福祉事業に要する費用の 3 分の 2 は健康被害発生の原因となった物質を排出した汚染原因者が負担する（旧第一種地域については，汚染原因者から徴収する汚染負荷量賦課金と自動車重量税収入の一部を引当て，第二種地域については，汚染原因者から徴収する特定賦課金をもって充てる）。

4．政府は，政令の定めるところにより，都道府県又は政令で定める市が支弁する事務処理に要する費用の 2 分の 1 相当額を交付する。

5．政府は，環境再生保全機構に対し，公害保健福祉事業に要する費用の 3 分の 1 相当額を補助する。

■公害健康被害予防事業（法第 68 条）

　環境再生保全機構は，大気の汚染の影響による健康被害を予防するため，次の業務を行う。

1．大気の汚染の影響による健康被害の予防に関する調査研究，知識の普及及び研修

2．大気の汚染の影響による健康被害の予防に関する計画の作成，健康相談，健康診査，機能訓練，施設等の整備を行う地方公共団体に対する助成金の交付

■**公害健康被害予防基金**（独立行政法人環境再生保全機構法第 14 条）

　環境再生保全機構は，公害健康被害予防事業に必要な経費の財源をその運用によって得るための基金を設け，大気の汚染の原因となる物質を排出する施設を設置する事業者その他大気の汚染に関連のある事業活動を行う者から拠出される拠出金と政府からの出資金をこれに充てる（なお，基金については，平成 6 年度に約 500 億円の積み上げが完了している）。

5　難病対策

根拠 ▶ 難病の患者に対する医療等に関する法律
（平 26. 5. 30 法律第 50 号）
療養生活環境整備事業について
（平 27. 3. 30 健発 0330 第 14 号）

　難病（発病の機構が明らかでなく，かつ，治療方法が確立していない希少な疾病であって，当該疾病にかかることにより長期にわたり療養を必要とすることとなるもの）の患者に対する良質かつ適切な医療の確保及び難病の患者の療養生活の質の維持向上を図り，もって国民保健の向上を図ることを目的とする。

■**指定難病**（法第 5 条）

　難病のうち，①患者数が国内において一定の人数（人口の 0.1％程度）に達しない，②客観的な診断基準が確立していること，を当該難病の患者の置かれている状況からみて，良質かつ適切な医療の確保を図る必要性が高いものとして，厚生科学審議会の意見を聴いて厚生労働大臣が指定する（338 疾病）。

■**特定医療費の支給**（法第 5 条，第 7 条）

1．特定医療費の支給

　　都道府県及び指定都市は，支給認定を受けた指定難病の患者が，当該指定難病に係る医療を受けたときは，特定医療費を支給する。

2．特定医療費の額

　　一月につき，同一の月に受けた指定特定医療（食事療養及び生活療養を除く）に要する費用の額から，患者又はその保護者の家計の負担能力等の事情をしん酌して政令で定める額（自己負担上限額）を控除して得た額とする（**次頁の表参照**）。

3．特定医療費の支給認定

⑴　支給認定を受けようとする指定難病の患者又はその保護者は，指定医の診断書を添

えて，都道府県又は指定都市に申請しなければならない。

(2) 都道府県及び指定都市は，支給認定をしないこととするときは，あらかじめ，指定難病審査会の審査を求めなければならない。

(3) 都道府県及び指定都市は，支給認定をしたときは，支給認定患者等に対し，支給認定の有効期間等を記載した医療受給者証を交付しなければならない。

自己負担上限額

階層区分	階層区分の基準		患者負担割合：2割		
			自己負担上限額（外来＋入院）		
			原則		
			一般	高額かつ長期※	人工呼吸器等装着者
生活保護	—		0円	0円	0円
低所得Ⅰ	市町村民税非課税（世帯）	本人収入（〜80万円）	2,500円	2,500円	1,000円
低所得Ⅱ		本人収入（80万円超）	5,000円	5,000円	
一般所得Ⅰ	市町村民税課税以上7.1万円未満		10,000円	5,000円	
一般所得Ⅱ	市町村民税7.1万円以上25.1万円未満		20,000円	10,000円	
上位所得	市町村民税25.1万円以上		30,000円	20,000円	
入院時の食費			食事療養標準負担額を自己負担		

平成30年1月1日から適用

※ 「高度かつ長期」とは，月ごとの医療費総額が5万円を超える月が年間6回以上ある者（例えば医療保険の2割負担の場合，医療費の自己負担が1万円を超える月が年間6回以上）

■指定難病審査会（法第8条）

1．都道府県及び指定都市に指定難病審査会を置く。

2．指定難病審査会の委員は，指定医のうちから，都道府県知事（指定都市市長を含む。以下同じ。）が任命し，任期は2年とする。

■支給認定の有効期間（法第9条）

支給認定の有効期間は1年以内であって，認定を受けた患者が病状の程度及び治療の状況からみて指定特定医療を受けることが必要な期間とする。ただし，特別の事情があると認められるときは，1年6月を超えない範囲内において都道府県知事が定める期間とする。

■指定医療機関（法第14条〜第26条）

1．指定医療機関の指定は，病院もしくは診療所又は薬局の開設者の申請により行うもの

とする。

2. 指定医療機関は，良質かつ適切な特定医療を行わなければならない。都道府県知事は指定医療機関が良質かつ適切な特定医療を行っていないと認めるとき等は，当該医療機関の開設者に対し，勧告，命令等ができる。

3. 指定医療機関が指定の取消し要件に該当したとき等には，当該指定医療機関について，都道府県知事が，その取消しや全部又は一部の効力を停止することができる。

■調査及び研究（法第 27 条）

1. 国は，難病の発病の機構，診断及び治療方法に関する調査及び研究を推進する。

2. 厚生労働大臣は，1. の成果を調査及び研究を行う者，医師，難病の患者及びその家族に対して積極的に提供する。

■療養生活環境整備事業（法第 28 条，第 29 条）

1. 目的

　難病の患者及び家族等に対する相談支援，難病患者に対する医療等に係る人材育成，在宅療養患者に対する訪問看護を行うことにより，難病患者の療養生活の質の向上を図る。

2. 難病相談支援センター事業

　(1)　概要

　　難病の患者が地域で安心して療養しながら暮らせるよう，患者等に対する相談・支援，地域交流活動の促進及び就労支援などを行う拠点施設として，難病相談支援センターを設置し，難病の患者等の療養上，日常生活上での悩みや不安の解消，孤立感や喪失感の軽減を図るとともに，患者等のもつ様々なニーズに対応し，医療機関や福祉支援等機関，就労支援等関係機関などの地域の関係機関と連携した支援対策を一層推進する。

　(2)　実施主体

　　都道府県及び指定都市。ただし，事業の運営の全部又は一部を適切，公正，中立かつ効率的に実施できる法人等に委託できる。なお，センターは地域の実情に応じて同一都道府県の区域内において，複数設置すること，都道府県と指定都市で共同設置することができる。

　(3)　事業内容

　　①　一般事業

　　　ア　各種相談支援

　　　イ　地域交流会等の（自主）活動に対する支援

　　　ウ　講演・研修会の開催

　　　エ　その他

② 就労支援事業

ア　ハローワーク等就労支援等関係機関との連携体制の構築。

イ　ハローワークの難病患者就職サポーターと連携し，就労相談体制を整える。

ウ　職場での配慮や理解を求めること，疾病の自己管理を支援する。

エ　必要に応じ，ハローワーク，職場見学への同行等の支援。また，就労支援等関係機関と連携し就労後のフォローアップを行う。

オ　難病に理解のある企業を周知する取組やイベントの実施等，企業等を対象に難病に対する理解を深める取組を行う。

カ　その他地域の実情に応じた創意工夫に基づく就労支援対策を行う。

3．難病患者等ホームヘルパー養成研修事業

(1) 概要

多様化するニーズに対応した適切なホームヘルプサービスに必要な知識，技能を有するホームヘルパーの養成を図る。

(2) 実施主体

都道府県及び指定都市。ただし，事業の一部又は全部を講習機関等に委託できる。

(3) 対象者

以下のいずれかに該当する者

① 介護保険法に定める介護職員初任者研修課程修了者等

② 居宅介護職員初任者研修課程，障害者居宅介護従業者基礎研修課程修了者等

③ 介護福祉士養成のための実務者研修修了者又は履修中の者

④ 介護福祉士

(4) 実施方法

下の表に示したカリキュラムにより特別研修を行う。「難病入門課程」「難病基礎課程Ⅰ」「難病基礎課程Ⅱ」の各課程があり，研修時間は4時間又は6時間。

難病患者等ホームヘルパー養成研修事業特別研修におけるカリキュラム，免除科目及び時間

	(1)　難病基礎課程Ⅱ	合計	6時間
	①　難病に関する行政施策	小計	1時間
	ア　難病の保健・医療・福祉制度Ⅱ		1時間
1　特別研修カリキュラム	②　難病に関する基礎知識Ⅱ	小計	4時間
	ア　難病の基礎知識Ⅱ		3時間
	イ　難病患者の心理学的援助法		1時間
	③　難病に関する介護の実際	小計	1時間
	ア　難病に関する介護の事例検討等		1時間

	(2)	難病基礎課程Ⅰ		合計	4 時間
	①	難病に関する行政施策		小計	1 時間
		ア　難病の保健・医療・福祉制度Ⅰ			1 時間
	②	難病に関する基礎知識Ⅰ		小計	3 時間
		ア　難病の基礎知識Ⅰ			2 時間
		イ　難病患者の心理及び家族の理解			1 時間
1　特別研修カリキュラム	(3)	難病入門課程		合計	4 時間
	①	難病に関する行政施策		小計	1 時間
		ア　難病の保健・医療・福祉制度Ⅰ			1 時間
	②	難病に関する基礎知識		小計	3 時間
		ア　難病入門			2 時間
		イ　難病患者の心理及び家族の理解			1 時間
2　特別研修免除科目及び時間	(1)	難病に関する行政施策 　　難病の保健・医療・福祉制度Ⅰ			（1 時間）
	(2)	難病に関する基礎知識Ⅰ 　　難病患者の心理及び家族の理解			（1 時間）

4．在宅人工呼吸器使用患者支援事業

(1)　概要

　　人工呼吸器装着により特別の配慮を必要とする難病患者に対し，在宅において適切な医療の確保を図る。

(2)　実施主体

　　都道府県及び指定都市

(3)　対象患者

　　法に規定する指定難病及び特定疾患治療研究事業対象患者で，指定難病・対象疾患により在宅で人工呼吸器を使用する患者のうち，医師が訪問看護を必要と認める患者。

(4)　実施方法

　　都道府県及び指定都市は，事業を行うのに適当な訪問看護ステーション又は訪問看護を行う医療機関に訪問看護を委託し，必要な費用を交付する。事業期間は同一患者につき1年を限度とし，必要と認められる場合，更新できる。

5．実施上の留意事項

(1)　関係行政機関，関係団体，関係医療機関等と連携を図り，その協力を得て円滑な実施に努める。

(2)　事業の実施上知り得た情報等については，慎重に取扱い，その保護に十分配慮する。

(3)　地域住民，医療関係者に対し，広報等を通じ周知を図る。

■**難病対策地域協議会**（法第32条，第33条）

　都道府県，保健所設置市及び特別区は，関係機関等，難病の患者及びその家族，難病の患者に対する医療等に関連する職務に従事する者等により構成される難病対策地域協議会を置くよう努める。小児慢性特定疾病対策地域協議会が置かれている場合は，相互に連携を図るよう努める。

6　特定疾患治療研究事業

[根拠▶特定疾患治療研究事業について
（昭48.4.17衛発第242号）]

　難病の患者に対する医療等に関する法律（平成26年法律第50号。以下「難病法」という。）の施行前に特定疾患治療研究事業で対象とされてきた特定疾患のうち，難病法に基づく特定医療費の支給対象となる指定難病（難病法第5条第1項に規定する指定難病をいう。以下同じ。）以外の疾患については，治療がきわめて困難，かつ，その医療費も高額であるため，特定疾患治療研究事業を推進することにより引き続き当該患者の医療費の負担軽減を図る。

■**実施主体**

　都道府県

■**対象疾患**（5疾患）

　スモン，難治性の肝炎のうち劇症肝炎，重症急性膵炎，プリオン病（ヒト由来乾燥硬膜移植によるクロイツフェルト・ヤコブ病に限る。），重症多形滲出性紅斑（急性期）

※「難治性の肝炎のうち劇症肝炎」及び「重症急性膵炎」は平成26年12月までに当該事業の対象患者として認められた者に限る。また，「重症多形滲出性紅斑（急性期）」は平成26年7月から12月までに当該事業の対象患者として認められた者に限る。

■**対象患者**

　対象疾患にり患した患者であって，医療機関において当該疾患に関する医療保険各法もしくは高齢者の医療の確保に関する法律の規定による医療を受けている者又は当該疾患に関する介護保険法の規定による訪問看護，訪問リハビリテーション，居宅療養管理指導，介護療養施設サービス，介護予防訪問看護，介護予防訪問リハビリテーション若しくは介護予防居宅療養管理指導等を受けている者であって，医療保険各法の被保険者又は被扶養者並びに高齢者の医療の確保に関する法律の規定による被保険者。ただし，他の法令の規定により国又は地方公共団体の負担による医療に関する給付が行われている者は除く。

事業実施手続の概要

① 特定疾患医療受給者証交付申請
※提出書類
・申請書
・臨床調査個人票
・保険者からの情報提供に係る同意書 等

② 医療受給者証交付

③ 受給者証
　医療保険証

【参　考】都道府県の特定疾患窓口一覧

都道府県	主管部	主管課	主管係	都道府県	主管部	主管課	主管係
北海道	保健福祉部健康安全局	地域保健課	難病対策係	三　重	医療保健部	健康推進課	疾病対策班
青　森	健康福祉部	がん・生活習慣病対策課	難病対策グループ	滋　賀	健康医療福祉部	健康寿命推進課	難病・小児疾病係
岩　手	保健福祉部	健康国保課	健康予防担当	京　都	健康福祉部	健康対策課	疾病対策係
宮　城	保健福祉部	疾病・感染症対策課	難病対策班	大　阪	健康医療部保健医療室	地域保健課	疾病対策・援護グループ
秋　田	健康福祉部	保健・疾病対策課	疾病対策班	兵　庫	健康福祉部感染症等対策室	疾病対策課	がん・難病対策班
山　形	健康福祉部	障がい福祉課	難病対策担当	奈　良	福祉医療部医療政策局	健康推進課	難病・医療支援係
福　島	保健福祉部	障がい福祉課	難　病　担　当	和歌山	福祉保健部健康局	健康推進課	がん・疾病対策班
茨　城	保健福祉部	健康地域ケア推進課	難病対策グループ	鳥　取	福祉保健部	健康政策課	がん・生活習慣病対策室
栃　木	保健福祉部	健康増進課	難病対策担当	島　根	健康福祉部	健康推進課	難病支援グループ
群　馬	健康福祉部	感染症・がん疾病対策課	難病対策係	岡　山	保健福祉部	医薬安全課	特定保健対策班
埼　玉	保健医療部	疾病対策課	指定難病対策担当	広　島	健康福祉局	疾病対策課	疾病対策グループ
千　葉	健康福祉部	疾病対策課	難病審査班	山　口	健康福祉部	健康増進課	精神・難病班
東　京	保健医療局福祉保健局	疾病対策課	疾病対策担当	徳　島	保健福祉部	健康づくり課	がん・生活習慣病対策担当
神奈川	健康医療局保健医療部	がん・疾病対策課	難病対策グループ	香　川	健康福祉部	健康福祉総務課	難病等対策グループ
新　潟	福祉保健部	健康づくり支援課	難病等対策係	愛　媛	保健福祉部健康衛生局	健康増進課	難病対策係
富　山	厚生部健康対策室	健康課	疾病・難病担当	高　知	健康政策部	健康対策課	難病担当
石　川	健康福祉部	健康推進課	難病対策グループ	福　岡	保健医療介護部	がん感染症疾病対策課	難病対策係
福　井	健康福祉部	保健予防課	疾病対策グループ	佐　賀	健康福祉部	健康福祉政策課	疾病対策担当
山　梨	福祉保健部	健康増進課	難病担当	長　崎	福祉保健部	国保・健康増進課	疾病対策班
長　野	健康福祉部	保健・疾病対策課	がん・疾病対策係	熊　本	健康福祉部健康局	健康づくり推進課	総務・特定疾病班
岐　阜	健康福祉部	保健医療課	難病対策係	大　分	福祉保健部	健康づくり支援課	がん・難病対策係
静　岡	健康福祉部	疾病対策課	難病対策班	宮　崎	福祉保健部	健康増進課	がん・疾病対策担当
愛　知	保健医療局健康医務部	健康対策課	難病対策グループ	鹿児島	くらし保健福祉部	健康増進課	疾病対策係
				沖　縄	保健医療部	地域保健課	疾病対策班

■費用の支給方法

　都道府県が対象疾患の治療研究を行うに適当な医療機関に対し，対象患者の治療研究に必要な費用を交付する。

■治療研究期間

　治療研究の期間は，同一患者につき 1 か年を限度とする。ただし，必要と認められる場合は，その期間を更新できる。

■特定疾患対策協議会

　都道府県は，この事業の適正かつ円滑な実施を図るため，医学の専門家等から構成される特定疾患対策協議会を設置する。

7　原爆被爆者対策

根拠 ▶ 原子爆弾被爆者に対する援護に関する法律
（平 6.12.16 法律第 117 号）

　原爆被爆者対策については，被爆者が受けた放射能による健康被害という他の戦争被害とは異なる特殊な被害であることに鑑み，「原子爆弾被爆者に対する援護に関する法律」に基づき，保健・医療・福祉にわたる総合的な支援策を講じている。

■実施主体

　厚生労働大臣，都道府県知事，広島市長及び長崎市長

■被爆者の定義（法第 1 条）

　次のいずれかに該当する者であって，被爆者健康手帳の交付を受けたものをいう。

1. 原子爆弾が投下された際当時の広島市若しくは長崎市の区域内又は政令で定めるこれらに隣接する区域（施行令別表第 1）内に在った者
2. 原子爆弾が投下された時から起算して政令で定める期間（広島市の場合昭和 20 年 8 月 20 日まで，長崎市の場合同年 8 月 23 日まで）内に 1. に規定する区域のうちで政令で定める区域（爆心地より約 2 km）内に在った者
3. 1. から 2. に掲げる者のほか，原子爆弾が投下された際又はその後において，身体に原子爆弾の放射能の影響を受けるような事情の下にあった者
4. 1. から 3. に掲げる者が 1. から 3. の事由に該当した当時その者の胎児であった者

■**被爆者健康手帳**（法第2条）

1．交付を受けようとする者は，その居住地（居住地を有しないときは，その現在地）の都道府県知事（広島市又は長崎市については当該市の長。以下同じ）に申請しなければならない（国内に居住地及び現在地を有しないものは，前記「被爆者の定義」のいずれかに該当したとする当時現に所在していた場所を管轄する都道府県知事に申請することができる。）。

2．都道府県知事は申請に基づいて審査し，前記「被爆者の定義」のいずれかに該当するときは手帳の交付を行う。

■**健康診断**（法第7条）

都道府県知事は，被爆者に対し，毎年，厚生労働省令の定めるところにより健康診断を行う。

1．種類（規則第9条）

(1)　定期の健康診断（年2回）

(2)　希望による健康診断（被爆者の申請により年2回。うち1回についてはがん検査を実施できる）

2．方法（規則第9条）

(1)　一般検査

(2)　精密検査（一般検査の結果，必要と認められる者に対して行う）

3．健康診断の特例（法附則第17条）

原子爆弾が投下された際，法第1条第1号に規定する区域に隣接する政令で定める区域内（施行令別表第3）に在った者又はその当時その者の胎児であった者は，当分の間，健康診断の関係では，被爆者とみなす（平成14年4月1日より，長崎に原子爆弾が投下された当時の施行令別表第4の区域（原子爆弾が投下された際の爆心地から12kmの区域内に限る）を新たに健康診断の特例に係る区域として指定し，年1回一般検査を行うこととした）。

■**医療の給付**

1．認定疾病医療（法第10条，第11条）

(1)　受給要件

被爆者の負傷又は疾病が原子爆弾の傷害作用に起因し（放射能以外の傷害作用に起因した場合には，治癒能力が原子爆弾の放射能の影響を受けている場合に限る），現に医療を要する状態にある旨の厚生労働大臣の認定を受けたこと。

(2)　給付範囲

①　診察

②　薬剤又は治療材料の支給

③　医学的処置，手術及びその他の治療並びに施術

④　居宅における療養上の管理及びその療養に伴う世話その他の看護

⑤　病院又は診療所への入院及びその療養に伴う世話その他の看護

⑥　移送

(3)　医療機関の指定（法第 12 条）

医療の給付は厚生労働大臣が指定する医療機関（指定医療機関）に委託して行う。

(4)　医療費の支給（法第 17 条）

厚生労働大臣は，被爆者が，緊急その他やむを得ない理由により，指定医療機関以外の者から前記(2)①〜⑥の医療を受けた場合，必要があると認めるときは，医療費を支給することができる。

2．一般疾病医療（法第 18 条）

(1)　受給要件

被爆者であること。

(2)　給付範囲

被爆者が，負傷又は疾病（認定疾病，遺伝性疾病，先天性疾病等を除く）につき，都道府県知事が指定する医療機関（被爆者一般疾病医療機関）から医療を受け，又は緊急その他やむを得ない理由により被爆者一般疾病医療機関以外の医療機関から医療を受けたときは，その者に対し，当該医療に要した費用の額を限度として一般疾病医療費を支給することができる。ただし，健康保険法，船員保険法，国民健康保険法等の社会保険各法，高齢者の医療の確保に関する法律，介護保険法等の規定により医療給付を受け，若しくは受けることができたとき，又は当該医療が法令の規定により国若しくは地方公共団体の負担による医療給付として行われたときは，当該医療に要した費用の額から当該医療に関する給付の額を控除した額（社会保険各法若しくは高齢者の医療の確保に関する法律による療養の給付を受け又は受けることができたときは一部負担金相当額とする）の限度において支給する。

(3)　被爆者一般疾病医療機関における現物給付

被爆者が被爆者一般疾病医療機関から医療を受けた場合には，厚生労働大臣は，一般疾病医療費として当該被爆者に支給すべき額の限度において，その者が当該医療に関し，当該医療機関に支払うべき費用を，当該被爆者に代わり，当該医療機関に支払うことができる。

■医療特別手当の支給（法第 24 条）

1．支給要件

原子爆弾被爆者に対する援護に関する法律第 11 条第 1 項の認定を受けた者であって，

現在も当該負傷又は疾病の状態にあること。

2．支 給 額（令和5年度）

月　　額　145,420円

3．支給期間

申請日の属する月の翌月から，支給要件に該当しなくなった日の属する月まで

■**特別手当の支給**（法第25条）

1．支給要件

原子爆弾被爆者に対する援護に関する法律第11条第1項の認定を受けた者で，現在は当該負傷又は疾病の状態にない者（医療特別手当受給者を除く）。

2．支 給 額（令和5年度）

月　　額　53,700円

3．支給期間

申請日の属する月の翌月から，支給要件に該当しなくなった日の属する月まで

■**原子爆弾小頭症手当の支給**（法第26条）

1．支給要件

被爆者であって，原子爆弾の放射能の影響による小頭症の患者であること（小頭症による厚生労働省令で定める範囲の精神上又は身体上の障害がない者を除く）。

2．支 給 額（令和5年度）

月　　額　50,050円

3．支給期間

申請日の属する月の翌月から，死亡した日の属する月まで

■**健康管理手当の支給**（法第27条）

1．支給要件

被爆者であって，造血機能障害，肝臓機能障害，細胞増殖機能障害，内分泌腺機能障害，脳血管障害，循環器機能障害，腎臓機能障害，水晶体混濁による視機能障害，呼吸器機能障害，運動器機能障害及び潰瘍による消化器機能障害のうち，いずれかの障害を伴う疾病（原子爆弾の放射能の影響によるものでないことが明らかであるものを除く）にかかっているものに対し支給する（医療特別手当，特別手当又は原子爆弾小頭症手当の受給者を除く）。

2．支 給 額（令和5年度）

月　　額　35,760円

3．支給期間

　　　申請日の属する月の翌月から支給開始し，当該疾病が継続すると認められるとして都道府県知事が定めた期間（疾病により終身又は5年以内又は3年以内）が経過した日（その期間が満了する日前に支給要件に該当しなくなった場合にあっては，その該当しなくなった日）の属する月まで

■保健手当の支給（法第 28 条）

1．支給要件

　　被爆者のうち，原子爆弾が投下された際，爆心地から2 kmの区域内に在った者又はその当時その者の胎児であった者（医療特別手当，特別手当，原子爆弾小頭症手当又は健康管理手当の受給者を除く）。

2．支 給 額（令和5年度）

　　月　　額　　17,940 円

　　ただし，厚生労働省令で定める範囲の身体上の障害（原子爆弾の傷害作用の影響によるものでないことが明らかであるものを除く）がある者，又は配偶者，子及び孫のいずれもいない70歳以上の者であって，その者と同居している者がいないものに対しては，月額35,760 円。

3．支給期間

　　申請日の属する月の翌月から，支給要件に該当しなくなった日の属する月まで

■介護手当の支給（法第 31 条）

1．支給要件

　　被爆者であって別表第1に定める程度の精神上又は身体上の障害（原子爆弾の傷害作用の影響によるものでないことが明らかであるものを除く）により介護を要する状態にあり，かつ，介護を受けているものに対し，その介護を受けている期間について支給する。

2．支 給 額（令和5年度）

　　1月につき，その月において介護を要する費用として支出された額（その額が70,520円を超えるときは，70,520 円。ただし，別表第2に定める程度の精神上又は身体上の重度の障害に該当する場合，その額が105,800 円を超えるときは，105,800 円）

　　（注）　別表第2に定める程度の精神上又は身体上の重度の障害に該当する者が，費用を支出して介護を受けた場合に，その支出額が22,830 円に満たないときは22,830 円の手当が支給されるほか，費用を支出しないで介護を受けたときも22,830 円の手当が支給される。

別表第1（規則別表第2）

障　害　の　程　度
1.　両眼の視力の和が0.08以下のもの
2.　両耳の聴力レベルが90デシベル以上のもの（耳介に接しなければ大声語を理解し得ないもの）
3.　平衡機能に極めて著しい障害を有するもの
4.　音声機能，言語機能又はそしゃく機能を喪失したもの
5.　両上肢のおや指及びひとさし指を欠くもの
6.　両上肢のおや指及びひとさし指の機能に著しい障害を有するもの
7.　一上肢の機能に著しい障害を有するもの
8.　一上肢のすべての指を欠くもの
9.　一上肢のすべての指の機能を全廃したもの
10.　両下肢をショパー関節以上で欠くもの
11.　両下肢の機能に著しい障害を有するもの
12.　一下肢を大腿の2分の1以上で欠くもの
13.　一下肢の機能を全廃したもの
14.　体幹の機能に歩くことが困難な程度の障害を有するもの
15.　前各号に掲げるもののほか，身体の機能の障害又は安静を必要とする病状が前各号と同程度以上と認められる状態であって，家庭内での日常生活が著しい制限を受けるか，又は家庭内での日常生活に著しい制限を加えることを必要とする程度のもの
16.　精神の障害であって，前各号と同程度以上と認められる程度のもの
17.　身体の機能の障害若しくは病状又は精神の障害が重複する場合であって，その状態が前各号と同程度以上と認められるもの
備考　視力の測定は，万国式試視力表によるものとし，屈折異常があるものについては，矯正視力によって測定する。

別表第2（規則別表第3）

障　害　の　程　度
1.　両眼の視力の和が0.02以下のもの
2.　両耳の聴力が補聴器を用いても音声を識別することができない程度のもの
3.　両上肢の機能に著しい障害を有するもの
4.　両上肢のすべての指を欠くもの
5.　両下肢の用を全く廃したもの
6.　両大腿を2分の1以上失ったもの
7.　体幹の機能に座っていることができない程度の障害を有するもの
8.　前各号に掲げるもののほか，身体の機能の障害又は長期にわたる安静を必要とする病状が前各号と同程度以上と認められる状態であって，日常生活の用を弁ずることを不能ならしめる程度のもの
9.　精神の障害であって，前各号と同程度以上と認められる程度のもの
10.　身体の機能の障害若しくは病状又は精神の障害が重複する場合であって，その状態が前各号と同程度以上と認められる程度のもの
備考　視力の測定は，万国式試視力表によるものとし，屈折異常があるものについては，矯正視力によって測定する。

■葬祭料の支給（法第32条）

　1．支給要件

　　　被爆者が死亡したとき，葬祭を行う者に対し，葬祭料を支給する。

　　　ただし，その死亡が原子爆弾の傷害作用の影響によるものでないことが明らかである

場合は，この限りでない。

2．支給額　（令和5年度）212,000円

■**費用の支弁**（法第42条，第43条）

1．都道府県，広島市及び長崎市が支弁する。

2．国は都道府県，広島市及び長崎市が支弁する費用（介護手当に係るものを除く）を交付する。

3．介護手当については

(1)　支給に要する費用（国が10分の8を負担）

(2)　事務処理に要する費用（国が2分の1を負担）

8　医薬品副作用被害救済制度

> **根拠**▶独立行政法人医薬品医療機器総合機構法
> （平14.12.20法律第192号）

　許可医薬品等又は許可再生医療等製品の副作用による疾病，障害又は死亡に関して，医療費，障害年金，遺族年金等の給付を行うこと等により，許可医薬品等の副作用による健康被害の迅速な救済を図る。

■**実施主体**

　独立行政法人医薬品医療機器総合機構（東京都千代田区霞が関3―3―2　新霞が関ビル　TEL 03-3506-9506（一般相談窓口））

■**救済の対象となる健康被害**

　救済の対象となる健康被害は，昭和55年5月1日以降に使用した許可医薬品等によって，その使用が適正であったにもかかわらず発生した副作用による疾病（入院を必要とする程度のもの），障害，死亡である。

■**救済の対象とならない健康被害**

1．健康被害が，法定予防接種を受けたことによるものである場合（任意に予防接種を受けたことによる健康被害は対象になる。）

2．健康被害の原因となった許可医薬品又は許可再生医療等製品が不良医薬品である場合など，医薬品の製造販売業者などに損害賠償の責任があることが明らかな場合

3．健康被害が，救命のためやむを得ず通常の使用量を超えて医薬品を使用したことによ

るものであり，その健康被害の発生があらかじめ認識されていた場合など

4．健康被害の原因が，次の医薬品によるものである場合

(1) 抗悪性腫瘍剤，免疫抑制剤等

(2) 動物用医薬品，製造専用医薬品，体外診断薬など

5．副作用による疾病や障害が定められた程度に該当しない場合や，請求期限が経過した場合

(注) 健康被害が，新型インフルエンザ予防接種を受けたことによるものである場合も救済の対象とならないが，その場合，新型インフルエンザ予防接種による健康被害の救済に関する特別措置法により救済される。

■副作用救済給付の種類と内容

1．医療費

医療費は，許可医薬品等の副作用（以下，単に「医薬品の副作用」という）による疾病が入院治療を要する程度の場合について，医療に要した費用のうち，健康保険等による給付の額を除いた自己負担分を対象にしている。

2．医療手当

医療手当は，医薬品の副作用による疾病について，入院治療を要する程度の医療を受けた場合に，治療に伴う医療費以外の費用の負担に着目して支給されるものである。

3．障害年金

障害年金は，医薬品の副作用により別表 (p. 538 参照) に定める程度の障害の状態にある 18 歳以上の者に支給されるものである。

4．障害児養育年金

障害児養育年金は，医薬品の副作用により別表に定める程度の障害の状態にある 18 歳未満の者を養育する者に支給されるものである。

5．遺族年金

遺族年金は，生計維持者が医薬品の副作用により死亡した場合に，死亡した者の死亡の当時その者の収入により生計を維持していた遺族に対して支給されるものである。

6．遺族一時金

(1) 遺族一時金は，生計維持者以外の者が死亡した場合に，その者と生計を同一にしていた遺族に対して支給されるものである。

(2) 遺族年金を受けていた遺族が死亡した場合において，他に遺族年金を受けることができる者がなく，かつ，既支給遺族年金の合計額が遺族一時金の額に満たないとき，生計を同一にしていた遺族があればその差額が遺族一時金として支給されるものである。

7．葬祭料

葬祭料は，医薬品の副作用により死亡した者の葬祭を行う者に支給されるものである。

（別表）障害の程度

等級	障害の状態
1級	1．次に掲げる視覚障害 　イ　両眼の視力がそれぞれ 0.03 以下のもの 　ロ　一眼の視力が 0.04，他眼の視力が手動弁以下のもの 　ハ　ゴールドマン型視野計による測定の結果，両眼の I ／ 4 視標による周辺視野角度の和がそれぞれ 80 度以下かつ I ／ 2 視標による両眼中心視野角度が 28 度以下のもの 　ニ　自動視野計による測定の結果，両眼開放視認点数が 70 点以下かつ両眼中心視野視認点数が 20 点以下のもの 2．両耳の聴力レベルが 100 デシベル以上のもの 3．両上肢の機能に著しい障害を有するもの 4．両下肢の機能に著しい障害を有するもの 5．体幹の機能に座っていることができない程度又は立ち上がることのできない程度の障害を有するもの 6．前各号に掲げるもののほか，身体の機能の障害又は長期にわたる安静を必要とする病状が前各号と同程度以上と認められる状態であって，日常生活の用を弁ずることを不能ならしめる程度のもの 7．精神の障害であって，前各号と同程度以上と認められる程度のもの 8．身体の機能の障害若しくは病状又は精神の障害が重複する場合であって，その状態が前各号と同程度以上と認められる程度のもの
2級	1．次に掲げる視覚障害 　イ　両眼の視力がそれぞれ 0.07 以下のもの 　ロ　一眼の視力が 0.08，他眼の視力が手動弁以下のもの 　ハ　ゴールドマン型視野計による測定の結果，両眼の I ／ 4 視標による周辺視野角度の和がそれぞれ 80 度以下かつ I ／ 2 視標による両眼中心視野角度が 56 度以下のもの 　ニ　自動視野計による測定の結果，両眼開放視認点数が 70 点以下かつ両眼中心視野視認点数が 40 点以下のもの 2．両耳の聴力レベルが 90 デシベル以上のもの 3．平衡機能に著しい障害を有するもの 4．咀嚼の機能を欠くもの 5．音声又は言語機能に著しい障害を有するもの 6．一上肢の機能に著しい障害を有するもの 7．一下肢の機能に著しい障害を有するもの 8．体幹の機能に歩くことができない程度の障害を有するもの 9．前各号に掲げるもののほか，身体の機能の障害又は長期にわたる安静を必要とする病状が前各号と同程度以上と認められる状態であって，日常生活が著しい制限を受けるか，又は日常生活に著しい制限を加えることを必要とする程度のもの 10．精神の障害であって，前各号と同程度以上と認められる程度のもの 11．身体の機能の障害若しくは病状又は精神の障害が重複する場合であって，その状態が前各号と同程度以上と認められる程度のもの

備考　視力の測定は，万国式試視力表によるものとし，屈折異常があるものについては，矯正視力によって測定する。

給付の種類別給付額等

(令和5年4月1日現在)

給付の種類	給付を受けることができる人 (請求者)	給付の内容・給付額		
医　療　費	医療を受けた人	健康保険などによる給付の額を除いた自己負担分		
医　療　手　当	医療を受けた人			(月　額)
		(通院の場合) 1月のうち3日以上		37,800 円
		1月のうち3日未満		35,800 円
		(入院の場合) 1月のうち8日以上		37,800 円
		1月のうち8日未満		35,800 円
		(通院と入院が ある場合)		37,800 円
障　害　年　金	一定の障害の状態にある 18歳以上の人	1級の場合　(年額) (月額)		2,875,200 円 (239,600 円)
		2級の場合　(年額) (月額)		2,299,200 円 (191,600 円)
障害児養育年金	一定の障害の状態にある 18歳未満の児童を養育 する人	1級の場合　(年額) (月額)		898,800 円 (74,900 円)
		2級の場合　(年額) (月額)		718,800 円 (59,900 円)
遺　族　年　金	(生計維持者が死亡した 場合) 死亡した人の死亡の当時 その人の収入により生計 を維持していた配偶者, 子, 父母, 孫, 祖父母, 兄弟姉妹のうち最優先順 位者	10年間を限度として　(年額) (月額) 　但し, 死亡した本人が障害年金を受けたことが ある場合, その期間が7年に満たないときは10 年からその期間を控除した期間, その期間が7年 以上のときは3年間を限度として支給される。		2,514,000 円 (209,500 円)
遺　族　一　時　金	(生計維持者以外の人が 死亡した場合) 遺族年金を受けることが できる人がいない場合そ の人の死亡の当時死亡し た人と生計を同一にして いた配偶者, 子, 父母, 孫, 祖父母, 兄弟姉妹の うち最優先順位者	7,542,000 円		
	(遺族年金受給者が死亡 した場合) 遺族年金を受けていた人 が死亡した場合であっ て, 他に遺族年金を受け ることができる人がいな い, かつ, 既支給遺族年 金の合計額が 7,358,400 円に満たないとき, 副作 用により死亡した人の死 亡の当時その人と生計を 同一にしていた配偶者, 子, 父母, 孫, 祖父母, 兄弟姉妹のうち最優先順 位者	7,542,000 円 － (既支給遺族年金合計額)		
葬　祭　料	死亡した人の葬祭をする 人	212,000 円		

■判定の申出，支給決定

1. 独立行政法人医薬品医療機器総合機構は，支給の決定について，救済給付の請求のあった者に係る疾病，障害又は死亡が，医薬品の副作用によるものであるかどうか，その他医学的薬学的判定を要する事項に関し厚生労働大臣に判定の申出を行う。

2. 厚生労働大臣は，薬事・食品衛生審議会（副作用・感染等被害判定部会）の意見を聴いて判定を行い，独立行政法人医薬品医療機器総合機構に対し，その結果を通知する。

3. 独立行政法人医薬品医療機器総合機構は，その結果をもとに支給の可否を決定し，請求者に通知する。

■救済給付の業務に必要な費用

救済給付業務に必要な費用は，救済給付金，救済給付の支給に要する費用及び救済給付業務運営に必要な事務費の一切を含むもので，法律により医薬品の製造販売業者から，各年度，独立行政法人医薬品医療機器総合機構に納付される拠出金が充てられる。従って救済給付業務は，基本的には，医薬品の製造販売業者の納付する拠出金によりまかなわれることになるが，救済給付業務運営に必要な事務費の2分の1相当額は，国庫補助されている。

9　生物由来製品感染等被害救済制度

根拠▶独立行政法人医薬品医療機器総合機構法
（平14.12.20法律第192号）

医薬品又は医療機器のうち許可生物由来製品又は許可再生医療等製品を介した感染等による疾病，障害又は死亡に関して，医療費，障害年金，遺族年金等の給付を行うこと等により，医薬品又は医療機器のうち生物由来製品の感染等による健康被害の迅速な救済を図る。

■実施主体

独立行政法人医薬品医療機器総合機構（東京都千代田区霞が関3―3―2　新霞が関ビル　TEL 03-3506-9425（一般相談窓口））

■救済の対象となる健康被害

救済の対象となる健康被害は，平成16年4月1日以降に使用した医薬品又は医療機器のうち許可生物由来製品等（以下，単に「生物由来製品」という。）によって，その使用が適正であったにもかかわらず発生した副作用による疾病（入院を必要とする程度のもの），障害，死亡である。

■救済の対象とならない健康被害

1．健康被害が，法定予防接種を受けたことによるものである場合（任意に予防接種を受けたことによる健康被害は対象になる。）

2．健康被害の原因となった生物由来製品が不良品である場合など，生物由来製品の製造販売業者などに損害賠償の責任があることが明らかな場合

3．健康被害が，救命のためやむを得ず通常の使用量を超えて生物由来製品を使用したことによるものであり，その健康被害の発生があらかじめ認識されていた場合など

4．生物由来製品を介した感染等による疾病や障害が定められた程度に該当しない場合や，請求期限が経過した場合

（注）　健康被害が，新型インフルエンザ予防接種を受けたことによるものである場合も救済の対象とならないが，その場合，新型インフルエンザ予防接種による健康被害の救済に関する特別措置法により救済される。

■感染救済給付の種類と内容

1．医療費

　　医療費は，生物由来製品を介した感染等による疾病が入院治療を要する程度の場合について，医療に要した費用のうち，健康保険等による給付の額を除いた自己負担分を対象にしている。

2．医療手当

　　医療手当は，生物由来製品を介した感染等による疾病について，入院治療を要する程度の医療を受けた場合に，治療に伴う医療費以外の費用の負担に着目して支給されるものである。

3．障害年金

　　障害年金は，生物由来製品を介した感染等により別表（**p.538 参照**）に定める程度の障害の状態にある 18 歳以上の者に支給されるものである。

4．障害児養育年金

　　障害児養育年金は，生物由来製品を介した感染等により別表（**p.538 参照**）に定める程度の障害の状態にある 18 歳未満の者を養育する者に支給されるものである。

5．遺族年金

　　遺族年金は，生計維持者が生物由来製品を介した感染等により死亡した場合に，死亡した者の死亡の当時その者の収入により生計を維持していた遺族に対して支給されるものである。

6．遺族一時金

⑴　遺族一時金は，生計維持者以外の者が死亡した場合に，その者と生計を同一にしていた遺族に対して支給されるものである。

(2)　遺族年金を受けていた遺族が死亡した場合において，他に遺族年金を受けることができる者がなく，かつ，既支給遺族年金の合計額が遺族一時金の額に満たないとき，生計を同一にしていた遺族があればその差額が遺族一時金として支給されるものである。

7．葬祭料

葬祭料は，生物由来製品を介した感染等により死亡した者の葬祭を行う者に支給されるものである。

前記1.〜7.に係る給付額等については，副作用救済給付の場合と同様である。

■判定の申出，支給決定

1．独立行政法人医薬品医療機器総合機構は，支給の決定について，救済給付の請求のあった者に係る疾病，障害又は死亡が，生物由来製品を介した感染等によるものであるかどうか，その他医学的薬学的判定を要する事項に関し厚生労働大臣に判定の申出を行う。

2．厚生労働大臣は，薬事・食品衛生審議会（副作用・感染等被害判定部会）の意見を聴いて判定を行い，独立行政法人医薬品医療機器総合機構に対し，その結果を通知する。

3．独立行政法人医薬品医療機器総合機構は，その結果をもとに支給の可否を決定し，請求者に通知する。

■救済給付の業務に必要な費用

救済給付業務に必要な費用は，救済給付金，救済給付の支給に要する費用及び救済給付業務運営に必要な事務費の一切を含むもので，法律により生物由来製品の製造販売業者等から，各年度，独立行政法人医薬品医療機器総合機構に納付される拠出金が充てられる。従って救済給付業務は，基本的には，生物由来製品の製造販売業者の納付する拠出金によりまかなわれることになるが，救済給付業務運営に必要な事務費の2分の1相当額は，国庫補助されている。

10　特定Ｂ型肝炎感染被害救済制度

> **根拠**▶特定Ｂ型肝炎ウイルス感染者給付金等の支給に関する特別措置法
> （平23.12.16法律第126号）

集団予防接種等の際の注射器の連続使用によるＢ型肝炎ウイルスの感染被害が未曽有のものであることに鑑み，感染者及びその相続人に対し，給付金を支給することにより，感染被害の迅速かつ全体的な解決を図る。

■**実施主体**

　社会保険診療報酬支払基金

■**支給対象者とその認定**

　1．支給対象者は昭和23年7月1日から昭和63年1月27日までの集団予防接種等（予防接種又はツベルクリン反応検査）における注射針等の連続使用により満7歳になるまでの間にＢ型肝炎ウイルスに感染した者及びその者から母子感染した者

　2．対象者は裁判所が認定する。

■**給付内容**

　1．給付金額

　⑴　死亡・肝がん・肝硬変（重度）　　　　　　　　　　　　　　　　3,600万円

　⑵　20年の除斥期間が経過した死亡・肝がん・肝硬変（重度）　　　　900万円

　⑶　肝硬変（軽度）　　　　　　　　　　　　　　　　　　　　　　2,500万円

　⑷　20年の除斥期間が経過した肝硬変（軽度）

　　①　現在，肝硬変（軽度）にり患している方など　　　　　　　　　600万円

　　②　①以外の方　　　　　　　　　　　　　　　　　　　　　　　300万円

　⑸　慢性Ｂ型肝炎　　　　　　　　　　　　　　　　　　　　　　　1,250万円

　⑹　20年の除斥期間が経過した慢性Ｂ型肝炎

　　①　現在，慢性Ｂ型肝炎にり患している方など　　　　　　　　　300万円

　　②　①以外の方　　　　　　　　　　　　　　　　　　　　　　　150万円

　⑺　無症候性キャリア　　　　　　　　　　　　　　　　　　　　　600万円

　⑻　20年の除斥期間が経過した無症候性キャリア（特定無症候性持続感染者）　50万円

　2．このほか，上記給付金に加え，訴訟手当金として，訴訟等に係る弁護士費用（上記給付金額の4％に相当する金額），特定Ｂ型肝炎ウイルス感染者であることを確認するための検査費用を支給する。

　　　また，特定無症候性持続感染者に対しては，慢性肝炎等の発症を確認するための定期検査費，母子感染防止のための定期検査費，世帯内感染防止のための医療費，定期検査手当も支給される。

　3．症状が進行した場合，既に支給した給付金との差額を追加給付金として支給する。症状進行の判断は，医師の診断書をもって行う。

■**請求期間**

　1．給付金の請求期限は，令和9年3月31日又は訴えの提起等を同日以前にした場合における当該訴えに係る判決が確定した日若しくは当該和解若しくは調停が成立した日か

ら1か月を経過する日のいずれか遅い日までとする。

2．追加給付金の請求は，症状が進行したことを知った日から5年以内に行わなければならない。

■給付金支給業務に必要な費用

社会保険診療報酬支払基金に給付金の支給に要する費用に充てるための基金を設置し，国が交付する資金をもって充てる。

11　特定C型肝炎感染被害救済制度

> 根拠▶特定フィブリノゲン製剤及び特定血液凝固第IX因子製剤によるC型肝炎感染被害者を救済するための給付金の支給に関する特別措置法（平20.1.16法律第2号）

特定フィブリノゲン製剤等の投与によりC型肝炎ウイルスに感染した者及びその相続人に対し，健康被害の救済を図るためのものとして給付金を支給する。

■実施主体

独立行政法人医薬品医療機器総合機構（東京都千代田区霞が関3―3―2　新霞が関ビル　TEL 0120-780-400（給付金支給相談窓口））

■対象製剤

1．特定フィブリノゲン製剤

昭和39年6月9日，10月24日，昭和51年4月30日，昭和62年4月30日（ウイルスを不活化するために加熱処理のみを行ったものに限る。）に承認を受けた製剤

2．特定血液凝固第IX因子製剤

昭和47年4月22日，昭和51年12月27日，昭和60年12月17日（ウイルスを不活化するために加熱処理のみを行ったものに限る。）に承認を受けた製剤

■支給対象者とその認定

1．支給対象者は，獲得性の傷病について特定フィブリノゲン製剤又は特定血液凝固第IX因子製剤の投与を受けたことによって，C型肝炎ウイルスに感染した者及びその相続人とする。

（注）　C型肝炎ウイルス感染者には，その者からの母子感染によって感染した者を含む。治癒した者も対象となる。

2．製剤投与の事実，因果関係の有無，症状は，裁判所が認定する。

■給付内容

1．病状に応じて次に定める一時金（給付金）を支給する。
  (1)　慢性Ｃ型肝炎の進行による肝硬変・肝がん・死亡……4,000万円
  (2)　Ｃ型肝炎ウイルスにより劇症肝炎（遅発性肝不全を含む。）に罹患して死亡
　　　……4,000万円
  (3)　慢性Ｃ型肝炎……2,000万円
  (4)　前記(1)～(3)以外（無症候性キャリア）……1,200万円
2．給付金の支給を受けた後20年以内に症状が進行した場合，その症状に応じた一時金と既に受領した一時金との差額（追加給付金）を支給する。症状進行の判断は，医師の診断書をもって行う。

■請求期間

1．給付金の請求は，法律の施行日（平成20年1月16日）後20年以内（法律の施行日後20年以内に訴えの提起又は和解・調停の申立てを行い，法律の施行日後20年以降に判決が確定又は和解・調停が成立した場合には，当該確定日又は成立日から1か月以内）に行わなければならない。
2．追加給付金の請求は，症状が進行したことを知った日から5年以内に行わなければならない。

■給付金支給業務に必要な費用

給付金の支給に要する費用は，いったん全額を国が負担した上で，製造業者等も応分の負担を行う。

第 12 編

社会保険制度

1 社会保険制度の概要

　社会保険制度は，医療保険，年金保険，雇用保険，労働者災害補償保険及び介護保険とに大別できる。医療保険は，被用者とそれ以外の一般地域住民の制度とに，年金保険は，被用者と全国民を対象とした制度とに分かれており，さらに被用者保険は職域によって制度が分かれている。なお，被用者年金保険は，平成 27 年 10 月 1 日に厚生年金保険に統合された。

　各社会保険制度の内容等の概要は，表 1 〜 4（p. 550〜564 参照）に示すとおりであるが，その対象者及び機能により分類すると次のようになる。

■**対象者による分類**

1. 被用者のための職域保険
   (1) 一般労働者を対象とするもの
   　ア　健康保険法（医療）
   　イ　厚生年金保険法（年金）
   　ウ　雇用保険法（失業）
   　エ　労働者災害補償保険法（労災）
   (2) 特殊職域の労働者を対象とするもの
   　ア　国家公務員共済組合法（医療）
   　イ　地方公務員等共済組合法（医療）
   　ウ　私立学校教職員共済法（医療）
   　エ　船員保険法（医療）
   　（注）　エの失業，労災部門については，平成 22 年 1 月からそれぞれ雇用保険，労働者災害補償保険に統合された。
2. 一般地域住民のための地域保険
   　国民健康保険法（医療）
   　介護保険法（介護）
3. 全国民（日本国内に居住する者）を対象としたもの
   　国民年金法（年金）

■機能による分類

1. 医療保険

    疾病，負傷，死亡又は分娩等短期的な経済的損失について保険給付を行う。

    (1) 医療給付については，医療機関にかかった費用を，保険者が支払うという現物給付の形をとるのが原則である。

    (2) 診療費用，薬価については，いわゆる「点数表」及び「薬価基準」により統一されている。

    (3) 被用者の業務上又は通勤による傷病及び死亡については，医療保険ではなく使用者の補償責任を担保する災害補償保険等の対象となる。

    (4) 後期高齢者医療の被保険者については，健康保険等の医療給付の対象から除かれる。

    (5) 健康保険組合及び共済組合においては，法定給付に合わせて付加給付を設けているところが多い。

2. 年　金

    我が国の公的年金制度の土台として，全ての国民の老齢，障害又は死亡に対し，基礎年金の支給を行い，国民の生活の安定がそこなわれることを国民の共同連帯によって防止し，もって，健全な国民生活の維持及び向上に寄与することを目的とする国民年金制度並びに労働者の老齢，障害又は死亡について基礎年金に上乗せして年金の支給を行い，労働者及び遺族の生活の安定と福祉の向上に寄与することを目的とする報酬比例年金制度の2階建ての年金制度となっている。

    このような2階建ての制度への改正は，昭和61年4月1日から施行され，その内容は，次の三つの柱からなっている。

    (1) 国民年金を共通の基礎年金を支給する制度に発展させ，制度間格差，制度基盤の不安定など，制度の分立に伴って生じていた問題を解決し，長期的に安定した制度とする。

    (2) 今後発生する年金の給付水準を徐々に適正化し，現役勤労者の所得水準とバランスがとれたものとし，これにより将来の負担についても相当程度軽減する。

    (3) 基礎年金の導入により，すべての女子に独自の年金権を保障するとともに，世帯として適正な水準を確保する。

    (注)　平成22年1月より，社会保険庁を廃止し，厚生労働大臣が公的年金の財政責任・管理運営責任を担うこととされた。その一方で，新たに非公務員型の公法人として日本年金機構を設置し，厚生労働大臣の直接的な監督の下に公的年金の運営業務を担うこととされた。

    　　日本年金機構においては，①能力と実績に基づく職員人事の徹底，②民間企業へのアウトソーシングの推進等により，サービスの向上及び効率的かつ効果的な業務遂行の実現を図ることとされている。

    　　また，被用者年金の一元化の改正が，平成27年10月から以下のように施行された。

(1)　厚生年金保険に公務員や私立学校教職員も加入することとし，いわゆる2階部分は厚生年金保険に統一する。

(2)　厚生年金保険と共済年金との制度的な差異については，基本的に厚生年金保険に揃えて解消する。

(3)　共済年金の1・2階部分の保険料を徐々に引き上げ，最終的に厚生年金保険の保険料率の上限（18.3％）に統一する。

(4)　共済年金の公的年金としての3階部分（職域加算）は廃止し，新たな3階部分の年金として，年金払い退職給付（退職等年金給付）を新設する。

(5)　厚生年金事業の実施に当たっては，効率的な事務処理を行う観点から，共済組合や私学事業団を活用する。

3.　雇用保険

　　労働者が失業した場合及び労働者について雇用の継続が困難となる事由が生じた場合に必要な給付を行うほか，労働者が自ら職業に関する教育訓練を受けた場合及び労働者が子を養育するための休業をした場合に必要な給付を行うことにより，労働者の生活及び雇用の安定を図るとともに，求職活動を容易にする等その就職を促進し，あわせて，労働者の職業の安定に資するため，失業の予防，雇用状態の是正及び雇用機会の増大，労働者の能力の開発及び向上その他労働者の福祉の増進を図ることを目的とする。

　　国家公務員，地方公務員等については，退職手当法等によって雇用保険法による給付の額を下回らないよう担保されている。

4.　災害補償保険

　　業務上の事由，事業主が同一人でない二以上の事業に使用される労働者（複数事業労働者）の二以上の事業の業務を要因とする事由又は通勤による労働者の負傷，疾病，障害，死亡等に対して迅速かつ公正な保護をするため，それによる治療費，休業中の生活費，障害のために労働能力が失われたことによって減少した収入の補足，遺族の生活費を年金又は一時金の支給等によって補償する。

(1)　使用者の災害補償責任を保険方式によって担保すると同時に，労働者の業務上の災害に対する補償を必要な保険給付により行う。

(2)　民間労働者については，労働者災害補償保険法が適用されるが，公務員等については，国家公務員災害補償法等それぞれの法令によって補償されている。

5.　介護保険

　　加齢に伴って生ずる心身の変化に起因する疾病等により要介護状態となり，入浴，排せつ，食事等の介護，機能訓練ならびに看護及び療養上の管理その他の医療を要する者等について，これらの者が尊厳を保持し，その有する能力に応じ自立した日常生活を営むことができるよう，必要な保健医療サービス及び福祉サービスに係る給付を行うため，国民の共同連帯の理念に基づき設けられた制度である（**p. 49参照**）。

表 1　医療保険制度の概要

制　度　名		保　険　者 （令和4年3月末）	加入者数 （令和4年3月末） ［本　人］ ［家　族］ 千　人	保　険	
				医　療	
				一　部　負　担	入院時食事療養費
健康保険	一般被用者 協会管掌健康保険	全国健康保険協会	40,265 ［25,072］ ［15,193］		**（食事療養標準負担額）** ●住民税課税世帯 　1食につき　460円 ●住民税非課税世帯 　90日目まで 　1食につき　210円 　91日目から 　1食につき　160円 ●特に所得の低い 　住民税非課税世帯 　1食につき　100円
	組　　合	健康保険組合 1,380	28,381 ［16,410］ ［11,971］		
	健康保険法 第 3 条第 2 項 被保険者 （日雇特例被保険者）	全国健康保険協会	16 ［11］ ［5］	義務教育就学後から70歳未満 3割 義務教育就学前 2割 70歳以上75歳未満 2割（※） （現役並み所得者　3割） （※）平成26年3月末までに既に 70歳に達している者　1割	
船　　員　　保　　険		全国健康保険協会	113 ［57］ ［56］		
各種共済	国　家　公　務　員	20 共済組合	8,690 ［4,767］ ［3,923］		
	地　方　公　務　員　等	64 共済組合			
	私　立　学　校　教　職　員	1 事業団			
国民健康保険	農　業　者 等 自　営　業　者	市町村 1,718	28,051 市町村 25,369 国保組 2,683		
		国保組合 160			
	被用者保険の退職者	市町村 1,718			
後期高齢者医療制度		［運営主体］ 後期高齢者 医療広域連合 47	18,434	1割 2割 課税所得が 28 万円以上かつ「年 金収入＋その他の合計所得金額」 が 200 万円以上（単身世帯の場合。 複数世帯の場合は 320 万円以上） 現役並み所得者は 3 割	同上

（注）1　後期高齢者医療制度の被保険者は、75 歳以上の者及び 65 歳以上 75 歳未満の者で一定の障害にある旨の

2　現役並み所得者は、住民税課税所得 145 万円（月収 28 万円以上）以上又は世帯に属する 70〜74 歳の被用
しくは高齢者単身世帯で 383 万円未満の者、及び旧ただし書所得の合計額が 210 万円以下の者は除く。特に

3　国保組合の定率国庫補助については、健保の適用除外承認を受けて、平成 9 年 9 月 1 日以降新規に加入す

4　加入者数は四捨五入により、合計と内訳の和とが一致しない場合がある。

5　船員保険の保険料率は、被保険者保険料負担軽減措置（0.30％）による控除後の率。

給　付			財		源
給　付		現金給付	保険料率	国庫負担・補助	
高額療養費制度, 高額医療・高額介護合算制度	入院時生活療養費				
（高額療養費制度） ●自己負担限度額 　p.576以降参照 ●世帯合算基準額 　70歳未満の者については, 同一月における21,000円以上の負担が複数の場合は, これを合算して支給 ●多数回該当の負担軽減 　12月間に3回以上該当の場合の4回目からの自己負担限度額 （70歳未満の者） （年収約1,160万円～）　　　　　140,100円 （年収約770～約1,160万円）　　 93,000円 （年収約370～約770万円）　　　 44,400円 （～年収約370万円）　　　　　　44,400円 （住民税非課税）　　　　　　　 24,600円 （70歳以上の現役並み所得者及び一般（※））44,400円 ●長期高額疾病患者の負担軽減 　血友病, 人工透析を行う慢性腎不全の患者等の自己負担限度額　10,000円 　（ただし, 年収770万円超の区分で人工透析を行う70歳未満の患者の自己負担限度額　20,000円） **（高額医療・高額介護合算制度）** 　1年間（毎年8月～翌年7月）の医療保険と介護保険における自己負担の合算額が著しく高額になる場合に, 負担を軽減する仕組み。自己負担限度額は, 所得と年齢に応じきめ細かく設定	**（生活療養標準負担額）** ●一般（Ⅰ） 　1食につき460円 ＋1日につき370円 ●一般（Ⅱ） 　1食につき420円 ＋1日につき370円 ●住民税非課税世帯 　1食につき210円 ＋1日につき370円 ●特に所得の低い住民税非課税世帯 　1食につき130円 ＋1日につき370円 ※療養病床に入院する65歳以上の方が対象 ※難病等入院医療の必要性の高い患者の負担は食事療養標準負担額と同額	●傷病手当金 ●出産育児一時金 等	平均保険料率：10.00%	給付費の16.4%	
		同　上 （附加給付あり）	各健康保険組合によって異なる	定額（予算補助）	
		●傷病手当金 ●出産育児一時金 等	1級日額390円 11級　3,230円	給付費の16.4%	
		同　上	9.80% （疾病保険料率）	定　　額	
		同　上 （附加給付あり）	― ― ―	な　　し	
		●出産育児一時金 ●葬祭費 等	世帯毎に応益割（定額）と応能割（負担能力に応じて）を賦課	給付費等の41%	
			保険者によって賦課算定方式は多少異なる	給付費等の28.4～47.4%	
				な　　し	
自己負担限度額　外来（個人ごと） （現役並み所得者）　　　　　　多数回該当 年収1160万円～　　252,600円＋(医療費-842,000円)×1%(140,100円) 年収770万～1160万円 167,400円＋(医療費-558,000円)×1%（93,000円） 年収370万～770万円　80,100円＋(医療費-267,000円)×1%〈44,400円〉 （一般）　　　　　　57,600円　18,000円 （低所得者）　　　　24,600円　　8,000円 （低所得者のうち 特に所得の低い者）　15,000円　　8,000円	同上 ただし, ●老齢福祉年金受給者 　1食につき100円	葬祭費　　等	各広域連合によって定めた被保険者均等割額と所得割率によって算定されている	●保険料　10% ●支援金　約40% ●公費　約50% （公費の内訳） 国：都道府県：市町村 4：　1　：1	

広域連合の認定を受けた者。
　険者の基礎控除後の総所得金額等の合計額が210万円以下の者。ただし, 収入が高齢者複数世帯で520万円未満若
所得の低い住民税非課税世帯とは, 年金収入80万円以下の者等。
　る者及びその家族については協会けんぽ並とする。

表 2　年金制度の概要

（令和 5 年 4 月現在）

制　度　の　種　類	国　　民　　年　　金		
根　　拠　　法	国民年金法（昭 34．4．16 法 141）〔施行〕（拠出制年金）昭 36．4．1		
対　　　　　象	第 1 号被保険者…日本国内に住所を有する 20 歳以上 60 歳未満の者であって，次の第 2 号被保険者及び第 3 号被保険者以外のもの（国籍不問） 第 2 号被保険者…被用者年金制度の被保険者又は組合員 第 3 号被保険者…第 2 号被保険者の被扶養配偶者であって，20 歳以上 60 歳未満のもの		
経　営　主　体	国		
被 保 険 者 数 （令 和 4 年 度 末）	第 1 号被保険者 1,405 万人	第 2 号被保険者 4,628 万人	第 3 号被保険者 721 万人

財源	保　険　料	第 1 号被保険者　（一般保険料）月額 16,980 円（付加保険料）月額 400 円 第 2 号被保険者 ｝被用者年金制度から，基礎年金拠出金として国民年金に 第 3 号被保険者 ｝ 拠出		
	国　庫　負　担	基礎年金給付費のうち第 1 号被保険者に係る負担分の 2 分の 1，保険料免除期間に係る老齢基礎年金の給付に要する費用及び付加年金給付費の 4 分の 1 並びに事務費の全額		

	給　付	支　給　要　件	年　金　額
老齢給付	老齢基礎年金	保険料納付期間と保険料免除期間とを合算した期間（合算対象期間を含む。）が 10 年以上である者が 65 歳に達したとき支給（支給の繰上げ，繰下げの制度がある。）	67 歳以下（新規裁定者） 795,000 円×保険料納付済月数/480（加入可能月数） 68 歳以上（既裁定者） 792,600 円×保険料納付済月数/480（加入可能月数） （注）　保険料免除月については，一定の率を乗じて保険料納付月数に算入される。
	付　加　年　金	付加保険料納付者が老齢基礎年金の受給権を取得したとき支給	200 円×付加保険料納付済月数
障害給付	障害基礎年金	(1)　被保険者期間中に初診日のある傷病等で，障害認定日において障害等級表に該当する者に支給（初診日前に保険料の滞納期間が 3 分の 1 未満等の場合） (2)　20 歳前に初診日のある傷病で，20 歳に到達した日（又は障害認定日）に障害等級表に該当する者に支給	67 歳以下 1 級　993,750 円＋加算額 2 級　795,000 円＋加算額 68 歳以上 1 級　990,750 円＋加算額 2 級　792,600 円＋加算額
遺族給付	遺族基礎年金	被保険者等が死亡した場合で，その者が次のいずれかに該当するときに，生計を維持するその者の配偶者又は子に支給。ただし，(1)又は(2)に該当するときは保険料の滞納期間が 3 分の 1 未満等の場合に限る。 (1)　被保険者 (2)　被保険者であった者であって，日本国内に住所を有する 60 歳以上 65 歳未満のもの (3)　老齢基礎年金の受給資格期間を満たしている者	67 歳以下 配偶者に支給する場合 　795,000 円＋加算額 子に支給する場合 　795,000 円＋加算額/子の数 68 歳以上 配偶者に支給する場合 　792,600 円＋加算額 子に支給する場合 　792,600 円＋加算額/子の数

遺族給付	寡婦年金	第1号被保険者期間で老齢基礎年金の支給要件を満たしている夫が死亡した場合に，10年以上継続して婚姻関係がある65歳未満の妻に60歳から65歳に達するまでの間支給（令和3年3月31日以前の死亡の場合，夫が老齢基礎年金を受給したり，障害基礎年金の受給権者だった場合を除く。）	夫の老齢基礎年金額 $\times \dfrac{3}{4}$
	死亡一時金	第1号被保険者としての保険料納付済期間の月数，保険料4分の1免除期間の月数の4分の3，保険料半額免除期間の月数の2分の1，保険料4分の3免除期間の4分の1に相当する月数を合算した月数が36月以上の者（基礎年金受給者を除く。）が死亡した場合に支給	期間に応じて12万円～32万円の額。付加保険料納付済期間が36月以上の場合，8,500円を加算
一時金	脱退一時金	国民年金の被保険者期間を6か月以上有する外国人で，年金を受けることができない者が日本に住所を有しなくなった日から2年以内に請求した場合	期間に応じて，49,560円～495,600円の額

制　度　の　種　類	厚　生　年　金　保　険		
根　　拠　　法	厚生年金保険法（昭 29.5.19 法 115）〔施行〕昭 29.5.1（平成 24 年法律第 63 号の全部改正）		
被 保 険 者 の 種 別	第 1 号厚生年金被保険者		
対　　　　　象	70 歳未満の一般被用者等		
実　施　機　関	国		
被 保 険 者 数	4,535 万人（令和 3 年度末）		
財源 保険料率 本人 使用者	計	（一般男子と女子） 9.15% 9.15% } 18.3%	（坑内員と船員） 9.15% 9.15% } 18.3%
財源 国 庫 負 担	基礎年金拠出金の $\frac{1}{2}$ 等，事務費		

給　　付		支　給　要　件	年　金　額
老齢給付	老齢厚生年金	被保険者期間を有し，老齢基礎年金の受給資格要件を満たしている者に 65 歳から支給	$\{$平均標準報酬月額$\times(\frac{9.5}{1000} \sim \frac{7.125}{1000})\times$平成 15 年 3 月までの被保険者期間の月数$\}+\{$平均標準報酬額$\times(\frac{7.308}{1000} \sim \frac{5.481}{1000})\times$平成 15 年 4 月以降の被保険者期間の月数$\}+$加給年金額　※
老齢給付	老齢厚生年金	（特別支給（60 歳台前半）の老齢厚生年金） 老齢基礎年金の受給資格要件を満たしている者が，60 歳に達したとき 65 歳まで支給（被保険者期間が 1 年以上の者に限る。なお，支給開始年齢について，定額部分が平成 13 年度から 25 年度にかけて引き上げられた。また，報酬比例部分が，平成 25 年度から令和 7 年度にかけて引き上げられている。	上欄の年金額（報酬比例部分＋加給年金額）に加え，下記の定額部分を支給 1,657 円〔1,652 円〕×生年月日に応じた率（1.875〜1）×改定率×被保険者期間の月数
障害給付	障害厚生年金	被保険者であった間に初診日のある傷病に関し，障害基礎年金の受給資格要件を満たしている者に障害の程度に応じて支給	1 級　老齢厚生年金額×1.25 ＋加給年金額 2 級　老齢厚生年金額＋加給年金額 3 級　老齢厚生年金額 （最低保障　596,300 円〔594,500 円〕）
障害給付	障害手当金	障害厚生年金に準ずる（障害厚生年金に該当しない障害の程度）	老齢厚生年金額× 2 （一時金） （最低保障　1,192,600 円〔1,189,000 円〕）
遺族給付	遺族厚生年金	被保険者又は被保険者であった者が次のいずれかに該当した場合に支給 (1) 被保険者が死亡したとき (2) 資格喪失後，被保険者であった間に初診日がある傷病により，当該初診日から 5 年以内に死亡したとき (3) 障害厚生年金（1 級，2 級）の受給権者が死亡したとき (4) 老齢厚生年金の受給権者又は老齢厚生年金の受給資格要件を満たしている者が死亡したとき	老齢厚生年金額× $\frac{3}{4}$
遺族給付 順位	配偶者　1 子		
遺族給付 順位	父　母　2		
遺族給付 順位	孫　　3		
遺族給付 順位	祖 父 母　4		

一時金	脱退一時金	厚生年金保険の被保険者期間を6か月以上有する外国人で，年金を受けることができない者が，日本に住所を有しなくなった日から2年以内に請求した場合	平均標準報酬額×支給率 支給率＝(最終月の属する年の前年の10月の保険料率)×1/2×(被保険者期間の月数に応じて，6～60)

※　従前の計算式による年金額の方が高い場合には，経過措置としてその額を支給
　　年金額欄は，67歳以下（新規裁定者）の額とし，〔　〕は68歳以上（既裁定者）の額を表わす。

被保険者の種別	第2号厚生年金被保険者	第3号厚生年金被保険者	第4号厚生年金被保険者
対象	国家公務員共済組合の組合員	地方公務員共済組合の組合員	私立学校教職員共済制度の加入者
実施機関	国家公務員共済組合及び国家公務員共済組合連合会	地方職員共済組合，公立学校共済組合，警察共済組合，全国市町村職員共済組合連合会，東京都職員共済組合	日本私立学校振興・共済事業団
加入者数	109万人 （令和3年度末）	304万人 （令和3年度末）	59万人 （令和3年度末）
保険料　本人 　　　　使用者 ｝計	9.150% 9.150% ｝18.300% （令和5年4月）	9.150% 9.150% ｝18.300% （令和5年4月）	8.1945% 8.1945% ｝16.389% （令和5年9月）
給付	（第1号厚生年金被保険者に同じ）		

（注）　旧職域加算部分は，平成27年9月30日までの分について保障される。

表3　雇用保険制度の概要

制　度　の　種　別	雇　　　　　　　　　用		
根　　　　拠　　　　法	雇用保険法（昭49.12.28法116）〔施行〕昭50.4.1		
対　　　　　　　　象	一　　般　　被　　保　　険　　者		
保　　険　　者	国		
対　象　人　員	4,508万人（令和5年7月）		

財源	保険料率	本人 　　　計 使用者	0.60% 0.95% } 1.55%　農林水産業，清酒製造業については 0.70% 　　　　　　　　　　　　　　　　　　　　　　　1.05% } 1.75% 　　　　　　　　　　　　建設業については 0.70% 　　　　　　　　　　　　　　　　　　　　　1.15% } 1.85% （令和5年4月～令和6年3月）　　　　　　（折半負担を超える部分
	国　庫　負　担		求職者給付は給付費の原則1/4（日雇労働求職者給付は1/3，高年齢求職者給付は原則1/8（高年齢雇用継続給付はなし），就職促進給付と教育訓練給付はなし，※雇用情勢及び雇用保険財政状況が良好な場合には，国庫負担の比率を原則の

失業等給付	求職者給付	基本手当等	(1)受給要件…離職日以前2年間に被保険者期間が通算して12か月以上（倒産，解雇等による離職や有期契約労働者が雇止めにより離職した場合は，離職の日以前1年間に被保険者期間が6か月以上であっても可） (2)日　　額…前職賃金の8割～5割（60歳以上65歳未満の者については8割～4.5割） (3)給付日数…90～360日 　給付日数 　　a　一般の離職者

a　一般の離職者

被保険者であった期間／区分	1年未満	1年以上5年未満	5年以上10年未満	10年以上20年未満	20年以上
一般被保険者	—	90日	90日	120日	150日
就職困難者 45歳未満	150日	300日	300日	300日	300日
就職困難者 45歳以上65歳未満	150日	360日	360日	360日	360日

b　倒産・解雇等による離職者

被保険者であった期間／年齢	1年未満	1年以上5年未満	5年以上10年未満	10年以上20年未満	20年以上
30歳未満	90日	90日	120日	180日	—
30歳以上35歳未満	90日	120日	180日	210日	240日
35歳以上45歳未満	90日	150日	180日	240日	270日
45歳以上60歳未満	90日	180日	240日	270日	330日
60歳以上65歳未満	90日	150日	180日	210日	240日

(4)給付日数の延長は次の5種類
　　イ．個別延長給付
　　ロ．地域延長給付
　　ハ．訓練延長給付
　　ニ．広域延長給付
　　ホ．全国延長給付

技能習得手当	(1)受講手当…日額500円 (2)通所手当…42,500円を限度とする交通費実費

保　　　険		

短期雇用特例被保険者	高年齢被保険者	日 雇 労 働 被 保 険 者
4万9,202人（令和2年度）	311万6,754人（令和2年度）	6,573人（令和5年7月）

次の印紙保険料

1級 88円 / 88円 ⎫ 176円　2級 73円 / 73円 ⎫ 146円

3級 48円 / 48円 ⎫ 96円

（は二事業費）		
はなし），雇用継続給付に要する費用について育児休業給付に要する費用については1/8率の1/10とする		給付費の1/3

基本手当の日額の40日分に相当する特例一時金が支給される。 　特例一時金の支給を受ける前に公共職業訓練等を受ける場合には，その訓練等が終わるまで，基本手当が支給される。	(1)受給要件…離職の日以前1年間に被保険者期間が6か月以上 (2)給付金の額…次表に定める日数分の基本手当の額に相当する額 　ただし，任意加入による被保険者に対しては，一律に50日分が支給される。	1．日雇労働求職者給付 　給付日額（1級7,500円，2級6,200円，3級4,100円）の13日～17日分。 　失業前の2月間（前月及び前々月）に26日分以上印紙保険料を納めた者に支給。 (1)第1級給付金 　第1級印紙保険料が24日分以上 (2)第2級給付金 　イ．第1級及び第2級印紙保険料が合計して24日分以上 　ロ．第1級，第2級及び第3級の順に選んだ24日分の印紙保険料の平均額が第2級印紙保険料以上 (3)第3級給付金 　前記(1)，(2)以外のとき 2．日雇労働求職者給付の特例 　下記の要件を満たす場合，特例給付が支給される（60日分を限度）。 　イ．継続する6か月間（基礎期間）に各月11日分以上，かつ通算して78日分以上納付されていること。 　ロ．イの6か月間のうち後の5か月間に日雇労働求職者給付金の支給を受けていないこと。 　ハ．イの6か月の最後の月の翌月以後2か月間に，日雇労働求職者給付金を受けていないこと。
	被保険者であった期間／給付日数 1年未満／30日 1年以上／50日	
同左	―	―

制度の種別			雇　　用
対象			一　般　被　保　険　者

失業等給付

給付者 求職者	寄宿手当	月額 10,700 円
	傷病手当	基本手当日額と同額

就職促進給付

(1)就業促進手当
　イ．就業手当…就業日ごとに基本手当日額の 30%
　ロ．再就職手当…基本手当日額に支給残日数の 60% 又は 70% を乗じた額
　ハ．就業促進定着手当
　　　早期再就職し，6 月間定着した場合，低下した賃金の 6 か月分を支給（基本手当日額に支給残日数の 40% を乗じた額を上限とする）
　ニ．常用就職支度手当…基本手当日額に支給残日数の 40% を乗じた額
(2)移転費…鉄道賃，船賃，航空賃，車賃，移転料，着後手当
(3)求職活動支援費…広域求職活動費（鉄道賃，船賃，航空賃，車賃，宿泊料），短期訓練受講費，求職活動関係役務利用費

教育訓練給付

被保険者である者又は被保険者でなくなってから 1 年以内にある者が，厚生労働大臣の指定する教育訓練を受ける場合に，訓練費用の一定割合を支給。
〇一般教育訓練に係る教育訓練給付金
(1)給付水準：教育訓練に要した費用の 20% 相当額（上限 10 万円）
(2)対象訓練：雇用の安定及び就職の促進に資すると認められる教育訓練
〇特定一般教育訓練に係る教育訓練給付金
(1)給付水準：教育訓練に要した費用の 40%（上限 20 万円）
(2)対象訓練：即効性のあるキャリア形成ができ，社会的ニーズが高く，かつ，特に就職実現・キャリアアップとの結びつきの強さを客観的に評価できる教育訓練
〇専門実践教育訓練に係る教育訓練給付金（中長期的なキャリア形成支援措置）
(1)給付水準：教育訓練に要した費用の 50% 相当額（上限年間 40 万円）を，受講状況が適切であることを確認した上で，6 か月ごとに支給。加えて，訓練修了後 1 年以内に，資格取得等し，被保険者として雇用された又は雇用されている場合には，当該教育訓練に要した費用の 20% 相当額を追加支給（50% 相当額と追加分 20% 相当額を合わせた 70% 相当額を支給，上限年間 56 万円）
(2)対象訓練：専門的・実践的であると認められる訓練であって，業務独占資格又は名称独占資格のうち，いわゆる養成施設の課程／専門学校の職業実践専門課程／専門職大学院
※専門実践教育訓練を受講する 45 歳未満の若年離職者には，基本手当の 80% を訓練受講中に 2 か月ごとに支給（教育訓練支援給付金。令和 6 年度末までの暫定措置）する。

雇用継続給付

高年齢雇用継続給付	〇高年齢雇用継続基本給付金 (1)受給要件 　被保険者であった期間が 5 年以上ある被保険者が，60 歳以降失業等給付の基本手当を受給することなく，60 歳到達時点の賃金に比べて 75% 未満の賃金で就労しているときに支給。 (2)給付額 　① 60 歳到達時点の賃金の 61% 未満で就業している場合 　　各月の賃金の 15% 相当額 　②①に該当しない場合 　　15% から一定の割合で逓減する率 (3)支給期間 　支給期間は，被保険者が 60 歳に達した日の属する月から 65 歳に達する日の属する月までとする。

保　　　険		
短期雇用特例被保険者	高年齢被保険者	日　雇　労　働　被　保　険　者
同左	—	—
—	—	—
同左 ((1)のイ，ロ，ハを除く)	—	同左 ((1)のイ，ロ，ハを除く) (ニの基本手当は日雇労働求職) (者給付金の日額のこと。)
—	—	—
—	—	—

制　度　の　種　別			雇　　　　　　用
対　　　　　　象			一　般　被　保　険　者
失業等給付	雇用継続給付	高年齢雇用継続給付	○高年齢再就職給付金 (1)受給要件 　受給資格に係る離職の日における算定基礎期間が5年以上ある受給資格者が，基本手当の基準となった賃金日額を30倍した額の75％未満で再就職し，就労していることが必要。 　高年齢再就職給付金はすでに基本手当を受給した者に対して支給されるものであり，就職日の前日における支給残日数が一定日数（100日）以上ある場合に基本手当の支給残日数に応じ定められた期間について支給。 (2)給付額 　①基本手当の基準となった賃金日額を30倍した額の61％未満で再就職した場合 　　各月の賃金の15％相当額 　②①に該当しない場合 　　15％から一定の割合で逓減する率 (3)支給期間 　基本手当の支給残日数200日以上のときは再就職後2年間，100日以上のときは1年間を限度として支給される。ただし，65歳に達する日の属する月までの間に限られる。
		介護休業給付	○介護休業給付金 (1)受給要件 　休業を開始した日前2年間に，賃金支払基礎日数が11日以上ある月が12か月以上ある被保険者に対して支給。 (2)給付額 　当該被保険者が介護休業開始日の前日に離職したものとみなしたときの賃金日額に，支給日数を乗じて得た額の67％に相当する額を支給単位期間ごとに支給。 (3)支給期間 　介護休業を開始した日から起算して3か月（一定の要件に該当する場合には，3回まで通算93日）を経過する日までとする。
	育児休業給付		○育児休業給付金 (1)受給要件 　休業を開始した日前2年間に，賃金支払基礎日数が11日以上ある月が12か月以上ある被保険者に対して支給（特例給付あり）。原則2回まで支給。 (2)給付額 　当該被保険者が育児休業開始日の前日に離職したものとみなしたときの賃金日額に，支給日数を乗じて得た額の50％（休業開始後6月間は67％）に相当する額を支給単位期間ごとに支給。 (3)支給期間 　育児休業給付金の支給期間は，被保険者がその1歳（子が1歳を超えても休業が必要と認められる一定の場合については最長で2歳）に満たない子を養育する期間となる。 ○出生時育児休業給付金 (1)受給要件 　「育児休業給付金」の要件に加えて，休業中の就業日数が10日（10日を超える場合は80時間）以内であること (2)給付額 　休業開始時の賃金日額の67％を支給 (3)支給期間 　最長28日間
二　　事　　業			(1)雇用安定事業…雇用調整助成金，特定求職者雇用開発助成金，地域雇用開 (2)能力開発事業…職業訓練に対する助成援助，民間等を活用した効果的な職

保　　　険		
短期雇用特例被保険者	高年齢被保険者	日　雇　労　働　被　保　険　者
－	－	－
－	－	
		－
－	－	
発助成金等 業訓練等の推進等		

表4 業務災害補償制度の概要

制度の種類		労働者災害補償保険	
根　　拠　　法		労働者災害補償保険法（昭22.4.7法50）〔施行〕昭22.9.1	
対　　　　　象		一　般　被　用　者	
経　営　主　体		国	
対　象　人　員		約6,068万人（令和3年度末）	
財源	保　険　料	事業の種類に応じ賃金総額に対し　0.25％〜8.8％を事業主から徴収	
	そ　の　他	一部国庫補助	
傷病に対するもの		右以外の場合	療養開始後1.5年を経過しても治らず，傷病等級に該当する場合
		療養補償給付10割	同　　　左
		休業補償給付　給付基礎日額の60％　休業特別支給金（社会復帰促進等事業）給付基礎日額の20％	傷病補償年金　給付基礎日額の313日分（1級）〜245日分（3級）傷病特別支給金（社会復帰促進等事業）……一時金　114万円（1級）〜100万円（3級）傷病特別年金（社会復帰促進等事業）算定基礎日額の313日分（1級）〜245日分（3級）
障害に対するもの	年金	障害補償年金　給付基礎日額の313日分（1級）〜131日分（7級）障害特別支給金（社会復帰促進等事業）……一時金　342万円（1級）〜159万円（7級）障害特別年金（社会復帰促進等事業）算定基礎日額の313日分（1級）〜131日分（7級）	
	一時金	障害補償一時金　給付基礎日額の503日分（8級）〜56日分（14級）障害特別支給金（社会復帰促進等事業）……一時金　65万円（8級）〜8万円（14級）障害特別一時金（社会復帰促進等事業）算定基礎日額の503日分（8級）〜56日分（14級）	
遺族に対するもの	年金	遺族補償年金　給付基礎日額の153日分（遺族1人）〜245日分（遺族4人以上）遺族特別支給金（社会復帰促進等事業）……一時金　300万円　遺族特別年金（社会復帰促進等事業）算定基礎日額の153日分（遺族1人）〜245日分（遺族4人以上）	
	一時金	遺族補償年金を受けることができる遺族がいないとき支給　遺族補償一時金　給付基礎日額の1,000日分を限度　遺族特別支給金（社会復帰促進等事業）……一時金　300万円　遺族特別一時金（社会復帰促進等事業）算定基礎日額の1,000日分を限度	
介護に対するもの		介護（補償）給付　障害・傷病（補償）年金第1級，第2級（神経・精神の障害及び胸腹部臓器の障害に限る）の受給権者のうち常時介護を要する者については172,550円，随時介護を要する者については86,280円を上限として支給する　ただし，①親族等の介護を受け，かつ，介護費用を支出していない場合，②親族等の介護を受け，かつ，介護費用を支出しているが，下記の一律定額を下回る場合については，常時介護を要する者については77,890円，随時介護を要する者については38,900円の一律定額を支給する	
葬祭に対するもの		葬祭料　315,000円＋給付基礎日額の30日分（最低保障：給付基礎日額の60日分）	
脳・心臓疾患に関連する異常所見が見られた場合		①　二次健康診断　脳血管及び心臓の状態を把握するために必要な検査　②　特定保健指導　二次健康診断の結果に基づき，脳及び心臓疾患の発生の予防を図るため，医師等により行われる保健指導	
社会復帰促進等事業		特別支給金・病院・療養所・補装具支給等	

（注）　令和2年度から，対象に複数事業労働者が加わり，複数業務要因災害に対する給付が創設された。

制度の種類		国家公務員災害補償	
根　　拠　　法		国家公務員災害補償法 (昭 26.6.2 法 191)〔施行〕昭 26.7.1	
対　　　　　象		一般職国家公務員	
経　営　主　体		政　　府	
対　象　人　員		45.7 万人（令和 3 年 7 月）	
財源	保　険　料	（全額負担）	
	そ　の　他		
負傷・疾病に対するもの		右以外の場合	療養開始後 1.5 年を経過しても 治らず，傷病等級に該当する場合
		療養補償 10 割	同　　　左
		休業補償 　平均給与額の 60% 休業援護金(福祉事業) 　平均給与額の 20% を超えない額	傷病補償年金 　平均給与額の 313 日分（1 級）〜245 日分（3 級） 傷病特別支給金 　（福祉事業）…一時金 　114 万円（1 級）〜100 万円（3 級） 傷病特別給付金（福祉事業） 　傷病補償年金×特別給支給率
障害に対するもの	年金	障害補償年金 　平均給与額の 313 日分（1 級）〜131 日分（7 級） 障害特別支給金（福祉事業）…一時金 　342 万円（1 級）〜159 万円（7 級） 障害特別援護金（福祉事業） 　1,540 万円（1 級）〜485 万円（7 級）（公務）…一時金 　975 万円（1 級）〜310 万円（7 級）（通勤）…一時金 障害特別給付金（福祉事業） 　障害補償年金×特別給支給率	
	一時金	障害補償一時金 　平均給与額の 503 日分（8 級）〜56 日分（14 級） 障害特別支給金（福祉事業）…一時金 　65 万円（8 級）〜 8 万円（14 級） 障害特別援護金（福祉事業） 　320 万円（8 級）〜45 万円（14 級）（公務）…一時金 　195 万円（8 級）〜30 万円（14 級）（通勤）…一時金 障害特別給付金（福祉事業） 　障害補償一時金×特別給支給率	
遺族に対するもの	年金	遺族補償年金 　平均給与額の 153 日分（遺族 1 人）〜245 日分（遺族 4 人以上） 遺族特別支給金（福祉事業）…一時金 　300 万円 遺族特別援護金（福祉事業）…一時金 　（公務）1,860 万円　　（通勤）1,130 万円 遺族特別給付金（福祉事業） 　遺族補償年金×特別給支給率	
	一時金	遺族補償年金を受けることができる遺族がいないとき支給 遺族補償一時金 　平均給与額の 1,000 日分〜400 日分 遺族特別支給金（福祉事業）…一時金 　300 万円〜120 万円 遺族特別援護金（福祉事業）…一時金 　（公務）1,860 万円〜744 万円　（通勤）1,130 万円〜450 万円 遺族特別給付金（福祉事業） 　遺族補償一時金×特別給支給率	
介護に対するもの		介護補償 対象：傷病・障害補償年金第 1 級，第 2 級(神経・精神の障害及び胸腹部臓器の 　　　障害に限る)の受給権者のうち常時又は随時介護を要する状態である者 額　他人介護：1 月当たり，常時介護は 172,550 円，随時介護は 86,280 円を上 　　　　　　　限に実費支給 　　　親族介護：常時介護は 77,890 円，随時介護は 38,900 円を支給	
葬祭に対するもの		葬祭補償 315,000 円＋平均給与額の 30 日分（最低保障：平均給与額の 60 日分）	
福　祉　事　業		補装具支給等	

制度の種類	地方公務員災害補償
根　　拠　　法	地方公務員災害補償法 〔昭 42.8.1 法 121〕 〔施行〕昭 42.12.1
対　　　　　象	地方公務員
経　営　主　体	地方公務員災害補償基金
対　象　人　員	303 万 1000 人（令和 3 年度末）
財源　使用者掛金率 　　　国　庫　負　担	地方公共団体負担
負傷・疾病に対するもの	
障害に対するもの　年金	国家公務員災害補償に同じ
障害に対するもの　一時金	国家公務員災害補償に同じ
遺族に対するもの　年金	国家公務員災害補償に同じ
遺族に対するもの　一時金	国家公務員災害補償に同じ
介護に対するもの	
葬祭に対するもの	
福　祉　事　業	

2 健康保険

〔根拠▶健康保険法（大 11．4．22 法律第 70 号）〕

　被保険者又はその被扶養者の業務災害以外の疾病，負傷若しくは死亡又は出産について，保険給付を行うことを目的としている。

(注)　被保険者は，雇用の形態によって一般の被保険者（法第 3 条第 2 項被保険者（以下，「日雇特例被保険者」という。）以外の被保険者をいう。）と日雇特例被保険者とに区分されており，保険給付の受給資格，保険料の納付方法，被保険者の資格の得喪に相当の差異があるので留意する必要がある。

1　一般の被用者を対象とするもの（一般被保険者）

■保険者（法第 4 条～第 6 条）

　1．全国健康保険協会

　　(注)　窓口は，協会の都道府県支部。ただし，被保険者の資格の取得及び喪失の確認，標準報酬月額等の決定，保険料の徴収（任意継続被保険者に係るものを除く。）等に関しては厚生労働大臣（地方厚生局）

　2．健康保険組合

　　単一健康保険組合（単一事業所で 700 人以上の従業員で組織するもの）

　　総合健康保険組合（同種,同業の事業所が集って3,000人以上の従業員で組織するもの）

　　(注)　窓口は，各健康保険組合

■被保険者（法第 3 条，第 31 条，第 35 条～第 37 条）

　1．被保険者（任意継続被保険者を除く。）（法第 3 条第 1 項・第 3 項，第 31 条）

　(1)　常時 5 人以上の従業員を使用する適用事業の事業所（強制適用事業所）に使用される者

　　　適用事業とは，製造業，土木建築業，鉱業，物品販売業等の事業をいう。

　(2)　常時従業員を使用する国，地方公共団体又は法人の事業所に使用される者

　(注)　強制適用事業所以外の事業所については，当該事業主が，被保険者となるべき者の 2 分の 1 以上の同意を得て厚生労働大臣の認可を受けることにより適用事業所（任意適用事業所）となり，この場合当該事業所に使用される者はすべて被保険者となる。

　(3)　特定適用事業所に勤務する短時間労働者

　(注)　特定適用事業所とは，同一事業主の適用事業所で厚生年金保険の被保険者数の

合計が，1年で6か月以上，100人を超えることが見込まれる事業所。

短時間労働者の要件は，勤務時間・勤務日数が常時雇用者の4分の3未満で以下の全てに該当すること。

1　週の所定労働時間が20時間以上である。

2　継続して2か月を超えて使用される見込みである。

3　賃金の月額が8.8万円以上（年収106万円以上）である。

4　学生でない。

ただし，被保険者数の合計が500人以下の事業所についても，労使の合意に基づいて短時間労働者への適用拡大をすることができる。

【参　考】短時間労働者への適用拡大（令和2年6月5日法律第40号）

短時間労働者への社会保険適用拡大について，現行従業員数500人超規模の適用規定を，段階的に50人超規模の企業に引き下げる。具体的には以下の通り。

・令和4年10月から，100人超規模

・令和6年10月から，50人超規模

※ここでいう従業員数とは通常の被保険者の人数をいい，具体的には，週労働時間が通常の労働者の4分の3以上の者を指し，それ未満の短期間労働者を含まない。

2．任意継続被保険者（法第3条第4項，第37条，第38条）

退職等により資格を喪失した場合でも，継続して2か月以上被保険者であった者は，資格喪失日から20日以内に申請すれば，2年間に限り被保険者となることができる。

(注)1　保険料は，資格喪失時の標準報酬月額又は，前年の9月30日現在の当該保険者が管掌する全被保険者の平均標準報酬月額（保険者が健康保険組合の場合は，さらに規約で定めた額）に比べて，いずれか低い額に保険料率を乗じて得た額を全額自己負担する。

2　任意継続の申請は，全国健康保険協会の各都道府県支部又は健康保険組合に対して行う。

3　20日以内の期限を経過した申請でも，それについて正当な事由（天災地変等）があれば受理される。

4　任意継続被保険者となってから2年経過したとき，保険料を納付期日（毎月10日）までに納付しないとき（正当な理由がある場合を除く。），死亡したとき，被用者保険・船員保険・後期高齢者医療の被保険者となったとき，被保険者から申請があったときは資格を喪失する。

5　保険料は前納することができる。

3．適用除外（法第3条第1項ただし書）

前記1.又は2.にかかわらず，次のような者は被保険者とならない。

(1)　船員保険の被保険者

(2)　臨時に使用される者（継続して2か月を超えて使用されるべき場合は除かれる。）

(3)　日々雇い入れられる者（継続して1か月を超えて使用されるべき場合は除かれる。）

(4)　所在地の一定しない事業所に使用される者（例　巡回興業等）

(5)　季節的業務に使用される者（継続して4か月を超えて使用されるべき場合は除かれる。）

(6)　臨時的事業の事業所に使用される者（継続して6か月を超えて使用されるべき場合は除かれる。）

(7)　国民健康保険組合の事業所に使用される者

(8)　後期高齢者医療の被保険者等

(9)　厚生労働大臣，健康保険組合又は共済組合の承認を受けた者

(10)　特定適用事業所に勤務する短時間労働者に該当しない者

4．被扶養者の範囲（法第3条第7項）

被保険者の被扶養者も保険給付の対象となるが，その範囲は次のとおりである。

(1)　被保険者の直系尊属，配偶者（届出をしていないが事実上婚姻関係と同様の事情にある者を含む。），子，孫及び兄弟姉妹であって，主としてその被保険者によって生計を維持しているもの

(2)　被保険者の3親等内の親族で，その被保険者と同一の世帯に属し，かつ，主としてその被保険者によって生計を維持しているもの

(3)　被保険者の配偶者で届出をしていないが事実上婚姻関係と同様の事情にあるものの父母及び子であって，その被保険者と同一の世帯に属し，主としてその被保険者により生計を維持しているもの

(4)　前記(3)の配偶者の死亡後におけるその父母及び子であって，引き続きその被保険者と同一の世帯に属し，主としてその被保険者により生計を維持しているもの

(注)1　「同一の世帯に属し」とは，同じ家に住み，かつ，家計を同じくすることである。

　　2　収入のある認定対象者の「主としてその被保険者により生計を維持しているもの」の取扱いは次のとおりである。

　　　1）認定対象者が被保険者と同居（同一世帯）している場合は，認定対象者の年収が130万円未満（認定対象者が60歳以上の者である場合又は概ね厚生年金保険法による障害厚生年金の受給要件に該当する程度の障害者である場合にあっては180万円未満。以下同じ。）で，かつ，被保険者の年収の半分未満であることが必要である。また，前記の条件に該当せず，認定対象者の年収が130万円未満であって，被保険者の年収の半分以上であっても，被保険者の年収以下で総合的に被保険者によって生計を維持していると認められるときは被扶養

者とされる。

2）認定対象者が被保険者と同居していない場合は，認定対象者の年収が130万円未満で，かつ，被保険者からの援助額より少ないときに，被扶養者とされる。

3）1），2）の基準で被扶養者の認定が行われるが，その取扱いによる生活実態とかけ離れ，妥当性に欠くという場合は，実情に合わせた決定が行われる。

3　被扶養者の異動については，5日以内に所定の被扶養者異動届を作成し，事業主を経由して厚生労働大臣又は健康保険組合に提出する（規則第38条）。

4　後期高齢者医療の被保険者等については，被扶養者の範囲から除かれる。

5　被扶養者の要件として日本国内に住所を有することとし，以下のような国内に住所を有しないが一定の要件に該当する場合を除いて被扶養者として認めない。

1）外国において留学をする学生

2）外国に赴任する被保険者に同行する者

3）観光，保養又はボランティア活動その他就労以外の目的で一時的に海外に渡航する者

4）被保険者が外国に赴任している間に当該被保険者との身分関係が生じた者

5）1）から4）までに掲げるもののほか，渡航目的その他の事情を考慮して日本国内に生活の基礎があると認められる者

5．資格の取得及び喪失（法第35条，第36条）

(1)　適用事業所に使用されることとなった日若しくは使用される事業所が適用事業所となった日又は前記3．の適用除外事由に該当しなくなった日から被保険者となる。

(2)　死亡した日又は適用事業所に使用されなくなった日，事業所が適用事業所でなくなった日及び前記3．の適用除外事由に該当することとなった日の翌日（ただし，その日に適用事業所に使用されるようになったときは，その日）から被保険者でなくなる。

【参　考】オンライン資格確認（電子資格確認）の導入

「医療保険制度の適正かつ効率的な運営を図るための健康保険法等の一部を改正する法律（令和元年5月法律第9号）」の成立により，従来，被保険者証で行っていた被保険者であることの確認をマイナンバーカードによりオンラインで行える。受診の際にオンラインで資格を確認することにより，医療保険事務の効率化や患者の利便性の向上等を図る。個人単位化する被保険者番号については，個人情報保護の観点から，健康保険事業の目的以外で告知要求を禁止する（医療保険各法において同様。令和2年10月1日から施行，本格運用は令和3年10月より。）。令和4年，療養担当規則（厚生労働省令）の改正により，令和5年4月より原則義務化された。また，これらオンライン資格確認や電子カルテ等の普及のために医療情報化支援基金が令和元年10月1日に創設された。

■標準報酬月額（法第 40 条）

健康保険では，被保険者の報酬月額を 50 等級の標準報酬に区分し，これを保険給付及び保険料算定の基礎としている。

標準報酬月額は，毎年 7 月 1 日に前 3 か月間（4〜6 月）の平均報酬月額を調査のうえ決定し，原則としてその年の 9 月 1 日から 1 年間適用される。

(注)　新規採用者や給与が著しく変動した者については実態に即して標準報酬月額の決定又は改定が行われる。報酬とは，労働の対価としての賃金，給料等をいうものであるが，その判断基準を示せば，次のとおりである。

1．報酬と認定されるもの

(1)　基本給（賃金，給料，俸給等）

(2)　手当（家族手当，役付手当，残業手当，能率手当，住宅手当，通勤手当，年 4 回以上受ける賞与）

(3)　現物給付（通勤定期券，食券，食事，自社製品，被服（勤務服を除く。），社宅等）

　　(注)　現物給付については，厚生労働大臣又は健康保険組合が標準価格を定めている。

2．報酬から除かれるもの

(1)　3 か月を超える期間ごとに受ける手当等（賞与，決算手当，石炭手当等で，年 3 回以下のものに限る。）

(2)　臨時的に受けるもの（大入袋，見舞金，退職金，解雇予告手当等）

(3)　労務の対価でないもの（出張旅費，制服，作業衣等）

■標準賞与額（法第 3 条第 6 項，第 45 条）

賞与については，標準賞与額(実際の賞与の 1,000 円未満切り捨て)として保険料の対象となる。標準賞与額が年間で 573 万円を超えるときは，573 万円とする。

■保険料（法第 155 条〜第 167 条）

一般被保険者に係る健康保険事業は，被保険者と事業主の負担する保険料と国庫負担金で賄われている。保険料額は，標準報酬月額及び標準賞与額に保険料率を乗じて計算されるが，保険料率及び負担割合は次のように定められている。

1．協会管掌健康保険（協会けんぽ）

(1)　保険料率　都道府県ごとの保険料率が適用される（全国平均の保険料率：10.00 ％（令和 5 年度））。

　　介護保険第 2 号被保険者は，前記に介護保険の保険料率（1.82 ％）が加算される。

(2)　負担割合　被保険者，事業主で折半する。

(注)　報酬月額，標準報酬については，別表 1「標準報酬月額等級表」，保険料率につい

別表1　標準報酬月額等級表
（平成28年4月1日以後適用）

標準報酬		報酬月額	
等級	月額		
	円	円以上	円未満
1	58,000	～	63,000
2	68,000	63,000～	73,000
3	78,000	73,000～	83,000
4	88,000	83,000～	93,000
5	98,000	93,000～	101,000
6	104,000	101,000～	107,000
7	110,000	107,000～	114,000
8	118,000	114,000～	122,000
9	126,000	122,000～	130,000
10	134,000	130,000～	138,000
11	142,000	138,000～	146,000
12	150,000	146,000～	155,000
13	160,000	155,000～	165,000
14	170,000	165,000～	175,000
15	180,000	175,000～	185,000
16	190,000	185,000～	195,000
17	200,000	195,000～	210,000
18	220,000	210,000～	230,000
19	240,000	230,000～	250,000
20	260,000	250,000～	270,000
21	280,000	270,000～	290,000
22	300,000	290,000～	310,000
23	320,000	310,000～	330,000
24	340,000	330,000～	350,000
25	360,000	350,000～	370,000
26	380,000	370,000～	395,000
27	410,000	395,000～	425,000
28	440,000	425,000～	455,000
29	470,000	455,000～	485,000
30	500,000	485,000～	515,000
31	530,000	515,000～	545,000
32	560,000	545,000～	575,000
33	590,000	575,000～	605,000
34	620,000	605,000～	635,000
35	650,000	635,000～	665,000
36	680,000	665,000～	695,000
37	710,000	695,000～	730,000
38	750,000	730,000～	770,000
39	790,000	770,000～	810,000
40	830,000	810,000～	855,000
41	880,000	855,000～	905,000
42	930,000	905,000～	955,000
43	980,000	955,000～1,005,000	
44	1,030,000	1,005,000～1,055,000	
45	1,090,000	1,055,000～1,115,000	
46	1,150,000	1,115,000～1,175,000	
47	1,210,000	1,175,000～1,235,000	
48	1,270,000	1,235,000～1,295,000	
49	1,330,000	1,295,000～1,355,000	
50	1,390,000	1,355,000～	

※上表は，賞与に係る保険料額の算出には対応していない。

別表2　都道府県単位保険料率
（令和5年度）

北海道	10.29%	滋賀県	9.73%
青森県	9.79%	京都府	10.09%
岩手県	9.77%	大阪府	10.29%
宮城県	10.05%	兵庫県	10.17%
秋田県	9.86%	奈良県	10.14%
山形県	9.98%	和歌山県	9.94%
福島県	9.53%	鳥取県	9.82%
茨城県	9.73%	島根県	10.26%
栃木県	9.96%	岡山県	10.07%
群馬県	9.76%	広島県	9.92%
埼玉県	9.82%	山口県	9.96%
千葉県	9.87%	徳島県	10.25%
東京都	10.00%	香川県	10.23%
神奈川県	10.02%	愛媛県	10.01%
新潟県	9.33%	高知県	10.10%
富山県	9.57%	福岡県	10.36%
石川県	9.66%	佐賀県	10.51%
福井県	9.91%	長崎県	10.21%
山梨県	9.67%	熊本県	10.32%
長野県	9.49%	大分県	10.20%
岐阜県	9.80%	宮崎県	9.76%
静岡県	9.75%	鹿児島県	10.26%
愛知県	10.01%	沖縄県	9.89%
三重県	9.81%		

ては，別表2「都道府県単位保険料率」を参照すること **(前頁参照)**。

2．組合管掌健康保険

(1) 保険料率 $\frac{30}{1000} \sim \frac{130}{1000}$ の範囲で組合が定める（要厚生労働大臣認可）。

(2) 負担割合 原則として折半であるが，組合の規約で事業主の負担割合を増加することができる。

■**保険給付**

保険給付の概要は，表1 **(p. 550・551 参照)** に収録されているところであるが，生活保護法の運用上関連を有する給付の要件，内容については次のとおりである。

被保険者に関するもの	被扶養者に関するもの
1 療養の給付（第63条）	1 家族療養費（第110条）
2 入院時食事療養費（第85条）	2 家族訪問看護療養費（第111条）
3 入院時生活療養費（第85条の2）	3 家族移送費（第112条）
4 保険外併用療養費（第86条）	4 家族埋葬料（第113条）
5 療養費（第87条）	5 家族出産育児一時金（第114条）
6 訪問看護療養費（第88条）	6 高額療養費（第115条）
7 移送費（第97条）	7 高額介護合算療養費（第115条の2）
8 傷病手当金（第99条）	
9 埋葬料・埋葬費（第100条）	
10 出産育児一時金（第101条）	
11 出産手当金（第102条）	
12 高額療養費（第115条）	
13 高額介護合算療養費（第115条の2）	

1．傷病に対する給付

(1) 療養の給付（法第63条）

被保険者本人が病気等で診療を受けたときは，次の療養の給付が現物給付される。

① 診察

② 薬剤又は治療材料の支給

③ 処置，手術その他の治療

④ 居宅における療養上の管理及びその療養に伴う世話その他の看護

⑤ 病院又は診療所への入院及びその療養に伴う世話その他の看護

(注) 給付率は，療養に要した費用の7割である。したがって，療養の給付を受けたつど医療費の3割を一部負担金として保険医療機関又は保険薬局に支払うこととなる。また，70歳以上は8割（平成26年3月31日以前に70歳になった被保険者等については一部負担金等の軽減特例措置の対象となるため，平成26年4月1日以降9割，現役並み所得者は7割）である。一部負担金に5円未満の端数があるときは，これを切り捨て，5円以上10円未満の端数があるときはこれを10円に切り上げる。

被保険者証（70歳以上の者は高齢受給者証を添えて）を提出することにより，保険医療機関において現物給付が行われる。

(2)　入院時食事療養費（法第85条）

被保険者（65歳以上の療養病床に入院するものを除く。）が，保険医療機関等への入院に伴い食事療養を受けたときは，入院時食事療養費が支給される。

被保険者に対し，厚生労働大臣が定める基準により算定した費用の額から，平均的な家計における食費の状況及び特定介護保険施設等における食事の提供に要する平均的な費用の額を勘案して厚生労働大臣が定める額（食事療養標準負担額）を控除した額が支給されるが，その支給すべき額の限度内において保険者が被保険者に代わり支払いをなすことができることとされている。

食事療養標準負担額は，1食単位で以下のとおり定められている。

① 一般…460円

　（注）　指定難病患者，小児慢性特定疾病患者は260円

② 市町村民税非課税者（低所得者）…入院日数が90日以下の者210円，入院日数が90日を超えている者160円

③ 一定の基準を満たす者…100円

(3)　入院時生活療養費（法第85条の2）

65歳以上の被保険者が，療養病床への入院に伴い生活療養を受けたときは，入院時生活療養費が支給される。

被保険者に対し，厚生労働大臣が定める基準により算定した費用の額から，平均的な家計における食費及び光熱水費の状況等を勘案して厚生労働大臣が定める額（生活療養標準負担額）を控除した額が支給されるが，その支給すべき額の限度内において保険者が被保険者に代わり支払いをなすことができることとされている。

生活療養標準負担額は次のとおり。

① 一般Ⅰ（管理栄養士等による食事の提供たる療養等が行われている保険医療機関の入院者）

　　　1食につき460円　＋　1日につき370円

② 一般Ⅱ（①以外の者）

　　　1食につき420円　＋　1日につき370円

③ 市町村民税非課税者（低所得者）

　　　1食につき210円　＋　1日につき370円

④ 特に所得の低い市町村民税非課税者（低所得者）

　　　1食につき130円　＋　1日につき370円

　（注）　厚生労働大臣の定める者（入院医療の必要性の高い状態が継続する者及び回復期リハビリテーション病棟に入院している者）については，1日につき0円から

200 円に負担額が引き上げられた（平成 29 年 10 月から）。難病等の入院医療の必要性の高い患者の食費負担は，食事療養標準負担額と同額

(4) 保険外併用療養費（法第 86 条）

被保険者が次に定める療養を受けたときは，保険外併用療養費が支給される。

① 評価療養（平成 18 年厚生労働省告示第 495 号）

高度の医療技術を用いた療養その他の療養であって，療養の給付の対象とすべきであるか否かについて，適正な医療の効率的な提供を図る観点から評価を行うことが必要な療養として厚生労働大臣が定めるもの。具体的には，次のものが定められている。

ア　別に厚生労働大臣が定める先進医療（先進医療ごとに別に厚生労働大臣が定める施設基準に適合する病院又は診療所において行われるものに限る。）

イ　医薬品，医療機器等の品質，有効性及び安全性の確保等に関する法律（昭和 35 年法律第 145 号，以下「医薬品医療機器等法」という。）第 2 条第 17 項に規定する治験（人体に直接使用される薬物に係るものに限る。）に係る診療

ウ　医薬品医療機器等法第 2 条第 17 項に規定する治験（機械器具等に係るものに限る。）に係る診療

エ　医薬品医療機器等法第 2 条第 17 項に規定する治験（加工細胞等（医薬品，医療機器等の品質，有効性及び安全性の確保等に関する法律施行規則（昭和 36 年厚生省令第 1 号）第 275 条の 2 の加工細胞等をいう。）に係るものに限る。）に係る診療

オ　医薬品医療機器等法第 14 条第 1 項又は第 19 条の 2 第 1 項の規定による承認を受けた者が製造販売した当該承認に係る医薬品（人体に直接使用されるものに限り，別に厚生労働大臣が定めるものを除く。）の投与（別に厚生労働大臣が定める施設基準に適合する病院若しくは診療所又は薬局において当該承認を受けた日から起算して 90 日以内に行われるものに限る。）

カ　医薬品医療機器等法第 23 条の 2 の 5 第 1 項又は第 23 条の 2 の 17 第 1 項の規定による承認を受けた者が製造販売した当該承認に係る医療機器（別に厚生労働大臣が定めるものを除く。）の使用又は支給（別に厚生労働大臣が定める施設基準に適合する病院若しくは診療所又は薬局において保険適用を希望した日から起算して 240 日以内に行われるものに限る。）

キ　医薬品医療機器等法第 23 条の 25 第 1 項又は第 23 条の 37 第 1 項の規定による承認を受けた者が製造販売した当該承認に係る再生医療等製品（別に厚生労働大臣が定めるものを除く。）の使用又は支給（別に厚生労働大臣が定める施設基準に適合する病院若しくは診療所又は薬局において保険適用を希望した日から起算して 240 日以内に行われるものに限る。）

ク　使用薬剤の薬価（薬価基準）（平成 20 年厚生労働省告示第 60 号）に収載されて

いる医薬品（別に厚生労働大臣が定めるものに限る。）の投与であって，医薬品医療機器等法第14条第1項又は第19条の2第1項の規定による承認に係る用法，用量，効能又は効果と異なる用法，用量，効能又は効果に係るもの（別に厚生労働大臣が定める条件及び期間の範囲内で行われるものに限る。）

ケ　医薬品医療機器等法第23条の2の5第1項又は第23条の2の17第1項の規定による承認を受けた者が製造販売した当該承認に係る医療機器（別に厚生労働大臣が定めるものに限る。）の使用又は支給であって，当該承認に係る使用目的，効果又は使用方法と異なる使用目的，効果又は使用方法に係るもの（別に厚生労働大臣が定める条件及び期間の範囲内で行われるものに限る。）

コ　医薬品医療機器等法第23条の25第1項又は第23条の37第1項の規定による承認を受けた者が製造販売した当該承認に係る再生医療等製品（別に厚生労働大臣が定めるものに限る。）の使用又は支給であって，当該承認に係る用法，用量，使用方法，効能，効果又は性能と異なる用法，用量，使用方法，効能，効果又は性能に係るもの（別に厚生労働大臣が定める条件及び期間の範囲内で行われるものに限る。）

② 患者申出療養（平成18年厚生労働省告示第495号）

高度の医療技術を用いた療養であって，当該療養を受けようとする者の申出に基づき，療養の給付の対象とすべきものであるか否かについて，適正な医療の効率的な提供を図る観点から評価を行うことが必要な療養として厚生労働大臣が定めるもの

ア　患者申出療養は，厚生労働大臣に対し，臨床研究中核病院の開設者の意見書その他必要な書類を添えて行う。

イ　厚生労働大臣は，申出を受けた場合は速やかに検討を加え，必要な療養と認められる場合には，当該療養を患者申出療養として定め，その旨を当該申出を行った者に速やかに通知する。また，患者申出療養として定めないこととした場合には，理由を付してその旨を当該申出を行った者に速やかに通知する。

③ 選定療養（平成18年厚生労働省告示第495号）

被保険者の選定に係る特別の病室の提供その他の厚生労働大臣が定める療養。具体的には，次に掲げるものが定められている。

ア　特別の療養環境の提供

イ　予約に基づく診察

ウ　保険医療機関が表示する診療時間以外の時間における診察

エ　病床数が200以上の病院について受けた初診（他の病院又は診療所からの文書による紹介がある場合及び緊急その他やむを得ない事情がある場合に受けたものを除く。）

オ　病床数が 200 以上の病院について受けた再診（当該病院が他の病院（病床数が 200 未満のものに限る。）又は診療所に対して文書による紹介を行う旨の申出を行っていない場合及び緊急その他やむを得ない事情がある場合に受けたものを除く。）

カ　診療報酬の算定方法（平成 20 年厚生労働省告示第 59 号）に規定する回数を超えて受けた診療であって別に厚生労働大臣が定めるもの

キ　別に厚生労働大臣が定める方法により計算した入院期間が 180 日を超えた日以後の入院及びその療養に伴う世話その他の看護（別に厚生労働大臣が定める状態等にある者の入院及びその療養に伴う世話その他の看護を除く。）

ク　前歯部の金属歯冠修復に使用する金合金又は白金加金の支給

ケ　金属床による総義歯の提供

コ　う蝕に罹患している患者（う蝕多発傾向を有しないものに限る。）であって継続的な指導管理を要するものに対する指導管理

サ　白内障に罹患している患者に対する水晶体再建術に使用する眼鏡装用率の軽減効果を有する多焦点眼内レンズの支給

給付率は療養の給付と同様であり，その支給される額の限度において保険者が被保険者に代わり保険医療機関に対し支払いをなすことができる。

(5) 療養費（法第 87 条）

療養の給付は，保険医療機関を通じて現物給付の方法がとられているが，保険者が療養の給付を行おうとしても，これを行うことが困難であると認めるとき，また，やむを得ない事情等から，これにより難いとき（保険医療機関等以外の医療機関にかかった場合等）は，いったん被保険者が医療機関に費用全額を支払った後，現金給付として療養費が支給される。

(6) 訪問看護療養費（法第 88 条）

疾病又は負傷により居宅において継続して療養を受ける状態にあり，厚生労働省令で定める基準に適合すると主治医の認めた者が，厚生労働大臣の指定を受けた訪問看護ステーションから訪問看護を受けたときは，訪問看護療養費が支給される。

給付率は療養の給付と同様であり，被保険者に対して支給される額の限度内において，保険者は被保険者に代わり支払いをなすことができる。

(7) 移送費（法第 97 条）

被保険者が療養の給付を受けるため病院又は診療所に移送されたときは，移送費として厚生労働省令で定めるところにより算定した金額を支給する。

(8) 傷病手当金（法第 99 条，第 103 条，第 108 条）

被保険者（任意継続被保険者を除く。）が業務外の傷病により療養のため就労不能となり，給料を支給されないとき，又は支給されても傷病手当金の額より少額であると

きに支給される。

① 支給額

　　1日につき，傷病手当金の支給を始める日の属する月以前の直近の継続した12月間の各月の標準報酬月額を平均した額の30分の1に相当する額の3分の2に相当する額とする。ただし，標準報酬月額が定められている月が12月に満たない場合，以下に掲げる額のうちいずれか少ない額の3分の2に相当する額とする。

ア　支給を始める日の属する月以前の直近の継続した各月の標準報酬月額を平均した額の30分の1に相当する額

イ　支給を始める日の属する年度の前年度の9月30日における全被保険者の同月の標準報酬月額を平均した額を標準報酬月額の基礎となる報酬月額とみなしたときの標準報酬月額の30分の1に相当する額

② 支給期間

　　同一の傷病について支給開始日から通算して1年6か月間（2022年1月に，従来の支給開始日から起算して1年6か月間を改正）

　　なお，前記期間中であっても，厚生年金保険法の障害厚生年金若しくは障害手当金を受けることができるとき，又は退職後に傷病手当金の継続給付を受けている者が年金各法における老齢（退職）年金を受けることができるようになったときは，支給されない。ただし，障害年金，障害手当金，老齢（退職）年金の額が傷病手当金の額を下回る場合，その差額が支給される。

③ 重複調整

　　出産手当金が支給される場合には，出産手当金が優先し，その間，傷病手当金は支給されない。ただし，出産手当金の額が傷病手当金の額より少ないときはその差額が支給される。

(9) 家族療養費（法第110条）

　　被扶養者の傷病に対する給付である。内容は療養の給付，保険外併用療養費と同様であるが，給付率は，療養に要した費用の7割である。また，義務教育就学前の者及び70歳以上の者は8割（ただし，平成26年3月31日以前に70歳になった者については，国による軽減特例措置により9割，現役並み所得者は7割）である。

(10) 家族訪問看護療養費（法第111条）

　　被保険者に対する訪問看護療養費の支給と同様に，被扶養者が訪問看護ステーションから訪問看護を受けた場合に，支給される。

(11) 家族移送費（法第112条）

　　被扶養者が家族療養費に係る療養を受けるため病院又は診療所へ移送された場合に，厚生労働省令で定めるところにより算定した金額を支給する。

(12) 高額療養費（法第115条）

　同一月に同一の医療機関等に支払った一部負担金の額が高額の場合，次による高額療養費が支給される。

① 70歳未満の者については，同一月に同一の医療機関等に支払った一部負担金が21,000円以上のとき，同一世帯の21,000円以上支払ったものを合算して，次の自己負担限度額を超えた部分が支給される。

自己負担限度額

所得区分	月単位の上限額
年収約1,160万円～ 標準報酬月額83万円以上	252,600円＋（医療費－842,000円）×1％ 〈多数回該当は140,100円〉
年収約770万～約1,160万円 標準報酬月額53万～79万円	167,400円＋（医療費－558,000円）×1％ 〈多数回該当は93,000円〉
年収約370万～約770万円 標準報酬月額28万～50万円	80,100円＋（医療費－267,000円）×1％ 〈多数回該当は44,400円〉
年収約370万円まで 標準報酬月額26万円以下	57,600円〈多数回該当は44,400円〉
低所得者（住民税非課税）	35,400円〈多数回該当は24,600円〉

（注）「多数回該当」とは，1年の間に，同一世帯に対し3回以上高額療養費が支給される場合の4回目以降からの支給額

② 70歳以上の者については，次の場合に自己負担限度額を超えた部分が支給される。

自己負担限度額

所得区分		月単位の上限額	
		個人単位 （外来）	世帯単位
現役並み	年収約1,160万円以上 標準報酬月額83万円以上	252,600円＋（医療費－842,000円）×1％ 〈多数回該当は140,100円〉	
	年収約770万～約1,160万円 標準報酬月額53万～79万円	167,400円＋（医療費－558,000円）×1％ 〈多数回該当は93,000円〉	
	年収約370万～約770万円 標準報酬月額28万～50万円	80,100円＋（医療費－267,000円）×1％ 〈多数回該当は44,400円〉	
一般	年収約156万～約370万円 標準報酬月額26万円以下	18,000円 （年間上限 144,000円）	57,600円 〈多数回該当は44,400円〉
低所得者	Ⅱ住民税非課税世帯	8,000円	24,600円
	Ⅰ住民税非課税世帯 年金収入80万円以下など		15,000円

（注）75歳に達する日の属する月に受けた療養（75歳到達時特例対象療養）については，自己負担限度額は前記の額の2分の1となる。

③ 長期高額疾病については，自己負担限度額が10,000円（70歳未満の上位所得者に係る次のアについては20,000円）となる。

　　　対象疾病は，

　ア　人工腎臓を実施している慢性腎不全

　　イ　血漿分画製剤を投与している先天性血液凝固第Ⅷ因子障害又は先天性血液凝固
　　　第Ⅸ因子障害

　　ウ　抗ウイルス剤を投与している後天性免疫不全症候群（HIV 感染を含み，厚生労
　　　働大臣の定める者に係るものに限る。）

　　申請手続は，保険者の認定を受けようとする者が医師の意見書等を添付して申請
し，保険者は「特定疾病療養受療証」を交付する。この受療証を提示して受診した
場合に，現物給付される。

⑴⒀　高額介護合算療養費（法第 115 条の 2 ）

　　療養の給付に係る一部負担金等の額及び介護保険の利用者負担額の合計が著しく高
額である場合に支給される。年齢や所得区分に応じた自己負担限度額は，次のとおり
である。

自己負担限度額

平成 30 年 8 月以降

所得区分	70 歳以上の世帯	70 歳未満の世帯
年収約 1,160 万円〜 標準報酬月額 83 万円以上	212 万円	212 万円
年収約 770 万〜約 1,160 万円 標準報酬月額 53 万〜79 万円	141 万円	141 万円
年収約 370 万〜約 770 万円 標準報酬月額 28 万〜50 万円	67 万円	67 万円
年収約 156 万〜約 370 万円 標準報酬月額 26 万円以下	56 万円	60 万円
低所得者Ⅱ	31 万円	34 万円
低所得者Ⅰ	19 万円	

（注）　毎年 8 月 1 日〜翌年 7 月 31 日の 1 年間に支払った自己負担額を対象と
　　　する。

2 ．出産に対する給付

⑴　出産育児一時金（法第 101 条）

　　被保険者が出産したとき，488,000 円（産科医療補償制度に加入している病院等に
おいて出産した場合は，500,000 円）が支給される。

⑵　出産手当金（法第 102 条）

　　被保険者（任意継続被保険者を除く。）が出産のため休職し，給料を支給されないと
き又は支給されても出産手当金の額より少ないときにその差額が支給される。

①　金額

　　休職 1 日につき支給開始日以前の継続した 12 か月間の各月の標準報酬月額を平
均した額の 30 分の 1 の 3 分の 2 。ただし，支給開始日以前の期間が 12 か月に満た
ない場合は，支給開始日以前の継続した各月の標準報酬月額の平均額又は当該年度
の前年度 9 月 30 日における全被保険者の同月の標準報酬月額を平均した額のいず

れか少ない額。なお，給料の一部が支給されているときはその分減額される。

② 期間

出産日（出産が予定日より遅れた場合は出産予定日）以前 42 日（多胎妊娠の場合は 98 日）から出産日後 56 日の範囲内

(3) 家族出産育児一時金（法第 114 条）

出産育児一時金の場合に同じ。

3．死亡に対する給付

(1) 埋葬料（費）（法第 100 条）

被保険者が死亡したときは，その埋葬を行った者に支給される。

① 家族が埋葬したとき……埋葬料として 50,000 円

② 家族以外の者が埋葬したとき……埋葬費として①の範囲内で実費

(2) 家族埋葬料（法第 113 条）

被扶養者が死亡したときは，家族埋葬料として 50,000 円が支給される。

4．退職後の給付

1 年以上継続して被保険者である者が退職等により資格喪失した場合には，資格喪失後も次のような給付が受けられる。

(1) 傷病手当金，出産手当金（法第 104 条）

資格喪失の際，現に傷病手当金又は出産手当金の支給を受けているとき，又は，支給を受ける条件を満たしているときには，在職中の場合と同様の給付が受けられる。

(2) 出産育児一時金（法第 106 条）

被保険者であった者が，資格喪失後 6 か月以内に出産したときは，出産育児一時金が支給される。

(3) 埋葬料（費）（法第 105 条）

被保険者であった者が死亡した場合で次のいずれかに該当する場合には前記 3. の(1)に準じて，埋葬料又は埋葬費が支給される。

① 資格喪失後 3 か月以内に死亡したとき

② 退職後の傷病手当金又は出産手当金を受けている被保険者が死亡したとき

③ 前記(1)の給付を受けていた被保険者が，当該給付を受けなくなってから 3 か月以内に死亡したとき

■**給付制限**（法第 55 条，第 116 条〜第 121 条）

次のような場合には，保険給付の全部又は一部が行われない。

1．故意の犯罪行為により又は故意に事故（傷病等）を起こしたときは，保険給付は行われない。

2．闘争，泥酔又は著しい不行跡により事故を起こしたときは，保険給付の全部又は一部

が行われないことがある。

3．被保険者又は被保険者であった者が，少年院等に収容されているときは，埋葬料を除き保険給付は行われない。ただし，被扶養者に関する保険給付は制限されない。この場合は保険料も徴収されない。

4．正当な理由がなく医師の療養の指示に従わなかったり，保険者の診断を拒んだときは，保険給付の一部は制限されることがある。

5．正当な理由がなく保険者が行う文書の提出命令や質問等に応じないときは，保険給付の全部又は一部が行われないことがある。

6．詐欺等不正な手段により保険給付を受け又は受けようとしたときは，6か月以内の期間を定めて傷病手当金又は出産手当金を支給しないことがある。

7．災害救助法等の公費負担医療から療養の給付や療養費の支給が行われた場合には，その限度において保険給付は行われない。

■受給権の保護等（法第61条，第62条）

1．保険給付を受ける権利は，譲渡，担保，差押えが禁止されている。

2．保険給付として支給された金品は，租税等公課の対象としない。

■損害賠償請求権の代位取得（法第57条）

　第三者行為による事故について保険給付をしたときは，その給付額の限度で保険者は受給者の有する損害賠償請求権を代位取得する。この場合，保険給付を受けるべき者が第三者から同一の理由で損害賠償を受けたときは，その価額の限度で保険給付をしない。

2　日雇労働者を対象とするもの（日雇特例被保険者）

■保険者（法第123条）

　全国健康保険協会

（注）　窓口は，協会の都道府県支部。ただし，日雇特例被保険者手帳の交付，保険料の徴収等に関しては厚生労働大臣（地方厚生局）

■日雇特例被保険者

1．日雇特例被保険者の範囲（法第3条第2項）

　　適用事業所に使用される法第3条第8項労働者（以下，「日雇労働者」という。）が，法第3条第2項で定める日雇特例被保険者となる。

2．日雇労働者の定義（法第3条第8項）

　　日雇労働者とは，次のいずれかに該当する者をいう。

⑴　日々雇い入れられる者（同一事業所で1か月を超えて引き続き使用されるに至った場合を除く。）

⑵　2か月以内の期間を定めて使用される者（2か月を超えて使用されるに至った場合を除く。）

⑶　季節的業務に使用される者（継続して4か月を超えて使用されるべき場合を除く。）

⑷　臨時的事業の事業所に使用される者（継続して6か月を超えて使用されるべき場合を除く。）

3．被扶養者の範囲（法第3条第7項）

一般被保険者と同様である。

4．適用除外（法第3条第2項ただし書）

次のいずれかに該当する者は，日雇特例被保険者とならない（⑵から⑷の者については，厚生労働大臣（地方厚生局長）の承認が必要。）。

⑴　後期高齢者医療の被保険者等である者

⑵　引き続く2か月間に通算して26日以上使用される見込みのないことが明らかな者

⑶　任意継続被保険者である者

⑷　その他特別の理由がある者

5．健康保険被保険者手帳（被保険者手帳）（法第126条）

⑴　日雇特例被保険者になったときは，5日以内に厚生労働大臣（手帳の交付申請は，日本年金機構又は指定市町村）に申請して被保険者手帳の交付を受ける。

⑵　適用除外の承認を受けたとき，又は被保険者手帳に健康保険印紙を貼り付けるべき余白の残存する期間中に被保険者となる見込みのないことが明らかになったときは，被保険者手帳を返納しなければならない。

（注）1　手帳には，氏名等のほか，資格取得月の初日から1年分の健康保険印紙を貼り付けるべき余白が日付入で設けられている（有効期間1年）。

　　　2　適用除外事由に該当すると国民健康保険に加入することになる（国民健康保険法第6条第5号）。

⑶　被保険者手帳を所持することは，各保険給付の受給資格があることを意味するものではなく，各給付については，それぞれ保険料の納付要件が定められており，その納付状況をこの手帳で確認することになる。

（注）　受給要件を満たすと療養の給付については「受給資格者票」（暦月毎に受給資格の有無が確認される。）又は「特別療養費受給票」の交付を受ける。これらを保険医療機関等に提出して療養の給付を受けることになる。

■保険料

1．保険料の額（法第168条，第169条）

　　日雇特例被保険者に係る健康保険事業は，日雇特例被保険者及び事業主の負担する保険料，国庫負担金及び日雇特例被保険者を使用する健康保険組合からの拠出金で賄われる。

　　保険料額は，⑴標準賃金日額に平均保険料率と介護保険料率の合算率を乗じて算出した額とその額にさらに一定率を乗じた額の合算額に，⑵賞与額に平均保険料率と介護保険料率の合算率を乗じて得た額を合算した額である。

⑴　次の合算額（10円未満切り捨て）

　①　標準賃金日額×（平均保険料率＋介護保険料率）

　　（注）　介護保険第2号被保険者以外の者については，平均保険料率のみとなる。

　②　前記①の額×$\frac{31}{100}$

　　負担割合

　　日雇特例被保険者　①×$\frac{1}{2}$　　　　事業主　　　①×$\frac{1}{2}$＋②

⑵　賞与額（1,000円未満切り捨て）については，標準賃金日額と同様に，平均保険料率と介護保険料率の合算率を乗じた額となる。

　　負担は事業主と被保険者で折半となり，賞与額が40万円を超えるときは，40万円とする。

保険料算出の基礎となる標準賃金日額（法第124条）

標準賃金日額の等級	標準賃金日額	賃金日額
第1級	円 3,000	円以上　　円未満 3,500
第2級	4,400	3,500～　5,000
第3級	5,750	5,000～　6,500
第4級	7,250	6,500～　8,000
第5級	8,750	8,000～　9,500
第6級	10,750	9,500～12,000
第7級	13,250	12,000～14,500
第8級	15,750	14,500～17,000
第9級	18,250	17,000～19,500
第10級	21,250	19,500～23,000
第11級	24,750	23,000～

2．保険料の納付（法第169条）

(1)　事業主は，日雇特例被保険者を使用する日ごとに保険料の納付義務を負う。

(2)　保険料の納付は，事業主が使用した日ごとに被保険者手帳の提出を求め，これに健康保険印紙をちょう付し，消印して行う。

(3)　事業主は，保険料の納付をしたときは，被保険者負担分を賃金から控除できる。

(4)　事業主は，日雇特例被保険者に賞与を支払った日の翌月末日までに賞与額に係る保険料の納付義務を負う。

(5)　被保険者手帳がない等の理由により印紙ちょう付の形で保険料の納付ができなかったときは，1か月分をとりまとめ現金納付する。

■保険給付

1．保険給付の特殊性

　保険給付の種類は，一般被保険者の場合とほぼ同様であるが，次のような差異がある。

(1)　特別療養費の制度があること。

(2)　各給付について一定の保険料納付要件があること。

2．受給要件の特殊性

　日雇労働者の就労実態に対応し，日雇特例被保険者であるか否かは，日々就労の有無によって確認される（保険料の納付）が，保険給付の受給要件は，前月までの保険料の納付状況により月を単位に確認されることになっている。

　各給付の受給要件は，各給付の項参照。

　労働者災害補償保険法等に基づく通勤災害に関する給付を受けられるときは同一の事故につき保険給付は行われない。

3．傷病に対する給付

(1)　療養の給付，入院時食事療養費，入院時生活療養費，保険外併用療養費，療養費，訪問看護療養費，移送費，家族療養費，家族訪問看護療養費，家族移送費

　①　給付内容及び給付率

　　　一般の被保険者及びその被扶養者の場合と同様である。

　②　受給資格

　　　当該傷病につき初めて給付を受ける日の属する月の前2か月間に通算して26日分以上，又は前6か月間に通算して78日分以上の保険料が納付されていること。

　　（注）1　新規加入（手帳交付）の者等については，手帳交付月から3か月間は特別療養費の対象となる。

　　　　　2　受給資格は，月ごとに発生し，消滅するが，初めて療養の給付又は家族療養費を受ける月に資格があれば，翌月以降受給資格要件を満たさなくても給付を受けられる。

　　　　　3　受給中でも日雇特例被保険者の死亡（家族療養費及び高額療養費の場合）

や一般の被保険者となったときは打ち切られる。

③　期間

同一傷病につき初めて給付（特別療養費を受けていれば通算する。）を受けてから
1年間（厚生労働大臣の指定する疾病（結核性疾病）については5年間）及び所定
の保険料が納付されている月は当該期間経過後も引き続き受給できる。

④　受給資格者票

ア　受給資格を有する者は，市町村又は全国健康保険協会で受給資格者票の交付を
受け，これを提示して保険医療機関等から現物給付を受ける。

（注）　療養費払の方法もある。（保険医療機関等以外での受診等）

イ　受給資格者票は，継続する2か月間に26日分以上，又は継続する6か月間に
78日分以上の保険料が納付されていることを手帳で証明した場合に交付される。

ウ　受給資格者票には月ごとに受給資格確認印を押捺する欄があり，ここに確認印
のない月は給付が受けられない。

(2)　特別療養費（法第145条，第146条）

療養の給付は，保険料の納付（就労）の状況が良好であっても，通常手帳の交付を
受けてから3か月目以降でないと受給できないので，その間の医療を保障するため特
別療養費制度が設けられている。

①　受給資格

次のいずれかに該当する者であること。ただし，療養の給付等又は介護保険の
サービスを受けられる場合を除く。

ア　初めて被保険者手帳の交付を受けた者

イ　療養の給付の資格要件，前記(1)の②を満たした月に手帳の印紙をちょう付すべ
き余白がなくなり，又はその月の翌月中に法第126条第3項の規定により手帳を
返納した後，初めて手帳の交付を受けた者

ウ　前に手帳の交付を受けたことのある者で，手帳の余白がなくなり，又は返納し
てから1年以上を経過した後に手帳の交付を受けた者

②　期間

手帳の交付を受けた月の初日から3か月間（暦月）。ただし，月の初日からの場合
は2か月間。

③　給付率

日雇特例被保険者，被扶養者とも7割。義務教育就学前の被扶養者及び70歳以
上の者は8割（平成26年3月31日以前に70歳になった被保険者等については一
部負担金等の軽減特例措置の対象となるため，平成26年4月以降9割，現役並み所
得者は7割）。

④　その他

適用除外の承認（法第3条第2項ただし書）を受けた日以後，又は手帳を返納した日の翌日以後は，給付を受けられない。

(3) 高額療養費（法第147条）

一般の被保険者及びその被扶養者に対する高額療養費の支給と同様である。

(4) 高額介護合算療養費（法第147条の2）

一般の被保険者及びその被扶養者に対する高額介護合算療養費の支給と同様である。

(5) 傷病手当金（法第135条）

日雇特例被保険者が傷病により休業した場合，その所得を保障するため給付される。

① 要件

日雇特例被保険者が療養の給付を受けている場合で，その療養のために労務に服することができないこと。

② 支給額

次のいずれかの方法によって算出された額のいずれか高い方とする。また，賃金を受けたときは，その分減額される。

ア　初めて療養の給付を受けた日の属する月の前2か月間に通算して26日分以上の保険料を納めている場合は，当該期間の標準賃金日額の各月ごとの合算額のうち最大のものの45分の1に相当する額

イ　初めて療養の給付を受けた日の属する月の前6か月間に通算して78日分以上の保険料を納めている場合は，当該期間の標準賃金日額の各月ごとの合算額のうち最大のものの45分の1に相当する額

③ 支給期間

休業4日目から支給対象となり，支給開始日から6か月（暦月，結核性疾病は1年6か月）

④ 重複調整

出産手当金が支給されるときは，傷病手当金は支給されない（出産手当金が優先）。ただし，出産手当金の額が傷病手当金の額より少ないときは，その差額が支給される。

4．出産に対する給付

(1) 出産育児一時金（法第137条）

① 要件

出産の日の属する月の前4か月間に26日分以上の保険料が納付されていること

② 支給額

488,000円（産科医療補償制度に加入している病院等において出産した場合は，500,000円）

(2) 出産手当金（法第138条）

日雇特例被保険者の出産による休業中の所得を保障する。

① 要件

出産育児一時金の場合に同じ（前 4 か月間に保険料を 26 日分以上納付）。

② 支給額

出産月の前 4 か月の標準賃金日額の各月ごとの合算額のうち，最大のものの 45 分の 1 相当額。また賃金を受けたときは，その分減額される。

③ 支給期間

出産日（出産が予定日より遅れた場合は出産予定日）以前 42 日（多胎妊娠は 98 日）から出産日後 56 日の範囲内

(3) 家族出産育児一時金（法第 144 条）

① 要件

療養の給付に同じ（前 2 か月間 26 日分以上又は前 6 か月間 78 日分以上の保険料納付）。

② 支給額

出産育児一時金に同じ。

5．死亡に対する給付（法第 136 条，第 143 条）

(1) 埋葬料（法第 136 条）

日雇特例被保険者が死亡した場合に，生計を維持されていた者で埋葬を行うものに支給する。

① 要件

療養の給付に同じ（死亡月前 2 か月間 26 日分以上又は前 6 か月間 78 日分以上の保険料納付）。又は死亡の際に療養の給付等を受けているか，給付終了後 3 か月以内に死亡した場合。

② 支給額

50,000 円

(2) 家族埋葬料（法第 143 条）

① 要件

療養の給付に同じ（死亡月前 2 か月間 26 日分以上又は前 6 か月間 78 日分以上の保険料納付）。

② 支給額

50,000 円

■給付制限
■受給権の保護　　　　　} 一般被保険者の場合とほぼ同様である。
■損害賠償請求権の代位取得

3 船員保険

〔**根拠**▶船員保険法（昭 14.4.6 法律第 73 号）〕

　船員又はその被扶養者の職務外の事由による疾病，負傷若しくは死亡又は出産に関して保険給付を行うとともに，労働者災害補償保険による保険給付と併せて船員の職務上の事由又は通勤による疾病，負傷，障害又は死亡に関して保険給付を行うことを目的としている。

(注)　従来は疾病給付部門（医療保険），失業給付部門（失業保険），業務上災害に対する年金給付部門（災害補償保険）を併せて行っていたが，平成 22 年 1 月より，失業給付部門と業務上災害に対する年金給付部門についてはそれぞれ雇用保険，労働者災害補償保険に統合された。

■**保険者**（法第 4 条）

　全国健康保険協会が管掌する。

(注)　全国健康保険協会が管掌する船員保険の事業に関する業務のうち，被保険者の資格の取得及び喪失の確認，標準報酬月額及び標準賞与額の決定並びに保険料の徴収（疾病任意継続被保険者に係るものを除く。）等の業務は，厚生労働大臣（地方厚生局長）が行う。

■**被保険者**（法第 2 条，第 11 条～第 15 条）

1．被保険者

　　船員法第 1 条に規定する船員として船舶所有者に使用される者。

(1)　船員（被保険者）の範囲（船員法第 1 条）

　　　船員とは，次の船舶に乗り組む船長，海員及び予備船員（船舶に乗り組むために雇用されている者で船内で使用されていない者）をいう。

①　船舶法に定める日本船舶

②　日本船舶以外の船舶で，日本人又は日本の法人が借り入れ，又は外国の港まで回航を請負った船舶　等

　(注)　船舶のうち次のようなものは除かれる。

　ア　総トン数 5 トン未満の船舶

　イ　湖，川又は港のみを航行する船舶

　ウ　総トン数 30 トン未満の一定の漁船

　　　具体的には，「船員法第 1 条第 2 項第 3 号の漁船の範囲を定める政令」（昭和 38 年政令第 54 号）により，次のとおり定められている。

　　　(ｱ)　推進機関を備えている総トン数 30 トン未満の漁船であって，専ら定置網漁

業，区画漁業又は共同漁業（これらをまとめて地先漁業とよんでいる。）に従事するもの

(イ)　推進機関を備えている総トン数20トン未満の漁船（(ア)に掲げる漁船を除く。）であって，その従事する漁業の種類及び操業海域その他の要件からみて船員労働の特殊性が認められないものとして次に定めるもの

　i）10トン以上20トン未満の漁船で，専ら小型機船底びき網漁業，中型まき網漁業，その他の漁業に従事するもののうち，専ら特定の海域で従事するもの

　ii）10トン以上20トン未満の漁船で，専らその他の漁業に従事するもののうち，海岸から5海里以遠の海域において従事する期間が年間30日未満であるもの

　iii）10トン未満の漁船で，専らその他の漁業に従事するもの

　iv）10トン未満の漁船で，専ら大型捕鯨業等に従事するもののうち，専ら特定の海域で従事するもの及び海岸から5海里以遠の海域において従事する期間が年間30日未満であるもの

(ウ)　推進機関を備えていない総トン数30トン未満の漁船（他の漁船の附属漁船にあっては，(イ)に掲げる漁船の附属漁船に限る。）

エ　スポーツ又はレクリエーションの用に供するヨット又はモーターボート

(2)　資格の得喪（法第11条～第15条）

①　適用船舶に乗り組むために雇用された日から被保険者となる。

②　死亡又は船員としての雇用関係の消滅の日の翌日から被保険者でなくなる。

(注)1　諸給付の要件たる期間計算上は，取得月を1月に計算し，喪失月は除外している。

2　下船と同時に解雇され，乗船時に再雇用される雇用形態が多いが，この場合下船中は，被保険者とならない。

(3)　国家公務員共済組合法に基づく共済組合の組合員（行政執行法人以外の独立行政法人のうち一定のもの等に常時勤務することを要する者に限る。）である被保険者（疾病任意継続被保険者を除く。）を独立行政法人等職員被保険者という（法第2条）。

2．疾病任意継続被保険者（法第2条，第13条～第14条）

被保険者の資格を喪失した場合でも，資格喪失日の前日まで継続して2か月以上被保険者であった者は，資格喪失日から20日以内に申請すれば2年間に限り被保険者となることができる。

(注)1　保険料は，資格喪失時の標準報酬月額又は前年の9月30日現在の全被保険者の平均標準報酬月額に比べて，いずれか低い額に保険料率を乗じて得た額を全額自己負担する。

2　死亡したとき，保険料を納付期日（毎月10日）までに納付しないとき（正当

な事由がある場合を除く。），船員保険の強制被保険者，健康保険の被保険者又は後期高齢者医療の被保険者等となったときは資格を喪失する。

3 20日以内の期限を経過した申請でも，それについて正当な事由（天災地変等）があれば受理される。

4 被保険者でなくなることを希望する旨を保険者に申し出た場合，その申し出が受理された月の末日に資格を喪失する。

5 保険料は前納することができる。

3．被扶養者の範囲（法第2条）

被扶養者の範囲は，健康保険と同じである。

■**標準報酬月額**（法第16条～第21条）

1．健康保険と同様に標準報酬月額制を採用しており，報酬月額を50等級に区分し，保険料及び保険給付額算定の基礎としている。

2．標準報酬月額は，収入の大幅な変動があったときのほか歩合金を受ける船員については毎年9月1日に決定される。

3．標準賞与額の決定

健康保険と同様に，3か月を超える期間ごとに受ける賞与について標準賞与額を決定し，保険料算定の基礎としている。

■**保険給付**（法第29条～第110条）

職務外の事由による疾病，負傷若しくは死亡又は出産については健康保険に準じた給付が行われる。また，労働者災害補償保険による保険給付と併せて，職務上の事由又は通勤による疾病，負傷，障害又は死亡に関して，船員労働の特性に応じた独自給付が行われる。

■**保険料**（法第114条～第137条）

保険料率は，職務外疾病給付等にあてられる疾病保険料率と職務上疾病・年金給付（独自給付）等にあてられる災害保健福祉保険料率に区分される。

令和5年3月からの保険料率は，次のとおりである。

疾病保険料率	9.80％（被保険者4.75％，船舶所有者5.05％）
災害保健福祉保険料率	1.05％（船舶所有者負担のみ）

（注）1 災害保健福祉保険料率は，①疾病任意継続被保険者：0.39％，②独立行政法人等職員被保険者：0.33％，③後期高齢者医療の被保険者等：0.88％とされている（②及び③の者については，災害保健福祉保険料率のみを適用。保険料率は平成22年1月分から適用）。

2 疾病任意継続被保険者の保険料率は，10.13％となる（全額自己負担）。

3 介護保険第2号被保険者である者については，前記に介護保険料率1.69％（労使折半）が加算される。

4　国民健康保険

〔根拠▶国民健康保険法（昭 33.12.27 法律第 192 号）〕

　国民健康保険は，健康保険，船員保険，共済組合等の被用者保険に加入していない者を対象として，疾病，負傷，出産，死亡について必要な保険給付を行うことを目的とする医療保険制度である。

■保険者（法第 3 条，第 13 条，第 17 条）

1．保険者は，都道府県，市町村（特別区を含む。）及び国民健康保険組合である。

2．国民健康保険組合は，同業職種に従事する者により組織される法人で都道府県及び都道府県内の市町村の行う国民健康保険事業に支障のない限りにおいて知事の認可を受けて設立される。

■被保険者の範囲（法第 5 条，第 6 条）

1．都道府県の区域内に住所を有する者は，当然に当該都道府県が当該都道府県内の市町村とともに行う国民健康保険の被保険者となる。ただし，次のいずれかに該当する者は除かれる。

(1)　健康保険の一般被保険者及びその被扶養者

(2)　船員保険の被保険者及びその被扶養者

(3)　国家公務員共済組合等各種共済の組合員及び加入者並びにその被扶養者

(4)　健康保険の日雇特例被保険者（健康保険印紙を貼り付けるべき余白のある日雇特例被保険者手帳の所持者に限る。）及びその被扶養者

(5)　高齢者の医療の確保に関する法律の被保険者

(6)　国民健康保険組合の被保険者

(7)　生活保護法による保護を受けている世帯（その保護を停止されている世帯を除く。）に属する者

(8)　その他特別の事由がある者で市町村の条例で定める者

(9)　日本国籍を有しない者で，住民基本台帳法に規定する外国人住民以外の者（ただし，出入国管理及び難民認定法に定める在留資格を有する者で，①既に被保険者の資格を取得している者，及び②厚生労働大臣が定める在留資格をもって在留する期間の始期から起算して 3 月を超えて滞在すると認められる者は除く。）

(10)　「特定活動」の在留資格で入国・在留する者のうち，医療を受ける活動又は当該活動を行う者の日常生活上の世話をする活動を目的として入国・在留するもの

(11)　「特定活動」の在留資格で入国・在留する者及びその配偶者のうち，日本において 1

年を超えない期間滞在し，観光，保養その他これらに類似する活動を行う 18 歳以上の
もの

（注）1　(7)について

生活保護の適用上世帯分離された者は，別世帯として取り扱われる。

2　(8)について

市町村の個々の事情により，国民健康保険の被保険者とすることが適当でな
い特別の理由がある者については，条例で国民健康保険の被保険者としないこ
とができる。

例）児童福祉施設に入所している児童又は里親に委託されている児童であっ
て，民法の規定による扶養義務者のない者

3　被保険者は，世帯主及び世帯員個人個人である。

2．退職被保険者（法附則第 6 条）

被保険者（65 歳以上の者を除く。）のうち，厚生年金保険法等の被用者年金保険に係る
法令に基づく老齢又は退職を支給事由とする年金給付を受けることができる者であっ
て，これらの法令の規定による被保険者期間が 20 年以上（20 年未満で当該年金給付を
受けることができる者にあっては一定の被保険者期間以上）であるか又は 40 歳に達し
た月以降の年金保険の被保険者期間が 10 年以上である者は，「退職被保険者」とされ，
その被扶養者も退職被保険者の被扶養者とされる。

（注）退職被保険者に関する規定については，平成 20 年 4 月をもって廃止されたが，平
成 26 年度までの間の経過措置として存続していたので，平成 26 年度末までに対象
となる者については，引き続き 65 歳に達するまでは制度の対象となる。平成 27 年
4 月からは，65 歳未満の退職被保険者・被扶養者も，一般被保険者となった。

3．資格の取得及び喪失の時期

(1)　取得（法第 7 条）

新たに当該都道府県の区域内に住所を有するに至った日又は前記 1．の(1)～(11)のい
ずれにも該当しなくなった日から取得する。

(2)　喪失（法第 8 条）

①　当該都道府県の区域内に住所を有しなくなった日の翌日又は新たに前記 1．の(1)
～(11) ((6)，(7)を除く。) のいずれかに該当することとなった日の翌日から喪失する。

②　生活保護を受けるようになった場合及び都道府県の被保険者が国民健康保険組合
の被保険者となった場合には，その日から資格を喪失する。また，当該都道府県の
区域内に住所を有しなくなった日に他の都道府県の区域内に住所を有するに至った
ときは，その日から資格を喪失する。

（注）世帯主は被保険者資格の取得及び喪失の原因たる事実が発生した場合は，い
ずれも 14 日以内に届け出なければならない。

■**保険税又は保険料**（法第76条〜第81条）

　国民健康保険の保険料は，保険税又は保険料のいずれかにより世帯主又は組合員に課される。

　(注)1　いずれによるかは，各市町村において決定することとなるが，税による場合については地方税法に，保険料については政令に，賦課方法が定められている。

　　　2　特別の理由がある者については，条例又は規約（組合の場合）により保険料を減免することができる。

　　　3　保険料は，世帯を単位として世帯主又は組合員から徴収する。

　　　4　約90％の市町村が保険税方式を採用している。

　　　5　低所得世帯に対しては所得金額に応じて均等割額の軽減措置（7・5・2割軽減）が講じられている。さらに，令和4年度からは子育て世帯の負担軽減を図るため，未就学児に係る均等割額の2分の1が減額されている（8.5, 7.5, 6割軽減）。

■**退職被保険者等に係る被用者保険等保険者からの拠出金**（法附則第7条〜第17条）

　健康保険，船員保険及び各共済組合等被用者保険等保険者は，退職被保険者等（退職被保険者及びその被扶養者）の医療費のうち，一部負担金と保険料（税）を控除した額を「療養給付費等拠出金」として，また事務費として「事務費拠出金」をそれぞれ納付する。

　なお，これらの拠出金の徴収及び退職被保険者等所属都道府県への交付の事務は，社会保険診療報酬支払基金が行うこととされている。

■**保険給付**（法第36条〜第58条）

1．療養の給付（現物給付），入院時食事療養費，入院時生活療養費，保険外併用療養費，療養費，訪問看護療養費，特別療養費，移送費の支給（現金給付）

(1)　給付率

　　　給付率は療養に要した費用の7割である。義務教育就学前の者及び70歳以上の者は8割（平成26年3月31日以前に70歳になった被保険者等については一部負担金等の軽減特例措置の対象となるため，平成26年4月1日以降9割，現役並み所得者は7割）である。

　　(注)1　市町村及び組合は条例又は規約により，自己負担の割合を減ずること（給付率の引上げ）ができる。

　　　　2　特別の理由がある被保険者については，自己負担を減免又は徴収猶予することができる。

(2)　医療保険の給付は療養の給付（現物給付）が原則であるが，被保険者証を提出しないで受診した場合で緊急その他やむをえない理由によるものと認められるときなど

は，患者はいったん全額医療費を支払い，事後市町村及び組合から療養費の支給（償還払い）を受けることができる。支給額は療養に要する費用の額から一部負担金相当の額を控除した額を基準として市町村及び組合が決定する。

(3) 健康保険の日雇特例被保険者となったことにより，資格を喪失した場合で，資格喪失時に療養の給付を受けていたときは，最長6か月間継続して給付を受けることができる。ただし，健康保険の日雇特例被保険者に係る特別療養費の支給が受けられるとき等を除く。

(4) 高度の治療等を受けた場合，保険外併用療養費の支給制度がある（「健康保険」の項（p. 573）参照）。

2．高額療養費

(1) 法律上必ず実施しなければならない。

(2) 健康保険の一般被保険者の場合と同様の給付がされる。

3．高額介護合算療養費

(1) 法律上必ず実施しなければならない。

(2) 健康保険の一般被保険者の場合と同様の給付がされる。

4．出産育児一時金の支給（被保険者の出産）

(1) 市町村及び組合は特別な理由がない限り実施しなければならない。

(2) 給付の内容は，条例又は規約で定める。

5．葬祭費の支給（被保険者の死亡）

(1) 市町村及び組合は特別な理由がない限り実施しなければならない。

(2) 給付の内容は，条例又は規約で定める。

6．傷病手当金，その他の給付

条例又は規約の定めるところにより，任意給付として実施することができる。

■**給付制限**（法第59条〜第63条の2）

健康保険の場合と同様，保険事故が自己の故意の犯罪行為や闘争等による疾病，負傷などの場合は給付が制限される。

■**受給権の保護等**（法第67条，第68条）

1．保険給付の受給権については，譲渡，担保，差押えが禁止されている。

2．保険給付として支給された金品は，租税等公課の対象としない。

5　国民年金

1　国民年金

〔根拠▶国民年金法（昭 34. 4. 16 法律第 141 号）〕

　我が国の公的年金制度の土台として，全ての国民の老齢，障害又は死亡に対する給付を行い，国民生活の安定がそこなわれることを国民の共同連帯によって防止し，もって健全な国民生活の維持及び向上に寄与することを目的とする年金制度である。

■実施主体

　国民年金は，政府が管掌する（窓口は年金事務所）。

■被保険者

1．第 1 号被保険者（法第 7 条）

　日本国内に住所を有する 20 歳以上 60 歳未満の者で 2．及び 3．に該当しないもの（国籍は不問）。厚生年金保険法の老齢年金の受給権者は適用除外となる。

2．第 2 号被保険者（法第 7 条）

　厚生年金保険の被保険者

3．第 3 号被保険者（法第 7 条）

　第 2 号被保険者の被扶養配偶者であって 20 歳以上 60 歳未満の者

　（注）1　被扶養配偶者とは，健康保険の被扶養者である配偶者に相当する者である。

　　　　2　令和 2 年 4 月 1 日以降，第 3 号被保険者の認定要件に，これまでの生計維持の要件に加え，日本国内の居住（住所を有すること）が要件とした追加された。ただし，留学生や海外赴任に同行する家族等，国内居住要件の例外としての特例要件（海外特例）に該当する者は，海外特例に該当することを届け出ることによって，第 3 号被保険者の認定が可能になる。

4．任意加入被保険者（法附則第 5 条，平成 6 年改正法附則第 11 条，平成 16 年改正法附則第 23 条）

　第 2 号被保険者及び第 3 号被保険者以外の者で次のいずれかに該当する者は，被保険者となることができる。

　⑴　日本国内に住所を有する 60 歳以上 65 歳未満の者

　⑵　日本国内に住所のない 20 歳以上 65 歳未満の日本国民

　⑶　日本国内に住所を有する 20 歳以上 60 歳未満の者であって厚生年金保険法の老齢年

金受給権者

(4)　日本国内に住所を有する 65 歳以上 70 歳未満の者であって，老齢基礎年金の受給権を有しない者（昭和 40 年 4 月 1 日以前に生まれた者に限る。）

(5)　日本国籍を有する者であり，かつ，日本国内に住所を有しない 65 歳以上 70 歳未満の者であって老齢基礎年金の受給権を有しない者（昭和 40 年 4 月 1 日以前に生まれた者に限る。）

5．付加年金への加入被保険者（法第 87 条の 2）

(1)　第 1 号被保険者（保険料の免除を受けている者及び国民年金基金の加入員を除く。）は，いつでも厚生労働大臣に申し出て付加年金へ加入する者となったり又はこれをやめることができる。

(2)　付加年金加入者になると保険料が月額 400 円多くなり，年金額も納付期間 1 か月につき 200 円増額される（法第 44 条）。

6．資格取得及び喪失の届出（法第 12 条，法第 12 条の 2）

被保険者（第 3 号被保険者を除く。）は，その資格の取得及び喪失並びに種別の変更（第 1 号・第 2 号・第 3 号被保険者の区別）並びに氏名・住所の変更について市町村長に 14 日以内（一部は 30 日以内）に届け出なければならない。第 3 号被保険者であった者は，第 2 号被保険者の被扶養配偶者でなくなったことを 14 日以内に厚生労働大臣に届け出なければならない（平成 26 年 12 月以降）。

■保険料

1．保険料（法第 87 条，第 87 条の 2，第 94 条の 6）

(1)　第 1 号被保険者

①　月額 16,520 円（令和 5 年度）

(注)　平成 16 年の法改正で，保険料は平成 17 年度より毎年度 280 円（平成 16 年度価格）ずつ引き上げられ，平成 30 年度までは月額 16,900 円×保険料改定率で算出される。平成 31（令和元）年度以後については月額 17,000 円×保険料改定率で算出される。

②　付加保険料　月額 400 円

(2)　第 2 号・第 3 号被保険者は個別に国民年金の保険料を納付する必要はない（後述 4．基礎年金拠出金）。

2．保険料の免除

(1)　法定免除（法第 89 条）

次のいずれかに該当する者は，その該当する間保険料の納付を免除される。ただし，平成 26 年 4 月より，将来の年金権確保のために特に希望する者については，後に納付すること又は前納を行うことも可能となった。

① 障害基礎年金又は厚生年金保険法に基づく障害年金等の受給権者

② 生活保護法による生活扶助又はハンセン病問題の解決の促進に関する法律による援護を受けている者

③ 国立及び厚生労働大臣が定めるハンセン病療養所，国立保養所，独立行政法人国立病院機構箱根病院に入所している者

　(注)　障害基礎年金等が3級不該当となり，支給停止となってから3年経過した場合については，法定免除されない。

(2) 産前産後期間の免除（法第88条の2）

　第1号被保険者について，出産前月から4か月間（多胎妊娠の場合は出産月の3か月前から6か月間）保険料の納付が免除される。

(3) 申請全額免除（法第90条）

　次のいずれかに該当する場合は，市町村長を経由し年金事務所長等に申請して保険料全額納付の免除を受けることができる。ただし，連帯して保険料納付義務のある世帯主等に負担能力がある場合は免除されない。

① 保険料を納付することを要しないものとすべき月の属する年の前年の所得が，政令で定める額（67万円）（扶養親族等がいる場合は67万円＋35万円×扶養親族等の人数）以下であるとき

② 世帯員の誰かが生活保護法による生活扶助以外の扶助を受けているとき

③ 地方税法に定める障害者（身体障害者，知的障害者，戦傷病者等），寡婦又は未婚のひとり親であって，保険料を納付することを要しないものとすべき月の属する年の前年の所得が135万円以下であるとき

④ 保険料を納付することが著しく困難である場合として，天災，その他厚生労働省令で定める事由に該当するとき

　(注)　保険料免除期間中の保険料については，後日，10年分遡及して追納することができる（法第94条）。

(4) 申請4分の3免除（法第90条の2）

　次のいずれかに該当する場合は，市町村長を経由し年金事務所長等に申請して保険料の4分の3の納付について免除を受けることができる。ただし，連帯して保険料納付義務のある世帯主等に負担能力がある場合は免除されない。

① 保険料を納付することを要しないものとすべき月の属する年の前年の所得が，その者の扶養親族等の有無及び数に応じて，政令で定める額（88万円＋38万円×扶養親族等の人数）以下であるとき

② (3)申請全額免除の②〜④に該当するとき

(5) 申請半額免除（法第90条の2）

　次のいずれかに該当する場合は，市町村長を経由し年金事務所長等に申請して保険

料の半額の納付について免除を受けることができる。ただし，連帯して保険料納付義務のある世帯主等に負担能力がある場合は免除されない。

① 保険料を納付することを要しないものとすべき月の属する年の前年の所得が，その者の扶養親族等の有無及び数に応じて，政令で定める額（128万円＋38万円×扶養親族等の人数）以下であるとき

② (3)申請全額免除の②～④に該当するとき

(6) 申請4分の1免除（法第90条の2）

次のいずれかに該当する場合は，市町村長を経由し年金事務所長等に申請して保険料の4分の1の納付について免除を受けることができる。ただし，連帯して保険料納付義務のある世帯主等に負担能力がある場合は免除されない。

① 保険料を納付することを要しないものとすべき月の属する年の前年の所得が，その者の扶養親族等の有無及び数に応じて，政令で定める額（168万円＋38万円×扶養親族等の人数）以下であるとき

② (3)申請全額免除の②～④に該当するとき

(7) 学生納付特例制度（法第90条の3）

学校教育法に規定する高等学校の生徒，大学の学生その他の生徒又は学生であって別途政令で定める者で，次のいずれかに該当する場合，申請に基づいて保険料の納付は要しない。

なお，保険料納付を要しないものとされた期間（学生納付特例期間）の各月から10年間は，保険料を追納でき，保険料が追納されない場合は老齢基礎年金の額の計算には反映されず，年金の受給資格期間には算入される。

① 保険料を納付することを要しないものとすべき月の属する年の前年の所得が，その者の扶養親族等の有無及び数に応じて，政令で定める額（128万円＋38万円×扶養親族等の人数，申請半額免除と同じ。）以下であるとき

② (3)申請全額免除の②～④に該当するとき

(8) 納付猶予制度（平成16年改正法附則第19条）

50歳未満の者であって，次のいずれかに該当する場合，申請に基づいて保険料の納付は要しない（令和12年6月までの時限措置。なお，平成28年7月から，30歳未満から50歳未満に引き上げられた。）。ただし，配偶者に負担能力がある場合は免除されない。

なお，保険料納付を要しないものとされた期間の各月から10年間は，保険料を追納でき，保険料が追納されない場合は老齢基礎年金の額の計算には反映されず，年金の受給資格期間には算入される。

① 保険料を納付することを要しないものとすべき月の属する年の前年の所得が，政令で定める額（67万円）（扶養親族等がいる場合は67万円＋35万円×扶養親族等

の人数，申請全額免除と同じ。）以下であるとき

② （3）申請全額免除の②〜④に該当するとき

(9) 特例保険料（特定事由の申出）制度

年金事務所や市区町村役場など，国民年金制度の事務処理機関が事務処理を誤った，又は誤った説明をしたなどの原因で国民年金保険料を支払うことができなかった，又は手続きが行われなかったこと等を申し出ることにより，承認されると特例保険料の納付等が可能となるものである。

申出が承認された場合，事務処理誤りがあった当時の金額の保険料（特例保険料）を支払うことができる。特例保険料を支払うことにより，申し出た日に保険料の支払いがあったとみなされ，特例保険料を支払った者がすでに老齢基礎年金を受給していた場合は，申出のあった次の月から年金額が改定（増額）される。

3. 納付の方法等

(1) 保険料は，日本年金機構が発行し，送付する「国民年金保険料納付案内書」により金融機関等に納付することとされている。なお，地方税の納税組合などの民間地区組織が納付を手伝っているところもある。

(2) 保険料の納付義務について，世帯主は世帯員の保険料，配偶者は相互の保険料について連帯責任を負う（法第88条）。

4. 基礎年金拠出金（法第94条の2）

第2号被保険者及び第3号被保険者の国民年金の保険料は，厚生年金保険などの加入者の保険料によって賄われることになっており，厚生年金保険制度が国民年金制度に対して基礎年金拠出金としてまとめて納付することになっている。

■給付の種類

1. 老齢基礎年金

2. 障害基礎年金

3. 遺族基礎年金

4. 付加年金，寡婦年金及び死亡一時金（第1号被保険者に対する独自給付）

5. 脱退一時金

■給付の内容

1. 老齢基礎年金

(1) 適用対象者（昭和60年改正法附則第31条）

大正15年4月2日以後に生まれた者とする。ただし，昭和61年4月1日（以下「施行日」という。）前に厚生年金保険の老齢年金等の受給権を有する者を除く。

(2) 支給要件（法第26条，法附則第9条，昭和60年改正法附則第8条）

保険料納付済期間又は保険料免除期間（学生納付特例及び納付猶予による期間を除く。）を有し，保険料納付済期間，保険料免除期間及び合算対象期間を合算した期間が10年以上ある者が65歳に達したときに支給する。この期間が25年から10年に短縮されたのは平成29年8月からで，それまで25年とされていたため，次のような措置が設けられていた。

①　特例1（昭和60年改正法附則第12条）

25年の期間は，施行日において56歳以上の者（昭和5年4月1日以前に生まれた者）について年齢に応じて21年から24年までに短縮されている。

②　特例2（昭和60年改正法附則第12条）

25年の期間は，施行日において30歳以上の者（昭和31年4月1日以前に生まれた者）については，旧被用者年金各法の被保険者（組合員）期間について年齢に応じて20年から24年までに短縮されている（被用者年金制度の期間短縮措置）。

③　特例3（昭和60年改正法附則第12条）

25年の期間は，施行日において35歳以上の者（昭和26年4月1日以前に生まれた者）については，40歳（女子，坑内員及び船員は35歳）以後の厚生年金保険の被保険者期間について年齢に応じて15年から19年までに短縮されている（中高齢者の期間短縮措置）。

（注）1　保険料納付済期間は，昭和36年4月1日から施行日の前日までの厚生年金保険，船員保険又は共済組合の被保険者（組合員）期間のうち，20歳以上60歳未満の期間を含むものとする（以下同じ。）。

2　合算対象期間（いわゆるカラ期間）は，次のような期間などである。

1）任意加入できる者（学生，厚生年金保険法の老齢年金受給権者，在外邦人）が任意加入しなかった期間

2）施行日前に任意加入することができた者（サラリーマンの妻，学生等）が任意加入しなかった期間

3）平成26年以後の合算対象期間

国民年金の任意加入被保険者（サラリーマンの妻等）で保険料未納期間

(3)　年金額（法第27条）

年金額は，従来は，賃金や物価の伸びに応じて増えていたが，平成16年改正で導入された新たな給付水準を調整する仕組み（「マクロ経済スライド」という。）により，年金額の調整を行っている期間は，公的年金被保険者数の減少率や平均余命の伸びを年金額の改定に反映させ，その伸びを賃金や物価の伸びよりも抑えることとされた。なお，この調整は，物価スライド特例措置に基づく年金額が，平成16年改正後の規定により計算された年金額を上回る場合には，行われない取扱いになっていたが，平成27年度に解消された。

　　年金額改定は，名目手取り賃金変動率が物価変動率を上回る場合，新規裁定者（67歳以下）の年金額は名目手取り賃金変動率を，既裁定者（68歳以上）の年金額は物価変動率を用いて改定することが法律で定められている。このため，令和 5 年度の年金額は，新規裁定者は名目手取り賃金変動率（2.8 ％）を，既裁定者は物価変動率（2.5 ％）を用いて改定する。

　　また，令和 5 年度のマクロ経済スライドによる調整（− 0.3 ％）と，令和 3・4 年度のマクロ経済スライドの未調整分による調整（キャリーオーバー分 − 0.3 ％）が行われ，このため令和 5 年度の年金額改定率は，新規裁定者は 2.2 ％，既裁定者は 1.9 ％となる。

<u>老齢基礎年金額</u>

795,000 円（67 歳以下の額，68 歳以上は 792,600 円。満額（令和 5 年度））×

$$\frac{\left(\begin{matrix}保険料納付\\済月数\end{matrix}\right)+\left(\begin{matrix}保険料全額\\免除月数\end{matrix}\right)\times\frac{1}{3}+\left(\begin{matrix}保険料3/4\\免除月数\end{matrix}\right)\times\frac{1}{2}+\left(\begin{matrix}保険料半額\\免除月数\end{matrix}\right)\times\frac{2}{3}+\left(\begin{matrix}保険料1/4\\免除月数\end{matrix}\right)\times\frac{5}{6}}{480}$$

（注）「480」は，昭和 16 年 4 月 1 日以前に生まれた者については，生年月日に応じて「加入可能年数×12」とする。

　　なお，平成 21 年 4 月以後の保険料免除期間については，保険料免除月数にそれぞれ下の割合を乗じたうえで，年金額を計算することとなる。

平成 21 年 4 月以後の割合

保険料全額免除月数	2 分の 1
保険料 4 分の 3 免除月数	8 分の 5
保険料半額免除月数	4 分の 3
保険料 4 分の 1 免除月数	8 分の 7

加入可能年数

生　　年　　月　　日	加入可能年数
大正 15 年 4 月 2 日から昭和 2 年 4 月 1 日までの間に生まれた者	25 年
昭和 2 年 4 月 2 日から昭和 3 年 4 月 1 日までの間に生まれた者	26 年
昭和 3 年 4 月 2 日から昭和 4 年 4 月 1 日までの間に生まれた者	27 年
昭和 4 年 4 月 2 日から昭和 5 年 4 月 1 日までの間に生まれた者	28 年
昭和 5 年 4 月 2 日から昭和 6 年 4 月 1 日までの間に生まれた者	29 年
昭和 6 年 4 月 2 日から昭和 7 年 4 月 1 日までの間に生まれた者	30 年
昭和 7 年 4 月 2 日から昭和 8 年 4 月 1 日までの間に生まれた者	31 年
昭和 8 年 4 月 2 日から昭和 9 年 4 月 1 日までの間に生まれた者	32 年

昭和 9 年 4 月 2 日から昭和 10 年 4 月 1 日までの間に生まれた者	33 年
昭和 10 年 4 月 2 日から昭和 11 年 4 月 1 日までの間に生まれた者	34 年
昭和 11 年 4 月 2 日から昭和 12 年 4 月 1 日までの間に生まれた者	35 年
昭和 12 年 4 月 2 日から昭和 13 年 4 月 1 日までの間に生まれた者	36 年
昭和 13 年 4 月 2 日から昭和 14 年 4 月 1 日までの間に生まれた者	37 年
昭和 14 年 4 月 2 日から昭和 15 年 4 月 1 日までの間に生まれた者	38 年
昭和 15 年 4 月 2 日から昭和 16 年 4 月 1 日までの間に生まれた者	39 年

※　加入可能年数は，昭和 36 年 4 月 1 日以後 60 歳までの年数

(4)　支給開始年齢の繰上げ及び繰下げ（法附則第 9 条の 2，法第 28 条）

①　繰上げ支給

受給要件を満たしている 60 歳以上 65 歳未満の者は，繰上げ支給を請求できる。

この場合，年金額が 0.4〜24％減額（1 月につき 0.4％。なお，昭和 37 年 4 月 1 日以前生まれの者は 0.5％）される。昭和 16 年 4 月 1 日以前生まれの者に係る支給の繰上げに際し減ずる額等については，従前の例（年単位で 11〜42％）による。

②　①とは逆に支給繰下げは，66 歳以後の支給開始を希望するときに申し出ればよい。この場合，年金額が 0.7〜84％増額（1 月につき 0.7％）される（繰下げ支給の上限年齢は 75 歳）。

昭和 16 年 4 月 1 日以前生まれの者に係る支給の繰下げに際し，増額する額等については，従前の例（年単位で 12〜88％）による。

(注)　繰上げ又は繰下げ支給の適用を受けると，年金額は一生減額又は増額されたままになる。

(5)　特例的な繰下げみなし増額制度（法第 28 条第 5 項）

令和 5 年 4 月 1 日以降，（原則として）昭和 27 年 4 月 2 日以後生まれの人が 70 歳に達した日後に年金を請求し，その請求の際に繰下げ申出をしないときは，「請求をした日の 5 年前の日に繰下げ申出があったとみなして」繰下げ増額された年金を受け取ることとなる。ただし，80 歳に達した日以後や請求日の 5 年前の日以前に「他の年金」（障害年金や遺族年金）の受給権者であったときは，このみなし規定は適用されない。

(6)　振替加算（昭和 60 年改正法附則第 14 条）

厚生年金保険の老齢厚生年金において配偶者の加給年金の算定対象となっている配偶者で施行日において 20 歳以上の者が 65 歳になって老齢基礎年金を受けるときに，法定額に改定率を乗じて得た額（令和 5 年度は 228,700 円）に生年月日に応じて政令で定める率を乗じて得た額を加算することとなっている。ただし，その者が厚生年金保険法の老齢年金などを受けることができるときは加算されない。

2．障害基礎年金

(1)　支給要件（法第30条，昭和60年改正法附則第20条）

　　被保険者であるときに初診日のある傷病により，その初診日から1年6か月を経過した日（その日までに症状が固定したときはその固定した日。この日を障害認定日という。）に一定の障害の状態（1級又は2級）に該当し，かつ，一定の保険料納付要件を満たしているときに支給する。

①　保険料納付要件

　　初診日の前日において，初診日の属する月の前々月までに被保険者期間があり，その被保険者期間のうち保険料納付済期間（保険料免除期間を含む。）が加入期間の3分の2以上あること。

　　なお，特例として，令和8年4月1日前に初診日のある傷病による障害については，初診日前の1年間のうちに保険料未納期間がない場合には対象となる（昭和60年改正法附則第20条第1項）。

②　事後重症(法第30条の2)

　　障害認定日に1級又は2級の障害の状態に該当しなかった場合でも，その傷病が重くなって65歳までに1級又は2級の障害の状態に該当したときは対象となる。

③　20歳前に初診日のある障害については，保険料納付要件に係わりなく20歳から支給する(法第30条の4)。

④　複数の障害を併合することにより初めて1級又は2級の障害の状態に該当したときは，併合した障害の程度による障害基礎年金を支給する（法第30条の3）。

⑤　障害基礎年金の受給権者に対して更に障害基礎年金を支給すべき事由が生じたときは，前後の障害を併合した障害の程度による障害基礎年金を支給する（法第31条）。

⑥　障害基礎年金の受給権者に，新たに障害等級に該当しない程度の障害（その他障害）が発生し，その障害を併合した障害の程度が従前の障害の程度より増進したときは，当該障害基礎年金の額の改定ができる（法第34条）。

障　害　等　級　表

障害の 程度		障　害　の　状　態
1級	1.	次に掲げる視覚障害 　イ　両眼の視力がそれぞれ0.03以下のもの 　ロ　一眼の視力が0.04，他眼の視力が手動弁以下のもの 　ハ　ゴールドマン型視野計による測定の結果，両眼のⅠ／4視標による周辺視野角度の和がそれぞれ80度以下かつⅠ／2視標による両眼中心視野角度が28度以下のもの

		ニ　自動視野計による測定の結果，両眼開放視認点数が70点以下かつ両眼中心視野視認点数が20点以下のもの
	2.	両耳の聴力レベルが100デシベル以上のもの
	3.	両上肢の機能に著しい障害を有するもの
	4.	両上肢の全ての指を欠くもの
	5.	両上肢の全ての指の機能に著しい障害を有するもの
	6.	両下肢の機能に著しい障害を有するもの
	7.	両下肢を足関節以上で欠くもの
	8.	体幹の機能に座っていることができない程度又は立ち上がることができない程度の障害を有するもの
	9.	前各号に掲げるもののほか，身体の機能の障害又は長期にわたる安静を必要とする病状が前各号と同程度以上と認められる状態であって，日常生活の用を弁ずることを不能ならしめる程度のもの
	10.	精神の障害であって，前各号と同程度以上と認められる程度のもの
	11.	身体の機能の障害若しくは病状又は精神の障害が重複する場合であって，その状態が前各号と同程度以上と認められる程度のもの
2級	1.	次に掲げる視覚障害
		イ　両眼の視力がそれぞれ0.07以下のもの
		ロ　一眼の視力が0.08，他眼の視力が手動弁以下のもの
		ハ　ゴールドマン型視野計による測定の結果，両眼のⅠ／4視標による周辺視野角度の和がそれぞれ80度以下かつⅠ／2視標による両眼中心視野角度が56度以下のもの
		ニ　自動視野計による測定の結果，両眼開放視認点数が70点以下かつ両眼中心視野視認点数が40点以下のもの
	2.	両耳の聴力レベルが90デシベル以上のもの
	3.	平衡機能に著しい障害を有するもの
	4.	そしゃくの機能を欠くもの
	5.	音声又は言語機能に著しい障害を有するもの
	6.	両上肢のおや指及びひとさし指又は中指を欠くもの
	7.	両上肢のおや指及びひとさし指又は中指の機能に著しい障害を有するもの
	8.	1上肢の機能に著しい障害を有するもの
	9.	1上肢の全ての指を欠くもの
	10.	1上肢の全ての指の機能に著しい障害を有するもの
	11.	両下肢の全ての指を欠くもの
	12.	1下肢の機能に著しい障害を有するもの
	13.	1下肢を足関節以上で欠くもの
	14.	体幹の機能に歩くことができない程度の障害を有するもの
	15.	前各号に掲げるもののほか，身体の機能の障害又は長期にわたる安静を必要とする病状が前各号と同程度以上と認められる状態であって，日常生活が著しい制限を受けるか，又は日常生活に著しい制限を加えることを必要とする程度のもの
	16.	精神の障害であって，前各号と同程度以上と認められる程度のもの
	17.	身体の機能の障害若しくは病状又は精神の障害が重複する場合であって，その状態が前各号と同程度以上と認められる程度のもの

備考　視力の測定は，万国式試視力表によるものとし，屈折異常があるものについては，矯正視力によって測定する。

(注)　令和4年1月から視覚障害の認定基準が一部改正されたが，この改正により障害等級が下がることはない。

(2)　年金額（法第33条，第33条の2）

　　年金額は定額であるが，受給権者によって生計を維持されている18歳に達する日の属する年度末までの間にある子で，かつ現に婚姻をしていない者（1級又は2級の障害の状態にある子の場合は20歳未満）がいるときは，これに子の加算額を加算する。

　　ただし，20歳前の障害により支給する障害基礎年金は，他の公的年金受給又は本人の所得による支給制限がある（**p. 608参照**）。

障害基礎年金の額

年金額　1級　993,750円（67歳以下の額，68歳以上は990,750円。2級の1.25倍の水準）

　　　　2級　795,000円（67歳以下の額，68歳以上は792,600円）

子の加算額　子の2人まで　各228,700円

　　　　　　3人目以降　　各　76,200円

---

(3)　受給権の消滅（法第35条）

①　(1)の⑤に述べたところにより，前後の障害を併合した障害の程度による障害基礎年金の受給権を取得したとき（従前の障害基礎年金の受給権が消滅する）

②　死亡したとき

③　障害の程度が厚生年金保険の3級障害に該当することなく65歳に達したとき（3級に該当しなくなってから3年を経過していないときは，3年を経過したとき）

3．遺族基礎年金

(1)　支給要件（法第37条）

　　次のいずれかに該当する場合にその遺族に支給する（平成26年4月より，それまでの母子家庭のみならず，父子家庭にも支給されることとなった。）。

①　被保険者又は被保険者であったことがある60歳以上65歳未満の国内に住所を有する者が死亡したとき

②　老齢基礎年金の受給権者又は受給資格期間を満たしている者が死亡したとき

　　ア　保険料納付要件（被保険者が死亡したとき）

　　　　死亡日前に，死亡した者の保険料納付済期間（保険料免除期間を含む。）が加入期間の3分の2以上あること。

　　　　なお，特例として，令和8年4月1日前の死亡については，死亡日前の1年間のうちに保険料未納期間がない場合には対象となる（昭和60年改正法附則第20条第2項）。

　　イ　遺族の範囲（法第37条の2）

　　　　被保険者等の死亡の当時，その者によって生計を維持されていた次の者

(ア)　死亡した者の配偶者で, 18歳に達した日の属する年度末までの間にある子（1
級又は2級の障害の状態にある子の場合は20歳未満）と生計を同じくしてお
り, かつ現に婚姻をしていない者

(イ)　死亡した者の18歳に達した日の属する年度末までの間にある子又は1級若
しくは2級の障害の状態にある20歳未満の子

(2)　年金額（法第38条〜第39条の2, 第41条）

年金額は定額であるが, 配偶者が受けるときの年金額は子の加算額を加えた額であ
り, 子が受けるときの年金額は子が2人以上いる場合, 2人目以降の子の加算額を加
えたうえ年金を受ける子の数で除した額である。

なお, 配偶者が受けている間は, 子に対する遺族基礎年金は支給停止となる。

遺族基礎年金の額

①　配偶者が受けるとき

年金額　795,000円（67歳以下の額, 68歳以上は792,600円）

加算額　子の2人まで　各228,700円　　3人目以降　各76,200円

②　子が受けるとき

年金額　795,000円（67歳以下の額, 68歳以上は792,600円）

加算額　子の2人目　228,700円　　3人目以降　各76,200円

4．第1号被保険者に対する独自給付

(1)　付加年金（法第43条, 第44条）

①　支給要件

第1号被保険者（保険料の免除を受けている者及び国民年金基金の加入員を除
く。）として付加保険料を納めた場合に, 老齢基礎年金に上乗せして支給する。

②　年金額

200円×付加保険料納付済月数

(2)　寡婦年金（法第49条）

①　支給要件

ア　第1号被保険者としての保険料納付済期間（保険料免除期間を含む。）が10年
以上ある夫が死亡したとき, 継続して10年以上婚姻関係にある妻に65歳まで支
給する（夫の死亡当時60歳未満の妻には60歳から支給する。）。

イ　老齢基礎年金又は障害基礎年金の支給を受けたことがある夫が死亡したとき
は, 支給しない。

ウ　夫の死亡当時夫によって生計を維持していたことを要する。

② 年金額

夫の第 1 号被保険者期間に係る老齢基礎年金額の 4 分の 3

(3) 死亡一時金（法第 52 条の 2 , 第 52 条の 3 ）

① 支給要件等

ア　第 1 号被保険者としての保険料納付済期間の月数と保険料 4 分の 1 免除期間の月数の 4 分の 3 , 保険料半額免除期間の月数の 2 分の 1 及び保険料 4 分の 3 免除期間の月数の 4 分の 1 に相当する月数を合算した月数が 36 月以上である者が死亡したときに，その者と生計を同じくしていた遺族に支給する。

イ　死亡した者が老齢基礎年金又は障害基礎年金の支給を受けたことがあるときは，支給しない。

ウ　死亡日においてその者の死亡により遺族基礎年金を受けられる者がいるときは，支給しない。

エ　遺族の範囲及び順位は，配偶者，子，父母，孫，祖父母又は兄弟姉妹である。

② 金　額

次の表のとおり（付加保険料納付済期間が 36 月以上ある場合は，8,500 円を加算）。

保険料納付済期間の月数と保険料 4 分の1 免除期間の月数の 4 分の 3 , 保険料半額免除期間の月数の 2 分の 1 及び保険料4 分の 3 免除期間の月数の 4 分の 1 に相当する月数を合算した月数	金　　　額
36 月以上　180 月未満	120,000 円
180 月以上　240 月未満	145,000 円
240 月以上　300 月未満	170,000 円
300 月以上　360 月未満	220,000 円
360 月以上　420 月未満	270,000 円
420 月以上	320,000 円

(4) 脱退一時金（法附則第 9 条の 3 の 2 ）

① 支給要件

第 1 号被保険者としての保険料納付済期間の月数と保険料 4 分の 1 免除期間の月数の 4 分の 3 , 保険料半額免除期間の月数の 2 分の 1 及び保険料 4 分の 3 免除期間の月数の 4 分の 1 に相当する月数を合算した月数が 6 月以上である日本国籍を有しない者であって，老齢基礎年金の受給資格期間を満たしていない者が，脱退一時金の支給を請求できる。ただし，次のいずれかに該当するときは請求することができない。

　ア　日本国内に住所を有するとき

　イ　障害基礎年金その他政令で定める給付の受給権を有したことがあるとき

　ウ　最後に被保険者資格を喪失した日から2年を経過しているとき

②　金　額

　　令和5年度中に基準月（最後に保険料が納付された月）がある場合の支給額は次の表のとおり。

保険料納付済期間の月数と保険料4分の1免除期間の月数の4分の3，保険料半額免除期間の月数の2分の1及び保険料4分の3免除期間の月数の4分の1に相当する月数を合算した月数	金　　額
6月以上　　12月未満	49,560 円
12月以上　18月未満	99,120 円
18月以上　24月未満	148,680 円
24月以上　30月未満	198,240 円
30月以上　36月未満	247,800 円
36月以上　42月未満	297,360 円
42月以上　48月未満	346,920 円
48月以上　54月未満	396,480 円
54月以上　60月未満	446,040 円
60月以上	495,600 円

■年金の支払期月（法第18条）

　年金は，毎年2月，4月，6月，8月，10月及び12月の6期にそれぞれ前月分まで支給される。

■給付の支給停止等

1．年金給付の受給権者が死亡した場合において，その死亡した者に支給すべき年金給付でまだその者に支給しなかったものがあるときは，生計を同じくしていたその配偶者など（3親等以内の親族）がそれについて請求することができる（未支給年金，法第19条）。

2．基礎年金と同一の支給事由による厚生年金保険の給付とを一体の「一年金」とみなして，老齢と障害という支給事由の異なる年金給付の受給権を2以上有する者には，原則として，選択によりそのうち1つを支給し他は支給を停止する（法第20条）。

3．年金給付の受給権者から申出があったときは，年金給付全額の支給を停止する。申出は，いつでも将来に向かって撤回することができる（法第20条の2）。

4．20歳前の障害による障害基礎年金の支給制限

(1)　受給権者が公的年金給付を受けることができる場合には障害基礎年金は支給停止する。ただし，当該年金給付が戦争公務に基づく増加恩給，公務扶助料などであるとき，

かつ，それを受けている者が大尉以下の旧軍人又はその遺族等であるときは，全額支給する。また，受けている公的年金給付の額が71万2,000円未満であるときは，71万2,000円とその公的年金給付の額との差額（障害基礎年金の額が限度）を支給する（法第36条の2）。

(2) 前年の所得が，政令で定める限度額（下表）を超えるときは10月分から1年間全部又は2分の1に相当する部分の支給を停止する（法第36条の3）。

　　（注）1　対象となる所得は地方税法による所得であり，市町村で確認できる。

　　　　　2　所得は，収入額から必要経費（給与所得の場合は給与所得控除）を控除した後の額である。

20歳前の障害による障害基礎年金受給者本人の所得による支給制限限度額（一部停止）

扶養親族等の数	限　　　　　度　　　　　額
0人	3,704,000円　（令和3年10月から）
1人以上	3,704,000円に当該扶養親族等1人につき380,000円（※当該扶養親族等が所得税法に規定する同一生計配偶者（70歳以上の者に限る。）又は老人扶養親族であるときは，当該同一生計配偶者（70歳以上の者に限る。）又は老人扶養親族1人につき480,000円とし，当該扶養親族等が特定扶養親族等（同法に規定する特定扶養親族又は控除対象扶養親族（19歳未満の者に限る。）をいう。以下同じ。）であるときは，当該特定扶養親族等1人につき630,000円とする。以下同じ。）を加算した額。

20歳前の障害による障害基礎年金受給者本人の所得による支給制限限度額（全部停止）

扶養親族等の数	限　　　　　度　　　　　額
0人	4,721,000円　（令和3年10月から）
1人以上	4,721,000円に当該扶養親族等1人につき380,000円（※）を加算した額。

遺族基礎年金（母子福祉年金又は準母子福祉年金から移行した者）の受給者本人の所得による支給制限限度額

扶養親族等の数	限　　　　　度　　　　　額
0人	3,016,000円　（令和5年度）
1人以上	3,016,000円に当該扶養親族等1人につき380,000円（※）を加算した額。

老齢福祉年金の受給者本人の所得による支給制限限度額

扶養親族等の数	限　　　度　　　額
0 人	1,695,000 円　（令和 3 年 10 月から）
1 人以上	1,695,000 円に当該扶養親族等 1 人につき 380,000 円（※）を加算した額。

(注)　平成 30 年 8 月 1 日以後の所得限度額である。

5．交通事故等第三者の行為によって障害を受け若しくは死亡した場合で，それについて損害賠償を受けたときは，当該損害賠償額のうち生活補償費相当額を年金と調整しその支給を停止する（2 年以内）（法第 22 条）。

　（注）　損害賠償額のうち医療費，葬祭費及び慰謝料は調整の対象としない。なお，損害賠償額の全部が慰謝料である場合など内容が判明しないときは，一定の方式により生活補償費相当額を算出する。

6．業務上の災害による傷病，死亡で労働基準法の規定による補償を受けることができるときは，障害基礎年金又は遺族基礎年金の支給を 6 年間停止する（法第 36 条，第 41 条）。

7．故意の事故による障害については，障害基礎年金を支給しない（法第 69 条）。

8．傷病，死亡が，故意の犯罪，重大な過失又は正当な理由なく療養指導に従わないことを原因とする場合には，給付の全部又は一部の支給を停止することがある（法第 70 条）。

9．被保険者等を故意に死亡させた者には，その死亡に伴う給付は行わない（法第 71 条）。

10．障害などによる年金給付を受けていると，児童扶養手当法（同法第 4 条），特別児童扶養手当等の支給に関する法律（同法第 3 条，第 17 条）による給付は受けられない。

11．同一の支給事由による年金給付（20 歳前の障害による障害基礎年金を除く。）を受ける者については，労働者災害補償保険法による障害補償年金，遺族補償年金又は傷病補償年金等が減額される（労働者災害補償保険法別表第 1）。

【参　考】国民年金に関する手続

届出などを必要とする場合	届出などの名称	提出期限
第 1 号（第 3 号）被保険者となったとき	被保険者資格取得・種別変更（第 3 号被保険者該当）届	資格を得てから 14 日以内
任意で国民年金に加入しようとするとき	任意加入被保険者資格取得申出書	そのつど
被保険者の資格がなくなったとき	被保険者資格喪失届	資格がなくなってから 14 日以内

第1号被保険者が任意脱退を希望するとき	被保険者任意脱退承認申請書	そのつど
任意加入の被保険者が脱退するとき	被保険者資格喪失申出書	そのつど
生活保護を受けているなどの理由で保険料が免除になるとき	保険料免除理由該当届	生活保護等を受けるようになってから14日以内
生活保護を受けなくなったなどの理由で保険料が免除にならなくなるとき	保険料免除理由消滅届	生活保護等を受けなくなってから14日以内
保険料を納付できない事情があり，免除を希望するとき	保険料免除・納付猶予申請書	そのつど
基礎年金番号通知書を破ったり汚したり，又は紛失したとき	基礎年金番号通知書再交付申請書	すみやかに
老齢基礎年金・障害基礎年金・遺族基礎年金又は寡婦年金を受けようとするとき	老齢基礎年金裁定請求書 障害基礎年金裁定請求書 遺族基礎年金裁定請求書 寡婦年金裁定請求書	年金を受ける権利を得てから5年以内
死亡一時金を受けようとするとき	死亡一時金裁定請求書	被保険者が死亡してから2年以内
受給者の氏名がかわったとき	年金受給権者氏名変更届	14日以内
支払を希望する金融機関等を変更するとき	年金受給権者支払機関変更届	そのつど
年金証書を破ったり汚したり，又は紛失したとき	国民年金証書再交付申請書	そのつど
年金を受ける権利を失ったとき	国民年金失権届	14日以内
2つ以上の年金を受ける権利を得たとき	国民年金受給選択申出書	すみやかに
年金額がかわるとき	国民年金額改定請求書	すみやかに
年金受給権者が死亡前に受けられるはずの未支給年金を遺族が請求するとき	未支給年金請求書	5年以内

（注）「現況届」「住所変更届」「死亡届」は，住基ネットの活用により原則不要となっている。

【参　考】国民年金基金制度

　自営業者等の国民年金にのみ加入する第1号被保険者を対象に，老齢基礎年金に上乗せ支給を行うことで，老後の所得保障を目的とする制度。

1．基金の種類

　都道府県ごとに設立される地域型基金と業種単位で全国に1つ設立される職能型基金の2種類がある。それぞれの設立に必要な加入員数は，地域型基金が1,000人以上，職能型基金が3,000人以上となっている。

2．加入資格

　20歳以上60歳未満の自営業者等である国民年金の第1号被保険者及び国民年金の任意加入被保険者（日本国内に住所を有する60歳以上65歳未満の者に限る。）である。ただし，保険料納付の全額・一部免除，学生納付特例等を受けている被保険者及び付加年金の加入者は加入することはできない。また，同時に2つ以上の基金に加入することはできない。

3．給付の種類

　生涯にわたり年金を受け取る「終身年金」と受け取り期間が決まっている「確定年金」がある老齢年金と，被保険者の加入時年齢や死亡時までの掛金納付期間等に応じて支給される遺族一時金の2種類がある。給付の型の中から，どの型に何口加入するかによって，支給される金額が決定する。

2　年金生活者支援給付金

根拠▶年金生活者支援給付金の支給に関する法律
（平24.11.26法律第102号）

　年金生活者支援給付金制度は，令和元年10月に引き上げられた消費税率の引き上げ分を活用し，公的年金等の収入金額やその他の所得が一定基準以下の者に，生活の支援を図ることを目的として，年金に上乗せして支給するものである。

■**支給要件**（法第2条）

　以下の要件をすべて満たしている者が対象となる。

1．65歳以上の老齢基礎年金の受給者である。
2．同一世帯の全員が市町村民税非課税である。
3．前年の公的年金等の収入金額（障害年金・遺族年金等の非課税収入は含まない。）とその他の所得との合計額が878,900円以下である。

■給付額（法第 3 条，第 11 条，第 16 条，第 21 条）

1．年金生活者支援給付金

月額 5,140 円を基準に，保険料納付済期間等に応じて算出され，次の(1)と(2)の合計額となる。

(1) 保険料納付済期間に基づく額

給付基準額 5,140 円×保険料納付済期間÷480 月（※ 1）

(2) 保険料免除期間に基づく額

11,041 円（※ 2）×保険料免除期間÷480 月

（※ 1）大正 6 年 4 月以前に生まれた者から昭和 16 年 4 月までの間に生まれた者については，生年月日に応じて 180〜468 月の間で変動する。

（※ 2）保険料全額免除，3/4 免除，半額免除期間の額については，11,041 円（老齢基礎年金満額（月額）の 1/6）。1/4 免除期間については，5,520 円（老齢基礎年金満額（月額）の 1/12）。毎年度の老齢基礎年金額に応じて変動。

2．補足的老齢年金生活者支援給付金

上記支給要件 3．が，「前年の公的年金収入等の収入金額とその他の所得との合計額が，778,900 円より多く 878,900 円以下」の場合に支給される。

・保険料納付済期間に基づく額×調整支給率（※ 3）

（※ 3）調整支給率：（補足的老齢年金生活者支援給付金の上限額（878,900 円）−前年の年金収入＋その他の所得の合計額）÷（補足的老齢年金生活者支援給付金の上限額（878,900 円）−老齢年金生活者支援給付金の上限額（778,900 円））

3．障害年金生活者支援給付金，遺族年金生活者支援給付金

(1) 支給要件

障害基礎年金又は遺族基礎年金の受給者で，前年の所得が「4,721,000 円＋扶養親族の数×38 万円」以下の者に支給される（扶養親族の数に応じて増額）。

(2) 給付額

① 障害等級 2 級の障害基礎年金受給者，遺族基礎年金受給者：5,140 円（月額）

② 障害等級 1 級の障害基礎年金受給者：6,425 円（月額）

■給付額の改定（法第 4 条）

給付額は，毎年度，物価の変動による改定がある。

■給付金が支給されない場合（法第 2 条，第 10 条，第 15 条，第 20 条）

下記のいずれかに該当する場合は支給されない。

1．日本国内に住所がない。

2．老齢基礎年金，障害基礎年金，遺族基礎年金の支給が全額停止されている。

　3．刑事施設，労役場，少年院その他これらに準じる施設に拘禁・収容されている。

■**給付金の支払期月**（法第6条）

　各給付金は，毎年2月，4月，6月，8月，10月及び12月の6期に，それぞれの前月分まで支給される。

6　厚生年金保険

〔**根拠**▶厚生年金保険法（昭29.5.19法律第115号）〕

　労働者の老齢，障害又は死亡について保険給付を行い，労働者及びその遺族の生活の安定と福祉の向上に寄与することを目的とする年金制度である。

■**実施主体**（法第2条）

　政府が管掌する（窓口は年金事務所）。

■**実施機関**（法第2条の5）

　被用者年金一元化後の種別と実施機関（年金記録の管理や標準報酬額等の決定，年金の支給決定を行う。）を次頁の表に示す。

被保険者の種別

厚生年金被保険者の種別	該当者
第1号厚生年金被保険者	被用者年金一元化法による改正施行前からの厚生年金保険の被保険者（第2号～第4号以外の厚生年金被保険者）
第2号厚生年金被保険者	一元化前に国家公務員共済組合の組合員であった厚生年金保険の被保険者
第3号厚生年金被保険者	一元化前に地方公務員共済組合の組合員であった厚生年金保険の被保険者
第4号厚生年金被保険者	一元化前に私立学校教職員共済法の規定による私立学校教職員共済制度の加入者であった厚生年金保険の被保険者

被保険者の種別と実施機関

厚生年金被保険者の種別	実施機関
第1号厚生年金被保険者	厚生労働大臣（権限を委任・事務を委託された日本年金機構）
第2号厚生年金被保険者	国家公務員共済組合及び国家公務員共済組合連合会
第3号厚生年金被保険者	地方職員共済組合，公立学校共済組合，警察共済組合，全国市町村職員共済組合連合会，東京都職員共済組合
第4号厚生年金被保険者	日本私立学校振興・共済事業団

■被保険者

　　厚生年金保険の被保険者は，同時に国民年金においても第2号被保険者として適用されるので，いわば二重加入することになる。

1．被保険者の範囲

(1)　強制適用事業所（船舶を含む。）又は任意適用事業所に使用される70歳未満の者は，当然に被保険者となる（法第6条，第9条）。

　（注）1　適用事業所の範囲は，健康保険法と同様である。

　　　　2　任意適用事業所は強制適用事業所以外の事業所で，当該事業主が当該事業所に使用される者の2分の1以上の同意を得て厚生労働大臣の認可を受けた事業所である。

(2)　前記(1)のほか，適用事業所以外の事業所に使用される70歳未満の者は，事業主の同意を得て厚生労働大臣の認可を受け被保険者となることができる（法第10条，任意単独被保険者）。

(3)　適用事業所などに使用される70歳以上の者であって，厚生年金保険の老齢年金等の受給権を取得していない者は，実施機関に申し出て被保険者となることができる（法附則第4条の3，高齢任意加入被保険者）。

(4)　昭和16年4月1日以前に生まれた者であって，昭和61年4月1日（以下「施行日」という。）において厚生年金保険の被保険者であった者などに対する経過措置として，被保険者期間が10年以上ある者が被保険者でなくなった場合に被保険者期間が20年（中高齢の期間短縮の特例により20年とみなされる場合を含む。）に達するまでの間，被保険者の資格を喪失した日から6か月以内に実施機関に申し出て被保険者となることができることとしている（昭和60年改正法附則第43条，第4種被保険者）。

(5)　特定適用事業所に勤務する短時間労働者

　（注）　特定適用事業所とは，同一事業主の適用事業所の厚生年金保険の被保険者数の合計が，1年で6か月以上，100人（令和6年10月からは50人）を超えることが見込まれる事業所。

短時間労働者の要件は，勤務時間・勤務日数が常時雇用者の4分の3未満で以下の全てに該当すること。

1　週の所定労働時間が20時間以上である。

2　雇用期間が2か月を超えて見込まれている。

3　賃金の月額が8.8万円以上（年収106万円以上）である。

4　学生でない。

ただし，被保険者数の合計が100人以下の事業所についても，労使の合意に基づいて短時間労働者への適用拡大をすることができる。

2．被保険者の種類

厚生年金保険では，労働者の性別，作業の性質等から被保険者を次の4種に区分し，保険給付，保険料の面で労働の実態に応じた取扱いをしている（昭和60年改正法附則第5条）。

(1)　第1種被保険者……(3)(4)を除く男子被保険者

(2)　第2種被保険者……(3)(4)を除く女子被保険者

(3)　第3種被保険者……坑内員・船員の被保険者

(4)　第4種被保険者……任意継続被保険者

（注)1　高齢任意加入被保険者は，死亡のほか次の場合などに資格を喪失する。

　　1）厚生年金保険の老齢年金などの受給権を取得したとき

　　2）その事業所などに使用されなくなったとき

　　3）被保険者資格の喪失の申出が受理されたとき

2　高齢任意加入被保険者は初回の保険料を納付しないときは，高齢任意加入被保険者とみなされない。

3　第4種被保険者は，死亡のほか次の場合に資格を喪失する。

　　1）厚生年金保険の被保険者期間が20年になったとき（中高齢の期間短縮の特例により20年とみなされる場合を含む。）

　　2）被保険者資格の喪失の申出が受理されたとき

　　3）保険料を指定期日（毎月10日）までに納付しないとき（事業主負担はない。）

　　4）適用事業所の被保険者となったとき

4　第4種被保険者は初回の保険料を納付しないときは，第4種被保険者とみなされない。

5　適用除外（法第12条）

　　1）臨時に使用される者であって次の者

　　　ア　日々雇い入れられる者で，1か月を超えて引き続き使用されない者

　　　イ　2か月以内の期間を定めて使用される者で，定めた期間を超えて引き続き使用されない者

2）所在地が一定しない事業所に使用される者

3）季節的業務に使用される者（船員を除く。）で，継続して4か月を超えて使用されない者

4）臨時的事業の事業所に使用される者で，継続して6か月を超えて使用されない者

5）特定適用事業所に勤務する短時間労働者に該当しない者

6　資格の取得及び喪失（法第13条，第14条）

1）適用事業所に使用されることとなった日及び前記5の適用除外に該当しなくなった日から被保険者となる。

2）死亡又は適用事業所に使用されなくなった日の翌日及び前記5の適用除外に該当することとなった日の翌日から，又は70歳に達した日から被保険者でなくなる。

7　被保険者の種別の変更に係る資格の得喪（法第15条）

同一の適用事業所において使用される被保険者について，被保険者の種別（第1号～第4号厚生年金被保険者）に変更があった場合には，6の規定は被保険者の種別ごとに適用する。

8　異なる被保険者の種別に係る資格の得喪（法第18条の2）

1）　第2号～第4号厚生年金被保険者は6の規定にかかわらず，同時に第1号厚生年金被保険者の資格を取得しない。

2）　第1号厚生年金被保険者が同時に第2～第4号厚生年金被保険者資格を有するに至ったときは，その日に第1号厚生年金被保険者資格を喪失する。

3．二以上の種別の被保険者であった期間を有する者の特例

⑴　第1号厚生年金被保険者期間，第2号厚生年金被保険者期間，第3号厚生年金被保険者期間又は第4号厚生年金被保険者期間のうち二以上の種別の被保険者であった期間を有する者については，当該期間を合算し，一の期間のみを有するものとみなして20年以上ある場合には，老齢厚生年金に加給年金額を加算できる（法第78条の27他）。

⑵　⑴同様，二以上の種別の被保険者であった期間を有する者については，当該期間を合算し，一の期間のみを有するものとみなして20年以上ある場合には，遺族厚生年金に中高齢寡婦加算額を加算できる（法第78条の32）。

■標準報酬月額（法第20条）

1．報酬月額を32等級に区分し，保険料額及び保険給付の算定の基礎としている。

2．報酬月額の算定及び標準報酬月額の改定は，健康保険と同様である。

■**標準賞与額**（法第 24 条の 4）

　被保険者が賞与等を受けた月において，その月にその被保険者が受けた賞与等額につき，1,000 円未満の端数を切り捨て，その月における標準賞与額を決定し，保険料額及び保険給付の算定の基礎としている（賞与のつど上限 150 万円）。

■**保険料**（法第 81 条，法第 81 条の 2，法第 81 条の 2 の 2，法第 82 条，法附則第 4 条の 3，
　　　　　昭和 60 年改正法附則第 80 条，平成 16 年改正法附則第 33 条）

1．保険料の額は，標準報酬月額と標準賞与額にそれぞれ保険料率を乗じた額で，事業主と被保険者が折半で負担し，第 4 種被保険者，高齢任意加入被保険者（事業主が同意しないとき）は全額を被保険者個人で負担する。

2．保険料水準固定方式の導入により，厚生年金保険の保険料率は，平成 16 年 10 月から毎年 3.54/1000 ずつ引き上げ，平成 29 年 9 月以降は 183.00/1000（第 1 種〜第 4 種被保険者）に固定された。

保険料率（平成 29 年 9 月から）

被保険者の種別	保険料率（／ 1000）
第 1 〜 4 種被保険者	183.0
厚生年金基金加入第 1・2 種被保険者	133.0〜159.0
厚生年金基金加入第 3 種被保険者	133.0〜159.0

3．育児休業期間中及び産前産後休業期間中は，厚生年金保険の保険料の本人負担分と事業主負担分が事業主の申出により免除される。なお，この場合の保険料免除期間は，厚生年金保険の保険給付の計算に際しては，保険料拠出を行った期間と同様に取り扱われる。

■**保険給付の種類**

1．老齢厚生年金及び特別支給の老齢厚生年金（60 歳台前半の老齢厚生年金）

2．障害厚生年金及び障害手当金

3．遺族厚生年金

　1．から 3．までの保険給付のほかに，外国人を対象とした脱退一時金がある。

■**保険給付の内容**

　厚生年金保険の被保険者は国民年金にも加入することになるので，保険事故が起きた場合には，国民年金からも老齢・障害・遺族の基礎年金を受けられることがある。したがって，厚生年金保険の保険給付は，原則として，各基礎年金が受けられる場合に支給されることとなっている。

1．老齢厚生年金

(1)　適用対象者（昭和 60 年改正法附則第 63 条）

　　大正 15 年 4 月 2 日以後に生まれた者。ただし，施行日（昭和 61 年 4 月 1 日）前に老齢年金等の受給権を有する者（同日においてその受給権者が 55 歳に達している者に限る。）を除く。

(2)　支給要件（法第 42 条）

　　厚生年金保険の被保険者期間が 1 月以上あり，かつ，保険料納付済期間，保険料免除期間及び合算対象期間を合算した期間が 10 年以上ある者が 65 歳に達したときに支給する。この受給資格期間及び期間短縮の経過措置は，国民年金の老齢基礎年金と同様である。

　（注）　坑内員及び船員の期間については，昭和 61 年 3 月 31 日までの期間は 3 分の 4 倍，昭和 61 年 4 月 1 日から平成 3 年 4 月 1 日前までの期間は 5 分の 6 倍した期間を被保険者期間とする（昭和 60 年改正法附則第 47 条）。

(3)　年金額

　　報酬比例部分の年金額と経過的加算額を合算した額に加給年金額を加えた額。

①　報酬比例部分の年金額（法第 43 条）

　ア　平成 15 年 4 月から総報酬制が導入されたことに伴い，平成 15 年 4 月を境に，異なる算式を用いて算出されることとなった。

報酬比例部分の年金額＝（①総報酬制導入前の被保険者期間分＋②総報酬制導入以後の被保険者期間分）

①…平均標準報酬月額× 7.125/1000 ×被保険者期間の月数（平成 15 年 3 月まで）

　　　　　　　　　　　　　　　↳生年月日に応じて 9.5/1000〜7.125/1000

②…平均標準報酬額× 5.481/1000 ×被保険者期間の月数（平成 15 年 4 月以後）　　　　　　↳生年月日に応じて 7.308/1000〜5.481/1000

　（注）　平均標準報酬額とは，平成 15 年 4 月以後の被保険者期間の計算の基礎となる各月の標準報酬月額と標準賞与額の総額を被保険者期間の月数で除して得た額をいう（なお，再評価率により現在の価値に換算される。）。

　イ　年金額は，従来，賃金や物価の伸びに応じて増えていたが，平成 16 年改正で導入された新たな給付水準を調整する仕組み（「マクロ経済スライド」という。）により，年金額の調整を行っている期間は，公的年金被保険者数の減少率や平均余命の伸びを年金額の改定に反映させ，その伸びを賃金や物価の伸びよりも抑えることとされた。

　　ア及びイで用いる「平均標準報酬（月）額」の算出にはそれぞれ異なる再評価率を用いる。

従前額保障による報酬比例部分の年金額の特例（平成16年改正法附則第27条）

$$\left.\begin{array}{l}（平成6年改正における再評価率表を用いて計算した平\\均標準報酬月額\times\dfrac{10}{1000}\sim\dfrac{7.5}{1000}\times平成15年3月まで\\の被保険者期間の月数）\\\qquad\qquad\qquad +\\（平成6年改正における再評価率表を用いて計算した平\\均標準報酬額\times\dfrac{7.692}{1000}\sim\dfrac{5.769}{1000}\times平成15年4月以降\\の被保険者期間の月数）\end{array}\right\}\times従前額改定率$$

② 経過的加算額（昭和60年改正法附則第59条，第61条）

当分の間，次のアの額からイの額を差し引いた額がある場合は，その額（前記①と同様に経過措置の適用がある。）。

（計算式は，令和5年度新規裁定者（67歳以下）のもの。ただし，〔 〕は既裁定者（68歳以上）の額。）

ア 1,657円〔1,652円〕×生年月日に応じて政令で定める率×厚生年金保険の被保険者期間の月数（480月を限度とする。）

（注）1 1,657円〔1,652円〕×生年月日に応じて政令で定める率（定額単価）は下表参照。

　　　 2 中高齢者の期間短縮措置に該当する者については，その被保険者期間の月数が240月に満たないときは240月とする。

　　　 3 厚生年金保険の被保険者期間の月数は，生年月日に応じ次頁の表の月数を限度とする。

生年月日に応じた定額部分の単価及び報酬比例部分の乗率

生年月日	定　額　部　分		報酬比例部分の乗率（／1000）	
	定額単価	参考単価	〜平15.3	平15.4〜
大正15年4月2日〜昭和2年4月1日	1,652円×1.875	3,098円	9.500	7.308
昭和2年4月2日〜昭和3年4月1日	×1.817	3,002円	9.367	7.205
昭和3年4月2日〜昭和4年4月1日	×1.761	2,909円	9.234	7.103
昭和4年4月2日〜昭和5年4月1日	×1.707	2,820円	9.101	7.001
昭和5年4月2日〜昭和6年4月1日	×1.654	2,732円	8.968	6.898
昭和6年4月2日〜昭和7年4月1日	×1.603	2,648円	8.845	6.804
昭和7年4月2日〜昭和8年4月1日	×1.553	2,566円	8.712	6.702

昭和 8 年 4 月 2 日〜昭和 9 年 4 月 1 日	× 1.505	2,486 円	8.588	6.606
昭和 9 年 4 月 2 日〜昭和 10 年 4 月 1 日	× 1.458	2,409 円	8.465	6.512
昭和 10 年 4 月 2 日〜昭和 11 年 4 月 1 日	× 1.413	2,334 円	8.351	6.424
昭和 11 年 4 月 2 日〜昭和 12 年 4 月 1 日	× 1.369	2,262 円	8.227	6.328
昭和 12 年 4 月 2 日〜昭和 13 年 4 月 1 日	× 1.327	2,192 円	8.113	6.241
昭和 13 年 4 月 2 日〜昭和 14 年 4 月 1 日	× 1.286	2,124 円	7.990	6.146
昭和 14 年 4 月 2 日〜昭和 15 年 4 月 1 日	× 1.246	2,058 円	7.876	6.058
昭和 15 年 4 月 2 日〜昭和 16 年 4 月 1 日	× 1.208	1,996 円	7.771	5.978
昭和 16 年 4 月 2 日〜昭和 17 年 4 月 1 日	× 1.170	1,933 円	7.657	5.890
昭和 17 年 4 月 2 日〜昭和 18 年 4 月 1 日	× 1.134	1,873 円	7.543	5.802
昭和 18 年 4 月 2 日〜昭和 19 年 4 月 1 日	× 1.099	1,816 円	7.439	5.722
昭和 19 年 4 月 2 日〜昭和 20 年 4 月 1 日	× 1.065	1,759 円	7.334	5.642
昭和 20 年 4 月 2 日〜昭和 21 年 4 月 1 日	× 1.032	1,705 円	7.230	5.562
昭和 21 年 4 月 2 日〜	1,652 円	1,652 円	7.125	5.481

注）定額部分の参考単価は小数点以下を四捨五入したもので，実際には小数点以下第 3 位まで
の数字が使用されている。

　　　イ　795,000 円〔792,600 円〕×改定率×$\dfrac{厚生年金保険の被保険者期間の月数}{加入可能月数}$

　　（注）　厚生年金保険の被保険者期間の月数は，昭和 36 年 4 月 1 日以後の期間で，

　　　　　20 歳以上 60 歳未満の実際に加入した期間の月数である。

生年月日に応じた加入可能月数

生年月日	月数
昭和 4 年 4 月 1 日以前	420 月
昭和 4 年 4 月 2 日から昭和 9 年 4 月 1 日まで	432 月
昭和 9 年 4 月 2 日から昭和 19 年 4 月 1 日まで	444 月
昭和 19 年 4 月 2 日から昭和 20 年 4 月 1 日まで	456 月
昭和 20 年 4 月 2 日から昭和 21 年 4 月 1 日まで	468 月
昭和 21 年 4 月 2 日以後	480 月

③　加給年金額（法第 44 条）

　　加給年金額の原則的な額は次のとおり（①，②と同様に経過措置の適用がある。）。

配偶者　　228,700 円	
子 2 人まで　　各 228,700 円	
3 人目以降　　各 76,200 円	

(注) 1　厚生年金保険の被保険者期間が 20 年（中高齢者の期間短縮措置（国民年金の老齢基礎年金参照）に該当する場合はその期間）以上ある場合に，受給権を取得した当時受給権者によって生計を維持されていた 65 歳未満の配偶者，18 歳に達した日の属する年度末までの間にある子（1 級又は 2 級の障害の状態にある子の場合は 20 歳未満）があるときに支給する。

2　配偶者に係る加給年金額は，当該配偶者が老齢厚生年金（厚生年金保険の被保険者期間が 20 年（中高齢者の期間短縮措置に該当する場合はその期間）以上の場合に限る。），障害厚生年金，障害基礎年金などの他，老齢，退職，障害を事由とする給付であって政令で定めるものの支給を受けることができるときは，支給を停止する（法第 46 条）。

3　昭和 9 年 4 月 2 日以後に生まれた者についての老齢厚生年金の配偶者に係る加給年金額は，次のとおりとする（昭和 60 年改正法附則第 60 条）。

> 228,700円＋加給年金額に対する特別加算額

特別加算額

受給権者の生年月日	金　　額
昭和 9 年 4 月 2 日から昭和 15 年 4 月 1 日までの間に生まれた者	33,800 円
昭和 15 年 4 月 2 日から昭和 16 年 4 月 1 日までの間に生まれた者	67,500 円
昭和 16 年 4 月 2 日から昭和 17 年 4 月 1 日までの間に生まれた者	101,300 円
昭和 17 年 4 月 2 日から昭和 18 年 4 月 1 日までの間に生まれた者	135,000 円
昭和 18 年 4 月 2 日以後に生まれた者	168,800 円

(4)　支給開始年齢の繰下げ（平成 12 年改正法附則第 17 条）

60 歳台後半の在職老齢年金制度の導入により，老齢厚生年金の繰下支給制度は，廃止された。老齢基礎年金については，従来どおり繰下受給ができる。

なお，平成 14 年 4 月 1 日において，本来支給の老齢厚生年金の受給権を有する者（同日までに当該老齢厚生年金の請求をしていなかった者に限る。）については，期待権保護の観点から従来どおり老齢厚生年金の繰下げを認めるとともに，同日以前に既に繰下げの申出をした者については，その既得権を保全する。

(5)　支給の繰下げ（法第 44 条の 3）

平成 19 年 4 月 1 日以後に老齢厚生年金の受給権を取得した者であって，受給権取得日から 1 年以内に老齢厚生年金の請求をしていない者は，75 歳までの支給繰下げの申出をすることができる（遺族厚生年金や障害厚生年金等の受給権者となった者を除く。）。老齢厚生年金の額に，繰下げ加算額を加算した額が支給される。

繰下げ加算額＝繰下げ対象額×増額率（1 月につき 0.7 ％）

(6) 特例的な繰下げみなし増額制度（法第44条の3第5項）

　　令和5年4月1日以降，（原則として）昭和27年4月2日以後生まれの人が70歳に
達した日後に年金を請求し，その請求の際に繰下げ申出をしないときは，「請求をした
日の5年前の日に繰下げ申出があったとみなして」繰下げ増額された年金を受け取る
こととなる。ただし，80歳に達した日以後や請求日の5年前の日以前に「他の年金」
（障害年金や遺族年金）の受給権者であったときは，このみなし規定は適用されない。

2．特別支給（60歳台前半）の老齢厚生年金

(1) 適用対象者は老齢厚生年金と同じ。

(2) 支給要件（法附則第8条）

　　厚生年金保険の被保険者期間が1年以上であり，かつ，老齢基礎年金の受給資格期
間を満たしている者に，60歳から64歳まで支給する。

　(注)　平成6年改正により，昭和16年（女子は昭和21年）4月2日以後生まれの者
　　　　の支給開始年齢が61歳から64歳に，平成13年度以降段階的に引き上げられて
　　　　いる（**次頁の図参照**）。

(3) 年金額（平成6年改正法附則第18条等）

　　定額部分に報酬比例部分を合算した額に加給年金額を加えた額

　①　定額部分　　　「1．老齢厚生年金」の「(3)年金額」の②のアと同じ。

　②　報酬比例部分　「1．老齢厚生年金」の「(3)年金額」の①と同じ。

　③　加給年金額　　「1．老齢厚生年金」の「(3)年金額」の③と同じ。

　(注)　平成6年改正により，前記(2)の（注）の支給開始年齢引き上げ対象者が60歳か
　　　　らその支給開始年齢に達するまでの間は，平成13年度以降段階的に報酬比例部
　　　　分のみの年金額に切り替えられた。また，平成12年改正により，報酬比例部分の
　　　　支給開始年齢についても平成25年度以降段階的に引き上げられている。

　　　　　ただし，報酬比例部分のみの年金額に切り替えられた後も，障害等級1〜3級
　　　　に該当するとき，厚生年金保険の被保険者期間が44年以上あるとき，又は坑内
　　　　員・船員としての実際の加入期間が15年以上あるときには，(3)①〜③を合算した
　　　　額を支給する特例がある。

(4) 支給停止

　①　60歳台前半の在職老齢年金（法附則第11条，平成6年改正法附則第21条）

　　　特別支給の老齢厚生年金は，受給権者が厚生年金保険の被保険者である間は，そ
　　の者の総報酬月額相当額（標準報酬月額と直前1年間の標準賞与額の総額を12で
　　除して得た額とを合算した額）に応じて，次のような支給停止を行ったうえで支給
　　される。

　　ア　在職中は，賃金と年金（基本年金額）の合計額が48万円に達するまでは，賃金
　　　　と年金は併給する。

特別支給（60歳台前半）の老齢厚生年金の支給開始年齢の引き上げ

（被用者年金一元化後の第1号厚生年金被保険者の場合）

● 平成6年改正（定額部分の引き上げ）

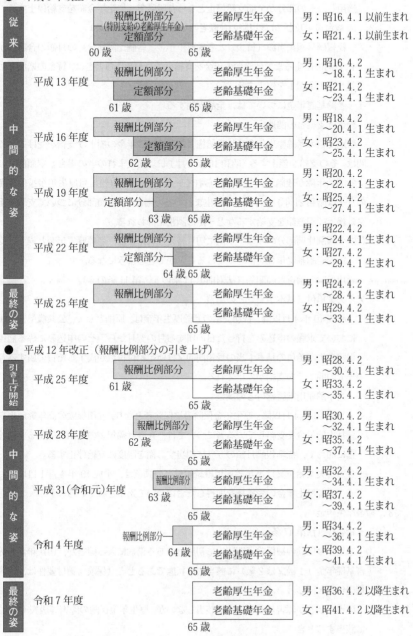

● 平成12年改正（報酬比例部分の引き上げ）

（注）　女子の第2号，第3号，第4号厚生年金被保険者は，上記の男子と同様

　　　　イ　これを上回る賃金がある場合は，賃金の増加2に対し，年金額1を停止する。

　　　　ウ　加給年金額が加算されているときは，加給年金額以外の部分についてア〜ウを適用し，その部分が全額支給停止となった段階で，加給年金額を支給停止する。

　　② 60歳台後半及び70歳以降の在職老齢年金制度（法第46条）

　　　　ア　総報酬月額相当額（賃金）と老齢厚生年金（報酬比例部分）の月額の合計額が48万円に達するまでは満額の年金を支給。これを超えるときは，賃金の増加2に対し，年金額1を停止する。

　　　　イ　老齢基礎年金については，全額支給する。

　　③ 繰上げ支給との関連

　　　　特別支給の老齢厚生年金は，受給権者が老齢基礎年金の繰上げ支給を受けている間は，その支給を停止する（昭和16年4月1日以前生まれの者の場合。定額部分の支給開始年齢が段階的に引き上げられている昭和16年（第1号厚生年金被保険者の女子は昭和21年）4月2日以降生まれの者の場合は，定額部分について支給停止又は繰上げ調整額を支給するなど一定の調整が行われる。）。

　　（注）　報酬比例部分のみの年金額に切り替えられた後は，老齢厚生年金と繰上げ支給の老齢基礎年金を併せて受けることができるようになる。

　　④ 雇用保険の給付との関係（法附則第11条の5，第11条の6）

　　　　ア　失業給付（基本手当）との調整

　　　　　平成10年4月以降，特別支給の老齢厚生年金は，原則として，公共職業安定所において求職の申込みを行った日の属する月の翌月から，その申込みに係る雇用保険の失業給付の基本手当の受給期間又は所定給付日数が満了した日の属する月までの間，その支給が停止される。

　　　　イ　高年齢雇用継続給付との調整

　　　　　平成10年4月以降，厚生年金保険の被保険者となり，雇用保険の高年齢雇用継続基本給付金を受給している者については，在職老齢年金の仕組みによる支給停止に加えて，標準報酬月額の6％に相当する額を限度に支給停止する。

　　　　（注）　失業給付又は高年齢雇用継続給付との調整は，平成10年4月1日以後に老齢厚生年金の受給権を取得した者について適用されている。

3．障害厚生年金

(1) 支給要件（法第47条）

　　① 厚生年金保険の被保険者期間中に初診日のある傷病による障害が，国民年金の障害基礎年金（1級又は2級）に該当する状態であるとき（保険料納付要件は，障害基礎年金と同じ。）

　　② 障害の状態が障害基礎年金には該当しないが，厚生年金保険の障害等級表（3級）に該当するとき

(注)　障害厚生年金は，障害基礎年金の支給要件（3級障害は，障害等級を除くその他の支給要件）を満たしているときに支給する。

別表　厚生年金障害等級表（3級障害厚生年金）

障　害　の　状　態
1．次に掲げる視覚障害 　イ　両眼の視力がそれぞれ0.1以下に減じたもの 　ロ　ゴールドマン型視野計による測定の結果，両眼のⅠ／4視標による周辺視野角度の和がそれぞれ80度以下に減じたもの 　ハ　自動視野計による測定の結果，両眼開放視認点数が70点以下に減じたもの
2．両耳の聴力が，40センチメートル以上では通常の話声を解することができない程度に減じたもの
3．そしゃく又は言語の機能に相当程度の障害を残すもの
4．脊柱の機能に著しい障害を残すもの
5．1上肢の3大関節のうち，2関節の用を廃したもの
6．1下肢の3大関節のうち，2関節の用を廃したもの
7．長管状骨に偽関節を残し，運動機能に著しい障害を残すもの
8．1上肢のおや指及びひとさし指を失ったもの又はおや指若しくはひとさし指を併せ1上肢の3指以上を失ったもの
9．おや指及びひとさし指を併せ1上肢の四指の用を廃したもの
10．1下肢をリスフラン関節以上で失ったもの
11．両下肢の十趾の用を廃したもの
12．前各号に掲げるもののほか，身体の機能に，労働が著しい制限を受けるか，又は労働に著しい制限を加えることを必要とする程度の障害を残すもの
13．精神又は神経系統に，労働が著しい制限を受けるか，又は労働に著しい制限を加えることを必要とする程度の障害を残すもの
14．傷病が治らないで，身体の機能又は精神若しくは神経系統に，労働が制限を受けるか，又は労働に制限を加えることを必要とする程度の障害を有するものであって，厚生労働大臣が定めるもの

（備考）

1．視力の測定は，万国式試視力表によるものとし，屈折異常があるものについては，矯正視力によって測定する。

2．指を失ったものとは，おや指は指節間関節，その他の指は近位指節間関節以上を失ったものをいう。

3．指の用を廃したものとは，指の末節の半分以上を失い，又は中手指節関節若しくは近位指節間関節（おや指にあっては指節間関節）に著しい運動障害を残すものをいう。

4．趾の用を廃したものとは，第1趾は末節の半分以上，その他の趾は遠位趾節間関節以上を失ったもの又は中足趾節関節若しくは近位趾節間関節（第1趾にあっては趾節間関節）に著しい運動障害を残すものをいう。

(注)　令和4年1月から視覚障害の認定基準が一部改正されたが，この改正により障害等級が下がることはない。

　　また，視覚障害で障害手当金を受給した人で，この改正により3級障害厚生年金に該当することになる人は障害厚生年金を受給できる場合がある。

(2)　年金額

①　2 級又は 3 級の障害厚生年金の年金額の算出方法（法第 50 条第 1 項）は,「1. 老齢厚生年金」の「(3)年金額」の①と同じ。

ただし,生年月日に応じた乗率の変動はない。また被保険者期間が 300 月に満たないときは,300 月として計算する。

②　1 級の障害厚生年金の年金額（法第 50 条第 2 項）は,2 級の障害厚生年金の年金額の算出方法により算出された年金額の $\frac{125}{100}$ に相当する額とする。

③　障害基礎年金を受けることができない障害厚生年金について,年金額が障害基礎年金（2 級）の額の 4 分の 3 を乗じて得た額未満のときは当該額とする（最低保障額,法第 50 条第 3 項）。

④　1 級又は 2 級の障害厚生年金には,配偶者加給年金額の加算がある。

平成 23 年 4 月 1 日より,障害厚生年金の受給権発生後に配偶者を扶養する場合も加算対象と認められ,生計維持関係が生じた日の属する月の翌月から障害厚生年金の額が改定（増額）される。

> 障害厚生年金の最低保障額
>
> 　596,300 円　　（67 歳以下の額, 68 歳以上は 594,500 円）（令和 5 年度）

4．障害手当金

(1)　支給要件（法第 55 条）

次のいずれにも該当するもの

①　被保険者期間中に初診日のある傷病が,初診日から 5 年を経過するまでの間に治り,その治った日において一定の障害の状態にあるとき（**次頁の別表　障害等級表（障害手当金）参照**）

②　国民年金の障害基礎年金の保険料納付要件を満たしているとき

(2)　支給額（法第 57 条）

2 級又は 3 級の障害厚生年金の年金額の算出方法（法第 50 条第 1 項）で計算した額に 2 を乗じた額（一時金）。

ただし,この算式で計算した額が障害厚生年金の最低保障額に 2 を乗じて得た額未満のときは,当該額とする。

(3)　次のものには障害手当金を支給しない（法第 56 条）。

①　厚生年金保険の年金給付の受給権者

②　国民年金の年金給付の受給権者

③　業務上の理由による障害により,労働基準法又は労働者災害補償保険法などの規定によって障害補償給付などを受けることができる者

別表　障害等級表（障害手当金）

障　害　の　状　態
1．両眼の視力がそれぞれ 0.6 以下に減じたもの
2．1眼の視力が 0.1 以下に減じたもの
3．両眼のまぶたに著しい欠損を残すもの
4．両眼による視野が2分の1以上欠損したもの，ゴールドマン型視野計による測定の結果，Ⅰ／2視標による両眼中心視野角度が 56 度以下に減じたもの又は自動視野計による測定の結果，両眼開放視認点数が 100 点以下若しくは両眼中心視野視認点数が 40 点以下に減じたもの
5．両眼の調節機能及び輻輳機能に著しい障害を残すもの
6．1耳の聴力が，耳殻に接しなければ大声による話を解することができない程度に減じたもの
7．そしゃく又は言語の機能に障害を残すもの
8．鼻を欠損し，その機能に著しい障害を残すもの
9．脊柱の機能に障害を残すもの
10．1上肢の3大関節のうち，1関節に著しい機能障害を残すもの
11．1下肢の3大関節のうち，1関節に著しい機能障害を残すもの
12．1下肢を3センチメートル以上短縮したもの
13．長管状骨に著しい転位変形を残すもの
14．1上肢の2指以上を失ったもの
15．1上肢のひとさし指を失ったもの
16．1上肢の3指以上の用を廃したもの
17．ひとさし指を併せ1上肢の2指の用を廃したもの
18．1上肢のおや指の用を廃したもの
19．1下肢の第1趾又は他の4趾以上を失ったもの
20．1下肢の5趾の用を廃したもの
21．前各号に掲げるもののほか，身体の機能に，労働が制限を受けるか，又は労働に制限を加えることを必要とする程度の障害を残すもの
22．精神又は神経系統に，労働が制限を受けるか，又は労働に制限を加えることを必要とする程度の障害を残すもの

（備考）

1．視力の測定は，万国式試視力表によるものとし，屈折異常があるものについては，矯正視力によって測定する。

2．指を失ったものとは，おや指は指節間関節，その他の指は近位指節間関節以上を失ったものをいう。

3．指の用を廃したものとは，指の末節の半分以上を失い，又は中手指節関節若しくは近位指節間関節（おや指にあっては指節間関節）に著しい運動障害を残すものをいう。

4．趾を失ったものとは，その全部を失ったものをいう。

5．趾の用を廃したものとは，第1趾は末節の半分以上，その他の趾は遠位趾節間関節以上を失ったもの又は中足趾節関節若しくは近位趾節間関節（第1趾にあっては趾節間関節）に著しい運動障害を残すものをいう。

（注）　令和4年1月から視覚障害の認定基準が一部改正されたが，この改正により障害等級が下がることはない。

5．脱退一時金

(1)　支給要件（法附則第 29 条）

　　　厚生年金保険の被保険者期間を 6 か月以上有する外国人で，年金を受けることができ
ない者が，日本に住所を有しなくなった日から 2 年以内に請求を行った場合に支給
する。

(2)　支給額

　　　厚生年金保険の被保険者であった期間に応じて，その期間の平均標準報酬額（再評
価しない。）に支給率を乗じて得た額。支給率は，最後に厚生年金保険の被保険者資格
を喪失した日の属する月の前月，つまり厚生年金保険の被保険者期間の最後の月を最
終月とし，この最終月の属する年の前年の 10 月（最終月が 1 月から 8 月の場合には
前々年の 10 月）の保険料率をもとにして，次のように計算される。

　　支給率＝（最終月の属する年の前年の 10 月の保険料率）×$\frac{1}{2}$×（次表の被保険者期間
の区分に応じた支給率計算に用いる数）

最終月が令和 5 年 4 月以降の場合

厚生年金保険の被保険者期間	支給率計算に用いる数	支給率
6 月以上　12 月未満	6	0.5
12 月以上　18 月未満	12	1.1
18 月以上　24 月未満	18	1.6
24 月以上　30 月未満	24	2.2
30 月以上　36 月未満	30	2.7
36 月以上　42 月未満	36	3.3
42 月以上　48 月未満	42	3.8
48 月以上　54 月未満	48	4.4
54 月以上　60 月未満	54	4.9
60 月以上	60	5.5

6．遺族厚生年金

(1)　支給要件（法第 58 条）

　　　次のいずれかに該当するとき

　①　被保険者が死亡したとき

　②　被保険者資格喪失後，被保険者期間中に初診日のある傷病により初診日から 5 年
以内に死亡したとき

　③　1 級又は 2 級の障害厚生年金の受給権者が死亡したとき

　④　老齢厚生年金の受給権者又は受給資格期間（平成 29 年 8 月からは，保険料納付済

期間と保険料免除期間とを合算した期間が 25 年以上）を満たしている者が死亡したとき

(注) 1　①又は②のいずれかに該当する者が死亡したときは，国民年金の遺族基礎年金の保険料納付要件を満たしていること。

2　子を養育しない 30 歳未満の妻については，遺族厚生年金は 5 年間の有期支給となる（法第 63 条）。

(2) 遺族の範囲（法第 59 条，昭和 60 年改正法附則第 72 条）

被保険者などの死亡当時，その者によって生計を維持されていた次の者

① 配偶者

② 18 歳の年度末までの間にあるか 20 歳未満で 1 級又は 2 級の障害の状態にあり，かつ，現に婚姻をしていない子又は孫

③ 55 歳以上の夫，父母又は祖父母（60 歳から支給開始）。ただし，夫が遺族基礎年金の受給権を有する場合は 55 歳未満でも支給される。

④ 1 級又は 2 級の障害の状態にある夫，父母又は祖父母（平成 8 年 4 月 1 日前に死亡した場合に限る。）

(注) 経過措置として，従来の障害年金（1 級又は 2 級）の受給権者や老齢年金の受給資格期間満了者などが死亡したときにも，遺族厚生年金を支給する。

(3) 年金額

① 遺族厚生年金の年金額の算出方法（法第 60 条第 1 項）は，「1．老齢厚生年金」の「(3)年金額」の①により算出された額の $\frac{3}{4}$ に相当する額。

(注) 1　支給要件が前記(1)の①から③までの場合は，被保険者期間の月数が 300 月に満たないときは，300 月とする。また，生年月日に応じた乗率の変動はない。

2　支給要件が前記(1)の①から③に該当し，なおかつ，④にも該当する場合は，どちらかの算出方法による年金額を選択できる。

② 平成 19 年 4 月 1 日以降に遺族厚生年金と自身の老齢厚生年金の受給権を有する 65 歳以上の者は，まず自身の老齢厚生年金を受給し，その額が「遺族厚生年金の年金額」と「遺族厚生年金の 3 分の 2 と自身の老齢厚生年金の 2 分の 1 の合計額」のいずれか高い額よりも少ない場合に，その差額が遺族厚生年金として併給される（法第 60 条）。

(注) 平成 19 年 4 月 1 日前に遺族厚生年金の受給権を有し，かつ，同日においてすでに 65 歳以上の者については，①遺族厚生年金，②自身の老齢厚生年金，③遺族厚生年金の 3 分の 2 と自身の老齢厚生年金の 2 分の 1 の合計額の併給のうち，いずれかを選択することとなる。

③ 加算額

ア 中高齢寡婦加算（法第 62 条）

　　(ア)　夫死亡当時 40 歳以上 65 歳未満の子のない妻

　　(イ)　遺族基礎年金失権時(子が年齢到達による失権)40 歳以上の妻に，40 歳から 65 歳に達するまでの間，遺族基礎年金の額に 4 分の 3 を乗じて得た額を支給する。

　中高齢寡婦加算の額

　　596,300 円　　　（令和 5 年度）

　イ　経過的寡婦加算（昭和 60 年改正法附則第 73 条）

　　　昭和 31 年 4 月 1 日以前生まれの妻について，65 歳以降，次の計算式で計算された額を加算する。

$$中高齢寡婦加算－老齢基礎年金×生年月日に応じた率\left(0～\frac{348}{480}\right)$$

【参　考】遺族厚生年金の受給パターン

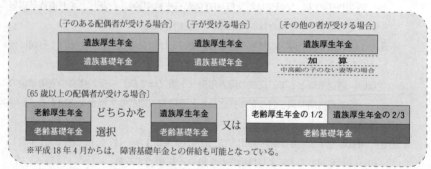

7．離婚等をした場合における特例（合意分割制度）

　　離婚等をした場合において，当事者間の合意又は家庭裁判所の定めがあれば，婚姻期間中の夫婦の標準報酬総額の合計の半分を限度として，被保険者期間の標準報酬の改定又は決定を請求し，厚生年金の分割を受けることができる。離婚等をしたときから 2 年以内にその請求をしなければならない。ただし，平成 19 年 4 月 1 日前の離婚等については適用されない（法第 78 条の 2，平成 16 年改正法附則第 46 条等）。

8．被扶養配偶者である期間についての特例（第 3 号分割制度）

(1)　特定被保険者（被保険者又は被保険者であった者）が被保険者であった期間中に被扶養配偶者を有する場合において，被扶養配偶者は，離婚等をしたときには，特定期間（平成 20 年 4 月 1 日以後の被扶養配偶者の第 3 号被保険者期間）に係る被保険者期間の標準報酬の改定及び決定を請求することができる。ただし，請求日において特定被保険者が障害厚生年金の受給権者であるときは請求できない（法第 78 条の 14 第 1 項，平成 16 年改正法附則第 49 条）。

(2)　改定又は決定後の標準報酬月額及び標準賞与額は，特定被保険者の標準報酬月額及び標準賞与額の 2 分の 1 である（法第 78 条の 14 第 2 項，第 3 項等）。

（注） 被扶養配偶者を有する被保険者が負担した保険料は，被扶養配偶者が共同して負担したものであるという基本的認識の下に，この特例が設けられている。

■財政の現況及び見通しの作成（法第2条の4）

政府は，少なくとも5年ごとに，財政検証を行うこととされており，直近では令和元年に行われた。

■調整期間（法第34条）

財政の現況及び見通しの作成に当たって，財政均衡期間において財政の不均衡が見込まれる場合には，給付額を調整するため，年金額の改定にマクロ経済スライドを適用する期間を開始することとされていて，平成27年度に初めて，令和元年度に2回目の適用がなされた。

財政の現況及び見通しにおいて，財政の均衡が見込まれる場合には，調整期間（マクロ経済スライドを適用する期間）を終了することとされている。

■年金の支払期月（法第36条，第36条の2）

毎年2月，4月，6月，8月，10月及び12月の6期に，それぞれ前月分まで支給される。支払い額に1円未満の端数が生じたときは，これを切り捨てる。また，切り捨てた金額の合計額は2月の年金額に加算する。

■その他

1．保険給付の受給権者が死亡した場合において，その死亡した者に支給すべき保険給付で未だその者に支給しなかったもの（未支給年金）があるときは，一定の範囲の遺族（3親等以内の親族）はその未支給の保険給付の支給を請求することができる（法第37条）。

2．年金たる保険給付と同一の支給事由による基礎年金とを「一年金」とみなして，老齢と障害という支給事由の異なる保険給付の受給権を2以上有する者には，併給の調整がある（法第38条）。

3．年金給付の受給権者から申出があったときは，年金給付全額の支給を停止する。申出は，いつでも将来に向かって撤回することができる（法第38条の2）。

4．同一の支給事由による業務上の災害による傷病，死亡で労働基準法により給付を受けることができるときは，障害厚生年金又は遺族厚生年金の支給を6年間停止する（法第54条，第64条）。

労働者災害補償保険法により給付を受けることができるときは，労働者災害補償保険法による障害補償給付又は遺族補償給付が減額される（労働者災害補償保険法別表第1）。

【参 考】厚生年金基金制度

　厚生年金基金は，厚生年金保険に加入している会社の事業主と従業員で組織する公法人で，国の厚生年金の一部（老齢厚生年金の報酬比例部分）を代行し，その上に基金独自の給付を上積みして，厚生年金保険のみに加入している場合より有利な年金を支給することを目的とする。

　厚生年金基金制度は昭和41年10月施行されて以来，企業年金基金制度の中核を担ってきた。基金はピーク時には1,800余りに増加したが，その後の景気低迷による資産運用環境の悪化，年金制度の成熟化（加入員の高齢化，受給者の増加）により，多くの基金で年金資産の積立不足に陥った。これにより解散や代行返上を行う基金が出てきたため，その受け皿を用意する法律として，平成13年に確定拠出年金法が，翌年には確定給付企業年金法が施行された。それにより，4年間で1,000基金余りが減少し，現在は5基金のみである（令和5年11月1日現在）。

■改正法の成立

　平成25年，厚生年金基金制度の見直しを含む「公的年金制度の健全性及び信頼性の確保のための厚生年金保険法等の一部を改正する法律」が成立した。この見直しでは，①改正法の施行日（平成26年4月1日）以降は厚生年金基金の新設ができなくなる，②既存の厚生年金基金は施行日以降も存続できるが，運営が難しい厚生年金基金に対しては，新たな解散制度が導入される，③他の企業年金制度に移行する場合の支援措置や，厳しい財政基準（存続基準）が設定され，存続基準を満たさない厚生年金基金には厚生労働大臣が解散命令を発動できる，などが盛り込まれている。

■解散，他制度への移行

　この改正により，代行割れ（※）している基金については，平成26年4月から5年以内に解散を行う。このような基金に対しては責任準備金を低く抑えられる等の特例措置が設けられていた（5年以内に解散しない場合は適用されない）。代行割れしていない基金についても，存続基準が設定され，それを下回った場合，解散や他制度に移行するよう指導され，場合によっては厚生労働大臣が解散命令を出すことになっている。財政が健全な基金についても，改正法施行10年後までに解散又は他制度への移行など，厚生年金基金として廃止の方向にもっていくとしている。

※厚生年金保険の代行部分を給付するために最低限保有しなければならない金額に満たない状態

〔根拠▶雇用保険法（昭 49.12.28 法律第 116 号）〕

　労働者が失業した場合及び労働者について雇用の継続が困難となる事由が生じた場合に必要な給付を行うほか，労働者が自ら職業に関する教育訓練を受けた場合及び労働者が子を養育するための休業をした場合に必要な給付を行うことにより，労働者の生活及び雇用の安定を図るとともに，求職活動を容易にする等その就職を促進し，あわせて，労働者の職業の安定に資するため，失業の予防，雇用状態の是正及び雇用機会の増大，労働者の能力の開発及び向上その他労働者の福祉の増進を図ることを目的とする。

■制度のあらまし

　この制度は，従来の失業保険制度を継承するとともに労働者に望ましい雇用状態を確保するという考え方のもとに創設されたものである。施行は，昭和 50 年 4 月 1 日からである。

■保険者

　保険者は，政府であり，その事務は厚生労働大臣が行う。

　なお，第一線の窓口は，公共職業安定所である。

雇用保険事業の概略図

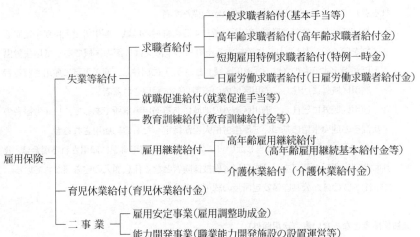

■被保険者

　　雇用保険の適用される事業に雇用される労働者であって，下記の■**被保険者とならない者**（法第 6 条）以外の者のことをいい，その意思のいかんにかかわらず，法律上当然に被保険者となる。

1．一般被保険者

　　2．～ 4．の被保険者以外の者

2．高年齢被保険者

　　65 歳以上の被保険者（短期雇用特例被保険者及び日雇労働被保険者となる者を除く。）

　　次の要件のいずれにも該当する者は，厚生労働大臣に申し出て，高年齢被保険者となることができる。

⑴　二以上の事業主の適用事業に雇用される 65 歳以上の者である。

⑵　一の事業主の適用事業における 1 週間の所定労働時間が 20 時間未満である。

⑶　二の事業主の適用事業（一の事業主の適用事業における 1 週間の所定労働時間が厚生労働省令で定める時間数以上であるものに限る。）における 1 週間の所定労働時間の合計が 20 時間以上である。

3．短期雇用特例被保険者

　　被保険者であって季節的に雇用される者のうち次のいずれにも該当しない者

　　①　4 か月以内の期間を定めて雇用される者

　　②　所定労働時間が 20 時間以上 30 時間未満である者

4．日雇労働被保険者

　　被保険者である日雇労働者（日々雇用される者又は 30 日以内の期間を定めて雇用される者）であって，次の要件のいずれかを満たす者

⑴　特別区若しくは公共職業安定所の所在する市町村の区域（厚生労働大臣が指定する区域を除く。）又はこれらに隣接する市町村の全部又は一部の区域であって厚生労働大臣が指定するもの（以下「適用区域」という。）に居住し，適用事業に雇用される者

⑵　適用区域外に居住し，適用区域内の適用事業に雇用される者

⑶　適用区域外に居住し，適用区域外の地域にある適用事業所であって，日雇労働者の状況その他の事情に基づいて厚生労働大臣が指定したものに雇用される者

　　なお，前記のいずれにも該当しない日雇労働者でも，適用事業に雇用される場合は，公共職業安定所長の認可を受けて日雇労働被保険者となる任意加入の途も開かれている。

⑷　⑴～⑶のほか公共職業安定所長の認可を受けた者

■被保険者とならない者（適用除外）

　　次に掲げる者については，雇用保険法は適用されない（法第 6 条）。

　　①　1 週間の所定労働時間が 20 時間未満である者（厚生労働大臣に申し出をして高

年齢被保険者となる者及び日雇労働被保険者に該当する者を除く。）

② 同一の事業主に継続して31日以上雇用されることが見込まれない者（前2月の各月に18日以上同一の事業主に雇用された者又は日雇労働者に該当する者を除く。）

③ 季節的に雇用される者（短期雇用特例被保険者に該当する者を除く。）であって，4か月以内の期間を定めて雇用される者又は1週間の所定労働時間が20時間以上30時間未満である者

④ 学生又は生徒

⑤ 船員であって，政令で定める漁船に乗り組むために雇用される者

⑥ 国，都道府県，市町村等に雇用される者

■被保険者の届出

事業主は，当該事業主の行う適用事業に係る被保険者となったこと，又は被保険者でなくなったことを公共職業安定所長に届け出なければならないこととなっている（法第7条）。

■適用事業

雇用保険は，全産業に対し適用される。業種，規模のいかんにかかわらず，強制適用事業となる（法第5条第1項）。ただし，農林水産事業のうち，5人未満の個人経営の事業にあっては，当分の間，暫定的に任意適用事業とされる（法附則第2条）。

■被保険者期間（法第14条）

1. 離職日から逆算して被保険者であった期間を1か月毎に区切り，区切られた1か月の期間に賃金支払の基礎となった日数が11日以上あるときに，その1か月を被保険者期間の1か月と計算し，10日以下のときは被保険者期間には含めない。

　また，このように区切ることにより1か月未満の端数を生ずることとなるが，その1か月未満の期間の日数が15日以上で，かつ，その期間内に賃金支払基礎日数が11日以上あるときは，その期間を2分の1か月の被保険者期間として算入する。

2. 基本手当の支給においては，以前の被保険者であった期間も通算して，給付日数が定められるが，次のような期間は通算されない。

(1) 最後に被保険者となった日前に，基本手当，高年齢求職者給付金又は特例一時金の受給資格の決定を受けたことがある場合には，これらの受給資格に係る離職の日以前における被保険者であった期間

(2) 被保険者となったことの確認があった日の2年前の日（次の①，②のいずれにも該当する者は，被保険者の負担すべき額に相当する額がその者に支払われた賃金から控除されていたことが明らかである時期のうち最も古い時期として厚生労働省令で定める日）前における被保険者であった期間

①　その者に係る被保険者資格取得の届出がされていなかったこと。

②　一定の書類に基づき，被保険者となったことの確認があった日の 2 年前の日より前に被保険者の負担すべき額に相当する額がその者に支払われた賃金から控除されていたことが明らかである時期があること。

3．被保険者期間が 12 か月（特定理由離職者及び特定受給資格者は 6 か月）に満たない場合は，賃金の支払いの基礎となった日数が 11 日以上であるもの又は時間数が 80 時間以上であるものを 1 か月として計算する。

■失業等給付（法第 10 条第 2 項・第 3 項）

1．求職者給付

(1)　一般被保険者（高年齢被保険者を除く。）に対する給付（法第 13 条～第 37 条）

一般被保険者に対する求職者給付には，①基本手当，②技能習得手当，③寄宿手当，④傷病手当の 4 種類がある。

①　基本手当

ア　受給要件（法第 13 条，第 14 条）

一般被保険者が失業した場合，離職の日以前 2 年間（その間に傷病等やむをえない理由のため 30 日以上賃金の支払いを受けることができなかった場合，当該理由により賃金の支払いを受けることができなかった日数を加算した期間，最長 4 年間）に，被保険者期間が 12 か月以上（倒産・解雇等により離職した者及び有期労働契約が更新されなかったことにより離職した有期契約労働者（特定理由離職者）は，離職の日以前 1 年間（その間に傷病等の期間がある場合には，一般被保険者と同様，最長 4 年間）に，被保険者期間が 6 か月以上）であること。この場合，賃金支払基礎日数が 11 日以上の月を 1 か月として計算する。

イ　基本手当の日額（法第 16 条，第 17 条）

基本手当の日額は，原則として，離職前 6 か月における賃金（臨時に支払われる賃金及び 3 か月を超える期間ごとに支払われる賃金を除く。）の総額を 180 で除して得た額の原則 8 割から 5 割（60 歳以上 65 歳未満の者については 8 割から 4.5 割）とされ，賃金日額が 2,746 円未満のときは，2,746 円を賃金日額の最低額として保障している。

このように低所得者層ほど給付率が高くなるようにされており，基本手当の日額については，最低額 2,196 円，最高額 8,490 円となっている（なお，最高額は年齢階層ごとに設定されている。）。

なお，平均給与額（毎月勤労統計を基に算出される労働者 1 人当たりの給与の平均額）が上昇又は下降するときは，法改正を行うことなく，その上昇率又は下降率に応じ自動的に基本手当日額の算定に用いる賃金日額の範囲が引き上げ又は

引き下げられる（法第18条，令和5年厚生労働省告示第237号）。

ウ　給付日数（法第22条，第23条）

　　基本手当の給付日数は，年齢あるいは，身体障害等の事情による就職の難易度，被保険者であった期間及び離職理由に応じて決定される。

(注)　令和7年3月31日までの間に離職した特定理由離職者（正当な理由のある自己都合により離職した方は被保険者期間が12か月以上（離職前2年間）ない場合に限る。）については，特定受給資格者とみなして基本手当が支給される（法附則第4条）。

基本手当所定給付日数表

a　一般の離職者（b及びc以外の理由の全ての離職者。定年退職者や自己の意思で離職した者を含む。）

被保険者であった期間	10年未満	10年以上20年未満	20年以上
全年齢	90日	120日	150日

b　障害者等の就職困難者

年齢＼被保険者であった期間	1年未満	1年以上
45歳未満	150日	300日
45歳以上65歳未満		360日

c　倒産，解雇等により，再就職の準備をする時間的余裕なく離職を余儀なくされた者（特定受給資格者）

年齢＼被保険者であった期間	1年未満	1年以上5年未満	5年以上10年未満	10年以上20年未満	20年以上
30歳未満	90日	90日	120日	180日	—
30歳以上35歳未満		120日	180日	210日	240日
35歳以上45歳未満		150日	180日	240日	270日
45歳以上60歳未満		180日	240日	270日	330日
60歳以上65歳未満		150日	180日	210日	240日

エ　給付日数の延長（法第24条〜第28条等）

　　次の場合に該当するときは，それぞれ，給付日数の延長が行われる。

(ア)　個別延長給付

　　倒産・解雇などの理由により離職した者（特定受給資格者）や期間の定めの

ある労働契約が更新されなかったことにより離職した者のうち，心身の状況による就職困難，激甚災害による離職などに該当する者であって，かつ，公共職業安定所長が指導基準に照らし再就職の促進に必要な職業指導を行うことが適当と認めた者は，個別延長給付の対象となり，所定給付日数分の支給終了後，60 日分〜120 日分延長される。

(イ)　地域延長給付

有期労働契約が更新されなかったために離職した者又は特定受給資格者のうち，年齢や地域を踏まえ，公共職業安定所長が就職が困難であると認めた者等について，所定給付日数を 60 日延長する（平成 29 年 4 月 1 日以降令和 7 年 3 月 31 日までの暫定措置）（法附則第 5 条）。

(ウ)　訓練延長給付

受給資格者が公共職業訓練等（その期間が 2 年以内のものに限る。）を受講する場合，その受講を容易にするためその訓練等が終了する日（訓練終了後においても就職が相当程度に困難な場合には終了後の期間（30 日間を限度））までの間に限り，その者の所定給付日数を超えて基本手当が支給される。

(エ)　広域延長給付

失業者が多数発生した地域で厚生労働大臣が必要と認めて指定した地域における広域職業紹介活動の対象者となった受給者に対し，給付日数を 90 日を限度として延長する。

(オ)　全国延長給付

全国の失業状態が著しく悪化した場合（基本手当の受給率が連続する 4 か月間において 4 ％を超える状態が継続する場合等）に，給付日数を 90 日を限度として延長する。

オ　受給期間（法第 20 条，第 20 条の 2）

基本手当の支給を受けることができる期間（受給期間）は，原則として，離職日の翌日から起算して次の期間である。

(ア)　1 年間（(イ)，(ウ)を除く。）

(イ)　就職困難者のうち受給資格に係る離職時において 45 歳以上 65 歳未満である者（被保険者期間が 1 年未満の者は除く。）については，離職日の翌日から起算して 1 年に 60 日を加えた期間である。

(ウ)　特定受給資格者のうち受給資格者に係る離職時において 45 歳以上 60 歳未満であり，算定基礎期間が 20 年以上である者については，離職日の翌日から起算して 1 年に 30 日を加えた期間である。

また，その期間内に妊娠，出産，育児，負傷，疾病等の理由により 30 日以上引き続き職業に就くことができない場合には，その日数が受給期間に加算され，

最長 4 年間まで延長される。また，定年等一定の理由により退職した者については，その者が希望する場合，最大限 2 年間（前記(イ)については 2 年と 60 日）まで受給期間が延長される。

(エ)　基本手当の受給資格者で離職日後に事業を開始した場合に，事業を行っている期間等（30 日未満のもの，その他厚生労働省令で定めるものを除く。）について，公共職業安定所長にその旨を申し出た場合には，最大 3 年間は失業等給付の受給期間に算入しない特例が設けられた（令和 4 年 7 月から）。

カ　失業の認定（法第 15 条）

基本手当の支給を受けようとするときは，受給資格の決定を受けた後，指定された失業の認定日に公共職業安定所に出頭し，失業認定申告書に受給資格者証を添えて提出し，失業の認定を受けなければならない。この失業の認定は原則として 4 週間に 1 回行うこととされている。

失業認定申告書には認定対象期間中の求職活動の実績を具体的に記入し，一定以上の求職活動を行っていた場合に，失業の認定を受けることができる。

基本手当は受給資格者が失業の認定を受けた日について支給されることとなるので，所定の認定日に出頭しない場合は，その日に行われる失業の認定に係る期間（前回の認定日から今回の認定日の前日までの期間）に関する失業の認定が原則として受けられないこととなる。

なお，離職後最初に公共職業安定所に求職の申込みをした日以後，失業の日（傷病のために職業に就くことのできない日を含む。）の 7 日間については，基本手当は支給されない（法第 21 条）。これを待期という。公共職業安定所で失業の認定を受けた場合，その認定を受けた日分の基本手当が支給される。

キ　その他

受給資格者が死亡した場合，その者に支給されるべき基本手当で未だ支給されていないものがあるときは，その者の死亡時にその者と生計を同じくしていた配偶者，子，父母，孫，祖父母又は兄弟姉妹は未支給の基本手当の支給を請求することができる。

② 技能習得手当（法第 36 条）

受給資格者が公共職業訓練等を受ける場合に，基本手当に加えて支給されるもので，次の 2 種類がある。

ア　受講手当：日額 500 円（40 日分を限度）（規則第 57 条）

イ　通所手当：月額 42,500 円限度（規則第 59 条）

③ 寄宿手当（法第 36 条）

受給資格者が公共職業訓練等を受けるため，その者により生計を維持されている同居の親族と別居して寄宿する場合に支給される（月額 10,700 円（規則第 60 条））。

④　傷病手当（法第 37 条）

　受給資格者が公共職業安定所に出頭し，求職の申込みをした後，傷病のために引き続き 15 日以上職業に就くことができず基本手当を受けることのできない場合に，基本手当に代え基本手当相当額が支給される。

(2)　高年齢被保険者に対する求職者給付（法第 37 条の 2 ～第 37 条の 4 ）

　高年齢被保険者に対する求職者給付は，基本手当ではなく，一時金として，高年齢求職者給付金を支給する。

①　受給要件（法第 37 条の 3 ）

　高年齢被保険者が失業した場合，離職の日以前 1 年間に被保険者期間が通算して 6 か月以上あることが必要である。

　この場合の被保険者期間の計算方法については，離職の日からさかのぼって 1 か月ごとに区切られた期間内に賃金支払基礎日数が 11 日以上ある月を被保険者期間の 1 か月として計算する。

　なお，離職の日以前 1 年間に疾病，負傷等やむをえない理由のため 30 日以上賃金の支払いを受けることができなかった場合，当該理由により賃金の支払いを受けることができなかった日数を加算した期間（最長 4 年）を算定対象期間とする。

②　高年齢求職者給付金の額

被保険者であった期間	1 年未満	1 年以上
給付金の額	30 日分	50 日分

(3)　短期雇用特例被保険者に対する給付（法第 38 条～第 41 条）

　短期雇用特例被保険者に対する求職者給付には特例一時金がある。

①　受給要件（法第 39 条）

　短期雇用特例被保険者が失業した場合，離職の日以前 1 年間（傷病等やむをえない理由のため 30 日以上賃金の支払いを受けることができなかった場合，当該理由により賃金の支払いを受けることができなかった日数を加算した期間（最長 4 年）に，被保険者期間が 6 か月以上であること。この場合の被保険者期間の計算方法については，離職の日からさかのぼって 1 か月ごとに区切られた期間内に賃金支払基礎日数が 11 日以上ある月を被保険者期間の 1 か月として算定する。

②　特例一時金の額（法第 40 条，法附則第 8 条）

　基本手当の日額の 30 日分（当分の間 40 日分）に相当する額とされている。

　ただし，特例受給資格者が特例一時金の支給を受ける前に公共職業訓練等を受講する場合には，特例一時金は支給されず，一般の受給資格者とみなして，その訓練等の受講終了日までの間に限り，求職者給付（基本手当，技能習得手当及び寄宿手

当）が支給される（法第41条）。

(4) 日雇労働被保険者に対する給付（法第42条～第56条）

日雇労働被保険者に対する求職給付には，日雇労働求職者給付金がある。

① 受給要件（法第45条）

日雇労働被保険者が失業した場合，その失業の日の属する月の前の2か月間，その者について，通算して26日分以上の印紙保険料が納付されていること。

② 日雇労働求職者給付金の日額（法第48条）

日雇労働求職者給付金は，原則として失業の認定を行った日に，その日分が支給される（法第51条）。

給付金の日額は第1級は7,500円，第2級は6,200円，第3級は4,100円の3段階とされている（法第48条）。

この各級いずれに決定されるかは，日雇労働被保険者が失業した場合において，次のとおり日雇労働被保険者手帳におけるその者の失業した日の属する月の直前の2か月間に対応する各月該当欄に貼付された雇用保険印紙の種類別枚数によることとなる。

ア　第1級給付金

第1級印紙保険料（176円）が24日分以上納付されているとき。

イ　第2級給付金

次のいずれかに該当する場合

(ｱ) 第1級印紙保険料及び第2級印紙保険料（146円）が合計して24日分以上納付されているとき。

(ｲ) 第1級印紙保険料，第2級印紙保険料及び第3級印紙保険料（96円）が26日分以上納付されている場合で，第1級，第2級，第3級印紙保険料の順に選んだ24日分の印紙保険料の平均額が第2級印紙保険料の日額以上であるとき。

ウ　第3級給付金

前記ア，イ以外のとき。

③ 支給日数（法第50条）

日雇労働被保険者が失業した日の属する月における失業の認定を受けた日について，その月の前の2か月間に，その者について印紙保険料が通算して28日分以下であるときは通算して13日分を限度として支給し，その者について印紙保険料が通算して28日分を超えて納付されているときは，通算して，28日分を超える4日分ごとに1日を13日に加えて得た日数分（17日分を限度とする。）が支給される。

印紙の貼付枚数	支給日数
26枚から31枚まで	13日
32枚から35枚まで	14日
36枚から39枚まで	15日
40枚から43枚まで	16日
44枚以上	17日

　なお，日雇労働求職者給付金の特例給付として，次のいずれにも該当し，その旨をその者の居住地を管轄する公共職業安定所に申し出たときは，特例給付金をうけとることもできる（法第53条〜第55条）。

ア　継続する6か月間に印紙保険料が各月11日分以上，かつ，通算して78日分以上納付されていること。

イ　アの期間のうち，後の5か月間に日雇労働求職者給付金の支給を受けていないこと。

ウ　アの6か月の最後の月の翌月以後2か月間（申出をした日が当該2か月の期間内にあるときは申出をした日までの間）に，日雇労働求職者給付金の支給を受けていないこと。

　　この場合の給付金の日額は，特例給付の申出をした者の日雇労働被保険者手帳における6か月間に対応する各月の該当欄に貼付された各級の雇用保険印紙の枚数に応じて次のように決められ，60日分を限度として支給される（法第54条）。

(ア)　第1級給付金の日額
　　　第1級印紙保険料が72日分以上であるとき。

(イ)　第2級給付金の日額
　　　次のいずれかに該当する場合
　　　・第1級印紙保険料及び第2級印紙保険料の合計が72日分以上であるとき。
　　　・第1級印紙保険料，第2級印紙保険料及び第3級印紙保険料が72日分以上納付されている場合で，第1級，第2級，第3級印紙保険料の順に選んだ72日分の印紙保険料の平均額が第2級印紙保険料の日額以上であるとき。

(ウ)　第3級給付金の日額
　　　前記(ア)，(イ)以外のとき。

エ　その他（法第42条，第56条）
　　　日雇労働者が同一の事業主に2か月の各月において18日以上雇用された場合又は同一の事業主の適用事業に継続して31日以上雇用された場合は，日雇労働被保険者資格継続認可申請書により認可を受けない限り，その翌月から一般被保険者，高年齢被保険者又は短期雇用特例被保険者として取り扱われるので，注意を要する。

2．就職促進給付（法第10条第4項）

(1)　就業手当

① 支給要件（法第56条の3第1項第1号イ）
　　　基本手当の受給資格がある者が，所定給付日数の3分の1以上かつ45日以上を残して，再就職手当の支給対象とならない常用雇用等以外の形態で就業した場合で，待期が経過した後に就業したものであり，離職前の事業主（関連事業主を含む。）に

　再び雇用されたものではないこと等，一定の要件を満たした場合に支給される。

②　就業手当の額（法第 56 条の 3 第 3 項第 1 号）

　就業日ごとに基本手当日額の 30 ％相当額。ただし，1 日当たりの支給額の上限は 1,887 円（60 歳～64 歳については 1,525 円）。

(2)　再就職手当

①　支給要件（法第 56 条の 3 第 1 項第 1 号ロ）

　基本手当の受給資格のある者が，所定給付日数の 3 分の 1 以上を残して安定した職業に就いた場合その他一定の要件を満たした場合に支給される。ただし，就職日前 3 年以内に常用就職支度金又は再就職手当の支給を受けたことがある場合には支給されない。

②　再就職手当の額（法第 56 条の 3 第 3 項第 2 号）

ア　支給残日数が 3 分の 1 以上の場合

　支給残日数×60 ％×基本手当日額（上限：59 歳以下については 6,290 円，60 歳～64 歳については 5,085 円）

イ　支給残日数が 3 分の 2 以上の場合

　支給残日数×70 ％×基本手当日額（アと同様の上限がある。）

(3)　就業促進定着手当

①　支給要件（法第 56 条の 3 第 3 項第 2 号）

　再就職手当を受給した者が，離職前賃金日額と比べて再就職後賃金日額が下回った場合には，6 月間職場に定着することを条件に一時金が支給される。

②　就職促進定着手当の額

　（離職前の賃金日額−再就職後賃金の 1 日分の額）×再就職後 6 か月賃金の支払基礎となった日数

※基本手当支給残日数の 40 ％相当額（再就職手当の支給率が 70 ％の場合は 30 ％）を上限とする。

※基本手当日額の上限は，59 歳以下については 6,290 円，60 歳～64 歳については 5,085 円とする。

(4)　常用就職支度手当

①　支給要件（法第 56 条の 3 第 1 項第 2 号）

　基本手当の受給資格のある者，高年齢受給資格者，特例一時金の受給資格者，日雇労働求職者給付金の受給資格者であって，身体障害者その他の就職が困難な者として厚生労働省令で定めるものが公共職業安定所又は民間職業紹介事業者の紹介により安定した職業に就いた場合に支給される。

（就職が困難な者として厚生労働省令で定めるもの（規則第 82 条の 3 第 2 項））

ア　身体障害者

イ　知的障害者

ウ　精神障害者

エ　45歳以上である受給資格者であって，労働施策の総合的な推進並びに労働者の雇用の安定及び職業生活の充実等に関する法律に基づく再就職援助計画の対象となるもの又は高年齢者の雇用の安定等に関する法律に基づく求職活動支援書等の対象となるもの

オ　季節的に雇用されていた特例受給資格者であって，通年雇用奨励金の支給対象となる指定地域内に所在する事業主に通年雇用されたもの

カ　日雇労働被保険者として就労することを常態としていた者であって就職日において45歳以上であるもの

キ　その他次に掲げる就職が困難な者

　(ア)　駐留軍関係離職者，沖縄失業者求職手帳の所持者，一般旅客定期航路事業等離職者求職手帳の所持者

　(イ)　売春防止法の規定により保護観察に付された者，更生保護法に基づく保護観察対象者

　(ウ)　社会的事情により就職が著しく阻害されている者

②　常用就職支度手当の額（法第56条の3第3項第3号）

常用就職支度手当の額は，90（所定給付日数の支給残日数が90日未満である場合には，支給残日数に相当する数（その数が45を下回る場合にあっては45））× 40％×基本手当日額（上限：59歳以下については6,290円，60歳〜64歳については5,085円）

(5)　移転費

①　支給要件（法第58条，規則第86条）

受給資格者等が公共職業安定所若しくは職業紹介事業者の紹介した職業に就くため，又は公共職業安定所長の指示した公共職業訓練等を受けるため，その住所又は居所を変更する必要がある場合には，その者及びその者により生計を維持されている同居の親族の移転費用が次に該当する場合に支給される（その者の雇用期間が1年未満であること，その他特別の事情がある場合は除かれる。）。

ア　待期（離職後最初に公共職業安定所に求職の申込みをした日以後において，失業している日が通算して7日に満たない期間）又は離職理由若しくは紹介拒否等による給付制限期間が経過した後に就職し，又は公共職業訓練等を受けることとなった場合であって，管轄公共職業安定所長が住所又は居所を変更する必要があると認めたとき。

イ　当該就職又は公共職業訓練等の受講について，就職準備金その他移転に要する費用（就職支度金）が就職先の事業主から支給されないとき，又はその支給額が

移転費に満たないとき。

② 移転費の額

　移転費は，鉄道賃，船賃，航空賃，車賃，移転料及び着後手当の6種類があるが，その額は，受給資格者等及びその者により生計を維持されている同居親族の移転に通常要する費用を考慮して，厚生労働省令で定められる。

（厚生労働省令で定められた額（規則第88条～第91条））

ア　鉄道賃

　移転費の支給を受けることができる者及びその者に随伴する親族に対しての普通旅客運賃相当額（急行列車を運行する線路による場合は一定距離以上に限り，急行料金又は特別急行料金を加えた額）。

イ　船　賃

　2等運賃相当額。

ウ　航空賃

　現に支払った旅客運賃の額。

エ　車　賃

　鉄道軌道のない区間について，本人及び親族に対し，1kmにつき37円。

オ　移転料

　現住所から新住所までの距離に従って，本人及び親族の場合は，次の表に定める額の全額とし，本人のみの場合は，その額の2分の1に相当する額。

鉄道賃の額の計算の基礎となる距離	50km未満	50km以上100km未満	100km以上300km未満	300km以上500km未満	500km以上1000km未満	1000km以上1500km未満	1500km以上2000km未満	2000km以上
移転料（円）	93,000	107,000	132,000	163,000	216,000	227,000	243,000	282,000

カ　着後手当

　本人及び親族の場合は95,000円（移動距離100km以上），76,000円（移動距離100km未満），本人のみの場合はその半額。

(6)　求職活動支援費

① 広域求職活動費

ア　支給要件（法第59条，規則第96条）

　受給資格者等が公共職業安定所の紹介により広範囲の地域にわたり求職活動をする場合であって，次のいずれにも該当すること。

・待期又は離職理由若しくは紹介拒否等による給付制限の期間が経過した後に広域求職活動を開始したとき。

・広域求職活動に要する費用が訪問先の事業所の事業主から支給されないとき，

又はその支給額が広域求職活動費の額に満たないとき。

イ　求職活動支援費の額

　　求職活動支援費は，鉄道賃，船賃，航空賃，車賃及び宿泊料の5種類があるが，その額は，求職活動に通常要する費用を考慮して，厚生労働省令で定められる。

　　（厚生労働省令で定められた額（規則第98条））

　　・鉄道賃，船賃，航空賃及び車賃

　　　　「移転費」に準じた額

　　・宿泊料

　　　　宿泊料は，鉄道賃，船賃及び車賃の額の計算の基礎となる距離と訪問事業所の数に応じて，1泊から6泊まで，1泊につき8,700円（訪問事業所の所在地を管轄する公共職業安定所の所在地が，国家公務員等の旅費に関する法律別表第1の地域区分による乙地域に所在する場合は，7,800円）。ただし，近距離である場合（鉄道賃の額の計算の基礎となる距離が400km未満である場合）には支給されない。

②　短期訓練受講費

ア　支給要件（法第59条，規則第100条の2）

　　受給資格者等が公共職業安定所の職業指導により再就職促進のために必要な職業に関する教育訓練を受け，訓練を修了した場合において，訓練の受講のために支払った費用（入学料及び受講料に限る。）について教育訓練給付金の支給を受けていないときに支給する。

イ　短期訓練受講費の額（規則第100条の3）

　　受給資格者等が前条に規定する教育訓練の受講のために支払った費用の額に100分の20を乗じて得た額（その額が10万円を超えるときは，10万円）とする。

③　求職活動関係役務利用費

ア　支給要件（法第59条，規則第100条の6）

　　受給資格者等が求人者に面接等をするために，又は職業訓練・教育訓練等を受講している間，その子どもに対して保育所，認定こども園，認可外保育施設やベビーシッターなどの保育等サービスを利用した場合に支給する（面接等を行った日15日分，訓練を受講した日60日分を限度とする）。

イ　求職活動関係役務利用費の額（規則第100条の7）

　　利用費（1日当たり上限8,000円）の80%

3．教育訓練給付

(1)　教育訓練給付金（法第60条の2）

①　一般教育訓練に係る教育訓練給付金（規則第101条の2の7第1号）

ア　支給対象者

　　次のいずれかに該当する者が厚生労働大臣の指定する教育訓練を受け，修了した場合，支給要件期間（注1）が3年以上（注2）あるときに，当該教育訓練に要した費用に応じて教育訓練給付金が支給される。ただし，当該訓練開始日前3年以内に教育訓練給付金を受給した場合は支給されない（平成26年10月1日前に教育訓練給付金を受給した場合を除く。）。

(ア)　教育訓練を開始した日に一般被保険者又は高年齢被保険者である者

(イ)　(ア)以外の者であって，教育訓練を開始した日が一般被保険者又は高年齢被保険者でなくなってから1年以内（適用対象期間（注3）の延長が行われた場合には最大20年以内）にある者

（注1）教育訓練を開始する日までの通算した被保険者であった期間。なお，過去に教育訓練給付金の支給を受けたことがある場合には，支給に係る教育訓練を開始した日前の期間は，支給要件期間に算入されない。

（注2）当分の間，初回に限り，1年以上で支給が受けられる。

（注3）一般被保険者又は高年齢被保険者でなくなってから1年間のうちに妊娠，出産，育児，疾病，負傷等の理由により引き続き30日以上対象教育訓練の受講を開始できない日がある場合には，教育訓練の受講開始期限を延長することができる。

イ　支給額

　　教育訓練に要した費用の20％（上限10万円）。4,000円を超えないときは支給されない。

② 特定一般教育訓練に係る教育訓練給付金（規則第101条の2の7第1号の2）

ア　支給対象者

　　次のいずれかに該当する者が，厚生労働大臣の指定する速やかな再就職及び早期のキャリア形成に資する教育訓練（特定一般教育訓練）を受講し修了等した場合，支給要件期間（注1）が3年以上（注2）あるときに，当該教育訓練に要した費用に応じて教育訓練給付金が支給される。ただし，当該訓練開始日前3年以内に教育訓練給付金を受給した場合には支給されない（平成26年10月1日前に教育訓練給付金を受給した場合を除く。）。

(ア)　教育訓練を開始した日に一般被保険者又は高年齢被保険者である者。

(イ)　(ア)以外の者であって，教育訓練を開始した日が一般被保険者又は高年齢被保険者でなくなってから1年以内（適用対象期間（注3）の延長が行われた場合には最大20年以内）にある者

（注1）①の（注1）に同じ。

（注2）①の（注2）に同じ。

（注3）①の（注3）に同じ。

イ　支給額

　　　　　　　　教育訓練に要した費用の40％（上限20万円）

　　　③　専門実践教育訓練に係る教育訓練給付金（規則第101条の2の7第2・3号）

　　　ア　支給対象者

　　　　　次のいずれかに該当する者が，厚生労働大臣の指定する専門的実践的な教育訓
　　　　練（以下「専門実践教育訓練」という。）を受けている場合又は修了した場合，支
　　　　給要件期間（注1）が3年以上（注2）あるときに，当該教育訓練に要した費用に
　　　　応じて教育訓練給付金が支給される。ただし，当該訓練開始日前3年以内に教育
　　　　訓練給付金を受給した場合には支給されない（平成26年10月1日前に教育訓練
　　　　給付金を受給した場合を除く。）。専門実践訓練では，業務独占資格・名称独占資
　　　　格の取得を目標とする講座，専門学校の職業実践課程，専門職大学院など，中長
　　　　期的なキャリア形成を支援する講座を厚生労働大臣が指定している。

　　　　(ｱ)　教育訓練を開始した日に一般被保険者又は高年齢被保険者である者

　　　　(ｲ)　(ｱ)以外の者であって，教育訓練を開始した日が一般被保険者又は高年齢被保
　　　　　険者でなくなってから1年以内（適用対象期間（注3）の延長が行われた場合に
　　　　　は最大4年以内）にある者

　　　　　（注1）①の（注1）に同じ。

　　　　　（注2）当分の間，初回に限り，2年以上で支給が受けられる。

　　　　　（注3）①の（注3）に同じ。

　　　イ　支給額

　　　　(ｱ)　専門実践教育訓練を受けている場合

　　　　　　教育訓練に要した費用の50％。ただし，4,000円を超えないときは支給され
　　　　　ない。上限額は120万円であるが，この額は訓練期間が3年間の専門実践教育
　　　　　訓練を受講した場合の上限額。訓練期間が1年の場合40万円，2年の場合80
　　　　　万円の上限額となる。

　　　　(ｲ)　専門実践教育訓練に係る資格の取得等をし，かつ，修了した日の翌日から1
　　　　　年以内に一般被保険者として雇用された（※）又は雇用されている場合

　　　　　　教育訓練に要した費用の20％相当額を追加支給する。この場合，すでに支
　　　　　給された(ｱ)の50％と追加給付の20％を合わせた70％に相当する額が支給され
　　　　　ることとなる。上限額は168万円であるが，これは訓練期間が3年の場合の上
　　　　　限額。訓練期間が1年の場合56万円，2年の場合112万円が上限額となる。

　　　　(ｳ)　法令上最短4年の専門実践教育訓練（専門職大学，栄養管理士の養成課程等）
　　　　　を受講する場合は，教育訓練給付金の支給上限額について通常3年分に加えて，
　　　　　4年目受講相当分が上乗せされることがある。

　　(2)　教育訓練支援給付金（法附則第11条の2）

　　　①　支給対象者

　　45 歳未満の離職者が専門実践教育訓練を受講する場合であって，次の全てに該当するときに，訓練期間中の受講支援として教育訓練支援給付金が支給される。

ア　教育訓練給付金の支給を受けたことがないこと（平成 26 年 10 月 1 日前に受けたことがある場合は例外あり）

イ　今回の専門実践教育訓練の受講開始日前に教育訓練支援給付金の支給を受けたことがないこと

ウ　当該専門実践教育訓練の修了が見込まれない者等でないこと

② 支給額

　　基本手当日額の 80 ％に，当該専門実践教育訓練を受けている日のうち失業の認定を受けた日数を乗じて得た額

※令和 6 年度までの暫定措置（令和 4 年に 3 年間延長された。）

4．雇用継続給付

(1) 高年齢雇用継続給付

　　高年齢雇用継続給付には，高年齢雇用継続基本給付金と高年齢再就職給付金の 2 種類がある。

① 高年齢雇用継続基本給付金（法第 61 条）

ア　支給要件

　　60 歳以上 65 歳未満の被保険者（被保険者であった期間が 5 年以上ある者）であって，その各月（＝支給対象月）において支払われる賃金額が，60 歳時点の賃金額の 75 ％未満に低下する場合に支給される。

イ　支給額

(ア) 支給対象月の賃金が 60 歳到達時の賃金月額の 61 ％以下であるとき

　　その支給対象月の賃金の 15 ％相当額が支給される。

(イ) 支給対象月の賃金が 60 歳到達時の賃金月額の 61 ％を超えて 75 ％未満であるとき

　　概ね次の式により得られた額が支給される。

$$-\frac{183}{280}\times\text{支給対象月の賃金額}+\frac{137.25}{280}\times 60\text{ 歳到達時賃金額}$$

　　ただし，この給付額には最低限度額と最高限度額が定められている。具体的には，給付額として算定された額（月額）が，基本手当の最低限度日額（2,196 円。令和 5 年 8 月現在）を超えないときは，支給されない。

　　また，当該給付と支給対象月の賃金額との合計額が支給限度額（37 万 452 円。令和 5 年 8 月現在）を超える場合は，支給限度額からその賃金額を差し引いた額が支給される。

ウ　支給対象月

支給の対象となる月は，原則として，被保険者が 60 歳に達した日の属する月から，被保険者が 65 歳に達する日の属する月までである。ただし，60 歳に達した日において，被保険者であった期間が 5 年に満たないときは，被保険者であった期間が 5 年以上となるに至った月以後が支給対象月となる。

② 高年齢再就職給付金（法第 61 条の 2）

ア　支給要件

高年齢再就職給付金は，基本手当の支給を受けた者であって，60 歳以上であるものが，再就職した場合に支給されるものであるが，高年齢継続基本給付金と同様，被保険者であった期間が 5 年以上あることが必要である。また，基本手当とのバランスを考慮し，就職日の前日における支給残日数が，一定日数（100 日）以上あることも要件となる。

その上で，再就職後の各月（＝支給対象月）において支払われる賃金額が，直前の離職時に算定された賃金の額の 75％未満に低下する場合に支給される。

イ　支給額

高年齢雇用継続基本給付金の支給額と同様である。

ウ　支給対象月

再就職日の属する月から，①再就職日の前日における基本手当の支給残日数が 200 日以上であるときは，2 年間，②再就職日の前日における基本手当の支給残日数が 100 日以上であるときは，1 年間。ただし，その期間中に 65 歳になる場合は，65 歳到達日の属する月までとなる。

(2) 介護休業給付

介護休業給付金（法第 61 条の 4，附則第 12 条）

① 支給要件

対象家族の介護をするために介護休業を取得した被保険者（短期雇用特例被保険者及び日雇労働被保険者を除く。）が，当該休業を開始した日前 2 年間に賃金支払基礎日数が 11 日以上ある月が通算して 12 か月以上あること。

ア　対象家族

(ｱ) 配偶者（事実婚を含む。），父母，子，配偶者の父母

(ｲ) 前記(ｱ)に準ずる者（被保険者の祖父母，兄弟姉妹，孫）

イ　対象となる休業

対象家族 1 人につき 93 日を限度に，3 回までの介護休業。ただし，介護休業給付金の対象となる 1 回の介護休業期間は最長で 3 か月。

② 支給額

次の計算式により決定される額が支給単位期間（注）ごとに支給される。（※）。

（休業開始時賃金日額）×（支給日数の合計）× 67％

（注） 支給単位期間…介護休業開始日から起算した1か月ごとの期間（その1か月の間に介護休業終了日を含む場合はその介護休業終了日までの期間）をいう。

〔支給限度額について〕

対象となる支給単位期間中に賃金が支払われた場合において，その賃金の額と支給額として計算された額の合計が，休業開始時賃金月額（賃金日額×支給日数）の80％を超える場合には，休業開始時賃金月額の80％から介護休業期間中に支払われた賃金を差し引いた額が支給される。なお，介護休業期間中において，事業主から賃金が支払われた場合の支給額は，次のとおりである（※）。

ア 事業主から支払われた賃金額が休業開始時賃金月額（賃金日額×支給日数）の13％以下であるとき

特段の調整は行われず，原則どおり休業開始時賃金月額（賃金日額×支給日数）の67％相当額

イ 事業主から支払われた賃金額が休業開始時賃金月額（賃金日額×支給日数）の13％を超え80％未満であるとき

賃金額と介護休業給付金との合計額が休業前賃金の80％相当額に達するまでの額

ウ 事業主から支払われた賃金額が休業前賃金の80％以上であるとき

介護休業給付金は，支給されない。

（※）平成29年8月1日以降に介護休業を開始した者に適用する支給額

■育児休業給付

1．育児休業給付金（法第61条の6，第61条の7）

(1) 支給要件

1歳（被保険者とその配偶者がともに育児休業を取得する場合は1歳2か月（「パパママ育休プラス」），特に必要と認められる場合には，1歳6か月又は2歳）未満の子（特別養子縁組の監護期間にある子等を含む。）を養育するための育児休業をした被保険者であって，育児休業開始前2年間に，賃金の支払の基礎となった日数が11日以上又は就業した時間数が80時間以上ある月が12か月以上ある者に対して支給される。また，産前休業開始日等を起算点として，その日前2年間にみなし被保険者期間が12か月以上ある者に対しても支給される（特例給付）。

原則2回の育児休業まで支給される（3回目以降については原則支給されないが，一定の要件に該当する場合には支給対象となる。）。

(2) 支給額

育児休業給付金は，休業開始時賃金日額に支給日数を乗じて得た額の50％（休業開始後6月間は67％）に相当する額が支給単位期間（注）ごとに支給される。

　　　　なお，6か月の支給期間については，後述する出生時育児休業給付金を受給した日
　　数も通算される。
　　　（注）　支給単位期間…休業開始日又は休業開始応当日から各翌月の休業開始応当日の
　　　　　　前日（その休業を終了した日の属する月にあっては，その休業を終了した日）ま
　　　　　　での各期間をいう。
　　　　なお，育児休業期間中において，事業主から賃金が支払われた場合の支給額は，次
　　のとおりである。
　　ア　事業主から支払われた賃金額が休業開始時賃金月額（賃金日額×支給日数）の
　　　30％（休業開始後6月間は13％）以下であるとき
　　　　特段の調整は行われず，原則どおり休業開始時賃金月額（賃金日額×支給日数）
　　　の50％（休業開始後6月間は67％）相当額
　　イ　事業主から支払われた賃金額が休業開始時賃金月額（賃金日額×支給日数）の
　　　30％（休業開始後6月間は13％）を超え80％未満であるとき
　　　　賃金額と育児休業給付金との合計額が休業前賃金の80％相当額に達するまでの
　　　額
　　ウ　事業主から支払われた賃金額が休業前賃金の80％以上であるとき
　　　　育児休業給付金は，支給されない。
　(3)　支給の対象となる期間
　　　　子が1歳（「パパママ育休プラス」による場合は1歳2か月，特に必要と認められる
　　場合には，1歳6か月）に達する前までの育児休業中の各支給単位期間
　　　　なお，保育所に入所できない等一定の場合には，子が1歳6か月に達する前までの
　　育児休業が対象となった。それでも保育所に入れない場合に限り，更に6か月（2歳
　　に達するまで）の再延長ができる。
2．出生時育児休業給付金（法第61条の8）
　(1)　支給要件
　　　　被保険者が，出生時育児休業（子の出生日から起算して8週間経過する日の翌日ま
　　での期間内に4週間以内の期間を定めて子を養育するための休業で，被保険者が出生
　　時育児休業給付金の受給を希望する旨を公共職業安定所長に申し出たもの）をした場
　　合に，出生時育児休業（2回目の出生時育児休業をした場合にあっては，初回の出生
　　時育児休業）を開始した日前2年間に，賃金の支払いの基礎となった日数が11日以上
　　又は就業した時間数が80時間以上ある月が12か月以上であり，休業期間中の就業日
　　数が最大10日（又は就業時間数80時間）以下であること。通常の育児休業と同様，
　　2回まで支給される。ただし，同一の子について当該被保険者が3回以上の出生時育
　　児休業をした場合の3回目以後の出生時育児休業及び出生時育児休業の日数が合計
　　28日に達した日後の出生時育児休業については支給しない。

(2)　支給額・支給期間

　　休業開始賃金日額の支給日数を乗じて得た額の 67％に相当する額が支給される。

　　出生時育児休業は，最長 4 週間まで取得できるため，支給日数は最大で 28 日となる。

　　休業中に会社から賃金が支払われた場合の扱いは育児休業給付金と同様である。

■雇用保険二事業

1．雇用安定事業に係る助成金（法第 62 条）

　　雇用安定事業は，失業の予防，雇用状態の是正，雇用機会の増大その他雇用の安定を図るために行われるもので，その主な内容は次のとおりである。

(1)　雇用調整助成金（規則第 102 条の 3）

　　景気の変動，産業構造の変化その他の経済上の理由により，事業活動の縮小を余儀なくされた事業主が，一時的な雇用調整（休業，教育訓練又は出向）を実施することによって，従業員の雇用を維持した場合に助成される。

①　受給要件

　　受給するためには，次の要件のいずれも満たすことが必要であるほか，一定の要件がある。

ア　雇用保険の適用事業主であること。

イ　売上高，生産量等の事業活動を示す指標について，最近 3 か月間の月平均値が前年同期に比べて 10％以上減少していること。

ウ　雇用保険被保険者数及び受け入れている派遣労働者数による雇用量を示す指標について，最近 3 か月間の月平均値が前年同期に比べて，5 ％を超えてかつ 6 人以上増加していないこと（中小企業の場合は 10％を超えてかつ 4 人以上増加していないこと）。

エ　実施する雇用調整が，次のような一定の基準を満たすものであること。

　　1)　休業の場合

　　　　労使間の協定により，所定労働日の全 1 日にわたって実施されるものであること。

　　2)　教育訓練の場合

　　　　上記1)と同様の基準に加え，教育訓練の内容が職業に関する知識・技能・技術の習得や向上を目的とするものであり，受講日において業務に就かないものであること。

　　3)　出向の場合

　　　　対象期間内に開始され，3 か月以上 1 年以内に出向元事業所に復帰するものであること。

オ　過去に雇用調整助成金の支給を受けたことがある事業主が，新たに対象期間を

設定する場合，直前の対象期間の満了の日の翌日から起算して1年を超えていること。

② 受給額

受給額は，休業を実施した場合は事業主が支払った休業手当負担額，教育訓練を実施した場合は賃金負担額に次の表のaの助成率を乗じた額。また，教育訓練を実施した場合には，bの額が加算される。ただし，受給額の計算に当たっては，1人1日当たり8,490円が上限となるなどの基準がある。休業又は教育訓練の場合については1年の間に最大100日分，3年の間に最大150日分受給できる。出向の場合については最長1年の出向期間中受給できる。

助成内容と受給できる金額（令和5年8月1日現在）	中小企業	中小企業以外
a 休業を実施した場合の休業手当，又は教育訓練を実施した場合の賃金相当額，出向を行った場合の出向元事業主の負担額に対する助成（率） ※対象労働者1人当たり8,490円が上限	2/3	1/2
b 教育訓練を実施したときの加算（額）	（1人1日当たり）1,200円	

(2) 産業雇用安定助成金（雇用維持支援コース，規則附則第15条の4の5）

新型コロナウイルス感染症の影響により事業活動の一時的な縮小を余儀なくされた事業主が，在籍型出向により労働者の雇用を維持する場合，出向元と出向先の双方の事業主に対して，その出向に要した賃金や経費の一部を助成する。本件助成金は令和3年2月に創設され，出向開始日が同年1月1日以降の出向が助成対象。

① 対象となる出向

助成金の対象となる出向は次の要件を満たすものであること。

ア 新型コロナウイルス感染症の影響により事業活動の一時的な縮小を余儀なくされた事業主が，雇用の維持を図ることを目的に行う。

イ 出向期間終了後は元の事業所に戻って働くことを前提。

ウ 出向元と出向先が，親会社と子会社の間の出向でないことや代表取締役が同一人物である企業間の出向でないことなど，資本的・経済的・組織的関連性などからみて独立性が認められること。ただし，令和3年8月1日から，独立性が認められない事業主で実施される出向も一定の要件を満たせば助成対象となった。

エ 出向先で別の人を離職させるなど，玉突き出向を行っていない。通常の配置転換とは区別した出向であること。

② 対象となる事業主

ア 新型コロナウイルス感染症の影響により事業活動の一時的な縮小を余儀なくされたため，労働者の雇用維持を目的として在籍型出向により労働者を送り出す事

業主（出向元事業主）

イ　当該労働者を受け入れる事業主（出向先事業主）

③　本助成金の支給対象となる出向労働者

　　出向元事業所において雇用される雇用保険被保険者（ただし，次のアからエのいずれかに該当する者を除く。）であって，支給対象となる出向を行った労働者であること。

ア　出向開始日の前日まで出向元事業主に引き続き雇用保険被保険者として雇用された期間が6か月未満である者

イ　解雇を予告されている者，退職願を提出した者又は事業主による退職勧奨に応じた者（離職の日の翌日に安定した職業に就くことが明らかな者を除く。）

ウ　日雇労働被保険者である者

エ　併給調整の対象となる他の助成金などの支給対象となっている者

④　受給額

ア　出向運営経費

　　出向元事業主及び出向先事業主が負担する賃金，教育訓練及び労務管理に関する調整経費など，出向中に要する経費の一部を助成

	中小企業	中小企業以外
出向元が労働者の解雇などを行っていない場合	9／10	3／4
出向元が労働者の解雇などを行っている場合	4／5	2／3
企業グループ内出向の場合	2／3	1／2
上限額（出向元・出向先の合計）	12,000円／日	

イ　出向初期経費

　　就業規則や出向契約書の整備費用，出向元事業主が出向に際してあらかじめ行う教育訓練，出向先事業主が出向者を受け入れるための機器や備品の整備などの出向の成立に要する措置を行った場合に助成

	出向元	出向先
助成額	各10万円／1人当たり（定額）	
加算額（注）	各5万円／1人当たり（定額）	

注：出向元事業主が雇用過剰業種の企業や生産性要件が一定程度悪化した企業である場合，出向先事業主が労働者を異業種から受け入れる場合について，助成額の加算を行う。

⑤　独立性が認められない事業主間で実施される出向への助成

ア　対象となる出向

令和 3 年 8 月から，独立性が認められない子会社間などの事業主間で実施される出向についても助成金の対象とされた。この助成金の対象となる出向とは，以下の要件全てを満たすもの

・ 資本的・経済的・組織的関連性などからみて，独立性が認められない事業主間で実施される出向であること

1) 新型コロナウイルス感染症の影響による雇用の維持のために，通常の配置転換の一環として行われる出向と区分して行われる出向であること

2) 令和 3 年 8 月 1 日以降に新たに開始される出向であること

イ 助成内容

助成率は次のとおり。なお，出向初期経費助成は支給されない。

出向運営経費	中小企業	中小企業以外
助成率	2／3	1／2
上限額（出向元・出向先の合計）	12,000 円／日	

(3) 産業雇用安定助成金（事業再構築支援コース，規則附則第 15 条の 4 の 5）

新型コロナウイルス感染症の影響等で事業活動の一時的な縮小を余儀なくされた事業主が，新たな事業への進出等の事業再構築を行うため，当該事業再構築に必要な新たな人材の円滑な受入れを支援する。令和 5 年 4 月創設された。

① 対象となる事業主

令和 5 年 4 月 1 日以降に中小企業庁の実施する「事業再構築補助金」の応募書類を提出し，交付決定を受けていること。労働者の雇入れにあたり，次のア～ウの全ての条件を満たすこと。

ア 雇用保険の一般被保険者または高年齢被保険者として雇い入れること。

イ 期間の定めのない労働契約を締結する労働者（パートタイム労働者は除く。）として雇い入れること。

ウ 「事業再構築補助金」の補助事業実施期間の初日から当該期間の末日までに雇い入れること。

下記の労働者の雇入れ日前 6 か月から本助成金支給申請までの期間に，雇用する労働者を解雇等していないこと。

② 本助成金の支給対象となる労働者

「事業再構築補助金」の交付決定を受けた事業に関する業務に就く者であって，次のアとイに該当する者

ア 次の1)か2)のいずれかに該当する者

1) 専門的な知識や技術が必要となる企画・立案，指導（教育訓練等）の業務に従事する者

　2)　部下を指揮及び監督する業務に従事する者で係長相当職以上の者

イ　1年間に350万円以上の賃金（時間外手当等を除いた基本給に限る。）が支払われる者

　助成金の支給については，支払われた賃金が175万円以上の支給対象期に限る。

③　受給額

	中小企業	中小企業以外
助成額	280万円／人※1 （140万円×2期※2）	200万円／人※1 （100万円×2期※2）
助成対象期間	1年	

※1　一事業主あたり5人までの支給に限る。

※2　雇入れから6か月を支給対象期の第1期，次の6か月を第2期として，6か月ごとに2回に分けて支給する。

(4)　労働移動支援助成金（再就職支援コース，規則第102条の5）

①　支給対象事業主

　　再就職援助計画又は求職活動支援基本計画書に基づき，民間の職業紹介事業者に計画対象被保険者又は支援書対象被保険者の再就職に係る支援を委託したり，求職活動のための休暇の付与や再就職のための訓練を教育訓練施設等に委託して実施した事業主に対し支給する。

(注)1　計画対象被保険者…再就職援助計画の対象となる被保険者（短期雇用特例被保険者及び日雇労働被保険者並びに認定事業主に被保険者として継続して雇用された期間が1年未満である者及び認定事業主の事業所への復帰の見込みがある者を除く。）

　　2　支援書対象被保険者…求職活動支援基本計画書に記載された支援計画の対象となる被保険者（短期雇用特例被保険者及び日雇労働被保険者並びに該当事業主に被保険者として継続して雇用された期間が1年未満である者及び当該事業主の事業所への復帰の見込みがある者を除く。）

②　助成措置

ア　再就職支援：職業紹介事業者への委託に要した費用の一部の助成（再就職支援の一環として行われた訓練やグループワークに係る上乗せ助成がある。）

イ　休暇付与支援：離職が決定している労働者に対して，事業主が求職活動のための休暇を与えた場合の助成

ウ　職業訓練実施支援：離職が決定している労働者に対して，教育訓練施設等に委託を行い，訓練を実施した場合に訓練費用の一部を助成

(5)　労働移動支援助成金（早期雇入れ支援コース，規則第102条の5）

①　支給対象事業主

　　再就職援助計画などの対象者を離職後 3 か月以内に期間の定めのない労働者として雇い入れ，継続して雇用することが確実である事業主に対して助成する（早期雇入れ支援と当該労働者に職業訓練を実施した場合の上乗せ助成（人材育成支援）がある。）。

②　主な受給要件

ア　支給対象者を離職日の翌日から 3 か月以内に期間の定めのない労働者として雇い入れること。

イ　支給対象者を一般被保険者又は高年齢被保険者として雇い入れること。

ウ　支給対象者が，申請事業主に雇い入れられる直前の離職の際に再就職援助計画又は求職活動支援書の対象者となっていたこと。

(6)　地域的な雇用改善のための助成金（規則第 112 条）

①　地域雇用開発助成金

　　雇用機会が特に不足している地域等における雇用構造の改善を図るため，当該地域において，事業所の設置・整備を行うとともに，地域の求職者等を雇い入れた場合に助成するもので，地域雇用開発コース及び沖縄若年者雇用促進コースで構成されている。

ア　地域雇用開発コース

　　求職者数に比べて雇用機会が著しく不足している同意雇用開発促進地域，若年層・壮年層の流出が著しい過疎等雇用改善地域等において，事業所の設置・整備を行うとともに，その地域の求職者等を雇い入れる事業主に対して助成する（ 1 年ごとに最大 3 回支給）。

　　事業主は，本助成金に関する計画書を労働局に提出した後，当該計画に基づく事業所の設置・整備及び雇入れを計画期間内に完了することで第 1 回目の助成金を受給することができる。完了した旨の届出を労働局に提出した日（完了日）を第 1 回目の支給日として，完了日の 1 年後の日において被保険者数が維持されている等の条件が満たされていると第 2 回目の支給が，完了日の 2 年後の日において条件が満たされていると第 3 回目の支給が行われる。支給額は，計画日から完了日までに要した事業所の設置・整備費用と増加した支給対象者の数に応じて，下表のとおり。

設置・整備費用	対象労働者の増加人数 （（　）は創業の場合）			
	3 (2)〜 4 人	5 〜 9 人	10〜19人	20人〜
300万円以上	50万円	80万円	150万円	300万円
1,000万円以上	60万円	100万円	200万円	400万円

| 3,000万円以上 | 90万円 | 150万円 | 300万円 | 600万円 |
| 5,000万円以上 | 120万円 | 200万円 | 400万円 | 800万円 |

注1：中小企業主の場合は，1回目の支給において上表の支給額の1.5倍が支給される。

注2：中小企業主の場合であって，かつ創業と認められる場合は，1回目の支給において上表の支給額の2倍が支給される。

【同意雇用開発促進地域における大規模雇用開発を行う事業主に対する特例】

　雇用構造の改善に特に資すると認められる雇用機会の増大に関する大規模雇用開発計画を作成し，厚生労働大臣の認定を受けた事業主が，2年以内に同意雇用開発促進地域において事業所の設置を行う（その費用の合計額が50億円以上のものに限る。）とともに，地域の求職者等を100人以上雇い入れた場合に，雇入れ人数と事業所の設置に要した費用に応じて，1年ごとに最大3回支給する。

設置・整備費用	対象労働者の増加人数	
	100〜199人	200人〜
50億円以上	1億円	2億円

【地域活性化雇用創造プロジェクト参加事業主に対する特例】

　厚生労働大臣が選定した地域活性化雇用創造プロジェクト（※1）実施地域において，実施主体となる都道府県の承認を受けた事業主が対象労働者（※2）を雇用保険一般被保険者（正社員（無期雇用かつフルタイム）であって通常の労働者（無期雇用かつフルタイム）と同一の賃金制度を適用するものに限る）として雇い入れる場合，前述の支給額に加え，第1回目の支給時に対象労働者1人当たり50万円を上乗せ支給する。

※1　地域活性化雇用創造プロジェクトとは，都道府県が提案する事業から国がコンテスト方式により正社員雇用の創造効果が高いプランを選定。選定された都道府県は，地域の関係者で構成する協議会を設置した上で雇用対策事業を実施する制度。

※2　対象労働者は，実施主体となる都道府県に居住する求職者。

【地方創生応援税制（企業版ふるさと納税）寄附事業主に対する特例】

　認定地方公共団体が作成した認定地域再生計画に記載されているまち・ひと・しごと創生寄附活用事業（地域における安定的な雇用機会の増大を図る事業に限る。）に関連する寄附をし，当該事業が実施される地方公共団体（都市部（埼玉県，千葉県，東京都，神奈川県，愛知県，大阪府）を除く。）の区域内に事業所を設置・整備の上，対象労働者（まち・ひと・しごと創生寄附活用事業実施の地方公共団体の区域に居住の求職者。）を継続して雇用する労働者として雇い入れる場合，下表の額を支給する特例。ただし，本特例は1事業所あたり1回のみの助成となる。

設置・整備費用	対象労働者の増加人数			
	3 〜 4 人	5 〜 9 人	10〜19人	20人〜
300万円以上	50万円	80万円	150万円	300万円
1,000万円以上	60万円	100万円	200万円	400万円
3,000万円以上	90万円	150万円	300万円	600万円
5,000万円以上	120万円	200万円	400万円	800万円

イ　沖縄若年者雇用促進コース

　　沖縄県内において，300 万円以上（中小企業事業主の場合は 100 万円以上）の事業所の設置又は整備を行うとともに，沖縄県内に居住する 35 歳未満の若年求職者（新規学卒者を除く。以下「沖縄若年求職者」という。）を 3 人以上雇入れ，その定着を図る県内の事業主に対して，原則当該雇用した者に支給した賃金に相当する額の 4 分の 1（2 年目は 3 分の 1，中小企業については 3 分の 1（2 年目は 2 分の 1））を助成する（最大 2 年間，上限額あり）。加えて，中小企業の事業主が，沖縄若年求職者 3 人以上の雇入れに加え，沖縄県内に居住する新規学卒者を雇い入れた場合，当該新規学卒者に支払った賃金に相当する額の 3 分の 1 を助成する（1 年間に限る。）。

② 　通年雇用助成金（規則第 113 条）

　　北海道，東北地方等の気象条件が厳しい積雪寒冷地域において，冬期間に離職を余儀なくされる季節労働者を通年雇用した指定業種（林業，建設業等）の事業を行う事業主に対して，助成するものであり，季節労働者の通年雇用化を促進することを目的とする。助成の概要は次の通り。①季節労働者を冬期間も継続して同一の事業所で就業させた場合に賃金の一部を助成する，②季節労働者を他の事業所で配置転換等により就業させ冬期間も継続雇用した場合に賃金の一部を助成する，③季節労働者を季節的業務以外の業務に転換させ継続雇用した場合，転換後 6 か月間の賃金の一部を助成，④季節労働者を通年雇用化し，一時休業させた場合，賃金及び休業手当の一部を助成する，⑤冬期間継続雇用している季節労働者に職業訓練を行った場合，訓練の実施に要した費用及び賃金の一部を助成する，⑥季節労働者を通年雇用するために，新たに新分野の事業所を設置・整備した場合，設置・整備した事業所の施設整備費用及び賃金の一部を助成する，⑦季節労働者を試行（トライアル）雇用終了後，引き続き常用雇用として雇い入れた場合（季節トライアル雇用），賃金の一部を助成する。

(7)　その他の助成金

① 　特定求職者雇用開発助成金（特定就職困難者コース，規則第 110 条）

　　公共職業安定所等の紹介により，高年齢者，障害者その他就職が特に困難な者を

継続して雇用する労働者として雇い入れる事業主に対して，賃金の一部に相当する額の助成を行う。

助成期間と助成額

対象労働者		支給額	助成対象期間	支給対象期ごとの支給額
短時間労働者以外の者	高年齢者（60 歳以上），母子家庭の母等	60 万円 （50 万円）	1 年 （1 年）	30 万円×2 期 （25 万円×2 期）
	重度障害者等を除く身体・知的障害者	120 万円 （50 万円）	2 年 （1 年）	30 万円×4 期 （25 万円×2 期）
	重度障害者等（※1）	240 万円 （100 万円）	3 年 （1 年 6 か月）	40 万円×6 期 （33 万円×3 期） 第3 期の支給額は 34 万円
短時間労働者（※2）	高年齢者（60 歳以上），母子家庭の母等	40 万円 （30 万円）	1 年 （1 年）	20 万円×2 期 （15 万円×2 期）
	重度障害者等を含む身体・知的・精神障害者	80 万円 （30 万円）	2 年 （1 年）	20 万円×4 期 （15 万円×2 期）

注：（　）内は中小企業事業主以外に対する支給額及び助成対象期間を示す。
※1「重度障害者等」とは，重度の身体・知的障害者，45 歳以上の身体・知的障害者及び精神障害者をいう。
※2「短時間労働者」とは，1 週間の所定労働時間が，20 時間以上 30 時間未満である者をいう。

②　両立支援等助成金（規則第 116 条）

ア　出生時両立支援コース（子育てパパ支援助成金）

　　男性労働者が育児休業を取得しやすい雇用環境整備や業務体制整備を行い，男性労働者の育児休業の利用があった事業主に対して助成金を支給する。第 1 種，第 2 種の 2 パターンを助成金にて支援する（第 1 種，第 2 種とも 1 事業主あたり 1 回のみの支給）。

1）第 1 種

　　雇用環境整備，残業抑制のための業務体制整備，出生時育児休業取得を実施した場合に受給できる。育児休業等支援コースとの併給はできない。

　　上記措置に加え，代替要員を確保した場合（業務，部署，労働時間等の要件あり）助成金に加算が行われる。

2）第 2 種

　　第 1 種の支給を受け，さらに，雇用環境の整備，残業抑制のための業務体制整備，男性労働者の育児休業取得率（第 1 種の男性労働者の取得率と比較して，第 1 種を申請した事業年度の次の年度を含む 3 事業年度以内に 30 ％以上上昇，

又は，第 1 種受給年度に育休対象の男性が 5 人未満かつ育休取得率 70 ％以上の場合に，次の 3 年以内に 2 年連続 70 ％以上となること。），第 1 種の申請に係る男性労働者の他に男性労働者であって 1 日以上の育児休業を取得した者が 2 名以上いることの要件を満たした場合に受給できる。また，自社の育児休業取得状況に関する情報公表の場合，加算して支給される。

支給額	
第 1 種	20 万円 代替要員加算　20 万円 　（代替要員を 3 人以上確保した場合には 45 万円） 育児休業等に関する情報公開加算　2 万円
第 2 種	1 事業年度以内に 30 ％以上上昇した場合　60 万円 2 事業年度以内に 30 ％以上上昇した場合　40 万円 3 事業年度以内に 30 ％以上上昇した場合　20 万円 又は，第 1 種受給年度に育休対象の男性が 5 人未満かつ育休取得率 70 ％以上の場合， 1，2 年目に取得率 70 ％以上の場合　40 万円 2，3 年目に取得率 70 ％以上の場合　20 万円

イ　介護離職防止支援コース

　「介護支援プラン」を策定し，プランに基づき労働者の円滑な介護休業の取得・職場復帰に取り組んだ中小企業事業主，または仕事と介護の両立に資する制度を導入し，利用する労働者が生じた中小企業事業主に対して助成金を支給する。介護休業，介護両立支援制度，新型コロナウイルス感染症対応特例の 3 パターンの支給で中小企業事業主のみが対象。

1 ）介護休業

　　休業取得時に，介護支援プランによる労働者の円滑な介護休業の取得及び職場復帰の支援及び介護休業の取得をさせている。また，職場復帰時に，介護支援プランによる労働者の職場復帰の支援，復帰後の継続勤務をさせていることが必要。介護休業取得者の代替要員の新規雇用又は代替する労働者への手当支給，かつ，休業取得者を原職等に復帰させた場合に加算される（業務代替支援加算）。

2 ）介護両立支援

　　介護支援プランによる労働者の仕事と介護の両立支援に関する措置の実施，介護両立支援制度の導入・利用及び利用後の継続勤務を実施していることが必要。介護を申出た労働者に対する個別周知及び仕事・介護の両立しやすい雇用環境整備を行った場合に加算される（個別周知・環境整備加算）。

3 ）新型コロナウイルス感染症対応特例（規則附則第 17 条の 2 の 2 ）

①介護のための有給休暇として 20 日以上取得できる制度を設ける，②就業と介護の両立に資する制度を労働者に周知させる，③介護のための有給休暇を合計 5 日以上取得させる，④休暇取得日から申請日まで雇用保険被保険者として継続雇用していることが必要。

介護休業	1　休業取得時：30 万円 2　職場復帰時：30 万円 業務代替支援加算：新規雇用 20 万円，手当支給等 5 万円
介護両立支援制度	30 万円 個別周知・環境整備加算 15 万円
新型コロナウイルス感染症対応特例	1　介護のための有給休暇取得日数が 5 日以上 10 日未満 　　：20 万円 2　介護のための有給休暇取得日数が 10 日以上：35 万円

※それぞれ 1 企業当たり 1 年度 5 人まで（有期・無期いずれも対象）。

ウ　育児休業等支援コース

育児休業の円滑な取得・職場復帰のための取組を行った事業主に対して助成金を支給する。育児を行う労働者が安心して育児休業を取得しやすく職場に復帰しやすい環境の整備を図る。

1）育休取得時，2）職場復帰時

「育休復帰支援プラン」を作成及び導入し，プランに沿って対象労働者の円滑な育児休業の取得・復帰に取り組んだ中小企業事業主に支給する。2）について育休取得者の業務を代替する職場の労働者に，業務代替手当を支給する等の職場支援の取組をした場合，加算あり。

3）業務代替支援

育児休業取得者の代替要員を確保し，休業取得者を原職等に復帰させた中小企業事業主に対して支給する（対象労働者が有期契約労働者の場合，加算あり。）。

4）職場復帰後支援

復帰後のならし保育や子どもの発熱等による急なお迎え等，仕事と育児の両立が特に困難な時期の労働者の支援に取り組んだ中小企業事業主に支給する。

5）新型コロナウイルス感染症対応特例

新型コロナウイルス感染症による小学校等の臨時休業等により子どもの世話をする労働者が利用できる有給休暇制度の規定化及び小学校等が臨時休業等した場合でも勤務できる両立支援制度の社内周知を行い，実際に有給休暇を取得した労働者が生じた場合に助成する。

1）～4）のいずれかへの育児休業等に関する情報公表加算：申請前の直近年

度に係る，男性の育児休業等取得率，女性の育児休業取得率，男女別の平均育児休業取得日数の情報を「両立支援のひろば」サイト上で公表した場合，支給額を加算する。

①育休取得時	30 万円	
②職場復帰時	30 万円	
③業務代替支援	新規雇用　50 万円 手当支給等　10 万円	有期雇用労働者加算（対象育児休業取得者） 10 万円
④職場復帰後支援	制度導入時　30 万円	制度利用時 (1)　子の看護休暇制度 　　休暇取得者が取得した休暇 1 時間当たり 1,000 円に取得時間を乗じた額 (2)　保育サービス費用補助制度 　　事業主が負担した費用の 2 ／ 3 の額
⑤新型コロナウイルス感染症対応特例	1 人当たり 10 万　※ 10 人まで（上限 100 万円）	

※①②1 事業主当たり 2 人（期間の定めのない労働者，有期雇用労働者 1 人ずつ），③1 事業主当たり 1 年度につき延べ 10 人まで 5 年間支給。
④子の看護休暇制度又は保育サービス費用補助制度のいずれかについて，1 企業当たり 1 回限り支給，制度導入時のみの申請は不可。制度利用時は，3 年以内 5 人まで。1 企業当たりの上限は，子の看護休暇：1 年度 200 時間〈240 時間〉，保育サービス費用補助制度：1 年度 20 万円〈24 万円〉まで。
育児休業等に関する情報公表加算：①～④いずれかへの加算として 2 万円（1 回限り）

エ　不妊治療両立支援コース

不妊治療と仕事の両立に資する職場環境の整備に取り組み，企業選任の両立支援担当者が不妊治療両立支援プランを策定し，1）不妊治療のための休暇制度・両立支援制度を利用しやすい環境を整備し，2）不妊治療休暇・両立支援制度を利用した労働者が生じた中小企業事業主に対して助成金を支給する。プランに基づき，不妊治療のための休暇を 20 日以上連続して取得させ，原職等に復帰させ 3 か月以上継続勤務させた場合に加算あり。

①環境整備・休暇の取得等	30 万円（1 回限り）
②長期休暇の加算	30 万円（1 回限り）

①及び②に掲げる助成金について一の年度（各年 4 月 1 日から翌年 3 月 31 日まで）において支給。
①の対象労働者が②の支給要件を満たす場合は，②の対象労働者ともすることができる。ただし，1 事業主当たり，一の年度において 5 人まで（対象労働者につき 1 回限り）を対象。

2．能力開発事業に対する助成金等

　　能力開発事業は，技術の進歩，産業構造の変化に対応するために職業訓練実施体制の
　整備，労働者の教育訓練受講の助成援助等労働者の能力の開発，向上を図るために行わ
　れるもので，その内容は次のとおりである（法第 63 条）。

(1)　認定訓練助成事業費補助金

　　中小企業事業主等が行う認定職業訓練の運営費，施設・整備費の一部を都道府県が
　助成した場合，国が助成した額の一部を補助する。

(2)　人材開発支援助成金

　　労働者の職業生活設計の全期間を通じて段階的かつ体系的な職業能力開発を効果的
　に促進するため，事業主等が雇用する労働者に対して職務に関連した専門的な知識及
　び技能の習得をさせるための職業訓練等を計画に沿って実施した場合や，教育訓練休
　暇等を従業員に付与した場合に，訓練経費や訓練期間中の賃金の一部等を助成する。

①　人材育成支援コース

　　企業が労働者に職務関連の知識・技能を習得させること等を目的として，以下の
　訓練を計画に沿って実施した場合に助成する。

ア　人材育成訓練（10 時間以上の OFF-JT による訓練）

イ　認定実習併用職業訓練（大臣認定を受けた OJT と OFF-JT を組み合わせた訓練）

ウ　有期実習型訓練（正社員経験が少ない有期契約労働者等の正規雇用転換等を目
　　的とする OJT と OFF-JT を組み合わせた訓練）

②　教育訓練休暇等付与コース

　　有給教育訓練休暇制度を導入し，労働者が当該休暇を取得して自発的に訓練を受
　けた場合に助成

③　人への投資促進コース

　　労働者に対して以下の訓練の実施又は制度の導入等を行った場合に助成する。

ア　定額制訓練（サブスクリプション型の研修サービスによる訓練）

イ　労働者の自発的な訓練費用を事業主が負担する訓練

ウ　高度デジタル人材の育成のための訓練・海外を含む大学院での訓練

エ　IT 分野未経験者の即戦力化のための OJT 付き訓練

オ　長期教育訓練休暇制度や教育訓練短時間勤務等制度

④　事業展開等リスキリング支援コース

　　新規事業の立ち上げや新商品の開発・製造等を行う事業展開，企業内のデジタル・
　デジタルトランスフォーメーション化やグリーン・カーボンニュートラル化に伴い
　必要となる知識や技能を習得させるための訓練を実施した場合に助成する。

⑤　建設労働者認定訓練コース

　　職業能力開発促進法による認定訓練を行った中小建設事業主又は中小建設事業主

団体，雇用する建設労働者に有給で認定訓練を受講させた中小建設事業主に対して，次の措置を実施した場合に，経費や賃金の一部を助成する。

  ア　経費助成

    職業能力開発促進法による認定職業訓練を行う。

  イ　賃金助成

    雇用する建設労働者（雇用保険被保険者に限る。）に対し，有給で認定職業訓練を受講させる。

⑥　建設労働者技能実習コース

  雇用する建設労働者に有給で技能実習を受講させた中小建設事業主又は中小建設事業主団体に対して，次の措置を実施した場合に，経費や賃金の一部を助成する。

  ア　経費助成

    雇用する建設労働者（雇用保険被保険者に限る。）に対して，技能実習を行う，又は登録教習機関等で行う技能実習を受講させる。

  イ　賃金助成

    雇用する建設労働者（雇用保険被保険者に限る。）に対し，有給で技能実習を受けさせる。

⑦　障害者職業能力開発コース

  身体障害者等に対して，厚生労働大臣が定める教育訓練の基準に適合する障害者職業能力開発訓練事業を行うために，訓練の施設又は設備の設置・整備又は更新をする場合，あるいは障害者職業能力開発訓練事業を行う場合に，経費等を助成する。

(3)　雇用保険受給資格者等に対する公共職業訓練の充実

  従来から設置，運営してきた職業能力開発校や職業能力開発大学校の整備強化を行うとともに，高度職業訓練を行う職業能力開発短期大学校や短期間の訓練を行う職業能力開発促進センターの設置等，所要の職業訓練を行う。

(4)　被保険者等の再就職促進のための訓練の実施

  求職者の再就職を容易にするため職業講習や職場適応訓練を行う。

(5)　技能検定等の実施及び奨励

  技能向上対策費補助金

  技能検定等の充実を図るとともに，円滑な実施のため，必要な補助を行う。

■費用の負担

雇用保険事業に要する費用は，事業主及び被保険者が負担する保険料と国庫負担金によってまかなわれている。

1．保険料の種類及び算定方法

(1)　保険料の種類

① 一般保険料

　事業主が使用する労働者に支払う賃金総額を基礎として算定する通常の保険料であり，原則として雇用保険と労災保険の両保険について一つの保険料として徴収される。ただし，農林・水産・建設等の事業の場合については，雇用保険，労災保険の双方の保険ごとに別個の事業とみなして保険料もそれぞれ別々に徴収される。

② 印紙保険料

　日雇労働被保険者について，一般保険料のほかに事業主から徴収する保険料である。その額は，日雇労働被保険者の賃金の日額に応じ，下の表のとおり定額とされている。

賃　金　日　額	印紙保険料の額
11,300 円以上	176 円
8,200 円以上 11,300 円未満	146 円
8,200 円未満	96 円

③ 第1種特別加入保険料

　労災保険の特別加入者として承認を受けた中小事業主についての保険料であり，その額は，給付基礎日額に応じて定められる保険料算定基礎額の総額に第1種特別加入保険料率を乗じて算定される。

④ 第2種特別加入保険料

　労災保険の特別加入者として承認を受けた一人親方等についての保険料であり，その額は，前記③の場合と同じ保険料算定基礎額の総額に第2種特別加入保険料率を乗じて算定される。

⑤ 第3種特別加入保険料

　労災保険の特別加入者として承認を受けた，海外派遣者についての保険料であり，その額は，前記③の場合と同じ保険料算定基礎額の総額に第3種特別加入保険料率1000分の3（平成27年度より適用）を乗じて算定される。

(2) 一般保険料の算定方法

　一般保険料の額は，事業ごとにその事業に使用されるすべての労働者に支払う賃金の総額に一般保険料率を乗じて算定される。

　一般保険料率は，次のとおりとされている。

① 雇用保険，労災保険の両保険の保険関係が成立している事業

　　　　――――― 雇用保険率と労災保険率を合算した率

② 雇用保険の保険関係だけが成立している事業

　　　　――――― 雇用保険率

③ 労災保険の保険関係だけが成立している事業

━━━━━━━ 労災保険率

(3) 雇用保険率

雇用保険の保険料率に相当するもので，率は，1000 分の 15.5（令和 5 年 4 月〜令和 6 年 3 月）。ただし，次の事業の場合 1000 分の 17.5（令和 5 年 4 月〜令和 6 年 3 月）

①　農林水産の事業（季節的に休業し，又は事業の規模が縮小することのない事業として厚生労働大臣が指定する事業を除く。）

②　清酒製造の事業

③　短期雇用特例被保険者の雇用の状況等を考慮して政令で定める事業（現在のところ指定されていない。）

建設の事業の場合は 1000 分の 18.5（令和 5 年 4 月〜令和 6 年 3 月）。

(4) 労災保険率

労災保険の保険料率に相当するもので，率は，事業の種類ごとに過去 3 年間の災害率等を考慮して，厚生労働大臣が定めることとされている。

2．国庫負担（法第 66 条）

(1)　一般被保険者及び短期雇用特例被保険者にかかる求職者給付に要する費用の 4 分の 1

(2)　日雇労働被保険者にかかる求職者給付に要する費用の 3 分の 1（一定の場合には最低 4 分の 1）

(3)　雇用継続給付（介護休業給付金に限る。）に要する費用の 8 分の 1

(4)　育児休業給付に要する費用の 8 分の 1

雇用情勢及び雇用保険財政状況が悪化している場合は上記の国庫負担率とし，そのような状況にない場合，(1)については 40 分の 1，(2)については 30 分の 1 とする。さらにこれらとは別枠で機動的に国庫から繰入ができる制度を導入する。また，(3)(4)については 80 分の 1 とする（暫定措置の継続，令和 6 年度まで）（法附則第 14 条の 3）。

3．労働保険料の負担原則

(1)　雇用保険の保険料率は 1000 分の 15.5 である（農林水産業等では 1000 分の 17.5，建設業では 1000 分の 18.5）。このうち 1000 分の 12（農林水産業，建設業等では 1000 分の 14）は失業等給付及び育児休業給付に要する費用に充てられその負担は労使折半である。残りの 1000 分の 3.5（建設業では 1000 分の 4.5）は雇用保険 2 事業（雇用安定事業及び能力開発事業）に充てられ全額事業主負担とされている（いずれも令和 5 年 4 月〜令和 6 年 3 月の率）。

(2)　印紙保険料については，労使折半負担である。

(3)　一般保険料のうち，労災保険率に応ずる部分の額，第 1 種特別加入保険料の額及び第 2 種特別加入保険料，第 3 種特別加入保険料の額については，すべて事業主（特別加入者も含む。）のみが負担する。

4．高年齢被保険者の保険料

　高年齢者の雇用促進及びその福祉増進に資するため，雇用保険料の徴収免除を廃止して原則どおり徴収する（令和元年度までは免除）。

■保険料の納付方法

1．一般保険料

　事業主は，毎保険年度（4月1日から翌年3月31日まで）の1年分を，6月1日から7月10日までに当年度概算保険料として申告，納付（あて先は都道府県労働局，労働基準監督署，日本銀行（支店，代理店等を含む。））し，翌保険年度の7月10日までに確定保険料として前記に準じて申告，納付する。申告済みの概算保険料より確定保険料が小さい場合（つまり過納額が生じた場合）には，その過納額は翌年度分の概算保険料に充当されるか，又は事業主に還付される。

2．印紙保険料

　日雇労働被保険者に賃金を支払う都度，その者に交付されている日雇労働被保険者手帳に雇用保険印紙を貼付し，これに事業主が消印するという方法による。

　雇用保険印紙は，郵便局で販売しているので日雇労働被保険者を雇用しようとする事業主は，所轄公共職業安定所で「雇用保険印紙購入通帳」の交付を受け，あらかじめ，印紙を購入しておく必要がある。なお，承認を受けて印紙保険料納付計器を設置した場合は，その納付計器を作動するために必要な票札をあらかじめ都道府県雇用保険主管課から交付を受け，この計器で日雇労働被保険者手帳に納付印を押すことによって納付にかえることもできる。

■その他

1．給付制限及び不正受給（法第10条の4，第32条～第34条，第40条第4項，第52条）

　給付制限は，失業者の所得保障が正当な受給権をもつ者に対してのみ行われるべきこと，怠惰に陥ることを防止しようとする趣旨に基づきなされるものである。給付制限が行われるのは，次のような場合である。

(1)　公共職業安定所の紹介する職業又は再就職を促進するため必要な職業指導を受けることを，正当な理由なく拒んだ場合，一定期間，基本手当は支給されない。

(2)　被保険者が，自己の責めに帰すべき重大な理由により解雇された場合や正当な理由がなく自己都合のみによって離職したような場合，1か月以上3か月以内の間で公共職業安定所長が定める期間，基本手当は支給されない。

(3)　偽りその他不正の行為によって失業等給付を受け，又は受けようとした場合は，宥恕が行われない限り，失業等給付の支給は停止され，また既に支給を受けた給付の全部又は一部の返還が命ぜられる。

2．経過措置（被保険者期間に関する経過措置）

　　従前の失業保険法による被保険者期間は，雇用保険法による被保険者であった期間とみなす。

【参　考】雇用保険法等の一部を改正する法律（令和2年法律第14号）の概要

高齢者の就業機会の確保及び就業の促進

雇用保険制度において，65歳までの雇用確保措置の進展等を踏まえて高年齢雇用継続給付を令和7年度から縮小し（令和7年4月施行），65歳から70歳までの高年齢者就業確保措置の導入等に対する支援が雇用安定事業に位置付けられた（令和3年4月施行）。

8　労働者災害補償保険

〔根拠▶労働者災害補償保険法（昭22.4.7法律第50号）〕

　労災保険は業務上の事由，事業主が同一人でない2以上の事業に使用される労働者（複数事業労働者）の2以上の事業の業務を要因とする事由又は通勤による労働者の負傷，疾病，障害，死亡等に対して迅速かつ公正な保護をするため，必要な保険給付を行い，あわせて，その労働者の社会復帰の促進と当該労働者及びその遺族の援護，労働者の安全及び衛生の確保等を図り，もって労働者の福祉の増進に寄与することを目的とするものである。

■適用事業（法第3条等）

　労働者を使用する事業は，すべて労災保険の適用事業となる。労災保険の適用事業については，すべて保険関係が成立し，当該事業に使用されるあらゆる労働者に係る業務上の事由又は通勤による災害について保険給付が行われる。

　また，平成22年1月より，船員保険の被保険者についても労災保険制度の対象とされ，船員の職務上の災害について保険給付が行われる。

　ただし，農林水産業の使用労働者が5人未満の個人経営の事業では当分の間労災保険の強制適用事業としないものとされている。これらの事業を暫定任意適用事業といい，これらの事業が労災保険に加入するには，申請をして政府の認可を受けなければならない。

　なお，国家公務員及び地方公務員（現業部門の非常勤職員を除く。）については，労災保険法の適用がない。

■特別加入（法第33条～第37条）

　労災保険は，事業主に使用され賃金を受けている者の災害に対する保護を目的とする制

度であるので，事業主，自営業者，家族従業者などの災害の保護は，本来労災保険の対象
とならない。また，法の適用についても国内の労働者に限られている。

ところが，事業主や自営業者といわれる人も，労働者等と同じように仕事をし，同じように業務災害，複数業務要因災害あるいは通勤災害をこうむる可能性のある人々がいる。事業運営の中心になる人々が，業務災害，複数業務要因災害や通勤災害でたおれた場合には事業が立ちゆかなくなり，家族の生活にもこと欠くおそれもある。また，海外の事業所に派遣された労働者についても，外国の制度の給付では不十分な場合もあるため，日本の労災保険で保護の対象とする必要がある人々がいる。

これらの人々に対し，労災保険本来の建前をそこなわない範囲で，労災保険の利用を認めようとするのが特別加入制度である。

特別加入者の範囲は次のとおりである。

1．常時300人以下（金融業，保険業，不動産業，小売業の場合には50人以下，卸売業，サービス業の場合には100人以下）の労働者を使用する中小企業の事業主及び家族従事者など労働者以外でその者の行う事業に従事する者

2．一人親方その他の自営業者及び家族従事者など労働者以外でその者が行う事業に従事する者（自動車旅客・貨物運送の事業（個人タクシー業者，個人貨物運送業者等），土木・建築等の事業（大工，左官，とび職人等），漁船による水産動植物採捕の事業，林業の事業，医薬品配置販売の事業，廃棄物収集等の事業，船員法第1条の船員が行う事業，柔道整復師の事業，創業支援等措置により行う事業，自転車貨物運送事業，あん摩マッサージ指圧師，はり師又はきゅう師が行う事業，歯科技工士が行う事業）

3．特定作業従事者（特定農作業従事者，指定農業機械作業従事者，職場適応訓練従事者，事業主団体等委託訓練従事者，家内労働者，労組常勤役員，介護作業従事者，家事支援従事者，芸能関係作業従事者，アニメーション制作従事者，情報処理システム設計従事者）

4．海外派遣者等

■**実施主体**（法第2条）

労災保険に関する事務は政府が管掌している。

■**費　用**（法第30条，第31条）

労災保険事業に要する費用は，労働保険の保険料の徴収等に関する法律の規定によって徴収される労働保険料によってまかなわれる。労働保険料のうち，労災保険の収支状況，災害発生率等を勘案して定められる労災保険率に応ずる部分が労災保険の収入となるが，この部分は，すべて事業主負担であり，労働者の負担はない。ただし，労働者が通勤災害により療養給付を受ける場合は，200円を超えない範囲内の一部負担金が徴収される。

■保険給付

1. 業務災害・複数業務要因災害・通勤災害と保険給付

　　労災保険の保険給付は，業務災害に関するもの，2以上の事業に使用される労働者の2以上の事業の業務を要因とする災害に関するもの（複数業務要因災害），通勤災害に関するもの及び二次健康診断等給付に大別される（法第7条）。

　　業務災害とは，労働者が使用者の支配下にある状態にあって，業務に起因して発生した災害をいい，被災労働者の私的行為によって発生したと認められるなどの特別の事情がある場合は，業務災害とはならない。なお，疾病は，医学経験則上，業務との間に医学的な因果関係が確立されているものについては，労働基準法施行規則別表第1の2及びこれに基づく告示において例示列挙している。

　　複数業務要因災害とは，複数の事業での業務上の負荷を総合的に評価して当該業務と傷病等の間に因果関係が認められるものをいう。

　　通勤災害とは，労働者が，通勤途上にある状態に起因する災害で，通勤とは，労働者が就業に関し，①住居と就業の場所との間の往復，②就業の場所から他の就業の場所への移動，③赴任先住居と帰省先住居との間の移動を合理的な経路及び方法により行うことをいい，業務の性質を有するものを除くものである。具体的には通勤の途中において，

(1)　自動車にひかれた場合

(2)　電車が急停車したため転倒して受傷した場合

(3)　駅の階段から転落した場合

(4)　歩行中にビルの建設現場から落下してきた物体により負傷した場合

(5)　転倒したタンクローリーから流れ出す有害物質により急性中毒にかかった場合

等の災害をいうが，自殺の場合，その他被災者の故意によって生じた災害，通勤の途中で怨恨をもってけんかをしかけて負傷した場合などは，通勤をしていることが原因となって災害が発生したものではないので，通勤災害とはならない。なお，労働者災害補償保険法施行規則第18条の4において通勤による疾病の範囲が示されている。

　　二次健康診断等給付は，労働安全衛生法に基づく定期健康診断等のうち，直近のもの（以下「一次健康診断」という。）において，業務上の事由による脳血管疾患及び心臓疾患（以下「脳・心臓疾患」という。）の発症に関連する血圧の測定等の項目について異常の所見が認められる場合に，労働者の請求に基づき，二次健康診断等給付として二次健康診断及び特定保健指導を給付する（法第26条）。

　　保険給付について簡単に説明すると次頁の表のとおりである。

保険給付の概略

どんな場合に	どんな保険給付を	だれが	どのくらい受けられるか
業務上の事由，複数業務要因又は通勤による負傷又は疾病で治療を要する場合	療養補償給付，複数事業労働者療養給付又は療養給付	本　人	療養の給付（又は療養に要した費用）
業務上の事由，複数業務要因又は通勤による負傷又は疾病による療養のため労働することができないため賃金を受けない場合	休業補償給付，複数事業労働者休業給付又は休業給付	本　人	休業第4日目から1日につき原則として給付基礎日額の60％相当額
業務上の事由，複数業務要因又は通勤による負傷又は疾病がなおったときに身体に障害が存する場合	障害補償給付，複数事業労働者障害給付又は障害給付	本　人	障害が重い場合（1〜7級），その程度に応じ1年につき給付基礎日額の313〜131日分の障害補償年金又は障害年金 障害が軽い場合（8〜14級），その程度に応じ給付基礎日額の503〜56日分の障害補償一時金又は障害一時金
業務上の事由，複数業務要因又は通勤により死亡した場合	遺族補償給付，複数事業労働者遺族給付又は遺族給付	遺　族	遺族の数に応じ，給付基礎日額の245〜153日分の年金 年金を受けることができる遺族がいない場合，給付基礎日額の1,000日分の一時金
	葬祭料，複数事業労働者葬祭給付又は葬祭給付	葬祭を行う者	315,000円と給付基礎日額の30日分の合計（その額が給付基礎日額の60日分に満たない場合には，給付基礎日額の60日分）
業務上の事由，複数業務要因又は通勤による負傷又は疾病が療養の開始後1年6か月たってもなおらない場合でその負傷又は疾病による障害の程度が傷病等級に該当するとき	傷病補償年金，複数事業労働者傷病年金又は傷病年金	本　人	障害の程度に応じ給付基礎日額の313〜245日分の年金
常時又は随時介護を要する場合	介護補償給付，複数事業労働者介護給付又は介護給付	本　人	1か月当たり，常時介護を要する者については，172,550円，随時介護を要する者については，86,280円を上限として支給 ただし，① 被災労働者がその親族等により介護を受けており，かつ，介護費用を支出していない場合 ② 被災労働者がその親族等により介護を受けており，かつ，介護費用を支出して介護を受けたが，当該支出額が常時介護を要する者については77,890円，随時介護を要する者については38,900円を下回る場合には，常時介護を要する者については77,890円，随時介護を要する者につい

脳・心臓疾患に関連する異常所見が見られた場合	二次健康診断等給付	本　人	① 二次健康診断
			ては 38,900 円の一律定額支給

※表頭行の一部欠損

| | | | ① 二次健康診断
脳血管及び心臓の状態を把握するために必要な検査
② 特定保健指導
二次健康診断の結果に基づき，脳及び心臓疾患の発生の予防を図るため，医師等により行われる保健指導 |

2. 給付基礎日額

給付基礎日額は，原則として，労働基準法第 12 条の平均賃金に相当する額である（法第 8 条）。

平均賃金は，原則として，事故が発生した日又は病気にかかったことが確定した日以前 3 か月間にその労働者に対し支払われた賃金の総額を，その期間の総日数で割った一生活日当たりの賃金額である。

平均賃金の算定の基礎となる賃金は，その名称のいかんを問わず，労働の対償として使用者から支払われたものであるが，結婚手当など臨時に支払われる賃金，ボーナスなど 3 か月を超える期間ごとに支払われる賃金は含まれない。

なお，平均賃金相当額を給付基礎日額とすることが適当でないと認められるときは，政府が算定する額を給付基礎日額とすることになっており，例えば平均賃金相当額が4,020 円に満たない場合には，給付基礎日額は，一律に 4,020 円とされる。

ただし，年金給付基礎日額（スライド制を適用すべき場合にはスライド率を乗じて得た額）が最低限度額を下回る場合には最低限度額が，また，最高限度額を上回る場合にはその最高限度額が給付基礎日額となる。

また，複数事業労働者の給付基礎日額は，複数事業労働者を使用する事業ごとに算定した給付基礎日額に相当する額を合算した額とする。

療養を開始してから 1 年 6 か月を経過した被災労働者に支給する休業（補償）給付に係る休業給付基礎日額についても同様（**下表参照**）。

長期療養者の休業給付基礎日額及び年金給付基礎日額の最低限度額及び最高限度額
（令和 5 年 7 月 28 日厚生労働省告示第 241 号による改正）

（令和 5 年 8 月～令和 6 年 7 月分）

年齢階層の区分	労働者災害補償保険法第 8 条の 2 第 2 項第 1 号（同法第 8 条の 3 第 2 項において準用する場合を含む。）の厚生労働大臣が定める額	労働者災害補償保険法第 8 条の 2 第 2 項第 2 号（同法第 8 条の 3 第 2 項において準用する場合を含む。）の厚生労働大臣が定める額
20 歳未満	5,213 円	13,314 円
20 歳以上 25 歳未満	5,816 円	13,314 円
25 歳以上 30 歳未満	6,319 円	14,701 円

30 歳以上 35 歳未満	6,648 円	17,451 円
35 歳以上 40 歳未満	7,011 円	20,453 円
40 歳以上 45 歳未満	7,199 円	21,762 円
45 歳以上 50 歳未満	7,362 円	22,668 円
50 歳以上 55 歳未満	7,221 円	24,679 円
55 歳以上 60 歳未満	6,909 円	25,144 円
60 歳以上 65 歳未満	5,804 円	21,111 円
65 歳以上 70 歳未満	4,020 円	15,922 円
70 歳以上	4,020 円	13,314 円

3．給付の種類

(1)　療養補償給付（法第 13 条），複数事業労働者療養給付（法第 20 条の 3 ）又は療養給付（法第 22 条）

　　療養補償給付，複数事業労働者療養給付又は療養給付は，療養の給付と療養の費用の支給とがある。

①　療養の給付

　　療養の給付は，現物給付であって保険者である政府が所定の医療機関を通じ，直接，被災労働者に対し療養そのものを給付するものである。

ア　療養の機関

　　療養の給付が行われる療養機関は，㈱労働者健康福祉機構が設置運営している労災病院，又は，都道府県労働局長が指定した病院，診療所若しくは薬局である。

イ　療養の給付の範囲

　　次に掲げる措置で政府が必要と認めるものである。

　㋐　診察

　㋑　薬剤又は治療材料の支給

　㋒　処置，手術その他の治療

　㋓　居宅における療養上の管理及びその療養に伴う世話その他の看護

　㋔　病院又は診療所への入院及びその療養に伴う世話その他の看護

　㋕　移送

ウ　給付期間

　　療養の給付は，その傷病が治るまで，すなわち，療養を必要としなくなるまであるいは症状が固定して療養の効果を期待できなくなるまで行われる。

②　療養の費用の支給

　　療養の費用の支給は，被災労働者が指定病院等以外の病院などで療養した場合に，その療養に要した費用を償還する現金給付である。なお，療養の費用の支給される範囲および期間については，療養の給付の場合と同様である。

(2)　休業補償給付（法第 14 条），複数事業労働者休業給付（法第 20 条の 4 ）又は休業給

付（法第22条の2）

労働者が業務上の事由，複数業務要因又は通勤による傷病に係る療養のため，労働することができず，そのために賃金を受けない場合には，賃金を受けない期間1日につき，原則として給付基礎日額の60％相当額が支給される。

ただし，賃金を受けない最初の3日間（待期期間）については，休業補償給付，複数事業労働者休業給付及び休業給付は行われない。この期間は業務災害の場合には事業主が労働基準法による休業補償を行わなければならない。

(3) 傷病補償年金（法第18条，第18条の2），複数事業労働者傷病年金（法第20条の8）又は傷病年金（法第23条）

① 支給要件

業務上の事由，複数業務要因又は通勤により負傷し又は疾病にかかった労働者が，療養の開始後1年6か月を経過した日において，次のいずれにも該当するとき又は同日後，次のいずれにも該当することとなったときに支給される。

ア　その負傷又は疾病が治っていないこと。

イ　その負傷又は疾病による障害の程度が傷病等級に該当すること（別表第2　傷病等級表）(p. 696 参照)。

② 給付の内容

障害の程度に応じ，給付基礎日額の313日分（傷病等級第1級），277日分（同第2級）又は245日分（同第3級）の年金

(4) 障害補償給付（法第15条，第15条の2），複数事業労働者障害給付（法第20条の5）又は障害給付（法第22条の3）

業務上の事由，複数業務要因又は通勤による傷病が治ったときに，身体に一定の障害が残った場合に支給される。なお，障害補償給付には，障害補償年金（障害等級第1〜7級）と障害補償一時金（障害等級第8〜14級），複数事業労働者障害給付には，複数事業労働者障害年金（障害等級第1〜7級）と複数事業労働者障害一時金（障害等級第8〜14級），障害給付には，障害年金（障害等級第1〜7級）と障害一時金（障害等級第8〜14級）とがある（別表第1　障害等級表）(p. 692 参照)。

(5) 障害補償年金差額一時金（法第58条），複数事業労働者障害年金差額一時金（法第60条の2）又は障害年金差額一時金（法第61条）

障害補償年金，複数事業労働者障害年金又は障害年金の受給権者が死亡した場合において，既に支払われ

障害等級	額
第1級	給付基礎日額の1,340日分
第2級	給付基礎日額の1,190日分
第3級	給付基礎日額の1,050日分
第4級	給付基礎日額の 920日分
第5級	給付基礎日額の 790日分
第6級	給付基礎日額の 670日分
第7級	給付基礎日額の 560日分

た障害補償年金，複数事業労働者障害年金又は障害年金の合計額が障害等級に応じ次
頁の表の額に満たないときは，その額との差額の障害補償年金差額一時金，複数事業
労働者障害年金差額一時金又は障害年金差額一時金が，その遺族（①労働者の死亡の
当時その者と生計を同じくしていた配偶者（内縁の者を含む。），子，父母，孫，祖父
母及び兄弟姉妹，②前記①に該当しない配偶者，子，父母，孫，祖父母及び兄弟姉妹）
に対し，その請求に基づき，支給される。

(6)　障害補償年金前払一時金（法第 59 条），複数事業労働者障害年金前払一時金（法第
60 条の 3 ）又は障害年金前払一時金（法第 62 条）

　　障害補償年金，複数事業労働者障害年金又は障害年金の受給権者の請求に基づき，
障害等級に応じ前記(5)に掲げる額を最高額として一定の額の前払一時金が支給され
る。

(7)　遺族補償給付（法第 16 条～第 16 条の 9 ），複数事業労働者遺族給付（法第 20 条の
6 ）又は遺族給付（法第 22 条の 4 ）

　　労働者が業務上の事由，複数業務要因又は通勤により死亡した場合に，遺族に対し
支給される。遺族補償給付には遺族補償年金と遺族補償一時金，複数事業労働者遺族
給付には複数事業労働者遺族年金と複数事業労働者遺族一時金，遺族給付には遺族年
金と遺族一時金とがある。

①　遺族補償年金，複数事業労働者遺族年金又は遺族年金

ア　受給資格者

　　遺族補償年金，複数事業労働者遺族年金又は遺族年金の受給資格者は，死亡労
働者の配偶者（内縁の者を含む。），子，父母，孫，祖父母及び兄弟姉妹で，労働
者の死亡当時その収入によって生計を維持していたものである。妻以外の者につ
いては，さらに次の年齢又は障害のいずれかに該当しなければならない。

　　なお，死亡当時胎児であった子が出生したときは，将来に向かってその子は，
労働者の死亡の当時その収入によって生計を維持していた子とみなし，その出生
時から受給資格者となる。

(ｱ)　労働者の死亡当時，夫，父母及び祖父母については，55 歳以上，子及び孫に
ついては 18 歳に達する日以後の最初の 3 月 31 日までの間にあること，兄弟姉
妹については 18 歳に達する日以後の最初の 3 月 31 日までの間にあるか又は
55 歳以上であること。

(ｲ)　労働者の死亡当時，障害等級表の第 5 級以上に該当する障害があるか，又は
傷病が治らないで，労働が高度の制限を受ける程度以上の障害の状態にあるこ
と。

イ　受給権者

　　受給資格者のうち，遺族補償年金，複数事業労働者遺族年金又は遺族年金の支

給を実際に受けることができる者（受給権者）は，次の順序による最先順位者である。なお，受給権者となった者がその後失権した場合には，次順位者がその時から受給権者となる。

以下同様に先順位者から後順位者に受給権が引き継がれる。

(ｱ)　妻又は60歳以上若しくは一定の障害の状態にある夫

(ｲ)　18歳に達する日以後の最初の3月31日までの間にある又は一定の障害の状態にある子

(ｳ)　60歳以上又は一定の障害の状態にある父母

(ｴ)　18歳に達する日以後の最初の3月31日までの間にある又は一定の障害の状態にある孫

(ｵ)　60歳以上又は一定の障害の状態にある祖父母

(ｶ)　18歳に達する日以後の最初の3月31日までの間にある，若しくは60歳以上又は一定の障害の状態にある兄弟姉妹

(ｷ)　55歳以上60歳未満の夫

(ｸ)　55歳以上60歳未満の父母

(ｹ)　55歳以上60歳未満の祖父母

(ｺ)　55歳以上60歳未満の兄弟姉妹

以上による同順位者が2人以上あるときは，その全員が受給権者となり，年金を等分して受ける。また，前記(ｷ)から(ｺ)までの者については，受給権者となっても，60歳に達するまでは年金の支給が停止される。

ウ　年金額

遺族補償年金，複数事業労働者遺族年金又は遺族年金の額は，受給権者及び受給権者と生計を同じくしている受給資格者の数により，下表のとおりである。

遺族の数	年　　金　　額
1人	給付基礎日額の153日分 ただし，その遺族が55歳以上の妻又は一定の障害の状態にある妻の場合は給付基礎日額の175日分
2人	給付基礎日額の201日分
3人	〃　　　　223日分
4人以上	〃　　　　245日分

エ　失　権

遺族補償年金，複数事業労働者遺族年金又は遺族年金の受給権は，受給権者が次のいずれかに該当したときは消滅し（失権），同順位の受給権者がないときは，次順位者が新たな受給権者となる。

　　　(ｱ)　死亡したとき

　　　(ｲ)　婚姻したとき（内縁も含む。）

　　　(ｳ)　直系血族又は直系姻族以外の者の養子（事実上の養子縁組関係も含む。）と
　　　　　なったとき

　　　(ｴ)　離縁（養子縁組関係の解消）によって死亡労働者との親族関係が終了したとき

　　　(ｵ)　子，孫又は兄弟姉妹については，18歳に達した日以後の最初の3月31日が
　　　　　終了したとき（一定の障害の状態にあるときを除く。）

　　　(ｶ)　障害による受給資格者については，その事情がなくなったとき

　②　遺族補償一時金，複数事業労働者遺族一時金又は遺族一時金

　　ア　支給される場合と支給される額

　　　(ｱ)　労働者の死亡当時，遺族補償年金，複数事業労働者遺族一時金又は遺族年金
　　　　　の受給資格者がいないとき…給付基礎日額の1,000日分

　　　(ｲ)　遺族補償年金，複数事業労働者遺族一時金又は遺族年金の受給権者となった
　　　　　者がすべて失権した場合で，それまで支給された年金及び一時金の合計額が給
　　　　　付基礎日額の1,000日分に満たないとき…その合計額と給付基礎日額の1,000
　　　　　日分との差額

　　イ　受給資格者と受給権者

　　　　遺族補償一時金，複数事業労働者遺族一時金又は遺族一時金の受給資格者は，
　　　次の者であって，遺族補償年金，複数事業労働者遺族一時金又は遺族年金の受給
　　　資格者とならないもの

　　　(ｱ)　配偶者

　　　(ｲ)　労働者の死亡当時その収入によって生計を維持していた子，父母，孫及び祖
　　　　　父母

　　　(ｳ)　前記(ｲ)に該当しない子，父母，孫及び祖父母

　　　(ｴ)　兄弟姉妹

　　　　遺族補償一時金，複数事業労働者遺族一時金又は遺族一時金の受給権者とな
　　　るべき遺族の順位は，前記(ｱ)，(ｲ)，(ｳ)，(ｴ)の順序により，(ｲ)及び(ｳ)に掲げる者
　　　のなかでは，それぞれに掲げる順序による。

(8)　遺族補償年金前払一時金（法第60条），複数事業労働者遺族年金前払一時金（法第
　60条の4）又は遺族年金前払一時金（法第63条）

　　　遺族補償年金，複数事業労働者遺族年金又は遺族年金の受給権者の請求に基づき，
　給付基礎日額の1,000日分を限度として一定の額が前払一時金として支給される。

(9)　葬祭料（法第17条），複数事業労働者葬祭給付（法第20条の7）又は葬祭給付（法
　第22条の5）

　　　労働者が業務上の事由又は通勤により死亡した場合に，葬祭を行う者に対し，

315,000 円に給付基礎日額の 30 日分の額を合算した額（その額が給付基礎日額の 60 日分に満たない場合には，給付基礎日額の 60 日分）の葬祭料又は葬祭給付が支給される。

⑽　介護補償給付（法第 19 条の 2），複数事業労働者介護給付（法第 20 条の 9）又は介護給付（法第 24 条）

介護補償給付，複数事業労働者介護給付又は介護給付は，業務災害により被災し，障害の状態が重度のため，常時介護又は随時介護を受けている者に対して，その介護費用の実費補てんとして支給される。支給対象となるのは，障害補償年金，複数事業労働者障害年金又は傷病補償年金の第 1 級を受給している者並びに第 2 級の精神神経障害及び胸腹部臓器障害の者であって常時又は随時介護を要する者である。

介護補償給付は月単位で支給され，その額は 1 か月に要した介護費用の額（ただし，常時介護の場合は 172,550 円，随時介護の場合は 86,280 円を上限とする。）となっている。

なお，親族等により介護を受け，かつ，介護費用を支出していない場合，又は親族等により介護を受け，かつ，介護費用を支出したがその額が一定額（常時介護の場合 77,890 円，随時介護の場合 38,900 円）を下回る場合には，一律定額として，常時介護の場合は 77,890 円，随時介護の場合は 38,900 円が支給される。

⑾　二次健康診断等給付（法第 26 条）

二次健康診断等給付は，事業主が実施する労働安全衛生法の規定に基づく定期健康診断等において，脳・心臓疾患に関連する一定の項目について異常の所見があると診断された労働者に対し，その請求に基づいて行うものであり，その範囲は次のとおりである。

①　二次健康診断

脳血管及び心臓の状態を把握するために必要な検査。

なお，二次健康診断として行う検査は次のとおりである。

ア　空腹時の低比重リポ蛋白コレステロール（LDL コレステロール），高比重リポ蛋白コレステロール（HDL コレステロール）及び血清トリグリセライドの量の検査

イ　空腹時の血中グルコースの量の検査

ウ　ヘモグロビン A1c 検査（一次健康診断において当該検査を行った場合を除く。）

エ　負荷心電図検査又は胸部超音波検査

オ　頸部超音波検査

カ　微量アルブミン尿検査（一次健康診断における尿中の蛋白の有無の検査において疑陽性（±）又は弱陽性（＋）の所見があると診断された場合に限る。）

②　特定保健指導

二次健康診断の結果に基づき，脳・心臓疾患の発生の予防を図るため医師等によ

り行われる保健指導。

4．スライド制

(1) 休業補償給付，複数事業労働者休業給付又は休業給付のスライド（法第8条の2）

　　厚生労働省で作成している「毎月勤労統計」における「毎月きまって支給する給与」の労働者1人当たり1か月平均額（以下「平均給与額」という。）の変動率を基準としている。また，賃金水準の変動を短期のうちにできるだけ敏感に休業補償給付又は休業給付の額に反映させるために，1月から3月まで，4月から6月まで，7月から9月まで及び10月から12月までの各区分による期間（以下「四半期」という。）を単位として，平均給与額が，その労働者が被災した日の属する四半期（以前にスライドされている場合にあっては，当該スライド改定時の四半期の前々四半期）の平均給与額の100分の110を上回り，又は，100分の90を下回るに至った場合に，その比率を基準として厚生労働大臣が定める率を給付基礎日額（以前にスライドされている場合にあっては，当該スライド後の額）に乗じた額が休業給付基礎日額とされることにより改定がなされる。

(2) 年金給付のスライド制（法第8条の3）

　　対象となるものは障害補償年金，遺族補償年金，傷病補償年金，複数事業労働者障害年金，複数事業労働者遺族年金，複数事業労働者傷病年金，障害年金，遺族年金及び傷病年金である。

　　年金給付のスライドは，平均給与額と，労働者が被災した年度における平均給与額の変動率に応じて年金給付基礎日額がスライドされる。

(3) 一時金給付のスライド制（法第8条の4）

　　障害補償一時金，障害補償年金差額一時金，障害補償年金前払一時金，遺族補償一時金，遺族補償年金前払一時金，葬祭料（給付基礎日額の30日分又は60日分に相当する部分に限る。），複数事業労働者障害一時金，複数事業労働者障害年金差額一時金，複数事業労働者障害年金前払一時金，複数事業労働者遺族一時金，複数事業労働者遺族年金前払一時金，複数事業労働者葬祭給付（給付基礎日額の30日分又は60日分に相当する部分に限る。），障害一時金，障害年金差額一時金，障害年金前払一時金，遺族一時金，遺族年金前払一時金及び葬祭給付（給付基礎日額の30日分又は60日分に相当する部分に限る。）については，支給事由が生じたときに，同一の事由についての年金給付が支給されるとした場合にその年金給付基礎日額の改定に用いる率により改定される。

5．給付の調整

　　同一の事由に対して重複して給付が行われることによる不合理を除去するため，他制度との間に次のような調整をすることになっている。

(1) 年金間の調整

　同一の事由（障害，死亡又は傷病）に関して，次の表の上欄の労災保険の年金と左欄の社会保険の年金とが併給される場合には，労災保険の年金は，次の表の調整率を乗じることにより減額して支給される。なお，社会保険の年金はそのまま全額が支給される。

併給される 厚生年金等 ＼ 労災保険の年金 たる保険給付	障害補償年金 複数事業労働 者障害年金 障　害　年　金	遺族補償年金 複数事業労働 者遺族年金 遺　族　年　金	傷病補償年金 複数事業労働 者傷病年金 傷　病　年　金
厚生年金保険 及び 国民年金 ＜ 障害厚生年金及び 障害基礎年金	0.73	—	0.73
遺族厚生年金及び 遺族基礎年金 又は寡婦年金	—	0.80	—
厚生年金保険 ＜ 障害厚生年金	0.83	—	0.86
遺族厚生年金	—	0.84	—
国民年金 ＜ 障害基礎年金	0.88	—	0.88
遺族基礎年金 又は寡婦年金	—	0.88	—

　ただし，調整率を乗じて減額した労災保険の年金額が調整前の労災保険の年金額から併給される社会保険の年金額を減じた残りの額を下回る場合には，その減じた残りの額が支給される。

　なお，国民年金法等の一部を改正する法律（昭和60年法律第34号）による改正前の厚生年金保険法，船員保険法又は国民年金法の規定による年金たる給付が併給される場合についても，同様に下表のように調整率が定められている。

併給される 旧厚生年金等 ＼ 労災保険の年金 たる保険給付	障害補償年金 複数事業労働 者障害年金 障　害　年　金	遺族補償年金 複数事業労働 者遺族年金 遺　族　年　金	傷病補償年金 複数事業労働 者傷病年金 傷　病　年　金
昭和60年改正 法による改正前 の厚生年金保険 ＜ 障　害　年　金	0.74	—	0.75
遺　族　年　金	—	0.80	—
昭和60年改正 法による改正前 の船員保険 ＜ 障　害　年　金	0.74	—	0.75
遺　族　年　金	—	0.80	—
昭和60年改正 法による改正前 の国民年金 ＜ 障　害　年　金	0.89	—	0.89
母　子　年　金　等	—	0.90	—

(2) 休業補償給付，複数事業労働者休業給付及び休業給付と社会保険の年金との間の調整

　同一の事由に関して，休業補償給付，複数事業労働者休業給付又は休業給付と次の表の社会保険の年金とが併給される場合には，休業補償給付，複数事業労働者休業給付又は休業給付は，次の表の調整率（前記(1)の傷病補償年金の場合の調整率に同じ。）を乗じて減額して支給される。

　ただし，調整率を乗じて減額した休業補償給付，複数事業労働者休業給付又は休業給付の額が，調整前の休業補償給付，複数事業労働者休業給付又は休業給付の額から併給される社会保険の年金の額の365分の1の額を減じた残りの額を下回る場合には，その減じた残りの額が支給される。

併給される社会保険の年金の種類	厚生年金保険及び国民年金	厚生年金保険	国民年金
	障害厚生年金及び障害基礎年金	障害厚生年金	障害基礎年金
調整率	0.73	0.86	0.88

　なお，国民年金法等の一部を改正する法律による改正前の厚生年金保険法，船員保険法又は国民年金法の規定による年金たる給付が併給される場合についても，同様に次の表のように調整率が定められている。

併給される社会保険の年金の種類	昭和60年改正法による改正前の厚生年金保険	昭和60年改正法による改正前の船員保険	昭和60年改正法による改正前の国民年金
	障害年金	障害年金	障害年金
調整率	0.75	0.75	0.89

■社会復帰促進等事業（法第29条）

　労災保険では，保険給付の事業に並立する事業として，次のような社会復帰促進等事業を行っている。なお，これらの事業の一部は労災保険が出資している独立行政法人労働者健康安全機構が行う。

　社会復帰促進等事業としては，大別して次の3種の事業がある。

1．療養に関する施設及びリハビリテーションに関する施設の設置及び運営その他被災労働者の円滑な社会復帰を促進するために必要な事業

2．被災労働者の療養生活の援護，被災労働者の受ける介護の援護，その遺族の就学の援護，被災労働者及びその遺族が必要とする資金の貸付けによる援護その他被災労働者及びその遺族の援護を図るために必要な事業

3．業務災害の防止に関する活動に対する援助，健康診断に関する施設の設置及び運営そ

の他労働者の安全及び衛生の確保，保険給付の適切な実施の確保並びに賃金の支払の確保を図るために必要な事業

社会復帰促進等事業一覧

種　　　類	目　　　的	内　　　容	手　　　続
(1)　外科後処置	治ゆ後に無料で診療の機会を与え，義肢装着のための断端部の再手術，醜状の軽減のための再手術，筋電電動義手の装着訓練等により，被災労働者の失った労働能力の回復やその生活条件を向上させ，社会復帰を円滑にする。	①　障害補償給付又は障害給付を受けた者で，失った労働能力を回復し，又は醜状を軽減する見込のある者 ②　外科後処置の範囲は，原則として，整形外科的診療，外科的診療及び理学療法とし，その処置に必要な医療の給付は，診察，薬剤又は治療材料の支給，処置，手術その他の治療，病院又は診療所への入院及びその療養に伴う世話その他の看護，筋電動義手の装着訓練等	①　申請書「診査表」を添付したうえで労働基準監督署長を経由して都道府県労働局長に提出 ②　労災病院，医療リハビリテーションセンター，総合せき損センター都道府県労働局長が指定する病院又は診療所及び委託契約した病院で実施
(1)に係る旅費の支給	外科後処置を受けるため旅行する者に支給する。	鉄道運賃，船賃及び車賃，日当並びに宿泊料 宿泊料は一夜につき8,700円の範囲内における実費，日当850円。ただし，日当は外科後処置を受けるため病院に入院した期間について支給する。	申請書を（労働基準監督署長を経由して）都道府県労働局長に提出
(2)　義肢等補装具費の支給	手足を失ったり，視聴力が減退した等の被災労働者に対し補装具の購入（修理）に要した費用を支給して失われた身体上の欠損を補い，機能を回復させ，社会復帰の促進を図る。	①　障害補償給付，複数事業労働者障害給付又は障害給付を受けた者（一部傷病補償年金，複数事業労働者傷病年金又は傷病年金を受けた者） ②　支給内容 ア－1　義肢＝1障害部位2本 ア－2　筋電電動義手＝1人につき1本 イ　上・下肢装具＝1障害部位について2本 ウ　体幹装具＝1人につき1個 エ　座位保持装置＝1人につき1台 オ　盲人安全つえ＝1人につき1本 カ　義眼＝失明した1眼について1個 キ　眼鏡＝1障害について1個 ク　点字器＝1人につき1台 ケ　補聴器＝1障害について1器	①　申請書を都道府県労働局長に提出 ②　都道府県労働局長が指定した採型指導医（病院等）・製作業者等を通じ実施

種　　　類	目　　　的	内　　　容	手　　　続
		コ　人工喉頭＝1障害について1個 サ　車いす＝1人について1台 シ　電動車いす＝1人について1台 ス　歩行車＝1人について1台 セ　収尿器＝1人について2器 ソ　ストマ用装具＝都道府県労働局長が必要と認めた数 タ　歩行補助つえ＝1人につき1本 チ　かつら＝1人について1個 ツ　浣腸器付排便剤＝1人につき3日に1個 テ　床ずれ防止用敷ふとん＝1人について1枚 ト　介助用リフター＝1人について1台 ナ　フローテーションパッド（車いす・電動車いす用）＝1人につき1枚 ニ　ギャッチベッド＝1人につき1台 ヌ　重度障害者用意思伝達装置＝1人につき1台	
(2)に係る旅費の支給	種類欄(2)の内容欄②について下記の旅行をする者に支給 ア－1，イ，ウ，エ，サ，シ，チの採寸又は装着のための旅行 ア－2に係る装着訓練，試用装着期間における指導等及び適合判定のための旅行 能動式義手に係る装着訓練のための旅行 カの装嵌のための旅行 キ（コンタクトレンズに限る。）又はツの購入費用の支給に係る検査のための旅行	鉄道賃，船賃及び車賃並びに宿泊料 宿泊料は，一夜につき8,700円の範囲内における実費	申請書を（労働基準監督署長を経由して）都道府県労働局長に提出
(3)　特殊疾病に対するアフターケア（健康管理）	傷病が治った後の予防等の措置を行うことによって，残存労働能力を維持回復させ，円滑な社会生活を営ませる。	①　対象者 ア　原則として障害等級第3級以上の障害（補償）給付（複数事業労働者給付を含む，以下この表において同じ。）を受けているせき髄損傷者 イ　次の傷病により，障害等級第9級以上の障	①　都道府県労働局長が健康管理手帳を交付 ②　労災病院，医療リハビリテーションセンター，総合せき損センター及び労災指定医療機関で実施

種　　　類	目　　　的	内　　　容	手　　　続
		害（補償）給付を受けている者 ㈎　頭頸部外傷症候群 ㈏　頸肩腕障害 ㈐　腰痛 ウ　尿道狭さくの障害を残す者及び尿路変向術を受けた者 エ　慢性肝炎の症状が固定した者 オ　白内障等の眼疾患の障害を残す者 カ　振動障害により障害補償給付を受けている者 キ　大腿骨頸部骨折及び股関節脱臼・脱臼骨折の症状が固定した者 ク　人工関節及び人工骨頭を置換した者 ケ　慢性化膿性骨髄炎の症状が固定した者 コ　虚血性心疾患等により障害等級第9級以上の障害補償給付を受けている者及びペースメーカー等を植え込んだ者 サ　尿路系腫瘍の症状が固定した者 シ　次の傷病によって脳の器質性障害が残り，障害等級第9級以上の障害（補償）給付を受けている者 ㈎　外傷による脳の器質的損傷 ㈏　一酸化炭素中毒（炭鉱災害によるものを除く。） ㈐　減圧症 ㈑　脳血管疾患 ㈒　有機溶剤中毒等 ス　外傷による末梢神経損傷に起因し，症状固定後も激しい疼痛が残る者で，障害等級第12級以上の障害（補償）給付を受けている者 セ　熱傷により，その症状が固定した後も，傷痕による皮膚のそう痒等の後遺症を残す者で，障害等級第12級以上の障害（補償）給付を受けている者 ソ　強力な殺傷作用を有するサリンに中毒し，その症状が固定した後も後遺症状を残す者	

種　　類	目　　的	内　　容	手　　続
		タ　業務による心理的負荷を原因として精神障害を発病した者で，その症状固定後も，気分の障害等の後遺症状を残す者 チ　心臓弁を損傷した者，心膜の病変の障害を残す者及び人工弁に置換した者で障害（補償）給付を受けている者又は人工血管に置換した者 ツ　呼吸機能障害を残す者で，障害（補償）給付を受けている者 テ　消化吸収障害等を残す者又は消化器ストマを造設した者で，障害（補償）給付を受けている者 ト　炭鉱災害による一酸化炭素中毒について療養補償給付を受けていた者で，症状が固定した者 ②　アフターケアの範囲 　診察，保健指導，保健のための処置，薬剤の支給，検査等	
(4)　労災はり・きゅう施術特別援護措置	頸肩腕症候群，腰痛等の傷病者で，症状固定後においても疼痛，しびれ，麻痺等の障害を残す者に対し，対症療法として「はり・きゅう」を行うことにより，円滑な社会復帰を図る。	①　対象者 　頸肩腕症候群，腰痛等にり患し，障害（補償）給付を受けた者又は受けると見込まれる者（傷病が治ゆした者に限る。）で，はり・きゅう施術を必要とする者 ②　措置内容 　1か月5回程度を限度に原則として2年以内の期間施術を行う。	
(5)　長期家族介護者援護金の支給	長期間介護に当たってきた重度被災労働者の遺族に対して，援護金を支給することにより，遺族の生活の激変を緩和しうるよう援助を行う。	次のいずれの要件も満たす者に100万円（遺族が2人以上の場合は人数で除した額）を支給する。 ①　障害等級第1級の障害補償年金，複数事業労働者障害年金若しくは障害年金又は傷病等級第1級の傷病補償年金，複数事業労働者傷病年金若しくは傷病年金の受給者（ただし，受給期間が10年以上の者に限る。）で，神経機能又は精神障害等により常時介護を要した者の遺族 ②　妻又は55歳以上若し	申請書を労働基準監督署を経由して都道府県労働局長に提出

種　　　類	目　　　的	内　　　容	手　　　続
		くは一定の障害状態にある最先順位の遺族 ③　遺族補償給付，複数事業労働者遺族給付，遺族給付を受給することができない遺族 ④　生活困窮者（所得税法の規定により所得税を納付しないこととなる者であって，その者を扶養する者がいないか，又はその者を扶養する者が所得税法の規定により所得税法を納付しないこととなる者）	
(6)　労災就学等援護費 ア．労災就学援護費	被災労働者の遺族，重度障害者又はその子及び傷病（補償）年金（複数事業労働者を含む。）受給者で重篤なものの子のうちには，学業を中途で放棄したり，進学を断念する等の事例がみられるので，就学援護費を支給し，これらの者の福祉の増進を図る。	①　障害等級第1級から第3級までの障害（補償）年金受給権者若しくは受給権者の子，遺族（補償）年金の受給権者若しくは受給権者の子又は傷病の程度が特に重篤な傷病（補償）年金の受給権者の子が学校教育法第1条に規定する学校（幼稚園を除く。）もしくは同法第124条に規定する専修学校（一般課程にあつては，都道府県労働局長が高等課程と同等以上であると認めるものに限る。）に在学している者又は公共職業能力開発施設において職業能力開発促進法施行規則第9条に規定する普通課程の普通職業訓練若しくは専門課程若しくは応用課程の高度職業訓練（職業能力開発総合大学校において行われるものを含む。）を受ける者若しくは公共職業能力開発施設に準ずる施設において実施する教育，訓練，研修，講習その他これらに類するものとして労働基準局長が定めるものを受ける者で，学資等の支給を必要とする状態にあるものに支給する。 ②ア．小学校，義務教育学校の前期課程又は特別支援学校の小学部に在学する者 　　月額　15,000円 　イ．中学校，義務教育学校の後期課程，中等教育学校の前期課程又は特別支援学校の中学部に在学する者	申請書を労働基準監督署長に提出

種　　類	目　　的	内　　容	手　　続
		月額　20,000円（ただし，通信課程に在学する者にあっては，月額17,000円） ウ．高等学校，中等教育学校の後期課程，特別支援学校の高等部，高等専門学校（第1学年から第3学年までに限る。）若しくは専修学校の高等課程若しくは一般課程に在学する者又は公共職業能力開発施設において中学校を卒業した者若しくはこれと同等以上の学力を有するものと都道府県労働基準局長が認める者を対象とする普通職業訓練若しくは職業訓練法施行規則の一部を改正する省令附則第2条第1項に規定する専修訓練課程の普通職業訓練を受ける者若しくは①の公共職業能力開発施設に準ずる施設において中学校を卒業した者若しくはこれと同等以上の学力を有するものと都道府県労働局長が認める者を対象とする教育訓練等を受ける者 月額　19,000円（ただし，通信課程に在学する者にあっては，月額16,000円） エ．大学，高等専門学校の第4学年，第5学年若しくは専攻科若しくは専修学校の専門課程に在学する者，公共職業能力開発施設において普通職業訓練を受ける者（ウに掲げる者を除く。）若しくは高度職業訓練を受ける者若しくは①の公共職業能力開発施設に準ずる施設において教育訓練等を受ける者（ウに掲げる者を除く。） 月額　39,000円（ただし，通信制大学に在学する者にあっては，月額30,000円） ③　労働基準監督署長が決定 （支給事務は厚生労働省労	

種　　　類	目　　　的	内　　　容	手　　　続
イ．労災就労保育援護費	被災労働者の遺族，重度障害者及び傷病（補償）年金受給者（複数事業労働者を含む，以下同じ。）の家族のうちには，保育を必要とする未就学の児童がいるため，就学が著しく困難で生計に支障をきたす事例がみられるので，就労保育援護費を支給し，これらの者の福祉の増進を図る。	①　障害等級第1級から第3級までの障害（補償）年金の受給権者，遺族（補償）年金の受給権者又は傷病の程度が特に重篤な傷病（補償）年金の受給権者の子又はこれらの労災年金受給権者が保育を必要とする未就学の児童（以下「要保育児」という。）であって，要保育児と同一生計にある家族が就労のため当該保育児の保育所，幼稚園等に預けており，かつ，その保育に係る費用の援護の必要があると認められる場合に支給する。 ②　要保育児1人につき月額　11,000円 ③　労働基準監督署長が決定 （支給事務は厚生労働省労働基準局労災保険業務室で実施）	申請書を労働基準監督署長に提出
(7)　振動障害者社会復帰援護金	振動障害が治った者の社会復帰の促進を図るために，職業復帰に伴う諸経費の補助として援護金を支給する。	①　対象者 　振動障害が治った者（治ゆ後1年以内に限る。）で，振動障害での療養期間が1年以上の者（過去に同様の援護金を受けている者を除く。） ②　支給額 　申請者の給付基礎日額をもとに，次の日数分の金額を支給（300万円を限度） ア　治ゆ日において65歳以上の者…120日分 イ　治ゆ日において65歳未満の者…200日分	申請書を労働基準監督署長に提出

特別支給金（労働者災害補償保険特別支給金支給規則）

種　　　類	目　　　的	内　　　容	手　　　続
ア．休業特別支給金	業務災害，複数業務要因災害又は通勤災害の療養のため労働することができず賃金を受けられない労働者に支給する。	賃金を受けない日の4日目から，休業1日につき原則として給付基礎日額の20/100に相当する額	申請書を労働基準監督署長に提出

種　　　類	目　　　的	内　　　容	手　　　続
イ．障害特別支給金	業務災害，複数業務要因災害又は通勤災害により身体に障害を残した労働者に支給する。	障害等級額　　　障害等級額 1級 342万円　8級 65万円 2級 320万円　9級 50万円 3級 300万円 10級 39万円 4級 264万円 11級 29万円 5級 225万円 12級 20万円 6級 192万円 13級 14万円 7級 159万円 14級　8万円	申請書を労働基準監督署長に提出
ウ．遺族特別支給金	業務災害，複数業務要因災害又は通勤災害により死亡した場合，当該労働者の遺族に支給する。	①　遺族は，配偶者，子，父母，孫，祖父母，兄弟姉妹とする。 ②　支給金を受ける順位は，遺族補償給付又は遺族給付の場合に同じ。 ③　支給金の額は 300万円（遺族が2人以上であるときは，300万円をその人数で除した額）	申請書を労働基準監督署長に提出
エ．傷病特別支給金	業務災害，複数業務要因災害又は通勤災害による傷病が療養の開始後1年6か月たっても治らない場合で，その障害の程度が傷病等級に該当するとき当該労働者に支給する。	傷病等級　　　　額 1　級　　114万円 2　級　　107万円 3　級　　100万円	申請書を労働基準監督署長に提出
オ．障害特別年金	障害補償年金，複数事業労働者障害年金又は障害年金受給権者に支給する。	障害の程度に応じ算定基礎日額の 313日分（障害等級第1級）から 131日分（障害等級第7級）までの年金	申請書を労働基準監督署長に提出
カ．障害特別年金差額一時金	障害補償年金差額一時金，複数事業労働者障害年金差額一時金又は障害年金差額一時金の受給権者に支給する。	障害の程度に応じ，算定基礎日額の 1,340日分（障害等級第1級）から 560日分（障害等級第7級）と既に支給された障害特別年金の額との差額	申請書を労働基準監督署長に提出
キ．障害特別一時金	障害補償一時金，複数事業労働者障害一時金又は障害一時金の受給権者に支給する。	障害の程度に応じ算定基礎日額の 503日分（障害等級第8級）から 56日分（障害等級第14級）までの一時金	申請書を労働基準監督署長に提出
ク．遺族特別年金	遺族補償年金，複数事業労働者遺族年金又は遺族年金の受給権者に支給する。	遺族の数に応じ，算定基礎日額の 245日分（遺族4人以上）から 153日分（遺族1人）までの年金	申請書を労働基準監督署長に提出
ケ．遺族特別一時金	遺族補償一時金，複数事業労働者遺族一時金又は遺族一時金の受給権者に支給する。	算定基礎日額の 1,000日分を最高限度とする一時金	申請書を労働基準監督署長に提出
コ．傷病特別年金	傷病補償年金，複数事業労働者傷病年金又は傷病年金の受給権者に支給する。	傷病の程度に応じ，算定基礎日額の 313日分（傷病等級第1級）から 245日分（傷病等級第3級）までの年金	申請書を労働基準監督署長に提出

（注）　オ～コの「算定基礎日額」とは，原則として被災日以前1年間（雇入後1年に満たない者について

は雇入後の期間）に労働者がその使用される事業主から受けた特別給与（労働基準法第 12 条第 4 項の 3 か月を超える期間ごとに支払われる賃金）の総額を，365 で除して得た額である。

炭鉱災害による一酸化炭素中毒に係る措置
（炭鉱災害による一酸化炭素中毒症に関する特別措置法）

種　　類	目　　的	内　　容	手　　続
介護料の支給	一酸化炭素中毒患者で重篤な精神神経症状を呈し，常時介護を要するものに介護料を支給し，これらの者の福祉増進を図る。	療養補償給付を受けている一酸化炭素中毒患者で常時介護を必要とする者に対し，介護の程度に応じ，1 月につき 77,890 円，58,390 円，又は 38,900 円を支給する。ただし，介護を家族以外の介護人に頼み 77,890 円，58,390 円，又は 38,900 円を超える額をその介護人に支払った場合には，その支払額を介護料の額として支給する（ただし，172,550 円，129,460 円又は 86,280 円を限度とする。）	申請書を労働基準監督署長を経由して都道府県労働局長に提出

別表第 1　障害等級表（規則第 14 条，第 15 条，第 18 条の 8 関係）

障害等級	給付の内容	身　体　障　害
第 1 級	当該障害の存する期間 1 年につき給付基礎日額の 313 日分	1　両眼が失明したもの 2　そしゃく及び言語の機能を廃したもの 3　神経系統の機能又は精神に著しい障害を残し，常に介護を要するもの 4　胸腹部臓器の機能に著しい障害を残し，常に介護を要するもの 5　削除 6　両上肢をひじ関節以上で失ったもの 7　両上肢の用を全廃したもの 8　両下肢をひざ関節以上で失ったもの 9　両下肢の用を全廃したもの
第 2 級	同 277 日分	1　一眼が失明し，他眼の視力が 0.02 以下になったもの 2　両眼の視力が 0.02 以下になったもの 2の2　神経系統の機能又は精神に著しい障害を残し，随時介護を要するもの 2の3　胸腹部臓器の機能に著しい障害を残し，随時介護を要するもの 3　両上肢を手関節以上で失ったもの 4　両下肢を足関節以上で失ったもの
第 3 級	同 245 日分	1　一眼が失明し，他眼の視力が 0.06 以下になったもの 2　そしゃく又は言語の機能を廃したもの 3　神経系統の機能又は精神に著しい障害を残し，終身労務に服することができないもの 4　胸腹部臓器の機能に著しい障害を残し，終身労務に服することができないもの 5　両手の手指の全部を失ったもの

障害等級	給付の内容	身　体　障　害
第 4 級	同 213日分	1　両眼の視力が0.06以下になったもの 2　そしゃく及び言語の機能に著しい障害を残すもの 3　両耳の聴力を全く失ったもの 4　一上肢をひじ関節以上で失ったもの 5　一下肢をひざ関節以上で失ったもの 6　両手の手指の全部の用を廃したもの 7　両足をリスフラン関節以上で失ったもの
第 5 級	同 184日分	1　一眼が失明し，他眼の視力が0.1以下になったもの 1の2　神経系統の機能又は精神に著しい障害を残し，特に軽易な労務以外の労務に服することができないもの 1の3　胸腹部臓器の機能に著しい障害を残し，特に軽易な労務以外の労務に服することができないもの 2　一上肢を手関節以上で失ったもの 3　一下肢を足関節以上で失ったもの 4　一上肢の用を全廃したもの 5　一下肢の用を全廃したもの 6　両足の足指の全部を失ったもの
第 6 級	同 156日分	1　両眼の視力が0.1以下になったもの 2　そしゃく又は言語の機能に著しい障害を残すもの 3　両耳の聴力が耳に接しなければ大声を解することができない程度になったもの 3の2　一耳の聴力を全く失い，他耳の聴力が40センチメートル以上の距離では普通の話声を解することができない程度になったもの 4　せき柱に著しい変形又は運動障害を残すもの 5　一上肢の三大関節中の二関節の用を廃したもの 6　一下肢の三大関節中の二関節の用を廃したもの 7　一手の五の手指又は母指を含み四の手指を失ったもの
第 7 級	同 131日分	1　一眼が失明し，他眼の視力が0.6以下になったもの 2　両耳の聴力が40センチメートル以上の距離では普通の話声を解することができない程度になったもの 2の2　一耳の聴力を全く失い，他耳の聴力が1メートル以上の距離では普通の話声を解することができない程度になったもの 3　神経系統の機能又は精神に障害を残し，軽易な労務以外の労務に服することができないもの 4　削除 5　胸腹部臓器の機能に障害を残し，軽易な労務以外の労務に服することができないもの 6　一手の母指を含み三の手指又は母指以外の四の手指を失ったもの 7　一手の五の手指又は母指を含み四の手指の用を廃したもの 8　一足をリスフラン関節以上で失ったもの 9　一上肢に偽関節を残し，著しい運動障害を残すもの 10　一下肢に偽関節を残し，著しい運動障害を残すもの 11　両足の足指の全部の用を廃したもの 12　外貌に著しい醜状を残すもの 13　両側のこう丸を失ったもの
第 8 級	給付基礎日額の 503日分	1　一眼が失明し，又は一眼の視力が0.02以下になったもの 2　せき柱に運動障害を残すもの 3　一手の母指を含み二の手指又は母指以外の三の手指を失ったもの 4　一手の母指を含み三の手指又は母指以外の四の手指の用を廃したもの 5　一下肢を5センチメートル以上短縮したもの 6　一上肢の三大関節中の一関節の用を廃したもの 7　一下肢の三大関節中の一関節の用を廃したもの 8　一上肢に偽関節を残すもの

障害等級	給付の内容	身　体　障　害
		9　一下肢に偽関節を残すもの 10　一足の足指の全部を失ったもの
第 9 級	同 391 日分	1　両眼の視力が 0.6 以下になったもの 2　一眼の視力が 0.06 以下になったもの 3　両眼に半盲症，視野狭さく又は視野変状を残すもの 4　両眼のまぶたに著しい欠損を残すもの 5　鼻を欠損し，その機能に著しい障害を残すもの 6　そしゃく及び言語の機能に障害を残すもの 6 の 2　両耳の聴力が 1 メートル以上の距離では普通の話声を解することができない程度になったもの 6 の 3　一耳の聴力が耳に接しなければ大声を解することができない程度になり，他耳の聴力が 1 メートル以上の距離では普通の話声を解することが困難である程度になったもの 7　一耳の聴力を全く失ったもの 7 の 2　神経系統の機能又は精神に障害を残し，服することができる労務が相当な程度に制限されるもの 7 の 3　胸腹部臓器の機能に障害を残し，服することができる労務が相当な程度に制限されるもの 8　一手の母指又は母指以外の二の手指を失ったもの 9　一手の母指を含み二の手指又は母指以外の三の手指の用を廃したもの 10　一足の第一の足指を含み二以上の足指を失ったもの 11　一足の足指の全部の用を廃したもの 11 の 2　外貌に相当程度の醜状を残すもの 12　生殖器に著しい障害を残すもの
第 10 級	同 302 日分	1　一眼の視力が 0.1 以下になったもの 1 の 2　正面視で複視を残すもの 2　そしゃく又は言語の機能に障害を残すもの 3　十四歯以上に対し歯科補てつを加えたもの 3 の 2　両耳の聴力が 1 メートル以上の距離では普通の話声を解することが困難である程度になったもの 4　一耳の聴力が耳に接しなければ大声を解することができない程度になったもの 5　削除 6　一手の母指又は母指以外の二の手指の用を廃したもの 7　一下肢を 3 センチメートル以上短縮したもの 8　一足の第一の足指又は他の四の足指を失ったもの 9　一上肢の三大関節中の一関節の機能に著しい障害を残すもの 10　一下肢の三大関節中の一関節の機能に著しい障害を残すもの
第 11 級	同 223 日分	1　両眼の眼球に著しい調節機能障害又は運動障害を残すもの 2　両眼のまぶたに著しい運動障害を残すもの 3　一眼のまぶたに著しい欠損を残すもの 3 の 2　十歯以上に対し歯科補てつを加えたもの 3 の 3　両耳の聴力が 1 メートル以上の距離では小声を解することができない程度になったもの 4　一耳の聴力が 40 センチメートル以上の距離では普通の話声を解することができない程度になったもの 5　せき柱に変形を残すもの 6　一手の示指，中指又は環指を失ったもの 7　削除 8　一足の第一の足指を含み二以上の足指の用を廃したもの 9　胸腹部臓器の機能に障害を残し，労務の遂行に相当な程度の支障があるもの

障害等級	給付の内容	身　体　障　害
第 12 級	同 156 日分	1　一眼の眼球に著しい調節機能障害又は運動障害を残すもの 2　一眼のまぶたに著しい運動障害を残すもの 3　七歯以上に対し歯科補てつを加えたもの 4　一耳の耳かくの大部分を欠損したもの 5　鎖骨，胸骨，ろく骨，肩こう骨又は骨盤骨に著しい変形を残すもの 6　一上肢の三大関節中の一関節の機能に障害を残すもの 7　一下肢の三大関節中の一関節の機能に障害を残すもの 8　長管骨に変形を残すもの 8の2　一手の小指を失ったもの 9　一手の示指，中指又は環指の用を廃したもの 10　一足の第二の足指を失ったもの，第二の足指を含み二の足指を失ったもの又は第三の足指以下の三の足指を失ったもの 11　一足の第一の足指又は他の四の足指の用を廃したもの 12　局部にがん固な神経症状を残すもの 13　削除 14　外貌に醜状を残すもの
第 13 級	同 101 日分	1　一眼の視力が 0.6 以下になったもの 2　一眼に半盲症，視野狭さく又は視野変状を残すもの 2の2　正面視以外で複視を残すもの 3　両眼のまぶたの一部に欠損を残し又はまつげはげを残すもの 3の2　五歯以上に対し歯科補てつを加えたもの 3の3　胸腹部臓器の機能に障害を残すもの 4　一手の小指の用を廃したもの 5　一手の母指の指骨の一部を失ったもの 6　削除 7　削除 8　一下肢を1センチメートル以上短縮したもの 9　一足の第三の足指以下の一又は二の足指を失ったもの 10　一足の第二の足指の用を廃したもの，第二の足指を含み二の足指の用を廃したもの又は第三の足指以下の三の足指の用を廃したもの
第 14 級	同 56 日分	1　一眼のまぶたの一部に欠損を残し，又はまつげはげを残すもの 2　三歯以上に対し歯科補てつを加えたもの 2の2　一耳の聴力が1メートル以上の距離では小声を解することができない程度になったもの 3　上肢の露出面にてのひらの大きさの醜いあとを残すもの 4　下肢の露出面にてのひらの大きさの醜いあとを残すもの 5　削除 6　一手の母指以外の手指の指骨の一部を失ったもの 7　一手の母指以外の手指の遠位指節間関節を屈伸することができなくなったもの 8　一足の第三の足指以下の一又は二の足指の用を廃したもの 9　局部に神経症状を残すもの

備　考
1．視力の測定は，万国式試視力表による。屈折異常のあるものについてはきょう正視力について測定する。
2．手指を失ったものとは，母指は指節間関節，その他の手指は近位指節間関節以上を失ったものをいう。
3．手指の用を廃したものとは，手指の末節骨の半分以上を失い，又は中手指節関節若しくは近位指節間関節（母指にあっては指節間関節）に著しい運動障害を残すものをいう。
4．足指を失ったものとは，その全部を失ったものをいう。
5．足指の用を廃したものとは，第一の足指は末節骨の半分以上，その他の足指は遠位指節間関節以上を失ったもの又は中足指節関節若しくは近位指節間関節（第一の足指にあっては指節間関節）に著しい運動障害を残すものをいう。

別表第 2　傷病等級表（規則第 18 条関係）

傷病等級	給付の内容	障　害　の　状　態
第 1 級	当該障害の状態が継続している期間 1 年につき給付基礎日額の 313 日分	1　神経系統の機能又は精神に著しい障害を有し，常に介護を要するもの 2　胸腹部臓器の機能に著しい障害を有し，常に介護を要するもの 3　両眼が失明しているもの 4　そしゃく及び言語の機能を廃しているもの 5　両上肢をひじ関節以上で失ったもの 6　両上肢の用を全廃しているもの 7　両下肢をひざ関節以上で失ったもの 8　両下肢の用を全廃しているもの 9　前各号に定めるものと同程度以上の障害の状態にあるもの
第 2 級	同 277 日分	1　神経系統の機能又は精神に著しい障害を有し，随時介護を要するもの 2　胸腹部臓器の機能に著しい障害を有し，随時介護を要するもの 3　両眼の視力が 0.02 以下になっているもの 4　両上肢を腕関節以上で失ったもの 5　両下肢を足関節以上で失ったもの 6　前各号に定めるものと同程度以上の障害の状態にあるもの
第 3 級	同 245 日分	1　神経系統の機能又は精神に著しい障害を有し，常に労務に服することができないもの 2　胸腹部臓器の機能に著しい障害を有し，常に労務に服することができないもの 3　一眼が失明し，他眼の視力が 0.06 以下になっているもの 4　そしゃく又は言語の機能を廃しているもの 5　両手の手指の全部を失ったもの 6　第 1 号及び第 2 号に定めるもののほか常に労務に服することができないものその他前各号に定めるものと同程度以上の障害の状態にあるもの

備　考
1．視力の測定は，万国式試視力表による。屈折異常のあるものについては矯正視力について測定する。
2．手指を失ったものとは，母指は指関節，その他の手指は第一指関節以上を失ったものをいう。

第13編

就職・雇用促進諸施策

1 就職促進のための援護措置

根拠▶労働施策の総合的な推進並びに労働者の雇用の安定及び職業生活の充実等に関する法律（昭41.7.21法律第132号）

　求職者が，その有する能力に適合する職業に就くことを促進するため，労働施策の総合的な推進並びに労働者の雇用の安定及び職業生活の充実等に関する法律（以下「法」という。），職業安定法，職業能力開発促進法等において，これらの者に対する職業紹介，職業指導，職業訓練等の実施を定めているが，これらの措置を円滑に促進するとともに，求職者の就職活動を容易にすることにより，その就職を促進するための援護措置として，法に基づき職業転換給付金制度が設けられている。制度の概要は，次のとおりである。

■概　要

　法第18条では，労働者がその有する能力に適合する職業に就くことを容易にし，及び促進するため，求職者その他の労働者又は事業主に対して，職業転換給付金を支給することとしている。給付金の種類は次のとおりである。

(1)　就職促進手当

　　求職者の求職活動の促進とその生活の安定とを図るための給付金

(2)　訓練手当

　　求職者の知識及び技能の習得を容易にするための給付金

(3)　求職活動支援費

　　広範囲の地域にわたる求職活動又は求職活動を容易にするための役務の利用に要する費用に充てるための給付金

(4)　移転費

　　就職又は知識若しくは技能の習得をするための移転に要する費用に充てるための給付金

(5)　職場適応訓練費

　　求職者を作業環境に適応させる訓練を行うことを促進するための給付金

(6)　前記(1)～(5)に掲げる給付金以外の給付金であって，政令で定めるもの

① 就業支度金

　求職者の就職を促進するため，又は求職者が事業を開始する場合にその費用に充てるための給付金

② 特定求職者雇用開発助成金

　高年齢者，障害者その他就職が特に困難な者を雇い入れることを促進するための給付金

なお，職業転換給付金の支給を受けることのできる者が，同一の事由により，雇用保険法の規定による求職者給付及び就職促進給付その他法令又は条例の規定による職業転換給付金に相当する給付の支給を受けることができる場合には，当該支給事由によっては当該職業転換給付金は支給しない。

■**受給権の保護等**（法第 21 条，第 22 条）

(1)　職業転換給付金は譲渡，担保，差し押えが禁止されている。

(2)　職業転換給付金（事業主に支給するものを除く）は租税等公課の対象としない。

職業転換給付金制度概要

給付金の種類（根拠法規）	対象者	支給額
就職促進手当（法第18条第1号，規則第1条の4，規則附則第2条）	次のいずれかに該当し，就職指導等を受ける者（②を除く）又は職業訓練の待期期間中の者（②④⑤⑥）①中高年　②45歳以上の求職者等　③漁業　④本四航路　⑤本四港湾　⑥特定漁業　⑦駐留軍　⑧沖特	1．雇用労働者であった者　支給に係る離職日前の賃金日額に応じ日額 3,952 円～5,820 円 2．雇用労働者であった者以外の者 (1) 基本手当（級地区分別） 　1級地　　4,310 円 　2級地　　3,930 円 　3級地　　3,530 円 (2) 就職活動手当 　（活動1日）　280 円
訓練手当（法第18条第2号，規則第2条，規則附則第2条）	次のいずれかに該当し，職業訓練を受講する者①中高年　②45歳以上の求職者等　③知的障害者　④離農　⑤母子家庭の母等　⑥父子家庭の父　⑦中国等　⑧広域　⑨へき地　⑩災害等（地域内居住者を除く）　⑪漁業　⑫本四航路　⑬本四港湾　⑭特定漁業　⑮駐留軍　⑯沖特　⑰沖縄若年(適適のみ)　⑱精神障害者　⑲北朝鮮	基本手当（級地区分別） 　1級地　　4,310 円 　2級地　　3,930 円 　3級地　　3,530 円 技能習得手当 　受講手当（日額）　500 円 　　（40日分を限度） 　通所手当（月額）　42,500 円まで 　寄宿手当（月額）　10,700 円

給付金の種類（根拠法規）	対　　象　　者	支　　給　　額
求職活動支援費（法第18条第3号，規則第3条，規則附則第2条）	次のいずれかに該当し，広範囲の地域にわたる求職活動又は求職活動を容易にするための役務の利用を行う者 ①中高年　②45歳以上の求職者等　③離農　④中国等　⑤広域　⑥へき地　⑦災害等　⑧漁業　⑨本四航路　⑩本四港湾　⑪特定漁業　⑫駐留軍　⑬沖縄　⑭北朝鮮　⑮知的障害者　⑯精神障害者　⑰母子家庭の母等　⑱父子家庭の父　⑲沖縄若年 （注）⑮から⑲の者については，求職活動関係役務利用費のみ支給対象となる。	広域求職活動費 　交通費実費（鉄道賃，船賃，航空賃，車賃） 宿泊料 　6大都市等　8,700円 　その他地域　7,800円 求職活動関係役務利用費 　利用費（1日当たりの上限8,000円）の80％
移転費（法第18条第4号，規則第4条，規則附則第2条）	次のいずれかに該当する者であって，就職又は訓練受講のためその住所又は居所を変更するもの ①中高年　②45歳以上の求職者等　③離農　④中国等　⑤広域　⑥へき地　⑦災害等　⑧漁業　⑨本四航路　⑩本四港湾　⑪特定漁業　⑫北朝鮮　⑬駐留軍　⑭沖特	交通費実費（鉄道賃，船賃，航空賃，車賃） 移転料　距離に応じて支給（単身者は1/2） ①から⑫の対象者の場合 　62,000円～188,000円 ⑬及び⑭の対象者の場合 　93,000円～282,000円 　⎡⑬及び⑭のうち沖縄県から他の都道府県へ住所又は居所を変更するもの 　175,000円～481,000円⎤ 着後手当 ⑬及び⑭の対象者 　本人及び親族の場合95,000円（移動距離100km以上），76,000円（移動距離100km未満），本人のみの場合はその半額。 ⑬及び⑭の対象者以外の者 　本人及び親族の場合63,400円（移動距離100km以上），50,700円（移動距離100km未満），本人のみの場合はその半額。
職場適応訓練費（法第18条第5号，規則第5条，	次のいずれかに該当する者に対し，都道府県知事等の委託を受けて職場適応訓練を行う事業主 ①中高年　②45歳以上の求職者等　③知的障害者　④離農　⑤母子家庭の母等　⑥父子家庭の父　⑦中国等　⑧広域	1．支給額 (1)　一般（職場適応訓練生1人につき） 　月額　　　　　　24,000円 　（短期　日額　　　960円） (2)　重度の障害者（職場適応訓練生

給付金の種類（根拠法規）	対　　象　　者	支　　給　　額
規則附則第2条）	⑨へき地　⑩災害等（地域内居住者を除く）　⑪漁業　⑫本四航路　⑬本四港湾　⑭特定漁業　⑮駐留軍　⑯沖特　⑰沖縄若年　⑱精神障害者　⑲北朝鮮	1人につき） 　月額　　　　　25,000円 　（短期　日額　　　1,000円） 2．対象期間 (1)　一般　　　　　6か月以内 （中小企業　　　1年以内） （短期　　　　2週間以内） (2)　重度の障害者　1年以内 （短期　　　4週間以内）
就業支度金 （法第18条第6号，規則第6条，規則附則第2条）	次のいずれかに該当する者であって，離職の日の翌日から起算して2年以内に事業を開始し，かつ，当該事業により自立できると公共職業安定所長が認めた者又は公共職業安定所の紹介により継続して雇用される労働者として再就職する者①漁業　②本四航路（35歳以上の者）　③本四港湾（35歳以上の者）　④特定漁業（35歳以上の者）　⑤駐留軍（沖縄県の区域内に住所又は居所を有する者は3年以内）　⑥沖特（沖縄県の区域内に住所又は居所を有する者は3年以内）	就職促進手当の日額に離職日の翌日から自営又は再就職の日までの期間の区分に応じ，次に掲げる日数を乗じた金額 　1年未満　　　　　　　　75日分 　1年以上1年6月未満　50日分 　1年6月以上2年以内　30日分 　2年を超えて3年以内　20日分 　また，⑤，⑥に該当する者が沖縄県以外の区域に住所又は居所を変更して自営又は再就職する場合，前記に掲げる日数の5割増しとする。
特定求職者雇用開発助成金 （法第18条第6号，規則第6条の2，規則附則第2条）	1．次のいずれかに該当する者（①を除いて65歳未満の者に限る）を公共職業安定所の紹介により継続して雇用する労働者として雇い入れる事業主①高年齢者（60歳以上）　②身体障害者　③知的障害者　④精神障害者　⑤母子家庭の母等　⑥父子家庭の父　⑦中国等　⑧北朝鮮　⑨駐留軍（45歳以上の者）　⑩沖特（45歳以上の者）　⑪特定漁業（45歳以上の者）　⑫漁業（45歳以上の者）　⑬本四航路（45歳以上の者）　⑭本四港湾（45歳以上の者）　⑮その他の就職困難者（45歳以上の者） 2．前記1．の対象労働者の雇入れの日の前日から起算して6か月前の日から1年を経過した日までの間において，当該雇入れに係る事業所の労働者を事業主の都合により解雇したことがない事業主	1．支給額 （表） (注)　（　）内は中小企業以外の事業主に対する助成額

1．支給額

対象労働者		支給額
短時間労働者以外	(1)　(2)，(3)を除く者	60(50)万円
	(2)　重度障害者等を除く身体・知的障害者	120(50)万円
	(3)　重度障害者等	240(100)万円
短時間労働者	(4)　(5)を除く者	40(30)万円
	(5)　重度障害者等を含む身体・知的・精神障害者	80(30)万円

給付金の種類 （根拠法規）	対　　象　　者	支　　給　　額
		2．支給期間 　前記(1) 1 年間 　　　(2)中小企業　2 年間，中小企業 　　　　　以外　1 年間 　　　(3)中小企業　3 年間，中小企業 　　　　　以外　1 年 6 か月間 　　　(4) 1 年間 　　　(5)中小企業　2 年間，中小企業 　　　　　以外　1 年間

(注)　中高年…中高年齢失業者等求職手帳所持者，離農…離農転職者，中国等…中国残留邦人等永住帰国者，広域…広域就職適格者，へき地…へき地又は離島の居住者，災害等…激甚災害地域離職者等（激甚災害地域離職者，災害による内定取消し未就職卒業者，激甚な災害を受けた地域内に居住する者），沖縄若年…沖縄若年求職者，漁業…労働施策の総合的な推進並びに労働者の雇用の安定及び職業生活の充実等に関する法律施行規則附則による漁業離職者求職手帳所持者，本四航路…一般旅客定期航路事業等離職者求職手帳所持者，本四港湾…港湾運送事業離職者，特定漁業…国際協定の締結等に伴う漁業離職者求職手帳所持者，駐留軍…認定駐留軍関係離職者，沖特…沖縄失業者求職手帳所持者，北朝鮮…北朝鮮帰国被害者等

■窓　口

　求職者が最寄りの公共職業安定所に申請を行えば受給権の要否等が決定される。

2　職業能力開発

〔[根拠]▶職業能力開発促進法（昭 44.7.18 法律第 64 号）〕

　職業訓練及び職業能力検定の内容の充実強化及びその実施の円滑化のための施策並びに労働者が自ら職業に関する教育訓練又は職業能力検定を受ける機会を確保するための施策等を総合的かつ計画的に講ずることにより，職業に必要な労働者の能力を開発し，及び向上させることを促進し，もって，職業の安定と労働者の地位の向上を図るとともに，経済及び社会の発展に寄与することを目的とする（法第 1 条）。

■対　象（法第 2 条）

　労働者（事業主に雇用される者及び求職者をいう）。ただし，船員及び船員になろうとする者を除く。

■職業訓練及び指導員訓練の訓練課程と内容

1．職業訓練（法第19条，第27条，規則第9条〜第15条，第36条の2〜第36条の2の3）

職業訓練の種類	訓練課程	訓練の概要	訓練期間及び総訓練時間	職業能力開発施設
普通職業訓練	普通課程	中卒者等又は高卒者等に対して，将来多様な技能・知識を有する労働者となるために必要な基礎的な技能・知識を習得させるための長期間の課程	高卒者等　1年総訓練時間1,400時間以上中卒者等　2年総訓練時間2,800時間以上1年につき概ね1,400時間	職業能力開発校
	短期課程	在職労働者，離転職者等に対して，職業に必要な技能（高度の技能を除く。）・知識を習得させるための短期間の課程	6月以下総訓練時間12時間以上ただし，管理監督者コースにあっては，10時間以上	職業能力開発校職業能力開発促進センター職業能力開発短期大学校職業能力開発大学校
高度職業訓練	総合課程	高卒者等を対象として，生産技術・生産管理部門のリーダーとなり得る人材を育成するとともに，将来的に質の高い職業訓練指導員と成り得る人材を育成するため，特定専門課程（専門課程の訓練内容を準用）を経て特定応用課程（応用課程の訓練内容を準用）を修了するまでの一連の課程	高卒者等　4年特定専門課程2年（総訓練時間2,800時間以上，1年につき概ね1,400時間）及び特定応用課程2年（総訓練時間2,800時間以上，1年につき概ね1,400時間）	職業能力開発総合大学校
	専門課程	高卒者等に対して，将来職業に必要な高度の技能・知識を有する労働者となるために必要な基礎的な技能・知識を習得させるための長期間の課程	高卒者等　2年総訓練時間2,800時間以上1年につき概ね1,400時間	職業能力開発短期大学校職業能力開発大学校
	応用課程	専門課程修了者等に対して，将来職業に必要な高度で専門的かつ応用的な技能・知識を有する労働者となるために必要な基礎的な技能・知識を習得させるための長期間の課程	専門課程修了者等　2年総訓練時間2,800時間以上1年につき概ね1,400時間	職業能力開発大学校

職業訓練の種類	訓練課程	訓　練　の　概　要	訓練期間及び総訓練時間	職業能力開発施設
高　度職業訓練	専門短期課　　程	在職労働者等に対し，職業に必要な高度の技能・知識を習得させるための短期間の課程	6月以下総訓練時間12時間以上	職業能力開発短期大学校職業能力開発大学校職業能力開発促進センター
	応用短期課　　程	在職労働者等に対し，職業に必要な高度で専門的かつ応用的な技能・知識を習得させるための短期間の課程	1年以下総訓練時間60時間以上	職業能力開発大学校

2．指導員訓練（法第27条の2，規則第36条の5〜第36条の10，別表第8〜第10)

訓練課程			訓練の概要	期間及び時間
指導員養成訓練	指導員養成課程	指導力習得コース	特定応用課程の高度職業訓練を受けている者に対して普通職業訓練を担当するために必要な訓練技法のうち職業能力開発指導力を培う課程	教科：能力開発学科訓練期間：1年総訓練時間：144時間
		訓練技法習得コース	応用課程又は特定応用課程の高度職業訓練を修了した者に対して普通職業訓練を担当するために必要な訓練技法を培う課程	教科：能力開発学科・実技訓練期間：6か月訓練時間：600時間
		訓練技法・技能等習得コース	学校教育法による大学（短期大学を除く。）において免許職種に関する学科を修めて卒業した者に対して普通職業訓練を担当するために必要な訓練技法並びに技能及び技術を培う課程	教科：能力開発学科・実技，専門学科・実技訓練期間：1年訓練時間：1,200時間
		実務経験者訓練技法習得コース	職業訓練指導員試験を受けることができる者等に対して普通職業訓練を担当するために必要な訓練技法を培う課程	教科：能力開発学科訓練期間：1か月以上1年未満訓練時間：140時間×3科目
		職種転換コース	職業訓練指導員免許を既に有している者等に対して他の免許職種に関する普通職業訓練を担当するために必要な技能及び技術を培う課程	教科：指導学科・実務実習，専門学科・実技訓練期間：6か月又は1年訓練時間：900時間又は1,800時間

訓練課程			訓練の概要	期間及び時間
指導員養成訓練	高度養成課程	専門課程担当者養成コース	普通職業訓練において訓練を担当している者等に対して専門課程の高度職業訓練を担当するために必要な訓練技法を培う課程	教科：能力開発学科・実技 訓練期間：1年未満 訓練時間：540時間
		職業能力開発研究学域	特定応用課程の高度職業訓練を修了した者等に対して高度の専門性が求められる人材開発分野に関する研究能力を培うとともに，専門課程の高度職業訓練を指導するために必要な能力を培う課程	教科：能力開発学科・実技，専門学科・実技 訓練期間：2年 訓練時間：1,740時間
		応用課程担当者養成コース	専門課程の高度職業訓練において訓練を担当している者等に対して応用課程の高度職業訓練を担当するために必要な訓練技法並びに技能及び技術を培う課程	教科：能力開発学科，専門実技 訓練期間：1年 訓練時間：800時間以上
指導員技能向上訓練研修課程			職業訓練指導員の資質向上のための課程	12時間以上

3．公共職業能力開発施設等の種類（法第15条の7，第16条，第27条）

　公共職業能力開発施設は，国，都道府県，市町村及び独立行政法人高齢・障害・求職者雇用支援機構が新規学校卒業者・離転職者・在職労働者に対して職業能力の開発・向上を行うために設置する施設で，職業能力開発校，職業能力開発短期大学校，職業能力開発大学校，職業能力開発促進センター及び障害者職業能力開発校があり，同施設において公共職業訓練を実施している。また，公共職業訓練については，公共職業能力開発施設において実施するほか，民間教育訓練機関に委託して実施している。また，この他に指導員訓練及び職業能力の開発及び向上に関する調査・研究等を行うために，職業能力開発総合大学校が設置されている。

⑴　職業能力開発校

　職業能力開発校は，都道府県が設置し，地域における職業訓練の基盤となる職業能力開発施設として，職業に必要な技能・知識を付与するための普通職業訓練（普通課程及び短期課程）を行うほか，事業主等の行う職業訓練に対する援助等を行っている。なお，市町村も職業能力開発校を設置できることとなっている。

⑵　職業能力開発短期大学校

　職業能力開発短期大学校は，独立行政法人高齢・障害・求職者雇用支援機構が設置

し，職業に必要な高度な技能及びこれに関する知識を付与するための高度職業訓練（専門課程及び専門短期課程）を行っている。なお，都道府県も職業能力開発短期大学校を設置できることとなっている。

(3)　職業能力開発大学校

　職業能力開発大学校は，独立行政法人高齢・障害・求職者雇用支援機構が設置し，専門課程及び専門短期課程に加え，職業に必要な高度で専門的かつ応用的な技能及びこれに関する知識を付与するための高度職業訓練（応用課程及び応用短期課程）を行っている。なお，都道府県も職業能力開発大学校を設置できることとなっている。

(4)　職業能力開発促進センター

　職業能力開発促進センターは，独立行政法人高齢・障害・求職者雇用支援機構が設置し，普通職業訓練又は高度職業訓練のうち短期間のものを行うほか，事業主等の行う職業訓練に対する援助等を行っている。なお，都道府県も職業能力開発促進センターを設置できることとなっている。

(5)　障害者職業能力開発校

　障害者職業能力開発校は，国が設置し，その運営を独立行政法人高齢・障害・求職者雇用支援機構あるいは都道府県が行っているものであり，一般の公共職業能力開発施設で職業訓練を受けることが困難な重度障害者等に対して，その障害の態様に配慮した職業訓練を行っている。なお，都道府県も障害者職業能力開発校を設置できることとなっている。

(6)　職業能力開発総合大学校

　職業能力開発総合大学校は，独立行政法人高齢・障害・求職者雇用支援機構が設置し，職業訓練指導員の養成等のための指導員訓練や，準則訓練の実施の円滑化に資する高度職業訓練（総合課程）を行うほか，職業能力の開発及び向上に関する調査及び研究を行っている。

■事業主が行う職業訓練への支援

1．認定職業訓練（法第24条）

　事業主又は事業主団体等がその雇用する労働者に対して職業に必要な技能を習得させ，又は向上させるために行う職業訓練のうち，厚生労働省令で定める基準に適合しているものについては都道府県知事の認定を受けることができ，この認定を受けた職業訓練を認定職業訓練という。認定職業訓練を行う中小企業事業主等は訓練経費等の一部につき，助成措置を受けられる場合がある。

2．人材開発支援助成金（雇用保険法施行規則第125条）

　労働者の職業生活設計の全期間を通じて段階的かつ体系的な職業能力開発を促進するため，事業主等が雇用する労働者に対して職務に関連した専門的な知識及び技能の習得

をさせるための職業訓練等を計画に沿って実施した場合や，有給教育訓練休暇制度を導入し，その制度を従業員に適用した場合に，訓練経費や訓練期間中の賃金の一部等を助成する。

■労働者自らが行う職業能力開発への支援

教育訓練給付制度（雇用保険法第60条の2，附則第11条の2）**(p. 646 参照)**

(1) 趣旨

　　労働者が主体的に能力開発に取り組むことを支援し，雇用の安定を図るため又は中長期的なキャリア形成を支援するため，労働者自らが費用を負担して厚生労働大臣が指定する教育訓練を受けた場合に，その教育訓練に要した費用の一部を支給するもの。

　　平成26年10月から，教育訓練給付金は，中長期的なキャリアアップを支援するため給付内容が拡充され，従来の枠組みを引き継いだ「一般教育訓練に係る教育訓練給付金」と，拡充された「専門実践教育訓練に係る教育訓練給付金」の2本立てになった。

(2) 一般教育訓練（特定一般教育訓練）に係る教育訓練給付金について

　　雇用保険の被保険者であった期間が3年以上（初回に限り，当分の間1年以上）あること，前回の教育訓練給付金受給から今回受講開始日前までに3年以上経過していること（平成26年10月1日前に教育訓練給付金を受給した場合を除く）など一定の要件を満たす雇用保険の一般被保険者又は一般被保険者であった者が厚生労働大臣の指定する教育訓練を受講し修了した場合に支給する。

　　支給額は，労働者が負担した教育訓練経費の20％（上限10万円）に相当する額（特定一般教育訓練については，40％（上限20万円））。

(3) 専門実践教育訓練に係る教育訓練給付金について

　　雇用保険の被保険者であった期間が3年以上（初回に限り，当分の間2年以上）あること，前回の教育訓練給付金受給から今回受講開始日前までに3年以上経過していること（平成26年10月1日前に教育訓練給付金を受給した場合を除く）など一定の要件を満たす雇用保険の一般被保険者又は一般被保険者であった者が厚生労働大臣の指定する教育訓練を受講し修了した場合に支給する。

　　支給額は労働者が負担した教育訓練経費の50％（上限40万円）に相当する額。

　　専門実践教育訓練の受講を修了した後，あらかじめ定められた資格等を取得し，受講修了の翌日から1年以内に一般被保険者として雇用された者又はすでに雇用されている者に対しては，教育訓練経費の20％に相当する額を追加して支給する（50％相当額と追加分20％相当額を合わせた70％相当額を支給，上限年間56万円）。

※専門実践教育訓練を受講する45歳未満の若年離職者には，一定の要件を満たした場合に基本手当の80％を訓練受講中に支給（教育訓練支援給付金。令和6年度ま

での暫定措置）する。

(4) 指定講座数について

　令和5年10月1日現在の一般教育訓練給付の指定講座数は11,833講座，専門実践教育訓練給付の指定講座数は2,861講座，特定一般教育訓練給付の指定講座数は573講座である。

■**職業能力検定**（法第44条〜第51条）

　技能検定制度は，労働者の有する技能の程度を一定の基準によって検定し，これを公証する国家検定制度であり，技能者の技能習得意欲を増進させるとともに労働者の雇用の安定，円滑な再就職，労働者の社会的な評価の向上に重要な役割を有するものであって，職業能力開発促進法に基づいて実施されている。

1．技能検定の実施方法

　技能検定は，検定職種ごとに，特級，1級，2級，3級，基礎級に区分するものと等級に区分しないもの（単一等級）があり，それぞれ実技試験及び学科試験によって行われる。

2．受検資格

　原則として検定職種に関する実務の経験が必要で，その年数は職業訓練歴，学歴等により異なる。

3．技能検定の実施主体

　技能検定は，厚生労働大臣が毎年，実施計画を定め，都道府県知事が実施計画に従い技能検定試験の実施等の業務を行う。試験問題等の作成を中央職業能力開発協会が行っている。

　また，都道府県知事は，技能検定受検申請書の受付け，試験の実施等の業務を都道府県職業能力開発協会に行わせている。

　なお，一部の職種については，当該職種に関連する民間機関が指定試験機関として指定を受け，技能検定試験業務を行っている。

4．合格者の名称

　合格者には「技能士」の称号が与えられ，厚生労働大臣から技能士章（基礎級に係るものを除く。）が交付される。

5．検定職種（規則第60条，別表第11の3の3）

　技能検定は，昭和34年に制度が創設され，現在131職種となっている。

3　育児休業，介護休業制度

> **根拠**▶育児休業，介護休業等育児又は家族介護を行う労働者の
> 福祉に関する法律（平 3. 5. 15 法律第 76 号）

■育児休業（法第 5 条〜第 10 条）

　1 歳に満たない子を養育するため，事業主に申出をすることで育児休業をすることができる制度。令和 4 年 10 月から，男性の育児休業取得促進のため，子の出生直後の時期に取得できる出生時育児休業制度（通称「産後パパ育休」）が創設された。

1．対象者

⑴　日々雇用される者を除く労働者

⑵　子が（出生時育児休業の場合，子の出生日又は出産予定日のいずれか遅い方から起算して 8 週間を経過する日の翌日から 6 か月を経過する日までに，その労働契約（労働契約が更新される場合にあっては更新後のもの）が満了することが明らかでない者）1 歳 6 か月（2 歳までの育児休業については 2 歳）に達する日までに，その労働契約（労働契約が更新される場合にあっては更新後のもの）が満了することが明らかでない者

2．期間

　事業主に申し出ることにより，子が 1 歳に達するまで（両親ともに育児休業を取得する場合は，子が 1 歳 2 か月に達するまでの間の 1 年間）の間，育児休業をすることができる。また，保育所への入所を希望しているが子が 1 歳に達する日の翌日においても保育所へ預けることができないといった事情がある場合などには，子が 1 歳 6 か月に達するまで，また 1 歳 6 か月以降も同様の事情がある場合は 2 歳まで休業することができる。

　出生時育児休業については，子の出生後 8 週間以内に 4 週間まで取得できる。また，労使協定を締結し，個別合意により休業中に一定の範囲内で就労することも可能である。

3．回数

　子 1 人につき，原則として 2 回。ただし，配偶者の死亡等特別の事情が生じた場合には，再度の育児休業取得が可能である。出生児育児休業については分割して 2 回の取得が可能。

4．申出

　労働者は，その事業主に休業開始日と休業終了予定日等を明らかにして申し出る。

　希望通りの期間休業とするためには，休業しようとする日の 1 か月前（1 歳 6 か月又は 2 歳までの休業については，1 歳又は 1 歳 6 か月到達日までに申し出たものに限り 2 週前，その後は 1 か月前）までに申し出る。これより遅れた場合は，事業主は，申出の日の翌日から 1 か月（1 歳 6 か月又は 2 歳までの休業については，1 歳又は 1 歳 6 か月

到達日までに申し出たものに限り2週間，その後は1か月間）を経過する日までの間の日を休業開始日として指定することができる。

　出生時育児休業については，休業開始の2週間前までに申し出る（労使協定を締結した場合は1か月前）。

5．事業主の義務

⑴　事業主は，労使協定で育児休業をすることができないものとして定めた一定範囲の労働者が申し出た場合を除き，育児休業の申出を拒むことはできない。一定範囲の労働者は次の通りである。

　　①　休業申出の日から1年（1歳6か月又は2歳までの休業については6月）以内に雇用関係が終了することが明らかな労働者

　　②　1週間の所定労働日数が2日以下の労働者

⑵　育児休業の申出・取得を円滑にするための雇用環境の整備に関する措置（研修，相談窓口設置等）を講じなければならない。

⑶　妊娠・出産（本人又は配偶者等）の申出をした労働者に対して，個別の制度周知及び休業取得意向確認のための措置を講じなければならない。

⑷　事業主は，労働者又は配偶者が妊娠・出産したこと，労働者が育児休業の申出をし，又は育児休業をしたこと等を理由として解雇その他不利益な取扱いをしてはならない。

6．育児休業等の取得状況の公表の義務付け（法第22条の2）

　常時雇用する労働者の数が1,000人を超える事業主は，毎年少なくとも1回，男性の育児休業等の取得状況を公表しなければならない。

■**介護休業**（法第11条〜第16条）

　常時介護を必要とする状態にある家族を介護するため，事業主に申出をすることで介護休業をすることができる制度。

1．対象者

⑴　日々雇用される者を除く労働者

⑵　介護休業開始予定日から起算して93日を経過する日から6か月を経過する日までに，その労働契約（労働契約が更新される場合にあっては，更新後のもの）が満了することが明らかでない者

2．期間・回数

　対象家族1人につき3回まで分割して，通算して93日まで取得できる。

3．申出

　労働者は，その事業主に休業開始日と休業終了予定日等を明らかにして申し出る。

　希望通りの期間休業とするためには，休業しようとする日の2週間前までに申し出る。

これより遅れた場合は，事業主は，申出の日の翌日から2週間を経過する日までの間の日を休業開始日として指定することができる。

4．事業主の義務

(1)　事業主は，労使協定で介護休業をすることができないものとして定めた一定範囲の労働者が申し出た場合を除き，介護休業の申出を拒むことはできない。一定範囲の労働者は次の通りである。

①　その事業主に継続して雇用された期間が1年未満の労働者

②　休業申出の日から93日以内に雇用関係が終了することが明らかな労働者

③　1週間の所定労働日数が2日以下の労働者

(2)　事業主は，労働者が介護休業の申出をし，又は介護休業をしたことを理由として解雇その他不利益な取扱いをしてはならない。

■その他の施策

1．子の看護休暇（法第16条の2）

小学校就学の始期に達するまでの子を養育する労働者（日々雇用される者を除く。）は，事業主に申し出ることにより1年間に5日（子の人数が2人以上の場合は年10日）を限度として，子の看護休暇を1日又は時間単位で取得することができる。

2．介護休暇（法第16条の5）

常時介護を必要とする状態にある対象家族を介護する労働者（日々雇用される者を除く。）は，1年間に5日（対象家族が2人以上の場合は年10日）を限度として，介護休暇を1日又は時間単位で取得できる。

3．所定外労働の制限（法第16条の8，第16条の9）

事業主は，3歳に満たない子を養育する，あるいは対象家族を介護する労働者（日々雇用される者を除く）が請求した場合は，所定労働時間を超えて労働させてはならない。

4．時間外労働の制限（法第17条，第18条）

(1)　事業主は，小学校就学の始期に達するまでの子を養育し，又は要介護状態にある対象家族を介護する労働者（日々雇用される者を除く）が，その子を養育するため又はその対象家族を介護するために請求した場合においては，1か月に24時間，1年に150時間を超えて時間外労働をさせてはならない。

ただし，次のような労働者は請求できない。

①　その事業主に継続して雇用された期間が1年に満たない労働者

②　1週間の所定労働日数が2日以下の労働者

(2)　前記(1)による請求は，1回につき，1か月以上1年以内の期間について，その開始の日及び終了の日を明らかにして，制限開始予定日の1か月前までにしなければならない。

5．深夜業の制限（法第 19 条，第 20 条）

(1)　事業主は，小学校就学の始期に達するまでの子を養育し，又は要介護状態にある対象家族を介護する労働者（日々雇用される者を除く）が，その子を養育するため又はその対象家族を介護するために請求した場合においては，午後 10 時から午前 5 時までの間（以下「深夜」という。）において労働させてはならない。

　　ただし，次のような労働者は請求できない。

①　その事業主に継続して雇用された期間が 1 年に満たない労働者

②　深夜において同居の家族が常態として子を保育又は家族を介護できる状態である労働者

③　1 週間の所定労働日数が 2 日以下の労働者

④　所定労働時間の全部が深夜にある労働者

(2)　前記(1)による請求は，1 回につき，1 か月以上 6 か月以内の期間について，その開始の日及び終了の日を明らかにして，制限開始予定日の 1 か月前までにしなければならない。

6．所定労働時間の短縮措置等（法第 23 条）

　　事業主は，原則として 3 歳に満たない子を養育する労働者（日々雇用される者を除く）であって育児休業をしていないものについて，労働者の中山に基づく短時間勤務の措置（1 日の所定労働時間を原則 6 時間とする措置）を講じなければならない。

　　事業主は，常時介護を必要とする状態にある対象家族の介護を行う労働者で介護休業をしていないものについて，少なくとも連続する 3 年間以上の期間で 2 回以上の利用ができる短時間勤務制度，フレックスタイム制，始業・終業時刻の繰り上げ繰り下げ，介護費用の援助措置のいずれかの措置を講じなければならない。

7．育児休業等に関するハラスメント防止対策（法第 25 条，第 25 条の 2）

(1)　事業主は，職場における育児休業等に関する言動に起因する問題について，労働者からの相談に応じ，適切に対応するために必要な体制の整備等の措置を講じなければならない。

(2)　事業主は，労働者が職場における育児休業等に関する言動に起因する問題に関する相談を行ったこと等を理由として，当該労働者に対して不利益な取扱いをしてはならない。

(3)　職場における育児休業等に関する言動に起因する問題に関する国，事業主及び労働者の責務

①　国は，労働者の就業環境を害する育児休業等に関する言動に起因する問題に対する一般の関心と理解を深めるため，広報・啓発活動等に努めなければならない。

②　事業主は，労働者が他の労働者に対する言動に必要な注意を払うよう，研修その他の必要な配慮のほか，①の措置に協力するように努めなければならない。また，

自らも当該問題に対する関心と理解を深め，労働者に対する言動に必要な注意を払うように努めなければならない。

③　労働者は，当該問題に対する関心と理解を深め，他の労働者に対する言動に必要な注意を払い，事業主の講ずる当該問題に関する雇用管理上の措置に協力するように努めなければならない。

8．転勤についての配慮（法第 26 条）

事業主は，労働者の配置の変更で就業の場所の変更を伴うものをしようとする場合においては，労働者の子の養育又は家族の介護の状況に配慮しなければならない。

4　最低賃金

〔根拠▶最低賃金法（昭 34. 4. 15 法律第 137 号）〕

■目　的（法第 1 条）

賃金の低廉な労働者について，賃金の最低額を保障することにより，労働条件の改善を図り，もって，労働者の生活の安定，労働力の質的向上及び事業の公正な競争の確保に資するとともに，国民経済の健全な発展に寄与することを目的とする。

■効　力（法第 4 条等）

使用者は，最低賃金の適用を受ける労働者に対し，その最低賃金額以上の賃金を支払わなければならない。最低賃金は，原則として，事業場で働く常用・臨時・パート・アルバイトなど雇用形態や呼称の如何を問わずすべての労働者とその使用者に適用される。

最低賃金の対象となる賃金は，毎月支払われる基本的な賃金に限られる。具体的には，実際に支払われる賃金から次の賃金を除外したものが最低賃金の対象となる。

①　臨時に支払われる賃金（結婚手当など）

②　1 か月を超える期間ごとに支払われる賃金（賞与など）

③　所定労働時間を超える時間の労働に対して支払われる賃金（時間外割増賃金など）

④　所定労働日以外の日の労働に対して支払われる賃金（休日割増賃金など）

⑤　午後 10 時から午前 5 時までの間の労働に対して支払われる賃金のうち，通常の労働時間の賃金の計算額を超える部分（深夜割増賃金など）

⑥　精皆勤手当，通勤手当及び家族手当

■最低賃金の決定（法第 10 条，第 15 条）

最低賃金の種類は，各都道府県ごとに全労働者に適用される地域別最低賃金と，特定の産業ごとに基幹的な労働者に適用される特定最低賃金の 2 つがある。いずれの最低賃金

も，時間を単位として決定される。

　地域別最低賃金は，最低賃金審議会の調査審議に基づき，厚生労働大臣又は都道府県労働局長が決定する。

　特定最低賃金は，労働者又は使用者の全部又は一部を代表する者から，厚生労働大臣又は都道府県労働局長に対し，当該労働者又は使用者に適用される最低賃金の決定の申出があったものに限って最低賃金審議会の調査審議を経て決定される。

■**最低賃金審議会**（法第20条〜第26条）

　厚生労働省に中央最低賃金審議会，都道府県労働局に地方最低賃金審議会が設置されており，それぞれ，最低賃金の決定，改正，廃止に関し調査審議するほか，地方最低賃金審議会にあっては，都道府県労働局長の諮問に応じ，重要事項を調査審議し，及びこれに関し必要と認める事項を建議することができる。

令和5年度地域別最低賃金改定状況

都　道　府　県　名	最低賃金時間額【円】	発効年月日
北　　海　　道	960（ 920）	令和5年10月1日
青　　　　森	898（ 853）	令和5年10月7日
岩　　　　手	893（ 854）	令和5年10月4日
宮　　　　城	923（ 883）	令和5年10月1日
秋　　　　田	897（ 853）	令和5年10月1日
山　　　　形	900（ 854）	令和5年10月14日
福　　　　島	900（ 858）	令和5年10月1日
茨　　　　城	953（ 911）	令和5年10月1日
栃　　　　木	954（ 913）	令和5年10月1日
群　　　　馬	935（ 895）	令和5年10月5日
埼　　　　玉	1,028（ 987）	令和5年10月1日
千　　　　葉	1,026（ 984）	令和5年10月1日
東　　　　京	1,113（1,072）	令和5年10月1日
神　　奈　　川	1,112（1,071）	令和5年10月1日
新　　　　潟	931（ 890）	令和5年10月1日
富　　　　山	948（ 908）	令和5年10月1日
石　　　　川	933（ 891）	令和5年10月8日
福　　　　井	931（ 888）	令和5年10月1日
山　　　　梨	938（ 898）	令和5年10月1日
長　　　　野	948（ 908）	令和5年10月1日
岐　　　　阜	950（ 910）	令和5年10月1日
静　　　　岡	984（ 944）	令和5年10月1日
愛　　　　知	1,027（ 986）	令和5年10月1日

都　道　府　県　名	最低賃金時間額【円】	発効年月日
三　　　　　　重	973（　933）	令和 5 年 10 月 1 日
滋　　　　　　賀	967（　927）	令和 5 年 10 月 1 日
京　　　　　　都	1,008（　968）	令和 5 年 10 月 6 日
大　　　　　　阪	1,064（1,023）	令和 5 年 10 月 1 日
兵　　　　　　庫	1,001（　960）	令和 5 年 10 月 1 日
奈　　　　　　良	936（　896）	令和 5 年 10 月 1 日
和　　　歌　　山	929（　889）	令和 5 年 10 月 1 日
鳥　　　　　　取	900（　854）	令和 5 年 10 月 5 日
島　　　　　　根	904（　857）	令和 5 年 10 月 6 日
岡　　　　　　山	932（　892）	令和 5 年 10 月 1 日
広　　　　　　島	970（　930）	令和 5 年 10 月 1 日
山　　　　　　口	928（　888）	令和 5 年 10 月 1 日
徳　　　　　　島	896（　855）	令和 5 年 10 月 1 日
香　　　　　　川	918（　878）	令和 5 年 10 月 1 日
愛　　　　　　媛	897（　853）	令和 5 年 10 月 6 日
高　　　　　　知	897（　853）	令和 5 年 10 月 8 日
福　　　　　　岡	941（　900）	令和 5 年 10 月 6 日
佐　　　　　　賀	900（　853）	令和 5 年 10 月 14 日
長　　　　　　崎	898（　853）	令和 5 年 10 月 13 日
熊　　　　　　本	898（　853）	令和 5 年 10 月 8 日
大　　　　　　分	899（　854）	令和 5 年 10 月 6 日
宮　　　　　　崎	897（　853）	令和 5 年 10 月 6 日
鹿　　　児　　島	897（　853）	令和 5 年 10 月 6 日
沖　　　　　　縄	896（　853）	令和 5 年 10 月 8 日
全　国　加　重　平　均　額	1,004（　961）	―

（注）（　）は，令和 4 年度地域別最低賃金額

5　最低工賃

〔**根拠**▶家内労働法（昭 45.5.16 法律第 60 号）〕

　家内労働者の工賃の最低額，安全及び衛生その他家内労働者に関する必要な事項を定めて，労働条件の向上を図り，家内労働者の生活の安定に資することを目的とする（法第 1 条）。

■**定　義**（法第 2 条）

　「委託者」とは，物品の製造，加工等若しくは販売又はこれらの請負を業とする者であっ

て，その業務の目的物たる物品について家内労働者に委託をするものをいう。

「家内労働者」とは，委託者から委託を受けて，主として労働の対償を得るために物品の製造又は加工等に従事する者であって，その業務について同居の親族以外の者を使用しないことを常態とするものをいう。

したがって，一般家庭からの頼まれ仕事を行う者，運送，物品の販売などの仕事をする者等は家内労働者とならない。

なお，委託者からフロッピーディスク等外部記憶媒体の提供を受けて，原稿に従ったワープロ作業を行い，そのフロッピーディスク等外部記憶媒体を委託者に納入する者については家内労働者となる。

■家内労働手帳（法第3条）

委託者は，家内労働者に委託をするにあたっては，家内労働手帳を交付し，委託をするつど業務内容，工賃単価，工賃支払期日等を，製造又は加工等に係る物品を受領するつど受領した物品の数量等を，工賃を支払うつどその工賃額等を記入しなければならない。

■最低工賃の決定・効力・工賃の支払（法第6条，第8条，第13条，第14条）

委託者は，最低工賃額以上の工賃を，原則として，家内労働者から製造又は加工等に係る物品を受領した日から起算して1月以内に通貨でその全額を家内労働者に支払わなければならない。

厚生労働大臣又は都道府県労働局長は，必要があると認めるときにおいて，労働政策審議会又は地方労働審議会の調査審議を求め，その意見を聴いて最低工賃を決定することができる。

なお，最低工賃額は，家内労働者の製造又は加工等に係る物品の一定単位によって決定される。

第14編

就学奨励その他児童生徒の援護

1 就学援助，学校教育法（昭22.3.31法律第26号）

根拠▶就学困難な児童及び生徒に係る就学奨励についての国の援助に関する法律
（昭31.3.30法律第40号）
要保護児童生徒援助費補助金及び特別支援教育就学奨励費補助金交付要綱
（昭62.5.1文部大臣裁定）
学校給食法（昭29.6.3法律第160号）

　小学校，中学校（中等教育学校の前期課程を含む。以下同じ。（※））における義務教育の
円滑な実施を図るため，経済的理由によって就学困難な児童及び生徒について学用品費・医
療費・学校給食費等を支給する。就学援助ポータルサイト（https://www.mext.go.jp/a_menu/
shotou/career/05010502/017.htm）に，就学援助の実施状況等，詳しい情報を掲載。

（※）　平成28年4月1日より制度化された義務教育学校も対象となる。医療費については，
p.727に概要を掲載。

■**実施主体**（学校教育法第19条）
　　市（特別区を含む。）町村等

■**対　象**（法第2条，令第1条）
　　経済的理由により就学困難な学齢児童，生徒の保護者

■**援　助**
　　保護者への援助の方法は，適切な方法により，金銭又は現物で行う。
　1．学用品費
　　　児童，生徒の所持する物品で通常の学習に直接必要とするもの（特別教育活動を含む。）
　　　例：鉛筆，ノート，副読本，練習帳，体育用靴，国語辞典
　2．通学費
　　　児童，生徒が，最も経済的な通常の経路及び方法により通学する場合の交通費で，通
　　常は交通機関利用の通学者の往復の交通費

3．修学旅行費

　　修学旅行に直接必要な交通費，宿泊費，見学料並びに修学旅行に参加した児童生徒の
保護者が修学旅行に要する経費として均一に負担すべきこととなる記念写真代，医薬品
代，旅行傷害保険料，添乗員経費，荷物輸送料，しおり代，通信費，旅行取扱い料金

4．通学用品費

　　児童，生徒が通常必要とする通学用品の価格又は購入費の額

　　例：上履き，上履き入れ，雨傘，通学用靴，雨靴，制帽等（制服等衣類は含まない。）

5．校外活動費

　　学校外に教育の場を求めて行われる学校行事活動（修学旅行を除く。）に参加するため
直接必要な交通費及び見学料

6．体育実技用具費

　　小学校又は中学校の体育の授業の実施に必要な体育実技用具の価格又は購入費の額

　　例：柔道着，剣道衣（防具を含む。），スキー板等

7．新入学児童生徒学用品費等

　　児童又は生徒が通常必要とする新入学に当たっての学用品の価格又は購入費の額

　　例：ランドセル，カバン，通学用服等

8．クラブ活動費

　　クラブ活動を行う児童又は生徒全員が個々に用意する用具，クラブ活動を行う児童又
は生徒全員が一律に負担する経費

9．生徒会費

　　生徒会費（児童会費，学級費，クラス会費を含む。）として一律に負担すべき経費

10．PTA会費

　　学校，学級，地域等を単位とするPTA活動に要する費用として一律に負担すべき経費

11．卒業アルバム代等

　　小学校又は中学校を卒業する児童又は生徒に対して，通常製作する卒業アルバム及び
卒業記念写真又はそれらの購入費

12．学校給食費

　　学校給食法第11条第2項に定める学校給食費

13．オンライン学習通信費

　　オンライン学習に係る通信費（モバイルルーター等の通信機器の購入又はレンタルに
係る費用を含む。）

■国の補助額

　　国の補助対象は，生活保護法第6条第2項に規定する要保護者に対する援助であり，国
庫補助率は2分の1である。国の予算単価は次頁の表に掲げるとおりである（年額）。

要保護児童生徒援助費補助金（学用品費等）　　（令和5年度）

	小　学　校		中　学　校	
	第 1 学 年	その他の学年	第 1 学 年	その他の学年
学　用　品　費	11,630 円		22,730 円	
通　　学　　費	40,020 円　※1		80,880 円　※1	
修　学　旅　行　費	22,690 円　※2		60,910 円　※2	
通　学　用　品　費	－	2,270 円	－	2,270 円
校外活動費　宿泊を伴わないもの	1,600 円		2,310 円	
校外活動費　宿泊を伴うもの	3,690 円		6,210 円	
体育実技用具費　柔　　道	－		7,650 円	
体育実技用具費　剣　　道	－		52,900 円	
体育実技用具費　ス　キ　ー	26,500 円		38,030 円	
体育実技用具費　スケート	11,810 円		11,810 円	
新入学児童生徒学用品費等	54,060 円	－	63,000 円	－
クラブ活動費	2,760 円		30,150 円	
生徒会費	4,650 円		5,550 円	
PTA 会費	3,450 円		4,260 円	
卒業アルバム代等	11,000 円		8,800 円	
オンライン学習通信費	14,000 円		14,000 円	
学校給食費　完全給食	53,000 円		62,000 円	
学校給食費　補食給食	41,000 円		46,000 円	
学校給食費　ミルク給食	8,000 円		8,000 円	

※1　通学費については，市町村が支給した通学費の支給額の2分の1の額が国庫補助限度額である。

※2　修学旅行費については，市町村が支給した修学旅行費における児童生徒1人あたりの平均支給額の2分の1の額が国庫補助限度額である。

※3　生活保護法による教育扶助及び生活扶助（入学準備金）を受給している保護者には，修学旅行費を除き支給されない。

2　特別支援学校及び小・中学校の特別支援学級等への就学奨励

根拠▶特別支援学校への就学奨励に関する法律（昭 29．6．1 法律第 144 号）

　　　特別支援教育就学奨励費負担金等及び要保護児童生徒援助費補助金交付要綱

　　　（昭 62．5．22 文部大臣裁定）

　　　要保護児童生徒援助費補助金及び特別支援教育就学奨励費補助金交付要綱

　　　（昭 62．5．1 文部大臣裁定）

　教育の機会均等の趣旨及び特別支援学校，小学校（義務教育学校の前期課程を含む。以下同じ。）若しくは中学校（義務教育学校の後期課程及び中等教育学校の前期課程を含む。以下

同じ。）の特別支援学級等への就学の特殊事情により，国及び地方公共団体がこれらの学校へ就学する幼児，児童又は生徒に必要な援助を行う。

■実施主体

国及び地方公共団体

■対　象

特別支援学校並びに小・中学校の特別支援学級等に就学する幼児，児童又は生徒の保護者等

■援　助

保護者等の経済的負担を軽減させるため，その負担能力に応じ，これらの学校への就学のための必要経費のうち，その全部又は一部を支給する。

1．援助の範囲

援 助 の 種 類		範　　　　　　　囲
教科用図書購入費 （教科書）		文部科学省令で定める教科ごとに各1種類の教科用図書の価額。ただし特定の教科については，文部科学省令で定めるところにより，2以上の種類の教科用図書の価額
学　校　給　食　費		学校給食法に規定する保護者負担の学校給食費又は特別支援学校の幼稚部及び高等部における学校給食に関する法律に規定する学校給食に要する経費で設置者負担以外の額
交通費	通　　学　　費	最も経済的な通常の経路及び方法により通学する場合の交通費の額
	帰　　省　　費	学校附設の寄宿舎に居住する幼児児童生徒が，年間39回以内，最も経済的な通常の経路及び方法により帰省する場合の往復の交通費の額
	付　　添　　人	学校附設の寄宿舎に居住する幼児児童生徒が年間39回以内帰省する場合及び小学部第1学年から第3学年までの児童が通学する場合等に要する付添人の最も経済的な通常の経路及び方法による付添中の交通費の額
	職場実習交通費	学校外の事業所等において，職業教育実習に参加する場合の交通費の額
	交　流　及　び 共　同　学　習　費	学校教育の一環として，幼，小，中，高校又は特別支援学校の児童，生徒等とともに集団活動を行う交流及び共同学習に参加する場合に必要な交通費の額
学校附設の寄宿舎 居住に伴う経費		寝具，洗面用雑品，通信用品，衣料補修用品，下着類，その他日用品等の購入費及び夏季，冬季，学年末の休業日を除く期間中，児童又は生徒に対し，寄宿舎で通常支給する1日3回の食費（学校給食費を除く。）及び1日1回の間食に要する経費の額
修学旅行費	本人	修学旅行に要する経費のうち，修学旅行に直接必要な交通費，宿泊費及び見学料の額

援助の種類			範　　　　囲
修学旅行費	校外活動等参加費	付添人	修学旅行に付添う付添人の経費のうち，付添いに直接必要な交通費，宿泊費及び見学料の額
		本人	①　校外活動に要する経費のうち，校外活動に直接必要な交通費，見学料の額
			②　学校行事として実施される宿泊を伴う生活訓練に参加する経費のうち，宿泊生活訓練に直接必要な交通費，宿泊費及び見学料の額
		付添人	①　校外活動に付き添う付添人の経費のうち，付添いに直接必要な交通費及び見学料の額
			②　学校行事として実施される宿泊を伴う生活訓練に付添う付添人の経費のうち，付添いに直接必要な交通費，宿泊費及び見学料の額
	職場実習宿泊費		学校外の事業所等において，職業教育実習に参加する場合の宿泊費の額
学用品購入費	学用品・通学用品購入費		①　通常必要とする学用品の購入費の額（鉛筆，消しゴム等の文具類等）
			②　通学するために通常必要とする通学用品の購入費の額（通学用靴等）
	新入学児童生徒学用品・通学用品購入費		通常必要とする新入学に当たっての学用品の購入費の額（ランドセル，カバン，通学用服等）
オンライン学習通信費			ICTを通じた教育が，学校長若しくは教育委員会が正規の教材として指定するもの又は正規の授業で使用する教材と同等と認められるものにより提供される場合のオンライン学習に必要な通信費（モバイルルーター等の通信機器の購入又はレンタルに係る費用を含む。）

(注)　小学部及び中学部の教科用図書は無償配布される。

2．保護者等の負担能力区分

Ⅰ	保護者等の属する世帯の収入額が，生活保護法の保護の基準の例により測定したその世帯の需要額の1.5倍未満の場合
Ⅱ	収入額が需要額の1.5倍以上2.5倍未満の場合
Ⅲ	収入額が需要額の2.5倍以上の場合

■給付方法

　国・地方公共団体→学校長→保護者等又は児童・生徒

1．支給は，原則として金銭給付

2．経費の支給を受ける者が，支給される金銭を紛失し，浪費し，又は目的外に使用するおそれのある場合は現物給付することができる。

　　補助の対象となる経費は次頁の表のとおりである。なお，表の負担割合は保護者負担額に占める公費負担割合を示す。

特別支援教育就学奨励費負担割合一覧

区分	特別支援学校 幼稚部 I	幼稚部 II	幼稚部 III	小学部 I	小学部 II	小学部 III	中学部 I	中学部 II	中学部 III	高等部 本科・別科 I	本科・別科 II	本科・別科 III	専攻科 I	専攻科 II	専攻科 III	小・中学校 22条の3・特別支援学級 I・II	III
教科用図書購入費	—	1/2	—	—	1/2	1/2	—	1/2	1/2	10/10	10/10	10/10	10/10	10/10	10/10	—	—
学校給食費	10/10	10/10	10/10	10/10	1/2	1/2	10/10	1/2	1/2	10/10	1/2	—	10/10	1/2	—	1/2	—
交通費 本人経費	10/10	10/10	10/10	1~3年 10/10　4~6年 (肢重)10/10	1~3年 1/2　4~6年 (肢重)10/10	1~3年 1/2　4~6年 (肢重)10/10	10/10	(肢重)10/10	(肢重)10/10	10/10	(肢重)10/10	(肢重)10/10	10/10	(肢重)10/10	(肢重)10/10	10/10	10/10
付添人経費（中）	10/10	10/10	10/10	1~3年 10/10　4~6年 (肢重)10/10	1~3年 1/2　4~6年 (肢重)10/10	1~3年 1/2　4~6年 (肢重)10/10	10/10	(肢重)10/10	(肢重)10/10	10/10	(肢重)10/10	(肢重)10/10	10/10	(肢重)10/10	(肢重)10/10	10/10	10/10
通学費 付添のための経費	10/10	10/10	10/10	10/10	1/2	1/2	10/10	1/2	1/2	10/10	10/10	10/10	10/10	10/10	10/10	1/2	1/2
本人費 1～3回	10/10	10/10	10/10	10/10	1/2	1/2	10/10	1/2	1/2	10/10	1/2	10/10	10/10	1/2	10/10	1/2	1/2

	交通費 4〜39回	帰省 付添中 1〜3回	付省 1〜3回	付添人経費 付添いのため	費 4〜39回	交流及び共同学習費	寄宿に伴う経費 寝具購入費	日用品等購入費	食費	住費
	－	－	－	－	－	1/2	－	－	－	－
	－	－	－	－	－	10/10	－	10/10	10/10	10/10
	－	－	－	－	－	－	－	－	1/2	1/2
	1/2	（肢重）1/2	（肢重）1/2	（肢重）1/2	（肢重）1/2	－	－	1/2	1/2	1/2
	10/10	（肢重）10/10	（肢重）10/10	（肢重）10/10	（肢重）10/10	－	10/10	10/10	10/10	10/10
	10/10	（肢重）10/10	（肢重）10/10	（肢重）10/10	（肢重）10/10	1/2	10/10	1/2	1/2	1/2
	10/10	（肢重）10/10	（肢重）10/10	（肢重）10/10	（肢重）10/10	10/10	10/10	10/10	10/10	10/10
	10/10	1/2	1/2	10/10	10/10	1/2	－	1/2	1/2	1/2
	10/10	1/2	1/2	10/10	10/10	10/10	10/10	10/10	10/10	10/10
	10/10	10/10	10/10	10/10	10/10	10/10	10/10	10/10	10/10	10/10
	10/10	1/2	1/2	10/10	10/10	1/2	－	1/2	1/2	1/2
	10/10	1/2	1/2	10/10	10/10	1/2	－	1/2	1/2	1/2
	10/10	10/10	10/10	10/10	10/10	10/10	10/10	10/10	10/10	10/10
	10/10	10/10	10/10	10/10	10/10	1/2	－	1/2	1/2	1/2
	10/10	10/10	10/10	10/10	10/10	1/2	－	1/2	1/2	1/2
	10/10	10/10	10/10	10/10	10/10	10/10	10/10	10/10	10/10	10/10

		支給区分 Ⅰ											中学
修学旅行費	本人経費	—	10/10	—	10/10	—	10/10	—	10/10	—	—	—	—	—
	付添人経費	—	—	—	—	—	—	—	—	—	—	—	—	—
校外活動等参加費	本人経費	1/2	10/10	1/2	10/10	1/2	10/10	—	10/10	—	1/2	—	1/2	1/2
	付添人経費	1/2	10/10	1/2	10/10	1/2	10/10	—	10/10	—	—	—	—	—
		1～3年 10/10 / 4～6年 10/10	(肢重) 10/10	1～3年 1/2 / 4～6年 1/2	(肢重) 1/2								中学 10/10	中学 1/2
職場実習費	交通費	10/10	10/10	1/2	10/10	10/10	1/2	1/2	10/10	—	—	—	—	—
	宿泊費	1/2	10/10	1/2	10/10	10/10	—	—	10/10	1/2	—	—	—	—
学用品購入費	学用品・通学用品購入費	10/10	10/10	1/2	(ICT) 10/10	(ICT) 10/10	(ICT) 10/10	—	—	—	—	—	—	—
					(ICT) 1/2									
新入学児童・生徒学用品・通学用品購入費		1/2	10/10	1/2	10/10	1/2	10/10	1/2	—	—	—	—	1/2	1/2
オンライン学習通信費		—	10/10	—	10/10	—	—	10/10	10/10	—	—	—	10/10	支給区分 Ⅰ 1/2

（注）
1　網掛け（▨）の欄は、負担金分を示し、その他の欄は、補助金分を示す。交付金分は、負担金分と補助金分を合わせた分である。
2　表中「22条の3」は学校教育法施行令第22条の3に規定する障害の程度に該当する区分である。
3　表中「Ⅰ」、「Ⅱ」及び「Ⅲ」は、保護者の経済的負担能力による区分である。
4　表中「肢」は肢体不自由の児童生徒、「重」は重度、児童又は生徒である。
5　交通費の付添人経費で「付添中」は、幼児、児童又は生徒に付添っている場合であり、「付添いのため」は、幼児、児童、児童又は生徒を送迎するために保護者が往復で住復する場合である。
6　小・中学校の交通費のうち職場実習費については、中学校が対象である。
7　高等部の学用品・通学用品購入費のうち、「ICT」はICT機器購入費（加算分）である。

3　学校保健

〔根拠▶学校保健安全法（昭 33．4．10 法律第 56 号）〕

　学校教育の円滑な実施とその成果を確保するため，学校における保健管理及び安全管理に関し必要な事項を定め，児童生徒等及び職員の健康の保持増進並びに児童生徒等の安全の確保を図る。

■健康診断（法第 11 条，第 13 条，第 15 条）

　市町村の教育委員会，学校又は学校の設置者は，下表に従い，健康診断を行わなければならない。

健康診断の種類	実施主体	対　象	実施時期	検　査　項　目
就学時の健康診断（法第 11 条）	市（特別区を含む。）町村の教育委員会	小学校，義務教育学校の前期課程又は特別支援学校の小学部就学予定者で当該市町村在住者	学齢簿が作成された後翌学年の初めから 4 月前（11 月 30 日（学校教育法施行令第 5 条等に規定する就学に関する手続の実施に支障がない場合は 3 月前（12 月 31 日）））まで　(注)学齢簿は 10 月 1 日現在で作成	1　栄養状態 2　脊柱及び胸郭の疾病及び異常の有無 3　視力及び聴力 4　眼の疾病及び異常の有無 5　耳鼻咽頭疾患及び皮膚疾患の有無 6　歯及び口腔の疾病及び異常の有無 7　その他の疾病及び異常の有無
児童生徒等の健康診断（法第 13 条第 1 項）	学　　校	児童生徒等（通信教育を受ける学生を除く。）	毎学年定期（6 月 30 日まで）	1　身長及び体重 2　栄養状態 3　脊柱及び胸郭の疾病及び異常の有無並びに四肢の状態 4　視力及び聴力 5　眼の疾病及び異常の有無 6　耳鼻咽頭疾患及び皮膚疾患の有無
	専修学校		毎学年の始期から起算して 3 月以内	

健康診断の種類	実施主体	対　　象	実施時期	検　査　項　目
				7　歯及び口腔の疾病及び異常の有無 8　結核の有無 9　心臓の疾病及び異常の有無 10　尿 11　その他の疾病及び異常の有無 ※　保健調査 　　健康診断を行うに当たり，小学校，中学校，高等学校及び高等専門学校においては全学年において，幼稚園及び大学においては必要と認めるときに，あらかじめ児童生徒等の発育，健康状態等に関する調査を行う。 ※　学年に応じそれぞれの検査項目から除くことができるものもある。
臨時健康診断 （法第13条第2項）	学　　校 専修学校	児童生徒等	必要があるとき （規則第10条）	必要な検査項目
職員の健康診断 （法第15条第1項）	学校の設置者	学校職員	毎学年定期 （学校の設置者が定める適切な時期）	1　身長，体重及び腹囲 2　視力及び聴力 3　結核の有無 4　血圧 5　尿 6　胃の疾病及び異常の有無 ※　妊娠中の女性職員を除く。また，40歳未満の職員を除くことができる。 7　貧血検査 8　肝機能検査
	専修学校の設置者	専修学校職員	毎学年定期 （学校の設置者が定める適切な時期）	

健康診断の種類	実施主体	対　　象	実施時期	検　査　項　目
				9　　血中脂質検査 10　　血糖検査 11　　心電図検査 12　　その他の疾病及び異常の有無 ※　　年齢等に応じそれぞれの検査項目から除くことができるものもある。
職員の臨時健康診断 （法第15条第2項）	学校の設置者 専修学校の設置者	学校職員 専修学校職員	必要があるとき （規則第17条）	必要な検査項目

■健康相談（法第8条）

　学校においては，児童生徒等の心身の健康に関し，健康相談を行う。

■出席停止（法第19条）

　校長は，感染症にかかっており，かかっている疑いがあり，又はかかるおそれのある児童生徒等の出席を停止させることができる。

■臨時休業（法第20条）

　学校の設置者は，感染症予防上必要な場合，臨時に学校の全部又は一部の休業を行うことができる。

■医療費の援助（法第24条）

1．地方公共団体は，その設置する義務教育諸学校の児童又は生徒が，感染性又は学習に支障を生ずるおそれのある疾病で政令で定めるものにかかり，学校において治療の指示を受けた場合，その児童又は生徒の保護者で下記対象者のいずれかに該当する者に対して，その疾病の治療費用について必要な援助を行う。

2．国は，前記1．により生活保護法第6条第2項に規定する要保護者に対して地方公共団体が援助を行う場合には，予算の範囲内において，その援助に要する経費の一部を補助することができる（法第25条第1項）。

(1)　対象者（法第24条）

　①　生活保護法第6条第2項に規定する要保護者

　②　要保護者に準ずる程度の困窮者で当該義務教育諸学校を設置する地方公共団体の教育委員会が認めた者

　　　（注）　教育委員会は，認定の際に，福祉事務所長及び民生委員の助言を求めることが
　　　　　　できる。
　　⑵　対象となる疾病（令第8条）
　　　①　トラコーマ及び結膜炎　　　④　慢性副鼻腔炎及びアデノイド
　　　②　白癬，疥癬及び膿痂疹　　　⑤　齲歯
　　　③　中耳炎　　　　　　　　　　⑥　寄生虫病（虫卵保有を含む）

4　学校の管理下における児童生徒等の災害に関する災害共済給付

〔根拠▶独立行政法人日本スポーツ振興センター法（平14.12.13法律第162号）〕

　学校及び保育所等の管理下における児童生徒等の負傷，疾病，障害又は死亡に関して災害
共済給付を行う。

■実施主体
　　独立行政法人日本スポーツ振興センター
　※災害共済給付は，日本スポーツ振興センターが行う各種業務の一つとして行っているも
　　のである。

■対象者
　　次に掲げる者であって，学校等の設置者が，保護者等の同意を得て独立行政法人日本ス
ポーツ振興センター（以下「センター」という。）と災害共済給付契約を締結したもの
　1．小学校，中学校，義務教育学校，高等学校，中等教育学校，高等専門学校，特別支援
　　学校，幼稚園，幼保連携型認定こども園又は専修学校（高等課程に限る。）の児童生徒等
　　（法第3条）
　2．保育所等（保育所，保育所型認定こども園，地方裁量型認定こども園，幼稚園型認定
　　こども園を構成する保育機能施設，特定保育事業（家庭的保育事業，小規模保育事業，
　　事業所内保育事業）を行う施設），一定の基準を満たす認可外保育施設及び企業主導型保
　　育施設の児童（法附則第8条）

■共済掛金（法第17条）
　1．災害共済給付契約を締結した学校等の設置者は，次頁の表の掛金をセンターに支払わ
　　なければならない（令第7条，令附則第5条第1項）。

掛金の額（1人当たり年額）　　　（令和5年4月現在）

学　校　種　別		一般児童生徒等	要保護児童生徒
義 務 教 育 諸 学 校		920円（　460円）	40円（20円）
高 等 学 校 高等専修学校	全日制	2,150円（1,075円）	―
	定時制	980円（　490円）	―
	通信制	280円（　140円）	―
高 等 専 門 学 校		1,930円（　965円）	―
幼稚園，幼保連携型 認 定 こ ど も 園		270円（　135円）	―
保 　育 　所 　等		350円（　175円）	40円（20円）

(注)　（　）内は沖縄県に適用（沖縄の復帰に伴う文部省関係法令の適用の特別措置等
　　　に関する政令（昭和47年政令第106号）第27条，沖縄県に所在する学校等の児
　　　童生徒等についての災害共済給付に係る平成31年度以後の共済掛金の額を定め
　　　る等の件（平成17年文部科学省告示第56号））。災害共済給付契約に免責の特約
　　　を付する場合は，上表の額に児童生徒等1人当たり15円（高等学校及び高等専修
　　　学校の通信制は2円）を加えた額が共済掛金の額になる（令第8条）。

2．義務教育諸学校（小学校，中学校，義務教育学校，中等教育学校の前期課程，特別支
援学校の小学部及び中学部）の設置者は，児童生徒等の保護者等から掛金の4割から6
割の範囲の額を徴収する（令第10条第1号）。

　また，高等学校（中等教育学校の後期課程及び特別支援学校の高等部を含む。），高等
専門学校，幼稚園，幼保連携型認定こども園，専修学校（高等課程に限る。），保育所等
の設置者は，児童生徒等の保護者等から掛金の6割から9割の範囲の額を徴収する（令
第10条第2号，令附則第5条第2項）。

　ただし，これらの者が経済的理由によって納付することが困難であると認められると
きは，徴収しないことができる（法第17条第4項）。

5　独立行政法人日本学生支援機構による奨学金の給付等

> 参考▶独立行政法人日本学生支援機構法（平15.6.18法律第94号）
> 　　　独立行政法人日本学生支援機構法施行令（平16.1.7政令第2号）

※令和6年4月に制度の変更を予定。詳細は日本学生支援機構ホームページ参照。

　経済的理由により修学に困難がある優れた学生等に対し，学資の給付及び貸与を行うこと
により，次代の社会を担う豊かな人間性を備えた創造的な人材の育成に資するとともに，教
育の機会均等に寄与する。

■対　象

第一種奨学金（無利子）

大学院，大学，短期大学，高等専門学校，専修学校（専門課程）に在学する，特に優れた学生及び生徒で，経済的理由により著しく修学困難な者

第二種奨学金（利子付）

大学院，大学，短期大学，高等専門学校（4・5年生），専修学校（専門課程）に在学する，優れた学生及び生徒で，経済的理由により修学困難な者

給付奨学金

大学等における修学の支援に関する法律に規定する確認大学等に在学する，特に優れた学生及び生徒で，経済的理由により極めて修学困難な者

※確認大学等：給付奨学金の対象校として国又は地方公共団体の確認を受けた大学，短期大学，高等専門学校（4・5年），専修学校（専門課程）をいう。

第一種奨学金

平成30年度以降入学者　　　　　　　　　　　　　　　　　　　　　　　（単位：円）

区分		設置者	通学方法	貸与月額				最高月額
高等専門学校	本科（1～3年生）	国公立	自宅	10,000				21,000
			自宅外	10,000				22,500
		私立	自宅	10,000				32,000
			自宅外	10,000				35,000
	本科（4・5年生）専攻科	国公立	自宅	20,000	30,000			45,000
			自宅外	20,000	30,000	40,000		51,000
		私立	自宅	20,000	30,000	40,000		53,000
			自宅外	20,000	30,000	40,000	50,000	60,000
専修学校（専門課程）		国公立	自宅	20,000	30,000			45,000
			自宅外	20,000	30,000	40,000		51,000
		私立	自宅	20,000	30,000	40,000		53,000
			自宅外	20,000	30,000	40,000	50,000	60,000
短期大学		国公立	自宅	20,000	30,000			45,000
			自宅外	20,000	30,000	40,000		51,000
		私立	自宅	20,000	30,000	40,000		53,000
			自宅外	20,000	30,000	40,000	50,000	60,000
大学		国公立	自宅	20,000	30,000			45,000
			自宅外	20,000	30,000	40,000		51,000

	私立	自宅	20,000	30,000	40,000		54,000
		自宅外	20,000	30,000	40,000	50,000	64,000
大学院	修士・博士前期 専門職大学院				50,000	88,000	
	博士・博士後期 博士医・歯・薬・獣医学				80,000	122,000	

※1 申込時における前年1年間の家計収入が一定額以上の方は，各区分の最高月額以外の月額から選択することになる。

※2 6年制薬学部に基礎を置く薬学系大学院博士課程（4年制）については，「博士医・歯・薬・獣医学」の金額が適用される。

※3 給付奨学金と併せて第一種奨学金を利用する場合は，第一種奨学金の貸与月額が調整される。

給付奨学金を併せて受けた場合の第一種奨学金

令和2年度以降採用の給付奨学金と併せて受ける場合の貸与金額　　　　（単位：円）

区分	設置者	通学方法		調整後の貸与月額		
				第Ⅰ区分	第Ⅱ区分	第Ⅲ区分
高等専門学校 本科（4・5年生）	国公立	自宅		7,900 (5,600)	20,200 (20,700)	20,000，32,500 (20,000，35,800)
		自宅外		0	15,100	20,000，33,000
	私立	自宅		0 (0)	0 (0)	24,600 (28,800)
		自宅外		0	0	26,000
専修学校(専門課程)	国公立	自宅	昼間部	1,900 (3,800)	16,200 (19,500)	20,000，30,500 (20,000，35,200)
			夜間部	8,800 (10,700)	20,800 (24,100)	20,000，32,800 (20,000，37,500)
		自宅外	昼間部	0	0	24,000
			夜間部	0	1,800	26,300
	私立	自宅	昼間部	0 (0)	0 (0)	23,800 (29,400)
			夜間部	0 (0)	5,700 (9,900)	29,300 (20,000，34,900)
		自宅外	昼間部	0	0	18,300
			夜間部	0	0	23,800
短期大学	国公立	自宅	昼間部	0 (0)	3,800 (7,100)	24,300 (29,000)
			夜間部	0 (1,400)	14,600 (17,900)	29,700 (20,000，34,400)
		自宅外	昼間部	0	0	17,800
			夜間部	0	0	23,200

	私立	自宅	昼間部	0 (0)	0 (0)	22,900 (28,500)
			夜間部	0 (0)	7,400 (11,600)	20,000, 30,200 (20,000, 35,800)
		自宅外	昼間部	0	0	17,400
			夜間部	0	0	24,700
大学	国公立	自宅	昼間部	0 (0)	0 (0)	20,300 (25,000)
			夜間部	0 (0)	10,600 (13,900)	27,700 (20,000, 32,400)
		自宅外	昼間部	0	0	13,800
			夜間部	0	0	21,200
	私立	自宅	昼間部	0 (0)	0 (0)	21,700 (20,000, 30,300)
			夜間部	0 (0)	8,400 (15,600)	20,000, 31,200 (20,000, 39,800)
		自宅外	昼間部	0	0	19,200
			夜間部	0	0	28,700

※1　生活保護世帯で自宅から通学する者，児童養護施設等から通学する者は，（　）内の金額となる。

※2　第Ⅰ区分～第Ⅲ区分とは，別に定める本人と生計維持者の，収入・所得に基づく課税標準額等により設定された収入基準による区分。

第二種奨学金

（単位：円）

区　　　　　　分	月額（選択制）
大学・短期大学・高等専門学校（4・5年生）・専修学校（専門課程）	20,000, 30,000, 40,000, 50,000, 60,000, 70,000, 80,000, 90,000, 100,000, 110,000, 120,000
大学院	50,000, 80,000, 100,000, 130,000, 150,000

備考

1　私立大学の医・歯学課程及び薬・獣医学課程については，12万円の貸与月額を選択した者に限り，希望により下記の増額分を加えた貸与月額を受けることができる。

　　医・歯学課程　　　40,000円

　　薬・獣医学課程　　20,000円

2　法科大学院の法学を履修する課程については，15万円の貸与月額を選択した者に限り，希望により4万円もしくは7万円の増額分を加えた貸与月額を受けることができる。

（注）　第二種奨学金の利子は，年3％を上限として変動（増額貸与は原則として基本月額に係る利率に0.2％上乗せした利率）。ただし，貸与を受けている間及び返還の期限を猶予されている間は無利子。

　　　奨学金申込時に，利率固定方式（貸与終了時に決定する利率を返還終了まで適用），利率見直し方式（返還期間中おおむね5年ごとに見直される利率を適用）のうちから選択する。

入学時特別増額貸与奨学金（利子付）

> 入学時（編入学者の入学年次を含む）において，入学月を始期として貸与を受ける者は，希望により，基本月額の初回貸与時に 10 万円，20 万円，30 万円，40 万円，50 万円の有利子奨学金を増額して貸与を受けることができる。

給付奨学金

（単位：円）

区　分		通学方法	第Ⅰ区分	第Ⅱ区分	第Ⅲ区分
高等専門学校 （4・5年生）	国公立	自宅	17,500 （25,800）	11,700 （17,200）	5,900 （8,600）
		自宅外	34,200	22,800	11,400
	私立	自宅	26,700 （35,000）	17,800 （23,400）	8,900 （11,700）
		自宅外	43,300	28,900	14,500
大学 短期大学 専修学校（専門課程）	国公立	自宅	29,200 （33,300）	19,500 （22,200）	9,800 （11,100）
		自宅外	66,700	44,500	22,300
	私立	自宅	38,300 （42,500）	25,600 （28,400）	12,800 （14,200）
		自宅外	75,800	50,600	25,300

※1　生活保護世帯で自宅から通学する者，児童養護施設等から通学する者は，（　）内の金額となる。

※2　第Ⅰ区分〜第Ⅲ区分とは，別に定める本人と生計維持者の，収入・所得に基づく課税標準額等により設定された収入基準による区分。

■返　還

1．返還期日

　　貸与終了の翌月から数えて 7 か月目の月（3 月に貸与終了した場合は 10 月）の 27 日が初回の返還期日になる。以降，毎月 27 日が振替日となる（27 日が金融機関の休業日の場合は，翌営業日）。

2．返還方法

　　月賦返還と月賦半年賦併用返還のいずれかを選択して返還する。

3．返還方式

　　平成 29 年度以降に第一種奨学金の奨学生として採用された者から，以下の 2 つの返還方式を選択して返還する（採用時に選択済み）。

(1)　定額返還方式

　　借りた金額に応じて毎月の返還金額が決まる。

(2)　所得連動返還方式

前年の課税対象所得（課税総所得金額）に応じて，毎月の返還金額が決まる。返還方法は月賦返還のみ。

4．救済制度

奨学生本人が経済困難，失業，傷病，災害等の事情により返還が困難になった場合は，以下の救済制度を願い出ることができる。

(1)　減額返還制度

①　一定の要件を満たすと，月々の返還額を2分の1もしくは3分の1に減額して返還できる制度。減額返還適用期間に応じて返還期間を延長して返還する。

②　1回の願出につき12か月まで申請可。通算15年（180か月）まで適用可。

③　「所得連動返還方式」選択者は申請不可。

(2)　返還期限猶予制度

①　一定期間返還を先送りする制度。

②　1回の願出につき12か月まで申請可。通算10年（120か月）まで適用可。ただし，災害，傷病等一部の対象者は通算猶予期間の制限がない。

5．死亡，精神又は身体の障害による返還免除

奨学生本人が死亡，精神もしくは身体の障害により労働能力を失った時は，願出により奨学金の返還未済額の全額又は一部の返還が免除される場合がある。

6．特に優れた業績による免除（大学院第一種奨学金のみ）

在学中に特に優れた業績を上げた者として日本学生支援機構が認定した場合，奨学金の全額，又は半額の返還が免除される。

7．延滞金

約束の期日を過ぎると，延滞している返還月額に対し，年3％の割合で返還期日の翌月から延滞している日数に応じて延滞金が賦課される。

6　交通遺児等育成基金

根拠▶（公財）交通遺児等育成基金　交通遺児育成基金事業実施規程（昭55.12月施行）
　　　（公財）交通遺児等育成基金　給付事業実施規程（平23.11月施行）

公益財団法人交通遺児等育成基金は，自動車事故により死亡した方の遺族である児童及び自動車事故により重度後遺障害が残った方の子弟である児童の生活基盤の安定を図るため，「交通遺児育成基金事業」，「交通遺児等支援事業」の二つの事業を行い，交通遺児等の健やかな育成を図ることを目的としている。

1　交通遺児育成基金事業

　公益財団法人交通遺児等育成基金は，自動車事故で亡くなられた方の残された交通遺児が，損害保険会社などから支払われる損害賠償金等の中から，拠出金を交通遺児等育成基金に払い込んで基金に加入すると，これに国や民間からの援助金を加えて安全・確実に運用し，交通遺児が満19歳に達するまで育成給付金を支給していく事業を行っている。

■加入資格

　加入日の年齢が，満16歳未満の交通遺児（自動車事故により死亡した方の遺族である児童をいう。）とする。

　（注）　「交通遺児育成基金加入申込書」が基金に提出され，かつ拠出金が振り込まれた日をもって加入日とする。

■拠出金

　遺児1人あたり，加入年齢に応じた拠出金額が定められている。

年齢	拠出金額	年齢	拠出金額
0歳～4歳	700万円	12歳6か月～13歳未満	430万円
5歳	665万円	13歳～13歳6か月未満	400万円
6歳	630万円	13歳6か月～14歳未満	370万円
7歳～8歳	595万円	14歳～14歳6か月未満	340万円
9歳	560万円	14歳6か月～15歳未満	310万円
10歳	525万円	15歳～15歳6か月未満	280万円
11歳	485万円	15歳6か月～16歳未満	240万円
12歳～12歳6か月未満	455万円		

■加入申込み

　交通遺児は，「交通遺児育成基金加入申込書」を基金に提出する。

■給付金の種類

　(1)　育成給付金
　(2)　その他の給付金

■育成給付金

1．育成給付金の額

加入者の年齢	給付金月額
0歳～5歳	32,000円
6歳～8歳	40,000
9歳～11歳	45,000
12歳～14歳	55,000
15歳～18歳	70,000

（注）　給付額の変更は，満6歳，満9歳，満12歳，満15歳に達した月の翌月からとする。

2．給付期間

加入日の属する月の翌月から，加入者が満19歳になった日の属する月まで支給する。

3．給付時期

毎年3月，6月，9月及び12月の各25日にそれぞれ前月までの3か月分を支給する。

■その他の給付金

1．橋本給付金

育成給付金のほかに，加入者が満6歳，満12歳，満15歳に達し，入学または進学・就職するときに「橋本給付金」として6万円を支給する。

2．完了給付金

加入者が，満19歳に達して給付が終了するときに「完了給付金」として3万円を支給する。

■給付金の支給の方法

加入者が，あらかじめ指定した銀行口座その他の金融機関等に振込の方法により支給する。

■受給権の処分禁止

受給権は第三者に譲渡し，または担保に供することはできない。

■脱　退

会長がやむを得ないと認めた場合以外は，脱退することができない。

■残余資産の返還・遺族一時金の支給

加入者が脱退したときには残余資産が返還され，加入者が19歳未満で死亡したときには遺族一時金が支給される（以下，一時金等という。）。

1．一時金等の額

一時金等の額は，脱退届又は死亡届兼遺族一時金請求書を受理した日の属する月の前月末現在の育成給付金原資相当額のうち，拠出金の残存元利合計相当額とする。

２．一時金等の支給時期

届出受理日から速やかに支給する。

■給付金の課税関係

基金が支給する育成給付金は，所得税法第9条第1項及び第21条の規定により，所得税は課税されない（脱退時の残余資産および遺族一時金は，一時所得となる。）。

2　交通遺児等支援給付事業

公益財団法人交通遺児等育成基金は，1の交通遺児育成基金事業の他，一般の方からの寄付により，義務教育終了前の子弟を有する家庭において，主として生計を支えていた方が自動車事故により死亡又は重度の後遺症を被り，このため生計困難になった自動車事故被害者家庭を対象に支援給付事業（社会福祉事業）を行っている。

■事業目的

交通遺児等（自動車事故により死亡した方の遺族である児童（以下「交通遺児」という。）及び自動車事故により重度後遺障害（自動車損害賠償保障法施行令（昭和30年政令第286号）別表第一又は別表第二（第1級から第3級までに該当するものに限る。）に規定する障害をいう。以下同じ。）が残った方の子弟である児童をいう。以下同じ。）について，その生活基盤の安定を図るための事業等を行い，もって，これら交通遺児等の健やかな育成を図ることを目的とする。

■事業活動

１．生活及び学業のための資金の給付事業

(イ)　越年資金の支給

(ロ)　入学支度金の支給

(ハ)　進学等支援金の支給

２．交通遺児等家庭の被災やご不幸に対する見舞金の給付事業

緊急時見舞金の支給

３．交通遺児等の精神的支援事業（自動車事故被害者援護活動に対する協力事業）

独立行政法人自動車事故対策機構が行っている「交通遺児友の会」の集い及び絵画コンテスト等に対する協力

■利用案内

種　類	区分	金　額	支給の時期	要　件	手続き・提出期限
越　年資　金	支給	義務教育終了前の児童 1 人につき 30,000 円	12 月	越年資金は，生計困窮交通遺児等家庭が，少しでも明るい新年を迎えられるよう生活資金を支給する。	申込書・証明書等 提出期限：11 月10 日
※入　学支度金	支給	入学する児童 1 人につき 60,000 円	3 月	入学支度金は，生計困窮交通遺児等家庭の児童が小学校又は中学校に入学する時に支度金を支給する。	申込書・証明書等 提出期限：2 月15 日
※進学等支援金	支給	進学又は就職する児童 1 人につき 60,000 円	2 月	進学等支援金は，生計困窮交通遺児等家庭の児童が義務教育を終了し直ちに上級学校に進学又は就職する場合に支給する。	申込書・証明書等 提出期限：1 月20 日 （＊ 6 月まで随時受付可能）
緊急時見舞金	支給	一家庭 100,000円 又は 50,000円	随時受付	①生計困窮交通遺児等家庭の児童又はその扶養者が死亡又は重度の後遺障害を被った場合に一家庭に対し 100,000 円を支給する。 ②また，生活困窮交通遺児等家庭で災害等により家屋が全壊又は半壊の被害を受けた場合は一家庭に 100,000円，その他の被害家庭には 50,000円を支給する。	申込書・証明書等 提出期限：なし

※　入学支度金・進学等支援金と橋本給付金の併給はできない。

■公益財団法人交通遺児等育成基金（内閣府所管）

郵便番号　〒102-0083

所 在 地　東京都千代田区麹町 4 - 5　海事センタービル 7 Ｆ

フリーダイヤル：0120-16-3611（通話料無料）

電話番号　03-5212-4511

ホームページ　http://www.kotsuiji.or.jp/

第 15 編

社会福祉関係税制

1 高齢者，障害者，寡婦等に対する所得税，住民税の軽減

　高齢者，障害者，寡婦等については，その稼働上又は生活上のハンディキャップに対応して，税制上も次表に示すように特別の控除（課税所得の減額）を設けている（所得税法第79条〜第86条，地方税法第34条，第314条の2）。

控 除 等 の 種 類	所得税	地方税	摘　　要
障 害 者 控 除	27万円	26万円	居住者又はその控除対象配偶者若しくは扶養親族が障害者に該当する場合
特 別 障 害 者 控 除	40万円	30万円	障害者のうち，精神又は身体に重度の障害がある者
同 居 特 別 障 害 者 控 除	75万円	53万円	同一生計配偶者又は扶養親族のうちに特別障害者がいる場合にそのいずれかと同居を常況としている者
寡 婦 控 除	27万円	26万円	所得税法第80条
ひ と り 親 控 除	35万円	30万円	所得税法第81条
勤 労 学 生 控 除	27万円	26万円	本人が勤労学生である者
基 礎 控 除	16万円〜48万円	15万円〜43万円	合計所得金額2,500万円超適用なし
配 偶 者 控 除	13万円〜38万円	11万円〜33万円	その居住者の合計所得金額が1,000万円以下が要件
同一生計配偶者（70歳以上）の配偶者控除	16万円〜48万円	13万円〜38万円	その居住者の合計所得金額が1,000万円以下が要件
配 偶 者 特 別 控 除	上限38万円	上限33万円	その居住者の合計所得金額が1,000万円以下が要件
一 般 の 扶 養 控 除	38万円	33万円	16歳以上の扶養親族を有する者
特 定 扶 養 親 族	63万円	45万円	年齢19歳以上23歳未満の扶養親族
老 人 扶 養 控 除	48万円	38万円	年齢70歳以上の扶養親族
同 居 老 親 等 扶 養 控 除	58万円	45万円	租税特別措置法第41条の16

控除等の種類	所得税	地方税	摘　　要
公　的　年　金　等　控　除※	110万円	110万円	公的年金等以外の合計所得金額が1,000万円以下の場合

※65歳以上の最低保障額

■控除の対象となる者の範囲（所得税法第79条〜第86条，地方税法第34条，第314条の2）

1．障害者控除（所得税法第79条）

⑴　知的障害者（児童相談所，知的障害者更生相談所，精神保健福祉センター又は精神保健指定医の判定による）

⑵　精神障害者（精神障害者保健福祉手帳の交付を受けている2，3級の精神障害者）

⑶　身体障害者（身体障害者手帳の交付を受けている3〜6級の身体障害者）

⑷　戦傷病者（戦傷病者手帳の交付を受けている者）

⑸　65歳以上の者で⑴又は⑶に準ずる障害のある者（市町村長又は福祉事務所長の認定を受けている者）

2．特別障害者控除（所得税法第79条）

⑴　精神上の障害により事理を弁識する能力を欠く常況にある者及び重度の知的障害者（おおむねIQ35以下）

⑵　重度の精神障害者（精神障害者保健福祉手帳1級の精神障害者）

⑶　重度の身体障害者（身体障害者手帳1，2級の身体障害者）

⑷　重度の戦傷病者（恩給法別表第1号表ノ2の特別項症から第3項症までの者）

⑸　原子爆弾被爆者（原子爆弾被爆者に対する援護に関する法律の規定による被爆者として厚生労働大臣の認定を受けた者）

⑹　常に就床を要し，複雑な介護を要する者

⑺　65歳以上の者で⑴又は⑶に準ずる障害のある者（市町村長又は福祉事務所長の認定を受けている者）

3．寡婦控除（所得税法第80条）

⑴　夫と離婚した後，婚姻していない者で，扶養親族を有し，合計所得金額が500万円以下である者

⑵　夫と死別した後，婚姻をしていない者又は夫の生死の明らかでない者で合計所得金額が500万円以下である者

⑶　その者と事実婚関係にあると認められる者がいない者

4．ひとり親控除（所得税法第81条）

現に婚姻をしていない者又は配偶者の生死の明らかでない者で，その者と生計を一にする子（他の者の扶養親族等とされておらず，総所得金額が48万円以下の子）を有し，かつ，合計所得金額が500万円以下であること，及びその者と事実婚関係にあると認め

られる者がいない者

5. 老人扶養控除（所得税法第84条）

70歳以上の扶養親族

6. 同一生計配偶者（70歳以上の者）の配偶者控除（所得税法第83条）

同一生計配偶者のうち70歳以上の者

7. 同居老親等扶養控除（租税特別措置法第41条の16第1項）

居住者又はその配偶者の直系尊属で，かつ，いずれかとの同居を常況としている70歳以上の者の扶養親族

8. 基礎控除（所得税法第86条）

合計所得金額	所得税	住民税
2,400万円以下	48万円	43万円
2,400万超2,450万円以下	32万円	29万円
2,450万超2,500万円以下	16万円	15万円
2,500万円超	適用なし	適用なし

■**地方税の非課税**（地方税法第24条の5，第295条）

1. 次に掲げる者に対しては，住民税（所得割及び均等割）を課税しない。

(1) 前年中に所得のなかった者

(2) 生活保護法による生活扶助を受けている者

(3) 障害者，未成年者，寡婦又はひとり親で前年の合計所得金額が135万円以下の者

　　(注) 65歳以上の者に係る非課税措置については，平成18年度分以後の地方税から廃止された（平成17年1月1日において65歳に達していた者であって，前年の合計所得金額が135万円以下である者については，平成18年度分の税額の3分の2，平成19年度分の税額の3分の1を減額する経過措置が講じられていたが，平成20年度以降は全額課税される。）。

2. 重度の視力障害者（失明又は両眼の視力が0.06以下の者）が行うあん摩，はりきゅう，柔道整復等，医業に類する事業については，事業税は非課税とする（地方税法第72条の2第10項第5号）。

2　社会福祉関係給付金等に関する免税

次に掲げる主な社会福祉，社会保障関係法に基づく給付等については，国税，地方税とも課税の対象としない。

1. 生活保護法に基づく保護金品（生活保護法第57条）

2．児童福祉法に基づく支給金品（児童福祉法第 57 条の 5 ）

3．自立支援給付として支給を受けた金品（障害者の日常生活及び社会生活を総合的に支援するための法律（障害者総合支援法）第 14 条）

4．介護保険給付として支給を受けた金品（介護保険法第 26 条）

5．母子保健法に基づく支給金品（母子保健法第 23 条）

6．児童扶養手当法に基づく児童扶養手当（児童扶養手当法第 25 条）

7．特別児童扶養手当等の支給に関する法律に基づく特別児童扶養手当，障害児福祉手当，特別障害者手当（特別児童扶養手当等の支給に関する法律第 16 条，第 26 条，第 26 条の 5 ）

8．児童手当法に基づく児童手当（児童手当法第 16 条）

9．子ども手当として支給を受けた金銭（平成 23 年度における子ども手当の支給等に関する特別措置法第 15 条）

10．母子及び父子並びに寡婦福祉法に基づく自立支援教育訓練給付金又は高等職業訓練促進給付金（母子及び父子並びに寡婦福祉法第 31 条の 4 ）

11．厚生年金保険法，国民年金法等に基づく年金等（老齢厚生年金，老齢基礎年金，付加年金を除く。）及び恩給法に基づく増加恩給，扶助料（厚生年金保険法第 41 条，国民年金法第 25 条，所得税法第 9 条）

12．地方公共団体が行う心身障害者扶養共済制度に基づき支給される給付金（所得税法第 9 条）

13．生活困窮者自立支援法に基づく住居確保給付金（生活困窮者自立支援法第 20 条）

14．子ども・子育て支援法に基づく子どものための教育・保育給付として支給を受けた金品（子ども・子育て支援法第 18 条）

3　身体障害者が受けられる税の特例

■所得税の障害者控除

　　納税者本人が障害者である場合は，障害者控除として 27 万円（特別障害者の場合は 40 万円）が所得金額から差し引かれる（所得税法第 79 条）。

■身体障害者用物品の非課税（消費税）

　　内閣総理大臣及び厚生労働大臣が指定する身体障害者用物品（義肢，装具，座位保持装置，視覚障害者安全つえ，点字器，車椅子，義眼等）の譲渡，貸付け及び製作の請負並びに修理は消費税が非課税となる（消費税法別表第 2 の 2 ，消費税法施行令第 14 条の 4 ）。

■自動車税等の減免

　　身体障害者等が取得し，又は所有する自動車等で，身体障害者等自身が運転するもの又

は身体障害者等の通勤等のためにその生計同一者若しくは身体障害者等のみで構成される世帯のために常時介護者が運転するものについては，地方公共団体の条例により，自動車税又は軽自動車税の環境性能割・種別割の減免措置がとられている（地方税法第 167 条，第 177 条の 17）。

■身体障害者用の器具等の関税免除

身体障害者用に製作された器具，物品（義肢，人工代用筋，車椅子，装着式尿収器，視覚障害者用の点字器・タイプライター・時計・はかり・温度計及び体温計等）及び慈善，救じゅつのために寄贈された給与品及び社会福祉事業施設のために寄贈された物品で給与品以外のもののうちこれらの施設において直接社会福祉の用に供するものと認められるものの輸入については，関税が免除される（関税定率法第 14 条，第 15 条）。

■相続税の障害者控除

相続人が 85 歳未満の障害者の場合，障害の程度及び年齢に応じ相続税額が減額される（相続税法第 19 条の 4）。

1．要件

相続人が障害者（特別障害者）であって 85 歳未満であること。

（注）　障害者（特別障害者）の範囲は，所得税法上の障害者（特別障害者）を参照のこと（p. 739〜740 参照）。

2．控除額

（85 歳−相続開始時の年齢）× 10 万円（特別障害者は 20 万円）が障害者の相続税額から控除される。

なお，障害者控除の額が，障害者に対する相続税額を超える部分は，同時に相続した当該障害者の扶養義務者の相続税額から控除される。

■特定障害者に対する贈与税の非課税

特定障害者（特別障害者及び障害者のうち，精神に障害がある者）を受益者とする信託契約に基づき，金銭等の財産が信託されたときは，特別障害者である特定障害者については 6,000 万円まで，特別障害者以外の特定障害者については 3,000 万円まで贈与税が非課税とされる（相続税法第 21 条の 4）。

■心身障害者扶養共済制度に基づく給付金の非課税

地方公共団体が条例によって実施する心身障害者扶養共済制度に基づいて支給される給付金（脱退一時金を除く。）については，所得税は課されない。この給付金を受ける権利を相続や贈与によって取得した場合も，相続税や贈与税は課されない（所得税法第 9 条第 1

項第 3 号ハ)。

■少額貯蓄の利子等の非課税

　　身体障害者手帳等の交付を受けている者，遺族基礎年金・寡婦年金などを受けている者（妻）及び児童扶養手当を受けている者（児童の母）が受け取る元本 350 万円までの利子等については，一定の手続を要件に非課税の適用を受けることができる。マル優，特別マル優を利用するには，最初に預け入れ等をする日までに，金融機関の窓口などに必要書類を提示して確認を受ける必要がある（所得税法第 10 条第 1 項，租税特別措置法第 3 条の 4)。

4　社会福祉事業を行う者に対する免税

　社会福祉法人，日本赤十字社，公益社団法人，公益財団法人及び宗教法人等の公益法人等については，利子，配当，利息等の所得に所得税は課税されない（所得税法第 11 条）。

　法人税についても，収益事業にかかる益金及び退職年金業務等以外には課税されない（法人税法第 4 条）。収益事業の範囲等は次のとおりである。

1．収益事業の範囲，種類は，物品販売業，印刷業，医療保健業，駐車場業等の 34 種の事業であるが，次に掲げるものはこれに含まれない（法人税法施行令第 5 条）。

　⑴　公益社団法人又は公益財団法人が行う収益事業のうち，公益目的事業に該当するもの。

　⑵　収益事業であっても，身体障害者，知的障害者，生活保護法による生活扶助を受けている者，精神障害者保健福祉手帳の交付を受けている者，65 歳以上の者又は寡婦が従事者の半数以上を占め，かつ，その事業が，これらの者の生活の保護に寄与しているもの。

　⑶　母子及び父子並びに寡婦福祉法による母子・父子福祉団体の行う事業のうち，①母子・父子福祉資金の貸付を受けた事業で，その償還の終わっていないもの，及び②公共的施設内で行われる売店等の事業。

　⑷　社会福祉法人又は日本赤十字社が行う医療保健業。

　⑸　公益法人等の行う医療保健業で低所得者に対する医療費の減免等一定の要件を満たすもの。

2．収益事業の益金を非収益事業に充当した場合，公益社団法人又は公益財団法人の場合所得の 100 分の 50，社会福祉法人の場合 100 分の 50（非収益事業に充てられる金額が，年間 200 万円に満たない場合は，収益事業所得の 100 分の 50 を超えるときでも，年間 200 万円まで非課税），公益法人等（公益社団法人，公益財団法人，社会福祉法人等を除く。）の場合 100 分の 20 までは損金算入が認められる（法人税法第 37 条，同法施行令第 73 条）。

3．地方税（事業税，住民税）についても，収益事業の範囲等は同様であるが，社会福祉法人については，収益の 90％以上を社会福祉事業に充当すると法人住民税は非課税とされる

（地方税法施行令第7条の4）。

5 社会福祉事業の用に供する資産，物品に対する非課税

1．個人が，国，地方公共団体及び社会福祉法人に対し，社会福祉事業の用地として土地を売却した場合には，当該土地譲渡所得に対し，5,000万円の特別控除が認められる（租税特別措置法第33条，第33条の2，第33条の4）。

2．社会福祉事業の用に供する土地については地価税は課税されない（地価税法第6条）。

3．社会福祉事業の用に供する土地建物については，不動産取得税，固定資産税，特別土地保有税，都市計画税は課されない（地方税法第73条の4，第348条，第586条，第702条の2）。

4．社会福祉法人が社会福祉事業の用に供する土地建物の権利の取得登記については，登録免許税は課されない（登録免許税法第4条）。

なお，この取扱いを受けるためには，当該不動産が，社会福祉事業の用に供するものである旨の都道府県知事，指定都市若しくは中核市の市長又は地方自治法の規定により，社会福祉事業の開始に係る事務等を処理する場合の市町村長の証明が必要である。

5．社会福祉事業の用に供する施設については事業所税は課されない（地方税法第701条の34）。

6 社会福祉事業として行われる資産の譲渡等に対する非課税

第一種社会福祉事業，第二種社会福祉事業として行われる資産の譲渡等（障害者支援施設等における生産活動としての作業に基づき行われる資産の譲渡等を除く。）についての消費税は非課税となる（消費税法第6条）。

7 社会福祉事業に対する寄付，贈与等についての免税

■個人が寄付した場合の所得控除（所得税法第78条，地方税法第37条の2及び第314条の7）

1．個人が次の法人に寄付金を支出した場合には，寄付金控除として一定の計算により課税対象所得から控除される（所得税・特定寄付金）。

(1) 国，地方公共団体

(2) 社会福祉法人，日本赤十字社

(3) 公益社団法人，公益財団法人等で財務大臣の指定を受けたもの

（注）　(3)の指定は，当該寄付金が①広く一般に募集されること，②社会福祉への貢献
等その他公益の増進に寄与するための支出で緊急を要するものに充てられること
が確実であることを審査して行われることになっている。

寄付金控除の額は，次の算式による。

〔所得控除の場合〕寄付金（所得の 40 ％を限度とする。）－ 2,000 円

〔税額控除の場合〕（寄付金－ 2,000 円）× 40 ％（所得税額の 25 ％が限度）

2．個人が，次に掲げる寄付金を支出し，その合計額（所得の 30 ％を限度とする。）が
2,000 円を超える場合には，その超える部分について一定の計算方法による額が税額控
除される（住民税）。

(1)　地方公共団体に対する寄付金

(2)　共同募金会に対して厚生労働大臣が定める期間内に支出された寄付金で，その募集
につき総務大臣の承認を受けたもの（いわゆる赤い羽根募金）

(3)　社会福祉事業又は更生保護事業に要する経費に充てるために共同募金会に対して支
出された寄付金で総務大臣が定めるもの

(4)　公益法人等に対する寄付金のうち，住民の福祉の増進に寄与する寄付金として条例
で定めるもの

(5)　日本赤十字社に対して支出された寄付金（社費含む。）で，その募集につき総務大臣
の承認を受けたもの（但し，毎年 4 月 1 日から募集金額に達した時点で終了）

■**法人が寄付した場合の損金算入**（法人税法第 37 条，同法施行令第 73 条）

会社等が一般に寄付金を支出した場合には，次の限度額まで損金に計上できることと
なっているが，公益のための寄付金については，この限度額が倍額とされ又は限度額に関
係なく損金に算入される。

1．一般の損金算入限度額

(1)　資本基準額

期末資本金等の額 $\times \dfrac{\text{当期の月数}}{12} \times \dfrac{2.5}{1,000} = a$

(2)　所得基準額

（当該事業年度の所得仮計 ＋ 支出寄付金総額）$\times \dfrac{2.5}{100} = b$

(3)　損金算入限度額

$(a+b) \times \dfrac{1}{4} = $ 損金算入限度額

2．損金算入限度額が 2 倍になる場合

社会福祉法人，日本赤十字社に対する寄付金については，前記 1. の損金算入とは別枠
で，同額の限度額が設定される。

3．損金算入限度額に関係なく全額損金に算入される場合

(1)　国，地方公共団体に対する寄付金

⑵　社会福祉法人，日本赤十字社，公益社団法人，公益財団法人等に対する寄付金で，財務大臣の指定を受けたもの

　　なお，以下のものについては財務大臣の個別の指定を受けずとも全額損金算入の扱いとなる。

①　共同募金会が厚生労働大臣の定める期間内に一般に募集した寄付金で，当該募集につき財務大臣の承認を受けたもの（いわゆる赤い羽根募金）

②　社会福祉事業又は更生保護事業の用に供される土地，建物，機械その他の設備の取得又は改良並びにこれらの事業に係る経常的経費（人件費，研修費，処遇費等）又は，民間奉仕活動に必要な基金に充てるために，共同募金会に対して支出された寄付金の全額

③　日本赤十字社に対して毎年4月1日から9月30日までの間に支出された寄付金で当該募集につき財務大臣の承認を受けたもの

■個人が不動産等の資産を寄付した場合の譲渡所得の非課税（所得税法第59条，租税特別措置法第40条）

　　個人が法人に対して，土地，建物，山林等の資産を無償又は時価の2分の1以下の低額で譲渡した場合には，時価により譲渡したものとみなして譲渡益に対して所得税が課税されるが，次のような場合には非課税となる。

1．国，地方公共団体に寄付した場合

2．社会福祉法人，公益社団法人，公益財団法人等に寄付した場合で国税庁長官の承認を得たもの

　　（注）　国税庁長官の承認は，①当該物件が社会福祉事業の用に供されること，②役員構成議決事項についての当該法人の規定が，同族的でなく，寄付者に特別の利益が生じるおそれのないものであること等を審査して決定される。

■個人が国等に対して相続財産を寄付した場合の相続税の非課税（租税特別措置法第70条，同法施行令第40条の3）

　　相続財産を相続税の申告期間内（相続の開始があったことを知った日の翌日から10か月以内）に次に掲げるものに寄付した場合には，当該財産は相続税の課税価格の計算の基礎に算入しない。

1．国，地方公共団体

2．社会福祉法人，日本赤十字社

3．公益社団法人，公益財団法人等で社会福祉への貢献その他公益の増進に著しく寄与するもの

第16編

主要諸施策の概要一覧

1 社会福祉関係主要相談機関等一覧

相談機関等	根拠法令等
民生委員	民生委員法
児童委員	児童福祉法第 16 条
福祉事務所	社会福祉法第 14 条
社会福祉主事	〃　第 18 条
老人福祉指導主事	老人福祉法第 6 条
身体障害者福祉司	身体障害者福祉法第 11 条の 2
知的障害者福祉司	知的障害者福祉法第 13 条
家庭児童福祉主事	「家庭児童相談室の設置運営について」昭和 39 年 4 月 22 日厚生省発児第 92 号
家庭相談員	〃
身体障害者更生相談所	身体障害者福祉法第 11 条
身体障害者相談員	〃　　　第 12 条の 3
知的障害者更生相談所	知的障害者福祉法第 12 条
知的障害者相談員	〃　　　第 15 条の 2
婦人相談所	売春防止法第 34 条
婦人相談員	〃　　第 35 条
老人福祉センター	老人福祉法第 20 条の 7
老人(在宅)介護支援センター	〃　　第 20 条の 7 の 2
地域包括支援センター	介護保険法第 115 条の 46
身体障害者福祉センター	身体障害者福祉法第 31 条
精神保健福祉センター	精神保健及び精神障害者福祉に関する法律第 6 条
発達障害者支援センター	発達障害者支援法第 14 条
児童発達支援センター	児童福祉法第 43 条

相 談 機 関 等	根 　 拠 　 法 　 令 　 等
基幹相談支援センター	障害者の日常生活及び社会生活を総合的に支援するための法律（障害者総合支援法）第 77 条の 2
協議会	〃　　　　　　第 89 条の 3
母子健康包括支援センター	母子保健法第 22 条
母子・父子福祉センター	母子及び父子並びに寡婦福祉法第 39 条
児童相談所	児童福祉法第 12 条
児童福祉司	〃　　第 13 条
児童家庭支援センター	児童福祉法第 44 条の 2
母子・父子自立支援員	母子及び父子並びに寡婦福祉法第 8 条
母子家庭等就業・自立支援センター	「母子家庭等就業・自立支援事業の実施について」平成 20 年 7 月 22 日雇児発第 0722003 号
少年補導センター	「少年補導センターの運営に関する指導要領」昭和 45 年 7 月 1 日総理府青少年対策本部次長通知
少年補導委員	〃
社会福祉協議会	社会福祉法第 109 条・第 110 条
福祉活動専門員	「社会福祉協議会活動の強化について」平成 11 年 4 月 8 日社援第 984 号
福祉活動指導員	〃
戦没者遺族相談員	「戦没者遺族相談員の設置について」昭和 45 年 7 月 13 日厚生省発援第 73 号
戦傷病者相談員	戦傷病者特別援護法第 8 条の 2
家庭裁判所	裁判所法第 31 条の 2 〜 5
保護司	保護司法
人権擁護委員	人権擁護委員法
公共職業安定所	職業安定法第 8 条
高齢者能力開発情報センター	〃　　第 33 条（無料職業紹介事業）
高齢者総合相談センター	「高齢者総合相談センター運営事業の実施について」昭和 62 年 6 月 18 日健政発第 330 号・健医発第 733 号・社老第 80 号
保健所	地域保健法第 5 条・第 6 条
精神保健福祉相談員	精神保健及び精神障害者福祉に関する法律第 48 条
年金相談サービスセンター	平成 4 年 1 月 31 日社業発第 3 号社会保険業務センター長通知

2　国立社会福祉施設一覧

種　　類	施　設　名	所　在　地
国立障害者リハビリテーションセンター	国立障害者リハビリテーションセンター	埼玉県所沢市並木 4 - 1
	国立障害者リハビリテーションセンター自立支援局神戸視力障害センター	兵庫県神戸市西区曙町 1070
	国立障害者リハビリテーションセンター自立支援局函館視力障害センター	北海道函館市湯川町 1 -35-20
	国立障害者リハビリテーションセンター自立支援局福岡視力障害センター	福岡県福岡市西区今津 4820-1
	国立障害者リハビリテーションセンター自立支援局別府重度障害者センター	大分県別府市南荘園町 2 組
	国立障害者リハビリテーションセンター自立支援局秩父学園	埼玉県所沢市北原町 860
国立児童自立支援施設	国立武蔵野学院	埼玉県さいたま市緑区大字大門 1030
	国立きぬ川学院	栃木県さくら市押上 288

3 障害者職業能力開発校一覧

名　　　　　　称	所　　　在　　　地
〈国立〉	
北海道障害者職業能力開発校	北海道砂川市焼山 60
宮城障害者職業能力開発校	宮城県仙台市青葉区台原 5 -15- 1
中央障害者職業能力開発校 （国立職業リハビリテーションセンター）	埼玉県所沢市並木 4 - 2
東京障害者職業能力開発校	東京都小平市小川西町 2 -34- 1
神奈川障害者職業能力開発校	神奈川県相模原市南区桜台 13 - 1
石川障害者職業能力開発校	石川県野々市市末松 2 -245
愛知障害者職業能力開発校	愛知県豊川市一宮町上新切 33-14
大阪障害者職業能力開発校	大阪府堺市南区城山台 5 - 1 - 3
兵庫障害者職業能力開発校	兵庫県伊丹市東有岡 4 - 8
吉備高原障害者職業能力開発校 （国立吉備高原職業リハビリテーションセンター）	岡山県加賀郡吉備中央町吉川 7520
広島障害者職業能力開発校	広島県広島市南区宇品東 4 - 1 -23
福岡障害者職業能力開発校	福岡県北九州市若松区蜑住 1728- 1
鹿児島障害者職業能力開発校	鹿児島県薩摩川内市入来町浦之名 1432
〈府県立〉	
青森県立障害者職業訓練校	青森県弘前市緑ケ丘 1 - 9 - 1
千葉県立障害者高等技術専門校	千葉県千葉市緑区大金沢町 470
静岡県立あしたか職業訓練校	静岡県沼津市宮本 5 - 2
京都府立京都障害者高等技術専門校	京都府京都市伏見区竹田流池町 121- 3
（分校）京都府立城陽障害者高等技術専門校	京都府城陽市中芦原 59
兵庫県立障害者高等技術専門学院	兵庫県神戸市西区曙町 1070

4　各種福祉資金制度一覧（令和5年度）

資金（制度）名	貸付対象	資金使途	貸付限度	貸付利率	償還期限	償還方法	担保・保証人
生活福祉資金	低所得世帯　障害者世帯　高齢者世帯	総合支援資金、福祉資金、教育支援資金、不動産担保型生活資金	各資金ごとに異なる	保証人あり保証人なし。緊急小口資金、教育支援資金は無利子。不動産担保型生活資金は年3％又は長期プライムレートのいずれか低い利率	10月以内～20年以内	年・半年・月（原則として元金均等償還）	担保不要（不動産担保型資金は除く）。保証人原則要（ただし、保証人なしでも貸付可）
母子福祉資金・父子福祉資金	母子（父子）の母、母子（父子）の母、母子（父子）が扶養する児童、父母のいない児童、母子（父子）福祉団体	事業開始・事業継続・修学・技能習得・修業・就職支度・医療介護・生活・住宅・転宅・結婚・就学支度	各資金ごとに異なる	保証人あり保証人なし　年1.0　修業・修学・就職支度・修学支度資金（児童に係る貸付けの場合）は無利子（親に貸付ける場合は保証人とし貸付ける場合は児童）	3年以内～20年以内	年・半年・月	担保不要　一部の資金を除き保証人なしで貸付可
寡婦福祉資金	寡婦が扶養する子、40歳以上の配偶者のない女子であって母子家庭の母及び寡婦以外のものの母子・父子福祉団体	事業開始・事業継続・修学・技能習得・修業・就職支度・医療介護・生活・住宅・転宅・結婚・就学支度	各資金ごとに異なる	保証人あり保証人なし、児童等に貸付ける場合は連帯借受人とし、連帯保証人は親等を連帯保証人とする。日本学生支援機構奨学金を受ける場合は減額される場合がある	3年以内～20年以内	年・半年・月	担保不要　一部の資金を除き保証人なしで貸付可
日本学生支援機構奨学金　※令和6年4月に制度の変更を予定。詳細は日本学生支援機構のホームページ参照。	優れた学生・生徒で経済的理由により修学困難な者	修学	（第一種奨学金）学種・設置者・入学年度・通学形態により異なる。（第二種奨学金）大学院　月2万～12万円から選択。月5・8・10・13・15万円から選択（給付奨学金）世帯の所得金額に基づく区分に応じて、設置者、通学形態により異なる。	（第一種奨学金）無利子（第二種奨学金）有利子	20年以内	月賦、月賦半年賦併用	（貸与奨学金のみ）人的保証制度又は機関保証制度を選択（第二種（海外）の場合は両方の加入が必要）所得連動返還方式（第一種のみ）

5 諸制度による収入の捕捉

1 給与所得

		対 象 所 得 等	調 査 時 期	調 査 方 法	実 施 主 体	摘　要
地方税	住民税（所得割）	前年（1〜12月）の所得を課税対象とする。	給与の支払者（事業主）は、1月1日現在における給与所得者の居住市町村ごとに給与支払報告書を作成し、提出しなければならない。 （地方税法第317条の6）		市　町　村	市町村は、給与支払報告書を基礎に税額を計算し、4月1日現在の給与支払者及びこれを経由して給与所得者に5月末日までに通知する。 （地方税法第321条の4ほか）
国税	所得税	当年（1〜12月）の所得を課税標準とする。	① 源泉徴収義務者（事業主）は、給与支払のつど所定の計算により算出した概算税額を徴収し納付しなければならない。 ② 12月に年末調整を行い精算する。 （所得税法第183条ほか）		国（税務署）	源泉徴収義務者は、各人ごとの源泉徴収票2通を作成し、1通を翌年1月31日までに税務署長に提出し、他の1通を給与所得者に交付しなければならない。 （所得税法第226条）
社会保険	健康保険 （標準報酬月額の決定）	原則として、毎年4〜6月間の平均給与月額を9月から1年間の標準報酬月額とする。	7月1日	事業主は、各労働者の4〜6月の報酬又は7月10日までに日本年金機構又は健康保険組合に提出しなければならない。 （定時決定）	日本年金機構 （年金事務所） 健康保険組合	1. 報酬には、賞与（年3回以下）に受けるものは含まない。 2. 年3回以下で受けるものは賞与として報酬とは別に保険料徴収の対象となる。 3. 昇給等により、2等級相当以上の変動があったときは、標準報酬月額を改定する。（随時改定） 4. 保険料率　都道府県ごとの保険料率（組合管等 30/1000〜130/1000）事業主、労働者折半。

			厚生労働大臣	
厚生年金保険 (標準報酬月額の決定)	同上	同上	厚生労働大臣	同上。ただし、保険料率は次のとおりである。保険料率18.3%、坑内員・船員18.3%。事業主、労働者折半。
雇用保険	1年間に事業主が支払った賃金総額	事業主は、毎年6月1日から7月10日までに、当該年度分う賃金総額により概算納付し、翌年6月1日から7月10日までに精算確定申告をする。	都道府県労働局	一般の事業の雇用保険率15.5/1000のうち、失業等給付及び育児休業給付の充当分として12.0/1000の率に応ずる部分を労使折半負担、残りの3.5/1000は、雇用安定事業等に充当し、雇用安定事業等に充当。雇用保険率17.5/1000適用事業（農林水産業・清酒製造業）の場合は、失業等給付及び育児休業給付の充当分として14.0/1000の率に応ずる労使折半負担、残りの3.5/1000は、事業主のみが負担し、雇用安定事業等に充当。雇用保険率18.5/1000適用事業（建設の事業）の場合は、失業等給付及び育児休業給付の充当分として14.0/1000の率に応ずる部分を労使折半負担、残りの4.5/1000は、事業主のみが負担し雇用安定事業等に充当。（令和5年4月～令和6年3月）
所得証明 国民年金法（福祉年金）、児童扶養手当法、特別児童扶養手当等の支給に関する法律	前年（1～12月）の所得	居住地市町村長の証明		(注) 1. いずれも受給要件である受給権者、配偶者及び扶養義務者の所得確認に使う。 2. 一般の所得制限、費用徴収のための個人所得の確認は、市町村の証明等によるものが多い。

2　事業所得（個人）

	対象所得	調査方法	実施主体	摘要
住　民　税 （事業所得等） （地方税法）	前年（1～12月）所得を課税標準とする。	3月15日までに前年の所得を申告する。 （地方税法第45条の2、第317条の2）	居住地の市町村	所得税の確定申告をした場合は、同時に住民税の確定申告もされたものとみなす。
事　業　税 （地方税法）	同　上	3月15日までに前年の所得を申告する。 （地方税法第72条の55）	事業所所在地の都道府県	所得税の確定申告をした場合は、同時に事業税の申告もされたものとみなす。
所　得　税 （事業所得） （所得税法）	当年（1～12月）の所得を課税標準とする。	翌年2月16日～3月15日の間に当年所得を確定申告しなければならない。 （所得税法第120条）	税　務　署	7月、11月に前年所得を基礎に予定納税基準額を算定し、7月、11月にその額の1/3ずつ前納し、翌年3月に当年所得に基づく確定申告をし、不足する税額を納税する。（所得税法第104条、第120条、第122条ほか）

6　諸制度による資産の把握

制　度（法律）	目　　　的	対　象　資　産	実施機関	摘　　　　　要
固　定　資　産　税 （地方税法第 341 条〜）	毎年 1 月 1 日現在における固定資産の所有者に対し、当該資産の価格に応じ課税する。	土地、家屋及び償却資産	固定資産所在地の市町村	1. 固定資産課税台帳により、所有者、価格等を登録しておき、これを基として課税する。（台帳課税主義） 2. 資産の価格は、原則として 3 年ごとに評価決定する。 3. 資産は、固定資産評価員が調査し評価のうえ、固定資産評価基準に則って評価し、作成した評価調書を基に市町村長が決定する。
自　動　車　税 （地方税法第 145 条〜）	自動車の所有者に対して課税する。 （毎年 4 月 1 日を課税期日とし、その後変動があった場合は月割で課税する。）	1. 乗用車 2. トラック 3. バス 4. 三輪の小型自動車	自動車の主たる定置場所在の道府県	1. 納税義務者は、道路運送車両法による自動車登録を申請した際文書をもって必要事項を申告しなければならない。（法第 152 条） 2. 道府県は、この申告に基づき自動車台帳を整備し、自動車税を課する。
軽　自　動　車　税 （地方税法第 442 条〜）	軽自動車の所有者に対して課税する。 （毎年 4 月 1 日を課税期日とする。）	1. 原動機付自転車 2. 軽自動車 3. 小型特殊自動車 4. 二輪の小型自動車	軽自動車の主たる定置場所在の市町村	1. 市町村の条例で軽自動車等に当該市町村の交付する標識を付すべき旨を定めている場合は、標識交付の際課税する。 2. 1 以外の場合は、条例の定めるところにより納税義務者に申告又は報告させ、これに基づき課税する。

制　度（法律）	目　　的	対　象　資　産	実　施　機　関	摘　　要
不　動　産　登　記 （不動産登記法）	不動産に関する物理的状況及びその権利関係を公示する。	○土地及び建物 ○登記の対象となる権利は、所有権、地上権、永小作権、地役権、先取特権、質権、抵当権、賃借権及び採石権である。	法務局・地方法務局及びその支局、出張所	1. 所在地番、地目、地積等の不動産の表示並びに当該不動産に関する権利の保存、設定、移転、変更、処分の制限及び消滅を登記する。（法第3条） 2. 登記は、原則として当事者の申請又は官公署の嘱託により行う。（法第16条） 3. 登記事項証明書は、誰でも交付を請求することができる。（法第119条）
自　動　車　の　登　録 （道路運送車両法）	自動車について、所有権の公証のための自動車登録を行う。	道路運送車両 自動車（軽自動車、小型特殊自動車及び二輪の小型自動車を除く。）	陸運支局、自動車検査登録事務所	1. 自動車登録ファイルに登録されていない自動車は運行の用に供することができない。（法第4条） 2. 自動車登録ファイルに記録されている事項については、誰でも証明書（登録事項等証明書）の交付を請求することができる。（法第22条）

7　医療制度

1　健康診査制度

対象者	対象疾病	実施時期	実施主体	健康診査	健康診査方法等	費用	根拠法令
妊婦			市町村	一般健康診査及び精密健康診査	一般健康診査及び精密健康診査（医療機関委託）	一定回数を無料としている自治体がある。	母子保健法第13条
乳児			〃	一般健康診査及び精密健康診査			
1歳6か月児			〃	一般健康診査、精密健康診査及び歯科健康診査	〃	無料又は一部費用徴収	母子保健法第12条
3歳児			〃				
就学予定者		学齢簿が作成された後翌学年の初めから4月前（11月30日）（学校教育法施行令第5条等に規定する就学に関する手続の実施に支障がない場合にあっては、3月前（12月31日））までの間	〃	就学時健康診断		無料	学校保健安全法第11条
児童 生徒 学校職員等		毎学年6月30日まで（学校職員については設置者が定める適切な時期）	学校 学校の設置者	定期健康診断 臨時健康診断		〃	〃　第13条 〃　第15条

対象者	対象疾病	実施時期	実施主体	健康診査方法等	費用	根拠法令
生徒、学生、病院等において業務に従事する者	結核	入学した年度	学校の長　事業者	定期健康診断	無　料	感染症法第53条の2
65歳以上の者　介護老人保健施設等に入所している者		毎年度	市町村　施設等の長			感染症法第17条
その他一般		適宜		定期外健康診断		
	性器クラミジア感染症　性器ヘルペスウイルス感染症　尖圭コンジローマ　梅毒　淋菌感染症　ヒトT細胞白血病ウイルスI型(HTLV-1)　一類感染症、二類感染症、三類感染症又は新型インフルエンザ等感染症	毎年度	都道府県・保健所設置市・特別区	性感染症（5疾病）及びHTLV-1（※）の検査	無料又は一部費用徴収	予算措置
		感染症のまん延を防止するため必要があると認めるとき		予防上必要な健康診断	無　料	感染症法第17条
原　爆　被　爆　者		定期2回　希望2回以内	都道府県又は広島市、長崎市	健康診断（一般検査、精密検査）他に被爆者の希望による健康診断が年2回認められている。（うち1回をがん検診とすることができる）	無　料	原子爆弾被爆者に対する援護に関する法律第7条
40歳以上の者（対象者の範囲は、健康診査の種類により異なる）		毎年	市町村	健康診査　歯周疾患検診　骨粗鬆症検診　肝炎ウイルス検診　がん検診	無料又は一部費用徴収	健康増進法第19条の2

2　医療給付制度一覧

優先順位	制度・法律		対象者	対象疾病等	実施主体（窓口）	給付率	摘要
A	戦傷病者特別援護法	療養の給付	戦傷病者（戦傷病者手帳所持者）	公務上の傷病	都道府県	10割	
		更生医療		公務上の障害		10割	
D	感染症の予防及び感染症の患者に対する医療に関する法律	入院医療（37条）	新感染症の患者	新感染症	都道府県、保健所設置市、特別区	10割	所得による一部負担あり
			1類又は2類の感染症患者、新型インフルエンザ等感染症の患者	1類又は2類の感染症、新型インフルエンザ等感染症		10割	
		適正医療（37条の2）	結核に係る一般患者	結核		9.5割	
D	精神保健福祉法	措置入院（29条）	自傷他害のおそれのある者	精神疾患	都道府県、指定都市	10割	一定所得以上の場合は費用負担あり
E	公害健康被害の補償等に関する法律		認定患者	指定疾病	県又は市（区）	10割	
B	業務上の災害による療養補償給付（労働者災害補償保険法）		被用者	業務上の災害	保険者	10割	
C	医療保険（健保）		被保険者、被扶養者	一般	保険者	健保本人 7割（70歳以上75歳未満8割所得者7割（現役並み所得者7割）） 健保家族 就学前、70歳前8割、70歳以上75歳未満8割（現役並み所得者7割）	

優先順位	制度・法律		対象者	対象疾病等	実施主体（窓口）	給付率	摘要
C	医療保険（国保）		被保険者	一般	保険者	国保一般　7割 退職被保険者　7割 退職被保険者家族　7割	義務教育就学前の者8割, 70歳以上75歳未満者7割（現役並み所得者8割, 70歳以上75歳未満所得者7割）/ 義務教育就学前の者8割, 70歳以上75歳未満者7割（現役並み所得者8割, 70歳以上75歳未満所得者7割）
C	独立行政法人日本スポーツ振興センター法（児童・生徒等の災害共済給付制度）		共済加入学校等の児童・生徒等（小、中、高校、中等教育学校、高専、幼稚園、幼保連携型認定こども園、特別支援学校、保育所等）	学校及び保育所の管理下における災害	独立行政法人日本スポーツ振興センター	負傷・疾病の場合　4割 障害の場合 41万～3,770万円 死亡の場合 1,400万又は2,800万円	掛金は低所得者免除あり
E	学校保健安全法		要保護又は準要保護世帯の児童又は生徒で学校から治療指示を受けたもの	感染性又は学習に支障のある疾病	学校を設置した都道府県又は市町村	10割	
C	後期高齢者医療（高齢者の医療の確保に関する法律）		被保険者	一般	後期高齢者医療広域連合	9割 （一定以上の所得者は8割, 現役並み所得者は7割）	
E	自立支援医療（障害者の日常生活及び社会生活を総合的に支援するための法律）	育成医療	18歳未満の障害児	障害の除去、軽減のための手術等	市町村	所得により一定度額以内	所得による（最高1割負担）
		更生医療	18歳以上の身体障害者	障害の除去、軽減のための手術等	市町村	所得により一定度額以内	所得による（最高1割負担）
		精神通院医療	通院患者	精神疾患	都道府県（保健所、指定都市）	所得により一定度額以内	所得による（最高1割負担）

	制度（根拠法）	対象者	対象疾病	実施主体	自己負担	費用徴収等
E	療育の給付（児童福祉法）	児童	結核	都道府県（保健所）、指定都市、中核市	―	所得による費用徴収あり
E	小児慢性特定疾病医療（児童福祉法）	児童	小児慢性特定疾病	都道府県、指定都市、中核市	―	所得に応じた一部負担
E	特定疾患治療研究事業	対象疾患患者で医療保険後期高齢者医療又は介護保険等の自己負担のある者	スモン、難治性肝炎のうち劇症肝炎、重症急性膵炎、重症多形滲出性紅斑（急性期）	都道府県	所得により一定限度額以内　健保等の自己負担分	
E	特定医療費（難病の患者に対する医療等に関する法律）	難病患者	指定難病	都道府県、指定都市	所得により一定限度額以内	所得に応じた一部負担
E	妊娠高血圧症候群（妊娠中毒症）等療養援護（母子保健法）	低所得者の妊産婦	妊娠高血圧症候群（妊娠中毒症）糖尿病等	都道府県政令市（保健所）	所得により一定限度額以内	
E	養育医療（母子保健法）	未熟児		市町村	―	所得による費用徴収あり
B	原子爆弾被爆者に対する援護に関する法律　認定疾病医療（10条）	原爆被爆者	原子爆弾の傷害作用に起因する傷病	国（都道府県又は長崎市、広島市）	10割	
E	一般疾病医療（18条）		一般疾病		健保等の自己負担分	

（注）優先順位は、医療給付制度が重複した場合の費用負担についての一般原則によりランクづけたものである。

3　医療給付が重複した場合の費用負担関係
ア　医療保険と公費負担医療

法　律	医療の内容	負担の優先	費用負担の態様
1. 感染症の予防及び感染症の患者に対する医療に関する法律	(1) 適正医療（37条の2）	保険給付優先（39条）	◎ 患者負担を5％とし、保険給付の残りを給付する。 (1) 一般　保険7／公費2.5／0.5　（注）◻は患者負担分である。 (2) 義務教育就学前　保険8／公費1.5／0.5 (3) 70歳以上75歳未満　保険9／公費0.5／0.5　（注）現役並み所得者を除く。 ただし、生活保護を受けるに至った場合は、次のようになる。 公費9.5／生活保護0.5
	(2) 入院医療（37条）	保険給付優先（39条）	◎ 保険給付の残りを給付するが、市町村民税所得割額56万4000円超については自己負担額を2万円とする。 (1) 一般　保険7／公費3 (2) 義務教育就学前　保険8／公費2 (3) 70歳以上75歳未満　保険8／公費2　（注）現役並み所得者を除く。

法律	医療の種類	費用負担区分	内容
2．精神保健及び精神障害者福祉に関する法律	措置入院（29条）	保険給付優先	◎ 感染症法の入院医療と同じ。
3．原子爆弾被爆者に対する援護に関する法律	(1) 認定疾病医療（10条） (2) 一般疾病医療（18条）	(平成7年7月〜) 全額公費負担 保険給付優先	◎ 保険給付の残りを給付する。 (1) 一般　〔7 保険／3 公費〕 (2) 70歳以上75歳未満　〔8 保険／2 公費〕（注）現役並み所得者を除く。
4．公害健康被害の補償等に関する法律	公害医療（3条1項1号）	全額公費負担	
5．障害者の日常生活及び社会生活を総合的に支援するための法律	自立支援医療（52条）	保険給付優先	◎ 保険給付の残りを支給する。 (1) 一般　〔7 保険／3 公費〕（注）公費分については、所得に応じ費用負担がある（最高1割）。 (2) 義務教育就学前　〔8 保険／2 公費〕（注）公費分については、所得に応じ費用負担がある（最高1割）。 (3) 70歳以上75歳未満　〔9 保険／1 公費〕（注）現役並み所得者を除く。公費分については、所得に応じ費用負担がある（最高1割）。

法　律	医　療　の　内　容	負担の優先	費　用　負　担　の　態　様
6．児童福祉法	療育の給付（20条）	保険給付優先	◎ 保険給付の残りを支給する。 ［保　険 7 ／ 公　費 3］ （注）公費分については、所得に応じ費用徴収される。
7．母子保健法	養育医療（20条）	保険給付優先	◎ 保険給付の残りを支給する。 ［保　険 8 ／ 公　費 2］ （注）公費分については、所得に応じ費用徴収される。
8．生活保護法	医療扶助（15条）	保険給付優先	◎ あらゆる給付を受けた後の患者負担部分を給付対象とする。 (1) 健保本人・家族 （義務教育就学後から70歳未満）［保　険 7 ／ 公　費 3］ （70歳以上75歳未満）［保　険 9 ／ 公費 1］ (2) 健保家族 （義務教育就学前）［保　険 8 ／ 公　費 2］
9．戦傷病者特別援護法	(1) 療養の給付（10条） (2) 更生医療（20条）	全額公費負担 全額公費負担	

イ 高齢者の医療の確保に関する法律（後期高齢者医療制度）と公費負担医療

法律	医療の内容	負担の優先	費用負担の態様
1. 感染症の予防及び感染症の患者に対する法律	(1) 適正医療（37条の2）	後期高齢者医療優先（39条）	◎ 患者負担を結核医療費の5％とし、保険給付の残りを給付する。 (1) 一般　　　　　　後期高齢者医療 9 ／ 公費 0.5 ／ 0.5 (2) 一定以上所得者　後期高齢者医療 8 ／ 公費 1.5 ／ 0.5 (3) 現役並み所得者　後期高齢者医療 7 ／ 公費 2.5 ／ 0.5 (注)▨▨は患者負担分である。
	(2) 入院医療（37条）	後期高齢者医療優先（39条）	◎ 保険給付の残りを給付するが、市町村民税所得割額56万4000円超については自己負担額を2万円とする。 (1) 一般　　　　　　後期高齢者医療 9 ／ 公費 1 (2) 一定以上所得者　後期高齢者医療 8 ／ 公費 2 (3) 現役並み所得者　後期高齢者医療 7 ／ 公費 3
2. 精神保健及び精神障害者福祉に関する法律	(1) 措置入院（29条）	後期高齢者医療優先（30条の2）	◎ 感染症法の入院医療と同じ。

法律	医療の内容	負担の優先	費用負担の態様
3. 原子爆弾被爆者に対する援護に関する法律	(1) 認定疾病医療 (10条) (2) 一般疾病医療 (18条)	全額公費負担 後期高齢者医療優先	◎ 保険給付の残りを給付する。 (1) 一般 ── 後期高齢者医療 9／公費 1 (2) 一定以上所得者 ── 後期高齢者医療 8／公費 2 (3) 現役並み所得者 ── 後期高齢者医療 7／公費 3
4. 公害健康被害の補償等に関する法律	公害医療 (3条1項1号)	全額公費負担	
5. 障害者の日常生活及び社会生活を総合的に支援するための法律	自立支援医療 (52条)	後期高齢者医療優先	◎ 保険給付の残りを給付する。 (1) 一般 ── 後期高齢者医療 9／公費 1　(注) 公費分については、所得に応じ費用負担がある (最高1割)。 (2) 一定以上所得者 ── 後期高齢者医療 8／公費 2　(注) 公費分については、所得に応じ費用負担がある (最高1割)。 (3) 現役並み所得者 ── 後期高齢者医療 7／公費 3　(注) 公費分については、所得に応じ費用負担がある (最高1割)。
6. 戦傷病者特別援護法	(1) 療養の給付 (10条) (2) 更生医療 (20条)	｝全額公費負担	
7. 生活保護法	医療扶助 (15条)	全額公費負担	

8　各種手当金の支給月一覧表

法律又は要綱	手当名	支給月												その他
		1	2	3	4	5	6	7	8	9	10	11	12	
特別児童扶養手当等の支給に関する法律	特別障害者手当 障害児福祉手当		○			○			○			○		
	特別児童扶養手当				○				○			△	○	
児童手当法	児童手当		○				○				○			
児童扶養手当法	児童扶養手当	○		○		○		○		○		○		
災害弔慰金の支給等に関する法律	災害弔慰金													○
戦傷病者戦没者遺族等援護法	障害年金	○			○			○			○		△	
	障害一時金													○
	遺族年金	○			○			○			○		△	
	遺族給与金	○			○			○			○		△	
	弔慰金													○
戦没者等の妻に対する特別給付金支給法	特別給付金					○				○				
戦没者等の遺族に対する特別弔慰金支給法	特別弔慰金					○	○							
戦没者の父母等に対する特別給付金支給法	特別給付金						○			(○)				
戦傷病者等の妻に対する特別給付金支給法	特別給付金					○								
戦傷病者特別援護法	療養手当	○	○	○	○	○	○	○	○	○	○	○	○	
	葬祭費													○
未帰還者留守家族等援護法	留守家族手当	○	○	○	○	○	○	○	○	○	○	○	○	
	帰郷旅費													○
	葬祭料													○
	遺骨引取経費													○
	障害一時金													○
未帰還者に関する特別措置法	弔慰料													○
引揚者給付金等支給法	引揚者給付金					○								
	遺族給付金					○								
恩給法	普通恩給	○			○			○			○		△	
	増加恩給	○			○			○			○		△	
	傷病年金	○			○			○			○		△	
	特例傷病恩給	○			○			○			○		△	
	普通扶助料	○			○			○			○		△	
	公務扶助料	○			○			○			○		△	

法律又は要綱		手当名	支給月												その他
			1	2	3	4	5	6	7	8	9	10	11	12	
恩給法		増加非公死扶助料	○			○			○			○	△		
		特例扶助料	○			○			○			○	△		
		傷病者遺族特別年金	○			○			○			○	△		
		傷病賜金													○
		一時恩給													○
		一時扶助料													○
		一時金													○
国民年金法	昭和61.3.31までに年金を受けている者	老齢年金		○		○		○		○		○		○	
		通算老齢年金		○		○		○		○		○		○	
		障害年金		○		○		○		○		○		○	
		母子年金		○		○		○		○		○		○	
		準母子年金		○		○		○		○		○		○	
		遺児年金		○		○		○		○		○		○	
		寡婦年金		○		○		○		○		○		○	
		死亡一時金													○
		老齢福祉年金				○				○			△	○	
	昭和61.4.1以後年金等を受ける者	老齢基礎年金		○		○		○		○		○		○	
		障害基礎年金		○		○		○		○		○		○	
		遺族基礎年金		○		○		○		○		○		○	
		付加年金		○		○		○		○		○		○	
		寡婦年金		○		○		○		○		○		○	
		死亡一時金													○
		脱退一時金													○
厚生年金保険法	昭和61.3.31までに年金を受けている者	老齢年金		○		○		○		○		○		○	
		通算老齢年金		○		○		○		○		○		○	
		障害年金		○		○		○		○		○		○	
		遺族年金		○		○		○		○		○		○	
		通算遺族年金		○		○		○		○		○		○	
	昭和61.4.1以後年金等を受ける者	老齢厚生年金		○		○		○		○		○		○	
		障害厚生年金		○		○		○		○		○		○	
		遺族厚生年金		○		○		○		○		○		○	
		障害手当金													○
		脱退一時金													○
年金生活者支援給付金の支給に関する法律		老齢年金生活者支援給付金		○		○		○		○		○		○	
		補足的老齢年金生活者支援給付金		○		○		○		○		○		○	
		障害年金生活者支援給付金		○		○		○		○		○		○	

法律又は要綱	手当名	支給月												その他
		1	2	3	4	5	6	7	8	9	10	11	12	
年金生活者支援給付金の支給に関する法律	遺族年金生活者支援給付金		○		○		○		○		○		○	
労働者災害補償保険法	休業補償給付													○
	（障害補償付）													
	障害補償年金		○		○		○		○		○		○	
	障害補償一時金等													○
	（遺族補償給付）													
	遺族補償年金		○		○		○		○		○		○	
	遺族補償一時金													○
	葬　祭　料													○
労働者災害補償保険法	傷病補償年金		○		○		○		○		○		○	
	介護補償給付													○
	休　業　給　付													○
	（障　害　給　付）													
	障　害　年　金		○		○		○		○		○		○	
	障　害　一時金等													○
	（遺　族　給　付）													
	遺　族　年　金		○		○		○		○		○		○	
	遺　族　一時金等													○
	葬　祭　給　付													○
	傷　病　年　金		○		○		○		○		○		○	
	介　護　給　付													○
	二次健康診断等給付													○
雇用保険法	基　本　手　当	○	○	○	○	○	○	○	○	○	○	○	○	
	技能習得手当	○	○	○	○	○	○	○	○	○	○	○	○	
	寄　宿　手　当	○	○	○	○	○	○	○	○	○	○	○	○	
	傷　病　手　当	○	○	○	○	○	○	○	○	○	○	○	○	
	特　例　一　時　金													○
	日　雇　労　働求職者給付金													○
	高年齢求職者給　　付　　金													○
	就　業　手　当													○
	再　就　職　手　当													○
	就職促進定着手当													○
	常用就職支度手当													○
	移　　転　　費													○
	広域求職活動費													○
	教育訓練給付金													○
	教育訓練支援給付金													○

法律又は要綱	手当名		支給月												その他
			1	2	3	4	5	6	7	8	9	10	11	12	
雇用保険法	高年齢雇用継続基本給付金	奇数月型	○		○		○		○		○		○		
		偶数月型		○		○		○		○		○		○	
	高年齢再就職給付金	奇数月型	○		○		○		○		○		○		
		偶数月型		○		○		○		○		○		○	
	育児休業給付金	奇数月型	○		○		○		○		○		○		○
		偶数月型		○		○		○		○		○		○	○
	介護休業給付金														○
健康保険法	傷病手当金														○
	出産育児一時金														○
	出産手当金														○
	家族出産育児一時金														○
	埋葬料(費)														○
	家族埋葬料														○
国民健康保険法	出産育児一時金														○
	葬祭費														○
高齢者の医療の確保に関する法律	葬祭費														○
労働施策の総合的な推進並びに労働者の雇用の安定及び職業生活の充実等に関する法律	就職促進手当		○	○	○	○	○	○	○	○	○	○	○	○	
	訓練手当		○	○	○	○	○	○	○	○	○	○	○	○	
	求職活動支援費														○
	移転費														○
	就業支援金														○

(注)　1．△印は，1月支払い分を繰り上げて支給するもの。
　　　2．(○)印は，制定当初の権利取得者にかかる支給月。

9　民間補助金制度の概要

補　助　機　関	補助対象主体事業	補　助　概　要	申請手続の概要等
年賀寄付金による社会貢献事業助成 日本郵便株式会社 （東京都千代田区大手町2-3-1）	1．申請が可能な団体 　社会福祉法人，更生保護法人，一般社団法人，一般財団法人，公益社団法人，公益財団法人，NPO法人等 2．対象事業 　「お年玉付郵便葉書等に関する法律」により定められた次の10分野 　(1)　社会福祉の増進を目的とする事業 　(2)　風水害，震災等非常災害による被災者の救助又は災害の予防を行う事業 　(3)　がん，結核，小児まひその他特殊な疾病の学術的研究，治療又は予防を行う事業 　(4)　原子爆弾の被爆者に対する治療その他の援助を行う事業 　(5)　交通事故の発生若しくは水難に際しての人命の応急的な救助又は交通事故の発生若しくは水難の防止を行う事業 　(6)　文化財の保護を行う事業 　(7)　青少年の健全な育成のための社会教育を行う事業 　(8)　健康の保持増進を図るためにするスポーツ	配分事業分野 1．一般枠 　・活動・一般プログラム 　・活動・チャレンジプログラム 　・施設改修 　・機器購入 　・車両購入 2．特別枠 　・東日本大震災，令和元年台風19号及び令和2年豪雨災害の被災者救助・予防（復興） 申請金額 　上限は1件当たり500万円とし，活動・チャレンジプログラムについては50万円	1．公募の公示 　2023年8月31日 2．申請書の提出 　申請に必要な書類を揃えて，特定記録郵便又は簡易書留郵便で事務局へ送付する。 3．受付期間 　2023年9月12日〜11月2日 4．配分決定時期 　2024年3月末日頃（予定）

補　助　機　関	補助対象主体事業	補　助　概　要	申請手続の概要等
	の振興のための事業 (9)　開発途上にある海外の地域からの留学生又は研修生の援護を行う事業 (10)　地球環境の保全（本邦と本邦以外の地域にまたがって広範かつ大規模に生ずる環境の変化に係る環境の保全をいう。）を図るために行う事業		
日本財団 （東京都港区赤坂 1-2-2 日本財団ビル）	1．対象となる団体 　一般財団法人，一般社団法人，公益財団法人，公益社団法人，社会福祉法人，NPO 法人（特定非営利活動法人）など非営利活動・公益事業を行う団体 2．対象となる事業 (1)　子ども 　・こども基本法の理念に基づき，子どもの権利条約等を推進するための取り組み 　・困難に直面する子どもの生き抜く力を育む居場所づくり 　・虐待予防や養育困難家庭の支援，里親や特別養子縁組制度など子どもが地域の家庭で暮らすための取組 　・難病児，医療的ケア児，重度心身障害児など医療依存度の高い子どもとその家族を地域で支える支援拠点づくり　等	1．補助対象経費 　補助の対象となる事業の実施に必要と認められる経費 2．補助率 　社会福祉，教育，文化などの事業 　・財団・社団・社福・NPO 法人：補助率80％以内	申請に関する募集要項は，ホームページ等で告知される。手続きはGoogle フォームを使用して申請。 1．申請受付期間 　2023 年 10 月2 日～10 月 31日 2．結果の通知 　2024 年 3 月中旬から下旬までに文書で通知

補 助 機 関	補助対象主体事業	補 助 概 要	申請手続の概要等
	(2) 障害者 ・都道府県の平均賃金・工賃を上回る実績を有する団体が，生産活動における新たな手法等により，現在の平均賃金・工賃を倍増以上にする取組 等 (3) 高齢者 ・個々の事情に寄り添った介護・医療・生活支援が一体となったサポートを受け，住み慣れた地域で自分らしい生活を送ることができる高齢者の生活の拠点づくり 等 (4) 社会 ・自治体との協定に基づき発災時に協定福祉避難所を開設する施設において，要配慮者の避難生活のための発電機，蓄電池等の機材を整備するもの ・web3，メタバースなどの先端技術を用い，既存の手法を超えて社会課題を解決し，多様性ある社会づくりを目指した取組 ・その他，社会課題の解決に関する取組等		

補 助 機 関	補助対象主体事業	補 助 概 要	申請手続の概要等
中央競馬馬主社会福祉財団（東京都港区虎ノ門 1 - 2 -10 虎ノ門桜田通ビル 2 F）	1．補助対象主体　社会福祉法人，公益社団法人，公益財団法人，社会福祉事業を行っている NPO 法人 2．補助対象事業　社会福祉施設の設置，増改築及び各種修繕工事等，車両，備品等の購入	補助率　3/4 以内	各都道府県の馬主協会又は共同募金会で申請受付
清水基金（東京都中央区日本橋 3 -12-2 朝日ビルヂング 3 F）	1．補助対象主体　障害児（者）の民間福祉施設を経営する社会福祉法人 2．助成の内容　施設福祉及び地域福祉に必要な建物・車両・機器等の整備等	補助金額 (1)　1 法人当たり 50 万円以上 1,000 万円以内 (2)　原則として申込法人が事業費の 30％以上を負担 (3)　総額 3 億 6,000 万円 80 件程度	1．申込書の提出　当基金に直接提出する。 2．申込期間　2023 年 4 月中旬〜7 月31日 3．補助決定時期　2024 年 1 月末
三菱財団（東京都千代田区丸の内 2 - 3 - 1 三菱商事ビル 21 F）	1．補助対象　社会福祉を目的とし，社会的意義があり，他のモデルとなることが期待できるような民間の事業等 2．助成金の使途 (1)　社会福祉事業活動費 (2)　社会福祉に関する調査研究費 (3)　施設費（建設，設備） (4)　その他の経費（職員研修費等を含む）	補助金額 総額 9,000 万円（2023年度）予定	1．申込書の提出　財団ホームページ上でマイページ登録のうえ，Web システムで応募 2．応募期間　2022 年 12 月 22 日〜2023 年 1 月 19 日 3．助成決定時期　2023 年 6 月
丸紅基金（東京都千代田区大手町 1 - 4 - 2 丸紅ビル）	社会福祉を目的とする民間の事業に対する助成。原則として公の援助を受けることが困難な非営利法人を対象，先駆的開拓的な事業，あるいは社会福祉事業で働く人々の活動環境の改善に資する企画などを優先	補助額 総額　1 億円（50 件以上） 1 件当たり　原則 200 万円が限度	1．所定の申請書を同基金に郵送する。 2．受付期間　2023 年 5 月 1 日〜6 月 30 日 3．補助決定時期　10 月下旬

補　助　機　関	補助対象主体事業	補　助　概　要	申請手続の概要等
車両競技公益資金記念財団（東京都文京区本郷 3-22-5 住友不動産本郷ビル 8 F）	社会福祉施設等の整備に対する助成事業　完成後 15 年以上経過した保育所等，障害者支援施設及び更生保護施設で老朽化等により利用上支障をきたし，その原状回復が必要と認められる事業	助成率及び助成限度額　保育所：助成対象経費の 2/3 以内，上限額は 400 万円以内　更生保護施設：助成対象経費の 2/3 以内，上限額は 1,000 万円以内　障害者支援施設：助成対象経費の 3/4 以内，上限額は 750 万円以内	1．保育所・申請書入手・提出先：各都道府県共同募金会・申請期間：2023 年 2 月 27 日〜3 月 31 日・結果の通知：2023 年 6 月上旬2．更生保護施設・申請書入手・提出先：財団 HP・財団公益事業部公益事業課・申請期間：2023 年 2 月 27 日〜3 月 31 日・結果の通知：2023 年 6 月上旬3．障害者支援施設・申請書入手・提出先：財団 HP・財団公益事業部公益事業課・申請期間：2023 年 5 月 29 日〜7 月 31 日，2023 年 8 月 1 日〜11 月 30 日・結果の通知：2023 年 9 月下旬，2024 年 2 月下旬

補助機関	補助対象主体事業	補助概要	申請手続の概要等
みずほ福祉助成財団 （東京都千代田区丸の内1-6-1 丸の内センタービル）	社会福祉助成金事業 　社会福祉法人，特定非営利活動法人等の非営利法人及び任意団体等又は研究グループとし，障害児者に関する事業及び研究で，先駆的・開拓的な事業及び研究	総額3,300万円。事業（研究）総額の90％以内で，事業は20万円以上100万円	所定の申請書を財団事務局に郵送する。 締切：2023年6月30日 決定：10月中旬
キリン福祉財団 （東京都中野区中野4-10-2）	1．キリン・地域のちから応援事業 　障害の有無，高齢者・子ども，日本人・外国人でも，同じ地域・コミュニティで生活する一員として共に理解し合い・支え合う共生社会の実現，地域における障害児・者，高齢者，子ども等の福祉向上に関わる次のようなボランティア活動を実施する団体に助成 ・子ども・子育て世代の福祉向上に関わるもの ・シルバー世代の福祉向上に関わるもの ・障害や困りごとのある人・支える人の福祉向上に関わるもの ・地域やコミュニティの活性化に関わるもの 2．キリン・福祉のちから開拓事業 　障害者福祉分野，高齢者福祉分野，児童・青少年健全育成分野，地域社会福祉分野のボランティア活動を長期的視点に立って全国や広域にまたがり実施している，または活動しようと考えている団体に対して助成	①助成対象団体 　4名以上のメンバーが活動する団体・グループ ②助成対象 　活動に必要な旅費や交通費，什器・機器備品・文具等の消耗品費，制作物・ポスター・パンフレット等の作成費，通信費，会場費，講師・ボランティア等に対する謝金等 ③助成金額 　1件（1団体）あたりの上限額30万円（総額4,500万円。原則として単年度助成） ①助成対象団体 　10名以上のメンバーが活動する団体・グループ ②助成対象 　1．と同じ ③助成金額 　1件（1団体）あたりの上限額100万円（総額500万円。原則として単年度助成）	(1)所定の申請書を同財団に直接郵送する。 (2)受付期間 2023年9月4日〜10月31日 (3)結果発表 2024年3月下旬

索 引

か

は

ま

や

社会保障の手引　2024年版
施策の概要と基礎資料

令和 6 年 1 月 10 日　発行

発行者　　荘村明彦

発行所　　中央法規出版株式会社

〒 110-0016 東京都台東区台東 3-29-1　中央法規ビル

TEL 03-6387-3196

https://www.chuohoki.co.jp/

装丁デザイン　　冨澤　崇
印刷・製本　　　株式会社太洋社

ISBN978-4-8058-8980-0